Les régions du guide :
(voir la carte à l'intérieur de la couverture ci-contre)

France

Collection Le Guide Vert sous la responsabilité d'Anne Teffo

Édition
Stéphanie Vinet, L'ADÉ L'Atelier d'édition

Rédaction
Sabrina Bailleul, Martin Balédent, Gonzague Benoît-Latour, Sophie Bentot, Cécile Bouché-Gall, Aymar de la Bretesche, Catherine Brett, Béatrice Brillion, Isabelle Bruno, Pierre Chavot, Juliette Dablanc, Marie-Anne Damase, Léa Delpont, Frédéric Denhez, Clarisse Deniau, Michel Doussot, Anne Duquénoy, Marylène Duteil, Sandrine Favre, Baptiste Fillon, Alexandra Forterre, Sophie Fréret, Isabelle Gaudino, Christine Gelot-Bray, Christine Gil, Laurent Gontier, Arnaud Goumand, Serge Guillot, Guylaine Idoux, Sylvie Kempler, Hervé Kerros, Françoise Klingen, Anath Klipper, Claude Labat, Gaëlle Lapandry, Hélène Le Tac, Annabelle Lebarbé, Guy et Christine Lys, Emmanuelle Maisonneuve, Laurence Michel, Véronique Molin, Aulde Moreau, Sybille d'Oiron, Laurence Ottenheimer, Philippe Pataud-Célérier, Hélène Payelle, Pierre Plantier, Caroline Rabourdin, Amélie Renaut, Sandrine Salier, Manuel Sanchez, Fabien Spillmann, Thierry Théault, Magali Triano, Amaury de Valroger, Jacques Vernier, Stéphanie Vinet, Philippe Vouillon, Julie Wood

Cartographie
Stéphane Anton, Michèle Cana, Evelyne Girard

Remerciements
Didier Broussard

Conception graphique
Christelle Le Déan

Régie publicitaire et partenariats
michelin-cartesetguides-btob@fr.michelin.com
Le contenu des pages de publicité insérées dans ce guide n'engage que la responsabilité des annonceurs.

Contacts
Michelin
Guides Touristiques
27 cours de l'Ile Seguin, 92100 Boulogne-Billancourt
Service consommateurs : tourisme@tp.michelin.com
Boutique en ligne : www.michelin-boutique.com

Parution 2011

Le Guide Vert, mode d'emploi

Le Guide Vert, un guide en 3 parties

▷ **Organiser son voyage :** les informations pratiques pour préparer et profiter de son séjour sur place

▷ **Comprendre la destination :** les thématiques pour enrichir son voyage

▷ **Découvrir la destination :** un découpage en régions
(voir la carte dans le rabat de couverture et le sommaire p. 1)

En ouverture de chaque région, retrouvez
un **sommaire** qui indique :
● les villes et sites traités dans le chapitre
● les circuits conseillés

Pour chaque chapitre, consultez « ☺ **Nos adresses…** » :
● des informations pratiques
● des établissements classés par catégories de prix
● des lieux où boire un verre
● des activités à faire en journée ou en soirée
● un agenda des grands événements de l'année

En fin de guide

▷ un **index général** des lieux et thèmes traités
▷ un **index des cartes et plans** du guide
▷ la légende des symboles du guide
▷ la liste de nos publications

Et en complément de notre guide

▷ Créez votre voyage sur **Voyage.ViaMichelin.fr**

Sommaire

3/ DÉCOUVRIR LA FRANCE

▤ PARIS

▣ ÎLE-DE-FRANCE

▤ LE NORD : NORD-PAS-DE-CALAIS ET PICARDIE

▨ L'EST : ALSACE, LORRAINE ET CHAMPAGNE-ARDENNE

▤ BOURGOGNE ET FRANCHE-COMTÉ

▦ NORMANDIE

Sommaire

1/
ORGANISER
SON VOYAGE

Venir et se déplacer

En avion

COMPAGNIES AÉRIENNES

Air France – ☏ 3654 (0,34 €/mn) - www.air-france.com. Nombreuses liaisons quotidiennes avec les grandes villes de province.

Airlinair – ☏ 0 810 478 478 (prix d'un appel local) - www.airlinair. com. Compagnie régulière spécialisée dans la desserte régionale de la France.

Air Corsica – ☏ 0 825 35 35 35 (0,15 €/mn) - www.aircorsica. com. Cette compagnie assure de nombreuses liaisons entre les aéroports de Corse et plusieurs villes du continent.

AÉROPORTS

Paris possède deux aéroports internationaux, Orly et Roissy-Charles-de-Gaulle, où vous aurez de fortes chances de faire escale si vous arrivez de l'étranger et continuez votre voyage vers une autre ville française. Parmi celles-ci, quelques-unes comptent aussi un aéroport international comme Bordeaux, Lyon, Marseille, Nice, Strasbourg, Toulouse.

Pour connaître les horaires, l'état des vols en cours, les accès aux aéroports de Paris, les services en aérogare : **www.adp.fr**.

☺ **Bon à savoir** – Les aéroports de la capitale sont desservis par un service de cars et les transports en communs (*voir ci-après*). Le **taxi**, assurément plus cher, n'est pas forcément plus rapide compte tenu des embouteillages. Pour les deux aéroports comptez environ 60 € la course de jour.

Roissy-Charles-de-Gaulle

À 23 km au nord de Paris, par l'A 1.

Cars Air France – ☏ 0 892 350 820 (0,34 €/mn, 24h/24, 7j/7). Trajet Roissy - Porte Maillot - Étoile : 50mn - dép. 6h-23h - ttes les 30mn. Trajet Roissy - Gare de Lyon - Gare Montparnasse : 50mn - dép. 6h-22h - ttes les 30mn.

Bus de la RATP – **Roissybus** - Opéra (r. Scribe - à l'angle r. Auber) - trajet : 45-60mn - dép. 5h45-23h de Roissy vers Paris ; 6h-23h de Paris vers Roissy - ttes les 15mn.

RER B – Station Roissy-Aéroport CDG - terminal 1 ou 2 - ttes les 15mn - durée du trajet : 30mn. Pour se rendre à l'aéroport depuis Paris : prendre le RER B direction Aéroport-Charles-de-Gaulle-2-TGV - dép. 5h18-0h04. Pour se rendre à Paris depuis l'aéroport : prendre RER B direction St-Rémy-les-Chevreuse-Massy - dép. 4h56-23h56.

Orly

À 11 km au sud, par l'A 6.

Cars Air France – *Voir ci-dessus.* Trajet Orly - Gare Montparnasse - Invalides : 35mn - dép. 5h-23h30 - ttes les 30mn.

Bus de la RATP – **Orlybus** - Trajet Orly - Denfert-Rochereau (sortie du métro) : 30mn - dép. 6h-0h30 d'Orly Sud et Ouest vers Paris ; 5h35-23h05 de Paris vers Orly Sud et Ouest - ttes les 20mn.

RER B et Orlyval – Au dép. de Paris, prendre le RER B (direction St-Rémy-lès-Chevreuse) jusqu'à Antony, puis le métro automatique Orlyval (ttes les 4 à 7mn) - dép. 6h-23h entre Orly et Antony. Pour Orlyval, il faut un billet spécifique.

✈ *Voir Transports à Paris, p. 142.*

En train

TGV

De Bruxelles, le **Thalys** conduit au centre de Paris en 1h20 (arrivée à la gare du Nord).

En France, le réseau ferroviaire est géré par la SNCF. Le **TGV** (train à grande vitesse) permet de rallier les grandes villes françaises. Il vous conduit vers : le nord, à Arras, Lille (1h), Calais (1h30) ; l'ouest, à Rennes, Nantes (2h), Quimper (4h), Brest (4h30), Tours, Poitiers (1h30) ; le sud-ouest, à La Rochelle, Bordeaux (3h), Biarritz (5h), Toulouse (6h) ; l'est, à Reims (45mn), Metz (1h30), Strasbourg (2h20), Mulhouse (3h15) ; le sud-est, à Dijon (1h45), Lyon (2h), Valence, Avignon (2h30), Nîmes (3h), Marseille (3h15), Toulon (4h) et Nice (5h30) ; le sud, à Montpellier (3h30), Perpignan (5h).

Bon à savoir – Le TGV concurrence l'avion sur l'Hexagone. Il est souvent aussi rapide et en réservant vos billets à l'avance vous profiterez de tarifs plus avantageux. **Informations et réservations** – 3635 (0,34 €/ mn) - www.voyages-sncf.com.

TER

Des **trains express régionaux** sillonnent les régions au départ des grandes villes. Ces lignes ferroviaires sont renforcées par des lignes d'**autocar** qui desservent nombre de localités, en correspondance avec les trains.
www.ter-sncf.com

En voiture

RÉSEAU ROUTIER

Dans ce guide nous renvoyons à la carte Michelin **National n° 721** qui couvre la France pour vous permettre de localiser les villes ou sites à l'échelle du pays. Nous faisons également référence aux **cartes Michelin Région**, pour vous repérer dans une zone géographique plus limitée.

Choix du trajet

Sur le site **www.viamichelin.fr**, vous trouverez tous les itinéraires sur la France (et à partir des pays d'Europe) avec une multitude d'informations pratiques (distances, prix du carburant et des péages sur les autoroutes, estimation du temps), ainsi que des cartes du pays et des plans de villes, une sélection des hôtels et restaurants du Guide Michelin France, etc. Un lien vers la **boutique en ligne** permet de commander les cartes Michelin.

LOUER UNE VOITURE

Pour connaître l'implantation des agences de location, consultez les sites des sociétés. Parmi les principales : www.avis.fr ; www.europcar.fr ; www.budget.fr ; www.hertz.fr

Bon à savoir – Les loueurs sont très attentifs aux petits accrochages ou rayures. Soyez vigilant avant de partir : faites le tour du véhicule et veillez à ce que toutes les dégradations soient bien notées.

Avant de partir

Capitale : Paris
Superficie : 549 000 km²
Population : 63,1 millions d'hab.
Monnaie : euro
Langue officielle : français

Météo

Pour l'ensemble de l'Hexagone, l'**été** est, en général, la belle saison par excellence : la chaleur fait le plus souvent la joie des vacanciers, que ce soit sur le littoral méditerranéen, mais aussi le long des côtes atlantiques, en montagne ou en Picardie. Bien sûr, c'est aussi l'époque de l'affluence sur les plages et les sites touristiques.

L'**automne** est marqué par l'apparition des pluies, entre la mi-septembre et la fin novembre, sous l'influence des dépressions atlantiques et de brumes matinales, mais cette arrière-saison peut encore offrir de belles journées ensoleillées avec une luminosité douce particulièrement agréable. Après les vendanges, la nature passe par tous les tons du vert, de l'ocre et du doré. C'est le moment rêvé pour profiter des paysages de Bourgogne, d'Alsace ou de Normandie, d'autant que les touristes sont moins nombreux.

L'**hiver** est la saison idéale pour ceux qui veulent profiter des joies de la neige dans les stations de ski des Vosges, du Jura, du Massif central, des Alpes ou des Pyrénées. Toutefois, certains hivers peuvent être inhabituellement doux.

Le **printemps**, qui parfois s'installe tardivement, est marqué par le retour des dépressions atlantiques (moins violentes qu'en automne), et réserve des surprises, alternant des journées marquées par les averses et un temps presque estival.

Météo France – ℘ 3250 (1,35 € + 0,34 €/mn) suivi du n° du département pour la météo à 9 jours ou de : **1** – météo d'une commune, d'un département ; **2** – météo du prochain week-end ; **3** – météo activités de bord de mer et navigation ; **4** – météo montagne ; **6** – météo des routes. Ⴊ www.meteo.fr

UNE MOSAÏQUE DE CLIMATS

La France jouit d'un climat tempéré et schématiquement, la Loire marque une transition entre le Nord et le Sud. Mais par l'étendue du territoire de l'Hexagone, d'ouest en est, le climat se nuance.

La **façade du littoral**, du Nord-Pas-de-Calais au Pays basque – malgré des différences de températures et de précipitations –, est soumise à l'influence des vents d'ouest : ciels nuageux, humidité de l'air, fréquence des pluies (180 à 200 jours en Bretagne), hivers assez doux et étés relativement frais (7 °C en janvier et 17 °C en juillet sur la côte bretonne). Au fur et à mesure que l'on s'éloigne de la côte, l'influence océanique s'amoindrit. Si le **Val de Loire** semble hésiter constamment entre soleil et nuages, le ciel ne s'obscurcit jamais longtemps. Vers l'**est**, le climat, plus continental, connaît des contrastes saisonniers plus marqués : les hivers sont rudes et les étés sont chauds et orageux. Les températures restent cependant modérées en comparaison avec l'Europe centrale (3,4 °C à Paris, 0,9 °C à Strasbourg en janvier ; aux alentours de 19 °C en juillet).

Le **Sud-Est** bénéficie d'un climat méditerranéen qui contraste avec le reste de la France. Ici, l'été est chaud et presque complètement sec, le nombre de jours de pluie est faible (moins de 100, voir moins de 50 jours par an), le ciel est lumineux, et en toute saison, la côte provençale enregistre en moyenne 3 à 5 °C de plus qu'à Paris, sauf quand souffle le mistral ou la tramontane ! Enfin, dans les **massifs montagneux**, l'altitude modifie le climat : les températures diminuent et les précipitations augmentent au fur et à mesure qu'on s'élève ; les hivers deviennent plus froids et plus neigeux, les étés plus frais et plus arrosés, mais l'exposition, nord ou sud des versants, détermine de forts contrastes.

Adresses utiles

RENSEIGNEMENTS TOURISTIQUES

www.tourisme.fr – Portail de la FNOTSI (Fédération nationale des offices de tourisme et syndicats d'initiative). Mis à jour directement par les offices de tourisme, il vous permet d'accéder rapidement à une foule d'informations et d'idées vous permettant de choisir une destination, un type d'hébergement, des circuits ou séjours thématiques. Très pratique aussi, la liste d'accès organisée par régions naturelles ou pays : en effet, leurs noms portent quelquefois celui d'anciennes provinces françaises n'entrant pas dans la division administrative actuelle (régions, départements).

www.atout-france.fr – Le site de l'Agence de développement touristique de la France est adapté aux voyageurs étrangers en provenance de pays francophones comme la Suisse, la Belgique ou le Canada. Il met à disposition des brochures à télécharger.

Comités régionaux du tourisme (CRT)

Sur leurs sites vous trouverez les coordonnées des **comités départementaux** du tourisme.

Alsace – www.tourisme-alsace.com

Aquitaine – www.tourisme-aquitaine.fr

Auvergne – www.auvergne-tourisme.info

Bourgogne – www.bourgogne-tourisme.com

Bretagne – www.tourismebretagne.com

Centre – www.visaloire.com

Champagne-Ardenne – www.tourisme-champagne-ardenne.com

Corse www.visit-corsica.com

Franche-Comté – www.franche-comte.org

Paris Île-de-France – www.pidf.com

Languedoc-Roussillon – www.sunfrance.com

Limousin – www.tourismelimousin.com

Lorraine – www.crt-lorraine.fr

Midi-Pyrénées – www.midipyrenees.fr

Nord Pas-de-Calais – www.tourisme-nordpasdecalais.fr

Normandie – www.normandie-tourisme.fr

SEM des Pays de la Loire – www.enpaysdelaloire.com

Picardie – http://picardietourisme.com

Poitou-Charentes – www.poitou-charentes-vacances.com

Provence-Alpes-Côte d'Azur – www.crt-paca.fr

Riviera-Côte d'Azur – www.cotedazur-tourisme.com

Rhône-Alpes – www.rhonealpes-tourisme.fr

AGENCES DE VOYAGES

Pour acheter des billets d'avion, des séjours sur mesure ou clés en main, vous pouvez vous adresser à votre agence de voyages locale qui vous apportera un conseil personnalisé ou surfer sur internet.

Le site **www.voyagermoinscher. com** permet de comparer les prix des offres proposées par les voyagistes. N'hésitez pas à surfer sur les autres sites spécialisés :
www.lastminute.com
www.opodo.fr
www.anyway.com
www.expedia.fr
www.govoyages.com
www.easyvols.fr

Bon à savoir – Soyez attentif aux conditions de vente : sommes retenues pour frais de dossier, conditions d'annulation du séjour et montant des pénalités, prix d'une assurance voyage annulation.

Agences généralistes

Voyages SNCF – Agence de voyages en ligne : billets de train et d'avion, location de voitures, séjours, week-end, hôtels, promotions de dernière minute.
www.voyages-sncf.com
Fnac Voyages – Week-ends, séjours, vacances en famille ou circuits et itinéraires sur mesure.
www.fnac.com

Formalités

PIÈCES D'IDENTITÉ

La carte nationale d'identité en cours de validité ou le passeport sont valables pour les ressortissants des pays de l'Union européenne, d'Andorre, du Liechtenstein, de Monaco et de Suisse. Pour les Canadiens, un passeport valide est obligatoire.

Ambassades

Ambassade de Belgique – 9 r. de Tilsitt - 75017 Paris - 01 44 09 39 39 (en cas d'urgence seulement) - www.diplomatie. be/paris.
Ambassade de Suisse – 142 r. de Grenelle - 75007 Paris - 01 49 55 67 00 - www.eda.admin.ch/paris.
Ambassade du Canada – 35 av. Montaigne - 75008 Paris - 01 44 43 29 00 - www.amb-canada.fr.
Ambassade du Grand-Duché de Luxembourg – 33 av. Rapp - 75007 Paris - 01 45 55 13 37 - paris.amb@mae.etat.lu.

SANTÉ

Les ressortissants de l'Union européenne bénéficient de la gratuité des soins avec la **carte européenne d'assurance maladie**. Chaque membre d'une même famille doit en posséder une, y compris les enfants de moins de 16 ans.
Pour les autres ressortissants, il est nécessaire de prévoir une assurance soins médicaux et rapatriement.

VOITURE

Prévoir le permis de conduire à trois volets ou un permis international, les papiers du véhicule et la carte verte d'assurance.

ANIMAUX

Pour voyager en France avec votre chien ou votre chat, assurez-vous qu'il est identifié par une puce électronique et munissez-vous de son passeport européen et de son carnet de vaccination (vaccination antirabique mise à jour). Renseignez-vous auprès des lieux d'hébergement pour savoir si les animaux sont acceptés et auprès des offices du tourisme pour l'autorisation d'accès aux plages. Si vous voyagez en train, les

animaux de petite taille doivent être placés dans un panier, les chiens de grande taille tenus en laisse et muselés ; les tarifs varient selon la taille du chien.

Argent

La monnaie est l'**euro**.
Les cartes de crédit internationales sont acceptées dans presque tous les commerces, hôtels, restaurants et par les distributeurs de billets.

Téléphoner

En France, tous les numéros sont à 10 chiffres.
Pour appeler la France depuis l'étranger, composez le 00 (ou 011 du Canada) + 33 + le numéro de votre correspondant français (sans le zéro qui figure au début).
Pour appeler à l'étranger depuis la France, composez le 00 + l'indicatif du pays + le numéro de votre correspondant.

Numéros d'urgence
112 – Numéro européen.
18 – Pompiers.
17 – Police, gendarmerie.
15 – Urgences médicales.

Se loger

Retrouvez notre sélection d'hébergements dans « Nos adresses à… » en fin de description des principaux sites de la partie « Découvrir la France ».
⏏ **Bon à savoir** – Les comités départementaux *(voir p. 13)* de tourisme et certains offices de tourisme proposent un service de réservation en ligne mais aussi parfois des formules thématiques de courts séjours et des offres promotionnelles.

NOS CRITÈRES DE CHOIX

Nous vous proposons une sélection d'établissements dans et à proximité des villes ou des sites touristiques remarquables auxquels ils sont rattachés. Les adresses sont classées par catégories de prix *(voir le tableau ci-contre)* et les tarifs indiqués sont ceux pratiqués en haute saison. Le petit-déjeuner est généralement facturé en plus.
⏏ **Bon à savoir** – Selon les régions, les tarifs d'hébergement peuvent faire le grand écart entre la haute saison où l'affluence touristique est à son maximum et la basse saison, avec, entre les deux, des tarifs de moyenne saison. Dans les grandes villes, notamment à Paris, cette différenciation est moins pratiquée. Pour un choix plus étoffé d'hôtels, vous pouvez consulter le **Guide Michelin France**. Par ailleurs, le **Guide camping Michelin France** propose une sélection de terrains.

LES BONS PLANS

Réseau national des destinations départementales – ☎ 01 44 11 10 20 - www.destination-france.net. Réseau de centrales de réservation pour l'organisation et la vente de voyages et de séjours de toute nature (thématiques, courts, en famille, entre amis ou pour personne seule, etc.).

Fédération nationale des Locations de France Clévacances – ☎ 05 61 13 55 66 - www.clevacances.com. Elle propose des locations de vacances (gîtes, appartements, chalets, villas…) et chambres d'hôtes dans toutes les régions et publie un catalogue par département.

L'hébergement rural

Fédération des stations vertes de vacances et Villages de Neige – ☎ 03 80 54 10 50 - www.stationverte.com. Situées à la campagne ou en montagne, les stations vertes sont des destinations de vacances familiales reconnues autant pour leur qualité de vie que pour la qualité de leurs structures d'accueil et d'hébergement.

Fédération nationale des gîtes de France – ☎ 01 49 70 75 75 - www.gites-de-france. com. Elle publie des guides sur les différentes possibilités d'hébergement en milieu rural. Le site, qui enregistre les réservations, fournit les coordonnées des relais départementaux.

Les auberges de jeunesse

Pour réserver, la carte d'adhérent est obligatoire (cotisation annuelle). **Fédération unie des auberges de jeunesse** – ☎ 01 44 89 87 27 - www.fuaj.org.

Ligue française pour les auberges de jeunesse – ☎ 01 44 16 78 78 - www.auberges-de-jeunesse.com.

Les chambres d'hôtes

Il est vivement conseillé de réserver à l'avance ce type d'hébergement. Pour trouver une adresse consultez les centrales de réservation sur Internet :
www.chambresd'hôtes.org
www.chambresd'hôtes.fr

POUR DÉPANNER

Les chaînes hôtelières

L'hôtellerie dite « économique » peut rendre service. Sachez que vous y trouverez un équipement complet, mais un confort très simple. Souvent situés à proximité de grands axes routiers, ces établissements n'assurent pas de restauration. Toutefois, leurs tarifs restent difficiles à concurrencer.
Akena – www.hotels-akena.com
B & B – www.hotel-bb.com
Etap Hôtel – www.etaphotel.com
Villages Hôtel – www.villages-hotel.com
Les hôtels un peu plus chers (à partir de 60 € la chambre), offrent un meilleur confort et quelques services complémentaires :
Campanile – www.campanile.fr
Kyriad – www.kyriad.fr
Ibis – www.ibishotel.com

NOS CATÉGORIES DE PRIX				
	Se loger (prix de la chambre double)		**Se restaurer** (prix déjeuner)	
	Province	Grandes villes Stations	Province	Grandes villes Stations
Premier prix	jusqu'à 60 €	jusqu'à 80 €	jusqu'à 15 €	jusqu'à 20 €
Budget moyen	de 60 € à 100 €	de 80 € à 120 €	de 15 € à 30 €	de 20 € à 40 €
Pour se faire plaisir	de 100 € à 140 €	de 120 € à 160 €	de 30 € à 45 €	de 40 € à 60 €
Une folie	plus de 140 €	plus de 160 €	plus de 45 €	plus de 60 €

Se restaurer

Retrouvez notre sélection de restaurants dans « Nos adresses à… », en fin de description des principaux sites de la partie « Découvrir la France ». Comme pour les hébergements, ils sont listés par catégories de prix *(voir le tableau p. 17)*, sur la base mini/maxi en haute saison.

En général, vous pourrez déjeuner entre midi et 14h ou 14h30, et dîner entre 19h et 22h30. La plupart des établissements proposent un menu à prix fixe ou menu du jour. Le prix des boissons est rarement inclus. Mais la restauration est inégale : souvent « industrielle » dans les sites les plus touristiques, elle peut être authentique dans certains petits établissements qui ne paient pas de mine.

NOS CRITÈRES DE CHOIX

Pour répondre à toutes vos envies, nous proposons des restaurants régionaux, mais aussi classiques ou gastronomiques.
À consulter également le **Guide Michelin France**, pour une sélection plus étendue.

ÉTABLISSEMENTS TYPIQUES

En **Alsace**, on trouve les *winstubs* créés par les viticulteurs strasbourgeois pour promouvoir leurs vins. Dans une ambiance chaleureuse, on y déguste, devant un pichet de vin, quelques plats régionaux. Pour les amateurs de bière, les brasseries brassent sur place leurs produits.

Dans le **Nord**, d'innombrables petits cafés, appelés « estaminets » (prononcer « étaminet »), parfois paisibles, souvent très animés, au décor hétéroclite, désuet ou rustique, offrent une halte chaleureuse et rafraîchissante. On peut aussi s'y restaurer.

En **Bretagne**, le label **Crêperie Gourmande** distingue les spécialistes de la crêpe, disposant à ce titre d'un véritable savoir-faire et privilégiant les produits régionaux.
Ⴑ www.tourismebretagne.com (liste disponible dans la rubrique « Gastronomie » du site).

Bistrots de Pays

Basé sur l'authenticité et la qualité, ce label a pour but de préserver l'activité économique dans les villages et concerne les cafés ou les restaurants des petites communes (moins de 2 000 habitants). Un « Bistrot de Pays » reste ouvert toute l'année, sert les produits du terroir et propose des animations.
Ⴑ www.bistrotdepays.com

Fermes-auberges

Vous pourrez y déguster les produits du terroir. Certaines proposent une formule pique-nique.
Ⴑ www.bienvenue-a-la-ferme.com

Activités de A à Z

La richesse du patrimoine bâti et la variété des paysages français a donné naissance à un large éventail d'activités culturelles, sportives, gastronomiques, de détente… Pour connaître l'ensemble de l'offre, renseignez-vous auprès des fédérations sportives, des comités départementaux, des offices de tourisme…

⊕ **Bon à savoir** – Pour votre sécurité, lors de la pratique d'activités sportives ou de loisirs, nous vous conseillons de recourir aux services de professionnels (guides, moniteurs…).

BAIGNADE

Équipement

De nombreux équipements sportifs sont mis à la disposition des petits et des grands dans les stations balnéaires (piscine, ski nautique, scooter des mers, char à voile, cerf-volant, kayak de mer, etc.) mais aussi autour des plans d'eau, lacs et étang, à l'intérieur des terres.

Pavillon bleu

Il rassemble les communes et ports de plaisance qui répondent à des critères d'excellence pour la gestion globale de leur environnement.
♿ www.pavillonbleu.org

Sécurité

Les pavillons hissés sur les plages surveillées indiquent si la baignade est dangereuse ou non, l'absence de pavillon signifiant l'absence de surveillance.
Drapeau vert = baignade surveillée sans danger ; drapeau jaune = baignade dangereuse mais surveillée ; drapeau rouge = baignade interdite.

CHAR À VOILE ET SPEED SAIL

Le char à voile (réglementé en saison) se pratique à marée basse. Les plages du littoral vendéen, du Sud charentais et de Picardie, vastes et planes, sont bien adaptées à ces engins, mais aussi aux speed sails (planches à voile à roulettes).
Fédération française de char à voile – 𝄢 01 45 58 75 75 - www.ffcv.org.

CYCLOTOURISME ET VTT

La pratique du vélo est plus accessible dans les régions au relief peu accidenté, comme les bords de Loire, la Sologne, le Poitou, les rivages charentais et vendéens ou la Gironde et les forêts des Landes. Pour les plus sportifs, les régions de montagnes offrent des terrains de jeu de difficultés variables. Des panneaux indiquent, au départ des routes de cols, les kilométrages et pourcentages de pente des itinéraires. De plus, de nombreux sentiers de randonnée sont accessibles aux amateurs de VTT.
Fédération française de cyclotourisme – 𝄢 01 56 20 88 88 - www.ffct.org. Fiches-itinéraires pour toute la France.
Fédération française de cyclisme – 𝄢 01 49 35 69 24 - www.ffc.fr. 58 000 km de sentiers balisés pour le VTT, répertoriés dans un guide annuel gratuit.

ESCALADE

L'infinie variété des sites et des natures de roches offerte par les massifs alpins, corses et pyrénéens fait des montagnes françaises le théâtre idéal pour cette activité.

Entre randonnée et escalade, les **via ferrata** constituent une bonne approche. Il existe cependant différents niveaux de difficulté et certaines ne sont pas accessibles aux enfants ou aux personnes peu endurantes.

Fédération française de la montagne et de l'escalade – ℘ 01 40 18 75 50 - www.ffme.fr.

MARCHÉS ET CRIÉES

Très important dans la vie des communes, le marché est un moment fait de rencontres et d'échanges. Il représente une excellente façon de découvrir une région et les spécialités locales. Dans les ports, la vente des produits de la pêche, au retour des chalutiers, est un véritable spectacle. Elle a lieu en général tous les jours de la semaine, une demi-heure après le retour des bateaux.

Marchés au gras

Ces marchés typiques où l'on peut acheter des oies et des canards gras, des foies crus ou préparés, se déroulent traditionnellement en hiver. On les trouve principalement dans le Sud-Ouest (Landes, Gers, Dordogne…). Parmi les plus réputés : Brive-la-Gaillarde et Sarlat.

Marchés aux truffes

Le Vaucluse est le premier producteur national de truffes, mais le Périgord (à Sarlat notamment) et le Quercy ne sont pas en reste. Les marchés ont lieu le matin, de la mi-novembre à la mi-mars. À savoir, les transactions se font toujours au comptant et en liquide.

NAVIGATION DE PLAISANCE

Ports

Les côtes françaises comptent des ports de toute taille. Le nombre d'anneaux dont ils disposent, les tarifs et les services proposés varient d'un site à l'autre.

Fédération française des ports de plaisance – ℘ 01 43 35 26 26 - www.ffports-plaisance.com.

(☺) **Bon à savoir** – Le permis de naviguer est obligatoire pour piloter un bateau à moteur à partir de 6 CV.

Tourisme fluvial

L'ensemble des voies navigables françaises représente plus de 8 000 km. Les huit grands bassins de rivières et canaux sont le bassin de l'Est, la Bretagne, les Pays de Loire, le bassin Centre/Bourgogne, les Charentes, l'Île-de-France/Seine, la Picardie/Nord, le Sud-Ouest/Méditerranée.

La **location de « bateaux habitables »** *(house-boats)* permet une approche insolite des sites parcourus. Aucun permis n'est nécessaire mais le barreur doit être majeur ; il reçoit une leçon théorique et pratique avant le début de la croisière.

Voies navigables de France (VNF) – ℘ 03 21 63 24 24 - www. vnf.fr. Le Magazine fluvial et VNF publient le *Guide du plaisancier*.

Croisières organisées

Nombre d'organismes proposent des promenades commentées en bateau sur les rivières, les canaux, les lacs ou en mer.

PÊCHE

En eau douce

La pêche en étangs, lacs, rivières et canaux nécessite le respect d'une réglementation nationale ou locale, de s'affilier à une association de pêche et de pisciculture agréée, d'acquitter les taxes afférentes au mode de pêche pratiqué, etc. Pour certains étangs ou lacs, des cartes journalières sont délivrées.

Fédération nationale de la Pêche et de la Protection du Milieu aquatique – ℘ 01 48 24 96 00 - www.federationpeche.fr.

En mer

L'étendue des côtes, les baies sinueuses et les îles semblent promettre un champ d'activités sans limites à l'amateur de pêche en mer qui pourra pratiquer à pied, en bateau ou en plongée. Au départ des principaux ports, des sorties avec des pêcheurs professionnels sont organisées à la journée.
Fédération française des pêcheurs en mer – ✆ 05 59 31 00 73 - www.ffpm-national.com.

🐾 **Bon à savoir** – Des restrictions locales (date, quantité autorisée par pêcheur) qui diffèrent selon le littoral et selon les zones, encadrent la pratique de la **pêche à pied**. Tenez aussi compte des panneaux placés à proximité des zones de pêche, remettez les pierres en place, ne labourez pas la vase et consultez les horaires des marées.

PLONGÉE SOUS-MARINE

La Bretagne Sud, la côte méditerranéenne et la Corse offrent des sites idéaux pour la pratique de la plongée.
Fédération française d'études et de sports sous-marins – ✆ 04 91 33 99 31- www.ffessm.fr.

RANDONNÉES

Randonnées pédestres

Pour découvrir la diversité des paysages, parcourez les sentiers de **Grande Randonnée** (GR), jalonnés de traits rouges et blancs horizontaux, et les sentiers de **Petite Randonnée** (PR), balisés en bleu (jusqu'à 2h), jaune (de 2h15 à 3h45) ou vert (de 4h à 6h).

🐾 **Bon à savoir** – Avant de partir en montagne, prenez la mesure de la difficulté des chemins empruntés et consultez la météo.
Fédération française de la randonnée pédestre – ✆ 01 44 89 93 90 - www.ffrandonnee.fr. Elle édite une série de topo-guides.

Les **chemins de St-Jacques-de-Compostelle**, quatre grands itinéraires historiques empruntés par les pèlerins depuis le Moyen Âge, sont classés au Patrimoine mondial de l'Unesco.
👆 www.chemins-compostelle.com

Randonnées avec un âne

Dans les Alpes, les Cévennes, etc., des structures proposent des randonnées avec un âne bâté. L'animal peut transporter jusqu'à 40 kg à une allure de 4 km/h quel que soit le terrain : idéal pour randonner avec des enfants.
Fédération nationale ânes et randonnées – ✆ 06 33 97 91 54 - www.ane-et-rando.com.

Randonnées équestres

Dans chaque département, des itinéraires balisés sont accessibles.
Fédération française d'équitation – ✆ 01 58 17 58 17 - www.ffe.com.

Randonnées en traîneau à chiens

Cette activité se répand un peu partout dans les Alpes, le Vercors, ou dans le Jura… sur les sites de ski nordique. Simple baptême, balade, randonnée à la journée ou stage de conduite d'attelage vous sont proposés par les « mushers » (conducteurs d'attelages) professionnels.
Fédération française de pulka et traîneau à chiens – www.chiens-de-traineau.com

SPORTS AÉRIENS

Cerf-volant

Il s'est imposé comme un véritable sport sur les grandes plages, notamment celles de Berck-sur-Mer (Picardie) et du Cap-d'Agde (Languedoc). Des magasins spécialisés proposent des stages d'initiation ou de perfectionnement au pilotage. Cette activité n'est pas autorisée, en saison, sur les plages de certaines communes et, en règle générale, se pratique plus librement tôt le matin ou en fin de journée quand les plages sont quasiment désertes.

Montgolfières

L'altitude offre de nouveaux points de vue.

France Montgolfières – ☎ 0 810 600 153 (appel local) ou 02 54 32 20 48 - www.franceballoons.com.

Vol libre

La pratique du **parapente** et du **deltaplane** s'étend au-delà des montagnes et se pratique par exemple au départ des falaises des boucles de la Seine ou de la dune du Pilat. Essayez un baptême en vol biplace.

Fédération française de vol libre – ☎ 04 97 03 82 82 - http://fédération.ffvl.fr.

SPORTS D'EAU VIVE

Canoë et kayak

À la journée ou sur plusieurs jours, le canoë est l'embarcation idéale pour une promenade en famille, sur les rivières ou dans les marais (pour observer les oiseaux).

Les lacs et les parties basses des cours d'eau offrent un vaste choix de parcours pour les kayaks.

Fédération française de canoë-kayak – ☎ 01 45 11 08 50 - www.ffck.org. Elle publie un livre, *France canoë-kayak et sports d'eau vive*, et, avec le concours de l'IGN, une carte, *Les rivières de France*, comportant tous les cours d'eau praticables.

Rafting

C'est le plus accessible des sports d'eau vive : descendre des rivières à fort débit dans des radeaux pneumatiques de 6 à 8 places maniés à la pagaie et dirigés par un moniteur-barreur installé à l'arrière. L'équipement isotherme et antichoc est fourni par le club prestataire.

Canyoning

Il s'agit de descendre en rappel ou en sautant, le lit des torrents dont on suit le cours au fil de gorges étroites et de cascades en vasques. Le matériel et l'équipement sont fournis par l'équipe encadrante.

😊 **Bon à savoir** – La météo (risques d'orages ou de fortes pluies) est déterminante pour les sorties.

Fédération française de la montagne et de l'escalade – ☎ 01 40 18 75 50 - www.ffme.fr.

SPORTS D'HIVER

Association des stations françaises de sports d'hiver - Ski France – ☎ 01 47 42 23 32 - www.anmsm.fr.

Météo et avalanche

Avant de partir, lisez les **bulletins Neige et Avalanches** (BNA) affichés dans chaque station et souvent dans les gares des téléphériques.

Assurances

Pour bénéficier d'une assurance et d'une assistance complète en cas d'accident de ski (toutes disciplines), procurez-vous la licence carte neige auprès de la Fédération française de ski.

Fédération française de ski – ☎ 04 50 51 40 34 - www.ffs.fr.

TRAINS TOURISTIQUES

À l'heure du TGV, ces petits trains, à locomotive à vapeur pour certains, vous emmènent sur des parcours pittoresques. Citons les chemins de fer de la baie de Somme dans le Nord, du Montenvers dans les Alpes du Nord, le chemin de fer en Corse (230 km), le train à vapeur des Cévennes… Ils sont plus de 80 en France, exploités en partie par la SNCF, en partie par Veolia Transport (la Rhune, la Mure, des chemins de fer en Provence).

💻 www.trainstouristiques.com ; www.veolia-transport.com

LeGuideVerT
toujours plus de destinations
à travers le monde...

CORÉE DU SUD

LeGuideVerT

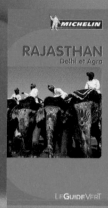

RAJASTHAN
Delhi et Agra

LeGuideVerT

PÉROU

LeGuideVerT

SYRIE
JORDANIE

LeGuideVerT

ROME

LeGuideVerT

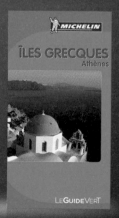

ÎLES GRECQUES
Athènes

LeGuideVerT

VOILE, PLANCHE À VOILE ET AUTRES SPORTS DE GLISSE

Voile

Les écoles de voile proposent des stages ou des cours permettant d'établir un premier contact avec l'Optimist (voilier pour enfant), le dériveur (monocoque ou catamaran), puis d'en perfectionner la pratique. Dans la plupart des stations balnéaires, il est possible de louer des bateaux, avec ou sans équipage. Des régates sont organisées pendant toute la saison.
Fédération française de voile – ✆ 01 40 60 37 00 - www.ffvoile.net.

Planche à voile

Ce sport, affilié à la Fédération française de voile, est réglementé : adressez-vous aux clubs de voile. Sur toutes les grandes plages, location de planches.

Kite surf

Amarré à un cerf-volant à compartiments (sans armature rigide), les rideurs filent sur l'eau. Ce sport est affilié à la Fédération française de vol libre (voir « Sports aériens », p. 21).

Ski nautique

Plutôt pratiqué sur les étendues d'eau douce, ce sport se rencontre également en saison sur le littoral.
Fédération française de ski nautique – ✆ 01 53 20 19 19 - www.ffsn.fr.

Surf et bodysurf

Les plages des côtes landaise et basque, avec les impressionnants rouleaux du golfe de Gascogne, constituent un paradis pour les adeptes de ces sports. Quelques « spots » se trouvent dans le sud de la Vendée, en Charente-Maritime, et permettent l'initiation à la prise de la vague.
Fédération française de surf – ✆ 05 58 43 55 88 - www.surfingfrance.com.

Scooter des mers

Le pilotage de ces jets motorisés de 300 à 750 cm³ demande une très grande vigilance. Les pratiquants les plus chevronnés peuvent exécuter de spectaculaires figures. En saison, nombre de communes interdisent l'accès de leurs plages à ces engins par ailleurs fort bruyants.

VISITES

Sites labellisés

Des labels couronnent certains sites ou villes en fonction de leur spécificité.

Villes et Pays d'art et d'histoire – Ce label regroupe des villes et des pays mettant en valeur l'animation de leur patrimoine (visites avec des guides-conférenciers). Pour les enfants : visites-découverte, ateliers du patrimoine, livrets-jeux, audioguides adaptés à leur âge.
✆ www.vpah.culture.fr

Grands Sites de France – Ce label désigne des paysages emblématiques du pays, les Grands Sites, que les collectivités territoriales se sont engagées à préserver tout en développant l'accueil au public : pointe du Raz, baie du Mont-St-Michel, cirque de Gavarnie, gorges du Verdon et du Tarn, Marais poitevin…
✆ www.grandsitedefrance.com

Label Kid

La plupart des stations de sports d'hiver et des stations balnéaires disposent d'un centre animation-garderie sous l'appellation de « village d'enfants » pour que ceux-ci puissent goûter, sans risques, aux joies de la neige ou de la mer.
✆ www.stationskid.com

Forfaits touristiques

Beaucoup de départements proposent des **Pass intersites** permettant de bénéficier de tarifs réduits au-delà du premier site visité.

Souvenirs

Que rapporter d'un séjour en France ? Voici quelques idées qui peuvent vous aider à faire votre choix.

ALCOOLS

Champagne

Brut ou sec, on le déniche aussi bien dans les grandes maisons de renommée internationale que chez les simples viticulteurs de la Champagne.

Vins

Les vins d'Alsace, de Bourgogne, du Bordelais, de Provence, du Languedoc, de Corse, mais aussi les vins locaux comme le jurançon, l'irouléguy, le tursan, le buzet, etc. se trouvent dans toutes les caves de villages vignerons comme dans les boutiques spécialisées des grandes villes.

Cidre

Dans les caves de Normandie, on parle aujourd'hui avec délectation d'un bon **cidre**, comme on parle en d'autres lieux d'un grand vin. Le plus puissant et le plus moelleux est sans nul doute le cidre pays d'Auge, appellation contrôlée, mais il existe aussi les cidres « fermiers » aux arômes plus rustiques et plus secs que l'on dégote dans le nord de la Manche.

et autres alcools

Ne repartez pas de Lorraine sans avoir acheté une bouteille d'eau-de-vie de quetsche, mirabelle, cerise ou framboise.
À Dijon, vous trouverez de quoi concocter un excellent **kir** : crème de cassis et bourgogne aligoté. En Normandie, dégustez le

calvados AOC et le calvados AOC pays d'Auge. Mais attention, les dénominations sont nombreuses. Les goûts et les prix aussi !
De St-Barthélemy-d'Anjou, il faut rapporter la fameuse (et délicieuse) bouteille carrée de **Cointreau**, liqueur à l'orange base de cocktails, d'apéritifs ou de préparations pâtissières savoureuses.
Complétez votre bar avec du **pineau des Charentes** et un cognac, après avoir visité les chais.
Un séjour en Aquitaine est l'occasion rêvée pour agrandir sa cave. On trouve **armagnac** et floc de Gascogne dans les Landes, en particulier à Labastide-d'Armagnac, haut lieu de ces nectars gascons.

DOUCEURS

Goûtez les spécialités au détour des routes : à Montélimar, les fameux **nougats** ; en Provence, les **calissons** d'Aix, les **fruits confits** d'Apt, les **berlingots** de Carpentras… Dans l'Est, vous aurez l'embarras du choix entre les **bergamotes** et les **macarons** de Nancy, les **dragées** de Verdun et les **bonbons au miel** des Vosges. Dans le Nord, les **bêtises de Cambrai**, bonbons parfumés à la menthe se signalent par leurs rayures jaunes ; en Normandie, les plus célèbres **caramels** sont à base de crème d'Isigny, bien que fabriqués à Carentan.
En Bretagne, biscuits et gâteaux se fabriquent avec le beurre breton : **galettes de Pont-Aven** ou *traou-mads*. De la côte atlantique, vous rapporterez peut-être de la confiture de lait, des caramels au beurre salé, des **berlingots** nantais ou des **craquelins** de St-Malo ; plus

au sud, les **canelés** de Bordeaux, les **chocolats** de Bayonne et de Biarritz, les **tourons** basques et la fameuse confiture de cerises noires d'Itxassou (Pays basque).

Dans l'intérieur des terres, vous trouverez les **pruneaux** d'Agen (naturels, fourrés, à l'armagnac, au chocolat). En Corse, des **confitures** élaborées à partir des fruits des riches vergers : figue, abricot, orange, châtaigne, et, plus original, myrte, arbouse ou cédrat.

Quant aux pâtisseries, elles se dégustent sur place, et si vous passez à St-Tropez, ne ratez pas la fameuse tarte tropézienne.

AUTRES PRODUITS DU TERROIR

Pour de bonnes **salaisons**, généralement dans les régions de montagne, vous trouverez de quoi vous régaler auprès des producteurs sur les marchés ou dans les charcuteries de village : saucisses de Morteau et de Montbéliard dans le Jura, saucisses sèches, rillettes et gratons en Auvergne, jambons crus et saucissons de montagne en Aveyron, jambon de Bayonne…

Outre les marchés au gras, vous pourrez vous ravitailler en **foie gras et confits** (en bocaux, pour faciliter leur transport) chez les producteurs des villages du Gers et du Périgord. Pour confectionner un cassoulet à votre retour de vacances, fournissez-vous en haricots (ceux de Tarbes sont excellents).

En Bretagne, la **sardine** peut être à l'huile d'arachide ou d'olive, nature ou aux piments, par 3, 6 ou 12 filets ; les boîtes et préparations (le pâté de sardine au whisky) se gardent sans problème. Parmi les condiments, vous achèterez à Guérande du **sel** des marais (gros sel et fleur de sel).

La **soupe de poissons** est une spécialité du Touquet : elle se vend en bocaux, chez de nombreux mareyeurs, épiciers et traiteurs. Vous y trouverez aussi les fameux rollmops (harengs marinés au vinaigre et oignons) et harengs saurs du nord de la Côte d'Opale.

En Provence, pensez aux **huiles d'olive** et aux olives des Baux-de-Provence ou de Nyons. Pour rappeler les repas de vacances, rapportez de la **tapenade** et de l'**anchoïade** en conserve, que vous dénicherez dans les épiceries fines.

Avec plus de variétés que de jours dans l'année, il est difficile de passer à côté des **fromages**. Dans les régions au climat doux et humide, propices aux herbages, comme la Normandie, et donc à l'élevage de vaches laitières, vous goûterez des fromages à pâte molle comme le camembert ou le Brie de Meaux du Bassin parisien. Dans les régions au climat plus sec, les fromages se confectionnent avec du lait de brebis ou de chèvre, certains pouvant bien sécher en vieillissant (chabichou et ste-maure en Poitou et Touraine et autres spécialités dans les régions méditerranéennes). Dans les régions où les hivers sont froids et neigeux, s'élaborent des fromages de grande taille (20 à 100 kg) à pâte pressée, ou fromages « de garde » : comté et beaufort dans les Alpes, cantal en Auvergne, fromages de brebis dans les Pyrénées. Dans le Massif central, les caves sont propices à l'affinage des fourmes (roquefort, bleu des Causses) à pâte persillée, appelées aussi les « bleus ».

POUR LA MAISON

Vaisselle

Les **poteries** sont généralement de belles créations artisanales recouvertes d'émail naturel. On en trouve sur les marchés et chez les potiers installés dans les villages touristiques. En **Bretagne**, les faïenceries de Quimper perpétuent une longue tradition de qualité.

Populaire, amusant, le bol à prénom est un produit incontournable qui enchante les plus petits. En **Provence**, vous découvrirez de belles faïences à Moustiers-Ste-Marie, Aubagne, ou encore Varages. En **Alsace**, faites une halte dans les villages de potiers de Betschdorf et Soufflenheim. Plats, moules à gâteau, cruches, pots et autres jarres, notamment sont magnifiques avec leurs couleurs vives et leurs décors naïfs ! On retrouve ce type de poteries, décorées de pois ou de motifs simples sur fond de couleur en **Savoie**. En **Charente**, c'est un « diable » que vous rapporterez : les pommes de terre cuisinées dans ce pot de terre cuite prennent un goût délicieux. Il est idéal aussi pour faire cuire les châtaignes.

Dentelle

Dans le **Nord**, Calais et Caudry-en-Cambrésis forment toujours le premier pôle « dentellier » de France : la dentelle, de type mécanique, fournit notamment les ateliers de haute couture. Nul ne peut se rendre en **Normandie** et visiter Alençon, Argentan ou Bayeux sans penser également aux merveilleuses dentelles d'autrefois. Cet art se pratique en **Haute-Loire** depuis des décennies : dans la région du Puy et de Brioude, on utilise encore le fuseau pour réaliser de belles compositions à la main. Mais la plupart des réalisations se font maintenant à la machine, sur des modèles anciens.

Linge

Pour décorer sa maison aux couleurs provençales, rien de plus facile. On trouve en effet partout des **tissus provençaux**, plus particulièrement dans les boutiques Souleïado (Tarascon) et Les Olivades (Nîmes). On ne taira pas l'extrême qualité et robustesse des **toiles des Vosges** : torchons en lin et draps en coton dureront longtemps. Les nappes damassées ou jacquard de Gérardmer sont superbes. Le **tissu basque** est également très apprécié pour sa qualité et sa résistance ; vous vous en procurerez à Oloron-Ste-Marie chez Lartigue ainsi qu'à Coarraze (Pau). Tissé en coton et en lin, il est le plus souvent décoré de bandes de couleur.

Couteaux

Qu'il soit de corne, de bois ou de métal, le couteau dont la lame est fabriquée à **Thiers** relève parfois de la création artistique. **Nogent**, grand centre ciselier, produit ciseaux, canifs, couteaux de table, sécateurs… En **Corse**, Lumio a conservé vivaces les techniques de la coutellerie : on produit toujours le temperinu, mais aussi le vendetta. Pour trancher dans le lard ou dans la tome, il vous faut un véritable couteau de **Laguiole**, que l'on reconnaît grâce à son abeille. L'Opinel, le couteau de poche par excellence, est né en **vallée de Maurienne**. Quatre millions d'exemplaires par an sortent des ateliers… Le nontron, originaire du **Périgord**, se distingue par son manche de buis blond pyrogravé. Le couteau des bergers pyrénéens s'appelle le capucin. Comme le nontron, sa lame est en feuille de sauge, mais il tient son nom de son manche recourbé au profil de moine.

Meubles et objets du Queyras

Les artisans du Queyras fabriquent de très beaux meubles, jouets, panneaux, petit mobilier et objets de décoration.

À PORTER

Vêtements de marin

Le pull marin bleu marine, blanc ou rayé est un vieux classique. Les coopératives maritimes des ports bretons sont des cavernes d'Ali Baba où chaque apprenti loup de mer trouvera son bonheur. Bonnets et casquettes, vareuse très pratique contre les embruns ou, mieux encore, le fameux ciré jaune.

Chaussures

Si les **sabots de bois** sont encore vendus en Bretagne, plus pratiques et plus légères pour l'été sont les **espadrilles** basques à semelles de corde. Elles se vendent partout sur la côte atlantique, mais celles en tissu basque, à rayures, sont les plus jolies. Elles sont fabriquées pour la plupart à Mauléon-Licharre. Au bord de la Méditerranée, vous porterez des **sandales tropéziennes**. Vous ne sortirez pas dans la rue avec des **charentaises** au pied (on les fabrique dans la région d'Angoulême) ; il n'en reste pas moins que ces pantoufles continuent d'avoir leur succès pour le confort qu'elles procurent !

Bérets

Vieux symbole de la France, comme les charentaises ou les mouchoirs de Cholet, le béret dont l'origine se situe dans le Béarn et dans le Pays basque est en laine tricotée et feutrée : il servait aux bergers des montagnes à se protéger du froid. Une grande fabrique de bérets subsiste à Oloron-Ste-Marie ainsi qu'à Nay.

Parfums

Lavande et produits dérivés, cultivés entre Moustiers, Riez et Valensole, pour parfumer les armoires et herbes aromatiques (Baronnies et Buis) évoquent au retour l'atmosphère des vacances.

Les **parfumeries** à Grasse, mais aussi celles d'Èze et de Menton, proposent parfums et savons ou produits pour le bain ou pour le massage.

POUR LES ENFANTS

Jouets en bois

L'**Alsace** a gardé de l'Allemagne la tradition des jouets en bois. On se les procure en particulier à Ingwiller et Éloyes, dans les Vosges du Nord. Dans le **Jura**, les artisans de Moirans-en-Montagne sont réputés pour leurs jouets de qualité. Pour éveiller le talent d'un marionnettiste ou gâter un collectionneur, entrez dans une boutique spécialisée du quartier St-Leu à Amiens : Lafleur et sa fiancée Sandrine y font bon ménage, parmi d'autres figures locales.

Décorations de Noël

Décembre en Alsace, c'est l'occasion de découvrir les **marchés de Noël** (celui de Strasbourg est le plus important) et d'acheter des décorations pour la table, le sapin, la maison. Décembre en Provence représente le temps des santons (les Provençaux ont l'habitude d'acheter chaque année un ou deux nouveaux santons pour compléter leur crèche). Dans les marchés et foires aux **santons**, ou dans les maisons qui les fabriquent, notamment à Aubagne, Marseille et Aix-en-Provence, ne manquez pas d'acheter le « ravi » qui lève les bras au ciel.

En famille

♟♟ SITES OU ACTIVITÉS À FAIRE AVEC LES ENFANTS			
Chapitre du guide	**Nature**	**Musée**	**Loisirs**
Angoulême		Cité internationale de la Bande dessinée et de l'Image	
Arcachon	Parc ornithologique du Teich ; écomusée de la Grande Lande		Dune du Pilat
Baie de Somme	Parc ornithologique du Marquenterre		
Biarritz		Musée de la Mer	
Brest		Musée national de la Marine	Océanopolis
Cahors	Grotte du Pech-Merle		
Clermont-Ferrand	Volcan de Lemptégy	Musée régional d'Auvergne (Riom) ; musée de la Coutellerie (Thiers)	Vulcania
Corte		Musée de la Corse	
Presqu'île du Cotentin		Cité de la mer (Cherbourg) ; planétarium de La Hague	
Les Eyzies de Tayac-Sireuil		Musée national de Préhistoire ; Lascaux II	
Figeac		Musée Champollion - Les écritures du monde	
Le Puy du Fou		Le Grand Parc	La Cinéscénie
Le Touquet			Nausicaä
Lewarde		Centre historique minier	
Lyon	Parc de la Tête d'Or	Musée de la Marionnette ; musée de la Miniature et des Décors du cinéma	Jeu d'automates de la primatiale St-Jean
Luberon	Colorado de Rustrel (Roussillon)	Village des Bories (Gordes)	
Mercantour		Musée des Merveilles (Tende)	
Monaco	Jardin exotique	Musée océanographique	
Mulhouse	Écomusée d'Alsace	Cités de l'Automobile, du Train ; musée EDF Électropolis	
Nantes	La Planète sauvage	Muséum d'histoire naturelle ; musée Jules-Verne ; les Machines de l'Île	
Nîmes		Arènes ; pont du Gard	
Paris	Jardins du Luxembourg, du Champ-de-Mars ; Jardin des Plantes ; bois de Vincennes	La tour Eiffel ; musées du Louvre ; de l'Air et de l'Espace du Bourget ; national de la Marine ; de l'Armée ; Grande Galerie de l'évolution	Parc de la Villette ; Jardin d'Acclimatation ; Disneyland Resort Paris
Île-de-France	Forêts de Fontainebleau et de Compiègne ; Parcs de Versailles et de Chantilly	Musée vivant du Cheval (Chantilly) ; château d'Auvers-sur-Oise ; grange aux Dîmes, tour César et souterrains (Provins)	Parc Astérix ; spectacles médiévaux sur les remparts (Provins)
Périgueux		Musée gallo-romain	
Poitiers	Promenade de la Pianona		Parc du Futuroscope
Saumur	Zoo de Doué		Spectacle équestre à l'École nationale d'équitation
Toulouse	Canal du Midi en vélo	Cité de l'Espace ; Muséum d'histoire naturelle	

Mémo

Agenda

Voici une sélection d'événements, parmi les divers festivals, fêtes traditionnelles régionales, commémorations historiques ou cérémonies religieuses qui émaillent l'année. Contactez les offices de tourisme pour obtenir des programmes détaillés.

MAI - SEPTEMBRE

Arles – Les Rencontres d'Arles : prestigieux festival photo (de déb. juil. à mi-sept.) - www.rencontres-arles.com.

Auvers-sur-Oise – Festival international de musique (de déb. juin à déb. juil.) - www.festival-auvers.com.

Bordeaux – Fête du vin (dernier w.-end de juin ou 1er w.-end de juil., années paires). Dégustations de crus, concerts - www.bordeaux-fete-le-vin.com ; fête du fleuve (fin juin, années impaires) - www.bordeaux-fete-le-fleuve.com.

Carcassonne – Festival de la cité : concerts classiques, théâtre, opéra, danse, jazz, variétés - embrasement de la cité le 14 Juil. vers 22h30 (de mi-juin à mi-août) - www.festivaldecarcassonne.fr.

Castillon-la-Bataille – Reconstitution historique : son et lumière (de mi-juil. à mi-août) - www.batailledecastillon.com.

Coutances – Jazz sous les pommiers (de fin mai à déb. juin) - www.jazzsouslespommiers.com.

Le Mans – Les 24h : pour les motos : courant avr. ; pour les autos : courant juin ; pour les camions : courant oct. - www.lemanstourisme.com.

Lyon – Les Nuits de Fourvière - théâtre, danse, concerts, cinéma (juin-juil.) - www.nuitsdefourviere.com.

Moissac – Les vibrations de Moissac : festival de la voix (de fin juin à déb. juil.) - http://moissac-culture.fr.

Monaco – Concours international de feux d'artifice (juil.-août) - www.monaco-feuxdartifice.mc.

Nancy – Nancyphonies : musique classique (de mi-juil. à mi-août) - www.nancyphonies.net.

Orange – Chorégies : opéras et concerts symphoniques dans le théâtre antique (juil.-août) - www.choregies.asso.fr.

Paris – Internationaux de France de tennis (Roland-Garros – de mi-mai à déb. juin) - www.rolandgarros.com ; Paris-Plages : sable, transats et animations sur les quais de Seine (de mi-juil. à mi-août) - www.paris-plages.fr.

Reims – Flâneries musicales d'été (de juin à août) - www.flaneriesreims.com.

Sète – Joutes nautiques (de fin juin à déb. sept.) - www.ot-sete.fr.

St-Tropez – Bravades en mai. Fête de la St-Pierre (le 29 juin) - www.ot-saint-tropez.com.

Verdun – « Des flammes à la lumière » : son et lumière sur la bataille de Verdun (de mi-juin à fin juil.) - www.verdun-tourisme.com.

Mai

Biarritz – Festival de cirque - www.biarritz.fr.

Dijon – Salon des antiquaires et de la brocante - www.dijon-congrexpo.com.

Golfe du Morbihan – La Semaine du golfe : fête maritime rassemblant

NOUVEAU Guide Vert :
Explorez vos envies de voyages

Envie de découvertes ? Envie de sorties ? Envie de loisirs ?...
Avec 20 nouvelles destinations et 85 titres réactualisés, le nouveau
Guide Vert MICHELIN répond à toutes vos envies de voyages.
Informations mieux organisées, format plus pratique, carnet d'adresses
enrichi pour découvrir, sortir, dîner, dormir... Il a tout prévu pour varier
vos plaisirs tout en vous garantissant la meilleure sélection de sites
touristiques étoilés et d'itinéraires conseillés.
Grâce au nouveau Guide Vert MICHELIN et à son complément Internet
ViaMichelin Voyage, vous êtes sûr de construire le voyage qui correspond
à vos envies.

des bateaux de caractère (w.-end de l'Ascension, années impaires) - www.semaineduvolfe.asso.fr.

Monaco – Grand Prix automobile de Formule 1 (3e w.-end) - www.grand-prix-monaco.com.

Stes-Maries-de-la-Mer – Pèlerinage des gitans (du 24 au 26 mai) - www.saintesmaries.com.

Pentecôte

Honfleur – Fête des marins. Bénédiction de la mer (Pentecôte) - www.ot-honfleur.fr.

La Rochelle – Semaine de la voile (Ascension et Pentecôte) - www.srr-sailing.com.

Nîmes – Féria : le rendez-vous des passionnés de la corrida - www.ot-nimes.fr.

St-Malo – Festival « Étonnants voyageurs » : littérature internationale - www.etonnants-voyageurs.com.

Juin

Fête de la musique – Le 21 juin, partout en France - www.fetedelamusique.culture.fr.

Rendez-vous aux jardins – Manifestation nationale (1er w.-end) - www.rendez-vousauxjardins.culture.fr.

Anjou – Festival d'Anjou : théâtre en plein air dans le cadre des belles demeures et monuments historiques du département - www.festivaldanjou.com.

Chantilly – Les feux de Chantilly : duel pyrotechnique (3e w.-end) - www.feuxdechantilly.com.

Fontainebleau – Nature et Vénerie en fête : démonstrations de chasse à courre et fauconnerie, messe de St-Hubert - www.venerie.org.

Provins – Les Médiévales, spectacle son et lumière (2e ou 3e w.-end) - www.provins-medieval.com.

Ste-Mère-église et Utah Beach – Commémoration du débarquement de juin 1944 (le 6) - www.sainte-mere-eglise.info.

Strasbourg – Festival international de musique classique - http://festival-strasbourg.com.

Touraine – Jour de Loire pour célébrer la Loire et ses paysages - www.jourdeloire.com.

Juillet

Aix-en-Provence – Festival international d'art lyrique, l'un des plus prestigieux de France - www.festival-aix.com.

Arras – Joutes sur l'eau et fêtes des géants d'Arras (14 Juil.) - www.artras.fr.

Avignon – Festival européen de théâtre et de danse - www.festival-avignon.com.

Belfort – Les Eurockéennes : festival rock - www.eurockeennes.fr.

Brest – Rassemblement de navires anciens (mi-juil., tous les 4 ans, le prochain en 2012) - www.brest-evenements-nautiques.fr.

Carhaix – Les vieilles charrues : festival rock - www.vieillescharrues.asso.fr.

Colmar – Festival international de musique (1re quinz.) - www.festival-colmar.com.

Juan-les-Pins – Festival international de jazz (2e quinz.) - www.jazzajuan.com.

La Rochelle – Francofolies (autour du 14 Juil.) - www.francofolies.fr.

Marseille – Mondial de la pétanque au parc Borély (déb. du mois) - www.fairedusportamarseille.com.

Paris – Arrivée du tour de France sur les Champs-Élysées - www.letour.fr.

Pigna (et la Balagne) – Estivoce : événement incontournable de la scène musicale corse (1re quinz.) - www.festivoce.casamusicale.org.

Quimper – Festival de Cornouaille (2e quinz.) - www.festival-cornouaille.com.

Saumur – Carrousel de Saumur : festival des arts équestres (2e quinz.) - www.saumur-tourisme.info.

Ste-Anne-d'Auray – Grand pardon de Sainte-Anne (25 et 26 juil.) - www.sainteanne-sanctuaire.com.
Toulon – Festival de jazz (2e quinz.) - www.jazzatoulon.com, www.cofstoulon.fr.
Vannes – Festival de jazz (fin juil.) - www.mairie-vannes.fr.
Vienne – Jazz à Vienne (1re quinz.) - www.jazzavienne.com.

Août

Annecy – Fête du lac d'Annecy - www.lac-annecy.com.
Arcachon – Fête de la mer (les 14 et 15) : bénédiction des bateaux, régates de pinasses et musique en soirée - www.arcachon.com.
Aurillac – Festival international de théâtre de rue - www.aurillac.net.
Bayonne – Fêtes de Bayonne : danses, chants, courses de vaches, parties de pelote, bals publics (1re sem.) - http://fetes.bayonne.fr.
Dax – Féria (1re sem.) : corridas, concours landais, bandas, bodegas - www.dax.fr.
Guérande – Les Celtiques de Guérande (1re quinz.) - www.bro-gwenrann.org.
Lacanau – Lacanau Pro : étape des championnats du monde de surf (mi-août) - www.lacanausurfclub.com.
Lorient – Festival interceltique (10 jours, déb. du mois) - www.festival-interceltique.com.
Marciac – Jazz in Marciac (1re quinz.) - www.jazzinmarciac.com.
St-Malo – La route du rock (autour du 15) - www.laroutedurock.com.
Vézelay – Rencontres musicales (fin août) - www.rencontresmusicalesdevezelay.com.

Septembre

Journées du patrimoine – Manifestation nationale (2e w.-end) - www.journéesdupatrimoine.culture.fr.
Belfort – Foire aux vins de France et gastronomie (déb. sept.) - www.belfort-tourisme.com.

Dieppe – Festival international du cerf-volant (du 2e au 3e w.-end, années paires) - www.dieppe-cerf-volant.org
Lille – Grande Braderie (1er w.-end) - www.lilletourism.com.
Nîmes – Féria des vendanges : rendez-vous plus intime pour les passionnés de corrida - www.ot-nimes.fr.
Perpignan – Visa pour l'image : festival international de photo journalisme - www.visapourlimage.com.

SEPTEMBRE - OCTOBRE

Charleville-Mézières – Festival mondial des théâtres de marionnettes (2e quinz, années impaires) - www.festival-marionnette.com.
Limoges – Les Francophonies en Limousin : festival de théâtre, musique, danse… (23 sept.-5 oct.) - www.lesfrancophonies.com.
Lyon – Biennale d'art contemporain (de mi-sept à fin déc., années impaires) et biennale internationale de la danse (de mi-sept à fin déc., années paires) - www.biennale-de-lyon.org.

Octobre

Calvi – Festival du vent - www.lefestivalduvent.com.
Nancy – Nancy jazz pulsations - www.nancyjazzpulsations.com
Paris – Foire internationale d'art contemporain - www.fiac.com.
St-Tropez – Les Voiles de St-Tropez : courses de voiliers (déb. du mois) - www.ot-saint-tropez.com.

NOVEMBRE

Beaujolais : Beaune, Meursault, Clos de Vougeot – « Les Trois Glorieuses » : vente aux enchères des vins des Hospices de Beaune. Commercialisation du beaujolais nouveau (3e dim.) - www.hospices-de-beaune.com.

Dijon – Foire gastronomique (1re quinz.) - www.dijon-congrexpo. com.

Le Puy-en-Velay – Rassemblement international de montgolfières - www.montgolfière-en-velay.fr.

Les Sables-d'Olonne – Vendée Globe : course à la voile en solitaire (départ tous les 4 ans) - www. vendeeglobe.org.

Périgueux – Salon international du livre gourmand (mi-nov., années paires) : conférences, expositions autour des arts de la table, rencontres d'écrivains et de grands chefs - www.livregourmand.fr.

DÉCEMBRE

Alsace – Marchés de Noël (notamment à Strasbourg).

Lyon – Fête des lumières - www. fete-lumieres-lyon.com.

Mont Ste-Odile – Fête de la Ste-Odile (13) : pèlerinage alsacien - www.mont-sainte-odile.com.

Rennes – Rencontres Trans Musicales (1re quinz.) - www. lestrans.com.

JANVIER-AVRIL

Amiens – Festival d'Amiens : musiques de jazz et d'ailleurs (de fin mars à déb. avr.) - www. amiensjazzfestival.com.

Limoux – Carnaval traditionnel (de janv. à mi-avr.) - www.limoux.fr.

Janvier

Angoulême – Festival international de la bande dessinée (fin janv.) - www.bdangouleme.com.

Le Touquet – Enduropale (fin janv.) - www. enduropaledutouquet.fr.

Février

Clermont-Ferrand – Festival du court-métrage (déb. fév.) - www. clermont.filmfest.com.

Nantes – La Folle journée : destinée à un compositeur de musique différent chaque année (déb. fév.) - www.follejournée.fr.

Perpignan et la région – Jazz et musique du monde en Roussillon - www.jazzebre.com.

Mardi gras

Dunkerque – Carnaval (Mardi gras et dim. précédent) - www.le-carnaval.fr.

Menton – Fête du citron, corso des Fruits d'or - www.feteducitron.com

Nice – Carnaval : corsos - www. nicecarnaval.com.

Mars

Toulouse – Printemps du rire (2e quinz.) - www.printempsdurire. com.

Avril

Abbeville et baie de Somme – Festival de l'oiseau (fin avr.) - www. festival-oiseau-nature.com.

Bourges – Printemps de Bourges : rock et chanson française (vac. de Printemps) - www.printemps-bourges.com.

Compiègne – Course cycliste Paris-Roubaix (déb. avr.) - www. parisroubaixchallenge.com.

Perpignan – Procession des pénitents de la Sanch (Vend. saint) - www.perpignantourisme.com.

Pâques

Arles – Féria pascale (du vend. au lun., dans les arènes), ouvre la saison des afficionados - www. arenes-arles.com.

L'Isle-sur-la-Sorgue – Foire internationale antiquités et brocante (la plus grande de Provence) - www.foireantiquités-islesurlasorgue.fr.

Bibliographie

HISTOIRE

L'Histoire de France pour les nuls, J.-J. Julaud (First, 2005). Pour ceux qui s'emmêlent dans les dates, ce livre restitue les étapes clés de l'histoire de France et fourmille d'anecdotes.

Dictionnaire de l'histoire de France, J.-F. Sirinelli (Larousse, 2006). Fruit du travail de 200 historiens, ce dictionnaire comporte 2 500 entrées permettant d'aborder l'histoire de France sous ses multiples aspects (historique, économique, culturel) et présente aussi bien les personnages historiques que les lieux de mémoire : très pratique et utile pour son entrée alphabétique et sa vision globale.

Histoire de la France, G. Duby (Larousse, 2011).

L'Identité de la France, F. Braudel, 3 t. (Flammarion, 2009).

Les Lieux de mémoire, C.-R. Ageron et P. Nora, 3 t. (Gallimard, coll. Quarto, 1997).

Histoire de la France, La Gaule, les invasions, J. Michelet (éd. des Équateurs, 2008).

La Révolution française, F. Furet et D. Richet (Hachette, coll. Pluriel, 2010).

La Vie quotidienne à Versailles aux 17e et 18e s., J. Levron (Hachette, 1995).

LITTÉRATURE

Anthologies

La série « Le goût de » des éditions Mercure de France permet de découvrir ou de redécouvrir des trésors de la littérature autour d'un lieu ou d'un thème. Vous pourrez trouver, entre autres, *Le Goût du Mont-Blanc, de la Haute-Provence, de la Loire, du Mont-St-Michel, de Lyon, de Nancy, de Paris, du Périgord, de Bordeaux, de la pêche…*

Dictionnaires

Le Dictionnaire amoureux de la France, Denis Tillinac et Alain Bouldouyre (Plon, 2008). Un voyage sensible, intime, érudit et riche de « douceurs », à travers l'Hexagone. Dans la même collection : *Le Dictionnaire amoureux de la cuisine* par Alain Ducasse, *de la Provence* par Peter Mayle, *du Louvre* par Pierre Rosenberg, *du Tour de France* par C. Laborde, *du vin,* par Bernard Pivot.

Romans

Paris, Île-de-France – *Paris est une fête,* Ernest Hemingway (Gallimard, coll. Folio) ; *Le Ventre de Paris,* Émile Zola (Le Livre de Poche) ; *Notre-Dame de Paris,* Victor Hugo (Gallimard, coll. Folio) ; *Les Rois maudits,* Maurice Druon (Le Livre de Poche) ; *Paris brûle-t-il ?,* D. Lapierre, L. Collins (Pocket).

Nord Pas-de-Calais, Picardie – *Journal d'un curé de Campagne,* Georges Bernanos (Pocket) ; *Archives du Nord,* Marguerite Yourcenar (Gallimard, coll. Folio).

Alsace, Lorraine – *Les Roses de Verdun,* Bernard Clavel (Albin Michel, 1994) ; *La Colline inspirée,* Maurice Barrès (éd. du Rocher, 2005).

Champagne-Ardenne – *Le Pays où l'on n'arrive jamais,* André Dhôtel (J'ai Lu) ; *Un balcon en forêt,* Julien Gracq, (Corti, 2002) ; *Un Ardennais nommé Rimbaud,* Y. Hureaux (La Nuée bleue, 2004).

Bourgogne, Franche-Comté – *La Billebaude, Le Pape des escargots, Les Étoiles de Compostelle,* Henri Vincenot (Gallimard, coll. Folio) ; *La Jument verte,* Marcel Aymé, (Gallimard, coll. Folio) ; *Jours de colère,* Sylvie Germain (Gallimard, coll. Folio).

Normandie – *Madame Bovary,* Gustave Flaubert (Gallimard, coll. Folio) ; *Contes et nouvelles,* Guy de Maupassant (Robert Laffont, coll. Bouquins) ; *Le Colonel Chabert,* H. de Balzac (Gallimard, coll. Folio) ; *À la recherche du temps perdu,* Marcel Proust (Gallimard, coll. Quarto).

Bretagne – *Le Cheval d'Orgueil,* P.-Jakez Hélias (Pocket) ; *Un homme d'Ouessant,* Henri Queffélec (Gallimard, coll. Folio).

Centre-Pays de la Loire – *Les Chouans,* H. de Balzac (Gallimard, coll. Folio).

Poitou-Charentes – *L'Accent de ma mère* (Le Livre de Poche), *Les Mouchoirs rouges de Cholet* et *La Louve de Mervent* (Le Livre de Poche), Michel Ragon ; *Le Roman d'un enfant*, Pierre Loti (Gallimard, coll. Folio) ; *Maléfices*, Thomas Narcejac (Gallimard, coll. Folio) ; *La Terre qui meurt*, René Bazin (Siloë, 1999) ; *La Fille du Saulnier*, Hortense Dufour (De Borée, 2010), .

Auvergne, Limousin – *L'Auvergne absolue*, Alexandre Vialatte (Julliard, 1993) ; *La Soupe aux choux*, Robert Fallet (Gallimard, coll. Folio) ; *Gaspard des montagnes*, Henri Pourrat (Le Livre de Poche) ; *Maigret à Vichy*, Georges Simenon (Le Livre de Poche).

Aquitaine – *Bordeaux, une enfance*, François Mauriac, M. Suffran (L'Esprit du temps, coll. Contraste, 1990) ; *Des grives aux loups*, C. Michelet (Pocket) ; *Jacquou le Croquant*, E. Le Roy (Le Livre de Poche) ; *La Rivière Espérance* et *Adeline en Périgord*, C. Signol (Pocket).

Pays basque – *Ramuntcho* (Gallimard, coll. Folio) et *Le Pays basque* (Aubéron), Pierre Loti ; *Voyages au Pays basque*, Stendhal, T. Gautier, V. Hugo… (éd. Pimientos, 2010).

Midi-Pyrénées, Languedoc, Roussillon – *Un âne dans les Cévennes*, R.-L. Stevenson (Flammarion, coll. GF) ; *L'Épervier de Maheux*, J. Carrière (Pocket) ; *Les Fous de Dieu*, J.-P. Chabrol (Gallimard, coll. Folio).

Lyon, Beaujolais – *Clochemerle*, G. Chevalier (Le Livre de Poche) ; *Le Seigneur du fleuve*, Bernard Clavel (Robert Laffont, 1986).

Alpes – *Premier de cordée* ; *La Grande crevasse*, Roger Frison-Roche (J'ai Lu) ; *La Neige en deuil*, Henri Troyat (J'ai Lu) ; *Montagnes d'une Vie*, Walter Bonatti (Arthaud, 2005).

Provence – *Marius* ; *Fanny* ; *César* ; *Jean de Florette* ; *Manon des Sources* ; *La Gloire de mon père*…, Marcel Pagnol (De Fallois, coll. Fortunio) ; *Les Lettres de mon moulin*, Alphonse Daudet (Hatier) ; *Le Grand Troupeau* ; *Le Chant du Monde* ; *Le Hussard sur le toit* ; *Provence* ; *Colline* ; *Regain*…, Jean Giono (Gallimard, coll. Folio) ; *Le Comte de Monte-Cristo*, Alexandre Dumas (Le Livre de Poche).

Côte d'Azur – *La Baie des Anges* ; *Le Palais des fêtes* ; *La Promenade des Anglais*, Max Gallo (Pocket) ; *Le Procès-Verbal*, J.-M.-G. Le Clézio (Gallimard, coll. Folio).

Corse – *Colomba*, Prosper Mérimée (Gallimard, 1979).

NATURE

Guide de charme. Parcs et jardins en France, collectif (Rivages, 2011).
Jardins de curé, M. Tournier et G. Herscher (Actes Sud, 2002).
Guide de la nature en France, M. Viard (Flammarion, 2008).
Guide des merveilles de la nature en France, F. Roger et F. Milochau (Arthaud, 2008).
À la découverte des parcs nationaux, B. Pillet et P. Hauser (Ouest France, 2007).
Les parcs nationaux en France, P. Desgraupes et M. Fonovich (Aubanel, 2009).
La France vue du ciel, Y. Arthus-Bertrand et P. Poivre-d'Arvor (La Martinière, 2005).
4 saisons en France, S. Fautré et Y. Paccalet (Glénat, 2009).

GASTRONOMIE

« L'inventaire du patrimoine culinaire » (Albin Michel) : la collection se décline par régions, sous la direction du conseil national des arts culinaires (Cnac).
La collection « Cuisinières régionales » des éditions Stéphane Bachès propose, région par région, des recettes de nos grands-mères.

« Dix façons de le préparer » (Éditions de l'Épure) : chaque ouvrage de la collection fourni 10 recettes pour accommoder un produit.
Larousse de la cuisine (Larousse, 2009).
Grand dictionnaire de la cuisine, Alexandre Dumas (Phébus, 2000).
L'Accord parfait, Ph. Bourguignon (Le Chêne, 1997).
Desserts traditionnels de France, G. Lenôtre (Flammarion, 1998).
Larousse des desserts, P. Hermé (Larousse, 2009).
Dictionnaire des vins de France (Hachette, 2010).

Filmographie

Tous les films présentés ci-dessous existent en DVD. Pour retrouver ou découvrir des lieux de tournage en France, vous pouvez consulter le site Internet **www.l2tc.com**.

ALSACE

La Grande Illusion (1937) de J. Renoir, avec P. Fresnay et J. Gabin (Haut-Kœnigsbourg ; Colmar et les environs de Neuf-Brisach).

AUVERGNE

Les Choristes (2004) de C. Barratier avec G. Jugnot (Château de Ravel).

BRETAGNE

Les Vacances de M. Hulot (1951) de Jacques Tati (St-Marc-sur-Mer).
Chouans (1988) de P. de Broca, avec S. Marceau (Locronan).
Monsieur N (2003) d'A. de Caunes avec Ph. Torreton, E. Zylberstein (Cancale, Brest).

BOURGOGNE

La Grande Vadrouille (1966) de G. Oury, avec de Funès et Bourvil (Meursault, Beaune).
Chocolat (2001) de Lasse Hallström, avec J. Binoche, J. Depp (Flavigny-sur-Ozerain).

CORSE

L'Œil du Monocle (1962) de G. Lautner avec P. Meurisse (Bonifacio).
Les Randonneurs (1997) de P. Harel avec B. Poelvoorde et K. Viard (GR 20).

CÔTE-D'AZUR

L'Arnacœur (2010) de P. Chaumeil avec R. Duris et V. Paradis (Monaco).

ÎLE-DE-FRANCE

Au revoir les enfants (1987) de L. Malle, avec G. Manesse (Provins).
Si Versailles m'était conté (1954) de S. Guitry avec J. Marais (Versailles).
Marie-Antoinette, de S. Coppola (2006, Versailles).

LANGUEDOC-ROUSSILLON

La Graine et le mulet (2007) d'A. Kechiche avec H. Boufares et H. Herzi (Sète).

LORRAINE

La Vie et rien d'autre (1989) de B. Tavernier, avec P. Noiret et S. Azéma.

MIDI-PYRÉNÉES

Le Retour de Martin Guerre (1982) de D. Vigne, avec G. Depardieu et N. Baye.
Le Bonheur est dans le pré (1995) de É. Chatiliez, avec M. Serrault et S. Azéma (Gers).

NORMANDIE

Le Jour le plus long (1962) de D. Zanuck, avec J. Wayne, H. Fonda (Ste-Mère-église).
Le Colonel Chabert (1994) d'Y. Angelo avec G. Depardieu, F. Ardant, F. Lucchini.
Il faut sauver le soldat Ryan (1998) de S. Spielberg.
Le Havre (2011) d'A. Kaurismäki avec A. Wilms, K. Outinen et J.-P. Darroussin.

NORD PAS-DE-CALAIS

Bienvenue chez les Ch'tis (2008) de D. Boon, avec D. Boon et K. Merad.

PARIS

À bout de souffle (1960) de J.-L. Godard, avec J.-P. Belmondo, J. Seberg.
Le Dernier Métro (1980) de François Truffaut, avec G. Depardieu et C. Deneuve.
Le Fabuleux Destin d'Amélie Poulain (2001) de J.-P. Jeunet, avec A. Tautou et M. Kassovitz.
Da Vinci Code (2006) de Ron Howard, avec A. Tautou.
Les Brigades du Tigre (2006) de J. Cornuau avec C. Cornillac et É. Baer.
Fauteuil d'orchestre (2006) de D. Thompson.
La Môme (2007) de O. Dahan, avec M. Cotillard et G. Depardieu.
Paris (2008) de C. Klapisch avec J. Binoche, R. Duris et A. Dupontel.

PÉRIGORD

Duellistes (1977) de R. Scott, avec H. Keitel (Sarlat et Castelnaud).
Les Misérables (1982) de R. Hossein, avec L. Ventura (Monpazier, Sarlat et Sireuil).

PICARDIE

Camille Claudel (1988) de B. Nuytten avec I. Adjani et G. Depardieu (Villeneuve-sur-Fère).

La Reine Margot (1994) de P. Chéreau avec I. Adjani (Compiègne ; St-Quentin).

POITOU-CHARENTES

Les Demoiselles de Rochefort (1966) de J. Demy, avec C. Deneuve et F. Dorléac (Rochefort).

PROVENCE

Marius (1931), *Fanny* (1932), *César* (1936) d'après M. Pagnol (Marseille).
Jean de Florette et *Manon des Sources* (1986) de C. Berri, avec Y. Montand (Cuges-les-Pins, Mirabeau et Plan-d'Aups).
Marius et Jeannette (1997) de R. Guédiguian avec A. Ascaride, J.-P. Darroussin et G. Meylan (Marseille).

QUERCY

C'est quoi la vie ? (1999) de F. Dupeyron, avec J. Dufilho (Causses).

RHÔNE-ALPES

Les Enfants du marais (1999) de J. Becker, avec M. Serrault et A. Dussolier (Bugey).

VAL-DE-LOIRE

Peau d'âne (1970) de J. Demy, avec C. Deneuve, J. Marais et J. Perrin (Plessis-Bourré).
Cyrano de Bergerac (1990) de J.-P. Rappeneau, avec G. Depardieu (Le Mans ; abbaye de Fontenay).

Cartes et Atlas MICHELIN
Trouvez bien plus que votre route

**Les cartes et atlas MICHELIN vous accompagnent
efficacement dans tous vos déplacements.**

Laissez vous surprendre par la richesse des informations routières
et touristiques : les principales curiosités Le Guide Vert MICHELIN,
les pistes cyclables et voies vertes, les points de vues et hippodromes...
autant de découvertes à portée de main, à partir de 2,95€ seulement.

2/
COMPRENDRE
LA FRANCE

Marché d'Apt.
G. Labriet/Photononstop

Paysages et régions

L'histoire géologique de la France – la nature des sols, l'action des éléments, l'étagement naturel de la végétation… – a engendré une diversité de paysages. Ainsi le pays, situé à l'extrémité occidentale du continent européen, offre-t-il un plaisir sans cesse renouvelé à qui le parcourt et sait l'observer.

À Paris et dans ses environs

PARIS : VINGT SIÈCLES D'URBANISME

Paris est née sur les îles de la Seine qui facilitaient la traversée du fleuve sur la grande voie nord-sud ; la Lutèce gauloise se limitait à l'île de la Cité. Elle doit son rôle politique aux Capétiens qui en firent leur capitale. Au milieu du 19e s., sous l'impulsion du baron Haussmann, le cœur de la ville et les villages ruraux qui la ceinturaient furent remodelés. Les lieux d'habitation, de travail, de loisirs, de commerce furent disposés selon une ordonnance raisonnée, plus harmonieuse et plus économique que par le passé ; quartiers nouveaux et grands axes furent créés en même temps que l'activité se différenciait par secteurs. Le Second Empire et la IIIe République marquèrent de leur empreinte la Voie triomphale. À partir de 1945, l'esthétique architecturale connut un renouveau : Unesco (1957), Palais de la Défense (CNIT) (1958),

Maison de la radio (1963), tour Montparnasse (1973), Palais des Congrès (1974). Les années qui suivirent, virent cette tendance se confirmer avec la construction, au centre de Paris, de quelques monuments phares, œuvres des plus grands architectes du moment : le Palais omnisports de Bercy (1984), la Cité des sciences et de l'industrie ainsi que la Géode à la Villette (1986), l'Opéra Bastille (1989), la Grande Arche de la Défense (1989), la Pyramide du Louvre (1989), le ministère des Finances à Bercy (1990), l'aile Richelieu (1994), étape importante du projet « Grand Louvre » (1981-1998), la Cité de la musique (1995), la Bibliothèque de France (1996)…

ÎLE-DE-FRANCE, UNE CEINTURE DE FORÊTS ET DE RIVIÈRES

Les environs de Paris s'ornent de grands massifs forestiers, comme Fontainebleau et Rambouillet, qui comptent parmi les plus belles forêts de France, et de belles rivières dans des vallées verdoyantes (l'Oise tranquille, la Marne capricieuse, la Seine majestueuse). Le Bassin parisien est un territoire agricole qu'illustrent les noms du Vexin, du Valois, de la Brie, du Gâtinais, de la Beauce, du Hurepoix et du Mantois. En outre, la proximité du pouvoir politique a valu à l'Île-de-France ses admirables monuments dont bon nombre subsistent de nos jours. À côté des plus grands châteaux, la nature a été aménagée en parcs et jardins : Vaux-le-Vicomte, Versailles, Chantilly.

Au nord

FLANDRES, ARTOIS, PICARDIE

Sous un ciel très doux, les plaines du Nord composent un pays agricole et industriel verdoyant, aux maisons de brique caractéristiques dont la diversité s'observe dans la Thiérache, le Hainaut, l'Avesnois et le Soissonnais. Les grands plateaux de Picardie, entrecoupés d'étangs et de vallées bordées de peupliers, portent des champs de betteraves et de céréales. Au sud, le pays de Bray est échancré, à la manière d'une boutonnière, dans la craie du Bassin parisien. Le Boulonnais est connu pour ses plages immenses. Le « plat pays » de Flandre, sillonné de canaux et agrémenté de moulins, oppose les hauts fourneaux et les terrils du « pays noir » au bocage de l'Avesnois et aux pâturages de la Thiérache aux originales églises fortifiées. Aux portes de Compiègne s'étend une vaste et magnifique forêt, vestige de l'immense forêt gauloise qui s'étendait de l'Île-de-France aux Ardennes.

À l'est

CHAMPAGNE-ARDENNE

La côte de l'Île-de-France porte le célèbre vignoble champenois, en particulier de part et d'autre de la Montagne de Reims, sur les versants de l'entaille de la vallée de la Marne et, au sud d'Épernay, sur les pentes de la prestigieuse côte des Blancs aux bourgs – Cramant, Vertus – caractéristiques.

La Champagne crayeuse (sèche), vaste plaine de Châlons-en-Champagne et de Troyes, est devenue l'un des grands terroirs agricoles de la France avec la culture de la betterave, des céréales et l'industrie agroalimentaire. À l'est, elle est auréolée par la Champagne humide, vaste dépression. Au sud du massif forestier de l'Argonne s'étendent le Perthois, le Vallage et le Der. Les grands lacs artificiels de la forêt d'Orient (1966) et du Temple (1991) sont destinés à régulariser le cours de la Seine, celui du Der-Chantecoq (1974), le cours de la Marne. À l'est et au sud, le paysage est plus accidenté. On distingue la côte des Bars, jalonnée par Bar-le-Duc, Bar-sur-Aube, Bar-sur-Seine et le plateau de Langres, où les reliefs qui prolongent la côte bourguignonne se perdent sous les sédiments du Bassin parisien.

ALSACE, LORRAINE, LES BALLONS DES VOSGES

Entre le Rhin et la chaîne des Vosges, l'Alsace, plaine affaissée par le contrecoup du plissement alpin, apparaît comme un immense verger. Elle présente des aspects différents liés à la variété des sols. Sur les cailloux et les sables déposés par le Rhin et ses affluents s'étendent de grandes forêts ; celle de Haguenau couvre près de 14 000 ha. Au pied des coteaux sous-vosgiens hérissés de tours et de châteaux en ruine s'installe la route du Vin.

La Lorraine présente un ensemble de plateaux inclinés vers le Bassin parisien, barrés par l'original relief des « côtes ». Les buttes de Montfaucon et de Monsec, la colline des Éparges qui domine la Woëvre, la Colline inspirée sont des buttes témoins des côtes de Meuse, la butte de Mousson étant l'une de celles des côtes de Moselle.

Le massif des Vosges, qui fait obstacle aux communications plus par son épaisseur que par son altitude, présente au nord des sommets gréseux, escarpés. Au sud, on trouve de hauts bombements trapus, arrondis, dénommés « ballons ». Les vallées abritent des lacs glaciaires, leurs versants portent la magnifique forêt vosgienne, et leurs hauteurs les riches pâturages des hautes chaumes.

LA VERDURE DU JURA

Le Jura se caractérise par des forêts de sapins vert sombre (forêts de la Joux, du Massacre), d'immenses prairies et l'omniprésence de l'eau. Celle-ci se manifeste sous forme de torrents écumants, cascades en nappe ou en éventail (du Hérisson, du saut du Doubs), petites sources, puissantes résurgences (sources de la Loue, du Lison), réseau serré du Rhône, du Doubs, de l'Ain et de leurs affluents (Valserine, Loue, Bienne, Albarine) mais aussi de nappes tranquilles avec les 70 lacs (Bonlieu, Nantua, St-Point…), les retenues formées par les barrages (Vouglans) transformant la vallée de l'Ain en un gigantesque escalier d'eau. Ces paysages se révèlent du haut de belvédères (Grand Colombier, Colomby de Gex, Mont-Rond…) qui dévoilent également le relief de la région : vals parallèles séparés par des monts, réunis par des cluses qui font l'originalité du plissement jurassien ; grandioses reculées (cirque de Baume) révélant des structures géologiques nommées « jurassique », en raison de leur exceptionnel développement, à un étage important de la sédimentation de l'ère secondaire.

BOURGOGNE ET MORVAN

Le seuil de Bourgogne, entre les bassins de la Seine et de la Saône, et les pays qui l'avoisinent, Auxois, Bresse et Charolais, doivent pour une grande part leur unité à la réussite politique des grands ducs d'Occident au 15e s. Leur richesse est liée aux 23 500 ha d'un vignoble qui passe pour l'un des plus beaux du monde. En altitude et à l'écart des grandes routes, la forêt du Morvan occupe le tiers de la superficie tandis que les parties inférieures des versants sont aménagées en pâturages et offrent une physionomie bocagère. La dispersion des hameaux dans le paysage permet de mesurer la dissémination de la population imposée par les ressources naturelles.

À l'ouest

BRETAGNE : L'ATTRAIT DE LA MER

La zone maritime bretonne, l'Armor, offre l'infinie variété de la côte, déchiquetée par une mer agitée : une myriade d'écueils, des baies immenses et des anses étroites. L'intérieur, l'Argoat, se compose des monts d'Arrée et des Montagnes Noires qui enserrent la région du lac de Guerlédan et le bassin de Châteaulin. Aux premiers se rattachent le Ménez (mont) Bré et les sites forestiers des rochers d'Huelgoat, la montagne St-Michel et le roc Trévezel ; aux secondes, le Menez-Hom qui domine la

baie de Douarnenez et le plateau du Finistère. Partout, de beaux monuments de granit retiennent l'attention : menhirs, dolmens, châteaux, cathédrales, villes anciennes, calvaires, fontaines. De l'embouchure de la Loire à la vallée de l'Aulne s'étendent le pays de Nantes, la Grande Brière, les marais salants, la presqu'île de Guérande et la Cornouaille qui forme l'arrière-pays. La côte de l'Atlantique abrite ports, stations balnéaires, bourgs pittoresques et sites marins (golfe du Morbihan, presqu'île de Crozon). De Fougères et du bassin de Rennes au grand port de Brest et à l'île d'Ouessant, sur la côte de la Manche, le particularisme breton s'individualise dans les terroirs du Guildo, du Penthièvre, du Trégor et du pays de Léon où se succèdent villes historiques (Morlaix, Tréguier), stations élégantes, des corniches marines. Alors que des caps et des promontoires (cap Fréhel, pointe St-Mathieu) grandioses s'avancent en mer, battus par les flots, la vallée de la Rance et les estuaires des abers sont envahis par la mer à marée haute.

LA VERDURE NORMANDE

Le paysage normand traditionnel est célèbre pour ses collines boisées et ses vallons animés par la silhouette d'un château ou d'un manoir. La presqu'île du Cotentin, en Basse-Normandie, évoque la Bretagne par l'austérité de ses paysages granitiques, la vie de ses petits ports et l'amplitude des marées dans la baie du Mont-St-Michel. Le bocage séduit par ses chemins creux, ses champs cloisonnés, ses hameaux dispersés et ses vergers de pommiers. La Normandie compte également de grands massifs forestiers et des plages. La vallée de la Seine est le grand axe des échanges de la Haute-Normandie, tout entière tournée vers Rouen. Le pays d'Auge y règne par son cidre, son calvados, ses prestigieux fromages et l'élégance de ses manoirs. Au nord du fleuve, le pays de Caux tombe dans la mer par les falaises de la Côte d'Albâtre.

POITOU, VENDÉE, CHARENTES

De la Loire à la Gironde, l'unité de la façade littorale, aux plages immenses et au climat océanique, contraste avec la variété de son arrière-pays. Du mont Mercure au mont des Alouettes, la ligne de crête du haut bocage vendéen représente la dernière ride de granit où s'achève le Massif central. À l'ouest de Niort s'étend le Marais poitevin qui débouche sur les polders et les marais salants de l'anse de l'Aiguillon. La Gironde, estuaire de la Garonne, est appréciée pour la qualité de ses plages. Au large, cinq îles exercent leur attirance sur le tourisme familial : Noirmoutier, Yeu, Ré, Aix et enfin Oléron.

Au centre

LE VAL DE LOIRE OU LE JARDIN DE LA FRANCE

Le Val de Loire occupe le sud du Bassin parisien. L'altitude n'y excède jamais les 200 m mais la Loire et ses affluents ont dessiné des reliefs en creux qui présentent une belle diversité. La mer, pendant l'ère secondaire, a déposé des sédiments fertiles, puis de grands lacs d'eau douce ont laissé des couches calcaires et enfin les fleuves torrentiels descendant du Massif central ont apporté des nappes argilo-sablonneuses… créant un sous-sol varié propice à l'alternance de plaines fertiles (la Beauce), vignobles réputés (vallée du Loir, Touraine), forêts (Orléans et Sologne), étangs et landes.

BERRY, LIMOUSIN

Sur le versant nord du Massif central se déploient les horizons du Berry, domaine de la grande culture, dont Bourges, la capitale, matérialise l'unité historique. Des paysages très divers le composent : terres brunes hérissées de petits tertres rouges de la Brenne aux mille étangs, terre opulente de la Champagne berrichonne autour de Châteauroux, bocage vert autour de La Châtre chanté par George Sand. Plus au sud, les plateaux et la montagne du Limousin sont le pays des étangs, des herbages et des ombrages. Leurs bourgs, aux solides maisons de granit couvertes d'ardoises, maintiennent leur tradition de villes-marchés.
Autour de Guéret, la Marche est une région d'élevage dont les hauteurs tapissées de bruyères sont couronnées de ruines. Le plateau de Millevaches domine de quelque 350 m le pays alentour. Sur un éperon, dans un méandre de la Vézère, Uzerche dispose ses maisons de granit.
Le site de Tulle, au débouché du cours supérieur de la Corrèze, manifeste de façon spectaculaire la vigueur de la phase d'érosion en cours depuis le début de l'époque quaternaire.

LES VOLCANS D'AUVERGNE

L'Auvergne présente des paysages qu'on ne peut voir nulle part ailleurs en France : des volcans de tous âges. Certains, comme les monts Dôme, ont des cônes qu'on dirait éteints d'hier, des coulées de lave qui semblent à peine refroidies ; d'autres (monts Dore et surtout Cantal) ont été démantelés par les éléments, mais leur forme générale transparaît toujours. Dans le Cézallier, les laves fluides se sont épanchées et superposées ; à la cheire d'Aydat, leur torrent s'est cristallisé ; aux planèzes de

St-Flour, elles ont recouvert le plateau. Ailleurs, elles se sont glissées dans des vallées qu'elles ont protégées de l'érosion. Parfois, en se refroidissant, elles se sont cristallisées en « tuyaux d'orgues » (Bort-les-Orgues, Le Puy).

Au sud-ouest

PÉRIGORD, QUERCY

Les plateaux boisés du Périgord et les causses du Quercy criblés de gouffres sont entaillés par des vallées épanouies et cultivées ou étroitement encaissées. Du rebord de leurs falaises, de grands belvédères dominent une campagne tantôt humanisée ou tantôt déserte. Ces paysages cachent des grottes aux riches concrétions, traversées de réseaux hydrographiques souterrains ou de leurs résurgences, et des grottes où demeurent de nombreux témoignages millénaires de l'activité humaine (gravures, peintures, traces d'habitat).

AQUITAINE

L'Aquitaine constitue l'avant-pays gascon où les pays de l'Adour conservent leur identité. Au nord, Agen manifeste la richesse du pays des Serres qui, entre le Lot et la Garonne, porte des vignes et des arbres fruitiers sur ses pentes. Les Landes sont devenues, depuis la fixation des dunes par Brémontier et l'assainissement de l'intérieur des terres par Chambrelent, une immense forêt de pins où dans les clairières subsistent de jolies maisons à colombages.
Le Bordelais, cœur de l'ancienne province de Guyenne, est célèbre pour les crus qui s'élaborent sur les rives de la Garonne et l'estuaire de la Gironde. La rectiligne Côte d'Argent, tout juste échancrée par le bassin d'Arcachon, offre aux estivants l'immensité de ses plages de la pointe de Grave à l'estuaire de l'Adour que commande Bayonne, port de « tête de marée » dont les accès maritimes sont tributaires de digues et de dragages continuels.

LA BARRIÈRE DES PYRÉNÉES

La chaîne des Pyrénées dresse en travers du dernier isthme européen une barrière continue, longue de 400 km, entre l'océan Atlantique et la mer Méditerranée.
À l'ouest, dans les Pyrénées atlantiques et les Pyrénées centrales, des vallées perpendiculaires à la ligne de faîte individualisent la moyenne montagne en « pays » originaux : Pays basque, Béarn, Bigorre, Comminges. À leurs vallonnements semés de maisons blanches succèdent des crêtes découpées, des cimes neigeuses, des cirques rayés de cascades, des lacs d'altitude, des gaves tumultueux et des bassins bien cultivés.
À l'est, le Roussillon est la grande unité régionale des Pyrénées méditerranéennes et le secteur le plus épanoui de la chaîne malgré le rude profil et le ravinement de ses montagnes. Les hauts bassins intérieurs de la Cerdagne et du Capcir, la cime bien dégagée du Canigou, les forêts et les pâturages du Vallespir précèdent le jardin roussillonnais qui,

avec ses immenses vergers, ses cultures maraîchères et ses vignes, compose l'arrière-pays de la Côte Vermeille où Collioure conserve sa physionomie de petit port catalan.

Au sud-est

LANGUEDOC, CÉVENNES ET GORGES DU TARN

La bordure méridionale du Massif central se distingue par des paysages d'une sévère et rare singularité. Les Grands Causses (causses de Sauveterre, Méjean, Noir, du Larzac) se présentent comme de vastes tables calcaires arides et pierreuses. De leurs corniches se découvrent d'inoubliables panoramas sur des canyons aux parois verticales – en particulier celui du Tarn. Dans ces plateaux s'ouvrent des grottes et des avens (les Demoiselles, la Clamouse, aven Armand) où le travail des eaux souterraines a donné naissance à des formes rocheuses inconnues à la surface du sol : stalactites, stalagmites, gours, excentriques. Autour de la région caussenarde se déploient des paysages d'une surprenante diversité.

Dans l'Aubrac aux immenses horizons, des coulées de laves très fluides ont colmaté le vieux socle granitique déjà labouré par l'érosion. De l'Aigoual au Tanargue, les Cévennes présentent la succession de leurs lourds sommets granitiques entre lesquels les « serres » schisteuses et d'étroites vallées boisées sont longtemps restées impénétrables. Plus au sud, la garrigue, buissonneuse, tapissée de plantes aromatiques, est dominée par le pic St-Loup.

LA VALLÉE DU RHÔNE, GRANDE VOIE DE PASSAGE

Depuis l'Antiquité, la vallée du Rhône en aval de Lyon n'a cessé d'être une voie de passage : route de l'étain de Cornouaille, route du vin de Bourgogne, coche d'eau… De nos jours, autoroute, routes nationales, canaux dérivant partiellement le fleuve, facilitant la navigation et alimentant des usines hydroélectriques, voies ferrées sur chaque rive, oléoduc et gazoduc assurent un trafic de toute première importance. Mais, sur quelque 250 km, la physionomie du couloir rhodanien se renouvelle. Au nord, le Mont-d'Or lyonnais apparaît comme un petit récif calcaire que la Saône contourne avant de forcer son passage, à Lyon. Le Rhône lui-même ne sépare pas rigoureusement les géologies cristallines du Massif central et calcaires des Alpes. À Vienne, il a creusé son lit dans des avancées granitiques. Au contraire, à Valence, il se glisse entre une des dernières terrasses du Dauphiné et l'échine calcaire de Crussol venue prendre appui sur les granits du Vivarais. De part et d'autre du fleuve, Tournon et Tain-l'Hermitage forment deux anciens ports jumeaux, le premier à la base des falaises du Massif central, le second au pied de l'éperon calcaire qui porte son célèbre vignoble.

DELTA DU RHÔNE ET CHAÎNONS DE PROVENCE

Le Rhône charrie chaque année quelque 20 millions de m^3 de graviers, de sables et de limons qui ont donné naissance à la Camargue. Ce delta, aux terres imprégnées de sel, est curieux par sa flore et sa faune et intéressant par sa mise en valeur. De même la Durance, qui, n'ayant pas toujours été un affluent du Rhône, se jetait directement dans la mer en empruntant le pertuis de Lamanon avant que ne se produise son changement de cours. Le climat provençal irradie le plateau aride du Vaucluse, les chaînons broussailleux

Paysage du Sancerrois.
Soleil noir/Photononstop

des Alpilles, du Luberon, de
l'Estaque, de la Ste-Baume, de la
montagne Ste-Victoire et de la
chaîne de l'Étoile où se déploient
champs de lavande, oliviers,
cultures maraîchères, protégées du
mistral par des haies de cyprès.

LES VALLÉES ALPINES

Les superbes vallées alpines,
dont les eaux vives atténuent
peu à peu le caractère glaciaire,
constituent les secteurs les plus
actifs du massif.

Dans les Alpes du Nord savoyardes,
les vallées tantôt s'étirent en
couloirs industriels ou de transit
(Romanche, Maurienne), tantôt
s'élargissent en bassins où se
concentrent les cultures et
l'élevage et où, sur des terrasses
bien exposées, se rassemble la
population dans des villes-marchés.
Grenoble, la métropole des Alpes
françaises, occupe un élargissement
au confluent du Drac et de l'Isère.
Dans les Aravis, le Beaufortin,
la Chartreuse, l'Oisans et
le Vercors, les villages sont
fiers de leurs maisons rurales

traditionnelles bien intégrées
à un milieu naturel difficile
(altitude, froid, enneigement). Les
vallées profondes se raccordent
latéralement par de grands cols
(Lautaret, Galibier) et séparent des
massifs de haute montagne
(Écrins, Mont-Blanc). Au pied des
versants humides et verdoyants,
parés de magnifiques forêts de
hêtres, de sapins et d'épicéas,
dorment de splendides lacs
(Annecy, le Bourget, Léman).
Les Alpes du Sud, provençales,
plus arides et plus sèches,
drainées par le grand sillon de la
Durance, annoncent les paysages
méridionaux. Là, les cluses
entaillent en gorges les chaînons
et les plateaux intérieurs, le mont
Ventoux domine la plaine du
Comtat, le grandiose canyon du
Verdon ouvre une prodigieuse
entaille dans les plans de Haute-
Provence, prenant en écharpe les
ultimes contreforts des Alpes.
L'élevage du mouton, la culture de
la lavande, l'exploitation des forêts
de mélèzes nourrissent des villages
de haute altitude (St-Véran).

Au sud

LA CÔTE D'AZUR

Quelle variété ! Les calanques, le massif boisé et la corniche des Maures, l'abrupte montagne rouge de l'Estérel baignant dans la mer, les corniches de la Riviera… La Côte d'Azur est la fenêtre méditerranéenne des Alpes : de Nice à Menton, la montagne plonge dans la mer. Les hauts reliefs des Préalpes de Nice, orientés nord-sud, sont traversés de vallées très profondes en raison de la proximité de la mer, comme celles de la Vésubie, du Var, du Loup. Toute cette région a vu séculairement sa population se réfugier dans des villages perchés, véritables nids d'aigle, et fortifiés (Peille, Èze, Gourdon, Saorge, St-Paul…). Plus à l'ouest se signalent le massif de l'Estérel, de porphyre, qui culmine à 618 m au mont Vinaigre ; le massif schisteux des Maures qui appartient au plissement hercynien, et les courts chaînons provençaux du mont Faron, d'origine pyrénéenne, qui dominent Toulon.

Les cordons littoraux de la presqu'île de Giens rattachant une ancienne île au continent, les îles d'Hyères détachées du massif des Maures à une époque géologiquement récente et les îles de Lérins ajoutent à la diversité de ces paysages.

UNE MONTAGNE DANS LA MER : LA CORSE

Mille kilomètres de côtes rocheuses et découpées, des gorges arides et sauvages, des forêts de pins et de châtaigniers, des sommets dépassant 2 000 m, enneigés jusqu'au printemps, avaient déjà valu à l'île le surnom de Kallisté (la plus belle) décerné par les Grecs il y a 2 500 ans. L'île se distingue par ses villages perchés aux maisons de granit ou de schiste et desservis par d'étroites routes de montagne, ses régions naturelles bien individualisées comme la riante Balagne, le sévère cap Corse, la verte Castagniccia, les Agriates désertiques, le Niolo isolé, mais aussi par ses vallées fermées de l'Asco, de la Restonica, ou ses sites originaux comme les calanche de Piana ou le col de Bavella.

Histoire

Vaste creuset de populations avant même l'arrivée des Romains, la France a vu dès le Moyen Âge son unité se faire grâce à l'action des rois capétiens qui centralisèrent le pouvoir à Paris. Cette unité fut renforcée au tournant du 19e s., au moment de la Révolution et de l'Empire. Au 20e s., le pays, fort de son identité, a su jouer un rôle fondamental dans la construction de la Communauté économique européenne.

Préhistoire et Antiquité

AV. J.-C.

- **35000** – L'homme de Cro-Magnon est établi dans la vallée de la Vézère (Périgord).
- **18000** – Il réalise des peintures sur les parois des cavernes (Lascaux, Niaux).
- **Ve-IIe millénaire** – La civilisation mégalithique se répand en Bretagne (Carnac), Corse (Filitosa), Lozère, et dans la vallée des Merveilles (Alpes du Sud).
- **8e s.** – Les Celtes, originaires d'Europe centrale, s'installent en Gaule.
- **Vers 600** – Les Phocéens, venus de Grèce, établissent des cités dans des anses abritées ou au débouché de vallons : Marseille, Nice, Antibes, Agde, etc.
- **2e s.** – La civilisation celte qui avait atteint la Bretagne régresse sous les coups des Germains et des Romains. Ces derniers fondent Fréjus, comme port relais vers l'Espagne ; ils s'établissent à Aix et Narbonne.
- **58-52** – Jules César entreprend la « guerre des Gaules ». Il refoule les bandes germaniques et conquiert la Gaule. Cependant, en 52, il subit à Gergovie le revers que lui inflige Vercingétorix. Mais quelques mois plus tard, à Alésia, le chef gaulois est défait par le général romain.

APRÈS J.-C.

- **1er s.** – La Gaule romaine est divisée en provinces : Narbonnaise, Aquitaine, Lyonnaise et Belgique. L'empereur Auguste conduit une politique d'expansion et de rayonnement, dont témoignent Autun, Lyon, Orange, Nîmes…
- **5e s.** – Implantation du christianisme : de nombreux monastères sont érigés à Marseille, Marmoutier, Arles, Lyon, Troyes, etc.

Les Mérovingiens

- **451** – Mérovée, roi des Francs Saliens de Tournai, remporte la victoire des champs Catalauniques (près de Châlons-en-Champagne) sur Attila.
- **476** – Chute de l'Empire romain d'Occident ; les Barbares occupent la Gaule.
- **498** – Baptême de Clovis, roi des Francs, par saint Remi à Reims.
- **507** – À Vouillé, près de Poitiers, Clovis bat et tue Alaric II, roi des Wisigoths.
- **6e s.** – Des insulaires venus de Grande-Bretagne, accompagnés

d'évangélisateurs, supplantent les Celtes en Bretagne.

●**732** – Au nord de Poitiers, à Moussais-la-Bataille, Charles Martel arrête l'avancée arabe en Aquitaine.

Les Carolingiens

●**751** – Pépin le Bref se fait élire roi des Francs à Soissons.

●**800** – Charlemagne, fils aîné de Pépin le Bref, est couronné empereur d'Occident à Rome. Son règne est marqué par une belle renaissance culturelle.

●**820** – Début des incursions des Normands, venus du Danemark, de Norvège et de Suède. Ils remontent la Seine et fondent des postes fixes le long du fleuve.

●**843** – Le traité de Verdun partage l'Empire carolingien entre les fils de Louis le Pieux. Charles le Chauve reçoit la zone occidentale.

●**910** – Fondation de l'abbaye de Cluny, qui sera à la tête d'un empire monastique.

●**911** – L'accord de St-Clair-sur-Epte, conclu entre Charles le Simple et Rollon, chef des Normands, institue le duché de Normandie, où sont établies d'importantes abbayes : St-Wandrille, Jumièges, Fécamp.

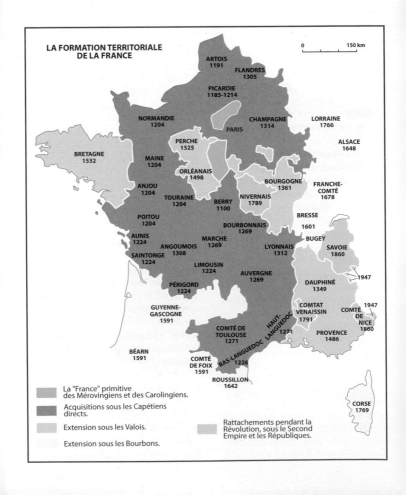

LA FORMATION TERRITORIALE DE LA FRANCE

0   150 km

ARTOIS 1191
FLANDRES 1305
PICARDIE 1185-1214
NORMANDIE 1204
CHAMPAGNE 1314
PARIS
LORRAINE 1766
PERCHE 1525
ALSACE 1648
BRETAGNE 1532
MAINE 1204
ORLÉANAIS 1498
ANJOU 1204
BOURGOGNE 1361
FRANCHE-COMTÉ 1678
TOURAINE 1204
BERRY 1100
NIVERNAIS 1789
POITOU 1204
BOURBONNAIS 1269
BRESSE 1601
AUNIS 1224
MARCHE 1269
ANGOUMOIS 1308
LYONNAIS 1312
BUGEY
SAVOIE 1860
SAINTONGE 1224
LIMOUSIN 1224
AUVERGNE 1269
1947
PÉRIGORD 1224
DAUPHINÉ 1349
GUYENNE-GASCOGNE 1591
COMTAT VENAISSIN 1791
COMTÉ DE NICE 1860
1947
COMTÉ DE TOULOUSE 1271
HAUT-LANGUEDOC 1271
PROVENCE 1486
BÉARN 1591
BAS-LANGUEDOC
COMTÉ DE FOIX 1591
1226
ROUSSILLON 1642
CORSE 1769

La "France" primitive des Mérovingiens et des Carolingiens.

Acquisitions sous les Capétiens directs.

Extension sous les Valois.

Extension sous les Bourbons.

Rattachements pendant la Révolution, sous le Second Empire et les Républiques.

Les Capétiens directs

● **987** – Hugues Capet est élu roi des Francs à Senlis et sacré à Noyon. En faisant couronner son fils aîné de son vivant, il installe sa dynastie qui ne devient réellement héréditaire qu'avec Philippe Auguste en 1180.

● **1066** – Guillaume le Bâtard, parti de Dives en Normandie, débarque outre-Manche. Par sa victoire d'Hastings, il devient roi d'Angleterre. Pour le roi de France, le Conquérant est un vassal redoutable. La reine Mathilde gouverne la Normandie.

● **1095** – Prêche de la première croisade à Clermont pour délivrer les Lieux saints.

● **1137** – Mariage de Louis VII et d'Aliénor d'Aquitaine ; sa rupture, quinze ans plus tard, est une catastrophe politique pour les Capétiens : elle est à l'origine de la guerre de Cent Ans.

● **1180-1223** – Philippe Auguste succède à Louis VII. Paris est une véritable capitale. Il conquiert la Normandie, le Maine, la Touraine, l'Anjou et le Poitou.

● **1209-1244** – Croisade contre les « albigeois » ou cathares, en Languedoc.

● **1214** – La victoire de Bouvines (près de Tournai) remportée par Philippe Auguste sur l'empereur Othon IV et le comte de Flandre est considérée comme la première manifestation d'un sentiment national en France.

● **1226-1270** – Louis IX – Saint Louis – consolide les conquêtes de Philippe Auguste.

Les Valois

● **La guerre de Cent Ans (1337-1475)** – Cette guerre qui s'étend sur six règnes est à la fois un affrontement politique et dynastique entre les Plantagenêts et les Capétiens et un conflit de droit féodal sur les prérogatives de la suzeraineté et les règles successorales. C'est une période de misère engendrée par les troubles nés du brigandage, du pillage par les grandes compagnies, et où la pauvreté, la maladie (peste noire de 1348-1349) et le désordre de l'Église plongent la population dans le désarroi.

● **1337** – Philippe VI de Valois doit défendre son royaume contre les prétentions d'Édouard III d'Angleterre (petit-fils, par sa mère, de Philippe le Bel). C'est le début de la guerre. Trois ans après le revers de Crécy, en 1349, Clément VI est alors le 4e pape d'Avignon ; Philippe VI négocie avec Humbert II l'achat du Dauphiné jusqu'alors terre d'Empire.

● **1356** – Jean le Bon perd la bataille de Poitiers face au Prince Noir. Il est emprisonné à Londres.

● **1364-1380** – Sous Charles V, Du Guesclin rétablit l'ordre dans les campagnes. Après le désastre d'Azincourt, puis l'entrevue de Montereau, Jean sans Peur, duc de Bourgogne, bascule dans l'alliance anglaise.

● **1429** – Après avoir reconnu le roi à Chinon, Jeanne d'Arc délivre Orléans ; elle empêche ainsi l'armée de Salisbury de franchir la Loire et de faire la jonction avec les troupes anglaises stationnées dans le Centre et le Sud-Ouest.

● **1436** – Paris, la Normandie et la Guyenne sont libérées.

● **1453** – La victoire de Castillon-la-Bataille marque le dernier affrontement de la guerre de Cent Ans qui se conclut, vingt-deux ans plus tard, par le traité de Picquigny.

● **1515** – François Ier remporte la bataille de Marignan sur les Suisses alliés au pape.

● **1520** – Entrevue du Camp du Drap d'or à Guînes : François Ier essaie de convaincre Henri VIII de ne pas s'allier à Charles Quint.

● **1539** – Ordonnances de Villers-Cotterêts promulguées par François Ier : elles imposent la tenue de registres d'état civil dans les paroisses, réforment la justice en interdisant aux artisans et aux compagnons de s'associer, en instituant le secret de l'instruction criminelle et en astreignant tout le personnel de justice à rédiger en français ses actes.

● **1559** – Par le traité de paix du Cateau-Cambrésis, Calais, Metz, Toul et Verdun reviennent à la France.

● **Les guerres de Religion (1562-1598)** – Ce nom désigne la crise de trente-six ans durant laquelle se superposent les désordres religieux entre catholiques et protestants et un conflit politique complexe. Les guerres qui menaçaient depuis le tumulte d'Amboise commencent à Wassy en 1562 avec le massacre des protestants. Dreux, Nîmes, Chartres, Longjumeau, Jarnac, Moncontour, St-Lô, Valognes, Coutras, Arques, Ivry… les jalonnent. La paix de St-Germain en 1570, le massacre de la St-Barthélemy en 1572 en marquent les temps forts. La Ligue formée par les Guises et les Montmorency, catholiques, joue l'appui espagnol et rivalise avec les Bourbons, les Condés et les Coligny, huguenots, soutenus par l'Angleterre. Les ligueurs, opposés aux tentatives de centralisation monarchique, obtiennent la convocation d'états généraux à Blois. Henri III, inquiet du pouvoir que prend Henri de Guise, ordonne son assassinat le 23 décembre 1588. La mort du duc, chef de la Ligue, ouvre au roi, soutenu par Henri de Navarre (futur Henri IV), la route de Paris. L'abjuration solennelle du protestantisme par Henri IV en 1593 et l'édit de Nantes en 1598 permettent la pacification du royaume, mettant ainsi un terme à la crise.

Les Bourbons

LE RÈGNE DE HENRI IV

Arrivé sur le trône de France en 1589 (il règne jusqu'en 1610), Henri IV va restaurer l'image du pays. Il rattache la Bresse, le Bugey et le Valromey. Il nourrit un grand dessein économique. Sully, son vieil ami huguenot, applique ses qualités de gestionnaire et d'organisateur au redressement des finances publiques, au creusement de canaux, à la création de routes et de ports.

Olivier de Serres conforte Sully dans sa conviction que « labourage et pâturage sont les deux mamelles de la France ». Le roi médiatise cette valeur en souhaitant que les paysans mettent « la poule au pot chaque dimanche ».

LOUIS XIII ET LA RÉGENCE

● **1610** – Louis XIII n'a que 9 ans à la mort de son père, Henri IV. L'activité des ports intérieurs et l'extension urbaine se poursuivent (Orléans, La Rochelle, Montargis, Langres). Le règne, marqué par une rébellion de grands seigneurs, est illustré par saint Vincent de Paul, précurseur des œuvres sociales, et dans le domaine des idées, par le *Discours de la méthode* (1637) où Descartes fonde son raisonnement sur le doute systématique, à l'origine d'une révolution intellectuelle dont la géométrie analytique est l'un des premiers fruits.

● **1624** – Richelieu (1585-1642), Premier ministre, amenuise l'importance politique du protestantisme, réduit la noblesse par quelques exécutions exemplaires (Montmorency, Cinq-Mars) et le démantèlement de ses châteaux. Il renforce le rôle de la France en Europe (guerre de Trente Ans). En 1635, il fonde l'Académie française.

- **1643-1661** – Anne d'Autriche assure la régence pour son fils âgé de 5 ans et confirme Mazarin comme Premier ministre.

LOUIS XIV, LE ROI-SOLEIL

- **1648** – Les traités de Westphalie concluent la guerre de Trente Ans, reconnaissant à la France ses droits sur l'Alsace (sauf Strasbourg et Mulhouse) et consacrant l'usage du français comme langue diplomatique.
- **1662** – La première année du règne personnel de Louis XIV se couronne par l'achat de Dunkerque. La ville devient un repaire de contrebandiers et de corsaires au service du roi.
- **1678** – Le traité de Nimègue marque la fin de la guerre de Hollande, la restitution par l'Espagne de la Franche-Comté et de 12 places dans les Flandres, la reconquête de l'Alsace : Louis XIV fait assurer les frontières par Vauban. L'affaire de la Régale qui oppose durant vingt ans le clergé de France et le roi à la papauté, la révocation de l'édit de Nantes en 1685, la répression menée contre les camisards en 1702 jalonnent une politique religieuse difficile.
- **1715** – Louis XIV s'éteint après soixante-douze ans de règne qui auront marqué la France et l'Europe. Philippe d'Orléans assure la régence jusqu'en 1723.

Des rêves aventureux vers l'Orient – Un siècle après que Jean Ango et Jacques Cartier ont sillonné les océans, Colbert fonde en 1664 la Compagnie des Indes orientales.

LOUIS XV LE BIEN-AIMÉ

Son règne (1723-1774) est marqué par la perte de la plupart des terres lointaines (Sénégal, Québec, Antilles, Indes) mais, à l'intérieur du pays, par une modération fiscale qui permet une aisance croissante, une amélioration du niveau de vie (succès de l'épargne) et une période de calme propice à l'agriculture (extension des prairies artificielles, introduction de la culture de la pomme de terre).

- **1766** – Réunion de la Lorraine à la France.
- **1769** – La Corse est rattachée à la France.

LE RÈGNE DE LOUIS XVI

Louis XVI monte sur le trône en 1774. Mais des crises financières, politiques et sociales troublent son règne. Les gaspillages de la cour, la baisse des revenus agricoles et de mauvaises récoltes ne font qu'accroître le mécontentement populaire. En politique extérieure, La Fayette participe à la guerre d'Indépendance des États-Unis contre l'Angleterre (le traité d'Indépendance est signé à Versailles en 1783).

La Révolution

La Révolution française est la crise, longue d'une décennie, qui met fin à l'Ancien Régime. Hâtée par les revendications des philosophes à l'encontre de l'absolutisme royal, des institutions et des privilèges hérités de la féodalité et ne répondant plus à une charge sociale effective, la Révolution est provoquée par une crise financière désastreuse. Les principaux actes se déroulent à Paris et se répercutent en province (Lyon, Nantes…) et dans les campagnes.

- **1789** – Réunion des États généraux qui se transforment en Assemblée nationale déclarée Constituante, prise de la Bastille (14 Juillet), abolition des privilèges, Déclaration des droits de l'homme et du citoyen, création des départements.
- **1790** – Constitution civile du clergé.

● **1791** – Fuite du roi, reconnu à Varennes, ramené à Paris et suspendu de ses fonctions.

● **1792** – Kellermann et Dumouriez contraignent les Prussiens à la retraite à Valmy, sauvant ainsi la France de l'invasion. Proclamation de la République française une et indivisible.

● **1793** – Exécution de Louis XVI, insurrection vendéenne, répression du soulèvement dans le Midi et siège de Toulon.

● **1794** – La Grande Terreur.

● **1795** – Adoption du système métrique.

● **1799** – Coup d'État du 18 Brumaire qui met fin au Directoire et le remplace par le Consulat. Bonaparte, Premier consul, reconstitue les administrations centrales, rétablit les taxes, la perception des impôts, remet en place l'organisation judiciaire et l'organisation départementale. Il ordonne la rédaction du Code civil.

L'Empire

● **1804** – Le 2 décembre, Napoléon Ier est sacré empereur des Français, à Notre-Dame de Paris, par le pape Pie VII.

● **1805** – Napoléon abandonne le camp de Boulogne d'où se préparait l'invasion de l'Angleterre. L'échec de Trafalgar laisse aux Anglais la maîtrise des mers. Les Autrichiens sont vaincus à Ulm et les Austro-Russes à Austerlitz.

● **1806** – Le blocus continental, destiné à ruiner l'Angleterre en la privant de ses débouchés commerciaux sur le continent, implique une politique d'annexions. La Prusse est écrasée à Iéna.

● **1807** – Les Russes sont vaincus à Eylau et à Friedland.

● **1808** – Guerre d'Espagne.

● **1809** – L'Autriche est écrasée à Wagram.

● **1812** – Campagne de Russie.

● **1813** – Après la défaite de Leipzig, l'Europe entière se ligue contre Napoléon. La campagne de France révèle le génie stratégique de l'Empereur, mais ne peut éviter la prise de Paris et l'abdication de Fontainebleau (20 avril 1814). Ces guerres font plus d'un million de morts du côté français.

La Restauration

● **1814** – Règne de Louis XVIII.

● **1815** – Les Cent-Jours (du 20 mars au 22 juin) sont une tentative de rétablissement de l'Empire qui s'achève par la défaite de Waterloo. Retour de Louis XVIII. La France est ramenée à ses frontières de 1792. Au congrès de Vienne, Talleyrand replace la France dans le concert européen.

La monarchie de Juillet

● **1830** – La promulgation des ordonnances, suspendant en particulier la liberté de la presse, donne le signal des journées révolutionnaires des Trois Glorieuses (27, 28, 29 juillet) qui chassent les Bourbons. Avènement de Louis-Philippe.

● **L'industrialisation** – Dès le règne de Louis-Philippe se dessine la civilisation industrielle. Elle met en œuvre les progrès de la science, ceux des techniques et l'évolution des mentalités où interviennent les notions de performances et d'applications pratiques. L'ère du machinisme débute avec l'utilisation de la vapeur et de la houille blanche. L'industrialisation se concentre sur les gisements de matières premières ou à proximité des sources d'énergie : Nord, Est, Paris, Lyon, Marseille, Dunkerque, St-Étienne, Montbéliard, Caen,

Mulhouse, vallées alpines et pyrénéennes ou du Massif central.

La IIe République et le Second Empire

● **1848** – Louis Napoléon Bonaparte est élu président de la République au suffrage universel.

● **1851** – Lors d'un coup d'État, le 2 décembre, il dissout l'Assemblée législative et s'octroie la présidence de la République pour dix ans.

● **1852** – Le Second Empire est plébiscité (2 décembre) : Napoléon Bonaparte devient Napoléon III.

● **1855** – Exposition universelle à Paris.

● **1860** – La France reçoit Nice et la Savoie.

● **1870** – Le 19 juillet : déclaration de guerre à la Prusse. Le 2 septembre, la capitulation de Sedan marque la chute du Second Empire. Le surlendemain au matin, l'émeute gronde à Paris, la république est proclamée. Mais la route de la capitale est ouverte aux troupes ennemies qui l'atteignent et l'investissent.

La IIIe République

● **1870** – Après la défaite de Sedan, proclamation de la IIIe République le 4 septembre à l'Hôtel de Ville de Paris.

● **1871** – La Commune de Paris (du 21 au 28 mai). La même année, par le traité de Francfort, la France perd l'Alsace, sauf Belfort, et une partie de la Lorraine.

● **1881** – Lois de Jules Ferry : enseignement primaire, gratuit puis obligatoire.

● **1889** – Inauguration de la tour Eiffel construite pour l'Exposition universelle.

● **1895** – Condamnation du capitaine Dreyfus. Émile Zola s'engage dans l'Affaire.

● **1904** – Entente cordiale : rapprochement de la France et l'Angleterre.

● **1905** – Loi de séparation des Églises et de l'État.

LA GRANDE GUERRE 1914-1918

Le 3 août 1914, l'Allemagne viole la neutralité belge, engage la bataille des frontières, puis déclare la guerre à la France. La résistance en Belgique et en Lorraine et les retours offensifs des Français sur Guise et sur la Meuse dérèglent le plan de l'état-major allemand de fondre sur Paris par le nord et la vallée de l'Oise ; les armées française et britannique refluent en deçà de la Marne. Les Allemands foncent alors sur la Seine pour atteindre la capitale par l'est. Devant cette situation, Joffre, secondé par Gallieni, ose une manœuvre délicate et prend l'armée allemande en plein mouvement sur son flanc droit. L'armée de Maunoury, la garnison de Paris et 4 000 territoriaux conduits au front par 600 taxis parisiens gagnent, le 13 septembre, la première bataille de la Marne. Simultanément, Foch et Franchet d'Esperey attaquent.

● **La guerre de position (septembre 1914-mai 1918)** – Les armées se terrent alors dans des tranchées. Les attaques destinées à forcer la décision en perçant le front échouent (Artois en mars, Champagne en septembre 1915). Il faut se résoudre à grignoter chaque position.

● **Verdun** (16 février 1916-20 août 1917) est le point culminant de la guerre, le champ du courage et du patriotisme, où le général Philippe Pétain (1856-1951), le grand vainqueur de Verdun, stoppe l'offensive ennemie.

Destinées à desserrer l'étau de Verdun, les offensives échouent ou ne réussissent que partiellement.

Le 2 mars 1918, sur le front oriental, à Brest-Litovsk, l'Allemagne dicte à Lénine et à Trotski les conditions de la paix qu'ils ont demandée.

En juin 1918, l'ennemi est encore à moins de 80 km de Paris, et ce n'est que le 9 juillet que la 39e division française et la 2e division américaine parviennent, au bout de cinq semaines de combat, à le déloger de la cote 204 (seconde bataille de la Marne).

Foch, généralissime des troupes alliées, reprend l'initiative sur tout le front ; le 26 septembre, il déclenche l'offensive générale qui décide l'Allemagne à envoyer ses plénipotentiaires à Rethondes pour signer l'armistice, le 11 novembre 1918.

● **1919** – Traité de Versailles (28 juin) : fin de la Première Guerre mondiale.

LES DIFFICULTÉS DE L'ENTRE-DEUX-GUERRES

À partir de 1931, la France rentre dans une période de crise économique et politique marquée par une instabilité ministérielle et des scandales politiques.

En 1934, les manifestations et les affrontements du 6 février aggravent la division politique qui débouche sur le Front populaire (1936-1938).

La Seconde Guerre mondiale

En juin 1940, les troupes allemandes submergent la France ; la défaite contraint le gouvernement du maréchal Pétain à demander l'armistice (signé le 22 juin).

Dès l'appel de De Gaulle (18 juin 1940) et durant toute l'Occupation, la Résistance se développe et s'organise sur le territoire national. Par la force morale de ses héros, le martyre de ses 20 000 fusillés et 115 000 déportés, le courage de ses combattants, elle a facilité la libération. Dès l'été, les Forces françaises libres, composées surtout des troupes de Norvège et des volontaires de l'empire colonial français, poursuivent la guerre aux côtés des Alliés et s'illustrent par l'épopée Leclerc au Sahara, en Tripolitaine, dans le sud tunisien et en Syrie.

En 1942, la France entière est occupée, la flotte se saborde à Toulon. En 1944, débarquement allié en Normandie en juin, en Provence en août puis libération de Paris. Le 7 mai 1945, capitulation allemande à Reims.

La Ve République

● **1946** – IVe République.

● **1957** – Traité de Rome : naissance de l'Euratom et de la Communauté économique européenne (France, RFA, Italie, Pays-Bas, Belgique, Luxembourg).

● **1958** – Ve République mise en place par le général de Gaulle, rappelé au pouvoir suite à la crise algérienne. Approbation, par référendum, de la Constitution inspirée par le général de Gaulle.

● **1958** – Entrée en vigueur de la Communauté économique européenne (CEE).

● **1962** – Référendum instituant l'élection du président de la République au suffrage universel. Fin de la guerre d'Algérie.

● **1968** – Événements de mai 1968.

● **1969** – Élection du président Georges Pompidou (16 juin). Dans le domaine politique, modernisation des infrastructures du pays. Le smic (le salaire minimum) est mis en place. Craignant la prépondérance d'une Allemagne orientée par l'*Ostpolitik*, le président Pompidou est favorable à l'élargissement de la Communauté européenne à la Grande-Bretagne (par référendum en 1972), mais également à l'Irlande, au Danemark et à la Norvège.

● **1974** – Élection du président Valéry Giscard d'Estaing (19 mai). Au niveau social, réformes importantes : libéralisation de la contraception, loi Veil sur l'IVG, majorité à 18 ans, divorce par consentement mutuel. Parallèlement, inflation et montée du chômage consécutives à la crise économique mondiale. Collaboration étroite avec l'Allemagne notamment pour la création du Système monétaire européen (SME).

● **1981** – Élection du président François Mitterrand (10 mai). Inauguration de la ligne TGV Paris-Lyon. Nombreuses réformes politiques et sociales : abolition de la peine de mort, retraite à 60 ans, 39 heures payées 40, décentralisation. Différents gouvernements se succèdent au fil des ans. Ils doivent faire face à la crise économique (politique de rigueur et de privatisation).

● **1986 et 1993** – Les socialistes perdent les élections législatives ; situation inédite dans l'histoire de la Ve République avec deux cohabitations : un président de gauche et un gouvernement de droite.

● **1988** – Réélection de François Mitterrand à la présidence.

● **1992** – Ratification du traité de Maastricht par la France (2 juillet).

● **1994** – Inauguration du tunnel sous la Manche (6 mai).

● **1995** – Élection du président Jacques Chirac (7 mai). Importance de l'axe franco-allemand dans la construction européenne.

● **1997** – Nouvelle cohabitation (inversée : président de droite et gouvernement de gauche). Mise en place des « 35 heures » de travail hebdomadaire, nouvelle durée légale.

● **2000** – Réduction de la durée du mandat présidentiel de 7 à 5 ans approuvée par référendum (24 septembre).

● **2002** – Le franc est remplacé par l'euro (1er janvier).

● **2002** – Réélection de Jacques Chirac à la présidence (5 mai). Le quinquennat entre en vigueur. En politique étrangère, la France s'oppose aux États-Unis en ce qui concerne l'intervention armée en Irak.

● **2004** – Traité de Rome établissant une Constitution pour l'Europe (29 octobre).

● **2005** – La France rejette par référendum le projet de Constitution européenne (29 mai). Ce refus, avec celui des Pays-Bas, met un coup d'arrêt au projet de réforme des institutions de l'UE.

● **2007** – Élection à la présidence de la République de Nicolas Sarkozy (6 mai).

● **2008** – En février, ratification par le Parlement français du traité de Lisbonne, qui modifie les grands traités de l'Union européenne en février. De juillet à décembre, la France préside l'Union européenne.

Art et architecture

Tous les éléments sont réunis dans le pays pour couvrir l'histoire de l'art de la préhistoire jusqu'au monde contemporain. De siècle en siècle, les églises romanes, les cathédrales gothiques, les châteaux Renaissance, les différents courants artistiques… témoignent de l'évolution permanente de l'art et de l'architecture en France.

Préhistoire

Si l'outillage apparaît dès le **paléolithique** inférieur, l'art n'est pas attesté avant le paléolithique supérieur (35000 à 10000 av. J.-C.) et trouve son apogée au magdalénien, notamment en Dordogne, aux Eyzies-de-Tayac. Le Périgord, les Pyrénées, l'Ardèche, le Gard et les Bouches-du-Rhône ont conservé de belles œuvres sur les parois des cavernes. Les peintures, exécutées avec des colorants d'origine minérale, sont parfois associées à des bas-reliefs ou des gravures. Les statuettes taillées dans l'ivoire devaient aussi avoir une signification : culte de la fécondité ? fonction rituelle ?
Lors de la révolution **néolithique** (vers 6500 av. J.-C.), l'homme se sédentarise. Les potiers inventent toutes sortes de récipients en terre cuite qu'ils ornent de figures géométriques. Le culte des morts implique la construction de tombes : ce sont les allées couvertes, les dolmens, près desquels se trouvent des alignements de menhirs, comme à Carnac, en Bretagne.
La découverte du métal introduit la civilisation préhistorique dans l'**âge du bronze** (2300-1800 av. J.-C.) puis du **fer** (750-450 av. J.-C.). L'art celtique montre une parfaite maîtrise du travail du métal et un goût pour l'ornementation végétale ou géométrique : armes, torques, fibules et bijoux en or, monnaies et vaisselle constituent les trésors des tombes, dont l'un des plus beaux est peut-être celui de Vix, en Bourgogne.

De la Gaule romaine à l'an 1000

Dans les cités, le pouvoir central romain érige des bâtiments en pierre qui reflètent sa puissance, et impose sa culture : théâtre à Orange, temple à Nîmes, thermes à Saintes, porte à Autun… Cette présence romaine modifie le paysage français par le développement urbain et la construction de routes, de ponts et d'aqueducs (pont du Gard). À la fin du Bas-Empire, la reconnaissance officielle de l'Église chrétienne (380) génère l'apparition d'une architecture chrétienne avec des baptistères, dont celui de Poitiers.
Au 5e s., les invasions barbares entraînent le recul de l'art figuratif au profit de motifs abstraits (entrelacs, rouelles) ou animaliers. L'orfèvrerie cloisonnée (trésor de Childéric découvert à Tournai) a produit des pièces précieuses très décoratives.

L'**art mérovingien** (6e-8e s.) élabore une synthèse entre les apports antiques, barbares et chrétiens. Quelques exemples nous sont parvenus : l'hypogée des Dunes à Poitiers, l'église St-Pierre-aux-Nonnains à Metz.

La **Renaissance carolingienne** (9e s.) est marquée par l'essor de toutes les formes artistiques et par un retour délibéré aux formes de l'art antique impérial. Les plus belles manifestations se trouvent dans les manuscrits, les fresques de St-Germain-d'Auxerre, les mosaïques de Germigny-des-Prés et les pièces d'orfèvrerie.

L'art roman

Après les troubles de l'an 1000, le rayonnement spirituel et la puissance de l'Église permettent l'éclosion de l'art roman (11e-12e s.).

L'ARCHITECTURE

La généralisation du système de voûtes en pierre, qui se substitue à la charpente, l'utilisation de contreforts, le retour au décor architectural caractérisent les premiers édifices romans (Saint-Martin-du-Canigou).

Le plan basilical (nef et bas-côtés, parfois précédés par un porche) prédomine. Le chevet révèle une grande variété formelle : plat, fréquent dans les abbayes cisterciennes, ou muni d'absidioles, il est souvent en hémicycle avec des chapelles échelonnées dans le sens de la nef ou avec des chapelles rayonnantes. Des plans plus complexes combinent chevet à déambulatoire et chapelles rayonnantes (Conques, Cluny). Tympans, voussures, piédroits, trumeaux se couvrent de sculptures à thèmes religieux ou profanes (illustration du *Roman de Renart* à St-Ursin de Bourges). À l'intérieur, l'essentiel du décor est constitué par les fresques (St-Savin-sur-Gartempe, Paray-le-Monial) et les chapiteaux sculptés, dont l'iconographie est parfois complexe (Autun, St-Benoît-sur-Loire, églises de Poitiers). Le style roman s'inspire de modèles orientaux (griffons, animaux fantastiques) véhiculés par les croisades, ainsi que de modèles byzantins (représentation du Christ en majesté, graphisme des drapés) et islamiques (végétaux stylisés, pseudo-coufique).

L'art roman conquiert l'ensemble de la France, avec cependant des disparités stylistiques et chronologiques. Apparu très tôt dans les zones méridionales et en Bourgogne, il ne s'impose que tardivement dans l'est. Le roman languedocien doit beaucoup au modèle de l'église St-Sernin de Toulouse. Les sculptures de la porte Miégeville sont caractérisées par un style graphique, des drapés bouillonnants, un canon allongé que l'on retrouve à Moissac et à St-Gilles-du-Gard.

LES ÉCOLES RÉGIONALES

La Saintonge et le Poitou

En Saintonge et en Poitou, l'originalité des édifices est due à la hauteur des nefs latérales, dont la fonction est de renforcer les murs de la nef centrale, et d'assurer ainsi l'équilibre du berceau. Les façades, flanquées de lanternons, sont couvertes d'arcatures abritant statues et bas-reliefs (N.-D.-la-Grande à Poitiers).

L'Auvergne

En Auvergne, la croisée du transept est souvent couverte par une coupole, contre-butée de hautes voûtes en quart de cercle et soutenue par des arcs diaphragmes. L'utilisation de la lave, pierre difficile à sculpter, explique la pauvreté du décor (St-Nectaire, N.-D.-du-Port à Clermont-Ferrand, Orcival).

La Bourgogne

En Bourgogne, l'art roman a été influencé par le modèle de l'abbaye de Cluny (aujourd'hui détruite), caractérisé par l'importance du chœur aux chapelles rayonnantes, un double transept et l'amorce d'un éclairage direct de la nef par de faibles ouvertures à la base du berceau ; Paray-le-Monial en dérive. Au nord du Morvan, la Madeleine de Vézelay représente un parti simplifié et un couvrement en voûte d'arêtes qui exerceront leur influence dans la région.

L'Est

Dans les zones du Rhin et de la Meuse, le respect des formules héritées de l'époque carolingienne définit une architecture qui relève de l'art ottonien : permanence du plan à double chœur et double transept (Verdun), reprise du plan centré et de l'élévation intérieure de la chapelle palatine d'Aix (Ottmarsheim).

La Normandie

En Normandie, l'architecture est restée longtemps fidèle à la charpente (Jumièges, Bayeux). L'adoption de la voûte en pierre entraîne l'utilisation de nervures décoratives (St-Étienne de Caen). L'ampleur et la monumentalité des édifices, les façades harmoniques à deux tours sont caractéristiques du style roman anglo-normand.

La Provence

Nombre d'édifices romans ont été construits en Provence, mais parmi les plus célèbres et les plus beaux, on trouve les « trois sœurs provençales », les abbayes cisterciennes de Sénanque, de Silvacane et du Thoronet, édifiées dans des lieux isolés propices à la méditation. Leur sobriété et leur rigueur architecturales viennent rappeler les idéaux de la règle de saint Benoît : simplicité, pauvreté, humilité. Le monastère de Ganagobie possède quant à lui une des plus importantes mosaïques romanes d'Europe.

Outre ces traits régionaux, certains édifices doivent leur particularité à leur fonction. Le plan des églises de pèlerinage (chœur muni d'un déambulatoire, transept à collatéraux, nef centrale à double collatéral) facilite le culte des reliques ; Ste-Foy de Conques, St-Sernin de Toulouse constituaient les principaux édifices de ce type sur la route de St-Jacques-de-Compostelle.

LES OBJETS D'ART

Les trésors d'église se constituent, rassemblant objets liturgiques en orfèvrerie, manuscrits, étoffes précieuses et reliquaires. Une Vierge en majesté, en bois polychrome ou en métal repoussé et orné de pierreries, est souvent intégrée au trésor.

L'essor de l'émaillerie limousine est l'un des aspects majeurs de l'histoire des arts somptuaires à l'époque romane. Exécutée sur cuivre doré et champlevé (la plaque de métal est creusée pour recevoir l'émail), elle connut un exceptionnel développement et fut exportée dans toute l'Europe.

L'art gothique

Il s'épanouit du 12e au 15e s.

L'ARCHITECTURE

Dès 1140 environ, à St-Denis, des innovations architecturales importantes marquent les préludes du gothique : l'adoption dans l'avant-nef et le chœur de la **voûte sur croisée d'ogives**, associée à l'arc brisé. Ainsi, ogives et moulurations provenant des voûtes se prolongent en faisceaux de colonnettes sur les piles des grandes arcades ; le chapiteau, simplifié, s'amenuise et tend à s'effacer. En façade préside une nouvelle organisation du décor sculpté, au sein duquel apparaissent les statues-colonnes.

Le premier art gothique

Ces innovations se retrouvent dans un groupe d'édifices en Île-de-France et au nord de la France, dans la seconde moitié du 12e s.

À la cathédrale de Sens, la voûte sexpartite, qui répond au plan rectangulaire des travées, entraîne l'alternance pile forte-pile faible au niveau des supports des grandes arcades. La pile forte reçoit trois éléments d'ogive, tandis que la pile faible ne supporte que la seule ogive intermédiaire. Voûte sexpartite avec alternance des supports et élévation à quatre étages – grandes arcades, tribunes, triforium, baies hautes – caractérisent ce premier art gothique (Sens, Noyon, Laon).

La cathédrale la plus célèbre du premier art gothique est Notre-Dame de Paris dont les travaux ont débuté en 1163. Dans les années 1180-1200, ses voûtes surhaussées sont renforcées à l'extérieur par des **arcs-boutants**. À l'intérieur, l'alternance des supports disparaît.

L'âge classique : les grandes cathédrales

Les règnes de Philippe Auguste (1180-1223) et de Saint Louis (1226-1270) voient l'apogée du style gothique en France.

La reconstruction de la cathédrale de Chartres (vers 1210-1230) donne un modèle, adopté par les édifices de Reims, Amiens, Beauvais : voûte sur plan barlong, élévation à trois étages (sans tribunes), arcs-boutants à l'extérieur. Le chœur à double déambulatoire et les transepts munis de collatéraux aménagent un volume intérieur grandiose. Les fenêtres hautes de la nef centrale sont divisées en deux lancettes surmontées d'une rosace.

Les façades se subdivisent en trois registres, par exemple à Laon ou à Amiens : la zone des portails, aux porches profonds unifiés par des gâbles, est surmontée d'une rose ajourée enserrant des vitraux. Sous l'étage des tours court une galerie d'arcatures.

Le gothique rayonnant

Le gothique rayonnant s'impose en France du Nord, de la fin du 13e s. aux années 1370 (le chœur de Beauvais, transept nord de la cathédrale de Rouen).

Le perfectionnement technique de la voûte, et notamment l'utilisation d'arcs de décharge, permet d'ouvrir les murs, comme à St-Urbain de Troyes où à la Sainte-Chapelle de Paris (1248) :

Dans le Centre et le Sud-Ouest, l'architecture gothique se développe à la fin du 13e s. avec des formules originales. Le maître d'œuvre de la cathédrale de Narbonne conçoit une architecture aux proportions massives, où l'élan vertical est brisé par l'aménagement de terrasses au-dessus des bas-côtés. À Ste-Cécile d'Albi, le recours à la brique et la fidélité au système des contreforts, hérités de l'art roman, dessinent un édifice d'une très grande indépendance par rapport aux modèles du nord de la France.

Tout au long du 14e s., la sculpture envahit l'intérieur des édifices : jubés, clôtures de chœur, retables monumentaux et statues de dévotion.

Le gothique flamboyant

Dès la fin du 14e s., les grands principes architecturaux n'évoluent plus, mais le vocabulaire décoratif multiplie flammèches, arcs lancéolés, pinacles, choux frisés, définissant le gothique flamboyant. La Sainte-Chapelle de Riom, construite pour le duc de Berry, en constitue un exemple précoce. Le gothique flamboyant caractérise en

France de nombreux édifices civils (hôtel Jacques-Cœur à Bourges) ou religieux (façade de l'église St-Maclou à Rouen), et s'étend au mobilier liturgique (clôture du chœur et jubé de Ste-Cécile d'Albi). Durant toute la période gothique, les châteaux restent fidèles aux modèles féodaux (Angers, Cordes) et n'évolueront qu'à l'aube de la Renaissance.

La **statuaire** illustre les progrès du naturalisme et du réalisme. Les statues-colonnes des portails, encore hiératiques au 12e s., témoignent dès le 13e s. de plus de liberté et d'expressivité (Amiens, Reims). De nouveaux thèmes s'imposent : le Couronnement de la Vierge, traité à Senlis pour la première fois (1191), devient un sujet privilégié.

L'ART DU VITRAIL

Au 12e s., les maîtres verriers mettent au point un bleu intense, devenu célèbre sous le nom de « bleu de Chartres ». Vers 1300-1310, l'invention du jaune d'argent permet d'obtenir des verres émaillés plus translucides, aux couleurs plus nuancées. L'association du vitrail à l'architecture gothique a pour conséquence l'élargissement des baies. Les vitraux de Chartres, de la Sainte-Chapelle à Paris, en grande partie intacts, constituent de précieux témoignages de cet art caractéristique de l'esprit gothique.

MINIATURE ET PEINTURE

Il faut attendre le 14e s. pour que des nouveautés apparaissent dans la miniature gothique (jusque-là influencée par la miniature romane) avec la découverte du modelé, la disparition du fond d'or remplacé par des éléments géométriques et les premiers pas du concept d'espace à trois dimensions (Jean Pucelle, les *Heures de Jeanne d'Évreux*).

La peinture de chevalet n'est attestée en France que vers 1350 (portrait de Jean le Bon, musée du Louvre). Les influences italiennes et surtout flamandes sont sensibles dans les œuvres des grands artistes du 15e s., Jean Fouquet, Enguerrand Quarton, ou le Maître de Moulins, tant dans le traitement du paysage que dans le souci du détail.

La Renaissance

LES CHÂTEAUX

La vallée de la Loire

L'art gothique se maintient en France jusqu'au milieu du 16e s. Cependant, dès les années 1500, apparaissent dans la région de la Loire les signes d'une rupture avec les traditions médiévales. L'esthétique de la Renaissance lombarde, connue en France depuis les campagnes militaires de Charles VIII et de Louis XII, à la fin du 15e s., n'affecte dans un premier temps que le décor architectural, en y introduisant les motifs antiquisants de pilastres, rinceaux, coquilles. Peu à peu, l'architecture féodale, militaire et défensive laisse place à des demeures seigneuriales plus luxueuses. Le château de Chenonceau et celui d'Azay-le-Rideau témoignent de cette évolution, par le souci de régularité dans le plan et l'amorce d'un décor architectural. Ce sont cependant les grandes entreprises royales qui furent déterminantes pour l'essor de la Renaissance française. Au château de Blois entrepris en 1515, si l'irrégularité des travées relève d'un archaïsme médiéval, le désir de s'inspirer des modèles italiens atteste la nouveauté capitale de cette entreprise. Le

Château d'Azay-le-Rideau.
A. Mouquet/Fotolia.com

château de Chambord (1519-1547), mélange de traditions françaises (tours d'angle, toits irréguliers à lucarnes) et d'Innovations (symétrie des façades, raffinement du décor, escalier monumental intérieur), inspire la réfection de nombreux châteaux de la Loire sous le règne de François Ier (Chaumont, Le Lude, Ussé).

L'architecture bellifontaine

Après la défaite de Pavie (1525), François Ier délaisse ses résidences du Val de Loire et privilégie l'Île-de-France. En 1527 débute la construction du château de Fontainebleau, sous la direction de Gilles Le Breton. La conception du décor intérieur, œuvre des artistes de la première école de Fontainebleau, aura une profonde influence sur l'évolution de la production artistique française. À la fin du 16e s., l'architecture des châteaux présente une ordonnance nouvelle, composée d'un corps de logis unique, centré sur un avant-corps et flanqué de pavillons aux extrémités. Les ailes en retour d'équerre sont supprimées et les façades allient parement de brique et chaînage de pierre.

Vers un nouvel urbanisme

Après les guerres de Religion (1560-1598), de nouvelles tendances viennent renouveler les arts et préludent au classicisme. L'intérêt du pouvoir monarchique pour les questions d'urbanisme conduit à l'aménagement rationnel de places (place des Vosges, place Dauphine à Paris) et à l'uniformisation des bâtiments qui les bordent (arcades au rez-de-chaussée, façades en brique et pierre). Imitées en province (Charleville, Montauban), ces réalisations préfigurent les places royales du Grand Siècle.

LE STYLE MANIÉRISTE

L'italien le Rosso (1494-1540) impose un système décoratif nouveau en France, combinant stucs, lambris, fresques allégoriques aux coloris acides, nourries de références humanistes et littéraires (décor de la galerie François Ier à

Fontainebleau). Le style maniériste, caractérisé par l'influence de la statuaire antique, l'allongement des proportions et la surcharge décorative, s'accentue avec l'arrivée à la Cour du Primatice (1504-1570), en 1532. Le décor de Fontainebleau se poursuit sous la seconde école de Fontainebleau, qui désigne l'ensemble des peintres actifs dans l'entourage de la Cour sous le règne d'Henri IV et sous la régence de Marie de Médicis.

L'art du 17ᵉ s.

FORMATION DU CLASSICISME

Trois architectes eurent un rôle essentiel dans la définition des normes de l'architecture classique en France.

Lemercier (vers 1585-1654), à qui l'on doit le château de Rueil, la ville de Richelieu ou l'église de la Sorbonne à Paris, se montre tributaire des influences italiennes, dominantes dans le domaine de l'architecture religieuse : façade à deux étages, avant-corps à colonnes, couronnement en fronton triangulaire.

François Mansart (1598-1666) innove davantage (aile Gaston d'Orléans à Blois) : le plan des châteaux (pavillon central avec avant-corps), la répartition du décor architectural établi pour accentuer les lignes verticales et horizontales, l'utilisation des ordres (dorique, ionique, corinthien) sont désormais des constantes de l'architecture classique française.

L'œuvre de **Louis Le Vau** (1612-1670), qui débute sa carrière avant le règne de Louis XIV en concevant des hôtels particuliers pour la noblesse ou la haute bourgeoisie (hôtel Lambert à Paris), possède, par la recherche d'une architecture grandiose, d'apparat, les

caractéristiques du classicisme sous Louis XIV (Vaux-le-Vicomte).

L'ÉMERGENCE D'UNE ÉCOLE PICTURALE FRANÇAISE

Le retour de **Simon Vouet** (1590-1649) en France en 1627 (après un long séjour romain), puis la création de l'**Académie royale de peinture et de sculpture** en 1648 permettent l'essor de l'école française. Les références italiennes, vénitiennes (richesse du coloris) ou romaines (dynamisme de la composition) sont présentes dans l'art de Vouet et de son élève **Eustache Le Sueur** (1616-1655), toujours tempérées par un souci d'ordre et de clarté. Décors à sujets mythologiques, sujets religieux prônés par la Contre-Réforme, portraits constituent l'essentiel de leur œuvre.

Nicolas Poussin (1594-1665) et **Philippe de Champaigne** (1602-1674) pratiquent en peinture un art intellectuel, nourri de références philosophiques, historiques ou théologiques, emblématique du classicisme français.

D'autres courants picturaux se manifestent en France dans la première moitié du siècle. L'Italien Caravage influence par son réalisme l'école toulousaine, dont **Nicolas Tournier** (1590-ap. 1660) est la figure majeure. En Lorraine, le caravagisme affecte l'œuvre de **Georges de La Tour** (1593-1652) par la science du clair-obscur et le choix de sujets humbles.

UNE SCULPTURE ENTRE BAROQUE ET CLASSICISME

Dans les premières décennies du 17ᵉ s., la sculpture est marquée par les modèles italiens contemporains. **Jacques Sarrazin** (1588-1660), formé à Rome, adopte un vocabulaire classique, mesuré, dérivé de l'antique et des modèles picturaux de Poussin.

François Anguier et son frère Michel se montrent plus sensibles au langage baroque par la mise en scène théâtrale des sculptures et la traduction du dynamisme. La sculpture française continue à osciller entre une mesure classique et une emphase toute baroque.

LE CLASSICISME VERSAILLAIS

L'architecture à la française

Sous le règne de Louis XIV (1643-1715), la centralisation du pouvoir et la toute-puissance de l'Académie royale engendrent un art officiel, reflet des goûts et de la volonté du souverain. Défini à Versailles, le **style Louis XIV** s'impose en France dans le dernier tiers du 17ᵉ s., imité dans ses principes, mais avec moins de moyens, par l'aristocratie. Les références à l'Antiquité, le souci d'ordre et d'apparat caractérisent cet art, en architecture comme en peinture ou en sculpture. L'échec des projets du Bernin pour le palais du Louvre symbolise la résistance française aux formules du baroque, qui ne l'atteignent que superficiellement. Le collège des Quatre-Nations (aujourd'hui Institut de France), réalisé par Le Vau, sur le modèle d'une église à coupole avec des ailes incurvées, en est l'une des rares expressions.

À Versailles, Le Vau puis **Hardouin-Mansart** (1646-1708) érigent une architecture grandiose : volumes rectangulaires scandés par des avant-corps à colonnes jumelées, toit plat, décor architectural inspiré de l'antique.

Le Brun (1619-1690), premier peintre du roi, supervise l'ensemble du décor intérieur et lui assure une remarquable homogénéité de style. Tissus foncés, lambris sombres, stucs dorés, plafonds compartimentés et peints, copies de statues gréco-romaines composent ce décor, qui s'allège cependant vers la fin du siècle.

En 1662, la création des **Gobelins**, Manufacture royale des meubles de la Couronne, assure l'essor des arts décoratifs. Peintres, sculpteurs, lissiers, marbriers, orfèvres, ébénistes travaillent sous la direction de Charles Le Brun et parviennent à une grande perfection technique. Le mobilier est massif, souvent sculpté et parfois doré. La marqueterie Boulle, qui associe laiton, écaille et bronze doré, est l'une des plus luxueuses productions de la période dans le domaine des arts décoratifs.

Le jardin à la française

Le parc, conçu par **Le Nôtre** (1613-1700), répond aux exigences de rigueur et de clarté du jardin « à la française ». Compositions végétales géométriques, grandes perspectives axiales, jeux d'eau, théâtres de verdure, bosquets et sculptures allégoriques donnent l'image d'une nature maîtrisée et ordonnée.

Le décor de sculptures est omniprésent dans les jardins : les deux sculpteurs majeurs du règne, **François Girardon** (1628-1715) et **Antoine Coysevox** (1640-1720), y contribuent, avec des œuvres inspirées de la mythologie antique. **Pierre Puget** (1620-1694), autre sculpteur important de la période, est l'auteur d'une œuvre beaucoup plus tourmentée.

L'art du 18e s.

Il est né en réaction à l'austérité et au caractère imposant du grand style Louis XIV, inadapté à la vie luxueuse et aux plaisirs de l'aristocratie et de la haute bourgeoisie sous la Régence (1715-1723), puis sous Louis XV (1723-1774).

L'ART ROCAILLE FRANÇAIS (1715-1750)

Classicisme et rocaille en architecture

L'architecture reste fidèle, dans son ordonnance extérieure, à certains principes de composition classiques (volumes simples, symétrie des façades, avant-corps sommé d'un fronton triangulaire), mais le recours aux ordres antiques est moins rigoureux et moins systématique. Les hôtels particuliers sont les édifices les plus représentatifs de cette nouvelle architecture (hôtel de Soubise à Paris). Les appartements d'apparat pompeux sont abandonnés au profit de pièces plus petites, plus intimes. Les lambris, souvent blanc et or, couvrent la surface des murs (cabinet de la Pendule à Versailles).

Peinture : vers une multiplication des genres

La génération des peintres du début du siècle est marquée par l'influence de l'art flamand. Desportes (1661-1743), Largillière (1656-1746), Rigaud (1659-1743) traitent de somptueuses natures mortes décoratives ou des portraits d'apparat. Les thèmes profanes s'imposent : fêtes galantes, théâtre de la vie mondaine. **Watteau** (1684-1721), Boucher (1703-1770), Natoire (1700-1777) et **Fragonard** (1732-1806) peignent des scènes de genre, aimables ou bucoliques, parfois à prétexte mythologique. Le portrait connaît un important renouvellement. Peintre officiel des filles de Louis XV, Nattier (1685-1766) exécute des portraits en travesti mythologique ou des portraits à mi-corps, moins pompeux que les traditionnels portraits de cour. Le pastelliste **Quentin de La Tour** (1704-1788) excelle dans le rendu du tempérament individuel et de la psychologie, en insistant sur l'étude du visage, moins chargé de signification sociale que le costume ou les accessoires.

Les petits genres (nature morte, paysage), méprisés par l'Académie mais appréciés en tant que décor dans les intérieurs bourgeois, connaissent un essor significatif. **Chardin** (1699-1779) peint de sobres natures mortes, ou des petites scènes de genre d'inspiration flamande, à la fois réalistes et pittoresques.

La grande statuaire

Les frères Adam (bassin de Neptune à Versailles) ou Coustou (*Chevaux de Marly*) introduisent dans la sculpture le vocabulaire du lyrisme baroque, recherchant la traduction expressive du mouvement et du sentiment. Drapés animés ou flottants, goût pour la représentation des détails, poses instables caractérisent les principales tendances de cet art. **Bouchardon** (1698-1762), formé à Rome au contact de l'archéologie antique, représente jusqu'au milieu du siècle une tendance plus classique.

Le style Louis XV

Le répertoire ornemental combine enlacements végétaux, courbes, coquilles, motifs naturalistes ; des peintures – paysages ou scènes champêtres – sont insérées dans les lambris au-dessus des portes, ou aux écoinçons des plafonds. L'importance de la vie mondaine favorise la création d'un **mobilier de luxe**, dont le style s'harmonise avec celui des lambris. Naissent alors de nouveaux meubles : après la commode, ce sont les secrétaires – droit ou en pente –, bonheur-du-jour, chiffonnier et innombrables petites tables, et pour les commodités de la conversation : la bergère, la voyeuse et toutes sortes de canapés et sièges où s'alanguir (duchesse, dormeuse, divan…). Les lignes courbes sont privilégiées ; les matériaux rares et précieux – bois exotiques, panneaux de laque de Chine – sont associés aux marqueteries florales et aux bronzes dorés finement ciselés. Les grands **ébénistes rocaille** signent Cressent, Joubert, Migeon, et les menuisiers en siège Foliot, Sené, Cresson…

La manufacture de Vincennes, transférée à Sèvres en 1756, produit des **porcelaines** somptueuses, certaines décorées d'un bleu profond (bleu de Sèvres). La **dorure** est théoriquement réservée aux services royaux. L'orfèvrerie rocaille se distingue par des motifs de roseaux, vagues, cartouches, coquillages, souvent agencés de façon dissymétrique. **Thomas Germain** (1673-1748) fut l'un des plus prestigieux fournisseurs de modèles pour les tables princières.

LA RÉACTION NÉOCLASSIQUE

Dès le milieu du siècle, une réaction à la fois morale et esthétique se dessine contre le style rocaille. Les modèles classiques – du 17e s. et de l'Antiquité – apparaissent alors comme un recours absolu.

Architecture : l'Antiquité comme modèle

La nouvelle architecture s'astreint à plus de rigueur et de monumentalité. Les façades sont marquées par la discrétion du décor sculpté, et l'utilisation de l'ordre dorique se généralise. Certains édifices dérivent de modèles antiques, comme par exemple l'église Ste-Geneviève (actuel Panthéon) à Paris, due à **Soufflot** (1713-1780). Victor Louis (1735-1807), qui donne les plans du théâtre de Bordeaux, Brongniart (1739-1813) et Bélanger (1744-1818) bénéficient de la majorité des commandes architecturales sous Louis XVI.

L'influence de la philosophie des Lumières engendre un intérêt accru pour l'architecture publique et fonctionnelle, dont on a un exemple fameux aux salines d'Arc-et-Senans, par **Claude Nicolas Ledoux** (1736-1806).

Un nouveau naturalisme en sculpture

Les sculpteurs recherchent un rendu naturaliste de l'anatomie, éloigné des excès de l'art rocaille. Ils s'inspirent de modèles gréco-romains. **Houdon** (1741-1828) est l'un des sculpteurs majeurs de la seconde moitié du siècle. Ses bustes constituent une véritable galerie de portraits de ses contemporains, aussi bien français (Voltaire, Buffon, Madame Adélaïde) qu'étrangers (B. Franklin, G. Washington). Très réalistes, sans perruque ni vêtement, « à la française », ils représentent l'apogée du portrait sculpté en France. Houdon fut l'auteur de tombeaux et de statues mythologiques. **Pigalle** (1714-1785) se montre encore tributaire des formules du début du siècle (tombeau du maréchal de Saxe, dans le temple St-Thomas de Strasbourg), que la réaction néoclassique ne parvint pas à effacer en sculpture.

Peinture : entre nature et antique

Dès les années 1760, les tentatives de l'Académie royale pour restaurer le Grand Genre conduisent à favoriser de nouveaux thèmes : histoire antique, héroïsme civique ou tragédies constituent le répertoire des peintres comme **David** (1748-1825). Le style est inspiré des bas-reliefs et de la statuaire antiques, les principes de composition se réfèrent aux œuvres de Poussin et des grands maîtres du 17e s.

Une tendance plus souple, représentée par les œuvres de **Greuze** (1725-1805), accorde davantage d'importance à la sensibilité et au sentiment, prémices du romantisme qui s'épanouira après la Révolution.

Le style Louis XVI

Le mobilier Louis XVI conserve certaines caractéristiques héritées du début du siècle (utilisation de matériaux précieux, décor de bronze doré ciselé), mais le galbe et la courbe laissent place à la ligne droite. Le décor, quoique conservant les motifs de fleurs et de rubans, adopte volontiers la frise d'oves, les grecques, les faisceaux. René Dubois (1738-1799) est, avec Louis Delanois (1731-1792), l'initiateur du **style « à la grecque »**, inspiré du mobilier antique révélé par les fresques d'Herculanum et de Pompéi. À ce genre se rattachent des artistes prestigieux comme Œben, Riesener et, pour les meubles ornés de plaques de porcelaine peinte, Carlin, puis par la suite, Beneman et Levasseur. À la fin du siècle, les motifs importés d'Angleterre – épis, lyres, corbeilles de vannerie, montgolfières – sont introduits dans le vocabulaire décoratif.

La porcelaine dure – dont la technique n'est connue en France qu'au début des années 1770 – domine la production de la manufacture de Sèvres. Les biscuits (statuettes en porcelaine non émaillées et laissées blanches), reproduisant des modèles de Fragonard et de Boucher, connaissent un vif succès. Enfin, l'ouverture du musée du Louvre en 1793 prélude à la création de nombreux musées dans l'Hexagone.

L'art du 19e s.

L'EMPIRE

Après le sacre (1804), Napoléon favorise un **art officiel** par la commande de décors (Fontainebleau) ou de tableaux relatant les grands événements de l'Empire. Des artistes formés au 18e s., comme David ou ses élèves, Gros (1771-1835) et **Ingres** (1780-1867), bénéficient de la faveur de l'Empereur. Ingres s'impose comme le défenseur du néoclassicisme, en digne successeur de David. Les thèmes nouveaux du romantisme inspirés par la littérature contemporaine, l'orientalisme, le goût pour les anecdotes de l'histoire nationale chez les peintres troubadours définissent les nouvelles orientations de la production picturale.

Dans le domaine de l'architecture, l'art est moins novateur. Napoléon commande de grandes réalisations commémoratives à la gloire de la Grande Armée : arc de triomphe du Carrousel, colonne Vendôme, église de la Madeleine. Les architectes officiels, **Percier** (1764-1838) et **Fontaine** (1762-1853), supervisent l'ensemble des entreprises architecturales, et donnent des modèles aussi bien pour les édifices que pour les décors de fêtes ou les arts décoratifs.

Les palais royaux sont remeublés. Le mobilier dérive du mobilier néoclassique : commodes et serre-bijoux aux volumes massifs, quadrangulaires, en acajou plaqué de bronze doré aux motifs antiquisants. **Jacob-Desmalter** (1770-1841) est le principal ébéniste de la cour impériale. La campagne d'Égypte introduit le **style dit « retour d'Égypte »** (sphinx, lotus) dans les arts décoratifs.

De 1815 à 1848, deux grandes tendances traversent la production artistique en France. D'une part, l'épuisement de la veine néoclassique ; d'autre part, l'éclosion de l'historicisme. Ce dernier style multiplie les références à l'architecture du passé, notamment médiévale (église Notre-Dame de Boulogne-sur-Mer, cathédrale de Marseille par Vaudoyer). La création des Monuments historiques en 1830 et les débuts de la carrière de **Viollet-le-Duc** (1814-1879) en sont le prolongement.

LE SECOND EMPIRE

Avec l'avènement de Napoléon III, l'éclectisme domine dans l'ensemble des arts. L'achèvement du Louvre par Visconti (1791-1853), puis par Lefuel (1810-1880), et la construction de l'Opéra de Paris par **Garnier** (1825-1898) comptent parmi les plus vastes entreprises du siècle. Les références aux styles du passé (16e, 17e et 18e s.) sont omniprésentes.

Toutefois, l'introduction de nouveaux matériaux comme le fer, le verre et la fonte (gare du Nord par Hittorff, église St-Augustin par Baltard à Paris) témoigne de l'apport des doctrines rationalistes et du progrès technologique. De plus, le baron **Haussmann** (1809-1891), préfet de la Seine, établit les règles d'un urbanisme qui modernise la capitale.

En peinture, l'académisme triomphe. Cabanel (1823-1883), Bouguereau (1825-1905) ou Winterhalter (1805-1873) s'inspirent aussi bien de la statuaire antique que des grands maîtres vénitiens du 16e s. ou des décors rococo. Cependant, **Courbet** (1819-1877),

Daumier (1808-1879) et **Millet** (1814-1875) forment l'avant-garde du réalisme en peinture, avec des sujets privilégiant la vie urbaine ou rurale. **Ingres** (1780-1867), qui représente la tendance classique, et **Delacroix** (1798-1863), le grand peintre romantique du siècle, sont au faîte de leur carrière.

Les chantiers architecturaux favorisent l'essor de la sculpture. **Carpeaux** (1827-1875), auteur du haut-relief de *La Danse* sur la façade de l'Opéra, transcende l'éclectisme par un style très personnel, qui se réfère sans plagiat à l'art flamand, à la Renaissance et au 18e s.

Le goût du pastiche prévaut dans les arts décoratifs. Mobilier et objets d'art reproduisent les formes et les motifs ornementaux de la Renaissance, du 16e ou du 18e s.

LA IIIe RÉPUBLIQUE

Architecture officielle et décor Art nouveau

Sous la IIIe République, les créations architecturales suivent le rythme des Expositions universelles à Paris : tour Eiffel, Grand Palais et pont Alexandre-III.

Dès les années 1890, les architectes de l'Art nouveau, influencés par l'Angleterre et la Belgique, se démarquent du style officiel. Décor des façades et décor intérieur sont harmonisés, et l'architecte conçoit l'ensemble des éléments : vitraux, carrelage, mobilier, papier peint… Tiges végétales, motifs floraux stylisés et japonisants, asymétrie prévalent dans le nouveau vocabulaire décoratif. **Guimard** (1867-1942) est le principal représentant de cet art (Castel Béranger à Paris, décor d'entrée des bouches de métro parisiennes). Les arts décoratifs sont intégrés au mouvement de l'Art nouveau, grâce à l'ébéniste **Majorelle** (1859-1929) ou au verrier-céramiste **Gallé** (1846-1904) à Nancy.

Peinture et sculpture : le refus de l'académisme

Les **impressionnistes** exposent, dès 1874, en dehors du Salon officiel. Monet (1840-1926), Renoir (1841-1919), Pissarro (1830-1903) renouvellent la technique et les thèmes du paysage, par l'étude de la lumière et le travail en plein air, et imposent des sujets nouveaux, inspirés par la vie contemporaine. Manet (1832-1883) et Degas (1834-1917) se joignent temporairement au groupe. Ils marquent une première rupture avec l'art officiel. Dans les années 1885-1890, les **néo-impressionnistes** – Seurat (1859-1891), Signac (1863-1935) – portent à son paroxysme la technique de la touche fragmentée. Peintre néerlandais, **Van Gogh** (1853-1890) arrive en France en 1886. Sa technique (couleurs pures, touche visible) ainsi que sa conception de l'art, où la vision intérieure prévaut sur l'étude du réel, auront une grande influence sur les peintres du début du 20e s. **Cézanne** (1839-1906) et Gauguin (1848-1903), influencés par l'art japonais, rejettent en partie l'héritage de l'impressionnisme pour s'attacher davantage au volume. En 1886, Gauguin vient chercher un renouvellement de son inspiration à Pont-Aven, près de Concarneau, déjà fréquenté par Corot dans les années 1860. Les artistes qui travaillent alors à ses côtés, Émile Bernard et Paul Sérusier, forment l'**école de Pont-Aven**, caractérisée par des recherches synthétiques et symbolistes, et ouvrent la voie aux **nabis**. Ces derniers, parmi lesquels Denis (1870-1943), Bonnard (1867-1947) et Vuillard (1868-1940), prônent la supériorité de la couleur sur la forme et le sens.

En sculpture, la fin du siècle est dominée par **Rodin** (1840-1917) qui la libère des conventions formelles académiques.

L'art du 20e s.

Jusqu'en 1945, les mouvements d'avant-garde se définissent comme une réaction contre les courants issus du 19e s.

LES AVANT-GARDES

Le fauvisme

Le fauvisme crée l'événement en peinture au Salon d'automne de 1906. **Derain** (1880-1954), Marquet (1875-1947) et **Vlaminck** (1876-1958) décomposent le paysage en couleurs arbitraires et ouvrent la voie à l'art non figuratif. **Matisse** (1869-1904), après des débuts fauves, développe un art indépendant des grands courants, fondé sur l'étude de la couleur.

Le cubisme

L'autre manifestation majeure de l'avant-garde en peinture se traduit dans l'œuvre de **Braque** (1882-1963) et de **Picasso** (1881-1973), qui poursuivent l'étude de la décomposition des volumes amorcée par Cézanne. Ces recherches conduisent au cubisme (discontinuité dans la représentation de la réalité, monochromie, illisibilité des sujets), qui domine leur production entre 1907 et 1914. Les cubistes du groupe de la Section d'or (Gleizes et Metzinger, Léger à ses débuts) pratiquent un art moins révolutionnaire, plus figuratif.

Le dadaïsme

De Zurich, où il naît en 1916, en réaction contre l'absurdité de la guerre, le dadaïsme atteint rapidement Paris, rassemblant des personnalités très différentes. Parmi leurs points communs, un même désir de contestation culturelle, mêlant provocation et dérision. Dada a touché écrivains et poètes (André Breton, Robert Desnos), musiciens (Erik Satie) et artistes

(Robert et Sonia Delaunay, Francis Picabia, Marcel Duchamp avec les premiers « ready-made »). 1921 marque la fin du mouvement.

Le surréalisme

Dans les années 1920-1930, le surréalisme renouvelle l'inspiration des artistes. Art subversif, il crée un univers non logique, onirique ou fantastique. Le hasard, les messages de l'inconscient sont intégrés pour la première fois au processus de création. **Duchamp** (1887-1968), **Masson** (1896-1987), **Picabia** (1879-1953) et **Magritte** (1898-1967) participent à ce mouvement.

La sculpture

Dans une production d'une grande richesse se côtoient anciens cubistes et héritiers de la tradition classique. Chez **Bourdelle** (1861-1929), la pureté et la rigueur des formes en font l'un des précurseurs de la sculpture monumentale du 20e s. (*Héraclès archer*). **Maillol** (1861-1944), de son côté, simplifie les volumes, parfois jusqu'à la schématisation, en contraste avec l'esthétique de Rodin.

APRÈS 1950

La seconde moitié du 20e s. se caractérise par un foisonnement des tendances et des écoles picturales. Paris n'est plus le foyer des avant-gardes et laisse sa place à New York. Mais la création française reste tout aussi active.

L'abstraction

L'abstraction s'impose en France dans le domaine de la peinture après la Seconde Guerre mondiale. **Herbin** (1882-1960) conçoit l'art abstrait à la manière d'un triomphe de l'esprit sur la matière. Il exerce une grande influence sur les jeunes artistes du mouvement de l'abstraction géométrique. Les peintres de l'abstraction lyrique axent leurs recherches sur le chromatisme et la matière, comme **Riopelle** (1923-2002) qui applique la couleur au couteau, ou Mathieu qui travaille la peinture directement extraite du tube.

L'art d'Extrême-Orient influence Soulages, dont le lyrisme méditatif est une variation sur les noirs. **Nicolas de Staël** (1914-1955) crée un lien entre abstraction et figuration, ses compositions abstraites dérivant d'une observation d'objets réels, parfois encore lisibles dans l'œuvre finale. Certains artistes tels que Fautrier travaillent la peinture en pâte épaisse, ou lui adjoignent d'autres matériaux comme le sable.

Le nouveau réalisme

Dans les années 1960, le nouveau réalisme, dont le théoricien est Pierre Restany, tente d'exprimer la réalité quotidienne de la vie moderne et de la société de consommation. Il se développe une réflexion critique sur les objets industriels, symboles de cette société : en les accumulant, en les cassant (Arman), en les compressant ou en les assemblant (César), en les piégeant sous verre…

Yves Klein (1928-1962), au-delà de son appartenance aux nouveaux réalistes, tente dans ses *Monochromes* de capter et d'exprimer l'espace, l'énergie ou l'essence universelle des choses. Il travaille la couleur pure.

Art brut

Le rejet du formalisme et du traditionalisme caractérise l'œuvre de **Dubuffet** (1901-1985). En 1968, il publie *Asphyxiante Culture*, un pamphlet qui prône la révolution permanente, la dérision, l'inattendu. Dans ses dernières œuvres, il compose peintures et sculptures à partir d'un puzzle d'unités colorées ou noir et blanc.

Support-Surface

Au cours des années 1970, ce mouvement (emmené par Claude

Viallat, Pagès, Daniel Dezeuze…), réduit la peinture à sa réalité matérielle en jouant sur le support ou sur le mode d'application des couleurs : la toile, hors châssis, est découpée, suspendue, pliée.

DEPUIS 1980

La création contemporaine offre toujours une diversité de styles et de courants. Tous les supports sont utilisés comme moyen d'expression par les artistes d'aujourd'hui : peinture, sculpture, photographie, cinéma, vidéo, nouvelles technologies numériques… Certaines personnalités émergent, proposant un travail plus personnel (Sophie Calle, Christian Boltanski, Annette Messager…). Les installations de Daniel Buren et son « outil visuel » (les *Deux Plateaux* ou « colonnes de Buren », dans la cour du Palais-Royal à Paris, 1985-1986) ou celles de Claude Lévêque mettent en avant le travail *in situ*, cherchant à montrer le réel autrement.

En peinture, Robert Combas s'inspire de la culture populaire et se rapproche des artistes graphistes, tandis que l'œuvre de Gérard Garouste, empreinte de références à la tradition, marque un retour à la figuration, comme chez Jean-Charles Blais. La photographie n'est pas en reste avec Jean-Luc Moulène ou Valérie Jouve.

ARCHITECTURE MODERNE ET CONTEMPORAINE

De l'entre-deux-guerres à « L'Esprit nouveau »

Le « retour au style » est caractérisé en architecture par des volumes géométriques simples, parfois animés de sobres bas-reliefs. **Robert Mallet-Stevens** (1886-1945) occupe en son temps une place importante. Peu nombreuses, ses constructions raffinées, aux proportions et aux lignes étudiées, ne sont pas sans évoquer le cubisme (villa Noailles, Hyères, 1923). Les réalisations d'**Auguste Perret** (1874-1954) imposent un nouveau matériau, le béton, dans un « style sans ornement » et une maîtrise parfaite des structures (reconstruction du Havre entre 1947 et 1954). L'architecture connaît un renouveau important avec **Le Corbusier** (1887-1965), soucieux à la fois des exigences fonctionnalistes et rationnelles (Cité radieuse à Marseille, chapelle de Ronchamp).

Une période de réflexion

Les grands chantiers de reconstruction de l'après-guerre ont suscité un questionnement à la fin des années 1960 sur l'architecture et l'urbanisme et ont notamment amené à reconsidérer le rapport entre architecture et sculpture, pour une meilleure intégration des deux arts. **Claude Parent** et **Paul Virilio** s'orientent vers cette architecture-sculpture en créant en 1963 le groupe Architecture Principe, dont la grande réalisation sera l'église Ste-Bernadette-du-Banlay à Nevers.

Une politique de grands travaux

Les grands projets initiés par l'état français à l'aube des années 1980 et 1990, et qui se poursuivent aujourd'hui, stimulent la création architecturale et permettent à une grande variété de tendances et de styles de s'exprimer. Ces projets et réalisations visent à répondre, entre autres, à une nouvelle organisation de l'espace urbain et au maintien de l'aura touristique du territoire, tout en prenant en compte les problématiques environnementales. Cette volonté politique correspond aussi à un besoin réel, notamment à Paris *(voir p. 116)*, à Bordeaux ou encore à Reims.

ABC d'architecture

Architecture religieuse

Plan-type d'une église

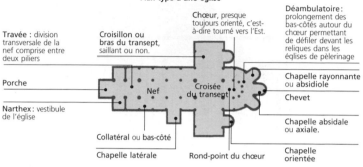

Travée : division transversale de la nef comprise entre deux piliers

Croisillon ou bras du transept, saillant ou non.

Chœur, presque toujours orienté, c'est-à-dire tourné vers l'Est.

Déambulatoire : prolongement des bas-côtés autour du chœur permettant de défiler devant les reliques dans les églises de pèlerinage

Porche

Nef

Croisée du transept

Chapelle rayonnante ou absidiole

Narthex : vestibule de l'église

Chevet

Collatéral ou bas-côté

Chapelle absidale ou axiale.

Chapelle latérale

Rond-point du chœur

Chapelle orientée

Coupe d'une église

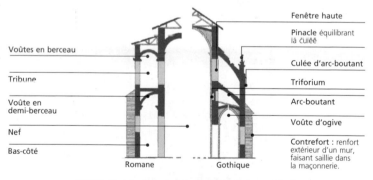

Voûtes en berceau

Tribune

Voûte en demi-berceau

Nef

Bas-côté

Romane

Gothique

Fenêtre haute

Pinacle équilibrant la culée

Culée d'arc-boutant

Triforium

Arc-boutant

Voûte d'ogive

Contrefort : renfort extérieur d'un mur, faisant saillie dans la maçonnerie.

AUTUN – Portail principale de la cathédrale St-Lazare (12ᵉ s.).

Tympan

Sommier

Linteau

Chapiteau

Fût

Montant

Mandorle : auréole en forme d'amande

Voussures : arcs concentriques couvrant l'embrasure d'une baie

Archivolte : ensemble des voussures

Trumeau, auquel est généralement adossée une statue.

Piédroits : montants verticaux sur lesquels retombent les voussures

R. Corbel/MICHELIN

POITIERS – Élévation de la nef de l'église St-Hilaire-le-Grand (11ᵉ et 12ᵉ s.)

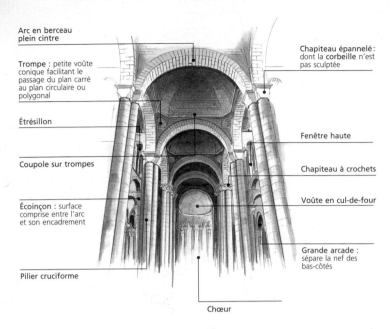

Arc en berceau plein cintre

Trompe : petite voûte conique facilitant le passage du plan carré au plan circulaire ou polygonal

Étrésillon

Coupole sur trompes

Écoinçon : surface comprise entre l'arc et son encadrement

Pilier cruciforme

Chapiteau épannelé : dont la **corbeille** n'est pas sculptée

Fenêtre haute

Chapiteau à crochets

Voûte en cul-de-four

Grande arcade : sépare la nef des bas-côtés

Chœur

ROUEN – Chœur et croisée du transept de l'abbatiale St-Ouen (14ᵉ s.)

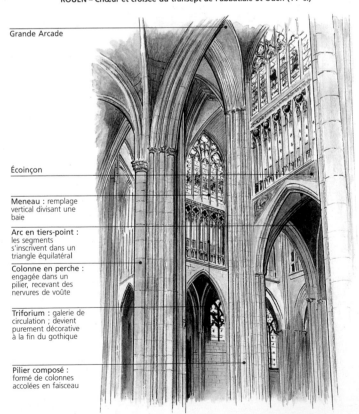

Grande Arcade

Écoinçon

Meneau : remplage vertical divisant une baie

Arc en tiers-point : les segments s'inscrivent dans un triangle équilatéral

Colonne en perche : engagée dans un pilier, recevant des nervures de voûte

Triforium : galerie de circulation ; devient purement décorative à la fin du gothique

Pilier composé : formé de colonnes accolées en faisceau

R. Corbel/MICHELIN

ST-BENOÎT-SUR-LOIRE – Basilique Ste-Marie (11ᵉ-12ᵉ s.)

Église romane. Plan à double transept, rare en France ; le petit transept, ou faux transept, se déploie de part et d'autre du chœur.

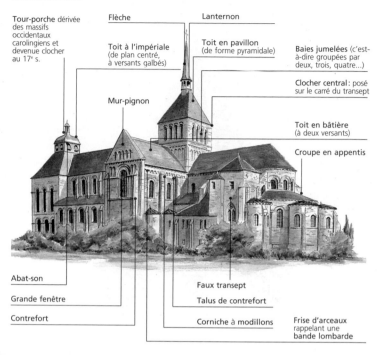

Tour-porche dérivée des massifs occidentaux carolingiens et devenue clocher au 17ᵉ s.

Flèche

Lanternon

Toit à l'impériale (de plan centré, à versants galbés)

Toit en pavillon (de forme pyramidale)

Baies jumelées (c'est-à-dire groupées par deux, trois, quatre...)

Clocher central : posé sur le carré du transept

Mur-pignon

Toit en bâtière (à deux versants)

Croupe en appentis

Abat-son

Grande fenêtre

Contrefort

Faux transept

Talus de contrefort

Corniche à modillons

Frise d'arceaux rappelant une bande lombarde

LE MANS – Chevet de la cathédrale St-Julien (13ᵉ s.)

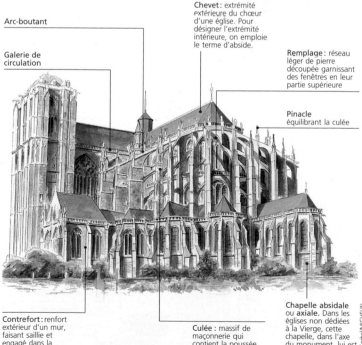

Arc-boutant

Galerie de circulation

Chevet : extrémité extérieure du chœur d'une église. Pour désigner l'extrémité intérieure, on emploie le terme d'abside.

Remplage : réseau léger de pierre découpée garnissant des fenêtres en leur partie supérieure

Pinacle équilibrant la culée

Contrefort : renfort extérieur d'un mur, faisant saillie et engagé dans la maçonnerie.

Culée : massif de maçonnerie qui contient la poussée des arches

Chapelle absidale ou **axiale**. Dans les églises non dédiées à la Vierge, cette chapelle, dans l'axe du monument, lui est souvent consacrée.

R. Corbel/MICHELIN

Église de la SORBONNE

Partie la plus ancienne de l'université, l'église fut érigée par Le Mercier de 1635 à 1642.

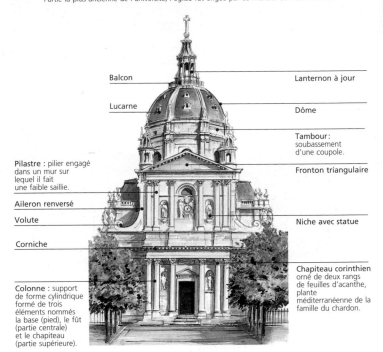

Balcon

Lucarne

Pilastre : pilier engagé dans un mur sur lequel il fait une faible saillie.

Aileron renversé

Volute

Corniche

Colonne : support de forme cylindrique formé de trois éléments nommés la base (pied), le fût (partie centrale) et le chapiteau (partie supérieure).

Lanternon à jour

Dôme

Tambour : soubassement d'une coupole.

Fronton triangulaire

Niche avec statue

Chapiteau corinthien orné de deux rangs de feuilles d'acanthe, plante méditerranéenne de la famille du chardon.

AJACCIO – Cathédrale de l'Assomption

Les retables baroques sont nombreux dans l'île. Celui-ci, offert par la sœur de Napoléon, Élisa, princesse de Lucques, provient d'une église de cette ville italienne.

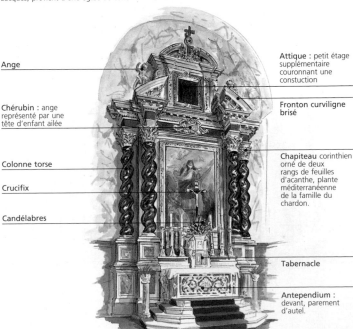

Ange

Chérubin : ange représenté par une tête d'enfant ailée

Colonne torse

Crucifix

Candélabres

Attique : petit étage supplémentaire couronnant une constuction

Fronton curviligne brisé

Chapiteau corinthien orné de deux rangs de feuilles d'acanthe, plante méditerranéenne de la famille du chardon.

Tabernacle

Antependium : devant, parement d'autel.

AIX-EN-PROVENCE – Pavillon Vendôme (17ᵉ-18ᵉ s.)

L'ordonnance de la façade est rythmée par la superposition des ordres dorique, ionique et corinthien, suivant le « grand ordre » prôné par Palladio dès la Renaissance.

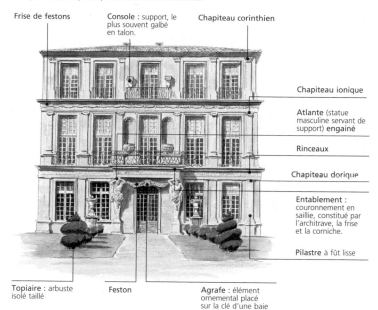

Frise de festons

Console : support, le plus souvent galbé en talon.

Chapiteau corinthien

Chapiteau ionique

Atlante (statue masculine servant de support) engainé

Rinceaux

Chapiteau dorique

Entablement : couronnement en saillie, constitué par l'architrave, la frise et la corniche.

Pilastre à fût lisse

Topiaire : arbuste isolé taillé

Feston

Agrafe : élément ornemental placé sur la clé d'une baie

BORDEAUX – Palais de la Bourse (18ᵉ s.)

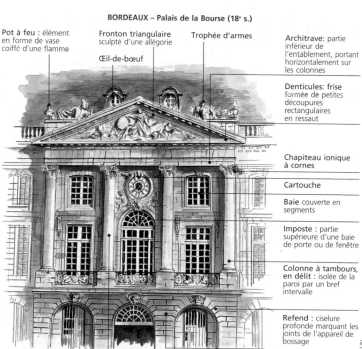

Pot à feu : élément en forme de vase coiffé d'une flamme

Fronton triangulaire sculpté d'une allégorie

Œil-de-bœuf

Trophée d'armes

Architrave : partie inférieur de l'entablement, portant horizontalement sur les colonnes

Denticules : frise formée de petites découpures rectangulaires en ressaut

Chapiteau ionique à cornes

Cartouche

Baie couverte en segments

Imposte : partie supérieure d'une baie de porte ou de fenêtre

Colonne à tambours, en délit : isolée de la paroi par un bref intervalle

Refend : ciselure profonde marquant les joints de l'appareil de bossage

Mascaron décorant l'agrafe

Ordre colossal : ordre d'architecture embrassant plusieurs étages

Appareil en bossage Le bossage est une saillie laissée sur le parement d'une pierre taillée

R. Corbel/MICHELIN

Culture

La littérature française a été couronnée par 14 prix Nobel, illustrant avec force la richesse de ses plumes. La musique, du Moyen Âge à la période contemporaine en passant par la vague romantique, résonne de noms illustres… Au cours des siècles, la culture française a acquis ses lettres de noblesse et s'enorgueillit aujourd'hui d'une vivacité indéniable, comme en témoigne, dans le domaine du cinéma notamment, l'existence d'une génération de jeunes réalisateurs très prometteurs.

Littérature

LES VOIX DU MOYEN ÂGE

C'est par l'épopée que prend forme la littérature française : *La Chanson de Roland* (vers 1080) ouvre la voie aux **chansons de geste** qui, deux siècles durant, vont faire vibrer les auditeurs des cours seigneuriales aux « exploits » (en latin *gesta*) de Charlemagne puis des croisés, en glorifiant Dieu et les valeurs de la féodalité. Au cours du 12e s. apparaît le **roman** (ainsi appelé parce qu'il raconte en « roman », c'est-à-dire dans la langue populaire), qui met en scène des chevaliers soucieux de prouesses pour la conquête de leur dame ou la quête du Graal, ce vase mystérieux dans lequel aurait été recueilli le sang du Christ en Croix. L'amour que l'on nomme « courtois » n'est pas séparable du mysticisme, et les héros de la Table ronde (dont les aventures sont principalement contées par **Chrétien de Troyes** dans la seconde moitié du 12e s.) rejoignent dans l'imaginaire occidental *Tristan et Yseult* que leur passion unit jusque dans la mort. La littérature médiévale s'exprime aussi par le théâtre, religieux (avec les amples mystères ou les miracles) ou profane (avec les farces, souvent grossières, à l'exception de *La Farce de maître Pathelin*), par le **fabliau** (dont *Le Roman de Renart* est une manifestation originale), par les récits historiques qui enregistrent les grands événements que sont les croisades (Villehardouin et *La Conquête de Constantinople*) ou la guerre de Cent Ans (*Chroniques de Jean le Bel ou de Froissart*, *Mémoires du Bourgeois de Paris*), et par la poésie lyrique qu'incarnent, à côté des **troubadours** de langue d'oc, deux grandes voix du Nord : Rutebeuf et **François Villon** (1431-ap. 1463).

LA RENAISSANCE AU SERVICE DE L'HOMME

L'invention de l'imprimerie modifie radicalement le statut de la littérature : le livre remplace la parole. La redécouverte des textes antiques et la naissance de l'humanisme italien fondent une nouvelle approche de l'homme, conçu non plus dans ses aspects mythiques et abstraits, mais dans sa réalité. Ainsi **Rabelais** (vers 1494-1553) qui, sous les aventures de ses bons géants, Pantagruel et Gargantua, cherche d'abord à élaborer un espace de sagesse et de savoir ; de son côté, **Montaigne** (1533-1592) s'attache à se « peindre soi-même » dans ses *Essais*, en tentant de trouver la voie du bonheur. Les poètes, par-delà les figures de rhétorique obligées, disent la détresse de l'exil (*Les Regrets* de Du Bellay, 1558), les peines, les joies de l'amour et ses vanités (*Les Amours* de Ronsard), les ravages de la passion (*Sonnets* de Louise Labbé, 1555), les malheurs de la France déchirée par les guerres de Religion (*Les Tragiques* d'Agrippa d'Aubigné, 1616). Dictionnaires, traités de poétique ou traductions (Calvin publie une traduction de la Bible en 1541) viennent consacrer le français – dont **Du Bellay** publie une *Défense* et *Illustration* en 1549 – que François Ier avait imposé comme langue administrative officielle par l'**édit de Villers-Cotterêts** (1539).

LE CLASSICISME : LA RAISON AU SERVICE DE L'ORDRE

Le 17e s. est le siècle de l'ordre : on norme la langue (Vaugelas, *Remarque sur la langue française*, 1647), on l'épure (et ce sera d'abord l'œuvre des précieuses), on l'ordonne : il revient à l'**Académie française**, instituée en 1635 par Richelieu, de publier un *Dictionnaire* officiel, en 1694. De même pour la pensée : le projet de **Descartes** (*Discours de la méthode*, 1637) n'est-il pas de « bien conduire sa raison » pour aboutir à la vérité ? Quant aux belles-lettres, on les soumet à toutes sortes d'arts poétiques dont le plus célèbre est celui de **Boileau** (1674), qui édicte les fameuses « règles des unités ». En dépit de ce que les romantiques dénonceront comme un obstacle au génie, le théâtre brille de mille feux : la tragédie s'illustre avec **Corneille** (1606-1684), dont les pièces, très politiques, opposent chez le héros la passion au devoir (*Le Cid, Horace,*

Cinna, Polyeucte), et **Racine** (1639-1699) qui, préférant des sujets « chargés de peu de matière », met en scène l'essence du tragique au travers de personnages consumés par la fatalité (*Andromaque, Bérénice, Phèdre*). **Molière** (1622-1673), à la fois directeur de troupe, acteur et auteur, hausse la farce jusqu'à la « grande comédie » dont l'objet est de « châtier les mœurs par le rire » (*L'école des femmes, Tartuffe, Dom Juan, Le Misanthrope, Les Femmes savantes*).

Hors de la scène, le classicisme, art de la règle et de la mesure, s'illustre dans les genres brefs qu'il porte à leur perfection formelle : la maxime avec **La Rochefoucauld** (1613-1680), le portrait avec **La Bruyère** (1645-1696) dont *Les Caractères* (1688) seront l'un des grands succès du siècle, la lettre avec **Mme de Sévigné** (1626-1696) et, bien sûr, la fable que **La Fontaine** (1621-1695) cisèle comme une véritable petite comédie animalière et humaine. Inclassable, **Pascal** (1623-1662) invente machines et théorèmes, polémique avec les jésuites dans ses *Provinciales* et meurt en laissant de fulgurants fragments publiés sous le titre de *Pensées* (posth., 1670), où s'affirme l'évidence de Dieu au cœur de l'homme.

Reste le roman, confisqué par les précieux dans d'interminables récits-fleuves, qui donne deux chefs-d'œuvre : les *Lettres portugaises* (1669), attribuées à Guilleragues, et surtout *La Princesse de Clèves* (1678) de **Mme de La Fayette**, premier d'une série de récits d'analyse qui, jusqu'à nos jours, alimente le roman français.

LES LUMIÈRES CONTRE LES POUVOIRS

La raison n'est plus mise au service de l'ordre ou de la religion, mais au profit du bonheur de l'homme sur terre : le philosophe n'est plus cet être isolé, spéculant sur la métaphysique. Il s'intéresse à l'organisation politique, défend le libéralisme économique, s'insurge contre les abus et l'obscurantisme. Témoin de cet engagement dans le monde, *L'Encyclopédie* (1746-1765) dirigée par Diderot et d'Alembert, vaste entreprise en 28 volumes (dont 11 de planches), entend « rassembler les connaissances éparses pour rendre les hommes plus instruits, plus vertueux et plus heureux ». De même qu'il ne s'enferme plus, le philosophe alterne traités savants et œuvres de fiction destinées à un plus large public : ainsi **Montesquieu** (1689-1755) avec ses *Lettres persanes* et *De l'esprit des lois* ; ainsi **Voltaire** (1694-1778) qui donne des *Lettres philosophiques*, un *Traité sur la tolérance* et un gros *Dictionnaire philosophique*, mais distille son humour et son ironie dans des contes qui connaissent un succès immédiat (*Zadig, Candide, Micromégas* ou *L'Ingénu*) ; de même **Diderot** (1713-1784) qui, à côté de l'entreprise encyclopédique, tente de toucher un public renouvelé au théâtre en créant ce que l'on appellera le drame bourgeois (*Le Père de famille*). **Rousseau** (1712-1778) construit une œuvre exigeante où la théorie touche aussi bien l'organisation sociale (*Discours sur l'origine de l'inégalité, Du Contrat social*) que l'éducation (*Émile*), donne un long roman où se mêlent amour, vertu, nature et société (*La Nouvelle Héloïse*) et des textes autobiographiques (*Les Confessions, Rêveries du promeneur solitaire*).

Le roman, explorant de nouvelles voies, acquiert enfin sa dignité et produit d'authentiques chefs-d'œuvre : *Manon Lescaut* de l'**abbé Prévost**, *Jacques le fataliste* de Diderot, *Les Liaisons dangereuses* de **Laclos**, *Paul et Virginie* de **Bernardin de Saint-Pierre**, et les romans du « vice triomphant et de la vertu victime de ses sacrifices » de l'inclassable **Sade**.

Reste le théâtre qui, lorsqu'il n'imite pas les classiques, traduit les aspirations d'un nouveau plaisir de vivre : **Marivaux** (1688-1763) joue de l'être et du paraître dans un incessant échange de rôles entre maîtres et valets (*L'Île des esclaves, Le Jeu de l'amour et du hasard*) ; **Beaumarchais** (1732-1799) annonce, par son rusé valet (*Le Barbier de Séville, Le Mariage de Figaro*), les événements qui vont enflammer la rue.

LE 19ᵉ S., AU RYTHME DE L'HISTOIRE

Fille des Lumières, la Révolution est aussi mère du 19ᵉ s., et le mouvement romantique se pense comme un « 14 Juillet du goût ». Comment, dès lors, s'étonner que l'Histoire soit omniprésente à travers le siècle ? Elle se constitue en discipline autonome, lyrique avec **Michelet**, narrative avec Augustin Thierry, philosophique avec **Tocqueville** ou Quinet. C'est elle qui sous-tend le grand projet des *Mémoires d'outre-tombe* de **Chateaubriand** (1768-1848). C'est elle qui s'insinue dans le drame (*Hernani* de Hugo, *Lorenzaccio* de Musset) pour lui donner ses couleurs et sa dynamique. C'est elle qui explique l'évolution messianique de la poésie, du lyrisme encore traditionnel d'un **Lamartine** (*Méditations poétiques*, 1820) ou exacerbé d'un **Musset** (cycle des *Nuits*, 1835-1838) à la « modernité » dont **Baudelaire** (1821-1867) se fait le chantre dans *Les Fleurs du mal* (1857) ou à l'idéalisme de **Vigny** dans *Les Destinées* (posth., 1864), jusqu'à la « voyance » de **Rimbaud** (*Illuminations*, 1873) et l'hermétisme de **Mallarmé** (*Poésies*, 1886). Et **Hugo** (1802-1885), « l'homme-

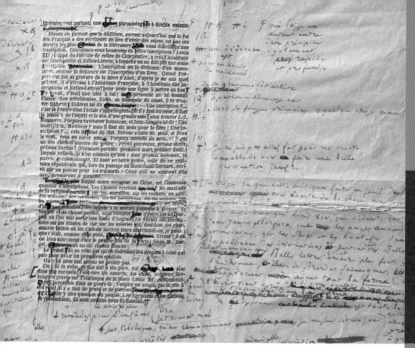

Corrections manuscrites de Balzac.
F. Monheim/Age Fotostock

verbe », alternant l'intimisme *(Les Contemplations)* et l'épopée *(La Légende des siècles)*, le pamphlet virulent *(Les Châtiments)* et la vision du mage *(Dieu)*, montre par son parcours que la poésie ne se réduit plus à la seule rhétorique.

Si la poésie se renouvelle, le roman et la nouvelle, que pratiquent Mérimée ou Maupassant, affirme son hégémonie, d'autant que le feuilleton apparu en 1836 vient amplifier son lectorat. Des récits d'analyse de Constant *(Adolphe)* ou Nerval *(Aurélia)* aux sommes de **Balzac** (1799-1850) sur la Restauration *(La Comédie humaine)* ou de **Zola** (1840-1902) sur le Second Empire *(Les Rougon-Macquart)*, en passant par les romans dans lesquels **Stendhal** (1783-1842) fait partager le bonheur de ses personnages *(Le Rouge et le Noir, La Chartreuse de Parme)* ou les romans désabusés des antihéros de Flaubert *(Madame Bovary, L'Éducation sentimentale)*, sans oublier les fresques historiques de Dumas *(Les Trois Mousquetaires, La Reine Margot,* etc.), le genre montre sa flexibilité et sa capacité à absorber toutes les formes.

Si le premier demi-siècle avait vu triompher le drame libéré des contraintes classiques, la seconde moitié du siècle, plus consensuelle, voit émerger la mélodramatique *Dame aux camélias* (1852) de Dumas fils et les essais sans grand succès de drames symbolistes, à l'exception notable de **Claudel** (1868-1955) qui commence, avec *Tête d'or*, une féconde carrière qui se poursuivra sur toute la première moitié du 20e s. C'est surtout le règne du vaudeville avec **Labiche** *(Le Voyage de M. Perrichon)* et **Feydeau**, le maître des portes qui claquent. Quant à **Rostand**, il donne avec *Cyrano de Bergerac* (1897) un chef-d'œuvre, mêlant dans une versification hautement fantaisiste et virtuose le comique et le tragique.

LE SIÈCLE DES INCERTITUDES

C'est l'ère des ruptures et des voies nouvelles : **Apollinaire** (1880-1918) libère le vers de ses diverses entraves (mètre, ponctuation),

LA LANGUE D'ICI

Les parlers traditionnels, qui étaient encore largement usités jusqu'au début du 20e s., ont pratiquement disparu aujourd'hui. En Savoie, en Bretagne, en Languedoc, ils se sont maintenus grâce à une littérature régionale et aux travaux d'associations culturelles. Les intrigantes terminaisons en z ou en x ne doivent pas se prononcer dans les Alpes du Nord et servent à manger l'accent tonique. Dans la langue provençale, l'accent tonique qui vient sur l'avant-dernière syllabe ou sur la dernière lui donne sa musicalité. Le **provençal** se caractérise par une forte accentuation des voyelles par rapport aux consonnes. Très proche de l'occitan, le **catalan** est le lien culturel des anciens pays du royaume de Catalogne. Au nord de la Loire, le **picard** a gardé, comme le normand, le lorrain et le wallon, des traits germaniques. Du point de vue linguistique, le **breton** appartient au groupe des langues celtiques.

allant jusqu'à en faire de véritables dessins *(Alcools, Calligrammes)*. Après lui, les **surréalistes** (au premier rang desquels Breton), s'appuyant sur la psychanalyse, cherchent dans l'inconscient et l'écriture automatique matière à « changer la vie ». Mais, devant les diverses impasses, certains renouent avec un lyrisme amoureux où s'exprime également le renouveau d'un humanisme militant (Eluard, Aragon, Char) ou renouvellent le grand chant épique (Saint-John Perse). Plus près de nous, la poésie, retirée du bruit du monde, essaie dans le secret de l'abstraction de retrouver une vérité sans cesse dérobée (Bonnefoy). Plus ludiques, Prévert, Ponge et Michaux montrent que la poésie peut être populaire et s'attacher au quotidien le plus trivial.

Si la tradition perdure avec les romans ironiques d'**Anatole France**, *Le Grand Meaulnes* d'**Alain-Fournier**, les grandes fresques de **Martin du Gard** *(Les Thibault)*, **Romain Rolland** ou **Jules Romains**, les récits à l'engagement catholique prononcé d'un **Mauriac** *(Thérèse Desqueyroux, Le Nœud de vipères)* ou d'un **Bernanos** *(Sous le soleil de Satan)* autant que ceux résolument révolutionnaires de **Malraux** *(Les Conquérants,*

La Condition humaine, L'Espoir) ou les fables provençales de **Giono**, le roman explore lui aussi de nouvelles voies. **Proust** (1871-1922), dans *À la recherche du temps perdu*, transforme le monde en une suite de « métaphores » qui sont autant de signes révélateurs de la face cachée du réel. **Gide** (1869-1951), par la technique de la « mise en abyme » *(Les Faux-Monnayeurs)*, tente de montrer les mécanismes mêmes de l'artifice romanesque.

Quant à **Céline** (1894-1961), soucieux de « rendre l'émotion du langage parlé », il hache sa phrase de points de suspension et jette les mots sur le papier comme autant de cris *(Voyage au bout de la nuit, Mort à crédit)*. Dans la mouvance « existentialiste », **Sartre** (1905-1980) et **Camus** (1913-1960), tous deux philosophes, cherchent à rendre accessibles leurs idées dans des romans de facture classique *(La Nausée, L'Étranger, La Peste)* comme dans leur théâtre.

Les années 1960 voient l'apparition du « **nouveau roman** » (Sarraute, Duras, Beckett, Simon, Butor, Robbe-Grillet…) qui refuse tout autant la notion de personnages que celle d'intrigue. Dans le sillage de Queneau, Perec construit une œuvre personnelle fondée sur les contraintes les plus farfelues, du lipogramme au récit puzzle. Aujourd'hui, toutes les formes de fictions cohabitent, et si certains creusent le même sillon (Modiano), d'autres reviennent au récit classique (Sollers) ; de nouvelles voix font entendre des sons originaux (Van Cauwelaert, Houellebecq, Pennac) qui se distinguent des plus traditionnelles (d'Ormesson, Nourissier, Tournier, Rinaldi, Quignard, Orsenna…). Parallèlement, la littérature francophone, qui se développe depuis les années 1960, remporte de nombreux prix littéraires en France avec Tahar Ben Jelloun, Ahmadou Kourouma ou Nancy Huston. Des auteurs étrangers utilisant la langue française viennent également vivifier la langue française (ainsi Andreï Makine ou Jonathan Littell et son roman *Les Bienveillantes*, 2006, prix Goncourt et prix de l'Académie française).

Du côté du **théâtre**, une nouvelle figure s'est imposée entre l'auteur et le spectateur : le metteur en scène, dont certains ont étroitement collaboré avec les dramaturges (ainsi Jouvet avec Giraudoux ou Barrault avec Claudel). Les sujets antiques sont revisités : *Électre* ou *L'Iliade* par Giraudoux, l'*Orestie* par Sartre dans *Les Mouches*, *Œdipe* par **Cocteau** dans *La Machine infernale*, *Antigone* par **Anouilh**…

Montherlant retrouve la rigueur du tragique classique dans des pièces d'une grandeur d'un autre temps (*La Reine morte*). À l'opposé, **Genet** use de la scène pour exhiber ses pulsions et ses fantasmes, son refus d'une société policée (*Les Bonnes*). Mais le plus original procède de ce « théâtre de l'absurde » qu'illustrent **Ionesco** (*La Cantatrice chauve*, *Le roi se meurt*) ou **Beckett** (*En attendant Godot*) : le langage s'y vide de toute signification et les personnages se réduisent à des pantins ou se fondent dans les objets qui les entourent. Plus récemment, on peut citer les pièces de **Jean-Claude Grumberg** (*L'Atelier*, 1979), **Jean-Claude Brisville** (*Le Souper*, 1989), **Éric-Emmanuel Schmitt** (*Variations énigmatiques*, 1996, *La Tectonique des sentiments*, 2008) ou **Yasmina Reza** (*Art*, 1994).

Musique

C'est avec le Moyen Âge que la musique sacrée s'épanouit en France dans les monastères à travers le plain-chant (dont le répertoire le plus connu est le chant grégorien) qui connaît un développement à la Renaissance sous la forme de la polyphonie. Les plus fameux musiciens sont **Guillaume de Machaut** (vers 1300-1377), poète et compositeur, qui a marqué de son empreinte la musique européenne du 14e s. (*Messe de Notre-Dame*, première messe polyphonique connue) ; **Guillaume Dufay** (1400-1474), dont l'œuvre annonce la musique de la Renaissance ; **Josquin des Prés** (environ 1450-1521), considéré comme le premier maître du style polyphonique de la Renaissance. Au cours de la période baroque, la musique instrumentale se détache de la musique vocale pour s'émanciper. **Jean-Baptiste Lully** (1632-1687) domine le siècle de Louis XIV et compose airs de cour, musiques de ballet (il travaille régulièrement avec Molière, créant le genre de la comédie-ballet), tragédies lyriques (*Atys*, *Armide*…), motets (*Te Deum*…), etc. Il est en outre considéré comme le créateur de l'opéra français. Son influence est grande sur les autres musiciens de son temps, aussi bien en France (avec Marc Antoine Charpentier, François Couperin, Jean-Philippe Rameau et Michel Richard Delalande qui vont enrichir

LA SCÈNE ARTISTIQUE À L'HONNEUR
De grands festivals émaillent le calendrier culturel du territoire français, se faisant ainsi l'écho de l'intérêt que la nation porte en général à la culture dans toute sa diversité. Ils mettent à l'honneur la photographie à Arles et Perpignan, le jazz à Marciac, le théâtre à Avignon et Aurillac, le rock à Carhaix et Belfort, la chanson française à La Rochelle, la bande dessinée à Angoulême, le livre et le film à St-Malo, le court-métrage à Clermont-Ferrand… *(voir « Mémo », p. 30).*

son héritage) qu'en Europe (avec Purcell, Haendel…).

Poursuivant par la suite l'héritage de Mozart, de Gluck ou de Haydn, la musique française sera finalement touchée en 1830 par la vague romantique, avec **Hector Berlioz** (1803-1869) et son audacieuse *Symphonie fantastique*. De grands compositeurs vont ainsi s'exprimer à travers la musique de chambre et les poèmes symphoniques (**Camille Saint-Saëns**, César Franck), le ballet romantique (Léo Delibes) ou l'opéra, dont Paris devient en quelque sorte la « capitale ». Longtemps l'un des opéras les plus populaires, *Faust* (1859) de **Charles Gounod** est détrôné par *Carmen* (1875) de **Georges Bizet** qui révolutionne le genre. Parallèlement, **Jacques Offenbach** invente l'opéra-bouffe français *(Les Contes d'Hoffmann)*.

Claude Debussy (1862-1918) est considéré comme l'un des fondateurs de la musique moderne, marquant une véritable rupture. Son *Prélude à l'après-midi d'un faune* (1894), à l'écriture novatrice, est qualifié d'impressionniste et *Pelléas et Mélisande*, en 1902, renouvelle le genre de l'opéra. Autre compositeur majeur de cette période, **Maurice Ravel** (1875-1937), dont le fameux « ballet de caractère espagnol », le *Boléro* (1928), est encore aujourd'hui l'une des œuvres les plus jouées au monde. **Gabriel Fauré** (1845-1924) est avec Debussy et Ravel l'un des grands musiciens français.

Le milieu du 20e s. voit émerger une mutation profonde dans l'écriture musicale et un bouleversement des techniques électriques, électroacoustiques puis informatiques. **Edgar Varèse**, Pierre Schaeffer et Pierre Henry vont être parmi les précurseurs de cette musique utilisant instruments électroniques et sons enregistrés. Olivier Messiaen (1908-1992) et son élève **Pierre Boulez** (1925), représentants du sérialisme, figurent parmi les compositeurs les plus influents de la seconde moitié du 20e s.

Cinéma

Le cinéma occupe une place majeure dans la culture française : depuis les frères **Lumière**, inventeurs du cinématographe en 1895 (*L'Arroseur arrosé*), le succès de ce genre fut immédiat. Il se confirme avec les films muets de **Georges Méliès** (*Le Voyage dans la Lune*, 1902, premier film de science-fiction), le premier à envisager le cinéma comme un art, mais également avec **Charles Pathé** et **Léon Gaumont**. Parmi les autres grands noms figurent **Max Linder** (qui influencera plus tard Charlie Chaplin) ou **Louis Feuillade** (la série des *Fantômas*, à partir de 1913). La France produit à l'époque près de 80 % des films dans le monde. Après la rupture de la Grande Guerre, les années 1920 voient l'émergence d'une nouvelle école cinématographique (Marcel Lherbier, Jean Vigo ou Abel Gance) et l'apparition du long-métrage. L'arrivée du parlant va amener une autre génération de cinéastes de talent (Jean Renoir, Sacha Guitry, René Clair…) et la réalisation de chefs-d'œuvre comme *Les Enfants du Paradis* (1944) de **Marcel Carné**, interprétés par de grands comédiens (Arletty, Louis Jouvet, Raimu, Michel Simon, Fernandel, Jean Gabin…), production que la Seconde Guerre mondiale ne réussira pas à interrompre.

La période d'après-guerre est marquée par le raz-de-marée des productions américaines qui déferlent sur la France. Le Centre national de la cinématographie est alors créé pour soutenir et relever l'industrie cinématographique française. Cette aide financière des pouvoirs publics se poursuit toujours aujourd'hui pour permettre au cinéma français de résister à la concurrence américaine. En 1946, le **Festival de Cannes** est lancé. Pour pallier la faiblesse financière du cinéma français, des coproductions avec l'Italie se mettent en place et vont permettre la réalisation de nombreux films autour de vedettes tournant en Italie ou en France (Alain Delon, Claudia Cardinale…).

Le cinéma français des années 1950 va s'appuyer en partie sur ses réalisateurs et acteurs d'avant-guerre, alors que de nouvelles stars se font connaître (Gérard Philipe, Brigitte Bardot…). De nouveaux cinéastes vont réaliser des chefs-d'œuvre (Louis Malle, Jacques Tati…), tandis qu'un cinéma de qualité tourné vers les adaptations littéraires se développe : *Le Diable au corps* de **Claude Autant-Lara**, *Jeux interdits* de **René Clément**, *La Symphonie pastorale* de **Jean Delannoy**… Mais surtout une école de jeunes cinéastes indépendants,

décidés à sortir des studios, avides de réalisme, voit le jour : la « **Nouvelle Vague** ». Parmi les plus talentueux réalisateurs de ce mouvement : **Claude Chabrol** (*Le Beau Serge*, 1958), **François Truffaut** (*Les Quatre Cents Coups*, 1959) et **Jean-Luc Godard** (*À bout de souffle*, 1960). Parallèlement à ce cinéma d'auteur, une production populaire se poursuit, notamment avec des films de cape et d'épée : *Fanfan la tulipe*, 1952 ou *Le Bossu*, 1960. L'arrivée progressive de la télévision dans les foyers va ouvrir une période de crise dans les années 1970-1980. Sur le modèle des Oscars américains, les **Césars** sont mis en place en 1976 afin de soutenir les œuvres françaises.

Malgré des réalisations importantes et l'émergence de nouveaux acteurs au cours de cette période (Gérard Depardieu, Catherine Deneuve, Isabelle Adjani), il faut attendre le début des années 1980 pour que de nouvelles productions initient un renouveau avec des cinéastes comme **Jean-Jacques Beineix** (*Diva*, 1981, *37°2 le matin*, 1986), **Luc Besson** (*Le Grand Bleu*, 1988), **Leos Carax** (*Les Amants du Pont-Neuf*, 1991), **Jean-Jacques Annaud** (*La Guerre du feu*, 1981) et plus récemment, **Jean-Pierre Jeunet** (*Le Fabuleux Destin d'Amélie Poulain*, 2000), **Mathieu Kassovitz** (*La Haine*, 1995), **Cédric Klapisch** (*L'Auberge espagnole*, 2002), Olivier Assayas, François Ozon…

La première décennie du 21e s. se distingue par son foisonnement de jeunes réalisateurs, d'acteurs et par une importante production offrant cinéma d'auteur, films populaires (la série *Astérix*, 1999, 2002, 2008, *Les Choristes*, 2004, *La Môme*, 2007, *Bienvenue chez les Ch'tis*, 2008…) ou documentaires (*La Marche de l'empereur*, 2005).

Traditions populaires

En France, la diversité des origines et des terroirs, les savoir-faire traditionnels, les fêtes et festivals, les coutumes tant nationales que régionales témoignent d'une richesse incomparable. À l'heure de la mondialisation, l'Hexagone entend préserver, malgré toutes les mutations en cours, ses traditions, témoignages d'une identité aux multiples facettes.

CARNAVALS

Depuis le Moyen Âge, des fêtes populaires, réminiscences de rites païens antiques, se déroulent à la veille du carême, au moment de **Mardi gras**. Pendant ces jours de fêtes, de licence joyeuse, on mange et on boit plus que de raison. Les carnavals revêtent un rôle intégrateur et permettent de transgresser l'ordre établi. Ils donnent l'occasion de se déguiser et de danser lors du bal des Corsaires ou pendant la nuit des Acharnés… de l'un des carnavals les plus populaires, des plus fous du nord de la France, celui de **Dunkerque**. Très renommé également, le carnaval de **Limoux**, dans l'Aude, est l'héritier du Carnaval de paille qui se déroulait autrefois dans la région. Il occupe aujourd'hui tous les week-ends entre janvier et Pâques : les *fécos*, déguisés en Pierrot, avancent à pas très lents, *carabena* (roseau enrubanné) à la main, suivis par les pitreries des *godils*.

Sur la Côte d'Azur, des corsos de chars fleuris et des centaines de grosses têtes en carton-pâte aux couleurs éclatantes défilent à **Nice**, accompagnés de musique sur la promenade des Anglais.

PÈLERINAGES ET PROCESSIONS

De grands **pèlerinages** se tiennent chaque année dans de nombreuses régions françaises. Citons ceux des Saintes-Maries-de-la-Mer, du mont Ste-Odile, de Ste-Anne-d'Auray ou encore la Grande Troménie de Locronan, le Tro-Breiz en Bretagne… Mais ces événements réputés ne doivent pas faire oublier toutes les **processions** qui témoignent aussi d'une tradition religieuse encore vivace dans notre société. Ces moments de recueillement s'entourent souvent d'une mise en scène solennelle et se terminent généralement par des fêtes profanes, animées de danses et de musiques. Parmi les plus renommées, la procession de la Sanch, à Perpignan, est destinée à faire revivre la Passion du Christ. Précédés d'un *regidor* en rouge, les pénitents, revêtus d'inquiétantes aubes noires et de hautes cagoules pointues, défilent au son des tambours dans une atmosphère grave.

Carnaval de Dunkerque.
J.-C. Cuvelier/MICHELIN

FÊTES VOTIVES ET FOLKLORIQUES

Qu'elles soient d'origine religieuse ou non, les fêtes (patronales, champêtres, transhumance…) rythment depuis toujours la vie des villages. Elles redonnent corps aux traditions locales à travers costumes, danses et chants. Ainsi sont-elles l'occasion de remettre à l'honneur la célèbre coiffe à rubans en Alsace, et celle en dentelle en Bretagne.

En Auvergne, les femmes revêtent robes longues multicolores, tabliers brodés serrés à la taille, châles de couleur sur corsages assortis et imposantes coiffes, tandis que les hommes portent vestes et pantalons noirs, gilets de couleurs et pour certains, blouses bleu sombre. Tout le monde se retrouve au son des vielles, de la cabrette, du violon, de l'accordéon et de quelques cuivres pour danser la bourrée et le pélélé. En Provence, les premières notes des musiciens qui ouvrent la farandole entraînent, par un rythme à six temps, les danseurs évoluant main dans la main. Véritables virtuoses, les tambourinaires jouent de leur main gauche du galoubet, petite flûte très aiguë, tandis que, de la droite, ils martèlent le tambourin.

Un peu partout en France, les fêtes champêtres à la manière d'autrefois connaissent une renaissance, animées par des groupes de renom. Les **danses** – ronde en berry, sardane en Languedoc… – véhiculent l'identité des régions. Les **chants traditionnels**, vecteurs de culture, viennent parfois compléter ces tableaux festifs : le zortziko et le chant de Lelo au Pays basque ; les polyphonies en Corse, surtout la paghjella et le chjama è rispondi ; la musique celtique et les chants des marins en Bretagne…

AUTOUR DE NOËL

Dès la fin du mois de novembre, en Alsace, les **marchés de Noël** se déroulent sur plusieurs semaines dans une ambiance euphorique, au milieu des spectacles les plus variés (danses, concerts, crèches vivantes et expositions) et d'une profusion de décorations et d'accessoires,

LA GRANDE BRADERIE DE LILLE

Pas de costume traditionnel, pas de chant, pas de danse folklorique, et pourtant la grande braderie de Lille, qui se déroule chaque année le **1er week-end de septembre**, est une coutume incontournable. Sur des kilomètres de trottoirs, conquis par les forains et les particuliers, on s'installe n'importe où pour vendre n'importe quoi. L'animation est garantie, surtout dans le quartier piéton de la place Rihour, sur le boulevard Jean-Baptiste-Lebas. À cette occasion, restaurants et cafés servent des moules-frites. Selon la tradition du Nord, les tas de moules subsistent malgré l'interdiction, sur la place Rihour.

d'artisanat local, de produits du terroir et de gâteaux traditionnels, sans oublier le vin chaud.

La Lorraine, dont **saint Nicolas** est le patron, organise de nombreuses processions le 6 décembre, jour où le saint distribue des jouets aux enfants sages… Mais depuis le 16e s., il s'accompagne d'un triste compagnon, Hans Trapp ou Père Fouettard, qui, lui, punit les enfants désobéissants ; on le retrouve par exemple à Wissembourg, lors d'un défilé qui se tient le dernier dimanche avant Noël.

En Provence, nombre de villages perpétuent la tradition des **crèches vivantes** pour mettre en scène la Nativité. La messe de minuit débute avec le *pastrage* : tandis que le prêtre dépose le Divin Enfant sur la paille, les cloches appellent le cortège des bergers qui apportent dans leur charrette illuminée un agneau. Fifres et tambourins entonnent les vieux chants provençaux repris en chœur par les fidèles.

JEUX TRADITIONNELS

Si la pratique de certains jeux traditionnels, le rugby par exemple, s'est aujourd'hui étendue au-delà de leur zone culturelle d'origine, beaucoup restent tout de même la marque d'une tradition très locale. Ainsi, la **pétanque** ou la longue est une distraction populaire typique du sud-est de la France, notamment de la Provence. Les **joutes nautiques** se déroulent, elles, de juin à septembre en Languedoc, de Sète à Béziers et d'Agde à Palavas. Les **corridas**, originaires d'Espagne, que l'on retrouve dans le sud de l'Aquitaine et dans le Languedoc-Roussillon, côtoient sur ces mêmes territoires les courses landaises ou camarguaises. Indissociable du Pays basque, du Béarn et du sud des Landes, la **pelote basque** se décline en grand chistera, cesta punta, ou plus ancien encore, en jeu net et jeu à main nue. Toujours dans le Pays basque, les **jeux de forces** animent de nombreuses fêtes locales : levé de charrette, de bottes de paille, de pierres, tir à la corde, coupe et sciage de troncs…
Mais le nord de la France n'est pas en reste et il n'est pas rare d'assister dans le Nord-Pas de Calais à des cérémonies de **tir à l'arc** costumées, et plus particulièrement de tir à la verticale, ou tir à la perche, qui consiste à abattre des oiseaux factices fixés à une longue perche. Dans cette région toujours, on pratique aussi en extérieur les jeux du billon, de boules, du tonneau, de quilles, ancêtre du bowling… et en intérieur, dans les estaminets, les jeux du bouchon, du javelot, du marteau, le toptafel, la bourle, le billard Nicolas…

Gastronomie

Le « Repas gastronomique des Français » a été inscrit, en novembre 2010, au Patrimoine immatériel de l'humanité, saluant ainsi une tradition nationale servie par une richesse culinaire immense. Chaque terroir, chaque région peut s'enorgueillir de proposer des produits typiques mis en valeur dans des recettes uniques, qui en font l'emblème de leur territoire. Autant de découvertes gustatives à accompagner de vins et autres alcools non moins réputés.

Des mets de qualité

SOUPES ET AUTRES VELOUTÉS

Onctueux et parfumés, ils ont le plus souvent comme base de liaison le pain. Les plus renommés sont le velouté d'asperges, la soupe de pommes de terre aux poireaux et aux lardons, la soupe à l'oignon appelée aussi « gratinée », la bisque de homard, la cotriade (soupe de poissons de Bretagne), la garbure (soupe aux choux épaisse du Sud-Ouest).

ENTRÉES

Elles comportent le plus souvent des **salades**, composées en Alsace et dans le Lyonnais de pommes de terre chaudes et de cervelas assaisonnés d'une vinaigrette à l'échalote ; en Auvergne, de lentilles vertes ; sur la Côte d'Azur, d'un savoureux mélange de tomates, anchois, oignons, poivron vert, thon, œufs durs et olives, nappé d'huile d'olive et de basilic (salade niçoise).
En Périgord et en Alsace, on vous proposera du **foie gras** ; dans le Nord, une flamiche (tarte aux poireaux) ; en Picardie, une ficelle (crêpe au jambon avec sauce béchamel aux champignons) ; dans l'Est, une **quiche lorraine** (tarte au lard avec de la crème) ; en Provence, une **pissaladière** (tarte aux oignons et anchois) ; en Bourgogne, des œufs en meurette (sauce à base de vin rouge), des **escargots**, des cuisses de grenouille ou des **gougères** (pâte à choux au fromage) ; en Périgord, une omelette aux cèpes et, dans les régions giboyeuses, d'excellentes terrines.

La **charcuterie** fait la renommée de nombreuses régions : jambon cru des Ardennes, saucisse de Strasbourg, andouille de Vire, coppa et figatelli en Corse.

En Bretagne, laissez-vous tenter par les plateaux de **fruits de mer** et crustacés, qui sont composés d'huîtres, crevettes, langoustines, palourdes, crabe, etc.

PLATS DE RÉSISTANCE

Parmi les préparations à base de produits de la mer ou de la rivière, n'hésitez pas à savourer les **moules marinières** à Lille, le homard à l'armoricaine en Bretagne, le brochet au beurre blanc à Nantes ou les quenelles, également de brochet, à Lyon, le thon à la sauce pipérade (tomates, poivrons et oignons) au Pays basque, la **bouillabaisse** à Marseille (composée de trois poissons – rascasse, grondin et congre – cuits dans un bouillon aromatisé de safran, thym, ail, laurier, sauge, fenouil), la **brandade** à Nîmes (crème onctueuse de morue à l'huile d'olive, au lait, parfumée à l'ail), le loup grillé au fenouil ou au sarment de vigne au bord de la Méditerranée. Les **viandes** de volaille (Bresse, Landes), de gibier (Alsace, Ardennes, Sologne), de bœuf (Bourgogne, Limousin, Auvergne), d'agneau (Pyrénées) sont accommodées de légumes de saison. Rien ne vaut un poulet rôti ou « vallée d'Auge », un confit de canard, un lapin à la moutarde, une daube ou un gigot de sept heures…

La **choucroute** de Strasbourg au riesling (chou, pommes de terre, lard salé, saucisses, côtes de porc), le **cassoulet** de Toulouse ou de Castelnaudary (ragoût de haricots blancs, confit d'oie ou de canard, ail et lard), la **potée** auvergnate (chou, porc, lard et navets) ou franc-comtoise (chou, saucisse de Morteau ou de Montbéliard), l'**aligot** (onctueux mélange de tomme fraîche de Laguiole et de pommes de terre écrasées, assaisonné d'ail), les petits farcis provençaux ne vous laisseront que l'embarras du choix. Et si vous hésitez encore, prenez, dans les Alpes, un **gratin dauphinois**, une **tartiflette** ou une fondue savoyarde.

PLATEAU DE FROMAGES

Il faut le lait quotidien de vingt à trente vaches pour faire un cantal de 40 kg… Et l'on dit qu'en France, il y a plus de 500 fromages différents que l'on classe en grandes familles :

Les fromages à pâte molle – À croûte fleurie, ils sont couverts d'un duvet blanc et ont une pâte souple (brie de Meaux, camembert, chaource…). À croûte lavée : ces fromages à base de lait de vache sont lavés ou brossés et leur croûte devient rouge orangé (livarot, pont-l'évêque, munster, maroilles, vacherin…).

Les fromages à pâte pressée – Ils proviennent surtout d'Auvergne et de Savoie. Leur pâte non cuite est souple et ferme (cantal, saint-nectaire, tomme, reblochon…).

Les fromages à pâte cuite – Fabriqués avec du lait de vache, ils proviennent du Jura et de Savoie, et leur pâte ferme comporte des trous. Ils sont souvent de grande taille (comté, emmenthal, beaufort…).

Les fromages à pâte persillée – Des veinures bleu-vert strient ces fromages à pâte molle à base de lait de vache ou de brebis, et au goût assez soutenu (fourme d'Ambert, roquefort, bleu de Gex…).

Les fromages de chèvre – Ils sont à pâte tendre, demi-dure ou dure. Leurs formes sont très variées (crottin de Chavignol, sainte-maure, pélardons…).

ENTREMETS, FRUITS ET DESSERTS

Sous l'appellation générale de desserts, les « douceurs » de fin de repas sont innombrables, depuis les simples fruits du verger aux plus complexes pâtisseries. Vous trouverez en Bretagne le far et le **kuign amann** ; en Gâtinais et à Dijon, le pain d'épice ; en Sologne, la tarte Tatin aux pommes caramélisées ; à Grenoble, le gâteau aux noix ; en Limousin, le

Fromages de France.
DxE/Fotolia.com

clafoutis aux cerises ; en Alsace, le **kugelhopf** (prononcer « kouglof »), sorte de brioche aux raisins secs , à Bordeaux, les **canelés**. Dans la plupart des restaurants, on vous proposera les **profiteroles** (choux garnis de glace vanille et nappés de chocolat chaud), les crèmes caramel, la mousse au chocolat, les millefeuilles, les îles flottantes et les soufflés.

De fameux vins

Terre bénie du dieu Bacchus, qui inventa le vin, la France produit depuis l'Antiquité des vins réputés. Ceux-ci ont acquis leurs lettres de noblesse grâce à la diversité des sols, à la bonne exposition des vignobles, au choix de cépages de qualité, et au savoir-faire ancestral des vignerons.

LE CHAMPAGNE

Au 18e s., dom Pérignon, moine bénédictin, obtint l'**effervescence** des « vins du diable » en observant les conditions de la seconde fermentation, qui reprend au printemps après les vendanges, avec la remontée de la température. La qualité d'un grand champagne dépend de celle du vin de base. Les années exceptionnelles, il est millésimé. 75 % de la vendange est composée de raisins noirs de deux cépages : pinot noir et pinot meunier. On utilise également un cépage blanc : le chardonnay. Les vins de la Montagne de Reims et de la côte des Bars, où domine le pinot noir, sont charpentés et corsés, ceux de la vallée de la Marne, issus en majorité du pinot meunier, sont ronds et fruités, les vins de la côte des Blancs sont frais et élégants. Les années exceptionnelles, le champagne est millésimé. Le champagne doit être servi frais, à une température de 8-10 °C, et versé précautionneusement dans des flûtes qui mettront en valeur son bouquet et la finesse de ses bulles. Le champagne brut peut être servi tout au long d'un repas ; beaucoup, cependant, le préfèrent en apéritif. Les champagnes secs ou demi-secs seront réservés pour le dessert (génoise, biscuit). Le champagne ne se fabrique qu'en Champagne. Il ne faut pas confondre champagne et crémant, vin mousseux élaboré selon la méthode traditionnelle, mais dont la pression est plus faible et la durée d'élevage moins longue. Ce sont les crémants de Loire, d'Alsace, de Bordeaux, du Jura, de Limoux, de Bourgogne et de Die.

LES VINS BLANCS

Parmi les vins blancs légers à boire jeunes, le muscadet, seul vin breton, est entouré d'un culte jaloux par les Nantais. Son cépage, le melon de Bourgogne, donne un vin blanc sec et fruité recommandé pour la dégustation des poissons et des fruits de mer.

Les trois quarts des vins blancs que la France élève viennent d'Alsace. Ils sont issus en général d'un seul cépage. Le plus connu est le riesling, dont le bouquet est subtil et d'une exceptionnelle finesse aromatique. Il accompagne les poissons et les volailles et ne doit pas faire oublier le muscat, le gewurztraminer ou le pinot gris, aux parfums bien différents.

Le chardonnay donne naissance aux vins blancs onctueux de Bourgogne. La côte de Beaune présente des sommités en vin blanc : corton-charlemagne, chablis grand cru, puligny-montrachet…, qui s'accordent avec crustacés, poissons en sauce et volailles aux morilles. Ils sont servis à une température de 10 à 12 °C. Environ 60 % de la production des vins de Loire est en blanc. Le cépage le plus fameux est le pineau de la Loire. C'est celui du vouvray, ainsi que des plus grands moelleux et liquoreux de la région, coteaux-du-layon, quarts-de-chaume, bonnezeaux. Le plus célèbre vin blanc liquoreux est le sauternes, issu de saumillon,

sauvignon et muscadelle, implantés sur des graves. Ce vin de garde exceptionnel, jusqu'à cent ans, à la robe d'or, accompagne magnifiquement un foie gras.

LES VINS ROSÉS

Les vins rosés sont, en France, obtenus après une macération maîtrisée de raisin noir pressé, issu des mêmes cépages que ceux utilisés pour les vins rouges. La méthode des vins coupés (mélange de rouge et de blanc) pratiquée par les « nouveaux producteurs », tels l'Australie ou l'Afrique du Sud, n'est autorisée que pour l'élaboration du champagne rosé. Longtemps déconsidérés, les vins rosés bénéficient aujourd'hui de soins attentifs de la part des vignerons, favorisant ainsi le développement de vins de qualité qui allient couleur et rondeur.

Si bon nombre de régions viticoles proposent du rosé à leur catalogue, les rosés de Provence restent les plus connus. En effet, la région produit près de la moitié de la production française dont environ les trois quarts bénéficient des AOC côtes-de-provence, coteaux-varois et coteaux d'aix-en-provence. Déguster ces vins subtils correspond, paraît-il, à un certain art de vivre provençal.

LES VINS ROUGES

Le beaujolais nouveau, qui arrive le troisième jeudi de novembre, se distingue par son caractère fruité (banane le plus souvent). Ce vin rouge léger à la teinte violacée doit se boire jeune, de même que les vins de Loire, du Languedoc et des côtes du Rhône. Légèrement tanniques et fruités, ils accompagnent viandes grillées et plateau de fromages. Le Bordelais produit des vins fins aux noms prestigieux : margaux, pomerol et son petrus, saint-julien, saint-émilion, issus de cabernet-sauvignon, cabernet franc et merlot. Leur aptitude au vieillissement est remarquable : il faut savoir les attendre cinq à dix ans. À l'élégance et la rondeur des médocs fait écho l'arôme puissant, le caractère corsé des saint-émilion. Il faut les servir lors d'un repas fin qui comprendra par exemple un gibier à plume.

La côte de Nuits en Bourgogne engendre presque exclusivement de très grands vins rouges : marsannay, fixin, gevrey-chambertin, morey-saint-denis, chambolle-musigny, vougeot, vosne-romanée, nuits-saint-georges. Le cépage est essentiellement le pinot noir. Ces vins de garde – cinq à vingt ans en général –, que l'on sert à une température de 16 à 18 °C, affichent des arômes de fruits rouges ou noirs, de sous-bois, ou même des nuances animales. Leur finesse

demande de les servir avec un lièvre à la royale, un chapon aux truffes ou un chevreuil.

L'ART DE LA DÉGUSTATION

La dégustation débute par un examen visuel de la « robe » du vin. Différente selon les cas, elle désigne la couleur et la limpidité.

On inhale, puis on fait tourner le verre pour libérer les arômes, en essayant de définir les odeurs. Celles-ci sont classées en dix familles : animale, boisée, épicée, balsamique, chimique, florale, fruitée, végétale, empyreumatique et éthérée.

L'examen gustatif commence par une attaque en bouche de quelques secondes, le temps que le vin entre en contact avec la langue. Après une rétro-olfaction, l'évolution en bouche permet d'analyser plus longuement les nuances du vin.

3/
DÉCOUVRIR
LA FRANCE

Paysage du Marais poitevin.
P. Baker/Age Fotostock

Paris 1

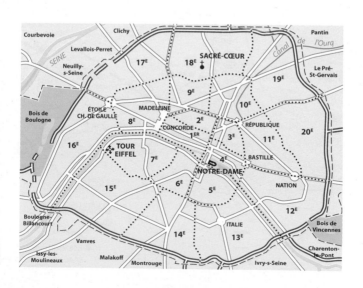

Tour Eiffel.
Bildagentur Waldhaeus/Age Fotostock

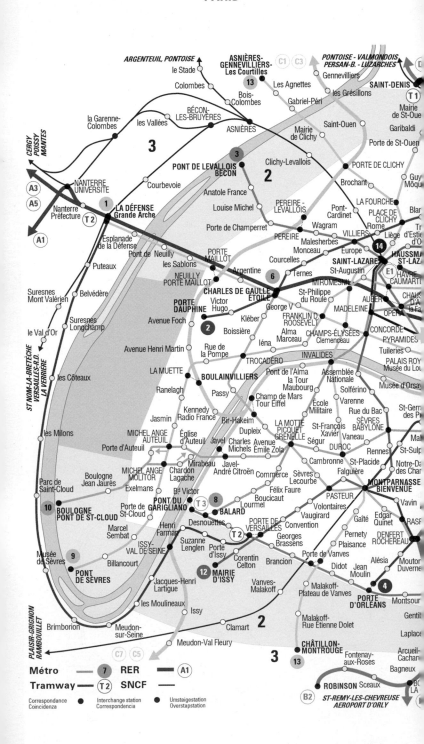

ARGENTEUIL, PONTOISE

ASNIÈRES-
GENNEVILLIERS-
Les Courtilles

PONTOISE - VALMONDOIS
PERSAN-B. - LUZARCHES

le Stade

Colombes

Les Agnettes

Gennevilliers

SAINT-DENIS

T1

Bois-
Colombes

Gabriel-Péri

les Grésillons

Mairie
de St-Oue

BÉCON-
LES-BRUYÈRES

13

ASNIÈRES

Saint-Ouen

Garibaldi

la Garenne-
Colombes

les Vallées

Mairie
de Clichy

Porte de St-Ouen

3

Clichy-Levallois

PORTE DE CLICHY

Guy
Môqu

Courbevoie

PONT DE LEVALLOIS
BÉCON

3

2

Brochant

LA FOURCHE

NANTERRE
UNIVERSITÉ

A3

A5

1

LA DÉFENSE
Grande Arche

Anatole France

Louise Michel

PEREIRE -
LEVALLOIS

Pont-
Cardinet

PLACE DE
CLICHY

Blar

Rome

Liège

Tr
d'Estie
d'O

Nanterre
Préfecture

T2

Porte de Champerret

Wagram

VILLIERS

A1

Esplanade
de la Défense

Pont de Neuilly
les Sablons

PEREIRE

Malesherbes

Europe

14

HAUSSMA
ST-LAZ

Courcelles

Puteaux

PORTE
MAILLOT

Monceau

SAINT-LAZARE

HAVRE
CAUMARTI

Argentine

Ternes

St-Augustin

Suresnes
Mont Valérien

Belvédère

NEUILLY
PORTE MAILLOT

6

MIROMESNIL

CHAUS
D'A
la Fa

Suresnes
Longchamp

CHARLES DE GAULLE
ÉTOILE

St-Philippe
du Roule

AUBER

le Val d'Or

PORTE
DAUPHINE

Victor
Hugo

George V

MADELEINE

OPÉRA

Avenue Foch

Kléber

2

FRANKLIN D.
ROOSEVELT

CONCORDE

PYRAMIDES

les Côteaux

Avenue Henri Martin

Boissière

Rue de
la Pompe

Iéna

Alma
Marceau

CHAMPS-ÉLYSÉES
Clemenceau

Tuileries

PALAIS ROY
Musée du Lou

les Milons

LA MUETTE

TROCADÉRO

INVALIDES

Musée d'Orsa

BOULAINVILLIERS

Pont de l'Alma

Assemblée
Nationale

Ranelagh

Passy

Champ de Mars
Tour Eiffel

la Tour
Maubourg

Solférino

St-Germ
des P

Jasmin

Kennedy
Radio France

Bir-Hakeim

Dupleix

Ecole
Militaire

Varenne

Rue du Bac

St-François
Xavier

SÈVRES
BABYLONE

MICHEL ANGE
AUTEUIL

Église
d'Auteuil

Javel

Charles
Michels

LA MOTTE
PICQUET
GRENELLE

Ségur

Vaneau

DUROC

Mal

St-Sulp

Porte d'Auteuil

Parc de
Saint-Cloud

Boulogne
Jean Jaurès

MICHEL ANGE
MOLITOR

Chardon
Lagache

Javel-
André Citroën

Avenue
Emile Zola

Commerce

Cambronne

Rennes

St-Placide

Notre-D
des Char

Exelmans

Mirabeau

Sèvres
Lecourbe

Falguière

10

BOULOGNE
PONT DE ST-CLOUD

Bd Victor

PONT DU
GARIGLIANO

T3

8

Félix Faure

Boucicaut

Lourmel

PASTEUR

MONTPARNASSE
BIENVENUE

Vavin

BALARD

Volontaires

Marcel
Sembat

Henri
Farman

Desnouettes

PORTE DE
VERSAILLES

Convention

Vaugirard

Gaîté

Edgar
Quinet

RASP

ISSY-
VAL DE SEINE

Suzanne
Lenglen

T2

Georges
Brassens

Pernety

Plaisance

DENFERT
ROCHEREAU

9

Billancourt

Porte
d'Issy

Porte de Vanves

Didot

Jean
Moulin

Alésia

Moutor
Duverne

Musée
de Sèvres

PONT
DE SÈVRES

Jacques-Henri
Lartigue

Corentin
Celton

Brancion

4

12

MAIRIE
D'ISSY

Vanves-
Malakoff

Malakoff-
Plateau de Vanves

PORTE
D'ORLÉANS

Montsour

les Moulineaux

Issy

Gentil

Brimborion

Meudon-
sur-Seine

Clamart

Malakoff-
Rue Etienne Dolet

Laplace

Meudon-Val Fleury

2

CHÂTILLON-
MONTROUGE

Fontenay-
aux-Roses

Arcueil-
Cacha

C7

C5

3

13

Bagneux

ROBINSON Sceaux

B2

ST-REMY-LES-CHEVREUSE
AEROPORT D'ORLY

B
LA

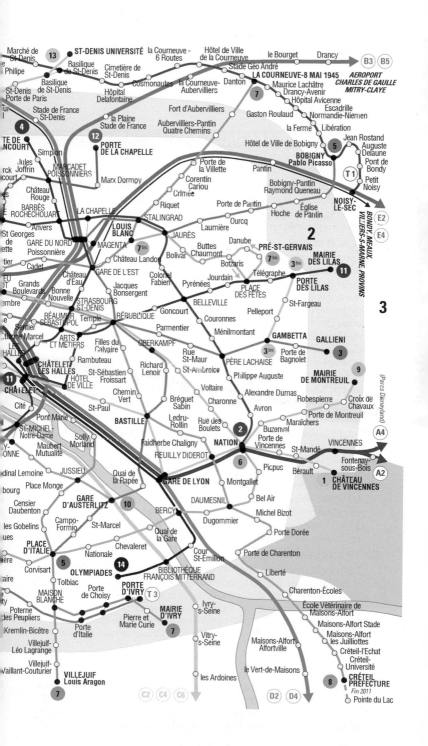

Paris

★★★

2 181 371 Parisiens – Paris (75)

 NOS ADRESSES PAGE 142

S'INFORMER

Office du tourisme et des congrès de Paris – *1er arr. - 25 r. des Pyramides - Mo Pyramide - ℘ 01 49 52 42 63 - www.parisinfo.com - juin-oct. : 9h-19h ; nov.-mai : 10h-19h, dim. et j. fériés 11h-19h - fermé 1er Mai.* Réservation hôtelière sur place et en ligne.

SE REPÉRER

Carte Générale C1-2 – *Cartes Michelin no 721 J5 et no 514 G3.* Paris n'est pas une très grande ville : on peut la traverser à pied en moins de 2 h. Elle s'étend plus en largeur (12 km d'est en ouest) qu'en hauteur (9 km entre le nord et le sud). Elle se compose de 20 arrondissements accessibles par métro ou RER. La ligne 1 traverse Paris d'est en ouest et suit l'axe historique de la ville, depuis la Grande Arche de la Défense jusqu'au château de Vincennes, en passant par la Concorde et le Louvre. Ses correspondances permettent de rejoindre de nombreux sites transversaux, sur les rives droite et gauche de la Seine. La ligne 4 est pratique pour visiter Paris du nord au sud. Métro, bus, RER et trains permettent de rejoindre, au-delà du périphérique extérieur, les abords immédiats de la capitale et les nombreuses villes, autour de Paris intra-muros.

ORGANISER SON TEMPS

Adaptez votre programme de la journée selon la météo. Conciliez les sites qui s'apprécient quand le ciel est dégagé et les visites à l'abri si le temps se gâte : ainsi, la tour Eiffel, proche du musée du quai Branly. Gagnez du temps en empruntant une ligne de métro qui, de station en station, vous permet d'effectuer des sauts de puce… Évitez la cohue en privilégiant les visites en nocturne ou en arrivant dès l'ouverture des sites. Vous pouvez aussi privilégier des parcours qui vous mèneront en fin d'après-midi à proximité des lieux où vous avez envie de sortir le soir, au théâtre, au cinéma ou au restaurant.

AVEC LES ENFANTS

La Grande Galerie de l'Évolution, le Jardin des Plantes, la Villette pour les scientifiques en herbe, le musée de l'Air et de l'Espace du Bourget pour ceux qui rêvent de devenir pilotes et le musée de l'Armée ; les jardins et leurs aires d'attraction à proximité des lieux de visite (Luxembourg, Champ-de-Mars), le musée national de la Marine du Trocadéro et la tour Eiffel. Aux alentours, le Jardin d'Acclimatation, le bois de Vincennes et Disneyland Resort Paris.

Paris demeure la capitale la plus visitée du monde : on s'y attache et on la quitte avec l'intention d'y revenir. C'est que la ville offre mille et une facettes : historique, culturelle, romantique, gastronomique… elle est aussi un haut lieu de la mode et de la création, du shopping, des spectacles et des événements. Nombre de ses monuments ou sites, tels les

quais de Seine, appartiennent au Patrimoine mondial de l'humanité. Ses quartiers, véritables villages invitant à la flânerie, lui donnent un caractère à la fois cosmopolite et familier, éternel et insolite, ancien et contemporain. Par son urbanisme et ses monuments en grande partie préservés des destructions au fil des siècles, elle illustre les grandes pages de l'histoire de France et du rayonnement culturel du pays. Animée, de jour comme de nuit, elle évolue sans cesse tout en restant la même, fidèle à sa devise « Fluctuat nec mergitur » (« Elle est battue par les flots, mais ne sombre pas »). Du centre historique logé dans les deux îles formées par la Seine jusqu'à ses « belvédères » (Montmartre, Montparnasse, montagne Ste-Geneviève, Belleville...), elle surprend autant par ses magnifiques perspectives que par ses détails délicats et les télescopages harmonieux entre les vieilles pierres, l'acier et le verre. Ses nombreux musées ravissent autant les amoureux des arts que les passionnés des sciences et techniques. Ses innombrables parcs, jardins et squares de quartier, sont des « spots » de verdure propices à la rêverie ou à une balade en famille.

Les incontournables Plan p. 108-109

★★★ ÎLE DE LA CITÉ B2

1

La Cité est le berceau de Paris. Elle compte de nombreux joyaux : la Ste-Chapelle, la cathédrale Notre-Dame, le Palais de Justice ou la Conciergerie.

★★★ Cathédrale Notre-Dame

M° Cité ou RER B St-Michel-N.-D. www.cathedraledeparis.com - 8h-18h45, w.-end 8h-19h15 - possibilité de visite guidée en plusieurs langues (façade et intérieur 1h30-2h). Circulation limitée pdt les messes et les offices.

Au cœur de Paris et dans le cœur des Parisiens, la cathédrale a participé aux joies et aux sombres moments de l'histoire de la capitale, souvent confondue avec celle de la France. Pour la voir dans toute sa splendeur, rendez-vous quai de la Tournelle, de l'autre côté de la Seine. Vers 1163, **Maurice de Sully** entame la construction de la cathédrale. Les travaux sont achevés autour de 1300. Notre-Dame est la dernière des grandes églises à tribunes et l'une des premières à arcs-boutants ; idée neuve, on les prolongea par un col destiné à rejeter les eaux pluviales loin des fondations : ce sont les premières **gargouilles**.

Les portails de la **façade** sont tous à découvrir. À gauche, le portail de la Vierge est orné d'une émouvante Dormition de la Vierge et du Couronnement de Marie. Au centre, voilà le Jugement dernier. Les cordons des voussures représentent la cour céleste. En bas, le ciel et l'enfer sont symbolisés par Abraham recevant les âmes et par de terrifiants démons. Enfin, à droite, le portail de sainte Anne, où la Vierge en majesté trône de face et présente l'Enfant Jésus, selon la tradition romane. Au-dessus des portails, la **galerie des Rois** montre alignés les rois de Juda et d'Israël, ancêtres du Christ. Avec près de 10 m de diamètre, la grande rose forme comme une auréole à la statue de la Vierge à l'Enfant.

L'ordonnance et l'élévation de la **nef** montrent la prééminence de l'école française au début du 13e s. par son élancement et sa hardiesse plus assurés encore que dans le chœur. Aux 13e et 14e s., pour éclairer les chapelles, on agrandit les fenêtres que masquaient les hautes tribunes ; celles-ci furent abaissées. Pour soutenir la poussée de la nef et des voûtes, on eut alors l'idée de lancer des arcs-boutants d'une seule volée. Ainsi, tout l'effort de la construction repose sur l'extérieur, l'intérieur disposant du maximum d'espace et de lumière.

Tours de la cathédrale – ☎ 01 53 10 07 00 - avr. - sept. : 10h-18h30 (mai-août : w.-end jusqu'à 23h) ; oct.-mars : 10h-17h30 (dernière entrée 45mn av. fermeture) - accès au pied de la tour nord (402 marches) - fermé 1er janv., 1er Mai et 25 déc. - 8 € (-18 ans gratuit). Des baies étroites et très hautes leur donnent de la légèreté. La tour de droite porte le fameux bourdon, qui pèse 13 t, et son battant de 500 kg. **Vue★★★** splendide.

★★★ Sainte-Chapelle

M° Cité. Entrée à gauche du portail central du palais de Justice ; contourner l'arrière de l'édifice pour accéder aux guichets d'accueil. ☎ 01 53 40 60 80/93/97 - mars-oct. : 9h30-18h ; nov.-fév. : 9h-17h (dernière entrée 30mn av. fermeture) - visite guidée (1h) 11h et 15h - fermé 1er janv., 1er Mai et 25 déc. - 6,10 € (-18 ans gratuit), gratuit 1er dim. du mois (nov.-mars). Des travaux de restauration sont prévus jusqu'en 2013 ; s'effectuant verrière par verrière, ils n'empêchent pas les visites.

Bâtie au 13e s. par **Saint Louis** au cœur de la Cité pour accueillir les reliques de la Passion, la Ste-Chapelle touche à la perfection. Conçu comme une châsse de pierre et de verre, cet édifice, chef-d'œuvre du gothique rayonnant, fut élevé en 33 mois à la demande du roi et dans son palais même. La chapelle basse est d'autant plus impressionnante qu'elle n'est haute que de 7 m. Les **vitraux** de la chapelle haute sont les plus anciens de Paris. Ils comptent 1 134 scènes, ayant pour thème l'exaltation de la Passion, son annonce par les grands prophètes et Jean-Baptiste et les scènes bibliques qui la préfigurent.

★ Place Dauphine

Pendant longtemps, la Cité s'est terminée à l'ouest par un archipel à fleur d'eau que des bras marécageux de la Seine coupaient de la grande île. En 1607, **Henri IV** cède le terrain au président du Parlement, Achille de Harlay, à charge d'y édifier une place triangulaire aux maisons uniformes.

★ Pont-Neuf

M° Pont-Neuf. C'est le plus ancien des ponts de Paris, commencé en 1578 par Androuet du Cerceau et achevé en 1604. Les demi-lunes accueillaient des boutiques en plein vent, des arracheurs de dents, des « farceurs » et toute une foule de badauds et de vide-goussets. Pour la première fois à Paris, la vue du fleuve n'est plus bouchée par des maisons, et des trottoirs protègent les piétons de la circulation.

★★ ÎLE SAINT-LOUIS B2

M° Cité ou Sully-Morland. À l'origine étaient deux îlots, l'île aux Vaches et l'île Notre-Dame, où se déroulaient au Moyen Âge les duels judiciaires appelés « jugements de Dieu ». Au 17e s., l'entrepreneur Christophe Marie obtint du roi **Louis XIII** et du chapitre de Notre-Dame de réunir les deux îlots, de les desservir par deux ponts en pierre et de les lotir à ses frais. Le résultat de cette opération immobilière (1627-1664) est cette île unique quadrillée par un plan en damier, bâtie d'hôtels classiques. Les demeures du 17e s. aux belles façades et élégants balcons de fer forgé appartenaient jadis à des financiers et des magistrats.

Quai de Bourbon – À la pointe de l'île, les bornes enchaînées, les médaillons 18e s. du pan coupé et la vue sur l'église St-Gervais-St-Protais composent un **site★** ravissant.

Pont de Sully – Ce pont, qui s'appuie sur la pointe de l'île, date de 1876. Du bras nord, la vue porte sur le quai d'Anjou et l'hôtel Lambert, le port des Célestins, le **pont Marie★** et le clocher de St-Gervais ; du bras sud, on a une belle **vue★** sur Notre-Dame, la Cité et l'île St-Louis.

★★★ MUSÉE DU LOUVRE B1-2

M° Louvre-Rivoli ou Palais-Royal-Musée-du-Louvre. Standard : ✆ 01 40 20 50 50 - banque d'informations : ✆ 01 40 20 53 17 - www.louvre.fr - ♿ - tlj sf mar. et certains j. fériés 9h-18h (merc. et vend. 22h) - expositions temporaires sous la pyramide : 9h-18h (merc. et vend. 22h) - collections permanentes et expositions temporaires (même billet, hors expositions temporaires du hall Napoléon) : 10 € - billets valables tte la journée, même si l'on sort du musée ; leur vente se termine à 17h15 (merc. et vend. 21h15) - gratuit -26 ans, 1er dim. du mois et 14 Juil.

Possibilité d'acheter les billets à l'avance sur www.ticketweb.com ou en s'adressant à la Fnac au 0 892 684 694 (0,34 €/mn), à Ticketnet 0 892 390 100 (0,34 €/mn, prix du billet majoré de 1,10 €) ; billet coupe-file à date de validité illimitée.

Entre le Palais-Royal, le **jardin des Tuileries** et la Seine, la position du Louvre est centrale à Paris, tout comme elle l'est dans son histoire. Il fut à travers huit siècles la demeure des rois et des empereurs. Des architectes de grand renom y ont travaillé : Pierre Lescot, Philibert Delorme, Jacques II Androuet du Cerceau, Le Vau, Percier et Fontaine, Visconti et Lefuel… Des agrandissements successifs, qui résument aussi l'histoire de l'architecture, en ont fait le plus grand palais du monde. Il doit sa renommée universelle à son musée, écrin séculaire de chefs-d'œuvre absolus comme La *Joconde* ou la *Vénus de Milo*. L'aperçu des collections est présenté section après section. Pour découvrir l'ensemble du musée, mieux vaut revenir plusieurs fois.

L'**entrée principale** s'effectue par la Pyramide. L'entrée par la galerie du Carrousel donne directement accès à la galerie marchande du Carrousel de la station de métro Palais Royal Musée du Louvre. Dans le hall Napoléon, lieu d'accueil, vous trouverez des plans gratuits indispensables pour vous repérer parmi les trois ailes du musée : Sully, Denon, Richelieu.

😊 **Bon à savoir** – Le musée est tellement grand que toutes les salles ne peuvent être ouvertes en même temps. Pour connaître les salles fermées le jour de votre visite, consultez la banque d'informations sous la Pyramide ou le site Internet du Louvre, qui propose aussi une base de données présentant chaque œuvre du musée : description, photo et localisation.

Plan du musée – À prendre impérativement à l'entrée du musée. Gratuit, traduit dans de nombreuses langues et précis, il permet de se repérer facilement grâce aux numéros des salles.

Parcours au musée – Des parcours à thème permettent de découvrir en toute autonomie une dizaine d'œuvres. Plan à retirer à la banque d'informations.

Fiches – Thématiques ou monographiques, elles sont proposées dans le parcours des collections.

Audioguide – *Niveau mezzanine, aux accès Richelieu et Sully - pièce d'identité et 6 € (-18 ans 2 €).* Pour adultes, enfants et handicapés - sélection d'œuvres commentées disponibles en sept langues (français, anglais, espagnol, allemand, italien, japonais, coréen) et en langue des signes française.

Visites guidées – *Pour adultes individuels (1h30) en français ou en anglais, tlj sf mar. et 1er dim. du mois (ticket à l'espace Accueil des groupes, sous la Pyramide).*

Les œuvres phares du Louvre

Aile Sully – *La Vénus de Milo*, Sully, rdc, salle 7 - *Sphinx*, Richelieu, Sully, entresol, crypte - Donjon du Louvre médiéval, Sully, entresol - *Chapiteau de l'Apadana*, Sully, rdc, salle 12b - *Scribe « accroupi »*, Sully, 1er étage, salle 22 - *Le Bain turc*, par Ingres, Peintures françaises, Sully, 2e étage, salle 60 - *Le Tricheur*, par Georges de La Tour, Sully, 2e étage, salle 28 - *Le Verrou*, par Fragonard, Sully, 2e étage, salle 49.

Aile Denon – *La Joconde*, par Léonard de Vinci, salle de la Joconde (ex-salle des états), Denon, 1er étage, salle 6 - *La Victoire de Samothrace*, Denon, 1er étage, en haut de l'escalier Daru - *Idole cycladique*, Denon, entresol, salle 1 - *Gladiateur Borghèse*, Denon, rdc, salle B - *Psyché ranimée par le baiser de l'Amour*, par Canova, Denon, rdc, salle 4 - *Esclaves*, par Michel-Ange, Denon, rdc, salle 4 - *Aménophis IV*, Sully, 1er étage, salle 25 - *Le Sacre de Napoléon Ier*, par David, Peintures françaises, Denon, 1er étage, salle 75 - *Le Radeau de la Méduse*, par Géricault, Peintures françaises, Denon, 1er étage, salle 77 - *Couronne du sacre de Louis XV* (diamant de la Couronne), Denon, Galerie d'Apollon - *Les Noces de Cana*, par Véronèse, Denon, 1er étage, salle de la Joconde.

Aile richelieu – *Taureau ailé*, palais du roi Sargon II, Richelieu, rdc, cour de Khorsabad - *Milon de Crotone*, par Pierre Puget, Richelieu, entresol, cour Puget - *Chevaux de Marly*, par Guillaume Coustou, Richelieu, entresol, cour Marly - *Tombeau de Philippe Pot*, Richelieu, rdc, cour Marly - *Aigle de Suger*, Objets d'art, Richelieu, 1er étage, salle 2 - *Trésor de l'ordre du St-Esprit*, Objets d'art, Richelieu, 1er étage, salle 28 - *Portrait d'Érasme*, par Holbein, Richelieu, 2e étage, salle 8 - *Gabrielle d'Estrées au bain*, école de Fontainebleau, Richelieu, 2e étage, salle 10 - *Bethsabée*, par Rembrandt, Richelieu, 2e étage, salle 31 - *La Dentellière*, par Vermeer, Richelieu, 2e étage, salle 38.

★★★ LA TOUR EIFFEL ET SES ENVIRONS A1-2

RER C Champs-de-Mars-Tour-Eiffel. ☎ *01 44 11 23 23 - www.tour-eiffel.fr -* ♿ *1er et 2e étages - de mi-juin à déb. sept. : 9h-0h45 (escalier, 0h), dernier accès au sommet à 22h30 ; reste de l'année : 9h30-23h45 (escaliers, 18h) - 4,70 € (1er étage), 8,20 € (2e étage), 11 € (3e étage), 3,70 € (escalier 1er et 2e étages).*

Vigie de la capitale, la tour Eiffel est sans doute la silhouette la plus populaire au monde. Ses poutrelles métalliques enchevêtrées et ses ascenseurs sont l'œuvre de l'ingénieur Gustave Eiffel (1832-1923). De 1887 à 1889, 300 monteurs acrobates ont assemblé deux millions et demi de rivets. Hauteur totale : 300 m ; poids : 7 000 t et 50 tonnes de peinture, renouvelée tous les sept ans.

Bon à savoir – Pour accéder au sommet, deux possibilités : les escaliers pour les courageux : 1 652 marches, mais quel spectacle ! Les ascenseurs constituent bien sûr l'autre moyen, et en changeant au 2e étage, on atteint sans fatigue le sommet.

Au rez-de-chaussée, la machinerie de l'ascenseur peut être visitée. Au 1er étage, à 57 m, un petit musée retrace l'histoire de la tour ; au 2e, à 115 m, des hublots vitrés offrent une vue sur tous les monuments parisiens, des vitrines animées expliquent la construction de la tour, brasseries, restaurants et boutiques animent également l'étage ; au 3e, à 276 m, le **panorama★★★** s'étend sur 67 km quand le ciel est dégagé. Tables panoramiques à chaque étage.

Jardins du Champ-de-Mars

Lors de la construction de l'École militaire, les jardins maraîchers qui s'étendaient entre les nouveaux bâtiments et la Seine furent transformés en champ de manœuvre ou Champ-de-Mars. Ce fut aussi le lieu des rassemblements patriotiques : le 14 juillet 1790, on y célébra le premier anniversaire de la prise de la Bastille, au cours duquel Louis XVI prêta serment à la Constitution. En 1794, on y fêta l'existence de l'Être suprême, décrétée par la Convention. À son tour, Napoléon y distribua aigles et insignes. Devenu champ de foire, le Champ-de-Mars accueillit ensuite les Expositions universelles. C'est aujourd'hui un vaste jardin, mi-anglais, mi-français, où les foules se rassemblent encore à l'occasion. Devant l'École militaire se dresse le **Mur de la Paix** construit pour le passage en l'an 2000 par l'architecte Jean-Michel Wilmotte.

★ École militaire

En 1751, grâce à Mme de Pompadour, le financier Pâris-Duverney obtient l'acte de fondation de l'École royale militaire. Construite par Jacques Ange Gabriel, la caserne apparaît d'une surprenante magnificence. Le soutien financier est assuré par un impôt sur les cartes à jouer et par une loterie grâce au dynamisme de Beaumarchais. En 1769, la première pierre de la chapelle est posée par Louis XV ; en 1773, le « château » est achevé. À l'origine, l'École forme 500 gentilshommes pauvres au métier d'officier. La Révolution supprime l'institution, mais les bâtiments conservent leur fonction de caserne et de centre de formation. Ils accueillent aujourd'hui les Écoles supérieures de guerre et l'Institut des hautes études de Défense nationale.

👣 Pour poursuivre votre promenade, vous pourrez visiter le **musée du Quai-Branly★★** *(voir p. 132)* ou traverser la Seine pour rejoindre les hauteurs du **Trocadéro** qui offrent une belle perspective depuis le **palais de Chaillot★★**, érigé pour l'Exposition universelle de 1937, et son parvis des Droits de l'homme menant à une vaste **terrasse★★★** avec vue imprenable sur la tour Eiffel.

★★ Musée national de la Marine A1

📞 01 53 65 69 69 - www.musee-marine.fr - ♿ - lun., merc. et jeu. 11h-18h, vend. 11h-21h30, w.-end 11h-19h - possibilité de visite guidée et activités sur réserv. - fermé 1er janv., 1er Mai et 25 déc. - musée 7 € - musée et expositions 9 € (-26 ans ressortissants de l'Union européenne gratuit).

👥 Toute l'histoire de la Marine française du 17e s. jusqu'à la marine à voiles est illustrée (dans la grande galerie à verrière) à travers quelque 350 modèles de bateaux des 18e et 19e s., dont certains à très grande échelle : *Le Louis Quinze*, emblématique des plus gros vaisseaux de la fin du 17e s. ; *Le Royal Louis*, très grand modèle destiné à l'instruction des officiers de la Marine.

Unique en Europe, une collection de sculptures navales est présentée autour des ornements de poupe de la galère *Réale*. Pièce majeure du musée, le décor de la *Réale* (fin du 17e s.) met en scène la puissance royale.

De nombreux tableaux complètent cette rétrospective en évoquant les grands épisodes de l'histoire maritime ou la vie quotidienne dans les ports et arsenaux, comme les différentes **Vues des Ports de France★**, chef-d'œuvre de Joseph Vernet. La seconde galerie présente l'évolution de la navigation sous ses aspects scientifiques, techniques, traditionnels et artistiques.

★★★ LES CHAMPS-ÉLYSÉES A1

La plus longue avenue de Paris (71 m de large sur 1,9 km de long reliant la place de la Concorde à l'Arc de Triomphe) est aussi tout un symbole : défilé militaire du 14 Juillet, arrivée de la dernière étape du Tour de France, nuit de la St-Sylvestre… chaque fois qu'un événement exceptionnel, grave ou joyeux, le commande, les Parisiens se rassemblent spontanément sur cette voie triomphale.

★★★ Place de la Concorde

M° Concorde. Au centre, l'**Obélisque★** fut offert à la France en 1831 par le vice-roi d'Égypte, Méhémet Ali, et fut érigé à sa place actuelle en 1836. En granit rose recouvert de hiéroglyphes, avec un sommet en plomb et or, il mesure 23 m de hauteur et pèse près de 220 t. Le terre-plein de l'Obélisque est le meilleur endroit pour admirer les perspectives. Les *Chevaux de Marly* (œuvre de Coustou – originaux au Louvre) guident le regard vers les Champs-Élysées ; les chevaux ailés de Coysevox (originaux au Louvre) vers les Tuileries et le Louvre. Au bout de la **rue Royale★**, on aperçoit l'immense fronton et les hautes colonnes de la **Madeleine★**, qui répondent à celles du **Palais-Bourbon★** (Assemblée

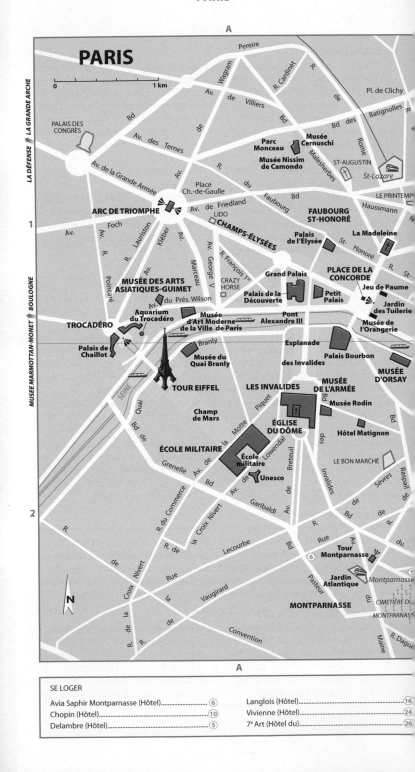

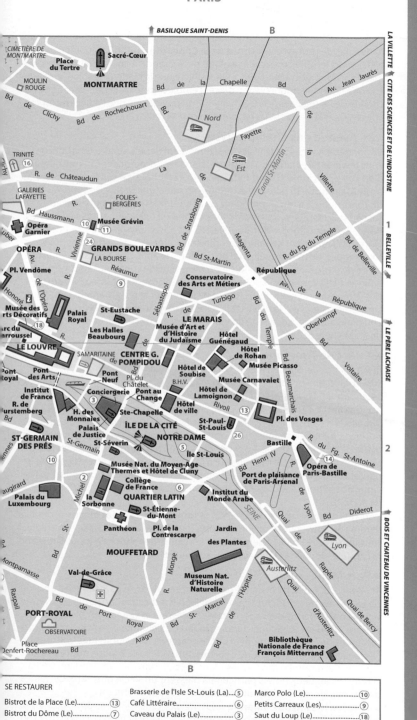

SE RESTAURER

Bistrot de la Place (Le)................13	Brasserie de l'Isle St-Louis (La)....5	Marco Polo (Le)................10
Bistrot du Dôme (Le)................7	Café Littéraire................6	Petits Carreaux (Les)................9
Bouillon Racine................2	Caveau du Palais (Le)................3	Saut du Loup (Le)................18
	Chartier................11	Swann et Vincent................14

nationale), de l'autre côté du **pont de la Concorde**. En 1806, Napoléon décide d'élever un temple consacré à la gloire de la Grande Armée et en passe commande à Vignon. En 1814, Louis XVIII souhaite que la Madeleine soit une église. En 1837, l'Administration veut y placer l'embarcadère de la première ligne de chemin de fer (de Paris à St-Germain) : il s'en faut de peu que l'édifice ne lui soit affecté. C'est la dernière alerte avant sa consécration en 1842.

★★★ Avenue des Champs-Élysées

M° Champs-Élysées-Clémenceau. En la remontant depuis la place de la Concorde, vous traversez des jardins à l'anglaise, puis le rond-point des Champs-Élysées d'où l'on aperçoit le **Grand Palais★** et le **Petit Palais★** qui forment avec le **pont Alexandre-III** un vaste ensemble architectural datant de 1900. Au-delà du rond-point, l'avenue prend un caractère différent : de part et d'autre se succèdent des salles de cinéma, des banques, des compagnies aériennes, des halls d'exposition d'automobiles. Ici et là, des pays étrangers et des provinces françaises ont installé leur « maison », ambassadrice de leurs richesses touristiques, de leur art culinaire ou de leur artisanat, donnant à l'avenue une allure de vitrine internationale. Ce cosmopolitisme contribue à l'atmosphère animée de l'avenue. À l'angle de l'avenue George-V, le fameux **Fouquet's**, classé monument historique, fut au siècle dernier le restaurant du Tout-Paris. Du même côté, avant la place de l'Étoile, le **Drugstore Publicis** exhibe depuis 2004 une audacieuse façade de verre et d'acier conçue par l'architecte américain Michele Saee.

★★★ Arc de Triomphe

RER A Charles-de-Gaulle-Étoile. ☎ 01 55 37 73 77 - avr.-sept. : 10h-23h ; oct.-mars : 10h-22h30 (dernière entrée 30mn av. fermeture) - ♿ - fermé 1ᵉʳ janv., 1ᵉʳ Mai (mat.), 14 Juil. (mat.), 11 Nov. (mat.) et 25 déc. - 9,50 € (-17 ans gratuit).

Au sommet des Champs-Élysées, l'Arc de Triomphe, inspiré de l'antique, a des dimensions colossales : 50 m de haut sur 45 de large. Il occupe le centre de la place Charles-de-Gaulle, qui s'ouvre sur 12 grandes avenues, et célèbre la gloire de la Grande Armée. Commandé en 1806 par **Napoléon** à Jean-François Chalgrin (1739-1811), le monument, à la mort de l'artiste, n'atteint pas 5 m de hauteur, et les revers militaires refrènent l'activité des constructeurs. Les travaux, abandonnés sous la Restauration, sont terminés sous Louis-Philippe, de 1832-1836.

L'Arc de Triomphe abrite depuis 1921 le **tombeau du Soldat inconnu**, dont la flamme du Souvenir se consume depuis le 11 novembre 1923. Elle est ranimée tous les soirs à 18h30. La **terrasse** de l'Arc offre une **vue★★★** inoubliable sur la capitale, depuis la Défense jusqu'au Louvre.

★ Parc Monceau

M° Monceau. À peu de distance des Champs-Élysées, le parc Monceau, bordé de vastes avenues (Hoche, Courcelles, Malesherbes), est un jardin au charme unique qui renferme des espèces rares aux essences variées : érable sycomore, platane d'Orient et ginkgo biloba. Un jeu de colonnes à l'antique et autres fabriques, les parterres de fleurs et les canards font oublier les voitures de l'extérieur. C'est pour le duc de Chartres, futur Philippe Égalité, que le peintre-écrivain Carmontelle dessine les plans de ce jardin mi-allemand, mi-anglais (1778). Les luxueux hôtels particuliers naissent un siècle plus tard. Certaines de ces demeures sont aujourd'hui des musées et se visitent.

★★ **Musée Nissim de Camondo** – *63 r. de Monceau - ☎ 01 53 89 06 50 - www. lesartsdecoratifs.fr.* Il a conservé le somptueux décor et mobilier choisi par son ancien propriétaire, le comte de Camondo.

★ **Musée Cernuschi** – *7 av. Vélasquez - ☏ 01 53 96 21 50 - www.cernuschi.paris. fr.* Il renferme des collections d'art asiatique.

★★★ LES INVALIDES A2

Entre la Seine et l'hôtel des Invalides, l'**esplanade** fut aménagée de 1704 à 1720 par Robert de Cotte, beau-frère de Mansart.

★★★ Hôtel des Invalides

RER C Invalides. L'hôtel, qui fut successivement un hospice pour les soldats démunis mis en retraite sous **Louis XIV**, un hôpital, une caserne et un couvent, a retrouvé sa vocation première au début du 20ᵉ s. : soigner les grands blessés de guerre. Diverses administrations militaires et plusieurs musées, notamment le **musée de l'Armée★★★** *(voir p. 131)* occupent également l'édifice.

Un large fossé ainsi que des canons de bronze (17ᵉ-18ᵉ s.), alignés le long des remparts, ceignent le portail d'entrée. La **façade★★**, dessinée par Libéral Bruant, longue de 196 m, est majestueuse. Au centre, le gigantesque portail, à l'allure d'arc de triomphe, reste un cas unique dans l'architecture française.

Dans la **cour d'honneur★★**, l'austère beauté du lieu est saisissante. Napoléon avait pris pour habitude d'y passer en revue ses vétérans. Elle comporte deux étages de galeries qui servaient de promenade aux pensionnaires. La décoration reste sobre : trophées d'armes autour des lucarnes et coursiers foulant aux pieds les attributs de la Guerre, aux angles des toits. L'un des quatre pavillons de la cour, plus orné que les autres, sert de façade à l'église St-Louis. Au milieu se dresse la statue du *Petit Caporal*, par Seurre.

★ Église Saint-Louis des Invalides

L'« église des soldats » a été construite selon un plan classique de croix latine par **Jules Hardouin-Mansart**. Celui-ci avait repris le chantier de Libéral Bruant et, sous la pression de Louis XIV, avait conçu une église double. L'unique décoration est constituée de drapeaux pris à l'ennemi. L'effet est étonnant. Derrière le maître-autel, on aperçoit le baldaquin de l'église du Dôme au travers d'une grande verrière.

★★★ Église du Dôme

De style classique français, elle fut édifiée entre 1677 et 1706 par Jules Hardouin-Mansart. Deux coupoles s'emboîtent tandis qu'une « lumière cachée » vient les éclairer. À cette beauté des coupoles répond la rigueur du carré de la base, construite sur le modèle d'une croix grecque. Le dôme saisit par son élan et sa majesté. C'est à l'occasion du bicentenaire de la Révolution française qu'il a retrouvé son éclat : 555 000 feuilles d'or ont été nécessaires à sa restauration (soit 12,65 kg).

Le **tombeau de l'Empereur**, qui se compose d'un sarcophage de porphyre rouge, se trouve au fond de la « crypte ». Deux grandes statues en bronze montent la garde : l'une porte le globe, l'autre le sceptre et la couronne impériale. Et douze figures de Victoires, œuvre de Pradier, l'entourent.

★★★ LE MUSÉE D'ORSAY A2

RER C Musée-d'Orsay. ☏ 01 40 49 48 14 - www.musee-orsay.fr - ♿ - tlj sf lun. 9h30-18h (jeu. 9h30-21h45), dernière entrée 1h av. fermeture - fermé 1ᵉʳ janv., 1ᵉʳ Mai et 25 déc. - 8 €, 5,50 € à partir de 16h15, 18h le jeu. (gratuit 1ᵉʳ dim. du mois, -18 ans et pers. handicapées) - audioguide 5 €.

Flanquant la Seine face au jardin des Tuileries auquel la passerelle piétonnière de Solferino permet d'accéder, le musée se situe en plein faubourg

St-Germain. Depuis 1986, l'immense nef de l'ancienne gare d'Orsay sert d'écrin à ce musée dont les collections illustrent tous les mouvements artistiques de 1848 à 1914 (néoclassicisme, romantisme, réalisme, école de Barbizon, éclectisme, académisme, symbolisme, impressionnisme, naturalisme, école de Pont-Aven, néo et post-impressionnisme, nabis). Tout y est merveilleux : le cadre et ses chefs-d'œuvre. Parmi les **peintures** : *La Chasse aux lions* d'Eugène Delacroix, l'*Angélus du soir* de Millet, *Un enterrement à Ornans* de Courbet, la *Famille Bellelli* de Degas, *Orphée* de Gustave Moreau, le *Déjeuner sur l'herbe* de Manet, la série des *Cathédrale de Rouen* de Monet, les *Raboteurs de parquet* de Caillebotte, le *Bal du moulin de la Galette* de Renoir, *Pommes et Oranges* de Cézanne, *La Toilette* de Toulouse-Lautrec, la *Partie de croquet* de Bonnard, *Les Nourrices* de Vuillard, l'*Autoportrait au Christ jaune* de Gauguin, l'*Église d'Auvers-sur-Oise* de Van Gogh, *Le Cirque* de Seurat. Parmi les **sculptures** : la *Danse* de Carpeaux, *Honoré de Balzac* de Rodin, la *Petite Danseuse* de Degas. Les **arts décoratifs** (1850-1880) sont aussi à l'honneur : *Pendant de cou et chaîne* de Lalique, la *Vitrine aux libellules* de Gallé, le mobilier de l'hôtel Aubecq à Bruxelles, dû à Victor Horta.

★★★ MONTMARTRE B1

Un vrai village dans la grande ville, avec son syndicat d'initiative, ses petites rues et son arpent de vigne… Les peintres et portraitistes y ont élu domicile à l'abri de l'immense dôme du Sacré-Cœur. Pour accéder à cette butte, il faut monter ! Côté sud, le funiculaire donne accès à la terrasse du Sacré-Cœur.

★ Place des Abbesses

La marquise du métro Abbesses, œuvre d'**Hector Guimard**, est l'une des deux seules subsistant à Paris. La seconde est à la station Porte-Dauphine. L'**église St-Jean-de-Montmartre** est le premier édifice religieux construit en béton armé (1904).

★ Place Émile-Goudeau

Place des peintres (Picasso, Braque, Juan Gris y créèrent progressivement le cubisme) et des poètes (Max Jacob, Apollinaire, Marc Orlan brisaient les moules traditionnels de l'expression poétique). Tout ce petit monde se retrouvait au **Bateau-Lavoir** *(n° 13)*.

Carrefour de l'Auberge de la Bonne Franquette

Pissarro, Sisley, Cézanne, Toulouse-Lautrec, Renoir, Zola fréquentèrent cette auberge qui s'appelait alors *Aux Billards en Bois*. Tout le charme d'un petit restaurant de campagne. Maurice Utrillo, fils de Suzanne Valadon, a immortalisé par ses toiles ce carrefour, saisissante image du vieux Montmartre.

★★ Place du Tertre

Des petites maisons, des arbres… un air villageois… qui s'envole midi passé : place alors à une foule cosmopolite qui prend le soleil aux terrasses des cafés ou se bouscule entre les artistes qui proposent leurs scènes montmartroises ou portraits.

★★ Sacré-Cœur

M° Anvers et funiculaire de Montmartre. ☎ 01 53 41 89 00 - www.sacre-cœur-montmartre.com - 6h-22h30 (pour les visites, dernière entrée vers 22h15) - pour le dôme, 9h-17h30 - 6 €.

Après le désastre de 1870, des catholiques font le vœu d'élever une église consacrée au cœur du Christ pour obtenir le Salut de la France. L'Assemblée nationale la déclare d'utilité publique en 1873. L'architecte Paul Abadie (1812-1884) lance les travaux de cette **basilique** de style romano-byzantin en 1876 ; ils ne sont achevés qu'en 1914. Depuis la consécration en 1919, les fidèles y assurent, jour et nuit, le relais ininterrompu de l'Adoration perpétuelle. On accède au **dôme** à partir de la crypte ; 300 marches au bout desquelles s'offre une vue plongeante sur l'intérieur de l'église de la galerie intérieure, et sur Paris de la galerie extérieure : **panorama★★★** sur un rayon de 30 km par temps clair. Dans le campanile, la Savoyarde est l'une des plus grosses cloches connues (19 t). Elle fut fondue à Annecy en 1895 et offerte à la basilique par les diocèses de Savoie.

Rue Saint-Vincent

Au carrefour avec la rue des Saules, on découvre sans aucun doute le coin le plus rustique de Paris : de petits escaliers, une pente abrupte, l'échappée de verdure et le fameux *Lapin Agile* caché par un vieil acacia.

Dans le **cimetière** St-Vincent reposent Harry Baur, Émile Goudeau, Arthur Honegger, Maurice Utrillo, Dorgelès, Gabrielo, Marcel Carné…

Moulin de la Galette

L'ancien bal populaire fit fureur au 19e s. Il inspira Renoir (*tableau au musée d'Orsay*), Van Gogh, Willette… Le véritable nom du moulin est le *Blute-Fin*. Il subit le vent depuis six siècles. Par la **rue Lepic**, vous pourrez rejoindre le boulevard de Clichy.

La rive gauche

★★ **QUARTIER LATIN** B2

Encadré par la **montagne Ste-Geneviève** et la Seine, le Quartier latin se situe au cœur historique et géographique de Paris. Les boulevards St-Germain et St-Michel bénéficient d'une animation qui se prolonge à toute heure dans les ruelles alentour. Depuis qu'Abélard est venu ici enseigner en latin, le bien nommé Quartier latin est toujours le centre d'un mouvement où le savoir, la révolte et l'hédonisme semblent ne faire qu'un.

Quai Saint-Michel

RER B St-Michel-N.-D. Les bords de Seine recèlent des trésors pour les amateurs : les bouquinistes étalent, sous leurs parapets verts, livres anciens ou introuvables, gravures, dessins, etc. Il y a toujours une bonne affaire à dénicher.

Place Saint-Michel

Elle est le lieu de bon nombre de rendez-vous pour les Parisiens. La fontaine et la place datent du 19e s. De là, on se promène dans les rues de la Harpe, de la Parcheminerie, de la Huchette et St-Séverin. Elles ont gardé un charme désuet, qui tranche avec l'animation des « caves » et des restaurants méditerranéens, intense jusque tard dans la nuit.

★★ Église Saint-Séverin

L'église, agrandie latéralement (par manque de place) aux 14e et 15e s., est aujourd'hui presque aussi large que longue. Les travées passent du style rayonnant au flamboyant, qui est aussi celui du double **déambulatoire★★**, dont les multiples nervures retombent en spirale le long des colonnes gainées de marbre et de bois. Les **vitraux★** datent de la fin du 15e s. Des verrières multicolores modernes de Bazaine éclairent les chapelles du chevet.

Un peu d'histoire

DANS L'ANTIQUITÉ

Vers 200 avant notre ère, des pêcheurs gaulois, de la peuplade des Parisii, installent leurs huttes sur la plus vaste des îles de la Seine : c'est la naissance de Lutèce, nom celtique signifiant « chantier naval sur un fleuve ». La bourgade, conquise par les légions romaines en 52 avant J.-C., devient une ville gallo-romaine qui s'adonne à la batellerie. La nef, qui sera adoptée comme armoirie de la capitale, évoque à la fois la forme générale de l'île et l'activité la plus ancienne de ses habitants.

En 360, le préfet romain Julien l'Apostat est proclamé ici empereur par ses légions. Vers la même époque, Lutèce prend le nom de ses habitants et devient Paris.

AU DÉBUT DU MOYEN ÂGE

En 451, Attila passe le Rhin à la tête de 700 000 hommes. Geneviève, une jeune fille de Nanterre consacrée à Dieu, calme les Parisiens, certaine que la ville sera épargnée grâce à la protection céleste. Les Huns arrivent, hésitent, puis se détournent vers Orléans. Paris reconnaît la jeune fille comme sa patronne.

La ville devient, par intermittence, siège de la résidence royale ; les rois résident dans l'île de la Cité. À partir d'Hugues Capet, en 987, Paris est le cœur de ce que l'on appelle désormais la France.

SOUS LES CAPÉTIENS DIRECTS

Autour de l'an 1000, l'abbaye de St-Germain-des-Prés, dévastée par les Normands, est reconstruite dans le style roman. L'abbé Suger, en 1136, bâtit St-Denis, qui est le prototype dont s'inspirent les architectes des cathédrales de la fin du 12e s., notamment ceux de Chartres, de Senlis et de Meaux. Les rues sont pavées peu à peu. En 1215, le pape Innocent III autorise la formation de l'université de Paris. Très vite, les collèges se multiplient, sous l'affluence des étudiants. Au début du 14e s., **Philippe le Bel** construit la Conciergerie.

LES VALOIS

Philippe VI entreprend à Vincennes la construction d'un château dont le donjon répond aux normes les plus avancées de l'architecture militaire.

Le rempart de Philippe Auguste est doublé par l'enceinte de **Charles V** que ferme à l'est la forteresse de la Bastille. Ainsi annexé à la ville, le quartier du Marais reçoit sa consécration : Charles V se fixe à l'hôtel St-Pol, entre la rue St-Antoine et le quai. Son fils Charles VI, auquel les médecins conseillent de se divertir, en fait la maison des « Joyeux Ébattements ». Paris compte plus de 150 000 habitants.

En 1530 débute la construction d'un nouvel hôtel de ville. **François Ier** fonde le Collège de France.

En 1559, la Cour est endeuillée par la mort d'**Henri II**, blessé rue St-Antoine lors d'un tournoi. Sa veuve, Catherine de Médicis, confie à Philibert Delorme la tâche d'édifier le palais des Tuileries.

Le 24 août 1572, c'est le massacre de la St-Barthélemy. Les **guerres de Religion** ralentissent peu l'extension de la ville, si bien que Charles IX et Louis XIII doivent élargir l'enceinte vers l'ouest.

LES BOURBONS

En 1594, Paris ouvre ses portes au nouveau roi, Henri IV, qui a pacifié le pays et vient d'abjurer le protestantisme : « Paris vaut bien une messe. » déclare-t-il alors. Philibert Delorme dessine l'Arsenal, Louis Métezeau la place des Vosges. Mais le 14 mai 1610, le roi tombe sous le couteau de Ravaillac, rue de la Ferronnerie.

Sous **Louis XIII**, Salomon de Brosse édifie pour Marie de Médicis le palais du Luxembourg ; Lemercier élève l'église de la Sorbonne et, pour Richelieu, le Palais-Cardinal – ou Palais-Royal.

En s'installant à Versailles, **Louis XIV** n'oublie pas Paris. Les nombreux aménagements le prouvent. En une vingtaine d'années, Le Nôtre, génie de l'art paysagiste et jardinier des Tuileries, en redessine les parterres ; Perrault entreprend au Louvre sa fameuse colonnade ; Le Vau achève le gros œuvre du Louvre et l'Institut. Libéral Bruant édifie la chapelle de la Salpêtrière puis, après que Louis XIV a fondé les Invalides pour abriter ses vieux soldats, il donne les plans de cette caserne, construite comme un palais. Colbert établit la Manufacture royale des Gobelins. Hardouin-Mansart aménage la place Vendôme ; le Marais se couvre d'hôtels particuliers.

À la mort du Roi-Soleil, la Cour revient à Paris. Robert de Cotte aménage l'esplanade des Invalides. L'art du meuble émerveille l'Europe entière et nourrit l'activité d'ateliers et de boutiques rue St-Eustache et faubourg St-Antoine.

Sous **Louis XV**, Jacques Ange Gabriel dessine les façades de la place de la Concorde, celle de l'église St-Roch, puis réalise l'École militaire ; Soufflot est l'auteur de la coupole du Panthéon.

Cependant, la mode se déplace vers l'ouest. Déjà attirée par la proche île St-Louis, la noblesse se retrouve sous Louis XVI dans les faubourgs St-Honoré et St-Germain. L'église St-Sulpice doit donner sur une place aux façades élégantes (seul le n° 6 est réalisé). Dans les années 1780-1790, Paris compte près de 500 000 habitants. La campagne recule. Un nouveau mur d'enceinte cerne la ville de ses 57 « barrières » d'octroi, créées par Ledoux. Et Pilâtre de Rozier effectue le premier vol humain dans l'atmosphère : avec sa montgolfière, il traverse Paris, de la Muette à la Butte-aux-Cailles.

RÉVOLUTION ET EMPIRE

Le **14 juillet 1789**, le peuple de Paris s'empare de la Bastille. La famille royale quitte Versailles et réside au palais des Tuileries.

Le 2 septembre 1792, le carrefour de Buci est le théâtre de massacres qui, perpétrés quatre jours durant, voient 1 200 détenus exécutés. C'est le début de la Terreur. Sur le plan culturel, la Convention montagnarde procède, le 10 août 1793, à l'inauguration du musée du Louvre. Le 27 juillet 1794, la chute de Robespierre, à l'Hôtel de Ville, marque la fin de la Terreur.

En 1803, le **pont des Arts**, premier pont en fer, est lancé sur la Seine et réservé aux piétons.

Proclamé par le Sénat empereur des Français le 18 mai 1804, **Napoléon Ier** est sacré le 2 décembre à Notre-Dame par le pape Pie VII et se couronne lui-même ; la cérémonie est immortalisée par David (tableau au musée du Louvre). Pour faire de Paris sa capitale, l'Empereur ordonne l'érection, place Vendôme, d'une colonne à la gloire de la Grande Armée ; il passe commande à Vignon d'un temple – l'église de la Madeleine ; il demande à Chalgrin les plans de l'Arc de triomphe. Brongniart construit la Bourse ; Percier et Fontaine, l'aile nord du Louvre et l'arc du Carrousel. Les rues sont éclairées au gaz.

DE LA RESTAURATION À 1870

En 1837, la première ligne de chemin de fer ouverte au public relie l'embarcadère de Paris à celui de St-Germain-en-Laye.

De 1841 à 1845, les fortifications de Thiers entourent les villages de Paris en plein essor économique (Austerlitz, Montrouge, Vaugirard, Passy, Montmartre et Belleville). Elles sont doublées à la distance d'un boulet de canon par 16 bastions. Ce sont les « fortifs », qui limitent officiellement la capitale à partir de 1859. Et, le 24 février 1848, à l'Hôtel de Ville, Lamartine fait acclamer le drapeau tricolore : c'est la Deuxième République.

Pendant le règne de **Napoléon III** se tiennent deux Expositions universelles (1855 et 1867). La capitale, sous l'impulsion du baron Haussmann, préfet de la Seine, fait l'objet de gigantesques travaux – aménagement des bois de Vincennes et de Boulogne, percement de l'avenue Foch, création des gares, achèvement (aile nord) du Louvre, dégagement des grands axes (Grands Boulevards, place de l'Opéra…) – facilitant à la fois la circulation et la dislocation des émeutes. En 1860, Paris est divisé en 20 arrondissements.

TROISIÈME RÉPUBLIQUE

Le 4 septembre 1870, au lendemain de la défaite de Sedan, Gambetta entraîne la foule à l'Hôtel de Ville où la République est proclamée. Après les premiers épisodes de l'insurrection de la Commune, les fédérés incendient l'Hôtel de Ville, le palais de la Légion d'honneur, le palais des Tuileries, la Cour des Comptes ; ils renversent la colonne Vendôme et fusillent leurs détenus devant le mur des Otages (rue Haxo) avant de succomber eux-mêmes à la répression devant le mur des Fédérés (cimetière du Père-Lachaise).

Gustave Eiffel achève, en 1889, sa tour pour l'inauguration de l'Exposition universelle. Girault associe la pierre, l'acier et les verrières pour édifier le Grand et le Petit Palais, pavillons de l'Exposition universelle de 1900, à l'occasion de laquelle est lancée l'arche métallique surbaissée du pont Alexandre-III.

Les arts se manifestent place de la Nation dans le *Triomphe de la République* de Dalou et dans les panneaux en haut relief de Bourdelle sculptés sur la façade du Théâtre des Champs-Élysées, que les frères Perret viennent d'édifier en béton armé.

En 1914, la **basilique du Sacré-Cœur**, entreprise en 1878, est achevée au sommet de la butte Montmartre.

1914-1918 – C'est la Grande Guerre. Le gouvernement quitte Paris pour Bordeaux.

1920 – Inhumation du soldat inconnu sous l'Arc de Triomphe de l'Étoile.

Durant les années 1920, Paris profite du renouveau culturel et se trouve à l'origine de grands mouvements littéraires et artistiques.

1939-1945 – Seconde Guerre mondiale. Paris est bombardé puis occupé par l'armée allemande. Les 16 et 17 juillet 1942, c'est la rafle du Vél' d'Hiv. Enfin, le 19 août 1944, Paris est libéré.

LES CINQUANTE DERNIÈRES ANNÉES

Le 27 octobre 1946, la IVᵉ République est proclamée à l'Hôtel de Ville. La capitale retrouve son rang politique.

La Vᵉ République voit la concrétisation de la politique d'aménagement lancée par le gouvernement précédent. Sous l'influence de Le Corbusier, l'esthétique architecturale connaît un renouvellement : Maison de la radio, Unesco, palais du CNIT à la Défense. La **Loi Malraux** de 1962 permet la rénovation des vieux quartiers comme celui du Marais et en 1967, le Premier ministre Georges Pompidou inaugure la voie express rive droite. En 1973, le périphérique et la tour Montparnasse sont achevés. Quatre ans plus tard, le Centre Georges-Pompidou est inauguré. La gare d'Orsay devient un magnifique musée et les anciennes Halles de Paris sont transformées en un vaste centre commercial. Sous le gouvernement de **François Mitterrand**, une politique de grands travaux est entreprise : en 1989 sont inaugurés la Pyramide du Louvre, la Grande Arche de la Défense, qui parachève l'axe historique de Paris débutant au Louvre, et l'Opéra Bastille ; en 1995, c'est au tour de la Bibliothèque nationale de France dans le nouveau quartier rive gauche de Tolbiac, en plein développement. Les quais de la Seine, du pont de Sully au pont d'Iéna, sont inscrits sur la liste du **Patrimoine de l'Unesco**. La ville se dote de nouveaux espaces verts : le parc de la Villette sur les anciens abattoirs de la ville dans les années 1980, puis les parcs de Bercy, de Belleville ou le parc André-Citroën sur d'anciennes friches industrielles.

Depuis 1976, Paris est une municipalité autonome. Après Jacques Chirac, maire jusqu'en 1995, Bertrand Delanoë mène une politique visant à réduire la circulation automobile dans la capitale : il crée des pistes cyclables et en 2007 lance 1 400 stations de location de vélo libre-service (Vélib'). Si la hauteur des immeubles dans Paris intra-muros reste limitée à 37 m, sauf à titre exceptionnel, le nouveau skyline de la Défense contrebalance cette disposition avec des tours qui dépasseront, pour certaines, les 300 m ; dites de « quatrième génération », elles répondront aux critères de développement durable et d'économie d'énergie, comme le Prætorium inauguré en 2009. Les différents projets verront le jour d'ici à 2015.

En 2009, le président Nicolas Sarkozy, qui cherche à redimensionner la métropole parisienne pour qu'elle rivalise pleinement avec les principales capitales mondiales, missionne dix équipes internationales et pluridisciplinaires pilotées par des architectes de renom : le « **grand pari de l'agglomération parisienne** » présente la vision qu'ont ces experts de la capitale française dans quelques décennies en cherchant à répondre aux problématiques actuelles qu'elle rencontre : saturation des réseaux de transport et encombrements sans fin (Christian de Portzamparc et son équipe ont proposé un train rapide urbain qui fait le tour de Paris, au-dessus du périphérique), pénurie de logements, besoin de dépasser le périphérique qui enserre Paris et la coupe de sa banlieue en créant la continuité urbaine et sociale entre ces deux entités. La prise en compte de ces réalités permettra à la capitale française d'évoluer en une région économique plus performante, en un espace plus accueillant pour une population de plus en plus composite, tout en renforçant son rôle de plaque tournante des flux touristiques internationaux. L'aventure architecturale du Grand Paris peut commencer : son horizon est 2050 !

La Sorbonne

M° Cluny-La Sorbonne. Encadrée de cafés, librairies et magasins, à forte fréquentation étudiante, la place de la Sorbonne sert de « parvis » à l'illustre université de réputation internationale dont la fondation remonte au 13ᵉ s. Richelieu, élu proviseur de la Sorbonne, fait reconstruire les bâtiments : les travaux durent de 1624 à 1642. Rebâtie et considérablement agrandie par Nénot, de 1885 à 1901, la Sorbonne abrite 22 amphithéâtres, 2 musées, 16 salles d'examens, 22 salles de conférences, 37 cabinets de professeurs, 240 laboratoires, une bibliothèque, une tour de physique, une tour d'astronomie, etc. Les salles, galeries, amphithéâtres sont décorés de tableaux historiques ou allégoriques.

L'**église★** de style jésuite ne comporte que deux ordres superposés (au lieu de trois) sur la façade, ce qui allège les proportions écrasantes du reste de l'édifice (1635-1642). Le **tombeau du cardinal de Richelieu★** (Girardon, 1694) et les pendentifs de la coupole peints par Philippe de Champaigne forment la décoration intérieure.

★★ Jardin du Luxembourg

RER B Luxembourg. Poumon vert chargé d'histoire, havre de paix du Quartier latin, à proximité de Port-Royal, de l'Odéon et de Montparnasse, le jardin du Luxembourg séduit par sa beauté classique.

En 1612, Marie de Médicis achète l'hôtel du duc de Luxembourg ainsi que les terrains alentour, qui formeront par la suite un vaste parc. Elle charge Salomon de Brosse des travaux de construction. À son achèvement, le palais suscite l'admiration ; il contient, entre autres, 24 tableaux de Rubens retraçant la vie de la régente. Ces derniers se trouvent aujourd'hui au musée du Louvre.

★★ **Palais du Luxembourg** – Il abrite aujourd'hui la seconde chambre parlementaire, le Sénat. Le **jardin** a été dessiné à la française ; ses lignes et perspectives harmonieuses, ainsi que son ombrage, charment le promeneur. Sur le grand bassin octogonal, les enfants font voguer des voiliers. Mais le style anglais transparaît également, dans les allées serpentines le long des rues Guynemer et Auguste-Comte. La tradition agricole se perpétue dans les cours d'arboriculture et d'apiculture qui sont dispensés dans un coin de l'ancienne pépinière *(près de la rue d'Assas).*

La **fontaine Médicis**, à l'extrémité du petit bassin, traduit l'influence italienne. C'est le plus beau vestige du jardin de Marie de Médicis.

Du côté de la rue Guynemer, balançoires, manèges et marionnettes.

★★ Panthéon

✆ 01 44 32 18 00 - avr.-sept. : 10h-18h30 ; oct.-mars : 10h-18h - fermé 1ᵉʳ janv., 1ᵉʳ Mai (mat.), 11 Nov. et 25 déc. - 8 € (-18 ans gratuit).

Louis XV, tombé gravement malade à Metz en 1744, fait le vœu, s'il guérit, de remplacer l'église à demi ruinée de Ste-Geneviève par un édifice au point le plus élevé de la rive gauche. Rétabli, il confie le soin de réaliser son vœu au marquis de Marigny, frère de la Pompadour. Soufflot, protégé de Marigny, est chargé des plans. Il dessine un gigantesque édifice long de 110 m, large de 84 m et haut de 83 m. En avril 1791, la Constituante ferme l'église au culte et en fait le réceptacle des « cendres des grands hommes de l'époque de la liberté française », le **Panthéon**. Voltaire, Rousseau sont inhumés dans la crypte. Elle sera église sous l'Empire, nécropole sous Louis-Philippe, à nouveau église sous Napoléon III, quartier général de la Commune, avant de devenir définitivement temple laïque en 1885 pour recevoir les cendres de Victor Hugo.

★★ **Dôme** – Il doit être vu à distance pour être apprécié. Le péristyle aligne ses colonnes corinthiennes et cannelées, qui soutiennent un fronton triangulaire, le premier du genre à Paris. À l'intérieur, les colonnes qui soutiennent la

> **PENDULE DE FOUCAULT**
> Sous la coupole du **Panthéon**, voyez la reconstitution de l'expérience de Léon Foucault en 1851 : son pendule, une boule de laiton de 28 kg suspendue sous la coupole par un câble d'acier de 67 m, dévie de son axe au cours de son oscillation. C'est à la fois la preuve de la rotation de la Terre (la déviation s'exerce en sens contraire dans les hémisphères Nord et Sud) et de sa sphéricité (elle est nulle à l'équateur, s'accomplit en 36h par 45° de latitude et en 24h au pôle).

coupole centrale sont englobées dans la maçonnerie, ce qui provoque un effet de lourdeur pour l'ensemble de l'édifice. Les murs sont décorés de **peintures**★ exécutées à partir de 1877 ; les plus célèbres, celles de Puvis de Chavannes, retracent l'histoire de sainte Geneviève. Par un escalier, on accède aux parties hautes qui offrent une **vue magnifique**★ sur Paris.

★★ Église Saint-Étienne-du-Mont

Pl. Ste-Geneviève - vac. scol. : mar.-vend. 8h45-19h30, sam. 8h45-12h, 14h-19h45, dim. 8h45-12h15, 14h-19h45 ; hors vac. scol. : mar.-vend. 8h45-12h, 14h30-19h45, sam. 8h45-12h, 14h-19h45, dim. 8h45-12h15, 14h-19h45.

Près du chevet du Panthéon, cette église du 13e s., rebâtie entre le 15e et le 17e s., est connue pour son **jubé**★★, pour son orgue (le plus ancien de Paris) et pour sainte Geneviève, qui y est vénérée. La **façade**★★ est très originale : trois frontons superposés occupent son centre. Son clocher allège cet ensemble imposant. Sa structure gothique explique la luminosité de l'église : grandes baies des bas-côtés, du chœur (flamboyant) et du déambulatoire, fenêtre (Renaissance) de la nef. Dans le cloître des Charniers, contigu à l'église, (deux cimetières la bordaient autrefois), beaux **vitraux**★ colorés évoquant des sujets de prédication (17e s.).

★★ Val-de-Grâce

RER B Port-Royal. ✆ 01 40 51 51 92 - mar.-jeu. et w.-end 12h-18h (dernière entrée 1h av. fermeture) - fermé lun. et vend., août, 1er Mai - 5 € (enf. 2,50 €).

Médecine et enseignement sont les deux maîtres mots de cette ancienne « vallée de la Grâce ». Aujourd'hui, le service de santé des armées y est installé. Au 17e s., Anne d'Autriche y trouvait un peu plus de tranquillité qu'au Louvre et y préparait ses intrigues contre Richelieu. La reine fit vœu d'y bâtir une église si elle avait un fils. Son vœu fut exaucé en 1638. Sept ans plus tard, le jeune roi posait la première pierre tandis que François Mansart dirigeait les travaux, poursuivis par Lemercier. L'**église**★★, inspirée de celles de St-Pierre et du Gesù à Rome, se distingue par son dôme très décoré : statues, génies, médaillons, pots-à-feu. L'intérieur est de style baroque avec son pavage polychrome. La **coupole**★★ peinte par Mignard (en quatorze mois) représente le *Séjour des bienheureux*.

★★ SAINT-GERMAIN-DES-PRÉS B2

À la Libération, St-Germain-des-Prés devient un quartier prisé pour sa vie nocturne, ses caves de jazzmen et ses cafés fréquentés par les artistes et intellectuels, de Sidney Bechet à Boris Vian, de Juliette Gréco à Sartre... Sur le boulevard St-Germain, qui traverse le quartier jusqu'au quartier de l'Odéon, la **Brasserie Lipp** fut un rendez-vous des gens de lettres et de la politique. Verlaine, Proust, Gide, Malraux y tinrent salon. Hemingway y écrivit *L'Adieu aux armes*. Si cette époque est révolue, si le quartier a changé, on aime toujours y venir ! Pour les galeries d'art contemporain que draine la rue de Seine, les antiquaires du quai Voltaire, l'atmosphère unique que créent les étudiants des Beaux-Arts, ceux de Médecine ou « d'Archi », pour les vitrines de mode plus raffinées les unes que les autres, pour les innombrables et incontournables cafés (Le Flore, Les Deux Magots), pour les librairies, pour les rues étroites… St-Germain-des-Prés est tout simplement un beau quartier où l'élégance parisienne croise la nonchalance des touristes de passage.

★ Rue de Furstenberg

Le Paris paisible qui fait rêver : petite rue avec sa petite place ombragée de paulownias et décorée d'un réverbère à boules blanches. Le musée Delacroix a pris place dans le salon, la bibliothèque, l'atelier et la chambre qu'occupa le peintre de 1858 à 1863.

Place Saint-Sulpice

M° St-Sulpice. Toutes les façades de cette place tracée au milieu du 18e s. devaient être semblables à celle du **n° 6** que l'on doit à Servandoni *(angle de la rue des Canettes)*, mais ce fut un vœu pieux. Au centre se dresse la fontaine élevée par Visconti en 1844, où figurent les grands orateurs du 17e s. Aucun des grands évêques, dont les statues occupent les niches (Bossuet, Massillon, Fléchier et Fénelon), n'a été nommé cardinal, d'où le nom de la fontaine : « Les quatre points cardinaux ».

Des générations entières sont venues ici acheter des objets de piété dans les boutiques spécialisées entourant l'église. L'« art Saint-Sulpice », qui désigne ces objets d'art sacré kitsch, a été très vivace jusque dans les années 1960. Le côté nord de la place s'est paré d'élégance avec des boutiques signées Yves Saint-Laurent, Castelbajac, Christian Lacroix.

★★ Église Saint-Sulpice

Fondée par l'abbaye de St-Germain-des-Prés pour servir de paroisse à des paysans de son domaine, l'église a été rebâtie plusieurs fois et agrandie aux 16e et 17e s. (six architectes se succéderont en cent trente-quatre ans). Saint Sulpice fut évêque de Bourges et aumônier du roi mérovingien Clotaire II. Il mourut en 644. À l'intérieur, les proportions sont imposantes. La **chapelle de la Vierge★** *(dans l'axe du chevet)* a été décorée sous la direction de Servandoni. Dans la niche de l'autel, la *Vierge à l'Enfant* est de Pigalle. Le beau **buffet d'orgue★** est une œuvre de Chalgrin (1776). Reconstruit par Aristide Cavaillé-Coll en 1862, c'est l'instrument le plus grand de France (102 jeux répartis sur 5 claviers), et l'un des meilleurs. Les **peintures murales★ de Delacroix**, tout en fougue romantique (1849-1861), décorent la chapelle des Sts-Anges *(première à droite)* : sur la voûte, *Saint Michel terrassant le démon* ; sur les murs : *Héliodore chassé du Temple* et *Le Combat de Jacob avec l'Ange*.

★★ Institut de France

23 quai Conti - www.institut-de-france.fr - visite guidée seult, se renseigner.
Ce majestueux édifice est en harmonie avec son voisin de la rive droite : le Louvre. Sa visite n'est pas aisée puisqu'elle n'est possible que sous la conduite d'un guide et seulement certains jours, mais elle vaut largement la peine. À l'origine du bâtiment, se trouve le testament de **Mazarin** : il lègue de l'argent pour la construction d'un collège qui devait recevoir 60 écoliers venant des provinces réunies à la France lors du traité des Pyrénées (le Piémont, l'Alsace, l'Artois et le Roussillon). Napoléon transfère l'Institut dans les bâtiments du collège Mazarin. L'Institut comprend l'**Académie française** (créée par Richelieu en 1635), l'Académie des inscriptions et belles-lettres (due à Colbert, 1663), l'Académie des sciences (1666), l'Académie des beaux-arts (1816) et l'Académie des sciences morales et politiques (1832).

Coupole du Panthéon.
SuperStock/Age Fotostock

★ Hôtel des Monnaies et Médailles

M° St-Germain-des-Prés. Avant la construction de l'hôtel des Monnaies, on éleva à cet emplacement : au 13e s., l'hôtel de Nesle ; en 1572, l'hôtel de Nevers ; en 1641, l'hôtel de Guénégaud ; et, en 1670, l'hôtel de Conti. Sous Louis XV, la Monnaie y est transférée avec les ateliers de frappe et l'architecte Antoine réalise les bâtiments (1768-1775), remarquables pour la simplicité de leurs lignes, la décoration sobre (bossages du soubassement) et l'ordonnance des avant-corps. Sous la voûte d'entrée à caissons, un escalier à double révolution conduit à une suite de salons dominant le quai. L'Hôtel abrite des ateliers (qui façonnent encore les poinçons de la Garantie des Poids et Mesures) et le **musée de la Monnaie**.

À VOIR AUSSI SUR LA RIVE GAUCHE

★★ Jardin des plantes B2

M° Gare-d'Austerlitz ou Monge - ♿ *- 7h30-19h30 - fermé j. fériés.*

👥 Proche de la rue Mouffetard, du Quartier latin et des Gobelins, le Jardin des Plantes, extraordinaire conservatoire de la nature en plein cœur de Paris, procure une bouffée d'oxygène, de plaisir et de culture.

En 1626, Jean Héroard et Guy de La Brosse, médecins et apothicaires de Louis XIII, obtiennent l'autorisation d'installer, au faubourg St-Victor, le Jardin royal des plantes médicinales. Ils en font une école de botanique, d'histoire naturelle et de pharmacie. Dès 1640, le jardin est ouvert au public. Le botaniste Tournefort et les trois frères Jussieu parcourent le monde entier pour enrichir les collections. C'est avec **Buffon**, intendant de 1739 à 1788, secondé par Daubenton et Antoine Laurent de Jussieu, neveu des précédents, que le jardin botanique connaît son plus grand éclat. Buffon agrandit le parc jusqu'à la Seine et y crée les allées de tilleuls, l'amphithéâtre, le belvédère, des galeries. Son prestige est tel que sa statue est inaugurée de son vivant.

Grandes Serres – *10h-18h, dim. et j. fériés 10h-18h30 - 6 €.* Découvrez les plantes exotiques, de la forêt tropicale aux pays arides intertropicaux.

Jardin alpin – ✆ *01 40 79 56 01 - www.mnhn.fr - avr.-oct. : 8h-16h50, sam 13h30-18h30, dim. et j. fériés 13h30-18h30 - fermé nov.-mars - 2 € (enf. 0,50 €).* Pour le plaisir des yeux : toute la flore de montagne, originaire de Corse, du Maroc, des Alpes et de l'Himalaya.

★ **Ménagerie** – ✆ *01 40 79 37 94 - www.mnhn.fr - ♿ - 9h-18h, dim. et j. fériés 9h-18h30 - 9 € (-13 ans 7 €).* Créée en 1793, la ménagerie est un des plus anciens zoos. Elle offre 5 500 m² de verdure habités par un millier d'animaux (mammifères, oiseaux, reptiles, amphibiens, invertébrés). Certains sont encore logés dans les étonnants éléments architecturaux d'origine. En raison de sa superficie, la ménagerie se tourne vers la conservation d'espèces de petite taille.

Collection de minéraux – ✆ *01 44 27 52 88 - ♿ - tlj sf mar. 13h-18h - fermé 1er janv., Pâques, 1er Mai, 14 Juil. 1er et 11 Nov, 25 déc. - 5 €.* Ici, tout n'est que profusion de pierres fines multicolores, de cristaux de roches.

Pour poursuivre la promenade, visitez le **Muséum national d'Histoire naturelle★★** *(voir p. 134)*, la **Mosquée de Paris★** qui jouxte le jardin *(entrée Pl. du Puits-de-l'Ermite - ✆ 01 45 35 97 33 - www.mosquee-de-paris.net)*, le **quartier Mouffetard★** ou l'**Institut du Monde arabe★** *(voir p. 135).*

★★ Montparnasse A2

Le long du boulevard Montparnasse s'égrènent cafés et brasseries célèbres (le Dôme, la Coupole, le Sélect, la Rotonde) fréquentés par de nombreux artistes et intellectuels descendus de Montmartre (Modigliani, Chagall, Léger, Picasso, Apollinaire, Stravinski, Satie, Prokofiev…), puis par des Américains dans les années 1920 et après la guerre. Aujourd'hui cinémas, bars, restaurants et théâtres de la **rue de la Gaîté** participent à l'animation cosmopolite, et nocturne, du quartier. On peut retrouver l'atmosphère de bohème de jadis dans les anciens ateliers d'artistes de l'**école de Paris**, devenus de charmants musées : **musée Zadkine** *(100 r. d'Assas - www.zadkine.paris.fr)*, **musée Bourdelle★** *(18 r. Antoine-Bourdelle - www.bourdelle.paris.fr)* ou **musée du Montparnasse** *(21 av. du Maine - www.museedumontparnasse.net)* et poursuivre la promenade par le jardin du Luxembourg *(voir p. 118)*. D'autres se rendront au **cimetière du Montparnasse**, où reposent depuis 1824 artistes et écrivains : Baudelaire, Maupassant, Jean Seberg, Marguerite Duras, Serge, Gainsbourg, Jean Poiret, Maurice Pialat…

★ **Tour Montparnasse** – ✆ *01 45 38 52 56 - www.tourmontparnasse56.com - avr.-sept. : 9h30-23h30 ; oct.-mars : lun.-jeu. et dim. 9h30-22h30, vend.-sam. et veilles de j. fériés 9h30-23h (dernière montée 30mn av. fermeture) - 10 € (-14 ans 7 €).* Du haut de ses 209 m (59 étages), la **vue★★★** sur Paris, à 360°, est extraordinaire.

La rive droite

★★★ LE MARAIS B1-2

À proximité de la Bastille, la **rue des Francs-Bourgeois★**, les hôtels de Soubise, Salé *(musée Picasso, voir p. 130)*, de Rohan ou de Carnavalet (*musée Carnavalet - Histoire de Paris, voir p. 133)* vous plongent dans les 17e et 18e s. Boutiques, galeries et restaurants animent le quartier. Au début du 17e s., la **place Royale** (actuelle place des Vosges) devient le cœur du Marais. Tandis que les jésuites s'installent rue St-Antoine, les seigneurs et les courtisans édifient à l'entour de splendides demeures décorées par les meilleurs artistes du Grand Siècle. Au Marais s'élabore à cette époque le type de l'hôtel particulier à la française, construction classique et discrète entre cour et jardin.

★★ Église Saint-Paul-Saint-Louis

M° St-Paul. ☎ 01 42 72 30 32 - 8h-20h, sam. 8h-19h30, dim. 9h-20h.

En 1580, la Compagnie de Jésus installe dans l'actuel lycée Charlemagne une maison pour les religieux qui ont déjà prononcé leurs vœux. **Louis XIII** leur offre les terrains nécessaires pour la nouvelle église, édifiée de 1627 à 1641. Le plan est inspiré de l'église du Gesù, à Rome, un modèle d'architecture baroque. Les ordres classiques étagent leurs colonnes sur la façade qui cache le dôme, grande nouveauté du **style jésuite**. Dans les églises postérieures, comme celles de la Sorbonne, du Val-de-Grâce et des Invalides, les architectes corrigeront ce défaut et mettront, au contraire, en valeur la beauté des dômes.

Rue Saint-Antoine

Grand axe de communication vers l'est, la rue St-Antoine était fréquemment empruntée par les souverains. Elle présentait dès le 14e s. cette largeur inhabituelle qui en faisait un lieu de promenades et de réjouissances populaires. Au 17e s., elle devint la plus belle voie de Paris.

★ Hôtel de Sully

62 r. St-Antoine. Visite de la cour et du jardin : 8h30-19h.

Construit à partir de 1625, l'édifice est acheté en 1634 par **Sully**, ancien ministre d'Henri IV, alors âgé de 75 ans. Il est aujourd'hui occupé en partie par le Centre des Monuments nationaux. Avec sa décoration de frontons et de lucarnes sculptées et une série de figures représentant les quatre Éléments et deux Saisons, la **cour★★** constitue un remarquable ensemble Louis XIII. Au fond du jardin, l'orangerie permet de communiquer avec la place des Vosges.

★★★ Place des Vosges

La place devient royale dès 1612. Henri IV voulait un beau quartier. Son désir est exaucé : la place s'impose comme le lieu de la vie élégante, des carrousels et des plaisirs, le rendez-vous des duellistes. Mme de Sévigné *(au n° 1 bis)*, Bossuet *(au n° 17)*, Richelieu *(au n° 21)*, Victor Hugo *(au n° 6* - **maison de Victor-Hugo★** *- www.musee-hugo.paris.fr)*, Théophile Gautier et Alphonse Daudet *(au n° 8)* s'y plurent. Les 36 pavillons sont d'une même symétrie : alternance de pierre et revêtement de fausse brique, deux étages avec un toit percé de lucarnes, arrière-cours et jardins cachés ; au pavillon du Roi *(face sud)* correspond celui de la Reine.

★ Rue des Francs-Bourgeois

Cette vieille rue se dénomma d'abord « rue des Poulies » à cause de ses métiers de tisserands. Elle a pris son nom actuel après la fondation, en 1334, des « maisons d'aumône », dont les occupants, affranchis de taxes en raison de leurs faibles ressources, étaient appelés « francs-bourgeois ».

🚶 En chemin vous verrez les jardins de l'**hôtel Carnavalet★★** *(voir p. 133)*.

★★ Hôtel de Soubise

60 r. des Francs-Bourgeois. L'entrée laisse voir la **cour d'honneur★★** en forme de fer à cheval, d'une majestueuse beauté, bordée d'un péristyle élégant et pur que surmonte une balustrade destinée, à l'origine, à former un vaste promenoir en terrasse. Il renferme le **musée de l'Histoire de France★**.

★★ Hôtel de Guénégaud

60 r. des Archives. Édifié par François Mansart vers 1650 et remanié au 18e s. Il est remarquable dans ses lignes simples et harmonieuses, avec un petit jardin à la française. C'est l'une des plus belles demeures du Marais. Il abrite le **musée de la Chasse et de la Nature★★** *(www.chassenature.org)*.

★★ Hôtel de Rohan

Au carrefour avec la r. Vieille-du-Temple. Delamair entreprit sa construction en 1705, en même temps que celle de l'hôtel de Soubise : le second style Louis XIV s'y déploie. Cet hôtel était destiné au fils du prince et de la princesse de Soubise, évêque de Strasbourg et futur cardinal de Rohan. Quatre cardinaux de Rohan, princes-évêques de Strasbourg, se sont succédé ici. À l'intérieur, un bel escalier droit mène aux **appartements★** des cardinaux.

♿ Un peu plus loin, l'**hôtel Salé** abrite le **musée Picasso★★** *(voir p. 130).* Construit entre 1656 et 1659 pour Pierre Aubert, seigneur de Fontenay, fermier de la gabelle, d'où son nom, il a été restauré par l'architecte Simounet et conserve un bel **escalier★** à rampe de fer forgé et à plafond sculpté.

★ BEAUBOURG ET LES HALLES B1-2

Cet ancien quartier sur la rive droite de la Seine s'est bâti sur des activités de commerce, bénéficiant du débarcadère des marchandises acheminées par bateau **place de Grève** (actuelle place de l'Hôtel-de-Ville). Il bouillonne toujours d'activités, la culture attirant le commerce et vice versa.

Les Halles

Les Halles furent le « ventre de Paris », un marché historique où depuis 1135, marchands et artisans installaient leur négoce deux fois par semaine. En 1969, les Halles devenues trop petites furent transférées à Rungis et les pavillons Baltard, à charpente métallique et toiture vitrée, cédèrent la place au **Forum des Halles**, un immense centre commercial relié aux lignes de métro et de RER et qui attire une foule de touristes et de jeunes. Le projet de réaménagement du « carreau des Halles » choisi par la Ville de Paris, en 2007, est celui des architectes Patrick Berger et Jacques Anziutti. Les travaux se dérouleront de 2013 à 2016.

Le jardin des Halles – *Travaux en cours.* Il marque la transition entre ce temple du 20e s. et les monuments anciens du quartier : la **Bourse du Commerce** et surtout l'**église St-Eustache★★** ; édifiée entre 1532 et 1640 sur les plans de Notre-Dame, elle ne reçut sa façade définitive qu'en 1754, selon le style classique de l'époque. Côté nord, la **façade du Croisillon★** conserve sa composition Renaissance avec ses deux tourelles d'escaliers terminées par des lanternons. De la rue Montmartre, beaux points de vue sur les arcs-boutants du chevet et la flèche restaurée du campanile.

De là, part la **rue Montorgueil** (piétonne) qui conserve de vieilles maisons (nos 15, 17, 23, 25) et permet de rejoindre, par la rue Tiquetonne, le **passage couvert du Grand-Cerf** au décor du 19e s. La rue de la Grande-Truanderie rappelle l'une de ces « cours des miracles » qui servirent de refuge aux truands et aux ribaudes de Paris jusque sous Louis XIV, tandis que la rue des Lombards, typique petite rue médiévale, évoque le temps où les usuriers italiens vendaient leur argent à prix d'or. Au passage, vous remarquerez la **fontaine des Innocents★**, chef-d'œuvre de la Renaissance.

Beaubourg

De l'autre côté du boulevard Sébastopol, qui coupe le quartier en deux, se trouve l'**église St-Merri★** au style gothique flamboyant. Tout près, le plateau de Beaubourg, encore occupé par de vieilles maisons insalubres jusque dans les années 1968, est devenu depuis 1977 une place animée grâce à la présence du **Centre Georges-Pompidou★★** qui abrite le **musée national d'Art moderne★★★** *(voir p. 129).* Les architectes Richard Rogers et Renzo Piano ont achevé en 1977 la construction de cet édifice d'une technique d'avant-garde. Le gigantesque parallélépipède déploie son ossature d'acier, ses parois de verre, ses couleurs franches. Dans son tube de verre, le grand escalator, la « chenille », en trace la diagonale. Du 6ᵉ et dernier étage, belle **vue**★★ sur les toits de Paris d'où émergent la colline de Montmartre et la basilique du Sacré-Cœur.

🕯 Derrière la rue Beaubourg, à proximité, se trouve le **Musée d'Art et d'Histoire du Judaïsme**★★ *(voir p. 130)*.

★★ **OPÉRA ET PALAIS-ROYAL** B1

★★ Opéra

Au pied du monument, la **place de l'Opéra**★★ ouvre sur le boulevard des Capucines, qui mène à la **Madeleine**★, et sur la rue de la Paix. Tracée de 1854 à 1878, l'**avenue de l'Opéra**★ devient rapidement une voie prestigieuse et compte parmi les artères les plus vivantes de la capitale. Elle est le royaume des achats « parisiens » (parfums, cadeaux, foulards). Grand quartier d'affaires, l'avenue est très animée en semaine.

★★ Palais Garnier - Opéra national de Paris

Mᵒ Opéra. www.operadeparis.fr - 10h-17h (dernière entrée 30mn av. fermeture) - possibilité de visite guidée (1h15) des foyers publics et du musée à 11h30, 14h (en été) et 15h30 (se présenter dans le hall d'entrée 15mn av.), rens. et réserv. au ✆ 0 892 899 090 (0,34 €/mn) - fermé 1ᵉʳ Mai, 25 déc. et j. de représentation en matinée ou manifestation exceptionnelle - 12,50 € (réduit 6,50 €).

Incontestable réussite du Second Empire, cet édifice dessiné en 1860 par un **Charles Garnier** alors âgé de 35 ans offre sa façade monumentale et fastueuse à la place de l'Opéra. Parmi le programme sculpté, on remarque *La Danse (arcade)* et au sommet de la façade, Apollon qui élève sa lyre vers le ciel et rappelle la vocation de l'édifice. À l'**intérieur**★★★, Garnier a fait preuve d'originalité en employant des marbres provenant de toutes les carrières de France, et des couleurs les plus variées : blanc, bleu, rose, rouge, vert. Le **Grand Escalier** et le **Grand Foyer** sont des œuvres remarquables, tout en théâtralité et conçues pour le grand apparat. Dans la salle, visible en dehors des répétitions, le plafond est l'œuvre de **Chagall**.

Aujourd'hui, le palais Garnier se consacre plus particulièrement au ballet (musique et danse modernes ont fait leur entrée), au sein de l'Opéra national de Paris (ONP), ensemble formé par le palais Garnier et l'Opéra de Paris-Bastille *(voir p. 126)*.

Rue de la Paix

Ses belles devantures rivalisent avec celles de la rue St-Honoré. Si la place Vendôme est l'adresse huppée des grands noms de la joaillerie, Van Cleef & Arpels ou encore Boucheron, la joaillerie et la bijouterie ont fait la renommée de cette rue élégante et luxueuse… où, signe des temps, Cartier côtoie Tati Or.

★★ Place Vendôme

Vers 1680, Louvois, surintendant des Bâtiments, désireux d'éclipser la place des Victoires tracée par son prédécesseur, envisage un écrin palatial à une statue colossale de Louis XIV. Jules Hardouin-Mansart l'imagine, mais si la statue équestre du Roi-Soleil, par François Girardon, est inaugurée en 1699, il faut attendre 1702 pour voir s'élever la première construction. En 1720, la place est enfin cernée de façades rythmées par des avant-corps et des pilastres corinthiens colossaux. Au n° 15 se trouve l'hôtel Ritz.

La Révolution détruit la statue royale. En 1810, l'Empereur fait dresser une colonne imitant la colonne Trajane à Rome. Haute de 44 m, elle est recouverte d'une spirale de bronze fondue avec les 1 250 canons pris à Austerlitz, et couronnée d'une statue de Napoléon Ier.

★★ Palais-Royal

À deux pas du musée du Louvre *(voir p. 105)*, du musée des Arts décoratifs *(voir p. 132)*, du Louvre des Antiquaires, de la place des Victoires, et de superbes passages couverts, le palais encadre un **jardin★**. En 1624, à peine nommé Premier ministre, **Richelieu** acquiert des terrains et demande à l'architecte Jacques Lemercier d'y élever un vaste et splendide édifice, le Palais-Cardinal. Il lègue son hôtel à Louis XIII qui le suit bientôt dans la tombe. Le Palais-Cardinal devient Palais-Royal lorsqu'Anne d'Autriche vient y vivre avec le jeune Louis XIV. En 1780, le palais passe aux mains de **Louis-Philippe d'Orléans** qui, toujours à court d'argent, entreprend une importante opération immobilière. Sur trois côtés du jardin, il fait construire des maisons de rapport à façades uniformes, avec des galeries bordées de boutiques. L'auteur de ce remarquable ensemble est **Victor Louis**, l'architecte du théâtre de Bordeaux. De 1786 à 1790, Philippe Égalité fait édifier, par ce même architecte, la salle du Théâtre-Français, actuelle **Comédie-Française**, et le théâtre du Palais-Royal.

Aux colonnades du 19e s. répondent 260 sections de colonnes inégales en marbre noir et blanc, œuvre (1986) controversée de **Daniel Buren**.

À VOIR AUSSI SUR LA RIVE DROITE B2

★ Bastille

M° Bastille. Pour les Parisiens, la **place de la Bastille** est le lieu des manifestations politiques ou syndicales, des défilés, et la scène de grands concerts populaires. Des lignes de pavés tracent le contour de l'ancienne forteresse de la Bastille, prison d'État depuis le 17e s. et symbole de l'arbitraire du roi qui n'avait qu'à signer une « lettre de cachet » pour y faire embastiller des personnages encombrants tels le trop franc Voltaire ou le jeune débauché Mirabeau. Le 14 juillet 1789, la prison presque vide après l'abolition des lettres de cachet subit l'attaque des révolutionnaires et 800 ouvriers s'acharnent à la détruire, pierre par pierre. **La colonne de Juillet** (1831-1840) qui se dresse en son centre fut élevée en mémoire des Parisiens tués lors des révolutions de 1830 et 1848. Au sommet, le génie de la Liberté tient le flambeau de la liberté et la chaîne brisée de la tyrannie. L'Opéra fut construit à l'emplacement de l'ancienne gare de la Bastille.

★ Opéra de Paris-Bastille

📞 01 40 01 19 70 - visite guidée (1h15) - 11 €.

Réalisé par l'architecte uruguayo-canadien Carlos Ott entre 1983 et 1989, il abrite une salle de 2 700 places. L'immensité du bâtiment s'explique par la réunion en ce seul lieu de tous les artisans nécessaires à la réalisation d'un opéra : 74 corps de métiers, du perruquier à l'électronicien, y travaillent.

Port de plaisance de Paris-Arsenal

De la place de la Bastille, on peut rejoindre le **canal St-Martin** et son port de plaisance pour une promenade le long du quai, bordé de jardins en terrasse. Le long de l'avenue Daumesnil *(suivre la dir. gare de Lyon)*, le **viaduc des Arts★** abrite sous ses voûtes boutiques et ateliers d'artisanat ainsi que magasins de mobilier contemporain. Les immenses baies vitrées contribuent à la majesté des arcades faites de pierre et de brique rose. Au dessus, la **promenade**

Place des Vosges.
X. Richer/Photononstop

plantée★ (ancienne voie de chemin de fer – *accès par les escaliers, au déb. de l'av. Daumesnil*) offre une perspective originale sur l'architecture environnante car on y marche à mi-hauteur des immeubles. Non loin, **place d'Aligre**, le marché Beauvau-St-Antoine est un marché séculaire (fruits et légumes, fripes, brocante).

Rue du Faubourg-Saint-Antoine

Cours, impasses, ruelles et passages piétonniers au charme désuet constituaient le cœur artisanal du faubourg. De rares ébénistes et fabricants de meubles y ont encore leurs ateliers et entrepôts (cour de l'Ours, cour de la Maison-Brûlée, cour des Trois-Frères, cour de l'Étoile-d'Or).

★★ Cimetière du Père-Lachaise

Mº Père-Lachaise, Gambetta, Porte de Bagnolet, Philippe-Auguste ou Alexandre-Dumas. www.jardins.paris.fr pour connaître les horaires d'ouverture et les visites sous réserve de modification en cours d'année.

Un cimetière est rarement un but de flânerie. Pourtant, celui-ci, agrémenté de plus de 3 000 arbres, est exceptionnel par le nombre et la qualité de ses hôtes ainsi que par la dimension romantique de la plupart de ses sépultures. Créé sous l'Empire par Brongniart, le cimetière du Père-Lachaise constitue un véritable musée à ciel ouvert de la statuaire funéraire, parfois intrigante, souvent touchante. Chacun repérera ceux et celles auxquels il voue de la sympathie ou de l'admiration : Jim Morrison, le légendaire chanteur des Doors, ou le spirite Allan Kardec pour les uns, Chopin, Balzac ou Marcel Proust pour d'autres…

★ Belleville

Mº Belleville ou Pyrénées. De la très commerçante rue de Belleville où naquit la grande **Édith Piaf** (au nº 72), vous rejoindrez la rue qui monte, non sans aligner une myriade d'enseignes de restaurants chinois, jusqu'à la plus haute colline de Paris après Montmartre, en découvrant au passage un quartier populaire au charme particulier. Arabes, Chinois, Vietnamiens s'y côtoient parmi îlots de verdure et terrains vagues s'ouvrant sur des échappées superbes sur Paris, immeubles en béton et vieilles maisons basses. Sur les hauteurs, le **Parc de Belleville★** offre une **vue★★★** superbe sur Paris, jusqu'au mont Valérien et aux collines bordant la ville. Rue des Cascades, rue de l'Ermitage et en direction du square Ménilmontant, des villas bordées de coquettes maisons et des ruelles étroites donnent l'impression d'être dans un village du siècle dernier.

Musées d'art

★★★ MUSÉE NATIONAL DES ARTS ASIATIQUES - GUIMET A1

M° Iéna. 6 pl. d'Iéna - ℘ 01 56 52 53 00 - www.museeguimet.fr - ♿ - tlj sf mar. 10h-18h (dernière entrée 45mn av. fermeture) - fermé 1ᵉʳ janv., 1ᵉʳ Mai et 25 déc. - 7,50 €, (enf. gratuit), gratuit 1ᵉʳ dim. du mois - audioguide en 8 langues gratuit - pour les enfants : livrets jeux à l'accueil.

Ce temple de la culture asiatique, construit par le collectionneur lyonnais **Émile Guimet** (1836-1919) en 1889, a retrouvé, après travaux, un nouveau cadre intérieur clair et lumineux, mettant en valeur une collection d'art asiatique qu'on dit la plus riche du monde.

L'**Inde** est aux sources de cette culture asiatique, avec ses dieux et déesses : Kâlî incarnant le pouvoir destructeur du temps ou **Shiva Nâtarâja**, roi de la danse, incarnant la grâce et la souplesse de la sculpture indienne. Les autres salles sont consacrées à l'Asie du Sud-Est. La salle dédiée au Cambodge renferme des **trésors de l'art khmer★★**. Le voyage continue avec le Vietnam, l'Indonésie, la Birmanie, la Thaïlande et ses somptueux bouddhas de bronze doré. L'art du Gandhara, de l'**Afghanistan** et du **Pakistan**, inspiré de la statuaire grecque, produit des Bouddhas et des bodhisattvas (bouddhas futurs) qui serviront de modèles aux cultures qui jalonnent la route de la Soie jusqu'en Chine. Du **Tibet** et du **Népal**, vous verrez de nombreuses peintures portatives, des statuettes en cuivre ou laiton doré et des objets rituels en cuivre doré incrustés de pierres semi-précieuses. La **Chine antique** est illustrée par des terres cuites du 3ᵉ s. avant notre ère, de la vaisselle rituelle en bronze (13ᵉ-10ᵉ s. avant notre ère), des cloches de la dynastie Zhou, une curieuse série de sculptures animales en bois laqué, une touchante collection de mingqi Han et Tang, **substituts funéraires★★** venus des provinces chinoises du Nord. La **Chine classique** est celle des peintures à l'encre noire, des grès blancs et noirs, des céladons, mais surtout des **porcelaines Ming★** (1368-1644) aux émaux polychromes ou aux somptueux décors bleu et blanc. Les **meubles** laqués, dorés, incrustés de nacre, sont éblouissants. La salle consacrée à la **Corée** rassemble des masques de théâtre du 18ᵉ s., des céramiques céladon, des paravents et un **portrait du haut dignitaire Cho Man-Yong** (19ᵉ s.). Si les artistes du **Japon** se sont inspirés des techniques de leurs voisins chinois et coréens, bols aux formes irrégulières, plats carrés ont une tout autre esthétique… Émerveillement garanti devant les *inro*, petites boîtes laquées constituées de trois à cinq compartiments, que l'on suspendait à la ceinture de son kimono. Et admiration absolue devant les estampes signées Utamaro (18ᵉ s.), Sharaku (fin 18ᵉ s.), Hiroshige (19ᵉ s.) et Hokusai, dont la célèbre **Vague au large de Kanagawa★★**.

★★★ MUSÉE NATIONAL D'ART MODERNE (MNAM/CCI) B1-2

M° Hôtel de Ville ou Rambuteau. À l'intérieur du Centre Georges-Pompidou - ℘ 01 44 78 12 33 - www.centrepompidou.fr - ♿ - accès par le niveau 4 - 11h-21h, jeu. 11h-22h (dernière entrée 1h av. fermeture) - fermé mar. et 1er Mai - 12 € (- 18 ans gratuit), gratuit 1er dim. du mois.

Parmi les plus riches musées d'Art moderne du monde, il couvre tous les domaines de la création, de la peinture à l'architecture en passant par la photographie, le cinéma, les nouveaux médias, la sculpture ou le design, et permet de suivre l'évolution artistique depuis le fauvisme et le cubisme jusqu'aux expressions les plus contemporaines.

🕐 **Bon à savoir** – Malgré l'étendue des salles d'exposition, seule une sélection des œuvres est visible. Un nouvel accrochage tous les ans permet la présentation d'autres pièces maîtresses et de nouvelles acquisitions.

Les modernes – Les salles monographiques (Balthus, Picasso, Rouault, Matisse, Léger, Soulages…) alternent avec des salles thématiques pour une lecture plus aisée des grandes tendances de l'art moderne de 1905 à 1960. Tous les courants sont représentés : le fauvisme (Derain, Matisse, Dufy), le cubisme (Braque, Picasso), le mouvement Dada avec Marcel Duchamp et ses fameux *ready-mades*, l'abstraction (Kandinsky, Klee, Mondrian). La recherche artistique se poursuit avec les constructivistes et suprématistes russes (Tatline, Malevitch), Fernand Léger, proche du purisme, les surréalistes (Dali, Magritte, Ernst, Miró), puis les peintres abstraits des années 1950 (Hartung, de Staël, Soulages), l'avant-garde américaine (Pollock, Newman), les sculptures de Brancusi et sur les terrasses qui prolongent le musée, les œuvres monumentales de Miró, Ernst, Calder et Takis.

Les contemporains – La présentation des grands courants artistiques de 1960 à nos jours, associés à des personnalités fortes, est renouvelée chaque année, traduisant une vision dynamique et évolutive.

1

★★ MUSÉE D'ART MODERNE DE LA VILLE DE PARIS A1

M° Iéna. 11 av. du Prés.-Wilson - 𝒫 01 53 67 40 00 - www.mam.paris.fr - ♿ - tlj sf lun. 10h-18h - fermé j. fériés.

Tous les grands courants de peinture du 20e s. sont exposés dans cette aile du palais de Tokyo bâtie pour l'Exposition internationale des arts et techniques de 1937 et réaménagée.

Présentées chronologiquement, les collections comprennent les avant-gardes du 20e s. : fauvisme, cubisme, surréalisme, courants et artistes issus du cubisme après la Première Guerre mondiale, notamment avec Fernand Léger. Vient ensuite l'abstraction, prédominante dans ces mêmes années d'après-guerre. Les années 1920 montrent les diverses expressions de la figure humaine (portraits expressionnistes de l'École de Paris : Modigliani, Soutine, Pascin, Blanchard), des œuvres de Van Dongen proches de la nouvelle objectivité allemande, l'art informel avec les premières réalisations de Fautrier.

Pour la seconde moitié du 20e s., l'accent est mis sur des mouvements français et européens : nouveau réalisme, *arte povera*, support-Surface, fluxus, figuration narrative, art conceptuel européen, avec des artistes dominants, entre autres, Louise Bourgeois, Buren, Boltanski, B. Lavier, A. Messager, N. Toroni, S. Polke, G. Richter, Gilbert and George. Est présente aussi la jeune création.

Quelques-unes des œuvres majeures du siècle méritent à elles seules un détour : *Les Disques* de Léger (1918), *L'Équipe de Cardiff* de Robert Delaunay (1912-1913), la *Pastorale* et l'admirable **Danse de Paris★** de Matisse (1932), l'*Évocation* de Picasso, le *Rêve* de Chagall. *La Fée Électricité* (1937) de Raoul Dufy, qui compte parmi les plus grands tableaux du monde (600 m², 250 panneaux juxtaposés), confronte le monde antique à sa transformation par les philosophes et les savants qui ont étudié et domestiqué cette énergie.

Dans l'enceinte du Palais de Tokyo, le musée voisine avec le **Site de la création contemporaine** qui, en accord avec l'esprit du lieu, propose toute l'année des expositions et manifestations culturelles pluridisciplinaires (arts plastiques, design, mode, littérature, musique, danse, cinéma).

★★ MUSÉE PICASSO B2

M° St-Sébastien-Froissart. Hôtel Salé - 5 r. de Thorigny - ℘ 01 42 71 25 21 - ☖ - fermé pour rénovation en principe jusqu'à début 2012.

Pablo Ruiz Picasso (1881-1973) étudia à l'École des beaux-arts de Barcelone, puis à Madrid. En 1904, il vint s'installer en France qu'il ne quittera plus sauf pour de brefs séjours à l'étranger. La possibilité donnée aux héritiers, d'après une loi de 1968, de payer leurs droits de succession en œuvres d'art a permis à la France d'acquérir la plus importante collection de cet artiste. Elle comprend plus de 250 peintures, un ensemble exceptionnel de sculptures, des papiers collés et tableaux-reliefs, plus de 3 000 dessins et estampes, 88 céramiques, la totalité de l'œuvre gravé, des livres illustrés et des manuscrits.

😊 **Bon à savoir** – Les importants travaux engagés au musée Picasso, sous la houlette de Jean-François Bodin, visent à augmenter de façon considérable la surface d'exposition et à présenter quelque 500 chefs-d'œuvre de l'artiste.

★★ MUSÉE RODIN A2

M° Varenne. Hôtel Biron - 79 r. de Varenne - ℘ 01 44 18 61 24 - www.musee-rodin. fr - tlj sf lun. 10h-17h45 (dernière entrée 30mn av. fermeture) - fermé 1ᵉʳ janv., 1ᵉʳ Mai et 25 déc. - de 6 € à 7 € (6-18 ans gratuit), gratuit 1ᵉʳ dim. du mois.

Le musée Rodin, c'est d'abord l'**hôtel Biron★★** qui date du 18ᵉs. dans lequel **Auguste Rodin** (1840-1917) s'installa en 1908. C'est aussi un superbe jardin dans lequel sont exposées plusieurs œuvres du sculpteur (*Le Penseur*, les *Bourgeois de Calais*, la *Porte de l'Enfer*, le groupe d'*Ugolin*…) et la **chapelle**, entièrement restaurée, avec sa verrière zénithale à 12m de hauteur (accueil, boutique, auditorium, salles d'expositions temporaires).

Dans l'hôtel, les sculptures sont réparties dans des salons aux belles boiseries : *La Cathédrale, Le Baiser, L'Âge d'airain*… En bronze ou en marbre pour la plupart, elles sont marquées par une vigueur dans l'expression, une énergie et une puissance contenues. On admire aussi les réalisations de **Camille Claudel**, sœur du dramaturge Paul Claudel et maîtresse de Rodin, notamment *La Vague*, et trois œuvres majeures de **Van Gogh** (*Le Père Tanguy, Vue du Viaduc d'Arles ou Le Train bleu* et *Les Moissonneurs*) faisant partie de la collection personnelle du sculpteur.

★★ MUSÉE D'ART ET D'HISTOIRE DU JUDAÏSME B1

M° Rambuteau. Hôtel St-Aignan - 71 r. du Temple - ℘ 01 53 01 86 53 - www.mahj. org - ☖ - tlj sf sam. 11h-18h, dim. et j. fériés 10h-18h (dernière entrée 45mn av. fermeture) - fermé 1ᵉʳ janv. et 1ᵉʳ Mai - 6,80 € (enf. gratuit).

Dans un cadre historique, une muséographie moderne présente des œuvres anciennes et contemporaines, accompagnées de notes explicatives, permettant de découvrir pleinement la culture juive. La reconstitution de synagogues et l'exposition d'objets cultuels rendent compte des rites des différentes fêtes. Le messianisme et le pèlerinage sont également abordés. Vous verrez une *soukkah*, cabane au toit de chaume, où les fidèles sont tenus de passer sept jours à l'occasion de la **fête des Tabernacles**, en mémoire des quarante années passées par le peuple hébreu dans le désert et de la sortie d'Égypte. Les premières salles illustrent l'installation des juifs en France au Moyen Âge et en Italie de la Renaissance au 18e s. Si le Siècle des lumières et le Premier Empire favorisent l'émancipation, le 19e s. s'achève sur la formation d'un antisémitisme moderne : l'affaire Dreyfus, la déportation conduisent à la naissance du sionisme. Des salles sont réservées aux présences juives dans l'art du 20e s. et au monde juif contemporain.

★★ MUSÉE MARMOTTAN-MONET En direction A1

M° La Muette. 2 r. Louis-Boilly - ☎ 01 44 96 50 33 - www.marmottan.com - tlj sf lun. 10h-18h - fermé 1er janv., 1er Mai et 25 déc. - 10 € (réduit 5 €).

En 1932, l'historien d'art **Paul Marmottan** fait don à l'Institut de son hôtel particulier et de ses collections de la Renaissance et de l'époque napoléonienne. En 1950, Mme Donop de Monchy y adjoint une partie des œuvres acquises par son père, le docteur de Bellio, médecin et ami de plusieurs peintres impressionnistes. En 1971, Michel Monet lègue au musée 65 toiles peintes par son père Claude et le legs Wildenstein enrichit les collections de 228 enluminures.

Parmi le **mobilier du Consulat et de l'Empire** figure la table de Lucien Bonaparte en bronze ciselé et doré par Thomire en 1803. Des **enluminures** garnissent les panneaux d'un grand salon. Elles proviennent de plusieurs pays d'Europe et datent des 13e-16e s. Elles comprennent des lettrines à décor floral ou historié, des antiphonaires, des extraits de livres d'heures. La collection des toiles de **Claude Monet** est probablement la plus importante connue de ce maître de l'Impressionnisme : œuvres inspirées par le jardin fleuri que l'artiste possédait à **Giverny** *(voir ce nom)*, ou témoignant de la sensibilité de l'artiste à la vibration de la lumière selon l'heure ou la saison *(Cathédrales de Rouen).*

☺ **Bon à savoir** – Grâce aux donations, le musée compte un grand nombre d'œuvres d'artistes amis de Monet : Caillebotte, Berthe Morisot, Renoir *(Jeune fille assise au chapeau blanc),* Signac, Gauguin…

Autres musées

★★★ MUSÉE DE L'ARMÉE A2

M° Invalides. Entrée par la cour d'honneur, sur l'esplanade - ☎ 0 810 113 399 - www.invalides.org - ♿ - avr.-sept. : 10h-18h, dim. et j. fériés 10h-18h30 ; oct.-mars : 10h-17h, dim. et j. fériés 10h-17h30 (dernière entrée 15mn av. fermeture) - fermé 1er lun. du mois, 1er janv., 1er Mai, 1er nov. et 25 déc. - 9 € (-18 ans gratuit) - billet unique donnant droit au tombeau de Napoléon ainsi qu'aux quatre musées réunis dans l'hôtel des Invalides : Armée, Plans-reliefs, Ordre de la Libération et l'Historial Charles de Gaulle ; les sorties provisoires dans la journée sont donc autorisées.

Le musée est entièrement consacré à l'art, la technique et l'histoire militaires du monde entier.

Armes et armures (13e-17e s.) – Un voyage à travers le temps et l'espace : sont exposés des armures de samouraïs de la fin du 16e s., l'épée et l'armure de François Ier, le casque du sultan ottoman Bajazet…

De Louis XIV à Napoléon III – Le département Moderne propose un parcours à la fois chronologique et thématique, de Louis XIV à Napoléon III. Uniformes, armes, maquettes de bataille, instruments de musique, décorations… l'une des premières collections au monde.

Emblèmes et artillerie – L'artillerie de terre française est à l'honneur à travers 200 modèles réduits. Emblèmes et drapeaux sont également exposés.

Département des deux guerres mondiales – Il retrace les conflits, depuis la défaite de 1871, la montée en puissance de l'Empire et des troupes coloniales et la marche vers la revanche, puis le déroulement de la Première Guerre mondiale et celui de la Seconde Guerre mondiale, jusqu'à la Libération et la capitulation de l'Allemagne et du Japon. Un cabinet est consacré à la libération des camps.

L'historial Charles-de-Gaulle, inauguré en 2008, retrace, en privilégiant l'image, l'histoire du Général. Les collections très riches (plus de 500 000 pièces) sont réparties dans plusieurs départements.

★ **Musée des Plans-reliefs** – Ces extraordinaires maquettes de villes, ports et places fortes servaient à l'étude de la stratégie militaire.

★★ MUSÉE DES ARTS DÉCORATIFS B1

Mº Palais-Royal ou Pyramide. 107 r. de Rivoli - 𝄞 *01 44 55 57 70 -* ♿ *- tlj sf lun. 11h-18h - fermé 1ᵉʳ janv., 1ᵉʳ Mai et 25 déc. - 9 € (-18 ans gratuit) - billet donnant accès aux musées de la Mode et du textile et à celui de la Publicité.*

Le musée, entièrement rénové, présente quelque 5 000 objets formant un panorama complet des arts décoratifs du Moyen Âge à nos jours : céramique, mobilier, orfèvrerie, bijoux, verre, papiers peints, dessins… Tous les noms qui ont fait l'histoire des styles sont représentés : Boulle, Sèvres, Aubusson, Christofle, Lalique, Guimard, Mallet-Stevens, Le Corbusier ou Szekely, etc. Ainsi que tous les courants : du gothique au style Louis XVI, du Directoire à l'Art nouveau, de l'Art déco au design des années 1940 jusqu'à nos jours. Remarquables sont les reconstitutions d'intérieurs qui font revivre les œuvres dans leur contexte original : l'appartement privé de Jeanne Lanvin ou la salle à manger d'Eugène Grasset. **La Galerie des Bijoux** présente environ 1 200 bagues, colliers, bracelets, broches conçus par les artisans du Moyen Âge ou dans les ateliers des grands créateurs du 20ᵉ s. (René Lalique, Georges Fouquet, Jean Desprès…) et les grandes maisons de la place Vendôme (Cartier, Boucheron).

★ **Le Musée de la Mode et du textile** – L'extraordinaire réserve de textiles, broderies, costumes et accessoires permet d'organiser des expositions thématiques renouvelées tous les six mois, sous le signe de grands créateurs tels que Poiret, Lanvin, Dior, Paco Rabanne, Sonia Delaunay…

Le Musée de la Publicité – 120 000 affiches anciennes et contemporaines donnent lieu à des expositions thématiques.

★★ MUSÉE DU QUAI-BRANLY A2

RER Pont-de-l'Alma ou Mº Alma. 37 quai Branly - 𝄞 *01 56 61 70 00 -* ♿ *- mar., merc. et dim. 11h-19h, jeu.-sam. 11h-21h - fermé lun., 1ᵉʳ Mai et 25 déc. - 8,50 € (-18 ans gratuit), nocturne jeu.-sam. jusqu'à 21h - audioguide 5 €.*

Inauguré en juin 2006, il rassemble les collections du musée de l'Homme et du musée national des Arts d'Afrique et d'Océanie dans une présentation qui magnifie chaque objet de cet ensemble dit « arts premiers » d'Asie, d'Océanie, d'Afrique et d'Amérique (300 000 objets dont 3 500 exposés). Sur la façade nord du bâtiment dessiné par Jean Nouvel, un **mur végétal**★ de 800 m² a été conçu par le botaniste **Patrick Blanc**.

★★★ **Les collections** – Au-delà des appartenances géographiques et culturelles, quatre groupes d'objets se dessinent autour de la matière : **le bois**, matériau pour les objets usuels et rituels (Masque d'épaule nomba, Guinée, 19ᵉ s.) ; **les fibres et les tissus** servant à confectionner vêtements et parures ou à tisser un langage retraçant le récit des origines (Cache-fesses d'homme, Afrique) ; **la terre et la poterie** dont l'art est une activité souvent pratiquée par des femmes (Sculpture nok appartenant au style de Katsina Ala, Nigeria) ; **le métal** et notamment le travail de l'or chez les Amérindiens (Couronne en or, Océanie, couteau de cérémonie, Pérou). Enfin, 8 500 **instruments de musique** en provenance de tous les continents non-européens sont entreposés dans une tour de verre.

★★ MUSÉE CARNAVALET - HISTOIRE DE PARIS B2

M° St-Paul. Hôtel Carnavalet - 23 r. Sévigné - ℰ 01 44 59 58 58 - www.paris.fr - tlj sf lun. 10h-18h - fermé j. fériés - gratuit (sf expositions).
Situé dans deux hôtels particuliers somptueux, l'**hôtel Carnavalet★★** et l'hôtel Le Peletier de St-Fargeau, il renferme toute la mémoire de Paris, de la préhistoire à aujourd'hui. Tableaux, meubles, gravures, documents et maquettes, sculptures et collections des arts et traditions populaires font de ce musée l'un des plus vivants et séduisants de la capitale. L'orangerie abrite des **pirogues néolithiques** en bois trouvées à Bercy. La plus ancienne est datée d'environ 4400 av. J.-C. Si de nombreux tableaux retracent l'évolution de la capitale, la visite permet aussi de revivre de grands moments de l'Histoire, comme la Révolution française ou la Commune. Les **arts décoratifs** constituent un point fort du musée : des lambris peints ou sculptés, des plafonds provenant d'autres édifices ont été remontés. Admirez les salons de l'hôtel de la Rivière, et rêvez de la Belle Époque dans la bijouterie Fouquet. C'est enfin un musée littéraire : pouvait-il en être autrement dans l'hôtel de Mme de Sévigné ? De nombreux portraits, des meubles, des souvenirs vous introduisent dans l'intimité des grands auteurs, comme cette émouvante alcôve qui évoque la chambre de Proust.

★★ MUSÉE DES ARTS ET MÉTIERS B1

M° Arts-et-Métiers. 60 r. Réaumur - ℰ 01 53 01 82 00 - www.arts-et-metiers.net - ♿ - tlj sf lun. 10h-18h (jeu. 21h30) - fermé j. fériés. 6,50 € (-18 ans gratuit).
Situé dans le **Conservatoire des Arts et Métiers★★**, ce musée, véritable temple de la science, présente plus de 3 000 inventions réparties en sept domaines et organisées chronologiquement. Elles retracent l'histoire des techniques par la présentation de machines réelles ou de modèles réduits. La visite commence avec les instruments d'exploration de l'infiniment petit et de l'infiniment loin. Puis on découvre les machines qui transforment les matériaux pour en faire des objets usuels mais également des œuvres d'art. L'art de communiquer est abordé à travers l'imprimerie, la télévision, la photographie, la micro-informatique. Puis plongez au cœur des machines pour découvrir la mécanique, et laissez les locomotives, avions et autres voitures vous transporter dans le temps.

Parmi les belles pièces de la collection, citons les **machines à calculer de Pascal** (1642), le **phonographe d'Edison** à feuille d'étain (1878), le **premier projecteur des frères Lumière** utilisé en 1895, la pile de Volta (1800), le **théâtre des automates** faisant revivre, en particulier, la *Joueuse de tympanon* de Marie-Antoinette (1784), l'avion de Clément Ader, une formule 1 pilotée en 1983 par Alain Prost…

1

★★ **MUSÉUM NATIONAL D'HISTOIRE NATURELLE** B2

★★★ Grande galerie de l'Évolution

M° Gare-d'Austerlitz. ℘ 01 40 79 54 79 - www.mnhn.fr - &. *- tlj sf mar. 10h-18h - fermé 1er Mai - 7 €.*

Une vaste initiation selon trois grands axes.

La diversité du vivant – De l'infiniment petit (micro-organismes, grossis 800 fois) aux gros animaux (morse, éléphant de mer), la variété des espèces reflète celle des **milieux marins** : fonds abyssaux, littoral et haute mer, sources hydrothermales, récifs coralliens. Les animaux naturalisés sont présentés dans des films vidéo les mettant en scène dans leurs milieux naturels. Une longue caravane d'animaux présente les différents **milieux terrestres**, des plus chauds (où l'on trouve zèbres, girafes, buffles, antilopes) aux plus froids (que représentent les ours blancs). Les singes et les oiseaux (dans les cages d'ascenseur) viennent de la forêt tropicale.

L'homme, facteur d'évolution – S'attaquant à un sujet sensible et d'actualité, une salle montre l'influence des actions humaines sur l'évolution du milieu naturel : exploitation et déplacement des espèces, domestication, transformation des milieux, pollution et même extermination, illustrée par la **salle des espèces menacées ou disparues★★** (comme le lion du Cap à crinière noire, les tortues des Seychelles, l'hippotrague bleu, le dodo…).

L'évolution de la vie – (Panneaux et films). Depuis les premières théories des naturalistes (Lamarck, Darwin…) jusqu'aux découvertes récentes sur l'ADN, en passant par les gènes, les cellules et l'étude des organismes actuels et des fossiles, on peut aujourd'hui démontrer que des mécanismes moléculaires uniques sont partagés par toutes les formes de vie, des protozoaires au rhinocéros.

★★ **MUSÉE NATIONAL DU MOYEN ÂGE - THERMES ET HÔTEL DE CLUNY** B2

M° Cluny-la-Sorbonne. 6 pl. Paul-Painlevé - ℘ 01 53 73 78 16 - www.musee-moyenage.fr - tlj sf mar. 9h15-17h45 (dernière entrée 30mn av. fermeture) - fermé 1er janv., 1er Mai et 25 déc. - les souterrains des thermes, dont une partie est visible des bd St-Michel et St-Germain, sont accessibles en visite guidée - 8 € (enf. gratuit), gratuit 1er dim. du mois.

Vers 1330, **Pierre de Châlus**, abbé de Cluny en Bourgogne, achète les ruines des thermes romains et le terrain avoisinant pour y bâtir un hôtel destiné aux abbés venus à Paris. Jacques d'Amboise, qui est aussi évêque de Clermont et abbé de Jumièges, rebâtit l'édifice de 1485 à 1500 et en fait la très belle demeure actuelle. Avec l'hôtel de Sens dans le Marais, Cluny est l'une des deux grandes demeures privées du 15e s. qui subsistent à Paris. La tradition médiévale s'y manifeste encore par des éléments (créneaux, tourelles) dont le seul rôle est décoratif. Confort de l'habitat et finesse de l'ornementation y sont déjà très sensibles.

★ **Thermes** – Aux 2e-3e s. s'élevait un vaste édifice gallo-romain dont les vestiges actuels ne représentent que le tiers environ. Les fouilles ont permis de déterminer qu'il s'agissait d'un établissement de bains publics, saccagé et incendié par les Barbares à la fin de l'Empire romain. Ces thermes conservent le frigidarium, dont la voûte d'arêtes repose sur des consoles en forme de proue de navire évoquant les nautes.

★★ **Musée** – Les salles thématiques illustrent la vie quotidienne et artistique du Moyen Âge. Les collections témoignent du raffinement de la civilisation médiévale en tapisseries et en tissus, en orfèvrerie et en vitraux, en ferronnerie

Hôtel des Invalides et musée de l'Armée.
J. N. Sánchez/Age Fotostock

et en ivoires, en sculptures et en peintures. Les six **tentures de la Dame à la Licorne★★★** sont un magnifique exemple de l'art des tissus des Pays-Bas (15ᵉ-16ᵉ s.) du genre des mille-fleurs, où tout consiste dans l'harmonie et la fraîcheur des coloris, dans l'amour de la nature et la grâce des personnages et des animaux. Cinq pièces seraient des allégories des sens, tandis que la sixième, dite « À mon seul désir », symboliserait le renoncement au plaisir des cinq sens.

★ INSTITUT DU MONDE ARABE B2

Mᵒ Jussieu. 1 r. des Fossés-St-Bernard - pl. Mohammed-V - ℰ 01 40 51 38 45 - www.imarabe.org - ᕫ - tlj sf lun. 10h-18h - fermé 1ᵉʳ Mai - 5 € (-12 ans gratuit), accès gratuit à la terrasse.

Créé en 1980, à l'initiative de la France et de vingt pays arabes, l'IMA a pour mission de faire connaître la civilisation et les arts du monde arabe : il organise chaque année de grandes expositions. Tout de verre et d'aluminium, le bâtiment a été dessiné par un collectif d'architectes parmi lesquels Jean Nouvel. Il constitue une synthèse entre les conceptions architecturales d'Orient et d'Occident, un pont entre tradition et modernité. La façade sud joue avec la lumière grâce à 240 panneaux qui s'ouvrent ou se ferment selon la luminosité. Sur trois étages, le musée présente quelque 600 pièces (bas-reliefs, statues, miniatures, textiles, bijoux) qui retracent l'histoire du monde arabo-musulman, de la période préislamique à nos jours. L'art et les techniques de l'Espagne à l'Inde du 9ᵉ au 19ᵉ s. complètent ce bel ensemble. À ne pas manquer : la **vue★★** de la terrasse.

★★ LA VILLETTE En direction B1

Entre le canal St-Denis et le canal de l'Ourcq, à proximité des Buttes-Chaumont et du canal St-Martin, sur l'emplacement des **anciens abattoirs de Paris**, c'est une vaste plaine piétonnière, agrémentée de jeux pour les enfants. Dans ce grand parc se côtoient la Cité des Sciences et de l'Industrie, la Cité de la

Musique, la Grande Halle, le **Zénith**… Architecture moderne dans un écrin de verdure, c'est un lieu de culture et de loisirs, d'invention et de détente…

★★★ Cité des Sciences et de l'Industrie

Mᵒ Porte-de-la-Villette. ℘ 01 40 05 70 00 - www.cite-sciences.fr.
Réalisée par l'architecte Adrien Fainsilber, elle a pour mission de diffuser la culture scientifique et cherche à s'adresser à tous les publics, à placer le visiteur en position d'acteur et à utiliser les technologies les plus modernes. Après une grande restructuration, les expositions se répartissent désormais en trois grands récits : celui de l'Univers, de la vie et celui des cultures. Par ailleurs, des travaux d'aménagement encore en cours peuvent perturber l'accès aux différents espaces.

★★ Les expositions d'Explora et le planétarium – *Niveaux 1 et 2 - & - tlj sf lun. 10h-18h (dim. 19h) - fermé 1ᵉʳ Mai et 25 déc. - 7,50 € (-25 ans et accompagnateur d'un jeune de -16 ans 5,50 € ; -7 ans gratuit) - suppl. Planétarium 2,50 €.* À travers une variété d'expositions, de spectacles interactifs, de maquettes et de manipulations, voici comment explorer notre monde d'aujourd'hui et de demain, sur les thèmes de l'**espace** – à bord de fusées, satellites et autres sondes spatiales –, de la **lumière** (jeux interactifs sur les images, les couleurs, les illusions de perception et les mécanismes physiques de la lumière et de la vision), du **vivant** (l'homme et les gènes), de la **communication** (immersion dans le monde des images et de ses manipulations pour apprendre à mieux les décrypter), des **sons** et enfin de l'**industrie** (automobile, aéronautique, énergie), des **mathématiques** et des innovations.

Le planétarium nouvelle version utilise toutes les ressources de la 3D, entraînant le spectateur dans un voyage de planète en planète, une visite de la Voie lactée et l'exploration des amas des galaxies.

Aquarium – *Niveau -2.* 🧍🧍 Dans ces trois bassins, vous verrez des prédateurs des grands fonds et des poissons vivants dans des milieux plus ou moins profonds en Méditerranée.

★★★ Cité des Enfants – *& - mar.-vend. 10h, 11h45, 13h30 et 15h15, w.-end 10h30-12h30 et 14h30-16h30 - fermé 1ᵉʳ Mai et 25 déc - 6 €. Séances avec animation 1h30 - horaires variables pour les deux espaces et durant les vac. scol - accompagnement obligatoire par un adulte - réserv. conseillée.* 🧍🧍 L'espace des 2-5 ans propose des activités ludiques et éducatives pour le développement de l'enfant. L'espace des 5-12 ans est composé d'îlots thématiques, où l'on joue et expérimente.

CINÉMAS ET SPECTACLES SUR GRAND ÉCRAN

Cinéma en relief – *Rdc, salles 1 et 2 - & - 11h-17h (10-12 séances/j. de 15mn env.) - fermé lun. - accès avec le billet expositions.* Grâce aux lunettes polarisées et à la technique de l'ectoplasmovision (!), les images semblent jaillir de l'écran.

★★ La Géode – *À l'extérieur - www.lageode.fr - & - 10h30-20h30, lun. et j. fériés se renseigner - 10,50 €.* C'est dans ce gros ballon aux miroirs en acier posé sur l'eau que le spectacle a lieu. Le champ de projection sur un écran hémisphérique de 1 000 m² vous donne une vision proche de celle de l'oiseau. Films scientifiques et culturels.

Le Simulateur (Cinaxe) – *À l'extérieur - ℘ 01 42 09 85 83 - 11h-13h, 14h-17h - séance ttes les 15mn - fermé lun. - 4,80 €.* Des sensations fortes à travers la projection d'un film : une simulation de vol dans l'espace ou de course automobile en trois dimensions (lunettes fournies).

★ **Musée de la Musique**

M° Porte-de-Pantin. 221 av. Jean-Jaurès - ☎ 01 44 84 44 84 - www.cite-musique.fr - ♿ - tlj sf lun. 12h-18h, dim. 10h-18h (dernière entrée 45mn av. fermeture) - fermé 1er janv., lun. de Pâques, 1er Mai et 25 déc. - 7 € (-18 ans gratuit) - 3,40 € expositions temporaires.

Le musée fait partie de la **Cité de la musique★** réalisée par Christian de Portzamparc. Celle-ci s'étend de part et d'autre de la fontaine aux Lions. À l'ouest, se trouve le **Conservatoire national supérieur de musique et de danse de Paris**. À l'est, se dressent une salle de concerts et le musée de la Musique. Sa collection rassemble un millier d'instruments du 17e s. à nos jours, des maquettes de grands opéras européens permettant de revivre les premières de l'*Orfeo* de Monteverdi, *Le Sacre du printemps* de Stravinski et des œuvres d'art. Parcours sonore et prestations de musiciens permettent d'entendre certains instruments.

Aux alentours

★★ **Bois et château de Vincennes** En direction B2

▷ *À l'est de Paris. M° Porte-Dorée ou Château-de-Vincennes.* 👥 Vincennes est connu pour son bois. La ville, jadis renommée pour sa porcelaine, abrite un château fort, ancienne résidence royale, œuvre des Valois : Philippe VI, Jean le Bon, Charles V. Devenu gouverneur de Vincennes en 1652, **Mazarin** fait élever par Le Vau les pavillons symétriques du Roi et de la Reine. Un an après la fin des travaux, en 1660, Louis XIV, jeune marié de 22 ans, passe sa lune de miel dans le pavillon du Roi. En 1860, Napoléon III cède le bois de Vincennes à la Ville de Paris pour qu'il soit transformé en parc à l'anglaise. **Haussmann** fait creuser le lac de Gravelle où les eaux de la Marne sont refoulées et qui sert de réservoir aux autres lacs et rivières qui sillonnent le bois. Un champ de courses pour le trot est créé.

Les lacs – Dits **Daumesnil★** *(à l'ouest)*, des **Minimes** *(à l'est)* et de **Gravelle** *(au sud)*, ils sont investis dès les beaux jours par les promeneurs, les canotiers et les cyclistes. Les îles sont accessibles par des ponts : celle de Reuilly possède un café ; celle de la Porte Jaune un café-restaurant.

★★ **Château** – ☎ 01 43 28 15 48 - www.monuments-nationaux.fr - avr.-sept. : 10h-18h15 ; oct.-mars : 10h-17h15 - possibilité de visite guidée (1h15) - fermé 1er janv., 1er Mai, 1er et 11 Nov., 25 déc. - 8 € (-18 ans gratuit), audioguides 4 € (6 € pour les couples). Le **donjon★★**, chef-d'œuvre de l'art militaire du 14e s., conserve sa haute tour de 50 m flanquée de tourelles d'angle, ainsi qu'un éperon au nord. Visite de la salle du Conseil du roi (projection d'un film consacré à Charles V), de la chambre royale et des pièces où furent emprisonnés d'illustres personnages. La **Ste-chapelle royale★** fut entreprise par Charles V en remplacement de celle de Saint Louis ; elle n'a été terminée que sous Henri II. À part les vitraux et des détails décoratifs, l'édifice est purement gothique. La façade, aux belles roses de pierre, est de style flamboyant. L'intérieur comprend une nef unique d'une grande élégance. Les beaux **vitraux★** Renaissance du chœur représentent des scènes de l'Apocalypse.

★★ **Parc zoologique de Paris** – ☎ 01 44 75 20 10 - fermé pour rénovation jusqu'en 2014. À l'ouest du bois, ce parc zoologique créé en 1934 s'apprête à vivre une nouvelle vie, avec un tout autre visage, privilégiant l'écologie au spectaculaire.

★★ **Parc floral** – ☎ 39 75 (mairie info) - www.parcfloraldeparis.com - ♿ - janv. 9h30-17h ; fév. 9h30-18h ; mars 9h30-19h ; avr.-sept. : 9h30-20h ; oct.-déc. 9h30-18h30 - gratuit sf juin-sept. : merc. et w.-end en raison de spectacles et concerts, 5 €. ▲▲ Créé en 1969, ce jardin de 30 ha recèle des centaines d'espèces florales. Que ce soit dans la vallée des Fleurs, dans le jardin des Dahlias, dans le jardin des 4 Saisons ou dans le jardin d'Iris, tout est couleur, odeur et ravissement. Quelques statues contemporaines font du parc un véritable musée de plein air : le *Chronos* en acier poli, par Nicolas Schöffer, *Stabile* de Calder, la *Grande Femme* par Alberto Giacometti, la *Ligne-volume* en acier par Agam… Une immense aire de jeux occupera vos enfants.

★★ Bois de Boulogne En direction A1

◗ *À l'ouest de Paris. Mᵒ Porte-Maillot, Sablons, Porte-d'Auteuil.* Au 19ᵉ s., **Napoléon III** et **Haussmann** ont remplacé les routes rectilignes, tracées par Colbert à travers des terrains de chasse royal, par des allées sinueuses, creusé des mares et des lacs, installé l'hippodrome de Longchamp avec kiosques, chalets, restaurants et parcs d'attraction.

★ **Les lacs** – Le lac Inférieur est le plus vaste et le mieux aménagé. Avec le lac Supérieur, ce sont deux lieux de détente que l'on parcourt volontiers en barque.

Jardin d'acclimatation – ℘ 01 40 67 90 82 - www.jardindacclimatation.fr - *avr.-sept. : 10h-19h ; oct.-mars : 10h-18h - 2,90 €.* ▲▲ C'est le royaume des enfants. Bateaux de la rivière enchantée, zoo, auto-piste, guignol, théâtre, miroirs déformants, manèges, **musée en Herbe**, **Explor@drome**, **cirque Alexandra-Bouglione** font le bonheur de tous.

★★ **Parc de Bagatelle** – *De l'horaire d'hiver à fin fév. : 9h30-17h - de mars à l'horaire d'été : 9h30-18h30 - de l'horaire d'été au 30 sept. : 9h30-20h - du 1ᵉʳ oct. à l'horaire d'hiver : 9h30-18h.* Le château fut construit en soixante-quatre jours suite à un pari entre le comte d'Artois et sa belle-sœur, Marie-Antoinette, en 1775. Dans le même temps, Blakie trace un jardin de style anglais. C'est un paradis d'odeurs, de couleurs, d'allées serpentines, avec au centre un belvédère qui offre une jolie vue sur le parc et les tours de la Défense. **Roseraie**, parterres de plantes bulbeuses, jardin des iris, nymphéas, etc.

★★★ Basilique Saint-Denis En direction B1

◗ *À 11 km au nord de Paris. Mᵒ Basilique-de-St-Denis ou Porte-de-Paris-Stade-de-France.* **Saint Denis**, évangélisateur et premier évêque de Lutèce, après avoir été décapité à Montmartre, se met en marche, portant entre ses mains sa tête tranchée. Il tombe dans la campagne où il est enterré par une pieuse femme. Une abbaye s'édifie sur la tombe de celui que le peuple appelle « Monsieur (Monseigneur) saint Denis ». Telle est la légende. Il existait en fait, à l'emplacement de St-Denis, une cité romaine. C'est dans un champ de cette cité que Denis aurait été enterré en cachette après avoir été martyrisé. En 475, une première grande église est construite. **Dagobert Iᵉʳ** la fait rebâtir en 630 et y installe une communauté bénédictine qui prend en charge le pèlerinage. Cette abbaye sera la plus riche et la plus illustre de France. Vers 750, l'église est reconstruite par **Pépin le Bref**. Mais l'édifice tel que nous le voyons aujourd'hui est essentiellement l'œuvre de Suger, au 12ᵉ s., et de Pierre de Montreuil, au 13ᵉ s. **Suger** fait élever la façade et les deux premières travées de la nef de 1136 à 1140, le chœur et la crypte de 1140 à 1144 ; la nef carolingienne, provisoirement conservée, est rhabillée de 1145 à 1147. Au début du 13ᵉ s., la tour de gauche reçoit une magnifique flèche de pierre. Puis le chœur est repris ; le transept et enfin la nef sont entièrement reconstruits. Saint Louis confie les travaux à **Pierre de Montreuil** qui les dirige de 1247 jusqu'à sa mort, en 1267. La disparition de la tour de gauche au 19ᵉ s. nuit à l'équilibre de la façade. Au Moyen Âge, l'ensemble était fortifié, d'où la présence de créneaux à la base des tours. À l'intérieur, le vaisseau est d'une élégance remarquable.

Crypte de la basilique Saint-Denis.
K. O'Hara/Age Fotostock

★★★ **Les tombeaux** – ☎ 01 48 09 83 54 - avr.-sept. : 10h-18h15, dim. 12h-18h15 ; oct.-mars : 10h-17h15, dim, 12h-17h15 - possibilité de visite guidée 10h30 et 15h - fermé 1er janv., 1er Mai et 25 déc. - / € (-25 ans 4, 50 €). On trouve à St-Denis les sépultures des rois, des reines, des enfants royaux et de quelques grands serviteurs de la Couronne, comme **Du Guesclin**. L'ensemble constitue un véritable musée de la sculpture funéraire française au Moyen Âge et pendant la Renaissance. Les monuments sont vides depuis la Révolution. Jusqu'à la Renaissance, la sculpture des tombeaux ne comporte que des gisants. Avec la statue de Philippe III le Hardi, mort en 1285, apparaît un souci de ressemblance dans la représentation. À partir du milieu du 14e s., les grands personnages font exécuter leurs tombeaux de leur vivant. À la Renaissance, les mausolées deviennent importants et d'une décoration somptueuse. Leurs deux étages présentent une pathétique opposition. À l'étage supérieur, le roi et la reine sont figurés en costume d'apparat, agenouillés. À l'étage inférieur, les défunts sont représentés dans la rigidité cadavérique, sans vêtements, avec un réalisme minutieux. Remarquez le double monument de Louis XII et Anne de Bretagne, ainsi que celui de François Ier et Claude de France par Philibert Delorme et Pierre Bontemps.

★★ Musée de l'Air et de l'Espace du Bourget

◐ À 10 km au nord de Paris. M° La Courneuve, puis bus 152 ; accès par l'A 1, sortie 5. ☎ 01 49 92 70 62 - www.mae.org - ♿ - avr.-sept. : 10h-18h ; oct.-mars : 10h-17h - fermé lun. - se renseigner pour les tarifs.
Un hymne à la gloire de l'aviation, installé dans l'ancienne aérogare du Bourget (125 000 m²). Sur le parking s'alignent les gloires de la technologie française : du Mirage à la Caravelle, jusqu'à la fusée Ariane V, taille réelle !

★★ **Débuts de l'aviation** – Les pionniers sont des planeurs comme celui de Massat-Biot (1879). On peut aussi découvrir l'élégant *Levasseur Antoinette* (1909) ou encore une copie du *Blériot XI* qui réussit en 1909 la traversée de la Manche… La reconstitution de l'atelier des Frères Voisin plonge le public dans l'aventure passionnante des débuts de l'aéronautique.

Salle des Ballons – 👤👤 Les débuts de l'aventure de la conquête de l'air sont marqués par l'expérience de Pilâtre de Rozier et d'Arlandes en 1783. Le ballon rendra de grands services, avec son utilisation militaire ou comme moyen de transport pendant la guerre de 1870.

★★ **Les As de 14-18** – Ce hall retrace les développements de l'aéronautique devenue progressivement essentielle dans le conflit armé de 14-18. *Spad VII*, *Spad VIII*… et un zeppelin, dirigeable de l'armée allemande.

Hall de l'Entre-Deux-Guerres – Il retrace le temps des records, avec notamment le *Potez 53* et sa moyenne de 322 km/h sur 2 000 km et le *Breguet XIX* de Costes et Bellonte qui franchit l'Atlantique en 1930.

Hall de la Seconde Guerre mondiale – Parmi les plus belles machines : l'avion de chasse soviétique *Polikarpov 1-153*, le *Spitfire* utilisé lors de la bataille d'Angleterre, le bombardier américain *Marauder*, le *Yak 3* utilisés par les pilotes français et russes sur le front de l'Est ou la bombe volante *V-1*.

L'Espace Saint-Exupéry – Les trois facettes de la vie de **Saint-Exupéry** (1900-1944) : le pilote, le pionnier de l'aérospatiale et l'artiste.

Hall des Avions de chasse de l'Armée de l'Air – Il est consacré aux avions de combat depuis les années 1950, du *Vampire* britannique au *Mirage 2000*.

Hall de la voilure tournante – Il célèbre les 100 ans de l'hélicoptère, avec le *Dragonfly 333* ou encore *La Cierca Cierva C8-2*.

★ **Hall des prototypes français** – Parmi eux, le *Mirage* à décollage vertical ou le *Mirage G-8* à géométrie variable.

★★ **Hall Concorde** – Le prototype *Concorde 001* et le *Sierra delta* (1980).

★ **Hall de la conquête spatiale** – La conquête du cosmos est évoquée par des maquettes de lanceurs et de satellites à échelle 1 comme le *Spoutnik*, le module de rentrée du *Soyouz T6*, des combinaisons spatiales…

★★ Musée national du château de Malmaison

▶ *À 15 km à l'ouest de Paris par la D 913 de Paris-La Défense. ☎ 01 41 29 05 55 - www.chateau-malmaison.fr - avr.-sept. : (dernière entrée 45mn av. fermeture) 10h-12h30, 13h30-17h15 (w.-end 17h45) ; oct.-mars : 10h-12h30, 13h30-17h45 (w.-end 18h15) - fermé 1ᵉʳ janv., 25 déc. - 6 € (-18 ans gratuit), gratuit 1ᵉʳ dim. du mois.*

Ce fut le château préféré de **Bonaparte** pendant le Consulat. Construit vers 1622, il comportait le corps central et deux ailes en retour (ajoutées à la fin du 18ᵉ s.) quand il fut acquis par Joséphine en 1799. La **véranda**, dessinée par Percier et Fontaine, a la forme d'une tente militaire. Consacrées au souvenir de Joséphine et de l'Empereur, les collections exposées proviennent de Malmaison même, mais aussi de St-Cloud ou des Tuileries. Outre la **bibliothèque**, la salle d'exposition consacrée à **Bonaparte, général et consul**, la **salle des Atours** retient l'attention : robes et habits de soie richement brodés.

Dans le **parc**, réduit à 6 ha, on remarque le cèdre de Marengo planté à la suite de cette victoire (14 juin 1800), plusieurs essences rares ainsi que la roseraie. À l'extrémité d'une allée de tilleuls centenaires s'élève le pavillon de travail d'été que Napoléon utilisait concurremment avec la bibliothèque.

★★★ Disneyland Resort Paris

▶ *À 43 km à l'est de Paris. RER Marne-la-Vallée-Chessy (ligne A 4) ; de la Porte de Bercy, autoroute A 4, dir. Metz-Nancy, sortie 14 Parc Disneyland. ☎ 0825 305 300 (0,15 €/mn) - www.disneylandparis.com - ♿ - juil.-août : tte la journée (nocturne pour Disneyland Park) ; reste de l'année : tte la journée (nocturne certains w.-ends et vac. scol.) - pour les visites guidées, s'adresser à City Hall sur Town-Square dans Main Street ou au ☎ 01 64 73 28 82 : 15 € pour le parc Disneyland et 12 € pour Walt Disney Studios ; Parking : 15 €/voiture, 10 €/moto - Passeport Disneyland Paris en hte saison : billet 1 j. 1 parc 54 € (enf. 3-11ans : 49 €) ; billet Passe-partout 1 j. 2 parcs 69 € (enf. 61 €) ; billet Passe-partout 2 j. 2 parcs 113 € (enf. 3-11ans 102 €) ; le billet Passe-partout se décline aussi pour 3, 4 ou 5 j. Il permet une totale liberté de mouvement entre les 2 parcs et peut être utilisé de façon non consécutive (validité 1 an). Pour toute sortie provisoire du parc, il faut une contremarque (tamponnée sur la main) ; conserver le passeport et le billet de parking.*

Depuis 1992, Mickey et ses amis ont élu domicile sur le territoire de **Marne-la-Vallée** pour la plus grande joie de leurs fidèles admirateurs. Retrouvez votre âme d'enfant pour découvrir, dans ce parc, un dépaysement féerique. À proximité du complexe hôtelier, Disney Village recrée la vie américaine avec ses boutiques, ses restaurants et ses animations variées. Comptez deux jours pour une visite exhaustive, si vous ne disposez que d'une journée, ciblez les animations en fonction de l'âge des enfants. Une chose est sûre, il y a moins de monde le matin. Tous les jours, la **parade des Rêves Disney★★** rappelle, avec ses chars, les grands dessins animés. Certains soirs et en été, un superbe feu d'artifice, les **Feux de la fée Clochette★**, termine avec brio une journée bien remplie.

Le **parc** comprend cinq zones thématiques ou « lands » ; **Walt Disney Studios**, entièrement voué à la magie du cinéma, en compte quatre.

Bon à savoir – Le petit train à vapeur **Disneyland Railroad★** *(dép. de Main Street Station)* traverse le **Grand Canyon Diorama** et fait le tour du parc en marquant une halte à quatre gares.

1

NOS ADRESSES À PARIS

TRANSPORTS

Transports en commun
Info – ℰ 32 46 - www.ratp.fr.
Métro – *5h30 - 0h30 (dernier dép.).*
Le moyen le plus simple, le plus
rapide et le plus économique pour
sillonner la capitale (14 lignes).
♿ *Plan p. 100-101.*
RER (Réseau express régional) –
5h-0h20. Parfait pour aller en
périphérie de Paris (La Défense,
Versailles, Disneyland, aéroports
de Roissy et Orly) ; moins pratique
pour Paris intra-muros, car s'il est
plus rapide que le métro, on met
plus de temps à accéder à ses
quais. Le réseau compte 5 lignes
dont 3 s'articulent sur la station
centrale Châtelet - Les-Halles
(lignes A, B et D).
Tramway – ℰ 01 40 09 57 00 -
*www.tramway.paris.fr ou www.
ratp.fr.* Il ne relie pour l'instant que
la porte d'Ivry (13e arr.) au pont du
Garigliano (15e arr.).
Bus – *Lun.-sam. 6h30-21h30.*
Certains fonctionnent le
dimanche et la nuit. Certaines
lignes comme la 72 passent par les
monuments et quartiers phares
de Paris. Les bus « **Noctiliens** »
fonctionnent de 0h30 à 5h30.
La ligne circulaire N 01 et N 02
passe par divers lieux à haute
fréquentation nocturne.

Titres de transport
Paris intra-muros (zones 1 et 2) :
le « **ticket T** » qui s'achète
à l'unité ou au carnet permet
de circuler en métro ou RER
sur tout le parcours et d'effectuer
des changements entre les lignes.
En **bus**, un seul ticket permet
de parcourir une ligne entière
(sauf sur les lignes 350, 351, 297,
299, 221).
Périphérie de Paris : les billets de
RER tiennent compte du numéro

de la zone ; le ticket n'est pas le
même que pour le métro à partir
de la zone 3. Son prix dépend de
la destination. Attention : ne jetez
pas votre ticket de RER avant de
quitter le réseau : il est nécessaire
pour sortir.
Forfaits – « Mobilis » autorise
un nombre de trajets illimité
pendant une journée, avec un
seul ticket, sur plusieurs modes de
transport dans Paris intra-muros.
« **Paris-Visite** » est valable dans
les mêmes conditions pendant 1,
2, 3 ou 5 jours et permet d'utiliser
les liaisons avec les aéroports
(coupons zones 1-3 et 1-6).

Autres transports
Vélib' – *www.velib.paris.fr -*
Service de location de vélo en
libre service. Les stations sont
distantes les unes des autres de
300 m. Des bornes permettent
de souscrire à un abonnement
de 1 jour ou 7 jours, de consulter
le mode d'emploi, le plan
des stations ou de recharger
son ticket ; 30 premières
minutes gratuites.
Taxis – Il existe des stations et
des bornes d'appel mais souvent,
le plus simple est de réserver
son taxi par téléphone. Les taxis
Bleus ℰ 0 891 701 010 - Alpha
Taxis ℰ 01 45 85 85 85 - Taxis G7
ℰ 01 47 39 47 39 - Taxis G-Space
ℰ 01 47 39 01 39 et 01 47 39 00 91
(pour les pers. à mobilité réduite).

VISITES

Bus touristiques
Balabus – *Avr.-sept. : dim. et j. fériés
12h30-20h (dép. La Défense) ;
13h30-20h30 (dép. gare de Lyon) -
durée 1h30 - avec le ticket T (voir
ci-contre).* Il traverse Paris d'est en
ouest, de la gare de Lyon jusqu'à
La Défense (arrêts de bus marqués
Balabus Bd).

Open tour – ☏ 01 42 66 56 56. La ligne touristique permet de découvrir les sites parisiens les plus célèbres à partir d'une plate-forme et avec un audioguide. Quatre circuits : Paris Grand Tour ; Montmartre ; Bastille-Bercy ; Montparnasse-St-Germain. Forfait pour 1 ou 2 jours consécutifs, possibilité de descendre et monter aux 50 arrêts du parcours.

Les cars rouges (Parisbus) – ☏ 01 53 95 39 53. Le billet, valable 2 jours consécutifs, s'achète dans le bus. 1ᵉʳ départ à 9h45 à la tour Eiffel. Trajet commenté. Possibilité de monter et de descendre aux arrêts : Champ-de-Mars, musée du Louvre, Notre-Dame, musée d'Orsay, Opéra, Champs-Élysées-Étoile, Grand-Palais, Trocadéro.

Cityrama – ☏ 01 44 55 60 00 - Circuit de jour comme de nuit.

En bateau

Bateaux-Mouches – *Embarcadère du pont de l'Alma (rive droite - Mᵒ Alma-Marceau) -* ☏ *01 42 25 96 10 - www.bateaux-mouches. fr - croisières entre l'île de la Cité et la statue de la Liberté (dép. ttes les 20mn env. en haute saison de 19h à 23h) - durée 1h10 - 11 € (-12 ans 5,50 €). Possibilité de croisières - déj. le w.-end et j. de fête (dép. 13h) et de croisière-dîner tous les soirs (dép. 20h30).*

Canauxrama – ☏ *01 42 39 15 00 - www.canauxrama.com - sur réserv. seult - dép. de l'embarcadère port de plaisance Paris-Arsenal, face au 50 bd de la Bastille (Mᵒ Bastille) : 9h45 et 14h30 - durée 2h30 - 16 € (-4 ans gratuit).*

Paris Canal – ☏ *01 42 40 96 97 - réserv. obligatoire - croisière d'une 1/2 j sur la Seine et le canal St-Martin - de mi-mars à mi-nov. : dép. 9h30 au musée d'Orsay (Mᵒ Solférino) ou 14h30 au parc de la Villette (Mᵒ Porte-de-Pantin) - durée 2h30 - 18 € (4-11 ans 11 €).*

Bons plans et idées

Paris Museum Pass – *www. parismuseumpass.fr - en vente dans les musées, monuments et bureaux de l'office de tourisme de Paris.* Valable 2, 4 ou 6 jours consécutifs, ce pass offre un accès libre, direct et illimité à plus de 60 musées et monuments de Paris et de la région parisienne. Avantage financier réel pour ceux qui veulent visiter beaucoup de musées et éviter les files d'attente.

Paris City passport – Il propose un carnet de « bons plans » concernant des sites touristiques ainsi qu'un carnet de coupons de réduction venant d'une centaine de partenaires (bateaux-mouches, musées, cinéma, shopping, soirées). Valable un an, non nominatif.

Gratuité – www.parisgratuit.com

HÉBERGEMENT

1

BUDGET MOYEN

Rive gauche
Hôtel Avia Saphir Montparnasse – A2 - *181 r. de Vaugirard - 15ᵉ arr. - Mᵒ Pasteur -* ☏ *01 43 06 43 80 - www. saphirhotel.fr - 40 ch. 55/135 € - ⌑ 8 €.* Une restauration habile et soignée a doté cet hôtel de tout le confort moderne. Ses chambres sont spacieuses, bien équipées et agrémentées de tissus choisis assortis au mobilier et aux tapisseries. Salle des petits-déjeuners au « look » moderne.

POUR SE FAIRE PLAISIR

Rive gauche
Hôtel Delambre – A2 - *35 r. Delambre - 14ᵉ arr. - Mᵒ Edgar-Quinet -* ☏ *01 43 20 66 31 - www. hoteldelambreparis.com - 30 ch. 95/170 € - ⌑ 12 €.* André Breton séjourna dans ces murs, à l'abri d'une rue tranquille proche de la gare Montparnasse. Cadre d'esprit

contemporain ; chambres simples et gaies, souvent spacieuses.

Rive droite

Hôtel Chopin – B1 - *10 bd Montmartre, 46 passage Jouffroy - 9e arr. - Mo Richelieu-Drouot -* 📞 *01 47 70 58 10 - www.hotel-chopin.fr - 36 ch. 96/110 € -* ☕ *7 €.* Dans un passage couvert de 1846 qui abrite le musée Grévin, cet hôtel jouit d'une tranquillité étonnante au cœur de ce quartier animé. Ses chambres aux murs colorés sont à réserver à l'avance.

Hôtel Langlois – B1 - *63 r. St-Lazare - 9e arr. - Mo Trinité -* 📞 *01 48 74 78 24 - www.hotel-langlois.com - 24 ch. 140/150 € -* ☕ *13 €.* Ce bâtiment de la fin du 19e s. abrite deux types de chambres : les plus grandes ont un délicieux charme désuet et disposent parfois d'une cheminée, de meubles Art nouveau ou Art déco ; les autres sont plus sobres, mais les salles de bains sont toutes rénovées. Il est prudent de réserver à l'avance.

Hôtel Vivienne – B1 -*40 r. Vivienne - 2e arr. - Mo Bourse -* 📞 *01 42 33 13 26 - www.hotel-vivienne.com - 45 ch. 81/120 € -* ☕ *11 €.* À deux pas de la Bourse et du Palais-Royal, ce petit hôtel propret vous permettra de découvrir Paris à pied : ici, vous serez à quelques enjambées des Grands Boulevards, des Grands Magasins et de l'Opéra Garnier.

Hôtel du 7e Art – B2 - *20 r. St-Paul - 4e arr. - Mo St-Paul -* 📞 *01 44 54 85 00 - www.paris-hotel-7art.com - 23 ch. 100/160 € -* ☕ *8 €.* L'enseigne le laisse deviner : l'ensemble de l'établissement est décoré sur le thème du cinéma, et plus particulièrement celui des années 1940-1960. Préférez les chambres des 3e et 4e étages, aux poutres apparentes. Buanderie à disposition.

RESTAURATION

 Bon à savoir – Le **Guide Michelin Paris Hôtels & Restaurants** propose une sélection détaillée ; le site **www.restoaparis.com** peut être aussi utile pour trouver une adresse en fonction de multiples critères.

PREMIER PRIX

Rive gauche

Café Littéraire – B2 - *1 r. des Fossés-St-Bernard - 5e arr. - Mo Cardinal-Lemoine ou Jussieu -* 📞 *01 55 42 55 44 - fermé le soir, lun. et 1er Mai - 14,50/19 €.* Ce restaurant agrémenté de banquettes mauresques propose des salades, un plat du jour et un buffet de pâtisseries orientales. C'est simple et peu onéreux. Salon de thé, à la menthe bien sûr, l'après-midi. Pour les plus fortunés, montez au Ziryab, carte plus étoffée et vue mémorable.

Bouillon Racine – B2 - *3 r. Racine - 5e arr. - Mo Cluny-La Sorbonne -* 📞 *01 44 32 15 60 - www.bouillonracine.com - tlj - formule déj. lun.-vend. 14,90 € - 17,50/40 €.* Cette brasserie est célèbre pour son style Art nouveau . Elle a été créée en 1906 par les frères Chartier. Classée monument historique, elle perpétue l'ambiance du Paris des années 1900. La cuisine proposée est une cuisine maison : cochon de lait farci, canette rôtie aux oranges…

Rive droite

Le Bistrot de la Place – B2 - *2 pl. du Marché-Ste-Catherine - 4e arr. - Mo St-Paul -* 📞 *01 42 78 21 32 - 14,20 € déj. - 22/40 €.* Une adresse intéressante pour son emplacement au calme sur cette petite place au cœur du Marais, d'autant que sa terrasse est chauffée en hiver. Dans l'assiette, plats du terroir ou saveurs du Sud.

Les Petits Carreaux – B1 - *17 r. des Petits-Carreaux - 2ᵉ arr. - Mᵒ Sentier - ℰ 01 42 33 37 32 - 8h-2h - fermé 15 août - 11/17 €.* Charme rétro préservé malgré la rénovation de cet accueillant bistrot. On y croise des habitants du quartier, les commerçants de la rue Montorgueil et du Sentier, et quelques touristes séduits par l'atmosphère conviviale de l'adresse. Aux beaux jours, la terrasse dressée sur la voie piétonne ne manque pas d'attrait.

Swann et Vincent – B2 - *7 r. St-Nicolas - 11ᵉ arr. - Mᵒ Ledru-Rollin - ℰ 01 43 43 49 40 - formule déj. 15,90 € - 29/38 €.* Mariage réussi entre une cuisine italienne et un décor de bistrot parisien. Vieux carrelage, murs patinés, banquettes rouges, tables et chaises en bois, et immense ardoise annonçant les suggestions du jour.

BUDGET MOYEN

Île St-Louis

La Brasserie de l'Isle St-Louis – B2 - *55 quai de Bourbon - 4ᵉ arr. - Mᵒ Pont-Marie ou Cité - ℰ 01 43 54 02 59 - fermé 1 sem. en fév., août et merc. - 20/50,50 €.* Après la visite de Notre-Dame, traversez le pont St-Louis pour vous attabler dans cette brasserie traditionnelle aux tons patinés. En terrasse, vous profiterez du spectacle des artistes de rue et des musiciens qui jouent devant le pont.

Île de la Cité

Le Caveau du Palais – B2 - *19 pl. Dauphine - 4ᵉ arr. - Mᵒ Pont-Neuf ou Cité - ℰ 01 43 26 04 28 - lun.-sam. 12h-14h30, 19h-22h30 - fermé le dim. (oct.-mai) et sem. de Noël - carte 30/45 €.* Sur une belle place, à l'écart du passage. Son cadre historique de maison des 16ᵉ-17ᵉ s., avec vieilles pierres et poutres apparentes, lui confère

un côté romantique. La cuisine est traditionnelle avec quelques accents du Sud.

Rive gauche

Le Marco Polo – B2 - *1 r. St-Sulpice - 6ᵉ arr. - Mᵒ Odéon - ℰ 01 43 26 79 63 - formule déj. 19,50 € - 35/50 €.* Cette trattoria offre une cuisine venue de toute l'Italie : thon aux olives, pâtes aux aubergines ou aux palourdes. On fait plaisir à la clientèle d'habitués en s'adressant à eux en italien. C'est l'une des terrasses les plus agréables de St-Germain-des-Prés. Sans parler de la pannacotta !

Rive droite

Chartier – B1 - *7 r. du Faubourg-Montmartre - 9ᵉ arr. - Mᵒ Grands-Boulevards - ℰ 01 47 70 86 29 - www.restaurant-chartier. com - 20 €.* Pour faire un repas à prix doux, mais surtout pour découvrir l'ambiance de ces restaurants bon marché d'autrefois qu'on appelait des « bouillons ». Le décor n'a pas changé depuis sa création en 1896, avec sa grande verrière, ses boiseries, ses porte-bagages de cuivre et ses casiers pour ranger les serviettes des habitués.

POUR SE FAIRE PLAISIR

Rive gauche

Le Bistrot du Dôme – B2 - *1 r. Delambre - 4ᵉ arr. - Mᵒ Vavin - ℰ 01 43 35 32 00 ou 01 43 21 40 64 - 12h-14h30, 19h30-23h - carte 45/50 €.* La carte change tous les jours en fonction de l'arrivage de poissons frais et compte 7 entrées, 7 plats – uniquement des poissons et fruits de mer – et 7 desserts. Cadre rétro, service agréable.

Rive droite

Le Saut du Loup – B1 - *107 r. de Rivoli - 1ᵉʳ arr. - Mᵒ Palais-Royal - ℰ 01 42 25 49 55 - www. lesautduloup.com - 12h-2h (fermé*

1

18h-19h) - formule déj. 17/25 €, 40/60 €. Élégant décor en noir et blanc du sol au plafond et vue sur le jardin du Carrousel : normal pour un restaurant logé dans le musée des Arts décoratifs ! Les plats ne manquent pas de raffinement et d'invention : foie gras poêlé à l'orange et chocolat, nage de homard et velouté d'asperges vertes. Terrasse à la belle saison.

PETITE PAUSE

Île St-Louis

🐾 **Bon à savoir** – Nombre de petites enseignes sur l'île proposent des glaces Berthillon.
Berthillon – B2 - 29 r. St-Louis-en-L'Île- 4e arr. - M° Pont-Marie - ℰ 01 43 54 31 61 - tlj sf lun. et mar. 10h-20h - fermé vac. scol. sf Noël. Le plus célèbre glacier de Paris possède un petit salon de thé. Vous aurez l'embarras du choix pour les parfums des sorbets. Glaces tatin, barres de nougat glacé et granités sont aussi un grand succès.

Rive gauche
Kayser – B2 - 14 r. Monge - 9e arr. - M° Maubert-Mutualité - ℰ 01 44 07 17 81 - www.maison-kayser. com - tlj sf lun. 8h-20h - fermé août. Non content de produire un pain reconnu sur la place de Paris, cet artisan et créateur réalise aussi de délicieuses pâtisseries. Prenez le temps de choisir – et pourquoi pas de déguster sur place – les gâteaux, tous plus tentants les uns que les autres, proposés dans un joli cadre de vieille boulangerie.
L'Heure Gourmande – B2 - 22 passage Dauphine - 6e arr. - M° Odéon - ℰ 01 46 34 00 40 - 11h30-19h. fermé 1er janv., 1er Mai et 25 déc. C'est dans un charmant passage pavé, à l'abri des regards et du bruit, que se

niche ce charmant petit salon de thé. Pâtisseries maison, plus appétissantes les unes que les autres, présentées sur une table dressée au milieu de la salle (décor assez cosy). Belle sélection de thés, goûteuses tartes salées et brunchs dominicaux.

Rive droite
Ladurée-Champs-Élysées – A1 - 75 av. des Champs-Élysées - 8e arr. - M° George-V ou Franklin-D.-Roosevelt - ℰ 01 42 99 90 00 - www.laduree.com - 7h30-23h. Un magnifique décor Napoléon III, d'innombrables pâtisseries mais aussi des salades composées, des plats classiques et des créations maison.
Dalloyau – B2 - 101 r. du Fg-St-Honoré - 8e arr. - M° Miromesnil ou St-Philippe-du-Roule - ℰ 01 42 99 90 00 - www.dalloyau. fr - boutiques : 8h30-21h ; salon de thé : 8h30-19h, w.-end 9h-19h. Depuis 1802, l'enseigne régale les gourmets de ses macarons et autres spécialités savoureuses. Restaurant-salon de thé à l'étage et bar à vins au sous-sol.
Angelina – B2 - 226 r. de Rivoli - 1er arr. - M° Tuileries - ℰ 01 42 60 82 00 - 7h30-19h, w.-end 8h30-19h. Un très beau salon de thé, face aux Tuileries, bien connu pour ses pâtisseries et son onctueux chocolat « L'Africain ».

ACHATS

Rive gauche
Le Bon Marché – A2 - 24 r. de Sèvres - 7e arr. - M° Sèvres-Babylone - www.lebonmarche.fr - 8h30-21h-fermé dim. et j. fériés. Il fut fondé en 1852 par un petit boutiquier très inventif. Sa politique de sélection des produits et des créateurs de mode contribue au succès de ce grand magasin s'étendant sur 32 000 m².

La Grande Épicerie de Paris –
A2 - *38 r. de Sèvres - 7ᵉ arr. -
Mᵒ Sèvres-Babylone - ℘ 01 44 39
81 00 - www.lagrandeepicerie.
fr - lun.-merc. et sam. 10h-20h,
jeu.-vend. 10h-21h.* La belle façade
Art déco de cette filiale du Bon
marché abrite l'un des plus grands
magasins alimentaires de Paris :
30 000 produits en provenance
du monde entier !

Rive droite
Galeries Lafayette de Paris –
B1 - *40 bd Haussmann - 9ᵉ arr. -
Mᵒ Chaussée-d'Antin - www.
galerieslafayette.com - 9h30-20h
(21h jeu.) - fermé dim. et j. fériés.* Nul
Parisien qui ne connaisse ce grand
magasin où toutes les grandes
marques ont leur « corner ». Un
incontournable du shopping, en
particulier lors des fêtes de fin
d'année, quand petits et grands se
regroupent devant les vitrines où
les marionnettes s'animent au son
de musiques enchantées.
Printemps – A1 - *64 bd
Haussmann - 9ᵉ arr. - Mᵒ Havre-
Caumartin, RER Auber - www.
printemps.fr - 9h30-20h (22h
jeu.) - fermé dim. et j. fériés.*
Carrefour de la mode réunissant
tous les grands créateurs, ce
grand magasin est divisé en trois
bâtiments qui communiquent
par des passerelles. Une grande
terrasse panoramique domine le
Printemps de la Maison.
**Le Bazar de l'Hôtel-de-Ville
(BHV)** – B2 - *55 r. de la Verrerie -
1ᵉʳ arr. - Mᵒ Hôtel-de-Ville - www.
bhv.fr - 9h30-19h30, merc. 9h30-
21h, sam. 9h30-20h - fermé dim.
et j. fériés.* Ce grand magasin
sur 35 000 m² est une véritable
institution à Paris : pour la
décoration et le bricolage, difficile
de ne pas trouver ce dont vous
avez besoin.
Carrousel du Louvre – B1 - *Au
Louvre - 1ᵉʳ arr. - Mᵒ Palais-Royal*
(sortie indiquée). Plus d'une
trentaine de boutiques, choisies
pour leur qualité ou le lien qu'elles
entretiennent avec le musée,
rivalisent d'espace et d'originalité
dans le cadre du Grand Louvre.
Fauchon – A1 - *24-30 pl. de la
Madeleine - 8ᵉ arr. - Mᵒ Madeleine -
www.fauchon.com. tlj sf dim.
9h-20h30.* À la fois traiteur,
pâtissier, épicier, caviste et salon
de thé, Fauchon propose des
produits de luxe de France et
d'ailleurs.
Hédiard – A1 - *21 pl. de la
Madeleine - 8ᵉ arr. - Mᵒ Madeleine -
www.hediard.fr - lun.-sam. 9h-
20h - fermé j. fériés.* La liste des
produits proposés par ce haut
lieu de la gastronomie française
est longue : thés, cafés, chocolats,
charcuteries, fromages, foies gras,
truffes, condiments, denrées du
monde, spécialités sucrées…
Pétrossian Caviar – A2 - *18 bd
de Latour-Maubourg - 7ᵉ arr. -
Mᵒ Latour-Maubourg - ℘ 01 44 11
32 22 - www.petrossian.fr -
lun.-sam. 9h30-20h (et dim. pdt les
fêtes).* Cette boutique fondée dans
les années 1920 par Melkoum et
Moucheg Petrossian bénéficie
d'une réputation mondiale
pour la qualité de ses caviars. La
prestigieuse adresse propose
aussi saumons fumés d'Écosse
et de Norvège, saumons blancs
sauvages de la Baltique, foies gras,
chocolats, thés, cafés et produits
artisanaux.

Marchés aux puces
Marché aux puces de St-Ouen –
*18ᵉ arr. - Mᵒ Porte-de-Clignancourt -
w.-end et lun. Espace accueil
et information : 7 imp. Simon -
℘ 01 58 61 22 90 - www.parispuces.
com.* Ce « village » de l'insolite
regroupe plusieurs marchés
de brocanteurs et antiquaires
(Vernaison, Biron, Cambo,
Paul-Bert, Malassis, Serpette,

1

etc.), des marchés volants et de nombreux restaurants.

Marché aux puces de Montreuil – *Porte-de-Montreuil - 20ᵉ arr. - Mᵒ Porte-de-Montreuil.* Brocante du samedi au lundi.

Marché aux puces de Vanves – *Porte-de-Vanves - 14ᵉ arr. - Mᵒ Porte-de-Vanves.* Samedi et dimanche.

BOIRE UN VERRE

Rive gauche

La Closerie des Lilas – B2 - *171 bd du Montparnasse - 6ᵉ arr. - Mᵒ Port-Royal ou Vavin - ℘ 01 40 51 34 50 - www.closeriedeslilas.fr - 11h-1h30.* Une institution littéraire, « snob » et intimidante ? Pourtant, c'est un endroit au charme précieux : ses boiseries et sa terrasse protégée assurent une atmosphère intime et chaleureuse. Si de Sartre ou d'Hemingway on ne voit plus que les noms gravés sur leurs tables favorites, on croise parfois des célébrités littéraires d'aujourd'hui…

Le Procope – B2 - *13 r. de l'Ancienne-Comédie - 6ᵉ arr. - Mᵒ Mabillon - ℘ 01 40 46 79 00 - 11h-1h.* Fondé en 1686, le plus vieux café de Paris fut un haut lieu littéraire à l'époque de La Fontaine puis de Voltaire et, plus tard, de Daudet, d'Oscar Wilde et de Verlaine. Si c'est aujourd'hui un restaurant, on peut cependant toujours y prendre le thé ou le café, l'après-midi, de 15h à 17h.

Café de Flore – B2 - *172 bd St-Germain - 6ᵉ arr. - Mᵒ St-Germain-des-Prés - ℘ 01 45 48 55 26 - 7h30-1h30.* Ouvert sous le Second Empire, le Café de Flore est un des cafés de prestige de Paris, notamment pour ses accointances avec la petite histoire littéraire. Apollinaire, Breton, Sartre et Simone de Beauvoir, Camus, Jacques Prévert l'ont fréquenté.

La Rotonde – A2 - *105 bd du Montparnasse - 14ᵉ arr. - Mᵒ Montparnasse - ℘ 01 43 26 48 26 - 7h30-2h.* Ouverte en 1903, cette maison perpétue la tradition des brasseries parisiennes avec un certain talent. On s'y attable pour un café, un verre, une soupe à l'oignon, un plateau de fruits de mer ou une entrecôte. Le décor « rétro » fut dans le vent lorsque Lénine, Trotski, Picasso, Chagall, Léger, Modigliani, Matisse… prirent place sur les banquettes de moleskine !

Rive droite

Café Marly – B2 - *93 r. de Rivoli - 1ᵉʳ arr. - Mᵒ Palais-Royal-Musée-du-Louvre - ℘ 01 49 26 06 60 - 8h-2h.* En face de la Pyramide, sous les arcades du musée du Louvre, ce restaurant branché sert une cuisine au goût du jour dans un cadre où se marient moulures, planchers et mobilier contemporain. En été, il faut boire un verre sur sa terrasse, l'une des plus belles de Paris…

Fouquet's Barrière – A1 - *99 av. des Champs-Élysées - 8ᵉ arr. - Mᵒ George-V - ℘ 01 47 23 50 00 - www.fouquets-barriere.com - 8h-2h.* Ce célèbre établissement, fondé en 1899 par Louis Fouquet et inscrit à l'inventaire des Monuments historiques vous accueille au bar ou en terrasse et au restaurant. Après avoir été le QG des pilotes de chasse de la Première Guerre mondiale, le Fouquet's devint et reste jusqu'à aujourd'hui le lieu de rendez-vous des stars du cinéma, des personnalités du show-biz et du milieu littéraire.

Café de la Paix – B1 - *12 bd des Capucines - 9ᵉ arr. - Mᵒ Opéra - ℘ 01 40 07 30 20 - www.cafedelapaix.fr - 7h-23h30.* Il a été inauguré en 1862, et son emplacement sur le carrefour de l'Opéra est remarquable. De nombreux artistes s'y attablèrent : Maurice Chevalier, Joséphine Baker, Mistinguett… Belle verrière au fond du restaurant où l'on peut prendre un verre.

EN SOIRÉE

☺ **Bon à savoir** – Les hebdomadaires *Pariscope* et *L'Officiel des spectacles* annoncent les expositions, un certain nombre de concerts et les programmes de cinéma et de théâtre.

Rive droite

Bal du Moulin-Rouge – B2 - *82 bd de Clichy - 9e arr. - Mo Blanche - ℘ 01 53 09 82 82 - réserv. en ligne www.moulinrouge.fr ou billetterie : 9h-1h.* Depuis 1889, le Moulin-Rouge présente de somptueuses revues.

Folies-Bergère – B1 - *32 r. Richer - 9e arr. - Mo Cadet ou Grands-Boulevards - ℘ 0 892 681 650 - www. foliesbergere.com - réserv. en ligne ou billetterie lun.-vend. 10h-18h (et w.-end et j. fériés si représentations).* S'y sont croisés Maurice Chevalier, Yvonne Printemps et Mistinguett, Joséphine Baker et Charles Trenet… Autant de figures légendaires qui hantent ce théâtre à la façade Art déco pourvu d'un gigantesque hall hollywoodien.

Le Lido – A1 - *116 bis av. des Champs-Élysées - 8e arr. - Mo George-V - ℘ 01 40 76 56 10 - www.lido.fr - 9h-2h, dîner-revue tlj. 19h -* ♿. Sans doute la plus internationale des revues parisiennes. Les célèbres Bluebell Girls y exhibent leurs plumes, leurs paillettes et leur anatomie avec panache.

Opéra Bastille – B2 - *Pl. de la Bastille - 12e arr. - Mo Bastille -*

℘ *0 892 899 090 - www. operadeparis.fr - billetterie 130 r. de Lyon : tlj sf dim. et j. fériés 11h30-18h30 - fermé de mi-juil. à mi-sept.* Cet opéra allie vocation populaire et performance technique.

Palais Garnier – B1 - *8 r. Scribe - 9e arr. - Mo Opéra - ℘ 0 892 899 090- www.operadeparis.fr - billetterie pl. de l'Opéra : tlj sf dim. et j. fériés 11h30-18h30 - fermé de mi-juil. à déb. sept.* C'est le siège de l'Académie nationale de musique, qui s'y installa en 1875.

Salle Gaveau – A1 - *45 r. La Boétie - 8e arr. - Mo Miromesnil - ℘ 01 49 53 05 07 - www.sallegaveau.com - billetterie : 9h30-18h (21h j. de concert), sam. 9h-21h, dim. 13h-16h30 - fermé juil.-août.* Classée en 1992, rénovée en 2000, la prestigieuse salle Gaveau propose des concerts de musique de chambre, classique ou baroque ainsi que des récitals de piano ou de chant.

Salle Pleyel – B2 - *252 r. du Fg-St-Honoré - 8e arr. - Mo Ternes ou Charles-de-Gaulle-Étoile - ℘ 01 42 56 13 13 - www.sallepleyel. fr - billetterie 12h-19h, j. de concert 20h - fermé 1er janv. et 25 déc.* Depuis plus d'un siècle, elle accueille les plus grandes formations symphoniques françaises et étrangères et les plus grands chefs et solistes. Aujourd'hui, dans un cadre rénové, découvrez sa programmation classique, jazz, musique du monde et variétés.

Le Grand Rex – B1 - *1 bd. Poissonnière - 2e arr. - Mo Bonne-Nouvelle - ℘ 0892 68 05 96 - www. legrandrex.com.* Avec ses sept salles et ses deux écrans géants, c'est l'un des plus emblématiques cinémas de Paris.

1

Île-de-France 2

Cartes Michelin National n° 721 et Région n° 514

Façade du château de Versailles.
R. Mazin/Photononstop

L'Île-de-France

▶ SE REPÉRER

Jusqu'à environ 20 km autour de Paris, les transports en commun épargnent bien des embouteillages. Au-delà, il est préférable de circuler en voiture, les liaisons en transports collectifs étant moins évidentes ou moins fréquentes. Du boulevard périphérique de Paris partent les routes nationales et les autoroutes menant aux sites principaux : l'A 10, puis l'A 11 au sud-ouest vers Chartres, l'A 6 au sud-est vers Fontainebleau, l'A 4 à l'est en direction de Vaux-le-Vicomte, l'A 5 au nord-ouest vers Cergy-Pontoise, l'A 13 pour rejoindre Versailles, et au nord l'A 1 pour gagner Chantilly.

⊛ À NE PAS MANQUER

Le château de Versailles qui reste le plus grand palais du monde et le symbole de la perfection classique, le domaine de Chantilly et les grandes écuries, le château de Fontainebleau où furent introduites les innovations de la Renaissance italienne en France.

◷ ORGANISER SON TEMPS

Ceux qui aiment préparer leur voyage dans le détail peuvent rassembler la documentation nécessaire auprès des professionnels du tourisme de la région, qui disposent de tous les renseignements sur les types d'hébergement et les services de réservation. Vos visites seront essentiellement urbaines et culturelles mais de grands parcs et d'immenses forêts vous réservent aussi des belles visites « nature » vous permettant d'aménager la journée en fonction de la météo. Certains sites peuvent constituer des points de départ à partir desquels vous pourrez rayonner dans une région.

De grands massifs forestiers et de belles rivières, un patrimoine culturel exceptionnel font de l'Île-de-France une région au rayonnement international. Rois et seigneurs de la Cour y ont élevé de superbes châteaux autour desquels parcs et jardins extraordinaires ont été aménagés à la Renaissance et à l'époque classique. Versailles, Fontainebleau, Vaux-le-Vicomte ont été servis par une pléiade d'artistes. Nombre de très beaux édifices religieux, comme l'abbaye de Royaumont, font un cortège royal à ces châteaux. Au 19e s., les paysages de la région et les jeux de lumière ont suscité l'intérêt de nombreux artistes tels que Millet installé à Barbizon, ou Van Gogh à Auvers-sur-Oise. Au nord s'étend la forêt de Compiègne, connue pour ses belles futaies mais aussi pour ses liens avec l'histoire ; les rois qui aimaient venir y chasser embellirent le château qui devint palais impérial. Enfin, les découvertes se déclinent sur le thème de l'amusement et les spectacles médiévaux de Provins, par exemple, sont l'occasion d'inoubliables souvenirs en famille.

Château de Versailles

Yvelines (78)

🛈 S'INFORMER

📞 01 30 83 78 00 - www.chateauversailles.fr - ♿ - 9h-18h30 - fermé lun.,
1ᵉʳ janv., 1ᵉʳ Mai, Pentecôte et 25 déc. - 15 € (-18 ans gratuit) - gratuit 1ᵉʳ dim. du
mois (nov.-mars). Pour bien organiser votre visite, faites un saut au point
d'information de l'aile Sud des Ministres.

▶ SE REPÉRER

Carte générale C2 – *Cartes Michelin n° 721 J5 et n° 514 E4.* À 18 km au
sud-ouest de Paris, à partir de la Porte d'Auteuil, par l'A 13 direction
Rouen, sortie n° 1 Versailles-Château. RER C, gare de Versailles-Rive gau-
che. Liaison SNCF au départ de Paris gare St-Lazare (descendre gare de
Versailles-Rive droite) ou de gare Montparnasse (descendre gare de
Versailles-Chantiers).

🕐 ORGANISER SON TEMPS

Pour profiter au mieux de la visite, évitez l'été où la fréquentation est très
dense ou privilégiez le Domaine de Marie-Antoinette, et visitez le château
en basse saison. Gagnez du temps en achetant vos billets à l'avance *(sur*
le site Internet et dans les points de vente Fnac). Comptez une demi-journée
pour les Grands Appartements du Roi, de la Reine et du Dauphin, puis
promenez-vous dans le Domaine de Marie-Antoinette.

Visite – Si vous avez votre billet, allez directement à l'entrée A ; si vous
devez acheter votre billet, allez au point Billetterie, aile Sud des Ministres.
La **visite libre** concerne les Grands Appartements du Roi et de la Reine,
ceux du Dauphin et de la Dauphine ainsi que ceux de Mesdames. Des
visites-conférences *(en groupe sur réserv. le jour même dans la limite des*
places disponibles) permettent de découvrir d'autres parties du château.
Les **circuits thématiques** sont programmés uniquement certains jours
de l'année (réserv. obligatoire).

Billet Château *(15 €)* – Il donne accès à l'essentiel (la Galerie des Glaces,
les Grands Appartements…).

Passeport – *18 €, 25 € les jours de Grandes Eaux musicales.* Vendu sur place
jusqu'à 15h, il permet non seulement de visiter les Grands Appartements
du Roi et de la Reine, la Chapelle, l'Opéra, les Galeries du 17ᵉ s. et de l'Histoire de France, les Appartements du Dauphin et de Mesdames, mais
aussi le Domaine de Marie-Antoinette et le Grand Trianon, et de profiter
en saison du spectacle des Grandes Eaux musicales.

Le Grand Café d'Orléans – *Pavillon d'Orléans - 📞 01 39 50 29 79 - 16/30 €.*
Restaurant et snack (sur place ou à emporter). Ne manquez pas de goûter
l'un des desserts réalisés par le fameux chocolatier Daubos.

👥 AVEC LES ENFANTS

Audioguides pour les enfants – *À partir de 8 ans - en saison : 9h-17h30 ;*
reste de l'année : 9h-16h30. Pour la visite des Grands Appartements.

Petit train – *📞 01 39 54 22 00 - www.train-versailles.com - 6,70 € (-10 ans gra-*
tuit)- dép. parterre du Nord. Il fait la navette entre le château et le Domaine
de Marie-Antoinette. Circuit-promenade (50mn) avec arrêt au Trianon et
au Grand Canal.

De 1660 à nos jours

LOUIS XIV, AMATEUR D'ART ÉCLAIRÉ

Succédant à son père à l'âge de 5 ans, en 1643, Louis XIV ne décide de transformer l'ancien pavillon de chasse de Louis XIII qu'en 1660. Une œuvre titanesque démarre ainsi et, en 1682, Louis XIV annonce qu'il installe le gouvernement de la France à Versailles. Le château devient la capitale politique mais aussi une vitrine de l'art français. Les chantiers se poursuivent jusqu'à la mort du roi (1715). Les constructions se sont développées en alternance avec les guerres et les périodes de paix, sur près de cinquante ans, en concordance avec les campagnes militaires de Louis XIV. **André Le Nôtre**, **Charles Le Brun** et **Louis Le Vau** participent à la première phase des travaux : création du parc et des jardins, avec la grotte de Thétis. La seconde période porte sur le gros œuvre : une enveloppe enrobe le château Vieux sur ses trois faces, en pierre côté jardin, en brique et pierre côté du cours symétriques. **François d'Orebay** prend la relève de Le Vau, et Le Brun dirige l'équipe des sculpteurs pour la décoration. Pour la troisième phase, le roi confie à **Jules Hardouin-Mansart** l'agrandissement du château afin de pouvoir y transférer le siège du gouvernement. Mansart bâtit les écuries, les ailes des Ministres du côté des cours et les ailes du Nord et du Midi. Les grands appartements sont transformés par la création des salons de la Guerre et de la Paix encadrant la nouvelle Galerie des Glaces dont la voûte raconte les hauts faits du roi. Cette dernière phase permet à Mansart d'édifier la chapelle en s'inspirant du modèle de la Ste-Chapelle fondée par Saint Louis.

SOUS LOUIS XV ET LOUIS XVI

La cour qui a délaissé Versailles le temps de la Régence y revient en 1722, à la majorité de Louis XV. Le roi confie à l'architecte **Jacques-Ange Gabriel** le soin de réaménager les appartements privés et de bâtir l'Opéra et le Petit Trianon. En 1783, Louis XVI achète le Hameau de la reine et son jardin mais dès 1789, la famille royale quitte Versailles pour Paris. Jamais plus le château n'abritera de roi.

À TOUTES LES GLOIRES DE LA FRANCE

Le château est conservé par la République, et lorsque l'Empire est proclamé, Versailles redevient la résidence de la couronne. **Napoléon** y entreprend des travaux de restauration mais les événements historiques ne lui laissent pas le temps de s'y installer. Ses successeurs sur le trône ne souhaitent pas y vivre. Le château, menacé de destruction, est sauvé par **Louis-Philippe** en 1837 qui le transforme en musée dédié à « toutes les gloires de France ».

DES ANNÉES DE RESTAURATION

Depuis 1925, le château a bénéficié de mécénats (**John D. Rockfeller** et nombreuses fondations et entreprises). Lancé en 2003, l'ambitieux projet de rénovation du Grand Versailles vise à redonner, à l'horizon 2020, tout son éclat historique à l'ensemble du domaine.

Le plus grand palais du monde fut, de la fin du 17ᵉ s. à la Révolution, en perpétuelle évolution, image fastueuse d'une époque de création intense. Symbole de perfection classique et du pouvoir royal, miraculeusement préservé des ravages du temps, le château et son domaine retrouvent aujourd'hui toute leur splendeur d'antan grâce à d'importants travaux de restauration. Classé au Patrimoine mondial de l'Unesco, il est le monument le plus visité de France.

Découvrir

LE CHÂTEAU ET SES ABORDS

La grille d'honneur du château, qui date de Louis XVIII mène à trois **cours**★★ successives : la cour d'Honneur, la cour Royale, fermée par une très **belle grille** qui a été rétablie telle qu'avant 1789, puis la **cour de Marbre**★★ pavée de marbre blanc et noir. Franchissez l'arcade du nord et contournez le corps central du château pour admirer la **façade sur le parc**★★★, entièrement restaurée. Le toit plat, à l'italienne, est dissimulé par une balustrade portant des trophées et des vases. De la terrasse, **vue** sur les **perspectives**★★★ du parc et des jardins : les **parterres d'eau**★★ de l'« axe du soleil » et le **Grand Canal** ; les parterres du Midi, à gauche et les parterres et bosquets du nord, à droite.

★★ Galeries historiques

Ces salles permettent d'admirer l'art des grands peintres des 17ᵉ et 18ᵉ s. et présentent les principaux épisodes de l'histoire du règne de Louis XIV et de la construction du château.

2

★★★ Les Grands Appartements du Roi et de la Reine

★★★ **Grand Appartement du Roi** – Ces huit salons illustrent le mythe solaire duquel Louis XIV se réclamait et vont du **salon d'Hercule**★★★ au **salon de la Guerre**★ où le roi apparaît triomphant de ses ennemis dans un bas-relief de Coysevox.

★★★ **Galerie des Glaces** – Terminée par Mansart en 1686 et décorée par l'équipe de Le Brun, cette galerie longue de 73 m, large de 10,50 m et haute de 12,30 m, est éclairée par 17 grandes fenêtres auxquelles correspondent 17 panneaux de glace sur le mur opposé et offre une superbe **perspective**★★★ sur l'« axe du soleil ». Le décor de la **voûte**, entièrement restauré, glorifie le règne de Louis XIV. C'est ici que fut proclamé l'Empire allemand le 18 janvier 1871 et que fut signé le traité de Versailles le 28 juin 1919.

★★★ **Appartement du Roi** – Aménagé de 1682 à 1701 par Hardouin-Mansart dans le château de Louis XIII, il se distribue autour de la cour de Marbre. Sa décoration marque une évolution du style Louis XIV. Les plafonds ne sont plus compartimentés mais peints en blanc ; des lambris blanc et or remplacent les revêtements de marbre ; de grandes glaces surmontent les cheminées.

★★ **Appartement de la Reine** – Il fut créé pour Marie-Thérèse, femme de Louis XIV. La **chambre de la Reine**, où naquirent dix-neuf enfants de France, a retrouvé, après une longue restauration, son « meuble d'été » de 1787. Le décor des boiseries et du plafond a été réalisé par les Gabriel pour Marie Leszczyńska. Superbes tentures d'alcôve et soieries d'ameublement.

★ **Galerie des Batailles** – Impressionnante par ses dimensions (120 m de long sur 13 m de large), elle fut aménagée en 1837 et doit son nom aux 33 grandes compositions militaires dont Louis-Philippe fit orner les murs pour évoquer les principales victoires françaises.

★★ Appartements du dauphin et de la dauphine

Plus intimistes, ces appartements ont conservé une partie de leurs boiseries d'origine et ont pu être partiellement remeublés. Œuvres des plus grands artistes du 18ᵉ s.

★★ Appartements de Mesdames, filles de Louis XV

Marie-Antoinette a utilisé pour elle et ses enfants les pièces aménagées dans la galerie basse, rétablie dans l'état Louis XIV.

★★ Opéra royal

Il fut inauguré en 1770 pour les fêtes du mariage du dauphin (futur Louis XVI) avec Marie-Antoinette. Première salle de forme ovale en France, il constituait en plein règne de Louis XV une des premières manifestations du style dit Louis XVI ; la décoration, inspirée de l'Antiquité, a été sculptée par Pajou. Doté de moyens techniques exceptionnels, il offre une acoustique d'une rare qualité et peut contenir 700 personnes.

★★★ Chapelle

Dédiée à Saint Louis, la chapelle séduit par son décor blanc et or. Chef-d'œuvre de Mansart, elle fut achevée en 1710 par son beau-frère Robert de Cotte.

★★ LE DOMAINE DE MARIE-ANTOINETTE ET LE GRAND TRIANON

★★ Château du Petit Trianon – Louis XV fit construire ce château par Gabriel qui l'acheva en 1768 et que Mᵐᵉ de Pompadour, inspiratrice du projet, ne put découvrir. En 1774, Louis XVI l'offrit à sa jeune épouse Marie-Antoinette qui y vécut avec ses enfants et sa belle-sœur, Mᵐᵉ Élizabeth, fuyant l'étiquette de la Cour. Ce château, chef-d'œuvre du style Louis XVI, fut remeublé à plusieurs reprises, notamment sous l'Empire. Il vient de bénéficier d'une complète restauration. Dans les pièces réaménagées à la mémoire de Marie-Antoinette, admirez les **boiseries★★** de Guibert.

★★ Les **jardins anglais** restent fidèles à l'aménagement pittoresque imaginé par la Reine aidé de son architecte **Richard Mique** et de son jardinier **Claude Richard**. Visitez le théâtre de la Reine qui s'appuie à des charmilles. Promenez-vous parmi les « **fabriques** » dispersées au détour d'allées sinueuses et de pièces d'eau. Du **temple de l'Amour**, rejoignez le **Hameau de la Reine★★** composé de maisonnettes rustiques, d'une **ferme**, d'un **moulin** et sa roue à aubes…

★★ Grand Trianon – Mansart bâtit en six mois le « Trianon de Marbre » que Louis XIV réservait à la famille royale. L'ensemble, délicate harmonie de marbres multicolores à dominante rose, est infiniment gracieux. Dépouillé de ses meubles à la Révolution, Napoléon Iᵉʳ le fait rénover et remeubler lors de son mariage avec Marie-Louise. Les jardins du Grand Trianon ont le charme des jardins de fleurs, sans complications allégoriques.

★★★ LE PARC ET LES JARDINS

Versailles (850 ha) compte 43 km d'allées, 250 000 arbres d'alignement, 385 topiaires (ifs taillés selon les dessins de Le Nôtre), 55 fontaines, 600 jeux d'eau, près de 300 sculptures… Cet immense domaine se découvre à pied mais aussi en calèche, en petit train, à bicyclette, et pourquoi pas en barque sur le Grand Canal (1 650 m de long sur 62 m de large pour le grand bras et 1 070 m sur 80 m pour le petit). L'apothéose a lieu les jours des **Grandes Eaux musicales★★★** et lors des **Fêtes de nuit★★★** en été au **Bassin de Neptune★★**.
ⓒ *www.chateauversailles-spectacles.fr*

Saint-Germain-en-Laye

★★

1 827 Saint-Germanois – Yvelines (78)

NOS ADRESSES PAGE 158

S'INFORMER

Office de tourisme – *38 r. au Pain - 78100 St-Germain-en-Laye - ✆ 01 34 51 05 12 - www.ot-saintgermainenlaye.fr - avr.-oct. : lun. et merc. 14h-18h, mar. et jeu.-sam. 10h-13h, 14h-18h, dim., j. fériés 10h-13h ; reste de l'année : lun. et merc. 14h30-17h30, mar. et jeu.-sam. 10h30-12h30, 14h30 17h30 - fermé dim. de nov. à fév., j. fériés de nov. à fin mars, 1er janv., 1er Mai, 1er nov., 11 Nov. et 25 déc.*

SE REPÉRER

Carte générale C1 – *Cartes Michelin n° 721 J5 et n° 514 E3*. À 22 km à l'ouest de Paris par l'A 14 (sortie 6a). RER A St-Germain-en-Laye.

Henri II, Charles IX et Louis XIV sont nés ici, Louis XIII y est mort et la plupart des rois de France résidèrent au château de St-Germain, jusqu'au départ de Louis XIV pour Versailles en 1682. Le château royal abrite des collections archéologiques de première importance des débuts de notre ère jusqu'au Moyen Âge. Le charme de la vieille ville, plus discrète, se découvre au cours de promenades : l'ancien prieuré, abrite un musée consacré aux Nabis.

2

Découvrir

★★ Musée d'Archéologie nationale

✆ 01 39 10 13 00 - www.musee-antiquitesnationales.fr - ♿ - tlj sf mar. 10h-17h15 - fermé 1er janv., 25 déc. 6 € (-18 ans gratuit).

Ses collections archéologiques constituent un témoignage passionnant, depuis les premiers signes de la présence de l'homme jusqu'à l'aube du Moyen Âge. Les chefs-d'œuvre du **paléolithique** surprennent par leurs petites dimensions, notamment la **Dame de Brassempouy** (hauteur : 3,6 cm), le plus ancien visage humain connu (repère 20000). Au **néolithique**, la découverte de l'alliage du cuivre et de l'étain donne un premier essor à la métallurgie (**âge du bronze**). L'or est aussi exploité. La grande épée de fer caractérise les sépultures princières du **1er âge du fer**. Puis la période de La Tène montre l'apport de civilisations étrangères et surtout l'importance croissante des échanges avec le monde méditerranéen. La prise d'Alésia (52 av. J.-C.) marque la fin de la culture propre aux tribus gauloises. La longue « Paix romaine » et la tolérance des vainqueurs, l'enracinement profond des dévotions aux dieux indigènes sont illustrés en **Gaule romaine** par le développement de la sculpture mythologique et funéraire.

Dans la section de l'**archéologie comparée**, des objets remarquables provenant des différents continents permettent de comparer l'évolution des technologies et des modes de vie de peuples très éloignés dans le temps et l'espace. Très belles collections de l'Égypte prédynastique, une série de bronzes du Koban et du Talyche arménien (Asie), **le char de Mérida** (6e s. av. J.-C.).

★ **Musée départemental Maurice-Denis**
☎ 01 39 73 77 87 - www.musee-mauricedenis.fr - mar.-vend. 10h-17h30, w.-end 10h-18h30 - fermé lun., 1er janv., 1er Mai et 25 déc. - 4,50 € (-26 ans gratuit).
Cet ancien hôpital royal fondé en 1678 par Mme de Montespan devint en 1915 la propriété du peintre **Maurice Denis** (1870-1943). Il y recevait ses amis du mouvement nabi, dont il fut le porte-parole.
La riche collection de toiles évoque les origines du groupe des **nabis** dont Paul Sérusier fut le fondateur (1888) : œuvres de ce peintre, de Ranson, Bonnard, Vuillard, Maurice Denis, Cazalis, Lacombe, Roussel, Vallotton et Verkade. L'école de **Pont-Aven** et du Pouldu est présente avec Gauguin, Émile Bernard, Filiger, Moret, Slewinsky, Seguin. Également des œuvres de Toulouse-Lautrec, Anquetin, Mondrian, Lalique et maints **objets d'art décoratif**, notamment des céramiques d'André Metthey annonçant les Arts déco.
La **chapelle**, décorée par Maurice Denis, témoigne de son action pour la renaissance de l'art sacré. Dans son **atelier**, bâti en 1912 par Auguste Perret, le maître des lieux travailla au décor du Théâtre des Champs-Élysées. Le **parc,** aménagé en terrasses fleuries, est agrémenté des statues de Bourdelle.

À proximité

★★ **Château de Maisons**
RER A Maisons-Laffitte. 2 av. Carnot - ☎ 01 39 62 01 49 - www.maisonslaffitte. net - 10h-12h30, 14h-18h (17h de mi-sept. à mi-mai) - visite guidée à 15h - fermé mar., 1er janv., 1er Mai, 11 nov. et 25 déc. - 7 € (-26 ans gratuit).
Prenez le temps d'aller à Maisons-Laffitte pour visiter un chef-d'œuvre de **François Mansart**. Le château, qui surgit au bout d'une allée, vestige d'une immense perspective, a conservé intacte l'élégance de sa façade et de ses proportions. L'équilibre de sa composition l'a fait considérer comme un modèle, dès sa construction en 1651. Manifeste de l'art classique français, Maisons est une étape avant Versailles et Vaux-Le-Vicomte.

☺ NOS ADRESSES À SAINT-GERMAIN-EN-LAYE

RESTAURATION

PREMIER PRIX
La Petite Théière – *1 pl. André-Malraux - ☎ 01 39 21 79 10 - 9h30-19h - fermé lun. et août - 15 €.* À deux pas du château, ambiance chaleureuse et familiale dans un décor provençal pour une cuisine traditionnelle. Le dimanche, brunch américain ou brunch norvégien.

BUDGET MOYEN
Le Manège - *5 r. St-Louis - ☎ 01 39 73 22 12 - www.restaurant-le-manege.com - fermé dim., 1re sem. de janv. et sem. du 15 août -*
18/23 € (midi sem.). À 200 m du château, dans un immeuble de caractère, vous apprécierez une cuisine traditionnelle servie dans un décor bistrot, dans la cave voûtée ou en terrasse aux beaux jours. Belle carte des vins.

POUR SE FAIRE PLAISIR
Cazaudehore – *Hôtel La Forestière - 1 av. du Prés.-Kennedy - ☎ 01 30 61 64 64 - www. cazaudehore.fr - fermé dim. soir de nov. à mars et lun. - 30/59 €.* Ambiance chic et cosy, décor dans l'air du temps, délicieuse terrasse sous les acacias, cuisine soignée et belle carte des vins…

Auvers-sur-Oise

★★

6 879 Auversois – Val-d'Oise (95)

 S'INFORMER

Office de tourisme – *Manoir des Colombières - r. de la Sansonne - 95430 Auvers-sur-Oise - ℘ 01 30 36 10 06 - www.lavalleedeloise.com - avr.-nov. : 9h30-12h30, 14h-18h (17h déc.-mars) - fermé 1ᵉʳ janv. et 25 déc.*

SE REPÉRER

Carte générale C1 – *Cartes Michelin n° 721 J5 et n° 514 E2.* À 30 km de Paris, Auvers se rejoint par l'A 15 sortie Cergy-Pontoise, puis la N 184. En train : gare St-Lazare, changement à Pontoise, ou gare du Nord, changement à Valmondois.

À NE PAS MANQUER

La maison de Van Gogh et la maison-atelier de Daubigny ; une promenade sur les pas de Van Gogh pour parcourir les lieux qui ont inspiré le peintre, notamment l'église Notre-Dame *(dépliant à l'office de tourisme).*

ORGANISER SON TEMPS

Plusieurs sites étant fermés l'hiver, il est préférable de venir à Auvers à la belle saison, notamment lors de la journée de l'iris (3ᵉ week-end de mai) ou encore à l'occasion du festival international de musique de début juin à début juillet *(www.festival-auvers.com).* Selon le temps, consacrez la matinée à suivre les pas de Van Gogh, et l'après-midi au château d'Auvers pour suivre un divertissant « voyage au temps des impressionnistes » ou vice versa.

AVEC LES ENFANTS

Le parcours-spectacle du château d'Auvers.

Le village qui s'adosse au plateau du Vexin et s'étire le long de l'Oise fut un lieu d'inspiration pour de nombreux peintres, dont Cézanne et surtout Van Gogh. L'église, la mairie, la maison du docteur Gachet et les champs de blé que Van Gogh a peints vous sembleront étrangement familiers.

Découvrir

SUR LES PAS DES PEINTRES

Le docteur Paul Gachet (1828-1909), ami de Paul Cézanne, s'installe à Auvers en 1872. Peintre et graveur lui-même, à l'affût de toutes les nouveautés, il attire sur les bords de l'Oise les tenants d'une peinture nouvelle, les « impressionnistes ».

Tombe de Van Gogh

Le peintre est enterré dans le cimetière *(signalé à partir de l'église)* à côté de son frère Théo, qui fut son fidèle soutien *(tombes contre le mur gauche).*

★ Maison de Van Gogh

Pl. de la Mairie - ℘ 01 30 36 60 60 - visite guidée mars-nov. : tte la journée - fermé lun.-mar. - 6 € (-12 ans : gratuit).

2

Il s'agit de l'**auberge Ravoux**, où Van Gogh a passé les derniers mois de son existence. Dans ce climat paisible, il se consacra à ses thèmes de prédilection : portraits et paysages. Mais lorsque Théo lui annonça qu'il allait retourner en Hollande, Vincent se sentit abandonné. Le 27 juillet, égaré dans les champs, il se tira une balle en pleine poitrine. Il mourut le surlendemain. Sa chambre a conservé son décor.

★ Maison-atelier de Daubigny

☎ 01 30 36 60 60 - de mi-avr. à mi-juil. et de mi-août à fin oct. : jeu.-dim. et j. fériés apr.-midi - fermé 1er janv., 11 Nov. - 6 € (-12 ans gratuit).
Construite en 1861, la maison de Daubigny (1817-1878) fut le premier foyer artistique d'Auvers. Dans le jardin, on retrouve le bateau-atelier que Daubigny utilisait pour peindre sur l'Oise. Plus tard, Monet suivit son exemple…

Château d'Auvers

☎ 01 34 48 48 45 - www.chateau-auvers.fr - avr.-sept. : tlj sf lun. 10h30-18h ; oct.-mars : 10h30-16h30 - 13 € (-18 ans 8,90 €).
Ce château du 17e s. accueille un parcours-spectacle, **Voyage au temps des impressionnistes★** : près de 600 tableaux sont commentés par casques infrarouges pour mieux saisir la quête des impressionnistes, leurs techniques. Des décors restituent le Paris haussmannien et, dans un wagon, on sillonne les paysages d'Île-de-France où les artistes plantèrent leurs toiles.

À proximité

★★ Abbaye de Royaumont

À 22 km au nord-est d'Auvers-sur-Oise. ☎ 01 30 35 59 70 - www.royaumont. com - & - 10h-18h - 6 € (enf. 4,50 €).
Bâtie sur une légère éminence, elle fut baptisée Royaumont en l'honneur de Saint Louis qui l'avait fondée en 1228 et donne une idée de la prospérité qu'atteignaient les grandes abbayes du Moyen Âge : une église (en ruines) aux dimensions d'une cathédrale, un **palais abbatial★** rappelant une « villa » à l'italienne *(ne se visite pas)*, un réfectoire chef-d'œuvre de construction gothique, un cloître enserrant un beau jardin, un jardin médiéval aux neuf carrés… Depuis 1964, la Fondation Royaumont s'attache à sa conservation et à sa mise en valeur par diverses actions dans le domaine de la musique vocale.

★★ Château d'Écouen

À 19 km à l'est d'Auvers-sur-Oise. ☎ 01 34 38 38 50 - www.musee-renaissance. fr - & - mat. et apr.-midi - possibilité de visite guidée - fermé mar., 1er janv., 1er Mai et 25 déc. - 4,50 € (enf. gratuit), gratuit 1er dim. du mois.
Campé sur une colline surplombant la Plaine de France, entouré de bois, ce château à l'allure semi-défensive fut bâti de 1538 à 1555 pour le connétable **Anne de Montmorency** et son épouse Madeleine de Savoie. Il abrite les fabuleuses collections d'arts décoratifs du **Musée national de la Renaissance★★** : mobilier, tapisseries, céramiques, faïences françaises et majoliques italiennes, émaux, orfèvrerie… Le château a conservé ses 12 **cheminées peintes★** exécutées sous Henri II et vaut aussi pour l'exposition de la **tenture de l'Histoire de David et Bethsabée★★★** (1510-1520). Réalisée dans les ateliers bruxellois, elle est tissée avec des fils de laine, de soie et d'argent et narre sur 75 m de long les amours du roi David. À voir aussi *(sur demande, w.-end apr.-midi ; téléphonez au préalable)* la **Bibliothèque** du Connétable et les **appartements des bains**.

Circuit conseillé

Au nord-ouest de l'Île-de-France, entre l'Oise et l'Epte, rivière frontière de la Normandie, les villages du **Vexin français** montrent de beaux exemples de maisons rurales. Les églises ont tiré parti de l'abondance des carrières, et au temps de la Renaissance, de l'activité de deux familles d'architectes, les **Lemercier** et les **Grappin**.

LA ROUTE DU BLÉ

▷ *60 km. Quitter Auvers-sur-Oise au nord-est par la D 4 en dir. de Valmondois. Traverser le village et tourner à droite.*

Maison de la meunerie à Valmondois – 𝒫 *01 34 73 06 26* - ⌧ - *avr.-oct. : dim. 14h-18h (dernière visite 30mn av. la fermeture) - fermé j. fériés - 3 € (-15 ans 1,50 €)*. Cette antenne du Parc naturel régional du Vexin français est installée dans le **moulin de la Naze**, dont les mécanismes sont alimentés par la force hydraulique du Sausseron. Avec sa roue à aubes, il ne moud plus de farine, mais reste un intéressant témoignage de l'histoire de la meunerie. Autrefois, le Vexin français, riche terre à blé, possédait 140 moulins, dont une trentaine le long du Sausseron.

À **Nesles-la-Vallée**, vous découvrirez l'église au très beau clocher roman à flèche de pierre, à **Marines**, l'église St-Rémi (16ᵉ s.) et sa chapelle Renaissance.

Sortir de Marines à l'ouest par la D 159.

Maison du pain à Commeny – *31 Grande-Rue* - 𝒫 *01 34 67 41 82* - *mai-oct. : tlj sf merc. 9h-12h, 14h-17h ; nov.-avr. : tlj sf w.-end, j. fériés et merc. 9h-12h, 14h-17h - fermé de juil. à mi-août, 1ᵉʳ janv., lun. de Pentecôte, 14 Juil. et 25 déc. - 4 € (-15 ans 3 €)*. Nouvelle étape sur la route du blé, cette maison vous apprend comment le pain est fabriqué et comment il est apparu sur nos tables.

Prendre à l'est la route de Théméricourt.

Maison du Parc naturel régional du Vexin français – 𝒫 *01 34 48 66 00* - *www.pnr-vexin-français.fr* - ⌧ - *mai-sept. : sam. 14h-18h, dim. et j. fériés 10h-19h ; oct.-avr. : w.-end et j. fériés 14h-18h - 4 € (musée du Vexin français)*. Installée dans le **château de Théméricourt**, elle délivre tous les renseignements sur les loisirs et hébergements et abrite le musée du Vexin français.

Musée de la Moisson à Sagy – 𝒫 *01 34 66 39 62* - *mars.-oct. : dim. apr.-midi - 4 € (-15 ans 2 €)*. Ce site de l'écomusée du Vexin français est consacré à un autre cycle de l'exploitation du blé dans la région, la moisson. Machines et outils agricoles, mais également animations diverses, dont la Fête de la moisson et de l'épouvantail, illustrent l'activité.

2

Giverny

502 Givernois – Eure (27)

S'INFORMER

Office de tourisme des Portes de l'Eure – *Sur le grand parking face au musée des Impressionnismes - 27620 Giverny - www.cape-tourisme.fr - ℘ 02 32 51 39 60 - avr.-août : 9h30-17h30 ; sept.-oct. : 10h-17h.*

SE REPÉRER

Carte générale C1 – *cartes Michelin n° 721 I5 et n° 513 V8*. En lisière du Val-d'Oise, le petit village campe sur les rives droites de la Seine et de l'Epte qui se rejoignent ici. À 72 km de Paris par l'A 13. Parkings de part et d'autre de la D 5. Liaison SNCF de Paris-St-Lazare, gare de Vernon, puis 7 km jusqu'à Giverny, bus 240, navette ou taxi ; vélos en location à la gare.

ORGANISER SON TEMPS

Prévoyez 2h pour visiter chacun des musées. Achetez votre billet à l'avance *(Fnac ou Internet - www.mdig.fr)*. Le musée et la maison de Monet sont fermés du 1er nov. au 31 mars. En raison de la présence des groupes et d'une très forte affluence, le moment idéal pour visiter ce site se situe de fin avr. à déb. juin.

Giverny entretient la mémoire de Claude Monet qui résida ici de 1883 à sa mort en 1926. Sa maison et son délicieux jardin avec l'étang des Nymphéas vous transportent dans les plus belles de ses œuvres, visibles à Paris au musée Marmottan ou au musée d'Orsay... Les visiteurs japonais, très nombreux, apprécient le sens profond de ces lieux façonnés par le maître de l'impressionnisme, grand contemplateur de la Nature devant l'Éternel !

Découvrir

★ Maison de Claude Monet

℘ 02 32 51 28 21 - www.fondation-monet.com - avr.-oct. : 9h30-18h - 8 € (enf. 5 €).

Entrez par l'atelier des Nymphéas qui est l'ancien « grand atelier » et poursuivez la visite en vous rendant dans la maison « rose et vert » qui surplombe le jardin. Le salon de lecture « bleu », la chambre, le salon atelier, la salle à manger « jaune » au mobilier de bois peint et la ravissante cuisine aux murs carrelés de faïence bleue évoquent agréablement les lieux où vécut le peintre.

Le jardin, en évolution constante au fil des saisons, comprend le « Clos normand » qui restitue celui, très fleuri, que Monet avait dessiné, et de l'autre côté de la route, le jardin d'eau artificiel, d'inspiration japonaise, où des ponts japonais franchissent l'étang des Nymphéas tapissé de nénuphars, avec son grand saule pleureur, ses rives bordées de bambous et de rhododendrons.

★ Musée des Impressionnismes

90 r. Claude-Monet - ℘ 02 32 51 94 65 - www.mdig.fr - &. - avr.-oct. : 10h-18h (dernière entrée 17h30) - 6,50 € (7-12 ans 3 € ; 13-18 ans 4,50 €), gratuit 1er dim. du mois - billet couplé (coupe-file) avec maison et jardins Cl. Monet 14 € (7-12 ans

> ## UNE REDOUTABLE FORTERESSE
> Pour barrer au roi de France la route de Rouen par la vallée de la Seine, Richard Cœur de Lion, duc de Normandie et roi d'Angleterre, fait construire en 1196 une forteresse sur la falaise qui domine le fleuve près d'Andely. L'année suivante, **Château-Gaillard** est debout.
> Malgré son audace, Philippe Auguste n'ose d'abord s'attaquer à la place, tant elle lui paraît redoutable. La mort de Richard Cœur de Lion, à qui succède l'hésitant Jean sans Terre, le décide à tenter sa chance. Le 6 mars 1204, quelques assaillants pénètrent par les latrines dans l'enceinte : ils abaissent le pont-levis. Une partie des troupes s'y précipite. Sous les coups répétés des machines, l'enceinte se lézarde, les attaquants s'engouffrent dans une brèche, forçant la garnison à se rendre.

7,50 € ; 13-18 ans 9 €) - avec musée de Vernon 8,50 € (étudiant 6,50 € ; - 7 ans gratuit) - audioguide 2 € - visite guidée sur réserv. une fois par mois - restaurant, salon de thé, boutique et auditorium.

Remplaçant le musée d'Art américain, ce nouveau musée à l'architecture futuriste s'intègre admirablement bien dans le cadre de verdure protégé du village. En partie enterré, il présente une toiture végétalisée et des verrières s'ouvrant sur un très beau jardin contemporain. Ce dernier, créé par le peintre paysagiste **Mark Rudkin**, a obtenu le label de Jardin remarquable en 2009. Il est structuré par des haies de thuyas et de hêtres. Rosiers, plantes aromatiques et sauvages, coquelicots… ornent les parterres. Un clin d'œil réussi à la Nature dans toute sa splendeur, chère aux impressionnistes.

Le site a été conçu comme un véritable outil culturel, associant trois galeries, des réserves et un grand auditorium ; il se consacre à l'histoire de l'impressionnisme et de ses suites. L'origine, la diversité et la modernité de ce mouvement sont mises en valeur lors des expositions grâce aux œuvres de ses plus grands peintres.

À proximité

★★ Les Andelys
▶ *À 22 km au nord en suivant la rive droite de la Seine par la D 313.*
Défendus par les ruines imposantes de Château-Gaillard d'où l'on a un panorama grandiose, Les Andelys se partagent l'un des plus beaux sites de la vallée de la Seine.

★★ **Château-Gaillard** – ☎ 02 32 54 41 93 - de déb. avr. à déb. nov. : tlj sf mar. 10h-13h, 14h-18h - fermé 1er Mai - 3,20 € (-10 ans gratuit). Un fossé très profond séparait le châtelet du fort principal. Un sentier étroit le contourne. Gagnez l'esplanade dite basse cour, entre le châtelet et le fort principal, puis longez le mur d'enceinte à gauche. On passe devant la **chapelle** et les soubassements du donjon : il a été habilement tiré parti de la forme naturelle du roc. Poursuivez jusqu'à l'extrémité des murailles où l'on a un joli point de vue à pic. Revenez sur vos pas en longeant le fond du fossé. On passe devant les **celliers** creusés dans le roc. Pénétrez alors dans l'enceinte du fort par la passerelle qui a remplacé le pont-levis. On peut alors admirer le **donjon** de 8 m de diamètre intérieur avec des murailles de 5 m d'épaisseur. Il comptait trois étages reliés par des escaliers de bois mobiles. En ressortant de l'enceinte, prolongez la promenade jusqu'au bord de l'escarpement rocheux : **vue★★** très étendue sur la vallée de la Seine.

2

Château de Chantilly

Oise (60)

S'INFORMER

Office de tourisme – *60 av. du Mar.-Joffre - 60500 Chantilly -* ℘ *03 44 67 37 37 - www.chantilly-tourisme.com - 9h30-12h30, 13h30-17h30, dim. (sf oct.-avr.) et j. fériés 10h-13h30 - fermé 1ᵉʳ janv., 1ᵉʳ Mai et 25 déc.*

SE REPÉRER

Carte générale C1 – *Cartes Michelin n° 721 J5 et n° 514 G1.* À 40 km au nord-ouest de Paris par l'A 1, sortie 7, puis D 1017 et D 924A ; la D 316-D 1016 permet de se rendre directement au château, sans traverser l'agglomération : à Chantilly, tournez à droite, après le passage inférieur, dans la route de l'Aigle qui longe l'hippodrome. Liaison SNCF au départ de Paris-Nord.

À NE PAS MANQUER

Les manuscrits du cabinet des Livres et la précieuse collection de tableaux du château ; le jardin anglais ; les Grandes Écuries.

AVEC LES ENFANTS

Le musée vivant du Cheval et du Poney et ses spectacles équestres ; l'enclos aux kangourous et l'aire de jeux du parc ; le parc Astérix.

Le nom de Chantilly évoque à la fois un château, une forêt, un champ de courses et, en général, le monde du cheval. Le château auquel le duc d'Aumale, fils de Louis-Philippe d'Orléans, attacha son nom mérite de figurer au nombre des grandes curiosités françaises pour son site et ses collections.

Découvrir

★★★ Château

℘ *03 44 27 31 80 - www.chateaudechantilly.com - avr.-oct. : 10h-18h ; nov.-mars : 10h30-17h - fermé mar. - possibilité de visite guidée - 13 € (-18 ans gratuit si accompagné d'un adulte).*

Traversez la terrasse du Connétable où se dresse la statue équestre d'Anne de Montmorency et entrez dans la cour d'honneur par la grille flanquée de copies des *Esclaves* de Michel-Ange.

★ **Appartements des Princes (Petit Château)** – Au cours de la visite, voyez le **Cabinet des Livres**★ où est conservée une splendide collection de manuscrits dont les célèbres et magnifiques **Très Riches Heures du duc de Berry** (15ᵉ s.) et admirez le salon des Singes (début du 18ᵉ s.), chef-d'œuvre d'un peintre ornemaniste inconnu.

★★ **Les collections (Grand Château)** – La variété des **peintures** révèle les goûts éclectiques du duc d'Aumale : sujets militaires, orientalistes, portraits par Philippe de Champaigne, tableaux d'artistes italiens – **Raphaël**, Piero di Cosimo, Filippino Lippi –, toiles du 19ᵉ s. de Delacroix, Géricault et Ingres. La peinture du 18ᵉ s. est aussi à l'honneur avec des tableaux de Largillière, Greuze, Van Loo, **Watteau**. Ne manquez pas non plus la précieuse collection de **tableaux**★★ **des Clouet**, ni les miniatures de **Jean Fouquet**, découpées

DES MONTMORENCY AU DUC D'AUMALE

Cinq châteaux se sont succédé, depuis 2 000 ans, en ce point de la vallée de la Nonette. En 1450, le domaine entre dans la famille des Montmorency qui le conserve durant deux siècles : le château est démoli en 1528. **Pierre Chambiges** élève à sa place un palais dans le style de la Renaissance française. Sur l'île voisine du château, **Jean Bullant** bâtit le charmant Petit Château qui est encore debout. Le **Grand Condé** (1621-1686) se consacre à l'embellissement du domaine. En 1662, **Le Nôtre** est chargé de la transformation du parc et de la forêt. Les jeux d'eau de Chantilly sont alors les plus admirés de France. **Louis-Henri de Bourbon**, arrière-petit-fils du Grand Condé, fait construire par Jean Aubert les Grandes Écuries, chef-d'œuvre du 18e s. Il crée une manufacture de porcelaine. Le château d'Enghien est bâti en 1769 par **Louis-Joseph de Condé**. Son premier occupant est son petit-fils, le duc d'Enghien (qui sera fusillé en 1804 dans les fossés de Vincennes sur l'ordre de Bonaparte). Après la Révolution, Louis-Joseph remet le domaine en état. Le prince meurt en 1818. Le duc de Bourbon poursuit les travaux. Le duc de Bourbon a légué Chantilly à son petit-neveu et filleul, le duc d'Aumale, quatrième fils de Louis-Philippe. Ce prince s'est illustré en Afrique par la prise de la smala d'Abd el-Kader. La Révolution de 1848 l'exile jusqu'en 1870. De 1875 à 1881, il fait édifier par **Daumet**, dans le style Renaissance, le Grand Château actuel, le cinquième. Il meurt en 1897, léguant à l'Institut son domaine de Chantilly avec les magnifiques collections qui forment le musée Condé.

2

dans le *Livre d'heures d'Estienne Chevalier*, œuvre capitale de l'école française du 15e s. Dans les vitrines sont exposées des pièces ravissantes en **porcelaine tendre de Chantilly**, sorties de la manufacture fondée par le duc de Bourbon en 1725. Les vitraux (16e s.) illustrant l'histoire de Psyché et de Cupidon proviennent, quant à eux, du château d'Écouen. Le **cabinet des Gemmes** contient des joyaux, tels que le diamant rose, dit le *Grand Condé*.

★★ Grandes Écuries

Chef-d'œuvre de Jean Aubert (18e s.), les Grandes Écuries, de style Régence, ont leur plus belle façade sur la pelouse. Le portail est surmonté d'un groupe de chevaux sculptés. Du temps des princes de Condé, ces bâtiments réunissaient 240 chevaux, 500 chiens et près de 100 palefreniers, cochers, piqueurs…

★★ **Musée vivant du Cheval et du Poney** – *Dans les Grandes écuries -* 🖉 *03 44 27 31 80 - avr.-nov. : 10h-17h ; déc.-mars : 11h-17h - fermé mar., nov., 24 et 31 déc. - 11 € (enf. : 8 €). Musée en restauration jusqu'en 2013 mais les deux nefs se visitent et les spectacles ont lieu dans un espace entièrement rénové.* 👥 Le musée du Cheval « vit » d'abord par la présentation dans les stalles, datant du duc d'Aumale, de chevaux et poneys de selle ou de trait français et ibériques. La galerie illustre 30 disciplines équestres mondiales (chasse ou sport), l'hippologie et les métiers liés au monde du cheval. Tous les jours, une **présentation pédagogique**★ de dressage a lieu à 11h et des spectacles équestres se déroulent l'après-midi.

★★ Parc

Tte la journée - fermé mar.

👥 **L'enclos des kangourous** marque la première étape du projet de réhabilitation de la ménagerie des princes de Condé. Promenez-vous aussi le long du **Grand Canal** (perspectives inédites sur le parc et le château) et dans le **jardin anglais**★.

À proximité

★★ Senlis

À 10 km à l'est de Chantilly.

Promenez-vous dans les **vieilles rues**★ du centre-ville, sur la **place du Parvis**★ au pied de la cathédrale et dans le **jardin du Roy** qui offre une très belle **vue**★ sur la muraille et les tours de l'ancienne enceinte gallo-romaine. Sur cette enceinte, les conquérants bâtissent un château fort où les rois des deux premières dynasties franques résident volontiers, attirés par le gibier des forêts voisines. En 987, l'archevêque de Reims propose aux barons assemblés dans le château de choisir pour roi le « duc de France », Hugues Capet. Mais les monarques abandonnent la ville au profit de Compiègne et de Fontainebleau ; le dernier souverain qui ait séjourné à Senlis est Henri IV.

★★**Cathédrale Notre-Dame** – Sa construction commence en 1153. Le **grand portail**★★ (vers 1170-1180) est consacré à la Vierge. Les bas-reliefs du linteau présentent une liberté d'attitude nouvelle au Moyen Âge. La façade du **croisillon**★★, œuvre de Pierre Chambiges (16e s.), contraste avec la façade principale : la décoration flamboyante est alors influencée par l'art de la Renaissance que les guerres d'Italie viennent de révéler. La nef et le chœur donnent une impression d'envolée. Les tribunes qui surmontent les bas-côtés comptent parmi les plus belles de France. La première chapelle à droite de la porte sud possède des vitraux du 16e s.

★★ Parc Astérix

À 12 km au sud-est de Chantilly par la D 924ᴬ, puis la D 607. ☏ 0 826 301 040 (0,15 €/mn) - www.parcasterix.fr - fermé certains j. en sem., se renseigner - j. et h. d'ouverture susceptibles de modifications - 40 € (3-11ans 30 €).

Héros de la bande dessinée de Goscinny et Uderzo, Astérix le Gaulois et sa bande servent de thème à ce parc de 50 ha. Parmi les attractions et les spectacles, ne manquez pas, dans la zone romaine, **Le défi de César**★★ et les **Espions de César**★ ; dans la ZAG (zone d'activités gauloises) le système de livraison ingénieux **Menhir Express**★★. Les sages préféreront la zone grecque pour voir le **spectacle de dauphins et otaries**★★ ; les téméraires se lanceront à bord de **Goudurix**★★ pour un grand huit à vitesse effrénée, avant de monter dans le train fantôme **Transdemonium**★★ pour rejoindre la **rue de Paris**★★ et traverser les siècles. Le voyage se terminera par l'époustouflant spectacle historico-policier **Main basse sur la Joconde**★★★.

Compiègne

★★★

41 648 Compiégnois – Oise (60)

 NOS ADRESSES PAGE 170

🛈 **S'INFORMER**

Office de tourisme – *Pl. de l'Hôtel-de-Ville - 60200 Compiègne -* 📞 *03 44 40 03 76 - www.compiegne-tourisme.fr - avr.-sept. : 9h15-12h15, 13h45-18h15 ; oct.-mars : 9h15-12h15, 13h45-17h15, lun. 13h45-17h15 - fermé dim. et j. fériés (de la Toussaint à Pâques).*

Sorties en forêt – *Rens. et réserv. à l'office de tourisme - 10 €.* Des sorties sont organisées par l'office de tourisme, en collaboration avec l'ONF *(oct.-mars),* selon différents thèmes (le brame du cerf, les champignons…). L'office de tourisme édite également un bon guide des circuits en forêt.

🗘 **SE REPÉRER**

Carte générale C1 – *Cartes Michelin n° 721 K4 et n° 511 I11.* À 81 km au nord de Paris, accès par l'autoroute A 1. Liaison SNCF de Paris-Nord.

👁 **À NE PAS MANQUER**

Au palais impérial, les appartements historiques et le musée de la Voiture et du Tourisme ; les circuits en forêt.

🕐 **ORGANISER SON TEMPS**

Chaque année au début du mois d'avril, lors du départ de la course cycliste Paris-Roubaix, ou fin juin-début juillet, Compiègne est en effervescence. Comptez une journée pour la ville, une demi-journée pour la forêt, ou l'inverse !

👪 **AVEC LES ENFANTS**

Le parcours acrobatique en forêt « Grimp'à l'arb ».

Compiègne fut résidence royale avant d'être le témoin des réceptions fastueuses du Second Empire. Les uns aimeront revivre ce passé en visitant le palais impérial. Les autres, amoureux de la nature, préféreront suivre l'un des nombreux itinéraires de sa célèbre forêt, où furent signés les deux armistices, le 11 novembre 1918 et le 22 juin 1940.

Découvrir

★★★ LE PALAIS

📞 03 44 38 47 02 - www.musee-chateau-compiegne.fr - possibilité de visite découverte (1h) et de visite conférence (1h30) pour les appartements de l'empereur et de l'impératrice, le musée du Second Empire et le musée de la Voiture et du Tourisme - tlj sf mar. 10h-18h - musées du Second Empire et de l'Impératrice : merc.-jeu. 16h-18h - musée du Second Empire : sam. 16h-18h - musée de la Voiture et du Tourisme : lun., vend. et dim. 16h-18h - appartements historiques : tlj sf mar. 10h-12h30, 13h30-16h - fermé 1ᵉʳ janv., 1ᵉʳ Mai et 25 déc. - 8,50 € (-18 ans gratuit), supplément pour visite découverte et visite conférence, gratuit 1ᵉʳ dim. du mois.

★★ Appartements historiques

Le palais, qui couvre un vaste triangle de plus de 2 ha, est d'une sévérité classique. Mais la décoration intérieure (collection de tapisseries, ameublement du 18ᵉ s. et du Premier Empire) mérite une visite approfondie. De l'ancienne chambre à coucher de Louis XVI, **vue★** sur le parc, tout au long de la perspective des **Beaux Monts★★.**

★★ Musée du Second Empire

Dans l'ambiance feutrée d'une suite de petits salons, le musée donne de nombreuses images de la Cour, de la vie mondaine et des arts sous le Second Empire. On admire ainsi le tableau de **Winterhalter** représentant l'impératrice et ses dames d'honneur, de nombreuses sculptures de **Carpeaux** et le **buste de Napoléon**, vieilli après la chute de l'Empire.

★★ Musée de la Voiture et du Tourisme

Sa collection de voitures anciennes comprend des berlines d'apparat et des coupés de voyage (18ᵉ-19ᵉ s.), l'omnibus Madeleine-Bastille, une diligence à vapeur, une auto-chenille Citroën de la Croisière noire (1924), le wagon-salon de Napoléon III… L'évolution des « deux-roues » est exposée dans les cuisines et dépendances : depuis les draisiennes (1817) lancées à force de coups de pied jusqu'à la bicyclette (1890).

★★ LA FORÊT DE COMPIÈGNE

1 500 km de routes et de chemins, carrossables ou non, sillonnent la forêt : accès aux principaux sites à pied, à vélo ou en voiture. Plus de 270 carrefours jalonnent le massif. Si vous êtes perdu, repérez la dir. de Compiègne grâce à la trace rouge sur tous les panneaux indicateurs.

Vestige d'une immense forêt, la forêt domaniale de Compiègne (14 500 ha) séduit par ses hautes futaies que le hêtre dresse sur le plateau sud et son glacis, ainsi qu'au voisinage immédiat de Compiègne. Le chêne prospère sur les sols argileux bien drainés. Le pin sylvestre, présent à partir de 1830, et d'autres

CHRONIQUE HISTORIQUE

Bien que tous les rois se soient plu à Compiègne, Louis XIV trouve quant à lui qu'il est logé comme un paysan. Aussi ordonne-t-il la construction de nouveaux appartements, face à la forêt. Louis XV à son tour exige, en 1783, la reconstruction totale du palais afin de pouvoir y résider avec sa cour et ses ministres. Son « grand plan », établi en 1751, est arrêté par la guerre de Sept Ans. Louis XVI le reprend et fait exécuter de grands travaux. En 1785, il occupe l'appartement royal qui reviendra à Napoléon Iᵉʳ.

Compiègne est la résidence préférée de Napoléon III et de l'impératrice Eugénie. Ils y viennent pour les chasses d'automne et y reçoivent les rois et princes d'Europe ainsi que les célébrités de l'époque. Chasses, bals, soirées théâtrales se succèdent. Un luxe et une légèreté sans limites grisent les courtisans. 1870 interrompt cette vie joyeuse et les travaux du nouveau théâtre.

En 1917-1918, le palais abrite le QG de Nivelle, puis de Pétain. Les armistices du 11 novembre 1918 et du 22 juin 1940 sont signés dans la forêt. Au cours de la Seconde Guerre mondiale, Compiègne est particulièrement éprouvé par les bombardements. Royallieu, faubourg sud, servit entre 1941 et 1944 de centre de triage vers les camps de concentration nazis.

Château de Pierrefonds.
Arenysan/Fotolia.com

résineux s'accommodent des zones de sables pauvres. Les grandes percées que firent aménager Louis XIV et Louis XV permettaient de suivre les chasses.

Le massif occupe une sorte de cuvette ouverte sur les vallées de l'Oise et de l'Aisne. Au nord, à l'est et au sud, une série de buttes dessine un croissant aux pentes abruptes. Ces hauteurs dominent de 80 m en moyenne les fonds où courent de nombreux rus. Le ru de Berne, le plus important, traverse un chapelet d'étangs.

★★ Clairière de l'Armistice

▷ *Quitter Compiègne à l'est par la N 31. Au carrefour d'Aumont, continuer tout droit (D 546). Au carrefour du Francport, gagner les parkings.*

Elle a été aménagée sur l'épi de voies (construit pour l'évolution de pièces d'artillerie de gros calibre) qu'avaient emprunté le train du maréchal Foch, commandant en chef des forces alliées, et celui des plénipotentiaires allemands. Les voies étaient greffées sur la ligne Compiègne-Soissons à partir de la gare de Rethondes.

Wagon du maréchal Foch – *☎ 03 44 85 14 18 - de déb. avr. à mi-oct. : 10h-17h30 ; de mi-oct. à fin mars : 10h-17h - fermé janv. (le mat.), 1ᵉʳ janv. et 25 déc. - possibilité de visite guidée (1h30) - 4 € (7-13 ans 2 €).* À l'intérieur est indiqué l'emplacement des plénipotentiaires. Des objets, utilisés par les délégués en 1918, sont exposés. Une salle présente les deux armistices : journaux et documents d'époque, vestiges du wagon.

À proximité

★★ Château de Pierrefonds

▷ *À 15 km au sud-est de Compiègne par la D 973. Se garer pl. de l'Hôtel-de-Ville. ☎ 03 44 42 72 72 - www.monuments-nationaux.fr - 2 mai-4 sept. : 9h30-18h ; 5 sept.-30 avr. : tlj sf lun. 10h-13h, 14h-17h30 - possibilité de visite guidée (1h) - fermé 1ᵉʳ janv., 1ᵉʳ Mai et 25 déc. - 7 € (-18 ans gratuit), gratuit 1ᵉʳ dim. du mois (nov.-mars).*

En 1857, Napoléon III, féru d'archéologie, confie la restauration du château médiéval à **Viollet-le-Duc**. Il ne prévoit qu'une réfection de la partie habitable, les « ruines pittoresques » des courtines et des tours, consolidées, subsistant pour le décor. Cependant, fin 1861, le chantier prend une ampleur nouvelle : Pierrefonds doit devenir résidence impériale. Passionné de civilisation médiévale et d'art gothique, Viollet-le-Duc entreprend une réfection complète. Les travaux durent jusqu'en 1884.

De forme quadrangulaire, long de 103 m, large de 88 m, le château qui domine à pic le village présente une tour défensive aux angles et au milieu de chaque face. Huit statues de preux ornent ces **tours**, qui portent leur nom : Arthus, Alexandre, Godefroy, Josué, Hector, Judas Maccabée, Charlemagne et César.

La façade principale de la **cour d'honneur** présente des arcades en anse de panier formant un préau, surmonté d'une galerie. Le tout fut imaginé par Viollet-le-Duc, qui s'inspirait du château de Blois.

Au 1er étage du **donjon**, on parcourt les salles du couple impérial : salle des Blasons, ou Grande Salle, dont les boiseries et les meubles furent dessinés par Viollet-le-Duc. La **salle des Preuses** est un long vaisseau (52 m sur 9) couvert d'un plafond en carène renversée. Sur le manteau de la cheminée, remarquez les statues de neuf preuses, héroïnes des romans de chevalerie. Sémiramis *(au centre)* est représentée sous les traits de l'impératrice ; les autres sont les portraits des dames de la Cour.

Viollet-le-Duc a utilisé, le long du **chemin de ronde** nord, les derniers progrès des systèmes de défense avant l'ère du canon : les cheminements à niveau, sans marches ni portes étroites, permettaient aux défenseurs d'affluer aux points critiques, sans se heurter à des chicanes.

😊 NOS ADRESSES À COMPIÈGNE

RESTAURATION

PREMIER PRIX

Le Bistrot des Arts – *35 cours Guynemer -* 📞 *03 44 20 10 10 - fermé sam. midi et dim. - formule déj. 17 € - 18/28 €.* Affiches anciennes, objets chinés et vieilles plaques publicitaires composent le décor de ce plaisant bistrot. Cuisine actuelle rythmée par les saisons et le marché.

BUDGET MOYEN

Le Bouchon – *4 r. d'Austerlitz -* 📞 *03 44 20 02 03 - www.le-bouchon. com - fermé 1er janv., 25 déc. et dim. soir - formule déj. 12 € - 24/28 €.* Incontournable à Compiègne, ce restaurant (et bar à vins) au cadre rustique occupe une pittoresque maison à pans de bois du 15e s. Cuisine à base de produits frais, entre tradition et terroir. Plats du jour copieux et desserts maison.

Château de Vaux-le-Vicomte

Seine-et-Marne (77)

SE REPÉRER

Carte générale C2 – *Cartes Michelin n° 721 K6 et n° 514 I5*. À 6 km au nord-est de Melun. En voiture au départ de Paris : prenez l'A 4 (Porte-de-Bercy), puis l'A 86 et la D 606 en direction de Melun. De là, la N 36 et la D 215 conduisent au château de Vaux.

À NE PAS MANQUER

La somptueuse chambre du roi et ses décors de Le Brun ; la magnifique vue sur les jardins depuis la lanterne du dôme central.

ORGANISER SON TEMPS

Au retour des beaux jours, les visites aux chandelles du parc et du château, au son de la musique classique.

Édifié pour Nicolas Fouquet par de très grands artistes, et jalousé par Louis XIV, le château de Vaux préfigure la splendeur du palais de Versailles et demeure l'un des chefs-d'œuvre du 17e s. La promenade dans ses jardins imaginés par Le Nôtre est tout simplement inoubliable.

Découvrir

2

★★★ LES JARDINS

Jeux d'eaux dans les jardins de fin mars à mi-nov. : 2e et dernier sam. 15h-18h.
Si Le Nôtre (1613-1700) n'est pas considéré comme le véritable créateur du jardin à la française (17e s.-début 18e s.), il a amené cet art à la perfection à Vaux-le-Vicomte, sa première réalisation importante. Le jardin à la française tel qu'il l'a imaginé est à la fois destiné à mettre en valeur le château et à offrir, des appartements, un majestueux spectacle. Les eaux, les grands arbres, les fleurs, les statues, les terrasses, une longue perspective en sont les éléments essentiels. Devant le château est posé un « tapis de Turquie » : des parterres où fleurs et broderies de buis dessinent leurs arabesques. Des bassins symétriques aux margelles basses, animés de jets d'eau et souvent ornés de statues agrémentent et couvrent la terrasse portant le château et l'aire qui lui fait suite, amorçant la perspective ouverte dans l'axe de l'édifice. Cette perspective, encadrée par des massifs réguliers de hauts arbres, est constituée par un tapis vert ou un canal. Grâce à la grande variété du dessin végétal, la monotonie se trouve évitée dans ces jardins au tracé géométrique. Le plaisir que l'on en tire est d'ordre intellectuel. Ces jardins servirent de théâtre à des fêtes somptueuses où la Cour assistait à des jeux d'eaux, des feux d'artifice et des représentations théâtrales.

★★ LE CHÂTEAU

☏ 01 64 14 41 90 - www.vaux-le-vicomte.com - de fin mars à déb. nov. : 10h-18h (23h lors des soirées aux chandelles ; 17 €) - 14 € (-16 ans 11 €).
Le château est érigé sur une terrasse entourée de douves, formant socle au-dessus des jardins. La façade nord est imposante avec la surélévation du

LE PALAIS DE FOUQUET

D'une famille de robe, Fouquet (1615-1680), entré au Parlement de Paris à 20 ans, devient surintendant des Finances de **Mazarin.** Les habitudes de ce temps et l'exemple du cardinal lui font user, pour son propre compte, des ressources de l'État. En 1656, il fait bâtir, dans sa seigneurie de Vaux, un château qui atteste sa réussite. Faisant preuve d'un goût excellent, il appelle auprès de lui trois grands artistes : **Louis Le Vau**, architecte, **Charles Le Brun**, décorateur, et **André Le Nôtre**, jardinier. Son choix n'est pas moins sûr dans les autres domaines : Vatel est son majordome, et il s'est attaché **La Fontaine**. En cinq ans, le chef-d'œuvre est terminé et Fouquet offre une fête somptueuse au jeune roi Louis XIV, lequel, blessé dans son orgueil par tant de faste qui dépasse celui de la Cour, fait arrêter le maître des lieux et met sous séquestre ses biens. Louis XIV prend à son service les artistes qui ont édifié Vaux et bâtiront Versailles. En 1875, le château de Vaux est acquis par un grand industriel, M. Sommier, qui le restaure et remet le parc en état. Ses héritiers continuent son œuvre.

rez-de-chaussée et la hauteur de ses fenêtres désignant l'étage noble. L'ensemble est caractéristique de la première période de l'architecture Louis XIV.

Au 1er étage, on visite les **petits appartements de M. et Mme Fouquet** qui ont conservé leur décor d'origine et de belles pièces de mobilier.

Vous pouvez accéder à l'impressionnante charpente et à la lanterne du **dôme** *(80 marches supplémentaires)* qui offre une **vue★★** panoramique sur les ordonnancements du parc.

De retour au rez-de-chaussée, passez dans la **Grande Chambre carrée**, seul aménagement Louis XIII du château avec son plafond à la française. Le **Grand Salon★** est resté inachevé à l'arrestation de Fouquet en 1661. La **chambre du Roi★★** est un modèle de style Louis XIV, annonçant les Grands Appartements de Versailles. Dans les **appartements de la duchesse et du maréchal de Villars★**, admirez le **lit à baldaquin★★**, remarquable par ses tapisseries brodées au petit point. L'ancienne salle à manger de Fouquet était sans doute l'actuelle **salle des Buffets★**, communiquant avec un passage lambrissé et décoré de peintures, où des dressoirs recevaient les corbeilles de fruits, les plats apportés des **cuisines**, que l'on visite au sous-sol.

Un **musée des équipages★** (voitures, harnachements, sellerie, forge, représentation d'équipages) se visite dans les communs ouest du château, côté accès visiteurs.

Provins

★★

12 264 Provinois – Seine-et-Marne (77)

 NOS ADRESSES PAGE 174

S'INFORMER

Office de tourisme *Chemin de Villecran - 77160 Provins - ℘ 01 64 60 26 26 - www.provins.net - 9h-18h30 (17h de nov. à mars) - fermé 1er janv. et 25 déc.* Un **Point Info** de l'office de tourisme se trouve Place du Châtel, dans la Maison du terroir et de l'artisanat *(avr.-oct. : tlj sf lun. 11h-18h).*

SE REPÉRER

Carte générale C2 – *Cartes Michelin n° 721 K6 et n° 514 L5.* À 85 km au sud-est de Paris par l'A 4. Liaison SNCF au départ de Paris-Gare-de-l'Est (1h25), bus C ou D pour rejoindre l'office de tourisme, parcours piéton fléché vers la Ville-Haute.

À NE PAS MANQUER

La vue de la tour César, les remparts, la Grange aux dîmes.

ORGANISER SON TEMPS

Consacrez une journée à la visite de cette ville au charme médiéval indéniable. À Provins, juin est le mois des roses.

2

AVEC LES ENFANTS

La grange aux Dîmes, la tour César, les souterrains et un des spectacles.

Une Ville-Haute à l'abri des remparts jalonnés de tours… une Ville-Basse conquise sur un terrain marécageux… Une seule et même cité au passé médiéval prestigieux, présent à chaque coin de rue. Inscrite au patrimoine mondial de l'Unesco, elle reste fidèle à son histoire en nous conviant à une promenade vivante et animée, depuis ses souterrains médiévaux jusqu'à ses spectacles en plein air.

Découvrir

★★ Les remparts

Édifiés aux 12e et 13e s., ils constituent un bel exemple d'architecture militaire médiévale. La partie la plus intéressante s'étend entre la porte St-Jean et la porte de Jouy. La muraille, dominant les fossés à sec, est renforcée par des tours arborant des formes diverses.

Les spectacles

Les Aigles des Remparts – *Théâtre des Remparts - avr.-oct. - 11 € (enf. 7,50 €) ; avec le pass 9,50 € (enf. 6,20 €).* Spectacle de fauconnerie équestre avec aigles, buses, faucons, chouettes et vautours.

La Légende des Chevaliers – *Sous les remparts - avr.-oct. - 11 € (enf. 7,50 €) ; avec le Pass 9,50 € (enf. 6,20 €).* Thibaud IV rentre de croisade et la fête bat son plein… jusqu'à ce que Torvark en profite pour attaquer le comte ! Cavalcades, jonglerie, voltige, combats équestres, loups, dromadaire…

Au Temps des Remparts – *Sous les remparts - mai-juin - 6,50 € (enf. 4,50 €) ; avec le Pass 5,50 € (enf. 3,70 €).* Joutes et tournois équestres, et redoutables machines de guerre en action.

★★ Tour César

Oct.- mars : 14h-17h ; avr.-sept. : 10h-18h - fermé 1er janv., 25 déc. - 3,80 € (-12 ans 2,30 €).

Ce superbe donjon du 12e s. est flanqué de quatre tourelles. La salle des gardes possède une voûte percée d'un orifice par lequel on ravitaillait les soldats occupant l'étage supérieur et on recueillait les informations des guetteurs. De la galerie qui ceinture le donjon, la **vue★** s'étend sur la cité et la campagne. Par un escalier très étroit et raide, on atteint l'étage supérieur. Sous la belle charpente du 17e s., voir les cloches de St-Quiriace abritées là depuis que l'église a vu son clocher s'effondrer en 1689.

★ Grange aux Dîmes

R. St-Jean - avr.-août : 10h-18h ; sept.-oct. : 14h-18h, w.-end et j. fériés 10h-18h ; nov.-mars : w.-end, j. fériés et vac. scol. 14h-17h - fermé 1er janv. et 25 déc. - 3,80 € (-12 ans 2,30 €).

Ce bâtiment a appartenu aux chanoines de la collégiale **St-Quiriace**, qui la louaient aux marchands lors des foires. Lorsque l'activité des foires déclina au 14e s., elle servit d'entrepôt aux dîmes prélevées sur les récoltes des paysans. Une exposition mettant en scène des mannequins et un audioguide restituent l'ambiance des foires d'antan.

Les souterrains

Entrée r. St-Thibault, à gauche du portail de l'ancien hôtel-Dieu - ☏ 01 64 60 26 26 - www.provins.net - possibilité de visite guidée, se renseigner - fermé 1er janv., 1er nov. et 25 déc. - 3,80 € (-12 ans 2,30 €).

Provins possède un réseau très dense de souterrains (sorties de fuite, galeries de carrières, réserves à marchandises, carrières à foulon pour le dégraissage de la laine). Ceux ouverts à la visite correspondent à une couche de tuf affleurant à la base de l'éperon qui porte la ville haute. Les parois sont couvertes de graffitis. Accès par une salle basse voûtée d'arêtes de l'ancien hôtel-Dieu.

😊 NOS ADRESSES À PROVINS

RESTAURATION

BUDGET MOYEN

Le Petit Écu – *9 pl. du Châtel - ☏ 01 64 08 95 00 - formule déj. 16 € - 19/24 €.* Au cœur du vieux Provins, jolie maison à colombages proposant tous les jours les plats sur ardoise.

La Table Saint-Jean – *1 r. St-Jean - ☏ 01 64 08 96 77 - www.table-saint-jean.com - fermé dim. soir, mar. soir et merc. formule déj. 15 € - 18/30 €.* Face à la grange aux Dîmes, restaurant aménagé dans une maison à colombages. Repas dans la salle à manger rustique ou sur les terrasses.

POUR SE FAIRE PLAISIR

La Taverne des Oubliées – *14 r. St-Thibault - ☏ 06 70 50 08 58 - www.provins-banquet-medieval. com - avr.-oct. : sam. soir - 35 € (-12 ans : 20 €).* Banquet médiéval dans une belle salle basse du 12e s. Assis sur de grands bancs, vous dégustez des spécialités médiévales. Troubadour, saltimbanques et jongleurs animent la soirée.

Fontainebleau

★★★

15 411 Bellifontains – Seine-et-Marne (77)

 NOS ADRESSES PAGE 179

🔲 **S'INFORMER**

Office de tourisme du Pays de Fontainebleau – *4 r. Royale - 77300 Fontainebleau - ℘ 01 60 74 99 99 - www.fontainebleau-tourisme.com - avr.-oct. : 10h-18h, dim. 10h-13h, 14h-17h30 ; nov.-mars : 10h-18h, dim. 10h-13h - fermé 1er janv. et 25 déc.*

◗ **SE REPÉRER**

Carte générale C2 – *Cartes Michelin n° 721 K6 et n° 514 I6.* Liaison SNCF au départ de Paris gare de Lyon. En voiture par l'A 6 (1h de Paris), sortie Fontainebleau.

😊 **À NE PAS MANQUER**

Dans le palais, la galerie François Ier, la salle de bal, le cabinet de laque du Musée chinois et les souvenirs de l'Empereur, visibles aussi au musée Napoléon Ier.

🕐 **ORGANISER SON TEMPS**

La ville même de Fontainebleau constitue une pause-déjeuner idéale avant de partir arpenter la forêt.

👥 **AVEC LES ENFANTS**

La forêt de Fontainebleau.

2

Fontainebleau ne s'est développé qu'au 19ᵉ s. avec le goût de la villégiature et du pittoresque « sauvage » de sa forêt. Le château, quant à lui, séduit dès la première visite. Souvenir de la Renaissance avec son célèbre escalier en fer à cheval ou imagerie d'Épinal avec la scène des adieux de Napoléon à ses grognards ? Cette agréable étape en Île-de-France vous permettra de rayonner jusqu'à Vaux-le-Vicomte ou Barbizon.

Découvrir

★★★ LE PALAIS

Une résidence de chasse – On ne sait exactement à quelle époque elle fut édifiée, mais avant 1137 en tout cas puisqu'une charte du roi Louis VII est datée cette année-là de Fontainebleau. Philippe Auguste, Saint Louis et Philippe le Bel (né et mort dans ce palais) s'y plurent particulièrement.

Le souffle de la Renaissance – Avec François Ier, presque toutes les constructions médiévales disparaissent. Sous le contrôle de Gilles Le Breton, deux groupes de bâtiments sont édifiés. L'un, sur les fondations anciennes, dessine la Cour Ovale à l'est, l'autre la basse cour à l'ouest. Une galerie les relie. Une pléiade d'artistes y travaille. François Ier veut l'embellir avec des œuvres à l'antique et en faire « une nouvelle Rome ». Les équipes de peintres et stucateurs travaillent sous la direction d'un Florentin, le Rosso, élève de Michel-Ange, et d'un Bolonais, le Primatice. Ils développent un art décoratif inspiré d'allégories. Ces artistes forment la première école de Fontainebleau.

Le palais du Vert Galant – Henri IV, qui aime beaucoup Fontainebleau, l'agrandit considérablement. Le tracé irrégulier de la cour Ovale est redressé, la cour des Offices, le jeu de paume sont construits. Une nouvelle école, échappant à l'influence italienne, mais souvent d'inspiration flamande, travaille à la décoration des appartements neufs : la peinture à l'huile sur plâtre ou sur toile remplace la fresque. Les lambris en bois naturel rehaussés de filets d'or cèdent la place aux boiseries peintes : c'est la seconde école de Fontainebleau, dont les artistes sont surtout Parisiens.

La maison des Siècles – Louis XIV, Louis XV, puis Louis XVI font faire des transformations, surtout dans la décoration des appartements. La Révolution épargne le château et se borne à le vider de ses meubles. Devenu consul, puis empereur, Napoléon aime à s'y rendre. Il préfère Fontainebleau à Versailles car il n'y rencontre pas l'ombre écrasante d'un rival en gloire. C'est « la maison des Siècles », dit-il, et il y laisse son empreinte en commandant de nouveaux aménagements.

Tour extérieur

★★ **Cour du Cheval-Blanc ou des Adieux** – Ce n'était qu'une cour de service, mais son ampleur la désigna très tôt pour les parades et les tournois. Elle acquit le nom de cour du Cheval-Blanc quand Charles IX y plaça un moulage en plâtre de la statue équestre de Marc Aurèle au Capitole. Les aigles dorés rappellent que l'Empereur fit de cet endroit sa cour d'honneur.

★ **Cour de la Fontaine** – La fontaine, surmontée par une statue d'Ulysse, est située au bord de l'**étang des Carpes★** : elle donnait une eau très pure qui était jadis réservée à l'usage du roi et gardée à ce titre par deux sentinelles.

★ **Porte dorée** – Cette porte, datée de 1528, est percée dans un imposant pavillon. Ce fut l'entrée d'honneur du palais jusqu'à ce qu'Henri IV ouvrît la porte du baptistère. Au tympan flamboie la salamandre, emblème de François Ier.

★ **Cour Ovale** – Elle occupe l'emplacement de la cour du château fort primitif, dont il ne reste que le donjon. François Ier l'engloba dans les bâtiments qu'il édifia sur les fondations de l'ancien château et qui dessinaient alors un ovale. Sous Henri IV, la cour perdit sa forme : on l'agrandit à l'est.

★ **Jardin de Diane** – Créé par Catherine de Médicis, le jardin à la française fut aménagé par Henri IV. Le 19e s. transforma le jardin dans le goût anglais. Au centre, voyez l'élégante fontaine de Diane (1603).

LES ADIEUX

Le 20 avril 1814, l'empereur **Napoléon** paraît en haut du Fer-à-Cheval. Il est 13h. Les voitures des commissaires des armées étrangères chargés de l'escorter l'attendent. Il descend lentement la branche droite de l'escalier, la main sur la balustrade de pierre. Blême d'émotion contenue, il s'arrête un instant, contemplant sa garde alignée, puis s'avance vers le carré des officiers qui entourent l'Aigle et leur chef, le général Petit. Sa harangue étreint les cœurs. Elle est un plaidoyer : « Continuez à servir la France, son bonheur était mon unique pensée ! » et un ultime remerciement : « Depuis vingt ans… vous vous êtes toujours conduits avec bravoure et fidélité ! » Il serre le général dans ses bras, baise le drapeau et monte rapidement dans la voiture qui l'attend tandis que les grognards mêlent les larmes à leurs acclamations.

Château de Fontainebleau.
A. Chicurel/Hemis.fr

★★★ Grands Appartements

☎ 01 60 71 50 60 - www.chateaudefontainebleau.fr - ♿ - *tte la journée - fermé mar., 1er janv., 1er Mai et 25 déc - 10 € (-18 ans gratuit), gratuit, billet combiné avec le Musée chinois.*

★ **Chapelle de la Trinité** – Le peintre Martin Fréminet, émule de Michel-Ange, a décoré la voûte de cette chapelle, où Louis XV épousa Marie Leszczyńska en 1725 et où Louis-Napoléon, futur Napoléon III, fut baptisé en 1810.

★★★ **Galerie François Ier** – Bâtie entre 1528 et 1530, elle formait, à l'origine, une sorte de pont couvert. La décoration, mêlant les fresques et les stucs, en revint en premier lieu aux équipes du Rosso, les travaux de boiserie étant exécutés par un menuisier italien, Scibec de Carpi. Partout apparaissent le F de François Ier et l'emblème de la salamandre. Les scènes représentées sont d'une interprétation difficile.

★★ **Escalier du Roi** – Construit en 1749, sous Louis XV, dans l'ancienne chambre de la duchesse d'Étampes, favorite de François Ier. Le thème décoratif est l'histoire d'Alexandre : voir en se retournant, au-dessus de la porte, Alexandre domptant Bucéphale. Remarquez l'originalité des stucs du Primatice : la haute bordure est rythmée par des cariatides au corps anormalement étiré.

★★★ **Salle de bal** – Longue de 30 m, large de 10 m, c'était la salle des festins et des fêtes. Érigée sous François Ier, elle fut achevée sous Henri II, par Philibert Delorme. Une minutieuse restauration a rendu leur éclat aux fresques et peintures pleines de mouvement du Primatice et de son élève Niccolò dell'Abate. La marqueterie du parquet exécutée sous Louis-Philippe reproduit les caissons du plafond richement décorés d'or et d'argent.

★★ **Appartements royaux** – Le château de François Ier ne disposait, autour de la cour Ovale, que d'une enfilade d'appartements, dont les pièces se commandaient. Vers 1565, Catherine de Médicis, régente, fait doubler le corps de bâtiment tournant, entre la cour Ovale et le jardin de Diane. Les souverains installent peu à peu leur chambre, leurs cabinets et leurs salons privés du côté du jardin de Diane ; l'ancien appartement aligne désormais des antichambres,

salles des gardes ou salons animés par la circulation des courtisans, le « grand couvert » et la vie publique du roi.

Appartements des chasses – Ils donnent sur la Cour ovale et conservent les grandes œuvres cynégétiques (chasses royales, chiens du roi…) peintes par **Jean-Baptiste Oudry** (1686-1755) que Louis-Philippe fit encastrer dans les boiseries en 1835.

Appartements du Pape – Au 1er étage du Gros Pavillon, cette partie doit son nom à la présence du pape Pie VII qui occupa deux fois les lieux sous le Premier Empire. L'enfilade des pièces est somptueusement aménagée.

★ Musée chinois

☏ 01 60 71 50 60 - ♿ - ouvert par intermittence, se renseigner le mat. même - fermé mar., 1er janv., 1er Mai et 25 déc. - 10 € (-18 ans gratuit), billet combiné avec les Grands Appartements. Installé par l'impératrice Eugénie au rez-de-chaussée du gros Pavillon, il comporte notamment un **cabinet de laque** paré de 15 panneaux provenant de paravents chinois du 18e s.

★ Musée Napoléon Ier

☏ 01 60 71 50 60 - ♿ - tte la journée - possibilité de visite guidée - fermé mar., 1er janv., 1er Mai et 25 déc. - 10 € (-18 ans gratuit), billet combiné avec les grands Appartements. Consacré à l'Empereur et à sa famille, le musée expose des portraits (peintures et sculptures), de l'orfèvrerie, des armes, des décorations, de la céramique (services de l'Empereur), des habits (habits du sacre, uniformes) et des souvenirs personnels.

★ Jardins

★ **Grotte du jardin des Pins** – Rare ouvrage caractéristique du goût pour les nymphées et les architectures « rustiques » encore en vogue à la fin du règne de François Ier, sous l'influence de l'Italie. Les arcades à bossages soutenues par des atlantes monstrueux ouvrent sur une grotte autrefois décorée de fresques.

★ **Jardin anglais** – Après une longue période d'abandon pendant la Révolution, ce jardin a été recréé en 1812 sous le Premier Empire.

À proximité

★★★ Forêt de Fontainebleau

👥 Cette splendide forêt s'étend sur 25 000 ha qui furent de tout temps un magnifique terrain de chasse, à courre notamment. Elle s'étend autour de Fontainebleau, avec Melun au nord, Milly-la-Forêt et Moret-sur-Loing à l'ouest, Nemours au sud, et offre des paysages variés, composés de futaies de chênes rouvres et de pins sylvestres, de landes de bruyères et d'imposants rochers de grès. Ces derniers sont un lieu tout désigné pour les amateurs d'escalade. Plus d'une centaine de circuits d'escalade sont jalonnés de flèches peintes sur les rochers, faisant alterner montées, descentes, sauts parfois.

🚶 Les circuits de randonnées pédestres offrent de nombreuses possibilités ; les balisages se superposent parfois, rendant leur lecture difficile. Grande Randonnée : blanc et rouge. Petite Randonnée : jaune. Tour du massif de Fontainebleau : vert et blanc.

★ Barbizon

▶ *À 10 km au nord-ouest de Fontainebleau par la D 607.*
Barbizon, longue rue bordée d'hôtels, de restaurants et de villas, fut un lieu de prédilection des peintres paysagistes au 19e s. qui travaillaient « sur le motif »

suivant l'exemple de deux grands aînés : **Théodore Rousseau** (1812-1867) et **Jean-François Millet** (1814-1875). Conquis aussi par les beautés de la forêt et par cette petite société, les écrivains se rallièrent : George Sand, Henri Murger, les Goncourt, Taine, etc. Barbizon sera désormais un endroit à la mode.

Musée départemental de l'École de Barbizon – *92 Grande-Rue - ℘ 01 60 66 22 27 - ⛨ - tlj sf mar. 10h-12h30, 14h-17h30 (18h juil.-août) - fermé 22 déc.-1ᵉʳ janv. et 1ᵉʳ Mai - 3 € (-18 ans gratuit).* Lieu de rendez-vous des artistes qui y prenaient pension, l'**auberge du Père Ganne★** abrite ce musée. La salle à manger est représentative de leur habitude d'orner les panneaux de l'auberge en échange du gîte et du couvert : toutes les surfaces sont bonnes pour laisser une trace de leur talent. De nombreux tableaux révèlent l'influence de Barbizon sur les impressionnistes.

★ Milly-la-Forêt

◗ *À 19 km à l'ouest de Fontainebleau par la D 409.*

C'est l'un des berceaux de la culture des plantes médicinales (ou simples) en France, dont une spécialité est toujours renommée, la menthe poivrée.

Conservatoire national des plantes à parfum, médicinales, aromatiques et industrielles – *Route de Nemours - A 6 sortie n° 13 - ℘ 01 64 98 83 77 - ⛨ - avr.-oct. : tlj sf lun. 10h-18h ; mars et nov. : w.-end 10h-17h - été : 7 € (enf. 5 €) ; hiver : 5,50 € (enf. 3,50 €).* Il rassemble plus de 1 200 espèces et variétés différentes : plantes tinctoriales, aromatiques classiques ou exotiques, plantes médicinales et « simples ». On visite le jardin thématique, une serre tropicale et le séchoir qui présente « l'Odyssée du végétal ».

★ **Chapelle St-Blaise-des-Simples** – *Route de la Chapelle-la-Reine - ℘ 01 64 98 84 94 - ⛨ - mars-oct. : merc.-dim. 10h-12h, 14h30-18h ; nov.-janv. : merc.-dim. 14h-17h - fermé 15 janv.-fév. - 2,50 € (-12 ans gratuit).* Sur la route de la Chapelle-la-Reine, l'édifice a été décoré en 1959 par **Jean Cocteau** (1889-1963) de grands dessins représentant, au-dessus de l'autel, un très beau Christ aux épines et une fresque illustrant la Résurrection du Christ. Établi à Milly en 1946, le poète, écrivain, dessinateur, peintre et cinéaste, repose dans la chapelle.

2

☺ NOS ADRESSES À FONTAINEBLEAU

RESTAURATION

PREMIER PRIX

Frédéric Cassel – *21 r. des Sablons - ℘ 01 60 71 00 64 - fermé dim. soir et lun. 6/13 €.* Frédéric Cassel et son équipe concoctent spécialités pâtissières et chocolatières, plats salés (terrine de saumon aux pistaches, cuisses de lapin aux pruneaux et aux endives), servis au salon de thé à l'heure du déjeuner.

BUDGET MOYEN

Chez Arrighi – *53 r. de France - ℘ 01 64 22 29 43 - fermé 16-27 juil., 26 déc.-8 janv. et lun. - formule déj. 14 € - 19/38 €.* Décor rustique rehaussé de cuivres en cet agréable restaurant du centre-ville. Carte traditionnelle, quelques plats corsés et spécialité maison : les pommes soufflées.

POUR SE FAIRE PLAISIR

Croquembouche – *43 r. de France - ℘ 01 64 22 01 57 - www. restaurant-croquembouche.com - fermé sam. midi-mar. - formule déj. 18 € - 40 €.* Restaurant tout simple en centre-ville, fréquenté par des habitués séduits par le cadre chaleureux et la cuisine traditionnelle à base de produits frais.

Cathédrale de Chartres

★★★

Eure-et-Loir (28)

S'INFORMER

Office de tourisme – *Pl. de la Cathédrale - 28000 Chartres - ☎ 02 37 18 26 26 - www.chartres-tourisme.com - de mi-avr. à mi-oct. : 9h30-18h30, dim. et j. fériés 10h-17h30 ; de mi-oct. à mi-avr. : 9h-18h, dim. et j. fériés 9h30-17h – fermé 1er janv. et 25 déc.*

SE REPÉRER

Carte générale C2 – *Cartes Michelin n° 721 I6 et n° 514 A6.* À 90 km au sud-ouest de Paris par l'A 11. Liaison SNCF de Paris-Montparnasse.

La capitale de ce « grenier de la France » qu'est la Beauce possède un trésor : sa cathédrale, célèbre pour ses pèlerinages et, plus encore, pour ses vitraux au bleu incomparable. Les maisons médiévales du vieux Chartres et ses ruelles qui mènent aux rives de l'Eure valent aussi de s'attarder dans la ville.

Découvrir

De la construction romane due à l'**évêque Fulbert** (11e et 12e s.) subsistent la crypte, les tours, la base de la façade ouest avec son portail Royal et une partie du vitrail de N.-D.-de-la-Belle-Verrière. Le reste de l'édifice a été bâti au lendemain de l'incendie de 1194 : princes et bourgeois firent alors assaut de largesses ; les moines prêtèrent leurs forces. Cet élan permit l'achèvement de la cathédrale en vingt-cinq ans et d'ajouter les porches nord et sud vingt ans plus tard, ce qui donna une homogénéité unique dans le style gothique.

L'EXTÉRIEUR

Les deux hautes flèches et le portail Royal de la façade principale composent l'un des plus beaux ensembles de l'art religieux français.

Le **portail Royal★★★**, l'une des merveilles de l'art roman (1145-1170), présente la vie et le triomphe du Sauveur. Rois et reines de la Bible, prêtres, prophètes et patriarches, s'alignent dans l'embrasure des portes. Contrastant avec les corps roides, les visages vivent intensément. Les personnages du **portail nord**, traités avec plus de liberté que dans le portail Royal, sont plus vivants et montrent un réel progrès du réalisme ; observez l'élégance des drapés à plis fluides.

La hardiesse des arcs-boutants à double volée du **chevet** – ils passent au-dessus des chapelles et nécessitent un contrefort intermédiaire –, l'étagement des absidioles, du chœur, des bras du transept sont d'un superbe effet.

Le Christ se dresse au trumeau du **portail sud** encadré par les apôtres aux traits d'ascètes, drapés dans leurs robes aux plis souples. Le programme sculpté du porche touche à la fantaisie la plus gracieuse dans les médaillons de part et d'autre des baies.

★ **Montée au clocher** – *☎ 02 37 21 22 07 - mai-août : 9h30-12h, 14h-17h30, dim. 14h-17h30 ; sept.-avr. : 9h30-12h, 14h-16h30, dim. 14h-16h30 - fermé 1er janv.,*

Détail d'un vitrail de la cathédrale de Chartres.
Ch. Lepetit/Hemis.fr

1ᵉʳ Mai et 25 déc. - 7 € (-18 ans gratuit si accompagné d'un adulte). La montée
(195 marches) donne accès à la galerie inférieure du **clocher Neuf**, 70 m au-
dessus du sol du parvis.

L'INTÉRIEUR

*📞 02 37 21 75 02 - tte la journée - possibilité de visite guidée de Pâques à la Toussaint :
10h30 (sf dim.) et 15h ; reste de l'année : 14h30 - 6,20 € (-10 ans gratuit).*
Le chœur et le transept ont plus d'importance que la nef. Dès les premiers pas
dans le vaisseau, on est saisi par la semi-obscurité qui y règne, due à l'obscur-
cissement des verrières au cours des siècles.
Les **vitraux**★★★ des 12ᵉ et 13ᵉ s. constituent la plus importante collection
de France, avec celle de Bourges *(voir ce nom)*. **N.-D.-de-la-Belle-Verrière**★,
célèbre vitrail épargné par l'incendie de 1194, fut réinséré dans un vitrail du
13ᵉ s. Admirez la gamme des bleus dont le fameux « bleu de Chartres » du
12ᵉ s., limpide et profond. La **clôture du chœur**★★ est remarquable pour
sa statuaire Renaissance ; la **crypte**★ est la plus vaste de France : environ
220 m de long.

Le Nord 3

Cartes Michelin National n° 721 et Région n° 511

Beffroi caractéristique du Nord, à Lille.
J. A. Moreno/Age Fotostock

Le Nord-Pas-de-Calais

▶ SE REPÉRER

Lille, métropole du Nord, est au centre d'un réseau d'autoroutes qui dessert tout le nord de la France et se trouve, de surcroît, en liaison directe avec la Grande-Bretagne. Arras et Lille se rejoignent depuis Paris par l'A 1 ; depuis Reims, l'A 26 relie Arras, St-Omer puis Calais. Enfin, Lille est à une heure de la capitale par le TGV et de là, le TER assure les liaisons avec Tourcoing, Amiens et d'autres villes de la région sans encombre. Lille possède aussi un aéroport permettant des liaisons nationales et internationales.

😊 À NE PAS MANQUER

À Lille, la Grand'Place animée, l'hospice Comtesse et le palais des Beaux-Arts ; aux alentours, le musée de la Piscine à Roubaix. À Arras, l'hôtel de ville et son beffroi, l'ancienne abbaye St-Vaast, et aux alentours, le centre historique minier de Lewarde. À St-Omer, le labyrinthe de la cathédrale Notre-Dame et les superbes salons du musée de l'hôtel Sandelin. Sur la Côte d'Opale, les plages, les dunes, les caps et l'ambiance de vacances. À Calais, la vue depuis le phare, son musée des Beaux-Arts et de la Dentelle.

🕐 ORGANISER SON TEMPS

L'hiver incite plutôt à visiter les villes, surtout au moment des festivités : fête de la St-Nicolas, marché de Noël à Lille ou à Arras. Le printemps se prête à la découverte des vallées de l'Aa, de la Canche ou du parc régional autour de Boulogne-sur-Mer. L'été, la Côte d'Opale offre quantité d'activités, tandis que les villes comme Lille ou Arras, presque désertées pendant les grandes vacances, sont des havres de paix. L'automne offre la plus belle palette de couleurs aux paysages du Pas-de-Calais.

Pourquoi ne pas découvrir cette région par sa côte, dite d'Opale en raison de la couleur laiteuse de l'eau laissée sur le sable ? Derrière les plages sans fin du Touquet-Paris-Plage, où le vent souffle pour les chars à voile, on découvre le charme suranné des villas 1900 et plus au nord, vers le cap Griz-Nez et le cap Blanc-Nez, le trafic des ferries qui traversent la Manche. Les terrils, monuments issus du travail dans les mines de charbon, sont les mémoriaux des « gueules noires » dont le travail est évoqué à Lewarde, non loin d'Arras. D'autres mémoriaux rappellent aussi la dureté des combats de la dernière guerre mondiale, tandis que les beffrois – ceux de Boulogne-sur-Mer, Calais, Lille sont classés par l'Unesco – rappellent les heures prospères du Moyen Âge. Aujourd'hui, ayant surmonté les crises qui ont affecté l'économie du textile et de la métallurgie, la région, autour de Lille, sa très culturelle et vivante capitale, a su rebondir. Elle offre à ses habitants une nouvelle chance de prospérité, fondée sur le développement des services, des transports et des nouvelles technologies. Et loin d'avoir honni son passé industriel, la région a opéré une formidable reconversion de son patrimoine ouvrier, tantôt en logements ou en bureaux, tantôt en centres d'art.

Lille

★★★

225 784 Lillois – Nord (59)

 NOS ADRESSES PAGE 192

🖪 **S'INFORMER**

Office de tourisme – *Palais Rihour - pl. Rihour - 59000 Lille -* ☎ *0 891 562 004 (0,225 €/mn) - www.lilletourism.com - 10h-18h, dim. et j. fériés 10h-12h, 14h-17h - fermé 1ᵉʳ janv., 1ᵉʳ Mai et 25 déc.*

⊙ **SE REPÉRER**

Carte générale C1 – *Cartes Michelin n° 721 K2 et n° 511 K4.* L'A 1 au départ de Paris, l'A 27/E 42 de Bruxelles ou Tournai et l'A 23 de Valenciennes desservent la ville par le sud-est. L'A 17 de Bruges et l'E 17 de Gand et Anvers rejoignent l'A 22 qui dessert le nord de Lille. Les routes D 700 (est), D 656 et une section de l'A 25/E 42 (sud) servent de périphérique externe et donnent accès aux boulevards qui enserrent le centre. Sur un axe est-ouest se succèdent le nouveau et l'ancien Lille, puis la citadelle.

☺ **À NE PAS MANQUER**

Le palais des Beaux-Arts, le vieux Lille, l'hospice Comtesse.

🕓 **ORGANISER SON TEMPS**

Parmi les visites guidées organisées par cette ville d'art et d'histoire, une balade nocturne avec dégustation de bière. Si vous ne craignez pas la foule, rendez-vous le 1ᵉʳ week-end de septembre, durant la Grande Braderie. Lille 3000 propose quatre mois de festivités, expositions, concerts, spectacles autour d'un thème géographique.

👫 **AVEC LES ENFANTS**

La découverte de l'art de manière ludique à la Piscine - Musée d'Art et d'Industrie André-Diligent à Roubaix.

3

Capitale de la Flandre française, Lille fut aussi « capitale européenne de la culture » en 2004, opportunité qu'elle a su saisir pour revenir sur les devants de la scène culturelle française. « Lille 3000 » perpétue cette renommée en renouvelant sans cesse les événements. Réputée pour sa Grande Braderie de septembre et ses marchés exubérants, son goût de la fête et ses nuits très longues, elle recèle un vieux centre superbement restauré, riche de monuments et demeures colorées des 17ᵉ et 18ᵉ s.

Découvrir Plan p. 186-187

★★★ **LE VIEUX LILLE** B2

Place Rihour

Le palais Rihour, de style gothique, fut construit entre 1454 et 1473 pour Philippe le Bon. La façade est ornée de belles fenêtres à meneaux et d'une tourelle octogonale de brique. À l'intérieur, la salle des Gardes, qui abrite l'office de tourisme, est voûtée d'ogives élancées.

SE LOGER

Brueghel........................10
Kanaï (Hotel).................15

SE RESTAURER

Assiette du Marché (L')...10
La Paix (Brasserie de).....5
Moules (Aux)...................2
Vieux de la Vieille (Au)....1
3 Brasseurs (Les)...........34

INDEX DES RUES

Bettignies (Pl.)...................3
Chats-Bossus (R. des).......6
Doudin (R.)........................8
Gaulle (Pl. Gén.-de)
(Grand Place)...............10
Grande Chaussée
(R. de la)......................12
Monnaie (R. de la)...........16
Sec-Arembault (R. du).....20
Vieille-Comédie
(R. de la)......................24
Wault (Q. du)...................26

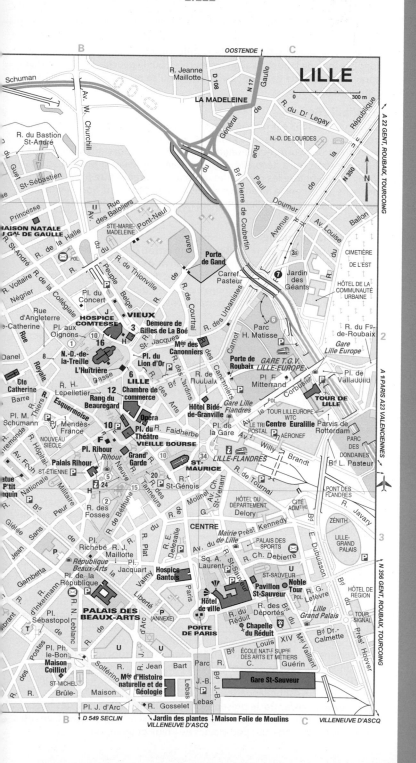

On rejoint la **place du Général-de-Gaulle** (Grand'Place)★ par une allée piétonne le long de laquelle s'alignent les cafés. Sur la gauche, les façades sont caractéristiques de l'architecture du 17e s où se mêlent les influences flamande et française.

★★ Vieille Bourse

Construite en 1653 à la demande des commerçants, elle devait rivaliser avec celles des grandes villes des Pays-Bas. Vingt-quatre maisons à mansardes encadrent une cour rectangulaire qui servait de cadre aux transactions. Julien Destrée, qui a décoré les façades, était sculpteur sur bois : aussi n'est-il pas étonnant que les guirlandes, mascarons, grappes de fruits et chutes de fleurs qui ornent la façade évoquent un bahut flamand. Sous les arcades, bustes en bronze, médaillons, angelots et cartouches honorent les sciences et leurs applications.

★ Rue de la Monnaie

L'hôtel des Monnaies se trouvait dans cette rue où s'alignent des maisons du 18e s. Au n° 3, le mortier et l'alambic servaient d'enseigne à un apothicaire. Les maisons suivantes *(nos 5 à 9)* sont décorées de dauphins, de gerbes de blé, de palmes… Remarquez les pignons à pas-de-moineaux aux nos 12 et 14. Les maisons suivantes encadrent le portail à bossages de l'hospice Comtesse.

★ Hospice Comtesse

℘ 03 28 36 84 00 - lun. 14h-18h, merc.-dim. 10h-12h30, 14h-18h ; fermé 1er janv., 1er Mai, 14 Juil., 15 août, 1er w.-end et lun. de sept., 1er nov. et 25 déc. - 3 €.
Sa fondatrice, Jeanne de Constantinople, comtesse de Flandre, fit édifier un hôpital en 1237 pour le salut de son mari. Transformé en hospice en 1789, puis en orphelinat, il abrite à présent le musée régional d'Histoire et d'Ethnographie, ainsi qu'un lieu d'expositions et de concerts. On visite les bâtiments des religieuses, la chapelle, la salle des malades et l'intérieur d'une maison flamande ; le dortoir retrace l'histoire de la cité sous l'Ancien Régime.

★ Cathédrale Notre-Dame-de-la-Treille

Cet imposant édifice de style néogothique est orné sur sa façade d'une rosace de Ladislas Kijno, illustrant la Résurrection. Le **portail en bronze**★★ est l'œuvre ultime de Georges Jeanclos, mort en 1997.
On regagne la place Rihour par la rue d'Angleterre puis la **rue Royale** bordée de beaux hôtels particuliers du 18e s. et la rue Esquermoise (voyez les façades des nos 6 et 4).

★★★ Palais des Beaux-Arts

℘ 03 20 06 78 00 - ♿ - tlj sf lun. mat. et mar. 10h-18h - fermé 1er janv., 1er Mai, 14 Juil., 1er w.-end de sept., 1er nov. et 25 déc. - 5,50 € (12-25 ans 3,50€), gratuit 1er nov. du mois.
Le département du **Moyen Âge** et de la **Renaissance** conserve un fameux encensoir en laiton finement ciselé et doré (art mosan du 12e s.). À côté, remarquez les ivoires provenant d'abbayes du nord de la France. Plus loin, voyez le superbe *Festin d'Hérode*, bas-relief en marbre de Donatello et, dans la galerie des anciens Pays-Bas (15e et 16e s.), deux volets d'un triptyque de Dirk Bouts. La grande salle expose 15 **plans-reliefs**★ de villes situées à la frontière nord du « Pré carré » à l'époque de Louis XIV (7 sont françaises, 7 autres sont belges, la dernière est hollandaise).
La **galerie de céramique** présente des majoliques italiennes, des faïences de Nevers, Rouen, Lille, Strasbourg, du Midi de la France et de Delft, des grès allemands et wallons, des porcelaines de Chine et du Japon.

Un peu d'histoire…

LES COMTES DE FLANDRE

Au 11e s., Lille se développe autour du château du comte Baudouin V et du port situé à l'emplacement de l'avenue du Peuple-Belge. Le comte de Flandre Baudoin X devient empereur de Constantinople en 1204, à l'issue de la 4e croisade. À sa mort, il laisse deux héritières, Jeanne et Marguerite. Jeanne a 5 ans lorsqu'elle épouse, sur ordre de Philippe Auguste, le fils du roi du Portugal, Ferrand. Le couple s'installe à Lille.

LA BATAILLE DE BOUVINES

Vassale du roi de France, la Flandre est économiquement liée à l'Angleterre et au Saint Empire romain germanique. Aussi, devant les prétentions de Philippe Auguste sur les régions du Nord, une coalition se forme qui regroupe le roi d'Angleterre Jean sans Terre, l'empereur germanique Otton IV, les comtes de Boulogne, du Hainaut et de Flandre. Le 27 juillet 1214, Bouvines est la première grande victoire française. Fait prisonnier, « Ferrand le bien enferré » est enfermé au Louvre tandis que Jeanne gouverne la ville. Lille devient une grande cité drapière.

DES BOURGUIGNONS AUX ESPAGNOLS

En 1369, par le mariage de Marguerite de Flandre et de Philippe le Hardi, le comté devient possession des ducs de Bourgogne. Une belle résidence est bâtie pour **Philippe le Bon** (1419-1467).

Le mariage de Marie de Bourgogne, fille de Charles le Téméraire, avec Maximilien d'Autriche fait passer le duché de Bourgogne à la maison de Habsbourg, puis à l'Espagne lorsque Charles Quint devient empereur.

LA CONQUÊTE DE LOUIS XIV

Faisant valoir les droits de son épouse Marie-Thérèse à une part de l'héritage d'Espagne, le Roi-Soleil réclame les Pays-Bas. En 1667, il dirige le siège de Lille et y entre au bout de neuf jours. La ville devient capitale des Provinces du Nord. Louis XIV s'empresse de faire construire une citadelle par **Vauban**, agrandit la ville et réglemente alignements et modèles de maisons.

DE 1914 À 1940

En 1914 (début octobre), attaquée par six régiments bavarois, la ville se rend après trois jours de résistance acharnée. Le prince de Bavière, qui reçoit la reddition, refuse l'épée du colonel de Pardieu « en témoignage de l'héroïsme des troupes françaises ». En mai 1940, sept divisions allemandes et les blindés de Rommel attaquent Lille. Les 40 000 soldats français tiennent trois jours et capitulent avec les honneurs militaires, au matin du 1er juin.

LES CARILLONS

Enclos dans les clochers des églises ou au sommet des beffrois, les carillons rythment la vie de nombreuses villes du Nord. Ils possèdent à leur répertoire différentes mélodies, selon qu'ils annoncent l'heure, le quart, la demie ou les trois quarts. Le mot carillon viendrait de « quadrillon », jeu de quatre petites cloches. Les premières horloges mécaniques du Moyen Âge s'équipent de cet instrument. Un bateleur frappait les cloches à l'aide d'un maillet. Les ajouts, au cours des siècles, d'un mécanisme, du clavier manuel ou du pédalier ont permis d'augmenter le nombre de cloches et d'enrichir les sonorités. Des concerts de carillons sont régulièrement organisés à Douai, Seclin, St-Amand-les-Eaux, Maubeuge ou encore Avesnes-sur-Helpe.

La **galerie de sculpture** offre un panorama de la sculpture française, avec des artistes tels que David d'Angers, Préault, Frémiet, Camille Claudel, Bourdelle. Autour de l'atrium, les peintures sont exposées de façon chronologique, stylistique et thématique. De l'**école flamande**, on admire plusieurs toiles de Jordaens, et un *Christ en Croix* de Van Dyck. Parmi les œuvres de l'**école française du 17ᵉ au 19ᵉ s.**, ne manquez pas les tableaux de Philippe de Champaigne, Largillière, Chardin, Watteau, David, Delacroix… ni les peintures impressionnistes, notamment celles de Sisley. La **galerie hollandaise** présente de belles natures mortes, des paysages de Ruisdael et de Van Goyen. La **galerie italienne** donne à voir des œuvres des 16ᵉ et 17ᵉ s. (Le Tintoret, Véronèse) et le **pavillon espagnol** est d'une grande qualité : *Saint François en prière* du Greco ; *Les Jeunes et Les Vieilles*, remarquables toiles de Goya.

À proximité

★ Villeneuve-d'Ascq

◉ *À 8 km à l'est de Lille par la N 227.*

Cette technopole, où l'on contemple une architecture postmoderne de brique, de bois et de verre, est le « poumon vert » de l'agglomération lilloise, avec ses parcs et sa chaîne de cinq lacs. On redécouvre aussi des fermes, avec leurs murs en « rouges-barres » : une tradition picarde.

★★ **Lille Métropole musée d'Art moderne, d'Art contemporain et d'Art brut (LaM)** – *1 allée du Musée -* ✆ *03 20 19 68 68 - www.musee-lam.fr - tlj sf lun. 10h-18h - fermé 1ᵉʳ janv., 1ᵉʳ Mai et 25 déc. - 7 € (réduit 5 €) ; avec expositions temporaires : 10 € (réduit 7 €) - gratuit 1ᵉʳ dim. du mois.* Agrandi et modernisé, l'ancien musée d'Art moderne Lille Métropole se redonne une jeunesse avec cette nouvelle appellation. L'extension architecturale (Manuelle Gautrand), masse de béton blanc qui se love autour du bâtiment d'origine, double la surface d'exposition. La collection d'art moderne, issue de la donation **Geneviève et Jean Masurel**, comprend plus de 210 œuvres du début du 20ᵉ s. L'art cubiste y tient bonne place, avec des œuvres de Braque, Picasso… Les surréalistes et les peintres abstraits sont bien représentés avec Miró, Kandinsky et Klee, et une salle est dédiée à Modigliani. L'art contemporain s'illustre par des affichistes, notamment Jacques Villeglé, et de grands noms comme Christian Boltanski, Daniel Buren ou Pierre Soulages. Enfin, avec plus de 4 000 œuvres de 170 créateurs français et étrangers, la collection d'art brut, donnée en 1999 par l'association L'Aracine à la Communauté urbaine de Lille, constitue un fonds unique en France.

★ Roubaix

◗ *À 13 km au nord-est de Lille par la D 656.*

Avec ses cheminées et ses murs de brique rouge caractéristiques des villes du Nord, la ville, ancien fief du textile, est en pleine mue : elle a rénové une de ses anciennes filatures de coton, véritable château de l'industrie, pour y accueillir un centre d'archives national, convertit sa Condition publique (ancienne « Maison-Folie ») en centre culturel et transformé sa superbe piscine Art déco en musée.

Depuis 1896, les Roubaisiens sont nombreux à venir applaudir, tous les ans à la mi-avril, l'arrivée de la fameuse course cycliste **Paris-Roubaix**. Au départ de Compiègne, l'itinéraire de 268 km compte 22 secteurs pavés. Ces pavés, qui viennent des carrières arrageoises et bretonnes, couvraient déjà les routes du Nord - Pas-de-Calais aux 18e et 19e s. Il en reste environ 80 km dans le Nord.

★ **La Piscine - Musée d'Art et d'Industrie André-Diligent** – *23 r. de l'Espérance -* ℘ *03 20 69 23 60 -* ♿ *- tlj sf lun. et j. fériés 11h-18h, (20h vend.), w.-end 13h-18h - 7 € (-18 ans gratuit), gratuit 1er dim. du mois.* Hier « temple de l'hygiène », ce splendide complexe Art déco de bains-douches (1927-1932) édifié par Albert Baert sert aujourd'hui de cadre au patrimoine artistique et industriel de la ville. Il conserve encore deux salles de bains, et surtout sa **piscine★★** qui charme par l'harmonie de son volume et de sa décoration. Les sculptures et peintures des 19e et 20e s. – pour la plupart œuvres d'artistes locaux – sont à (re) découvrir : la *Petite Châtelaine* de Camille Claudel, *Marat assassiné* de Weerts, *Combat de coqs* de Cogghe, peintures de Dufy, Lempicka, Gromaire, etc. Les cabines qui ouvrent sur le grand bassin servent d'écrin aux riches collections de textiles : dessins, pièces d'habillement et d'ameublement.

👥 Pour que les enfants s'amusent, le musée met à leur disposition dans les salles de la section Beaux-Arts des malles à jeux pour découvrir les œuvres.

Tourcoing

◗ *À 16 km au nord-est de Lille par la N 356.*

Tourcoing, ancien fief du textile aux côtés de Roubaix, embellit de jour en jour. Sur le **parvis St-Christophe**, on foule un pavage où le porphyre du Trentin voisine avec le marbre de Carrare et de Vérone et la pierre de Soignies. Les berges du canal, la mairie et bien d'autres édifices ont profité du même bain de jouvence. De surcroît, la ville se tourne résolument vers l'art contemporain.

Église St-Christophe – Cette église de style néogothique remaniée au 19e s. conserve des empreintes de chacune des époques de sa construction (porche et colonnes des 13e au 16e s.).

Musée du Carillon – ℘ *03 59 63 43 43 - mai-oct. : dim. 15h-18h - reste de l'année sur demande.* Le clocher (16e s.) englobé dans le clocher actuel (85 m) abrite ce musée et un carillon de 62 cloches. Du sommet *(200 marches)*, panorama sur la ville et les environs.

3

NOS ADRESSES À LILLE

HÉBERGEMENT

PREMIER PRIX

Hôtel Kanaï – B2 - *10 r. de Béthune* - *℘ 03 20 57 14 78* - *www.hotelkanai.com* - *58/125 €.* À 2mn du palais Rihour (office de tourisme), de la Grand'Place et des commerces de vieux Lille. Décoration très tendance, mobilier contemporain et accès wifi gratuit. Un parfait accueil. Seul bémol, pas d'ascenseur.

BUDGET MOYEN

Brueghel – B2 - *Parvis St-Maurice* - *℘ 03 20 06 06 69* - *www.hotel-brueghel-lille.com* - *wifi - 65 ch. 90/100 € - ☕ 9 €.* Cette jolie maison flamande occupe une excellente situation dans le secteur piétonnier, à deux pas de la gare. Chambres au charme d'antan, dotées de salles de bains neuves. Ascenseur, boiseries et objets chinés chez les antiquaires valent le coup d'œil.

RESTAURATION

PREMIER PRIX

Aux Moules – B3 - *34 r. de Béthune* - *℘ 03 20 57 12 46* - *fermé dim. soir, 1er janv., 24-25 et 31 déc.* - *carte en braille* - *formule déj. 7,70/11 €.* Des moules, bien sûr... et quelques autres spécialités flamandes, mais aussi une carte de brasserie traditionnelle et du poisson. Cette brasserie au cadre 1930, dans une rue piétonne animée, attire les amateurs. Un incontournable.

Brasserie de la Paix – B2 - *25 pl. Rihour* - *℘ 03 20 54 70 41* - *fermé dim.- formule déj. 14 €.* À deux pas du palais Rihour, cette sympathique brasserie est une institution lilloise. Décor Art déco, banquettes, faïences de Desvres et cuisine de bistrot.

Les 3 Brasseurs – C2 - *22 pl. de la Gare* - *℘ 03 20 06 46 25* - *www.les3brasseurs.com* - *fermé 24 déc. (le soir) et 25 déc.* - *formule déj. 10/20 €.* Une odeur de houblon flotte dans cette véritable institution lilloise, fondée en 1928, qui tient à la fois du bistrot et de la microbrasserie. Vous pourrez y déguster les quatre variétés d'une bière pression tirée des cuves exposées derrière le comptoir.

L'Assiette du Marché – B2 - *61 r. de la Monnaie - 59000 Lille* - *℘ 03 20 06 83 61* - *www.assiettedumarche.com* - *fermé 2-24 août, dim. (se renseigner)* - *17/22 €.* Le décor contemporain et une verrière coiffant la cour intérieure mettent en valeur l'ancien hôtel des Monnaies (18e s.). L'assiette se garnit en fonction du marché.

BUDGET MOYEN

Au Vieux de la Vieille – B2 - *2-4 r. des Vieux-Murs* - *℘ 03 20 13 81 64* - *27 €.* Jouxtant la jolie place aux Oignons, cet estaminet propose des plats régionaux comme la crêpe gratinée au maroilles, fourrée aux endives et jambon, ou la mousse aux Spéculoos. C'est aussi un café où l'on joue aux jeux traditionnels du Nord, en dégustant une bière. Réservation conseillée.

ACHATS

Pâtisserie Meert – B2 - *27 r. Esquermoise* - *℘ 03 20 57 07 44* - *www.meert.fr* - *9h30-19h, dim. 9h-13h, 15h-19h* - *fermé lun.* Pâtisserie-confiserie fondée en 1761 dont le superbe décor, datant de 1839, est inscrit à l'Inventaire des monuments historiques. Spécialité maison : la fameuse gaufre fourrée à la vanille de Madagascar, dont la recette remonte à 1849. Salon de thé.

Arras

42 780 Arrageois – Pas-de-Calais (62)

S'INFORMER

Office de tourisme – *Hôtel de Ville - pl. des Héros - 62000 Arras - ✆ 03 21 51 26 95 - www.ot-arras.fr - avr.-14 sept. : 9h-18h30, dim. 10h-13h, 14h30-18h30 ; 15 sept.-31 mars : lun. 10h-12h, 14h-18h, mar.-sam. 9h-12h, 14h-18h, dim. 10h-12h30, 14h30-18h30 - fermé 1ᵉʳ Janv. et 25 déc.*

SE REPÉRER

Carte générale C1 – *Cartes Michelin n° 721 K3 et n° 511 I6.* De l'A 1, prendre la D 939 ou la D 950. La Grand'Place se trouve à l'est du centre. Le nouveau quartier de la gare, très animé, occupe la pointe sud-est. Au sud-ouest, la ville basse s'ordonne autour de la place Victor-Hugo et unit le centre à la citadelle. Le nord-ouest correspond au quartier médiéval, où se trouve l'église St-Nicolas-en-Cité.

À NE PAS MANQUER

Les superbes façades des maisons sur la Grand'Place et la place des Héros, le musée des Beaux-Arts, l'ancienne abbaye St-Vaast.

ORGANISER SON TEMPS

La découverte de la ville, hormis les sites à visiter, vous prendra 2h. Le soir, profitez des illuminations du centre-ville. Découvrez le lendemain le Centre historique minier de Lewarde et le mémorial canadien de Vimy.

AVEC LES ENFANTS

Ce que fut la vie des mineurs intéressera les plus grands.

3

Capitale de l'Artois, Arras la discrète cache en son sein un véritable décor de théâtre : la Grand'Place et la place des Héros, précieux héritages du style flamand. Tous les soirs, la ville s'illumine de mille feux. Et, à la fin de l'été, elle dédie une grande braderie à « l'ami Bidasse », héros d'une chansonnette locale. Ici, on fait rimer le goût de la fête avec la gastronomie en dégustant andouillette, bière de l'Atrébate, et même des pains d'épice en forme de cœurs.

BEFFROIS ET GIROUETTES

Symbole de la puissance communale au Moyen Âge, le beffroi, conçu comme un donjon avec échauguettes et mâchicoulis, se dresse isolé ou englobé dans l'hôtel de ville. Au-dessus des fondations qui abritent la prison, les salles superposées avaient diverses fonctions, comme la salle des gardes. Au sommet, la salle des cloches renferme le carillon qui égrène ses airs toutes les heures, demi-heures et quarts. La salle des cloches est entourée d'échauguettes d'où les guetteurs surveillaient les ennemis et les incendies. Enfin, couronnant l'ensemble, la girouette symbolise la cité : lion des Flandres à Arras, Bergues et Douai, dragon à Béthune, sirène à Bailleul.

Découvrir

★★★ Grand'Place et place des Héros

Reliées par la rue de la Taillerie, ces places existaient déjà au 11e s. Soucieux de sécurité et d'esthétique, l'échevinage impose dès 1583 des constructions « en pierres ou en briques et sans aucune saillie ». Il en résulte un ensemble d'une homogénéité exceptionnelle, de style baroque flamand : 155 maisons (17e et 18e s.) ornées de pilastres, chaînages, frontons curvilignes et pignons à volutes. Sur la Grand'Place, la maison la plus ancienne (15e s.) est l'hôtel des Trois Luppars, avec son pignon à pas-de-moineaux. La place des Héros, plus petite et plus animée, est dominée par le **beffroi de l'hôtel de ville**.

Citadelle

℘ 03 21 51 26 95 (office de tourisme) - ♿ - visite guidée (2h) juil.-août : se renseigner - se renseigner sur les tarifs. Toujours occupée par l'armée, construite entre 1668 et 1672 sur les plans de Vauban, cette citadelle de forme octogonale est composée de cinq bastions. En ordonnant sa construction, Louis XIV cherchait moins à protéger la cité contre les troupes espagnoles qu'à surveiller les habitants d'Arras : elle fut donc surnommée « la Belle Inutile ».

Mémorial britannique

Accès par le bd Charles-de-Gaulle. Dans cette région très éprouvée en 1914-1918, il rappelle le souvenir des nombreux soldats britanniques disparus.

★ Hôtel de ville et beffroi

À l'ouest de la pl. des Héros - ℘ 03 21 51 26 95 (office de tourisme) - visite guidée (30mn) juil.-août : horaires se renseigner - 2,70 € (enf. 1,80 €). Détruit en 1914 et reconstruit dans le style gothique et Renaissance, l'hôtel de ville possède une jolie façade aux arches inégales. La montée au **beffroi★** offre un panorama complet de la ville. Il abrite un carillon de 40 cloches.

★★ Ancienne abbaye Saint-Vaast

À droite de la cathédrale. Fondée au 7e s., elle reçut les reliques de saint Vaast, premier évêque d'Arras. En 1746, le **cardinal de Rohan** la fit reconstruire. Le porche d'entrée, surmonté des armes de l'abbaye, ouvre sur une cour d'honneur.

★ **Musée des Beaux-Arts** – *Dans le corps central de l'abbaye - ℘ 03 21 71 26 43 - tlj sf mar. 9h30-12h, 14h-17h30 - fermé 1er janv., 1er et 8 Mai, 14 Juil., 1er et 11 nov. et 25 déc. - 4,10 € (enf. 2,10 €), gratuit 1ers merc. et dim. du mois.* On y découvre les plus beaux témoignages de l'histoire d'Arras : archéologie, sculptures médiévales, tapisseries du 15e s., trésor de la cathédrale, porcelaines, peintures. Ne manquez pas les **anges de Saudémont★** (13e s.) ni le **Dénombrement de Bethléem★★** de Pieter Bruegel (17e s.), ainsi que les toiles de très grand format qui furent offertes chaque printemps, de 1630 à 1707, à la cathédrale Notre-Dame de Paris par la corporation des orfèvres d'Arras.

★ Carrière Wellington

R. Delétoille - ℘ 03 21 51 26 95 - www.carriere-wellington.com - 10h-12h30, 13h30-18h - fermé 1er janv., 3 sem. apr. vac. de Noël, 28-30 juin et 25 déc. - 6,80 € (réduit 3,10 €). Le parcours guidé serpente à 20 m sous terre, à travers le réseau creusé par des tunneliers néo-zélandais pendant la Première Guerre mondiale. Vidéos, photos, lettres et objets témoignent de l'épopée qui visa à attaquer les positions allemandes en aménageant 19 km de galeries souterraines. En fin de parcours, images poignantes de la bataille d'Arras du 9 avril 1917.

Grand'Place d'Arras.
Fredben/Fotolia.com

À proximité

★★ Centre historique minier de Lewarde

▶ *À 34 km à l'est par la D 950 jusqu'à Douai, puis la D 645.* ☎ *03 27 95 82 82 - visite guidée (1h) - mars-oct. : 9h-17h30 ; nov.-fév. : 13h-17h ; dim., vac. scol. et j. fériés 10h-17h - fermé janv., 1er Mai et 25 déc. - 11,50 € (5-17 ans : 5,90 €).*

Le carreau abrite le plus grand musée de la mine en France, dont les visites sont commentées par d'anciens mineurs. Personnalités attachantes et de fort tempérament, ce sont les derniers héros de la grande épopée des houillères du Nord. Casque sur le crâne, vous voilà embarqué dans le train qui mène au puits n° 2 où la « descente » s'effectue en ascenseur vers les galeries.

★★ Musée Matisse de Cateau-Cambrésis

▶ *À 75 km à l'est par la D 950, puis l'A 1 et l'A 26 vers Cambrai et entrer dans Le Cateau-Cambrésis par la D 643.* ☎ *03 27 84 64 50 -* ♿ *- tlj sf mar. 10h-18h - possibilité de visite guidée (2h) sur demande (1 mois av.) ; animations enf. sur demande au 03 27 84 64 64 - fermé 1er janv., 1er nov. et 25 déc. - 4,50 € (-18 ans gratuit), 7 € exposition Matisse, gratuit 1er dim. du mois.*

Dans l'ancien palais des archevêques de Cambrai (18e s.), entièrement rénové et assorti d'un bâtiment de brique et de verre, quelque 170 œuvres, exposées avantageusement, mettent en exergue cet artiste touche-à-tout et hors du commun. Après avoir admiré **Fenêtre à Tahiti★★★**, **Femme à la gandoura bleue★★★** ou encore des gouaches découpées telles **Océanie, le ciel★★★** et **Océanie, la mer★★★**, ne manquez pas le **cabinet des dessins★★★**. Il rassemble la plus belle collection existante de dessins de Matisse, au nombre desquels figurent un *Autoportrait* au fusain daté de 1900 et l'*Odalisque à la culotte de satin rouge*. Le musée abrite également 65 œuvres d'Auguste Herbin (1882-1960). Enfin, la **donation d'Alice Tériade★★** rassemble 39 œuvres majeures.

Saint-Omer

15 022 Audomarois – Pas-de-Calais (62)

S'INFORMER
Office de tourisme – *4 r. du Lion-d'Or - 62500 St-Omer - ℘ 03 21 98 08 51 - www.tourisme-saintomer.com - du sam. av. Pâques au 30 sept. : 9h-18h, dim. et j. fériés 10h-13h ; du 1ᵉʳ oct. au vend. av. Pâques : lun.-sam. 9h-12h30, 14h-18h - fermé 1ᵉʳ janv., 1ᵉʳ Mai et 25 déc.*

SE REPÉRER
Carte générale C1 – *Cartes Michelin n° 721 J2 et n° 511 F3.* Le cours de l'Aa et le canal de Neufossé se croisent à St-Omer, desservie par une voie rapide. Accès par l'A 26, puis la D 942 ou la D 77. Par l'A 25, prendre la D 948 vers Cassel ou la D 642 vers Hazebrouck.

À NE PAS MANQUER
L'intérieur de la cathédrale, le musée de l'hôtel Sandelin.

ORGANISER SON TEMPS
La ville et l'Audomarois méritent qu'on s'y attarde au moins une journée, surtout si vous décidez de découvrir les marais qui font partie du Parc naturel régional des Caps et Marais d'Opale *(se renseigner à l'office de tourisme de St-Omer).*

AVEC LES ENFANTS
Les fusées de la coupole d'Helfaut-Wizernes.

Aristocratique par ses rues paisibles bordées d'hôtels particuliers à pilastres et sa cathédrale qui conserve l'un des plus riches mobiliers de France, St-Omer a su garder un air populaire dans le faubourg nord aux maisons basses à la flamande, mais à briques jaunes, qui s'alignent le long des quais de l'Aa. Des barques à fond plat sillonnent toujours le marais audomarois.

Découvrir

★★ Cathédrale Notre-Dame
Le plus bel édifice religieux de la région étonne par la majesté et l'ampleur de ses formes. Son chœur date de 1200, son transept du 13ᵉ s., sa nef des 14ᵉ-15ᵉ s. Sa tour de façade est couverte d'un réseau d'arcatures verticales à l'anglaise, et surmontée de tourelles de guet.

L'intérieur est vaste (100 m de long, 30 de large, 23 de haut) et son plan, très développé. Les riches clôtures à jours, en marbre polychrome, témoignent de l'opulence des chanoines.

Parmi les **œuvres d'art★★**, voyez le mausolée d'Eustache de Croÿ, prévôt du chapitre de St-Omer et évêque d'Arras : une œuvre saisissante de Jacques Dubrœucq (16ᵉ s.) qui a représenté le défunt agenouillé, en costume épiscopal, et gisant, nu, à la manière antique. Admirez aussi les dalles funéraires gravées du 15ᵉs. et la *Descente de Croix* de Rubens. Et ne manquez pas le **labyrinthe** *(au centre du chœur)* : ce pèlerinage en raccourci, dont on suivait le tracé en blanc, était appelé « la lieue de Jérusalem ».

⋆ **Hôtel Sandelin et musée**

🕭 03 21 38 00 94 - ♿ - merc.-dim. 10h-12h, 14h-18h - possibilité de visite gui-dée dim. - fermé lun.-mar. et j. fériés - 4,60 € (15-25 ans 3,10 €), gratuit 1er dim. du mois.

Installé dans un hôtel édifié en 1777, le musée propose trois parcours (histoire, beaux-arts et céramiques). Parmi les pièces majeures, remarquez le **pied de croix de St-Bertin**⋆ (12e s.), orné des effigies des évangélistes et d'émaux figurant des scènes de l'Ancien Testament, une remarquable **collection de pipes en terre**⋆ qui rappelle que l'Audomarois vit, en 1660, s'ouvrir l'une des premières manufactures à tabac en France. Le parcours **céramiques** permet de comprendre l'évolution des thèmes et techniques dans les manufactures européennes, dont la fabrique de St-Omer. Au rez-de-chaussée, visitez les trois superbes **salons**⋆ en enfilade dont les lambris sculptés encadrent des cheminées et du mobilier Louis XV. Les pièces sur cour présentent des primitifs flamands et des petits maîtres du 17e s. flamands et hollandais.

À proximité

⋆⋆ **Coupole d'Helfaut-Wizernes**

◗ *À 5 km au sud de St-Omer par la D 928. 🕭 03 21 12 27 27 - www.lacoupole-france.com - ♿ - juil.-août : 10h-19h ; reste de l'année : 9h-18h - fermé vac. de Noël - 2h30 de visite avec audioguide - 9 € (enf. 6 €).*

👤👤 Cette gigantesque base de lancement de fusées V2 compte parmi les plus imposants vestiges de la Seconde Guerre mondiale. Symbole de la folie et de la démesure nazie, le site a été converti en Centre d'histoire de la guerre et des fusées, un lieu de mémoire et d'éducation.

Après un parcours dans le tunnel ferroviaire qui permettait d'acheminer les fusées au site de montage, on parvient sous l'énorme coupole (55 000 t). Deux expositions présentent les armes secrètes allemandes et la vie des popula-tions dans le nord de la France de 1940 à 1944. Une maquette animée mon-tre le site de tir tel qu'il aurait dû être. Un espace est réservé aux fusées de la conquête de l'espace de 1945 à 1969.

Le parcours est adapté à chaque âge.

3

⋆⋆ **Bergues**

◗ *À 54 km au nord-est de St-Omer par la D 928, puis la D 942, l'A 16 et la D 625.*

Petite cité au caractère sobre et harmonieux, Bergues voit son destin trans-formé le jour où Dany Boon, appréciant ses maisons en briques, sa **Grand'Place** et son beffroi, emblématiques de la région, y pose ses caméras pour le tour-nage du film *Bienvenue chez les Ch'tis*. La petite ville tranquille a pris des airs de pèlerinage depuis ce triomphe, enregistrant une hausse de fréquenta-tion touristique de 50 % l'été suivant sa sortie. L'office de tourisme propose ainsi un « Ch'ti tour », une visite guidée qui passe sur les principaux lieux de tournage du film.

Le Touquet-Paris-Plage

5 076 Touquettois – Pas-de-Calais (62)

S'INFORMER

Office de tourisme – *Palais de l'Europe - pl. de l'Hermitage - 62520 Le Touquet-Paris-Plage -* 📞 *03 21 06 72 00 - www.letouquet.com - avr. et juin-août : 9h-19h, dim. et j. fériés 10h-18h ; reste de l'année : 9h-18h, dim. et j. fériés 10h-18h.*

SE REPÉRER

Carte générale C1 – *Cartes Michelin n° 721 I2 et n° 511 B4.* Accès par l'A 16 à 107 km au nord d'Amiens. Le centre dessine un quadrillage : des rues parallèles à la côte coupent les nombreux accès à la plage.

AVEC LES ENFANTS

Nausicaä.

Bien située entre l'estuaire de la Canche, la Manche et la forêt, la station au style très anglais a gardé un charme désuet, avec ses villas rétro qui s'égrènent sous les pinèdes au milieu de pelouses fleuries cernées de haies impeccables. On oublie les immeubles du front de mer pour profiter de sa superbe plage de sable fin, qui se découvre à marée basse sur 1 km et se prolonge sur 12 km jusqu'à l'embouchure de l'Authie : un terrain idéal pour le char à voile, un vaste espace pour la pratique du cerf-volant.

Se promener

Balade 1900

▶ *De la pl. de l'Hermitage (office de tourisme), prendre l'av. du Verger.*
Cette avenue reste le rendez-vous des élégantes. À droite, des parterres fleuris mettent en valeur des **boutiques** blanches, au style vaguement Art déco. Plus loin, l'**hôtel Westminster** compte parmi les plus prestigieux établissements de la station.
Suivre l'avenue St-Jean au croisement de l'avenue du Verger. Ensemble éclectique, le **Village suisse** (1905) se donne un air médiéval, avec ses tourelles et créneaux.
Revenir jusqu'à l'hôtel et prendre l'av. des Phares. Le phare de brique rose a été reconstruit en 1949.
Suivre la rue J.-Duboc pour rejoindre le bd Daloz. Au n° 44, la villa **La Wallonne** marque le début du quartier animé et commerçant. Au n° 78, la façade de la **villa des Mutins** (1925), résidence de l'architecte Louis Quételart, présente deux pignons sur la rue de Lens. Au n° 45, la **villa Le Roy d'Ys** (1903) est une demeure d'aspect normand, à pans de bois et pierre de marquise.
Prendre la rue Jean-Monnet vers la plage. Au n° 50, la **villa Le Castel** (1904) opte pour un style néomédiéval associé à des éléments Art nouveau. La rue Jean-Monnet passe sous l'arche du **marché couvert** (1927-1932) en forme de demi-lune. Par le boulevard Jules-Pouget, en bord de mer, vous découvrirez d'autres maisons de plaisance.

Circuit conseillé

★ LA CÔTE D'OPALE

De la baie de Somme *(voir p. 203)* à la frontière belge s'étend un paysage sauvage. La Côte d'Opale dessine un chapelet de dunes, de vallées crantées et de falaises escarpées qui dominent le pas de Calais. La corniche de la Côte d'Opale est la partie la plus spectaculaire, entre ciel et mer.

▶ *66 km. Quitter Le Touquet au nord par la D 940.*

★★ Boulogne-sur-Mer

Ville rude mais attachante, Boulogne est le plus grand centre européen de transformation et d'échange des produits de la mer.

★★ **Nausicaä** – *☏ 03 21 30 99 99 - www.nausicaa.fr -* ♿ *- juil.-août : 9h30-19h30 ; reste de l'année : 9h30-18h30 - fermé 3 sem. en janv., 1er janv. (mat.) et 25 déc. - 17,90 € (enf. 11,50 €).* 👥 Ce centre national de la mer invite à un voyage initiatique dans une pénombre bleutée, où plus de 11 000 animaux marins de toutes les mers du monde évoluent dans 36 aquariums et grands bassins : ne manquez pas le **diamant des thons** ni le **tropical Lagoon village** ou encore les **bassins tactiles** où des raies câlines recherchent les caresses. Pour admirer les lions de mer, rendez-vous à **l'observatoire aérien** au décor californien.

★ Wimereux

Nichée au creux de la baie St-Jean, cette station balnéaire familiale réserve de belles vues sur le pas de Calais, la colonne de la Grande Armée et le port de Boulogne.

★ Cap Gris-Nez

Au sommet de la falaise du cap Gris-Nez, **vue**★ sur les côtes anglaises. On aperçoit également le cap Blanc-Nez *(à droite)* et le port de Boulogne *(à gauche)*.

★★ Cap Blanc-Nez

La masse verticale de la falaise, à 134 m de haut, surplombe le « pas » et son trafic incessant de navires. **Vue**★★ étendue sur les falaises anglaises et la côte, de Calais au cap Gris-Nez. 🚶 Promenades balisées, souvent bien ventées.

Calais

Calais conserve le **monument des Bourgeois de Calais**★★ de Rodin : le bronze rend hommage aux six bourgeois de la ville qui se sacrifièrent pour remettre aux Anglais les clefs de la cité vaincue après un long siège, en 1347.

★★ **Cité internationale de la dentelle et de la mode** – *135 quai du Commerce, parking quai de la Gendarmerie - ☏ 03 21 00 42 30 - www.citedentelle.calais.fr -* ♿ *- avr.-oct. : tlj sf mar. 10h-18h ; nov.-mars : tlj sf mar. 10h-17h - fermé 1er janv. et 25 déc. - 5 €.* Elle est installée dans une ancienne usine de dentelle du 19e s à laquelle ont été ajoutées de modernes extensions en verre et acier : là vous seront contées l'histoire de la dentelle à la main des 16e au 19e s. (panneaux sérigraphiés d'entrelacs de fils) et l'apogée de l'industrie dentellière. Démonstration de métiers Leavers, toujours en fonctionnement. Sélection de haute couture.

La **plage** à l'ouest du port, avec ses cabanons alignés, est des plus agréables.
Phare – *☏ 03 21 34 33 34 - www.pharedecalais.com - visite guidée juin-sept. et vac. scol. zone B : lun.-vend. apr.-midi, w.-end et fêtes mat. et apr.-midi ; reste de l'année : merc. apr.-midi, w.-end et fêtes mat. et apr.-midi - 4,50 € (enf. 2 €).* Du haut de l'édifice *(271 marches)*, belle vue sur le Calaisis, le port, la citadelle…

3

La Picardie

⊙ SE REPÉRER

Le plateau picard marque la frontière entre le Bassin parisien au sud et la Flandre au nord. Près de Beauvais, il est éventré par la fosse du pays de Bray au paysage bocager ; au sud de sa façade maritime, il borde la Manche d'une falaise de craie qui annonce les escarpements normands. Au nord de la baie de la Somme s'étend la plaine du Marquenterre. Par les autoroutes, la région est facilement accessible, que l'on vienne de Paris, du Havre ou de Rouen, de Reims ou de Lille. Par le TGV, comptez plus ou moins une heure depuis Paris pour vous rendre à Amiens ou à Beauvais.

😊 À NE PAS MANQUER

À Amiens, la cathédrale gothique Notre-Dame et les hortillonnages ; dans la baie de Somme, le Parc ornithologique du Marquenterre et les petits ports de charme ; à Beauvais, la cathédrale et la découverte des tapisseries qui firent la renommée de la ville depuis Louis XIV ; à Laon, une très ancienne cathédrale, un musée et une ancienne chapelle des Templiers.

○ ORGANISER SON TEMPS

Amoureux de la nature et du grand air ? Offrez-vous, en baie de Somme, une journée de détente. Entre le littoral et l'intérieur des terres, la région est belle à découvrir, dès le mois de mai et jusqu'en octobre.

L'Oise, la rivière qui traverse la région en diagonale, constitue le grand axe de passage de la région. Entre le Bassin parisien et les grands pôles économiques de l'Europe du Nord, la Picardie, sans énergie ni matières premières, s'est développée durant le Moyen Âge grâce à l'industrie drapière importée par les Flamands et grâce à ses terres limoneuses propices à l'agriculture. Aujourd'hui, betteraves, céréales, petits pois et autres légumineuses engendrent une industrie agroalimentaire active. Amiens, la côte et le sud de l'Oise, grignoté par la banlieue parisienne, attirent la grande partie de la population picarde, tandis que Beauvais et Laon conservent une tranquillité provinciale. Après les batailles en 1914 (bataille de la Somme) et les bombardements d'Amiens en 1940-1944, nombre de villages ont été reconstruits en simples briques rouges, sans artifice. Malgré les vicissitudes de l'Histoire, la Picardie a gardé les flèches de ses cathédrales ainsi qu'un riche patrimoine statuaire servi par une pierre calcaire facile à tailler. Enfin, la nature y est prodigue. La Somme, qui s'est attardée en étangs, avant de se jeter nonchalamment dans la Manche, a creusé à son embouchure la plus grande baie de la France du Nord : vasières et prairies inondées reçoivent ici la visite d'innombrables oiseaux migrateurs.

Amiens

★★

134 381 Amiénois – Somme (80)

NOS ADRESSES PAGE 202

S'INFORMER

Office de tourisme – *40 pl. Notre-Dame - 80000 Amiens - ℘ 03 22 71 60 50 - www.amiens-tourisme.com - avr.-sept. : 9h30-18h30, dim. et j. fériés 10h-12h, 14h-17h ; reste de l'année : 9h30-18h, dim. et j. fériés 10h-12h, 14h-17h - fermé 1er janv. et 25 déc.*

SE REPÉRER

Carte générale C1 – *Cartes Michelin n° 721 J3 et n° 511 F8.* À 136 km au nord de Paris et à 124 km au sud-ouest de Lille, la ville est desservie par l'A 16 et l'A 29 reliée à l'A 1.

ORGANISER SON TEMPS

Les soirs de juin à septembre et autour de Noël, ne manquez pas la mise en lumière polychrome de la cathédrale ; en mars, les nombreux concerts de jazz et de musiques d'ailleurs lors du festival de jazz.

AVEC LES ENFANTS

Une promenade en barque dans les hortillonnages et un voyage dans la préhistoire au parc Samara (nom gaulois de la Somme).

La capitale de la Picardie est réputée pour sa cathédrale gothique, inscrite au patrimoine mondial de l'Unesco : deux fois plus grande que Notre-Dame de Paris, elle est aussi la plus haute de France. Les hortillonnages qui forment un damier de jardins au cœur de la ville sont tout aussi célèbres. On apprécie également ses spécialités : pâtés de canard en croûte, tuiles au chocolat ou macarons.

Découvrir

★★★ Cathédrale Notre-Dame

Se renseigner sur les visites guidées de l'intérieur (1h30) et la montée aux tours (45mn) à l'office de tourisme.

La rapidité avec laquelle cette cathédrale a été construite explique l'homogénéité de son architecture : le gros œuvre, entrepris en 1220, fut achevé en 1269, les chapelles latérales datent de 1375, mais il fallut attendre le 15e s. pour terminer le couronnement des tours.

La **façade** est rythmée par l'étagement que forment les trois portails, les deux galeries dont celle des rois aux effigies colossales, la grande rose flamboyante, la galerie des sonneurs surmontée d'une arcature. Le célèbre **Beau Dieu**, Christ au visage noble et serein, constitue le point central du portail principal. Admirez l'élévation du **chevet** aux arcs-boutants ajourés, et l'envolée de la flèche en châtaignier recouverte de feuilles de plomb : elle s'élève à 112,70 m.

À l'intérieur, on est saisi par la luminosité et les dimensions de la nef : 54 m de long et 42,50 m de haut. Ne manquez pas les **gisants en bronze★** (13e s.)

des évêques fondateurs de la cathédrale, un étonnant labyrinthe et les **110 stalles★★★** en chêne sculptées (début du 16ᵉ s.), chef-d'œuvre de l'art gothique flamboyant, où plus de 4 000 figures évoquent des sujets bibliques et de fantaisie.

★ Quartier Saint-Leu

C'était, au Moyen Âge, le quartier où l'on fabriquait et teignait les tissus, notamment le velours qui fit la réputation d'Amiens. Maisons colorées à colombages. Du **pont de la Dodane**, belle vue sur la cathédrale.

★ Hortillonnages

☎ 03 22 92 12 18 (Maison des hortillonnages) - avr.-oct. : visite guidée (45mn) en barque à 13h30 - 5,70 € (4-10 ans 3,80 €, 11-16 ans 4,70 €).

Les hortillons (du latin *hortus*, « jardin ») s'étendent dans un lacis de canaux. Aujourd'hui, arbres fruitiers et fleurs tendent à remplacer les légumes. Les cabanes des maraîchers deviennent des maisons de week-end. On peut y observer de nombreux oiseaux : hérons, grèbes, canards cols-verts…

À proximité

★ Parc Samara

⏵ À 15 km au nord-ouest d'Amiens par la D 1001. ☎ 03 22 51 82 83 - www.samara. fr - tte la journée - fermé nov.-mars - 9 € (-6 ans gratuit).

Au cœur de la vallée de la Somme, ce parc de 30 ha restitue 600 000 ans de l'évolution humaine, du néolithique jusqu'aux Gallo-Romains. Vous pourrez visiter les reconstitutions des premiers **habitats** et assister à des démonstrations des **techniques** : taille du silex, tissage, fabrication du feu… Découvrez aussi l'**arboretum** en forme de monstre marin et, au centre, le **jardin botanique**, conçu comme un labyrinthe. Un sentier mène à un **oppidum romain** d'où l'on peut contempler la vallée de la Somme (table d'orientation).

😊 NOS ADRESSES À AMIENS

RESTAURATION

PREMIER PRIX

Le T'chiot Zinc – 18 r. de Noyon - *☎ 03 22 91 43 79 - fermé lun. (juil.-août), dim. et j. fériés (reste de l'année) - formule déj. 13 € - 16/27 €.* À deux pas de la tour Perret, un bistrot typique, prisé des Amiénois. Sur un rythme cadencé, les serveurs envoient flamiche, cochon de lait et autres spécialités picardes. Le tout dans un cadre patiné par les années.

BUDGET MOYEN

L'Orée de la Hotoie – 17 r. Jean-Jaurès - *☎ 03 22 91 37 05 - fermé 25 juil.-20 août, 22-28 déc., sam. midi, dim. soir et lun. - 20-56 €.* Appréciée pour son calme, cette petite maison, face à un parc, propose une cuisine traditionnelle concoctée par un chef passionné.

Au Relais des Orfèvres – 14 r. des Orfèvres - *☎ 03 22 92 36 01 - fermé 3 sem. en août, 2 sem. en fév., sam. midi, dim. et lun. - formule déj. 23 € - 30/52 €.* Après avoir visité la cathédrale Notre-Dame, n'hésitez pa à prenez place dans cette jolie salle à manger contemporaine pour savourer une cuisine au goût du jour.

Baie de Somme

★★

Somme (80)

☐ S'INFORMER

Office de tourisme – 1 r. Carnot - 80550 Le Crotoy - ℰ 03 22 27 05 25 - www.crotoy-baie-de-somme.com - juil.-août : 9h30-13h, 14h-19h ; reste de l'année : tlj sf mar. 9h30-12h30, 14h-18h, dim. et j. fériés 10h-12h30, 14h-17h30.

▶ SE REPÉRER

Carte générale C1 – *Cartes Michelin n° 721 I3 et n° 511 B6*. L'estuaire de la Somme (72 km²) atteint 5 km de large entre la pointe du Hourdel et celle de St-Quentin. Au nord d'Abbeville ; accès par la D 940.

☺ À NE PAS MANQUER

Le tour de la baie du Crotoy à St-Valery-sur-Somme.

⏱ ORGANISER SON TEMPS

La découverte de la baie mérite bien une journée.

⠀ AVEC LES ENFANTS

Une promenade dans la baie sur les itinéraires recommandés car la marée monte rapidement et peut, en certains endroits du site, encercler les promeneurs à pied. L'observation des oiseaux au parc du Marquenterre.

La Somme, au cours paresseux, tarde à rejoindre la mer ; la mer entre plus rapidement dans la baie qu'elle n'en sort… et la baie s'ensable. La construction du canal de la Somme (1786 à 1835) et d'une digue, le drainage des marais et l'extension des cultures ont aussi participé à l'épaississement des bans de sable au fond de l'estuaire. Vasières, présalés, vastes étendues découvertes à marée basse… la baie tout entière est baignée d'une luminosité presque irréelle.

3

Découvrir

Le Crotoy

Jadis, se dressait ici une place forte où Jeanne d'Arc fut enfermée le 21 novembre 1430, avant d'être conduite à Rouen. De 1865 à 1870, Jules Verne séjourna au n° 9 de la rue qui porte son nom, puis Toulouse-Lautrec, Seurat y vinrent. À la fin du 19ᵉ s., le parfumeur Pierre Guerlain entreprit de faire du Crotoy « la seule plage du Nord située au sud ». L'arrivée du train, dans les années 1880, avait déjà renforcé la réputation de la station, avec ses villas de style anglo-normand. La plage est le domaine du speedsail, du cerf-volant et du char à voile, qui entraîne les plus sportifs jusqu'à Fort-Mahon-Plage.

★★ Parc ornithologique du Marquenterre

▶ *Au nord de la baie et du Crotoy par la D 940. ℰ 03 22 25 68 99 - www.parcdumarquenterre.com - avr.-sept. : 10h-19h30 ; fév.-mars et d'oct. à mi-nov. : 10h-18h ; 1ʳᵉ et dernière. sem. janv., de mi-nov. à fin déc. : 10h-17h - fermé 1ᵉʳ janv. et 25 déc. - 9,90 € (-6 ans gratuit, enf. 7,90 €). Prévoir un coupe-vent et des chaussures confortables. Emporter une paire de jumelles (possibilité d'en louer à l'accueil du parc).*

> **BONNE PÊCHE**
> À St-Valery, au Crotoy et au Hourdel, on pêche la « sauterelle », une cre-vette grise savoureuse, mais aussi la coquille St-Jacques, les encornets et de nombreux poissons plats : sole, carrelet, raie, lotte… La pêche au lancer permet de ramener les anguilles. La pêche à pied des coques est pratiquée le long des chenaux. Sans oublier les moules de bouchot, éle-vées dans la baie.

Trois parcours pédestres sillonnent le parc, balisés de panneaux pédagogiques.

Une proximité naturelle – *45mn, fléché en rouge (1,5 km)*. Il serpente autour de nombreux plans d'eau ; en mars et juin, le passage par la héronnière permet d'assister à la nidification et aux premiers pas des oisillons (plusieurs espèces d'échassiers).

Une approche discrète – *1h30, fléché en bleu (4 km)*. Il traverse les dunes et mène aux postes de guet. On surprend les vols groupés d'huîtriers pies, de bécasseaux, d'avocettes ainsi que les migrateurs venus de Sibérie ou des terres arctiques…

Un espace préservé – *2h, fléché en vert (2 km en prolongation du circuit bleu)*. Une boucle supplémentaire dévoile un autre aspect du site : de vastes prairies inondées d'eau douce sont le reposoir de milliers d'oiseaux.

★ Saint-Valery-sur-Somme
À 14 km au sud du Crotoy par la D 940.

St-Valery, c'est le charme d'un port de plaisance, d'un port de pêche, d'une plage et d'une ville haute, avec ses demeures à colombages et ses remparts. Près du cap Hornu, la chapelle St-Valery inspira Boudin, Degas ou Seurat.

Le Hourdel
À 10 km au nord-ouest de St-Valery-sur-Somme.

Ce petit port de pêche étire ses maisons de style picard à la pointe du cor-don littoral qui part d'Onival. On y achète les « sauterelles ». Aux jumelles, on peut observer les **phoques veaux marins**, une colonie protégée d'une vingtaine de congénères.

3

Mollières de la baie de Somme.
N. Thibaut/Photononstop

Beauvais

54 953 Beauvaisiens – Oise (60)

S'INFORMER

Office de tourisme – *1 r. Beauregard - 60000 Beauvais -* 📞 *03 44 15 30 30 -*
www.beauvaistourisme.fr - de mi-avr. à mi-oct. : 9h30-12h30, 13h30-18h,
dim. et j. fériés 10h-17h ; reste de l'année : tlj sf dim. et j. fériés 9h30-12h30,
13h30-18h - fermé 25 déc. - 2ᵉ bureau à l'aéroport touristique - 60000 Tillé -
📞 *03 44 11 19 59.*

SE REPÉRER

Carte générale C1 – *Cartes Michelin n° 721 J4 et n° 511 E11.* À mi-chemin
entre Amiens et Paris. Accès par l'A 16 ou la N 31-E 46.

À NE PAS MANQUER

Les vitraux de la cathédrale ; les maisons à pans de bois et les céramiques
architecturales dans le centre-ville, la galerie nationale de la Tapisserie.

ORGANISER SON TEMPS

Consacrez une demi-journée à la découverte de la ville.

AVEC LES ENFANTS

Le son et lumière de l'horloge astronomique.

**Pour découvrir un beau point de vue de la cité picarde, il faut arriver
par le pont de Paris : la masse puissante de la cathédrale, épaulée par
sa forêt d'arcs-boutants, surgit alors des toits. Ce chef-d'œuvre de l'art
gothique est resté inachevé, mais son chœur (48 m de hauteur sous
voûte) est vertigineux.**

Découvrir

★★★ Cathédrale Saint-Pierre

📞 *03 44 48 11 60 -* ♿ *- juin-sept. : tte la journée ; mai et oct. : 9h-12h30, 14h-18h ;*
nov.-avr. : 9h-12h30, 14h-17h30 - audioguide 3 € (-25 ans 2 €, enf. 1 €) - parcours
audioguidé adapté aux enfants.

De la cathédrale originelle, la **Basse-Œuvre**, bâtie à l'époque carolingienne,
ne subsistent que trois travées de la nef. En 1225, l'évêque et le chapitre décident d'ériger la plus vaste église de l'époque, un **Nouvel-Œuvre** dédié à saint
Pierre. La hauteur sous clef de voûte est de 48 m, ce qui donne aux combles
une élévation de 68 m – celle des tours de Notre-Dame de Paris, à 1 m près.
Mais les piliers sont trop espacés, les culées des contreforts trop légères. Un
éboulement se produit en 1284. Le chœur est sauvé au prix de 40 ans de
labeur. On renforce les culées et les grandes arcades des travées droites du
chœur, on multiplie les arcs-boutants. Interrompu par la guerre de Cent Ans,
le chantier reprend en 1500. Le transept est achevé en 1550. Et, au lieu d'ériger la nef, on élève une tour à la croisée du transept, surmontée d'une flèche.
Sa croix, posée en 1569, se trouve à 153 m au-dessus du sol. La nef fait défaut
pour contrebuter les poussées, et les piliers cèdent en 1573, le jour de l'Ascension, après le départ d'une procession. Les efforts du clergé et des habitants
ne permettent que la restauration du chœur et du transept.

> **LA MANUFACTURE NATIONALE DE LA TAPISSERIE**
> Louis XIV fonde la Manufacture royale de tapisserie en 1664, sur le conseil de Colbert. On y produit, sur des métiers horizontaux, dits de basse lisse, des œuvres très fines en laine et soie. Elle devient manufacture d'État en 1804. Les ateliers, transférés à Aubusson en 1939, ne peuvent rejoindre Beauvais à cause de la destruction des bâtiments en 1940. Regroupés à Paris dans l'enclos des Gobelins, ils réintègrent Beauvais en 1989.

L'**intérieur** est impressionnant : le vertige gagne en pénétrant sous ces voûtes d'une hauteur prodigieuse. Les **vitraux★★** éclairent magnifiquement le transept. Le Père éternel préside le médaillon central de la rose sud (1551). En dessous, dix prophètes et dix apôtres. En face, dix sibylles répondent aux prophètes (1537).

★ **Horloge astronomique** – *En réparation jusqu'en 2012.* 👥 Réalisée entre 1865 et 1868 par Louis-Auguste Vérité, elle comporte 90 000 pièces. 52 cadrans indiquent la longueur des jours et des nuits, les saisons, l'heure du méridien de Paris… Ses 50 automates miment cinq fois par jour la scène du Jugement dernier.

★ **Musée départemental de l'Oise**
Dans l'ancien palais épiscopal - 1 r. du Musée - 📞 03 44 11 43 83 - www.oise.fr - été : 10h-18h ; hiver : 10h-12h, 14h-18h - fermé mar., 1er janv., lun. Pâques, 1er Mai, lun. Pentecôte, 1er nov. et 25 déc.
Voyez le beau guerrier gaulois de St-Maur (1er s.) et la stèle du Mercure barbu (3e s.) et aux étages, des peintures du 16e au 20e s., notamment des paysages de **Corot** et de **Huet**, un beau mobilier Art nouveau et des céramiques du Beauvaisis.

Galerie nationale de la Tapisserie
📞 03 44 15 39 10 - 10h30-17h30 - fermé lun., 1er janv., 1er Mai et 25 déc.
Dans un bâtiment au chevet de la cathédrale, expositions semi-permanentes à partir des collections de meubles et de tapisseries du Mobilier national.

3

Laon

26 175 Laonnois – Aisne (02)

🛈 **S'INFORMER**

Office de tourisme – *Hôtel Dieu - pl. du Parvis-Gautier-de-Mortagne - 02000 Laon - ℘ 03 23 20 28 62 - www.tourisme-paysdelaon.com - de fin avr. à fin oct. : 9h30-13h, 14h-18h30 ; reste de l'année : 9h30-12h30, 14h-17h30, dim. et j. fériés 14h-17h30.*

◗ **SE REPÉRER**

Carte générale C1 – *Cartes Michelin n° 721 L4 et n° 511 N10.* Accès par l'A 26 ; de Paris (130 km) par la N 2 ; de Reims (50 km) par la D 944, puis la D 1044. La ville comprend la Cité, noyau autour de la cathédrale, et le Bourg.

😊 **À NE PAS MANQUER**

La vieille ville, la montée aux tours de la cathédrale.

🕐 **ORGANISER SON TEMPS**

De fin septembre à fin octobre, la ville s'anime pour son festival de musique classique.

👫 **AVEC LES ENFANTS**

La visite adaptée des souterrains de la citadelle.

Aux confins de la Picardie, de l'Île-de-France et de la Champagne, perché sur son rocher, Laon surplombe la plaine de plus de 100 m. La vieille cité carolingienne a tout pour plaire : sa splendide cathédrale gothique, ses maintes demeures anciennes et ses remparts médiévaux.

Découvrir

★★ Cathédrale Notre-Dame

Commencée dans la seconde moitié du 12e s., achevée vers 1230, c'est l'une des plus anciennes cathédrales gothiques du pays. Elle comptait sept tours : deux en façade, une sur la croisée du transept et quatre sur les croisillons. Deux de ces dernières ont perdu leur flèche en 1789. Très homogène, la façade comporte trois porches profonds ornés d'une majestueuse statuaire (refaite au 19e s.) et surtout deux illustres tours (56 m) attribuées à **Villard de Honnecourt**.

À l'intérieur, la **nef★★★** offre une magnifique élévation à quatre étages : grandes arcades, tribunes, triforium aveugle, fenêtres hautes. Elle se prolonge par un chœur, très développé, que termine un chevet plat comme dans les églises cisterciennes. À la croisée du transept, admirez la perspective sur la nef, le chœur, les croisillons et la tour-lanterne d'influence normande haute de 40 m. Voyez aussi la grille du chœur et les orgues du 17e s.

★ Musée d'Art et d'Archéologie

℘ 03 23 22 87 00 - juin-sept. : 11h-18h ; reste de l'année : 14h-18h - fermé lun., 1er janv., 1er Mai, 14 Juil. et 25 déc. - 3,80 € (-16 ans 2,90 €), gratuit dim. (oct.-mars).

En entrant, remarquez le transi, bien conservé, de **Guillaume de Harcigny** (14e s.). Né à Laon, celui-ci fut initié par des médecins arabes en Syrie. Médecin du roi Charles VI, il fut psychanalyste avant l'heure.

Le musée présente une riche collection d'art grec – 1 700 vases, figurines de terre cuite et sculptures –, de belles pièces provenant de l'archéologie régionale – outils, bijoux, armes, figurines et vaisselle gallo-romains et mérovingiens ; parmi les peintures du 15e au 19e s., des œuvres du Maître des Heures de Rohan et des frères **LeNain**.

★ Chapelle des Templiers

Dans la cour du musée d'Art et d'Archéologie. La commanderie du Temple fondée ici au 12e s. était un centre administratif et de recrutement des moines-chevaliers. Après la suppression de l'ordre, au début du 14e s., elle passa aux chevaliers de St-Jean de Jérusalem. La chapelle romane, par son plan octogonal, rappelle le St-Sépulcre de Jérusalem.

★ Rempart du Midi et porte d'Ardon

En bordure du rempart du Midi, la porte d'Ardon (13e s.), ou Porte royée (« qui appartient au roi »), est flanquée d'échauguettes en poivrière. Elle surplombe un vieux lavoir-abreuvoir. Du rempart du Midi qui mène à la citadelle édifiée sur ordre d'Henri IV par Jean Errard, vues agréables.

★ Les souterrains de la citadelle

✆ 03 23 20 28 62 - visite guidée (1h30) de mi-juil. à mi-sept. : 14h et 16h ; vac. scol. : 16h ; hors vac. scol. : vend.-dim. 16h - réserv. conseillée - 5 €.

👥 Laon a toujours exploité les carrières de calcaire sur lesquelles la ville est bâtie. Tour à tour, elles ont servi de silo, de prison, de poudrière ou d'hôpital durant la Grande Guerre. Plongez dans les entrailles de la ville (parcours de 450 m de long).

3

😊 NOS ADRESSES À LAON

TRANSPORT

Funiculaire – *www.tul-laon. net - 7h-20h, sam. et vac. scol. 8h30-12h30, 14h-18h - fermé dim. et j. fériés - 1,10 € AR.* Le Poma, minimétro à traction par câble, part de la ville basse toutes les 5mn pour atteindre en 4mn l'hôtel de ville.

RESTAURATION

PREMIER PRIX

L'Estaminet St-Jean – *23 r. St-Jean - ✆ 03 23 23 04 89 - www. estaminetsaintjean.com - fermé 1re sem. de janv., 24-25 et 31 déc., merc. soir, dim. soir et lun. - formule déj. 13 €.* Cuisine régionale (gratin d'endives au maroilles, carbonnade flamande...) dans un décor d'anciens ustensiles de cuisine. Lianes de houblon au plafond, jeux picards et autres objets rappellent l'histoire de la région. Convivial et familial.

BUDGET MOYEN

Zorn - La Petite Auberge – *45 bd Brossolette - ✆ 03 23 23 02 38 - www.zorn-lapetiteauberge.com - fermé vac. de fév., vac. de Pâques, 15 j. en août, sam. midi, lun. soir et dim. (sf j. fériés) - formule déj. 17 € - 27/53 €.* Dans la ville basse, salle à manger totalement revue dans un esprit contemporain : lignes épurées, tons sombres, luminaires modernes.

L'Est 4

Cartes Michelin National n° 721 et Région n⁰ˢ 516 et 515

Maisons médiévales donnant sur le canal à Strasbourg.
Wojtek Buss/Age Fotostock

L'Alsace

◗ SE REPÉRER

Située au cœur de l'Europe, la région bénéficie d'une bonne liaison avec les réseaux routiers et autoroutiers nationaux et internationaux : l'A 4 (Paris-Strasbourg) se poursuit par l'A 352 jusqu'à Obernai ; l'A 35 relie Obernai, Colmar, Mulhouse et Bâle ; l'A 36 relie Mulhouse à Besançon.

😊 À NE PAS MANQUER

À Strasbourg, la cathédrale, la Petite France, le palais Rohan et ses musées, et aux alentours, l'église de Marmoutier, Obernai, la vue depuis le mont Ste-Odile, le château du Haut-Kœnigsbourg. Une excursion soit dans le parc naturel régional des Vosges du Nord soit sur la route des Vins, entre Marlenheim, Riquewihr et Thann, ou bien encore à travers le massif des Vosges. À Colmar, voyez le retable d'Issenheim au musée d'Unterlinden et promenez-vous dans la Petite Venise. À Mulhouse, les cités de l'Automobile et du Train, les musées EDF Électropolis, de l'Impression sur étoffe et du Papier peint vous étonneront.

◐ ORGANISER SON TEMPS

On peut facilement passer une semaine en Alsace : chaque ville, au riche patrimoine à découvrir en flânant dans les rues ou en visitant les musées, est un point de départ vers le vignoble alsacien ou la découverte du massif des Vosges. Vous pourrez alterner visites culturelles et promenades en pleine nature, sur les hauteurs où l'air permet d'échapper aux chaleurs de l'été. En décembre, ne manquez pas les marchés de Noël, notamment celui de Strasbourg.

Une route sinueuse qui se faufile à travers les vignobles, des villages aux maisons à pans de bois, des nids de cigognes… À ce tableau qui réunit les vestiges de luttes féodales dans un territoire longtemps morcelé, les traditions et l'univers viticole, s'en ajoutent beaucoup d'autres. Il y a aussi celui des prairies d'altitude et des sommets arrondis comme des ballons. Dans la plaine, au pied du versant oriental du massif des Vosges, une kyrielle de villes s'établirent à l'écart du Rhin ; par leur position au carrefour des routes rhénanes, elles furent prospères dès la fin du Moyen Âge, comme en témoignent les hôtels de ville de Mulhouse, Guebwiller, Kaysersberg, Obernai, Colmar ou Strasbourg. La capitale de la région, aujourd'hui au cœur du débat européen, fut dès le 14e s. un centre commercial et artistique international, puis un des grands foyers de l'humanisme et de la Réforme. Malgré les vicissitudes historiques, l'Alsace conserve un patrimoine artistique époustouflant : églises romanes de Marmoutier ou de Murbach, cathédrales gothiques, vitraux, tissus imprimés, ou « indiennes », de Mulhouse… sans omettre la gastronomie alsacienne. La bière a sa place d'honneur dans les « winstub », version moderne des brasseries du passé ; le kougelhopf et le baeckeoffe, symboles culinaires de la région, ne font pas oublier qu'on est avant tout au pays de la choucroute, du munster et du foie gras.

Strasbourg

★★★

272 116 Strasbourgeois – Bas-Rhin (67)

 NOS ADRESSES PAGE 221

🖪 S'INFORMER

Office de tourisme – *17 pl. de la Cathédrale - 67082 Strasbourg -* ℰ *03 88 52 28 28 - www.otstrasbourg.fr - tte la journée. Bureau d'information pl. de la Gare.*

◗ SE REPÉRER

Carte générale D2 – *Cartes Michelin n° 721 P5 et n° 516 S7.* Par la route, on atteint Strasbourg par la D 1083, l'A 35, l'A 352 ou la D 104. Un aéroport international dessert de nombreuses destinations et le nouveau TGV relie Strasbourg en moins de 2h30.

⊛ À NE PAS MANQUER

La cathédrale et sa place, la Petite France, le palais Rohan et ses musées, une promenade en vedette sur l'Ill. Aux alentours, l'église abbatiale de Marmoutier, Obernai, la vue depuis le mont Ste-Odile, le château du Haut-Kœnigsbourg, une excursion dans le Parc naturel régional des Vosges du Nord.

◷ ORGANISER SON TEMPS

Laissez votre voiture au parking (en centre-ville et aux abords) et circulez tranquillement à vélo ou en tramway ! Comptez trois jours pour visiter les principales richesses de la ville. Nombreuses animations pour Noël.

⚌ AVEC LES ENFANTS

L'ascension de la flèche de la cathédrale pour la vue ou le spectacle de l'horloge astronomique de la cathédrale à 12h30, les costumes au musée alsacien ; aux alentours, les visites du Haut-Kœnigsbourg et de Fleckenstein.

4

Strasbourg, capitale de l'Europe, siège du Parlement européen et du Conseil de l'Europe, est une cité d'avant-garde : son tramway a réussi le pari de l'esthétique et de la protection de l'environnement. Au cœur de l'Alsace, la ville montre l'exemple en matière de gastronomie : foies gras, vins d'Alsace, chocolats et eaux-de-vie attirent les gourmets du monde entier. Son centre historique et la cathédrale Notre-Dame sont classés au Patrimoine mondial de l'humanité.

Se promener Plan p. 214-215

★★★ LA CITÉ ANCIENNE C2

Elle s'étend autour de la cathédrale, sur l'île formée par les deux bras de l'Ill.

★ Place de la Cathédrale

À gauche de la cathédrale, la **maison Kammerzell**★ (1589), décorée de fresques, est un joyau de la sculpture sur bois.

★★★ **Cathédrale Notre-Dame**

Le chantier de la cathédrale débute en 1015. La **façade★★★** est ornée d'une magnifique rose. Au **portail central**, le tympan comprend quatre registres figurés de scènes bibliques. Au **portail de droite**, la parabole des vierges sages et des vierges folles est illustrée par de célèbres statues. Au **portail de gauche**, les statues (14e s.) représentent les Vertus qui terrassent les Vices.

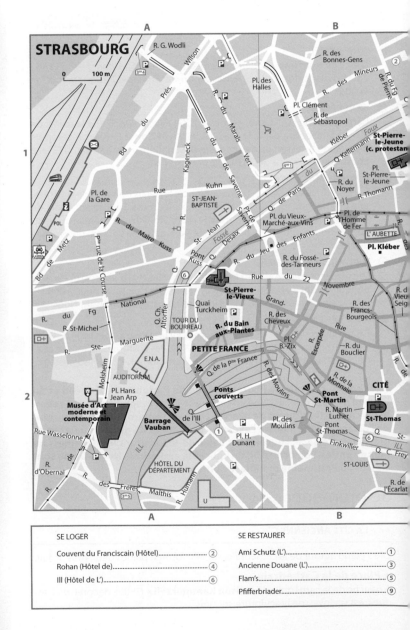

SE LOGER	
Couvent du Franciscain (Hôtel)	②
Rohan (Hôtel de)	④
Ill (Hôtel de L')	⑥

SE RESTAURER	
Ami Schutz (L')	①
Ancienne Douane (L')	③
Flam's	⑤
Pfifferbriader	⑨

★★★ **Flèche** – ☎ *03 88 43 60 32 - tte la journée - fermé 1er janv., 1er Mai et 25 déc. -
3 €.* 👥 De la plate-forme *(328 marches)*, point de **vue spectaculaire**★ sur
Strasbourg, la plaine rhénane limitée par la Forêt-Noire et les Vosges.

Au flanc droit, le **portail de l'Horloge** remonte au 13e s. Encadrant la figure de
Salomon, l'Église tient d'une main la croix et de l'autre le calice, et la Synagogue
s'incline, tentant de retenir les débris de sa lance et les Tables de la Loi

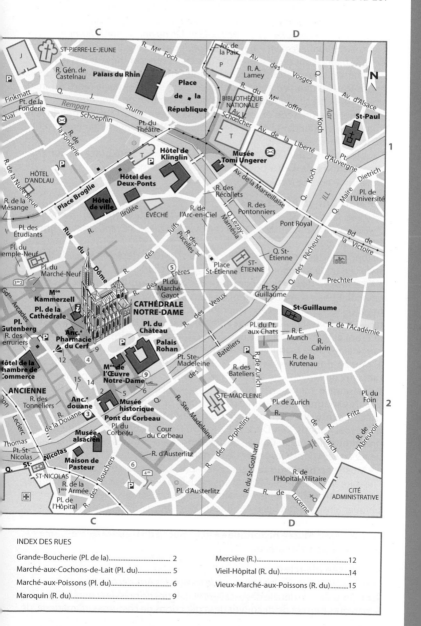

qui s'échappent de ses mains. Dans le tympan de la porte de gauche la **Mort de la Vierge★★**.

Intérieur – *Tlj sf dim. mat. et apr.-midi.* Les **vitraux★★★** des 12e, 13e et 14e s. sont superbes. Dans la **nef,** vous détaillerez la cinquantaine de statuettes sur le corps de la **chaire★★**, type parfait de gothique flamboyant. L'**orgue★★** accroché au triforium déploie son buffet gothique (14e-15e s.). Dans le croisillon droit se trouve le **pilier des Anges**, ou du **Jugement dernier★★**, élevé au 13e s.

★ **Horloge astronomique** – ♿ *(en prévenant le bedeau) - défilé des Apôtres à 12h30 - se présenter librement entre 11h45 et 12h au portail nord - fermé en cas de cultes exceptionnellement longs ou de répétitions de concerts - 2 €.* 👥 Les jours de la semaine sont représentés par des chars que conduisent des divinités, apparaissant au-dessous du cadran. Une série d'automates frappent deux coups tous les quarts d'heure. Les heures sont sonnées par la Mort. À 12h30, un grand défilé se produit dans la niche, au sommet de l'horloge.

La cathédrale possède en outre 14 **tapisseries★★** du 17e s. suspendues le long de la nef pendant l'Avent et le temps de Noël, représentant des scènes de la vie de la Vierge.

En suivant la rue des Cordiers, on parvient à la charmante **place du Marché-aux-Cochons-de-Lait★** bordée de maisons anciennes.
Traverser le pont St-Nicolas.

★ Palais Rohan et ses musées

📞 *03 88 52 50 00 -* ♿ *- lun. et merc.-vend. 12h-18h, w.-end 10h-18h - fermé mar., 1er janv., Vend. saint, 1er Mai, 1er et 11 Nov. et 25 déc. - 5 € (enf. gratuit), gratuit 1er dim. du mois.*

Le long de la terrasse bordant l'Ill, ce palais du 18e s. déploie sa façade de pur style classique *(accès aux musées au fond de la cour).*

★★ **Le musée des Arts décoratifs** – Les **grands appartements** des cardinaux de Rohan comptent parmi les plus beaux intérieurs français du 18e s., remarquables par leur décor, leur mobilier d'apparat, leurs tapisseries et leurs tableaux. Consacré aux **arts et à l'artisanat de Strasbourg et de l'est de la France**, ce musée expose une **collection de céramiques★★** : faïences et porcelaines de la manufacture de Strasbourg et Haguenau et de Niderviller.

★ **Musée des Beaux-Arts** – La collection présente essentiellement des tableaux du Moyen Âge au 18e s. Les **primitifs italiens** et les peintres de la **Renaissance** sont représentés par Filippino Lippi, Botticelli et Le Corrège. L'**école espagnole** est illustrée par des toiles de Zurbarán, Murillo, Goya, et du Greco. L'**école des anciens Pays-Bas** occupe une place de choix avec Lucas de Leyde, Rubens, Van Dyck et Pieter De Hooch. Autre richesse du musée : une importante collection de **natures mortes**. Parmi les œuvres françaises, voyez *La Belle Strasbourgeoise* de Largillière.

★★ **Musée archéologique** – Les collections d'archéologie régionale couvrent l'histoire de l'Alsace de 600 000 ans av. J.-C. à 800 ans apr. J.-C. Ne manquez pas la remarquable section romaine avec ses collections lapidaires et épigraphiques ainsi que son bel ensemble de verreries, associés à de très nombreux objets de la vie quotidienne.

👁 Voir aussi le **Musée historique★★** et le **musée de l'œuvre Notre-Dame★★**.
Traverser le pont du Corbeau.

★★ Musée alsacien

Mêmes conditions de visite que pour le musée des Arts décoratifs.

👥 Empruntant le dédale des escaliers et galeries de bois des cours intérieures, le parcours permet de découvrir des collections de costumes, d'imagerie, de

jouets anciens, et surtout des reconstitutions d'intérieurs, tels que le labora-toire de l'apothicaire alchimiste et des chambres à boiseries, avec leurs lits clos, leurs meubles en bois peint et des poêles monumentaux.
Traverser le pont St-Nicolas, suivre le quai à gauche jusqu'à la rue Martin-Luther.

Église Saint-Thomas

℘ 03 88 32 14 46 - fév. : 14h-17h ; mars et nov.-déc. : 10h-17h ; avr.-oct. : 10h-18h.
Cette église de la fin du 12ᵉ s. est devenue église luthérienne en 1529 puis cathédrale protestante. Elle renferme le **mausolée du maréchal de Saxe★★**, œuvre maîtresse de Pigalle (18ᵉ s.). Sur le mausolée, la France en larmes, tenant le maréchal par la main, s'efforce d'écarter la Mort. La Force s'abandonne à sa douleur, tandis que l'Amour pleure. Un lion (la Hollande), un léopard (l'Angle-terre) et un aigle (l'Autriche) sont rejetés vaincus sur des drapeaux froissés.
Du **pont St-Martin, vue★** plaisante sur le quartier des tanneurs. La rivière se divise à cet endroit en quatre bras. Prendre la rue des Moulins, puis suivre le contour de l'île pour atteindre les **ponts couverts★**.

★★ LA PETITE FRANCE A2

C'était autrefois le quartier des pêcheurs, des tanneurs et des meuniers. Une des façons les plus agréables de le découvrir est d'emprunter une vedette de croisière sur l'Ill et d'admirer les jeux de lumière sur les façades des mai-sons médiévales.

★★ Rue du Bain-aux-Plantes

Elle est bordée de maisons de la Renaissance alsacienne, à encorbellement, pans de bois, galeries et pignons. Au n° 42, voyez la maison des Tanneurs, et, à l'angle des rues du Fossé-des-Tanneurs et des Cheveux, le n° 33, extraor-dinairement étroit.

Barrage Vauban

60 marches. De la terrasse aménagée sur toute la longueur du pont-casemate, impressionnant **panorama★★** sur les ponts couverts, le quartier de la Petite France, la cathédrale.

★★ Musée d'Art moderne et contemporain

℘ 03 88 23 31 31 - www.musees-strasbourg.org - ⚒ - mar.-merc. et vend.-sam. 11h-19h, jeu. 12h-22h, dim. 10h-18h - fermé 1ᵉʳ janv., Vend. saint, Pâques, 1ᵉʳ Mai, 1ᵉʳ et 11 Nov. et 25 déc. - 7 € (-25 ans 3,50 €), gratuit 1ᵉʳ dim. du mois.
L'histoire de l'**art moderne des années 1850 aux années 1950** est marquée par des œuvres illustrant la diversité des langages picturaux, des peintures du maître de l'académisme Bouguereau aux œuvres abstraites de Kandinsky, Poliakoff ou Magnelli. Plusieurs salles dédiées à Arp et à sa femme Sophie Taeuber-Arp précèdent les collections d'**art moderne des années 1950 à nos jours**.

À proximité

★ Marmoutier

◗ *À 38 km à l'ouest de Strasbourg par la N 4, en dir. de Saverne.*
L'**église abbatiale★★** est un joyau de l'art roman qui apparaît dans son écrin de verdure au sortir de la forêt. La **façade occidentale★★**, en grès rouge des Vosges, fourmille de détails romans : arcatures aveugles et culs-de-lampe

4

sculptés. Le narthex, voûté de coupoles, est la seule partie intérieure romane. Dans le chœur, voyez les belles stalles Louis XV. Les **orgues** authentiques de Silbermann (1710) comptent parmi les plus belles d'Alsace.

★★ Obernai

▶ *À 27 km au sud-ouest de Strasbourg par l'A 352, puis l'A 35 qui mène au sud à Colmar et Mulhouse.*

Au nord du vignoble alsacien, enserrée par les hauteurs du mont Ste-Odile, Obernai est une attachante étape sur la route des Vins. C'est l'Alsace tout entière, avec ses cigognes, ses maisons médiévales aux toits polychromes, ses rues fleuries, ses enseignes, ses remparts ombragés, son puits et la statue de sainte Odile.

★★ **Place du Marché** – Au centre de la ville, elle est bordée de maisons anciennes aux teintes dorées tirant parfois vers le carmin.

★ **Tour de la Chapelle** – Ce beffroi du 13ᵉ s. était le clocher d'une chapelle dont ne subsiste que le chœur. La flèche gothique culmine à 60 m ; flanquée de quatre échauguettes ajourées, elle date du 16ᵉ s.

Puits aux Six Seaux – Trois rouelles dont chacune porte deux seaux pour ce puits Renaissance, l'un des plus beaux d'Alsace ; la girouette indique sa date : 1579.

Remparts – Au 12ᵉ s., lorsqu'elle est possession du Saint Empire romain germanique, la ville décide de se protéger par une double enceinte fortifiée. Remaniée à plusieurs occasions, elle forme aujourd'hui une promenade particulièrement agréable.

★★ Mont Sainte-Odile

▶ *À 2 km au sud-ouest d'Obernai.*

À plus de 750 m, les falaises de grès rose, couvertes de forêts avancent au-dessus de la plaine d'Alsace. De la terrasse, le **panorama★★** est splendide sur le Champ du Feu et la vallée de la Bruche.

Au 7ᵉ s., le duc Étichon, qui souhaitait un garçon, rejeta sa fille née aveugle. Mais Odile recouvra la vue le jour de son baptême, et son père, bien plus tard, lui fit don d'un château où elle établit un couvent. Après sa mort, le couvent devint le but de grands pèlerinages. Aujourd'hui encore, les pèlerins viennent nombreux honorer la sainte patronne de l'Alsace, dont la fête est le 14 décembre.

★★ Château du Haut-Kœnigsbourg

▶ *À 40 km au sud de Strasbourg en passant par Sélestat, où l'on gagne la D 159.* ℘ *03 88 82 50 60 - www.haut-koenigsbourg.fr - ᵬ - possibilité de visite guidée - mars-oct. : tte la journée ; nov.-fév. : mat. et apr.-midi - fermé 1ᵉʳ janv., 1ᵉʳ Mai et 25 déc. - 8 € (-18 ans gratuit), gratuit 1ᵉʳ dim. du mois (nov.-mars). Des visites ludiques sont organisées pendant les vac. scol. (lun.-vend. 11h et 15h) et tlj en juil.-août 11h, 13h30, 15h et 16h15.*

👥 Forteresse de 270 m de long, perchée à près de 800 m de haut, ce n'est ni un mirage, ni une *Grande Illusion*, pour évoquer le film que Jean Renoir y tourna en 1937. L'éperon de grès sur lequel le château est accroché surveille toutes les routes menant vers la Lorraine ou traversant l'Alsace. Construit par les Hohenstaufen au 12ᵉ s., notamment par Frédéric Barberousse, après quelques siècles d'abandon, le Haut-Kœnisgbourg a été offert en 1899 par la ville de Sélestat à l'empereur Guillaume II. Ce dernier en confia la « restauration » à l'architecte Bodo Ebhardt. En fin de visite, gagnez le grand bastion pour profiter du **panorama★★**.

Circuits conseillés

★★ LES VOSGES DU NORD

Les sentiers de randonnée traversent les vallées, les prairies, les étangs et les forêts qui couvrent plus de la moitié du **Parc naturel régional des Vosges du Nord** formant un triangle entre Wissembourg-Saverne-Volmunster. En 1989, le parc s'est vu attribuer par l'Unesco le titre de « Réserve mondiale de la biosphère ».

Traversée du pays de Hanau
◗ *125 km. Au départ de Saverne, à 40 km au nord-ouest de Strasbourg.*
Après St-Jean-de-Saverne et les **ruines du Haut-Barr★**.
Musée d'Arts et Traditions populaires à Offwiller – *℘ 03 88 89 31 31 - visite guidée (1h) uniquement, sur demande préalable à la mairie - juin-sept. : dim. apr.-midi - 2 € (enf. 1 €).* Pour découvrir le charme rural et culturel de la région.
★ **Musée du Cristal St-Louis à St-Louis-lès-Bitche** – *R. Coëtlosquet - ℘ 03 87 06 40 04 - tte la journée - fermé mar. - 6 € (enf. 3 €).* St-Louis-lès-Bitche est la patrie des cristalleries de St-Louis fondées en 1767, anciennes verreries royales, dont la production a acquis une renommée internationale. Dans ce musée, on appréhende les prouesses de la technique du cristal à travers une magnifique collection d'articles de table et d'ornementation.
Maison du verre et du cristal à Meisenthal – *℘ 03 87 96 91 51 - de Pâques à fin oct. et période de Noël : tlj sf mar. apr.-midi - fermé 23-25 déc. - 6 € (enf. 3 €).* Meisenthal est un haut lieu de la verrerie qui a connu ses heures de gloire avec Émile Gallé à la fin du 19e s. (le village accueille le Centre international verrier qui propose au public des démonstrations du travail du verre). Dans ce musée, installé dans l'ancienne verrerie, explique la fabrication et présente les produits depuis le 18e s.
Musée du Sabot à Soucht – *℘ 03 87 96 87 07 -* &. *- visite guidée (45mn) juil.-août : apr.-midi ; de Pâques à fin juin et sept.-oct. : w.-end et j. fériés apr.-midi - tarif : se renseigner.* Il permet d'assister à la fabrication des pièces.
La Petite-Pierre★ est le point de départ de plus de 100 km de sentiers balisés. Le bourg abrite des restes des fortifications de Vauban, une tour romaine et un château du 12e s.
Maison du Parc naturel régional des Vosges du Nord – *Pl. du Château - ℘ 03 88 01 49 59 - www.parc-vosges-nord.fr - mat. et apr.-midi - fermé janv., 24-25 et 31 déc. - 2,50 € (-12 ans gratuit).* Pour découvrir les richesses historiques, culturelles et techniques de la région ainsi que l'important patrimoine du Parc naturel régional des Vosges du Nord (végétation, faune).

LES CHÂTEAUX

◗ *54 km. Au départ de Niederbronn-les-Bains, au nord-ouest d'Haguenau, à 50 km au nord-ouest de Strasbourg. Suivre la D 662.*
Aux confins des zones d'influence du Palatinat, de l'Alsace et de la Lorraine, presque chaque piton rocheux porte la ruine d'un château construit entre le 12e s. et le 13e s. par les puissants Hohenstaufen, ou par les familles nobles

4

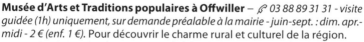

et seigneurs qui contestaient leur pouvoir ; ces châteaux ont été détruits et abandonnés avant le 18ᵉ s. Au cœur d'une région de tourbières, l'**étang de Hanau**★ est aménagé pour les loisirs nautiques. De l'autre côté de l'étang, se trouve le château de **Waldeck**, que l'on gagne par des parcours pédestres fléchés.

À la **Maison des châteaux forts** d'**Obersteinbach**, vous trouverez des explications sur l'histoire des châteaux, leur site, leurs accès, leurs maîtres.

Le château de **Schoeneck** est érigé sur une barre rocheuse.

Les deux châteaux de **Windstein**, distants de 500 m l'un de l'autre, ont été détruits en 1676. Le **Nouveau Windstein** *(🚶 30mn à pied AR)*, de style gothique, a gardé une partie de ses fortifications et de belles fenêtres ogivales.

LES VILLAGES TYPIQUES

▷ 42 km. Au départ de Wissembourg par la D 3.

★ Château de Fleckenstein

℘ 03 88 94 28 52 - www.fleckenstein.fr - juil.-août : 10h-18h ; de mi-mars à fin juin et de déb. sept. aux vac. de Toussaint : 10h-17h ; reste de l'année : se renseigner pour les horaires - possibilité de visite guidée sur demande 2 j. av. - 2,50 € (-18 ans 2,25 €).

Au-delà du col de Litschhof, le il fut fondé au 12ᵉ s. Des escaliers intérieurs (attention aux marches) conduisent à plusieurs chambres taillées dans le roc, dont l'étonnante salle des Chevaliers et son pilier central monolithe.

« **Le château des défis** » – *℘ 03 88 94 28 52 - www.fleckenstein.fr - juil.-août : 10h-18h30 ; de mi-mars à fin juin et sept.-oct. : 10h-18h ; vac. de Toussaint : 10h-17h - 9,50 € (-18 ans 7,50 €).* 👪 Ce parcours amusera les 4 -12 ans.

On traverse des villages que la guerre de 1870 a rendus célèbres : Reichshoffen, Frœschwiller, puis Wœrth.

Musée de la Bataille du 6 août 1870 à Wœrth

℘ 03 88 09 40 96 - juil.-août : 10h-12h, 14h-18h ; juin : 14h-18h ; avr.-mai et sept.-oct. : 14h-17h ; fév.-mars et nov.-déc. : w.-end 14h-17h - fermé mar., janv. et 25 déc. - 3,50 € (-10 ans 2,70 €).

Uniformes, armes, équipements, documents et tableaux relatifs aux deux armées en présence lors de la bataille de Woerth-Froeschwiller.

★★Hunspach

Ce bourg est classé parmi « les plus beaux villages de France ». Le style alsacien et le caractère exclusivement rural du village se voient dans ses cours fermières, ses vergers, ses fontaines à balanciers.

★Seebach

Seebach est resté le village alsacien type.

😊 NOS ADRESSES À STRASBOURG

VISITE

En vedette sur l'Ill – ☎ 03 88 84 13 13 - ♿ - www.bateaurama. fr - visite guidée (1h10) tte l'année, horaires se renseigner - 9 € (enf. 4,50 €). Départ de l'embarcadère du palais Rohan pour une promenade commentée dans la Petite France.

HÉBERGEMENT

😊 **Bon à savoir** – Les sessions plénières du Parlement européen ont lieu chaque mois pendant une semaine. Les hôtels, même les moins chers, sont alors tous pris d'assaut. Pensez à réserver votre chambre avant votre départ.

PREMIER PRIX

Hôtel de L'Ill – C2 - 8 r. des Bateliers - ☎ 03 88 36 20 01 - www. hôtel-ill.com - fermé 30 déc.-9 janv. - 27 ch. 70/89 € - ☕ 7,50 €. Hôtel rénové où règne une ambiance familiale. Les chambres, de tailles variées, sont d'une propreté exemplaire. Salle des petits-déjeuners de style alsacien avec pendule à coucou.

BUDGET MOYEN

Hôtel couvent du Franciscain – B1 - 18 r. Fg-de-Pierre - ☎ 03 88 32 93 93 - www.hotel-franciscain. com - 43 ch. 78/90 € - ☕ 10 €. Au fond d'une impasse, hôtel assurant un hébergement simple et confortable. Salon lumineux, petits-déjeuners dans un caveau aux faux airs de *winstub* (fresque amusante). Pratique pour aller à pied dans la cité ancienne.

Hôtel de Rohan – C2 - 17 r. Maroquin - ☎ 03 88 32 85 11 - www. hotel-rohan.com - 36 ch. 75/155 € - ☕ 13 €. Près de la cathédrale, en plein secteur piétonnier. Chambres meublées styles Louis XV, Louis XVI ou rustique. Beaux produits au petit-déjeuner.

RESTAURATION

PREMIER PRIX

Flam's – C1 - 29 r. des Frères - ☎ 03 88 36 36 90 - www.flams. fr - formule déj. 6,50 € - 9,90/17,50 €. Tout près de la cathédrale, maison à colombages abritant un restaurant de flammekueches. Trois salles et deux caveaux aux belles couleurs vives. Plafond peint du 15ᵉ s.

Pfifferbriader – C2 - 6 pl. du Marché-aux-Cochons-de-lait - ☎ 03 88 32 15 43 - fermé dim. (et lun. de janv. à Pâques.) - 10/20 €. Restaurant alsacien typique avec son plafond bas, ses poutres patinées, ses boiseries et ses vitraux ornés de scènes viticoles. Goûteuses spécialités régionales et plats plus classiques, tous élaborés avec des produits frais. Bon choix de vins locaux.

L'Ami Schutz – A2 - 1 Ponts-Couverts - ☎ 03 88 32 76 98 - www. ami-schutz.com - fermé vac. de Noël et 1ᵉʳ Mai - formule déj. 16,40 € - 27,50/42,80 €. Entre les bras de l'Ill, *winstub* à l'ambiance chaleureuse (boiseries, banquettes) ; la plus petite des deux salles offre plus de charme. Terrasse ombragée.

L'Ancienne Douane – C2 - 6 r. de la Douane - ☎ 03 88 15 78 78 - www.anciennedouane.fr - 12h-14h, 19h-22h - 16,90/28,90 €. Cette grande brasserie est une institution qui sert des plats typiques et généreux à petits prix. Aux beaux jours, une jolie terrasse donnant sur le quai St-Nicolas vous accueillera. Remarquable « choucroute des douaniers ».

4

Route des vins

Bas-Rhin (67) et Haut-Rhin (68)

S'INFORMER

Office de tourisme de Riquewihr – *2 r. de la 1ʳᵉ-Armée* - ℘ *03 89 73 23 23* - *www.ribeauville-riquewihr.com.*

Office de tourisme de Thann – *7 r. de la 1ʳᵉ-Armée* - ℘ *03 89 37 96 20* - *www.ot-thann.fr.*

www.vinsalsace.com – Site officiel des Vins d'Alsace où vous trouverez notamment des informations sur le vignoble, les manifestations viticoles et la liste des producteurs.

SE REPÉRER

Carte générale D2 – *Cartes Michelin n° 721 P5-6 et n° 516 OP5-9.* La route des vins (170 km) court entre Marlenheim, situé à 21 km au nord-ouest de Strasbourg, et Thann situé à 22 km au nord-ouest de Mulhouse.

À NE PAS MANQUER

De nombreuses localités ont leur charme et leur intérêt, mais la route est longue. Pour n'en citer que quelques-unes : Ribeauvillé, Riquewihr, Kaysersberg, Turckheim, Guebwiller, Thann.

ORGANISER SON TEMPS

Les plus pressés peuvent ne parcourir qu'une partie de la route, soit entre Marlenheim et Riquewihr, soit entre Riquewihr et Thann ; ceux qui veulent la découvrir de bout en bout peuvent aussi faire une halte à Colmar à 14 km de Riquewihr. Sur le parcours, de nombreux sentiers viticoles sont balisés et jalonnés de panneaux explicatifs. Leur accès peut cependant être fermé un mois avant et durant des vendanges. Renseignez-vous enfin sur les nombreuses fêtes qui émaillent le calendrier.

Depuis que les Romains ont planté quelques ceps sur cette terre, les vignes, par l'entremise des communautés religieuses du Moyen Âge, ont colonisé les coteaux les plus escarpés. Entre Marlenheim et Thann, le vignoble s'étend sur les collines et les versants des vallées qui longent le massif des Vosges en une longue bande, parsemée de jolis villages, de vieux châteaux, de petites chapelles ou abbayes, de caves de dégustation et de bonnes tables.

Circuits conseillés

DE MARLENHEIM À RIQUEWIHR

C'est peut-être la route gastronomique la plus fameuse de France. Elle permet de zigzaguer entre les vignes omniprésentes, les charmants villages fleuris, les châteaux, les abbayes, les caves, les bonnes tables et les fêtes vigneronnes.

Marlenheim

Ce centre viticole ouvre sur la route des Vins (point d'accueil et de découverte des cépages d'Alsace, et des blasons des villages viticoles).

★ Molsheim

Charmante ville ancienne dans la vallée de la Bruche, Molsheim garde une belle **église des Jésuites★**, qui, bien que remontant au 17e s., fut bâtie dans le style gothique. Voyez aussi la **Metzig★**, bâtiment Renaissance, construit par la corporation des Bouchers, bien alsacien avec ses pignons à volutes, son double escalier et son élégant balcon de pierre.

★ Rosheim

Cette petite ville de vignerons conserve entre les ruines de ses remparts des monuments romans : une église du 12e s. aux chapiteaux sculptés, une maison en grès rouge qui date de 1152. Après le plaisir des yeux, attablez-vous pour une dégustation de munster – fromage à pâte molle – et d'un vin… d'Alsace.

★ Andlau

Andlau se résume en deux clochers, dont celui de l'**église St-Pierre-et-St-Paul★**, au **portail★★** roman orné de superbes sculptures, et trois grands crus de riesling.
Jusqu'à Ribeauvillé, la route est dominée par des châteaux : Haut-Kœnigsbourg, Kientzheim, Frankenbourg, St-Ulrich, Girsberg et Haut-Ribeaupierre.

★ Ribeauvillé

Petite ville étalée le long de sa rivière, au pied de la chaîne des Vosges, Ribeauvillé mérite une halte pour ses vins (riesling, pinot gris et gewurztraminer), ses maisons à colombages et son **château de St-Ulrich★** campé sur les hauteurs.
Au-delà de Ribeauvillé, la route s'élève à mi-pente des coteaux, et la vue se dégage sur la plaine d'Alsace. C'est entre Ribeauvillé et Colmar *(voir p. 227)* que se trouve le cœur du vignoble alsacien. Villages et bourgs viticoles aux crus réputés se succèdent alors sur les riches coteaux qui bordent les Vosges.

★★★ Riquewihr

Avec plus de 2 millions de visiteurs annuels, Riquewihr est l'un des villages les plus visités de France. Il est passé miraculeusement à travers toutes les guerres, toutes les destructions : les ruelles, les murailles et les maisons ont ainsi conservé, pratiquement intacte, leur splendeur du 16e s. À cette époque, c'était le riesling qui lui assurait sa prospérité. Il attire toujours les connaisseurs.
Dans les rues médiévales se profilent ici ou là les vestiges du passé séculaire de Riquewihr, que l'on découvre de part et d'autre de la rue du Gén.-de-Gaulle.
Château des ducs de Wurtemberg – Terminé en 1540, il a gardé ses fenêtres à meneaux, son pignon couronné de bois de cerf et sa tourelle d'escalier.
★ **Maison Liebrich** – *Cour des Cigognes*. Datant de 1535, elle se distingue avec sa cour à galeries de bois à balustres, son joli puits et un énorme pressoir. En face, la maison Behrel possède un oriel de 1514 surmonté d'une partie ajoutée en 1709.
★ **Maison Preiss-Zimmer** – *Cour des Vignerons*. Plusieurs cours successives forment un ensemble pittoresque : la deuxième appartenait à la corporation des vignerons, la suivante est l'ancienne **cour dîmière des sieurs de Ribeaupierre**.
Rue et cour des Juifs – La rue des Juifs débouche sur la curieuse cour des Juifs, ancien ghetto. Au fond, un étroit passage et un escalier de bois conduisent aux remparts.
Musée de la Tour des Voleurs – *Se renseigner au ☏ 03 89 73 23 23 - 3 € (-10 ans gratuit)*. On visite une salle de torture, des oubliettes, la salle de garde et l'habitation du gardien de cette ancienne prison.

4

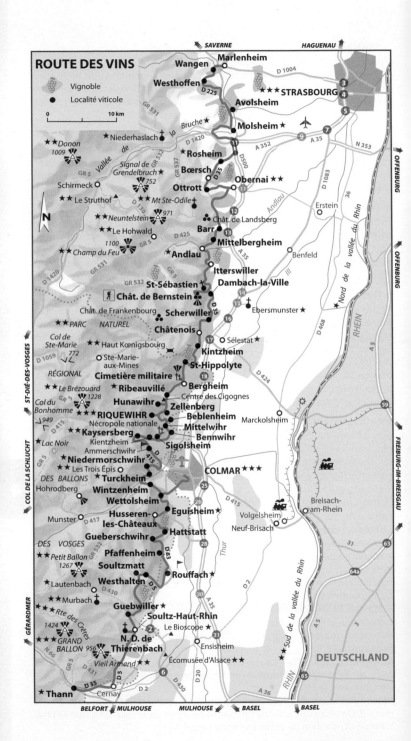

★ **Maison Kiener** – *2 r. du Cerf.* La porte en plein cintre, taillée en biais pour faciliter l'entrée des voitures, donne sur une cour typique avec son escalier tournant, ses étages en encorbellement et son puits du 16ᵉ s. Cette maison, de 1574, est surmontée d'un motif en bas relief où l'on voit la Mort saisir le fondateur de la maison.

★ **Maison Dissler** – *6 r. de la Couronne.* Construite en pierre, avec ses pignons à volutes et sa loggia, elle témoigne de la Renaissance rhénane (1610).

DE RIQUEWIHR À THANN

Au pied des Vosges, on roule au milieu des vignes.

Mittelwihr

Les coteaux de Mittelwihr – appelé le « Midi de l'Alsace » – bénéficient d'une exposition si favorable que les amandiers y fleurissent et même y mûrissent. Le gewurztraminer et le riesling qui en proviennent jouissent d'une renommée grandissante.

★★ Kaysersberg

Les vignerons ont réussi à élever ici les meilleurs crus de la région, parmi lesquels le tokay dont les premiers plants leur ont été offerts par le bailli Lazare de Schwendi au 16ᵉ s. Dès l'époque romaine, la cité commandait l'un des plus importants passages entre la Gaule et la vallée du Rhin. La petite ville, entièrement piétonne, a gardé son aspect médiéval, ses vieilles maisons, les ruines de son château, le très beau **retable★★** de l'**église Ste-Croix★**, le **puits Renaissance** avec son inscription amusante (« Si tu te gorges d'eau à table, cela te glacera l'estomac ; je te conseille de boire du bon vin vieux et laisse-moi mon eau ! ») et le **pont fortifié★**. Le **marché de Noël** de Kaysersberg est l'un des plus célèbres d'Alsace.

Musée Albert-Schweitzer – Il retrace la vie du docteur qui naquit là en 1875 et reçut le prix Nobel de la Paix en 1952.

★ Niedermorschwihr

Joli village au milieu des vignes dont l'église moderne a gardé son clocher vrillé du 13ᵉ s., unique en Alsace. Maisons à oriels et balcons de bois.

★ Turckheim

À l'intérieur de ses remparts, la petite ville, aux toitures anciennes, aux nids de cigognes et au clocher couvert de tuiles polychromes, est animée tous les soirs de mai à octobre par la **ronde du veilleur de nuit**, qui part à 22h de la place Turenne.

Wintzenheim

Ce village au centre d'un vignoble réputé (grand cru Hengst) conserve les restes de fortifications (1275), quelques maisons anciennes et l'ancien manoir des chevaliers de St-Jean ou Thurnburg devenu hôtel de ville.

★ Eguisheim

Il y a matière à une leçon de géométrie… En effet, le village s'est développé en cercles concentriques à partir du château octogonal du 13ᵉ s. Eguisheim compte 300 ha de vignobles et deux grands crus, l'eichberg et le pfersigberg.

Soultzmatt

Au pied du vignoble du grand cru zinnkoepflé, le plus élevé d'Alsace (420 m), Soultzmatt produit des sylvaner et des gewurztraminer particulièrement appréciés. À l'entrée du village se dresse le **château de Wagenbourg**.

4

★ Guebwiller

Quatre grands crus pour cette étape, et des méthodes d'exploitation tout à fait modernes. La **vallée de Guebwiller**★★ est le paradis des randonneurs, où l'on fait volontiers un détour pour visiter l'**église de Murbach**★★ *(voir p. 235).*

Cave vinicole du Vieil-Armand à Soultz

À la sortie de Soultz. Elle regroupe plus d'une centaine de vignerons. Deux grands crus sont élevés : le rangen, le plus méridional de l'Alsace avec son terroir à roche volcanique, et l'ollwiller au pied du Vieil-Armand. La cave propose une dégustation de vins régionaux.

Poursuivre sur la D 5, puis tourner à droite dans la D 35.

★ Thann

C'est l'ultime étape de la route des Vins, avec, en apothéose, le grand cru de rangen. Thann peut être aussi le point de départ de la **route des Crêtes** *(voir p. 231).* À ce carrefour vous attend une des plus belles églises gothiques d'Alsace.

★★ **Collégiale St-Thiébaud** – *Visite guidée uniquement, s'adresser à l'office de tourisme,* ✆ *03 89 37 96 20.* Sa façade ouest est percée d'un remarquable **portail**★★. La principale richesse de la collégiale reste les **51 stalles**★★ en chêne du 15ᵉ s. Toute la fantaisie du Moyen Âge s'y donne libre cours. Ce ne sont que feuillages, gnomes et personnages comiques d'une verve remarquable et d'une grande finesse d'exécution.

Colmar

★★★

66 871 Colmariens – Haut-Rhin (68)

 S'INFORMER

Office de tourisme – *4 r. d'Unterlinden - 68000 Colmar - ☎ 03 89 20 68 92 - www.ot-colmar.fr - janv.-mars et nov. : mat. et apr.-midi sf dim. et j. fériés mat. ; avr.-oct. et marché de Noël : tte la journée sf dim. et j. fériés mat.*

◗ SE REPÉRER

Carte générale D2 – *Cartes Michelin n° 721 P6 et n° 516 P10.* À mi-chemin entre Strasbourg et Bâle, la ville est reliée aux deux cités par l'A 35. Avec le TGV Est, Colmar est à moins de 3h de Paris.

☺ À NE PAS MANQUER

Le retable d'Issenheim au musée d'Unterlinden, la Petite Venise, les belles maisons historiques, le musée Bartholdi.

◷ ORGANISER SON TEMPS

Colmar mérite qu'on s'y arrête au moins une nuit, ne serait-ce que pour profiter d'une de ses bonnes tables.

♟♟ AVEC LES ENFANTS

Le musée animé du Jouet et des Petits Trains, une promenade en barque dans la Petite Venise, au fil de la Lauch.

Ses fontaines, ses cigognes, ses maisons à colombages, ses géraniums aux balcons disent tout de son appartenance à l'Alsace… Si le patrimoine culturel est inépuisable, les plaisirs de la table le sont tout autant. En plus, c'est un excellent point de départ pour découvrir la route des Vins.

Se promener

★★ **LA VILLE ANCIENNE**

4

Place de l'Ancienne-Douane

C'est l'une des plus pittoresques de Colmar avec ses constructions à pans de bois, dont la **maison au Fer rouge**.

★ **Ancienne Douane** (ou Koïfhus) – Elle se distingue par son toit de tuiles vernissées. Au rez-de-chaussée du corps de logis principal (1480), on entreposait les marchandises soumises à l'impôt communal.
Continuer par la rue des Marchands.

★★ **Maison Pfister**

Petit bijou de l'architecture locale, elle a été construite en 1537 pour un chapelier de Besançon. Façade peinte, à fresques, oriel d'angle vitré au premier étage et habilement intégré à la galerie de bois fin 16ᵉ s. du second étage, sculptée et soutenue par de belles consoles ouvragées.

Dans cette rue, voir la **maison Schongauer** ou **de la Viole**, qui appartint à la famille de ce peintre (15ᵉ s.), et la **maison au Cygne**, où il aurait vécu ; au n° 9, un marchand sculpté dans le bois (1609).

Musée Bartholdi

30 r. des Marchands - ℰ 03 89 41 90 60 - www.musee-bartholdi.com - tlj sf mar. 10h-12h, 14h-18h - fermé janv.-fév., 1ᵉʳ Mai, 1ᵉʳ nov. et 25 déc. - 4,50 €. (enf. 2,90 €).

Les appartements de la maison natale du sculpteur Auguste Bartholdi (1834-1904), au 1ᵉʳ étage, sont meublés comme au temps de l'artiste ; y sont évoquées sa vie et ses œuvres, du *Lion de Belfort* au *Vercingétorix* de Clermont-Ferrand. Le 2ᵉ étage est tout entier consacré à la statue de la Liberté du port de New York.

En face du musée, un passage sous arcade permet de rejoindre la place de la Cathédrale.

★ Collégiale Saint-Martin

En grès rouge, son portail principal est encadré de deux tours. Le **portail St-Nicolas**, signé est orné de la légende de saint Nicolas. À l'intérieur, dans la chapelle absidiale, **Crucifixion★** sculptée du 14ᵉ s.

Quitter la place par la rue des Serruriers.

Église des Dominicains

Mai-oct. : 10h-18h - avr. et nov.-déc. : 10h-13h, 15h-18h ; 1,50 € (enf. 0,50 €).

Dans cet édifice au surprenant vaisseau élancé, éclairé par des **vitraux★** des 14ᵉ et 15ᵉ s., voyez la **Vierge au buisson de roses★★**, œuvre majeure de Schongauer (1473) où la Vierge et l'Enfant se détachent sur un fond d'or couvert de rosiers, habité d'oiseaux. Ce tableau admirablement conservé est d'une rare élégance.

Emprunter la rue des Têtes pour admirer la façade du n° 19 puis gagner la place d'Unterlinden.

★★★ Musée d'Unterlinden

ℰ 03 89 20 15 50 - www.musee-unterlinden.com - ♿ - possibilité de visite guidée sur demande préalable - mai-oct. : 9h-18h ; nov.-avr. : tlj sf mar. 9h-12h, 14h-17h - fermé 1ᵉʳ janv., 1ᵉʳ Mai, 1ᵉʳ nov. et 25 déc. - 7 € (-17 ans 5 €).

Le bâtiment du musée occupe un couvent de moniales fondé au 13ᵉ s.

Les salles autour du **cloître★** sont consacrées à l'**art rhénan** : peintures et sculptures, bronzes, vitraux, ivoires, tapisseries, datant de la fin du Moyen Âge ou de la Renaissance. Les primitifs rhénans sont représentés par Holbein l'Ancien, Cranach l'Ancien, Gaspard Isenmann et les gravures sur cuivre de **Martin Schongauer** (1445-1491).

Cet artiste est né à Colmar et y a exécuté presque toute son œuvre peinte. Ses gravures ont été admirées autant par Dürer que par les artistes vénitiens de la Renaissance.

Conservé dans la chapelle, avec des œuvres de Schongauer et de son entourage (**retable de la Passion★★** en 24 panneaux), le **retable d'Issenheim★★★** a été exécuté vers 1512-1516 par **Grünewald** pour l'église du couvent des Antonins d'Issenheim. Cet ordre était spécialisé dans le traitement du « mal des ardents » ou « feu de saint Antoine » (empoisonnement à l'ergot de seigle). Le réalisme des détails (carafe en verre, poignée de coffre, baquet) le dispute à l'invention, à la poésie (ange aux plumes vertes) et même à l'humour des décors et des personnages (soldat renversé, son casque sur le nez). Dans la Crucifixion, la douleur physique qui émane des mains clouées sur la croix, du corps raidi et déchiré de plaies est difficilement supportable.

À l'étage, intérieurs reconstitués, et dans les **caves du couvent,** œuvres de peintres du 20ᵉ s. : Rouault, Picasso, Viera da Silva, Nicolas de Staël, Poliakoff…

Suivre la rue des Clefs, puis à gauche la rue Vauban.

Musée animé du Jouet et des Petits Trains

℘ 03 89 41 93 10 - ♿ - www.musee-bartholdi.com - mars-déc. : tlj sf mar. mat. et apr.-midi - fermé janv.-fév., 1er Mai, 1er nov. et 25 déc. - 4,50 € (enf. 2,90 €). 👥 Installé dans un ancien cinéma, ce coin de paradis s'adresse à tous, petits et grands enfants : poupées, chevaux, avions, machines à coudre, sans oublier wagons et locomotives de la collection Trincot (circuit de plus de 1 000 m où circulent une vingtaine de trains). Amusantes vitrines animées sur le thème de la fête foraine et du cirque.

★ LA PETITE VENISE

En barque – *℘ 03 89 41 01 94 - www.sweetnarcisse.com - avr.-sept. : 10h-12h, 13h30-19h - 6 €/pers.* 👥 Promenade accompagnée dans la Petite Venise : embarquement au bas du pont St-Pierre.

Quartier des Tanneurs

Bien que restauré, il témoigne de l'activité qui y régna jusqu'au 19e s. Les maisons y sont étroites et hautes, car elles comportaient un grenier pour le séchage des peaux.

Le **quartier de la Krutenau★** était jadis un bourg fortifié peuplé de maraîchers qui circulaient sur les cours d'eau en barques à fond plat.

Le **quai de la Poissonnerie★** avec ses maisons de pêcheurs colorées aboutit à la rue de Turenne, où se tenait autrefois le marché aux légumes.

La promenade aménagée le long de la berge mène au **pont St-Pierre**, d'où l'on a un remarquable **point de vue★** sur la Petite Venise et le vieux Colmar.

La place du Marché-aux-Fruits est bordée par la **maison Kern**, Renaissance, et par la jolie façade classique en grès rose de l'**ancien conseil souverain d'Alsace (1765)★**, sur la gauche.

Circuits conseillés

À cheval sur trois départements, le ballon d'Alsace est le plus méridional des massifs vosgiens. Attention au brouillard, fréquent, qui peut limiter l'intérêt du coup d'œil. Pâturages d'altitude, tourbières, cirques glaciaires, lacs, rivières et collines couvertes de résineux sont peuplés d'une faune et d'une flore riche : chamois, lynx, écrevisses, truites, tritons, lis martagon, gentianes jaunes, myrtilles… En hiver, les champs de neige offrent des kilomètres de randonnées à skis. Les possibilités de découvertes sont infinies.

🔲 **Parc naturel régional des Ballons des Vosges** – *1 cour de l'Abbaye - 68140 Munster - ℘ 03 89 77 90 20/34 - www.parc-ballons-vosges.fr - de déb. juin à fin sept. : 10h-12h, 13h30-17h30 ; reste de l'année : tlj sf dim. et j. fériés 13h30-17h30 - possibilité de visite guidée sur demande (2 j. av.).* Incontournable, la Maison du Parc propose plus de 600 m² d'expositions permanentes ou temporaires sur la montagne vosgienne destinées au grand public tout en restant bien sûr un service d'accueil et d'information.

★★ LE BALLON D'ALSACE

La route du col du ballon d'Alsace, la plus ancienne du massif, a été construite sous le règne de Louis XV. Au cours de la montée au col du Ballon, la D 465, que l'on prend au départ de **St-Maurice-sur-Moselle**, offre de jolies vues sur la vallée de la Moselle, puis pénètre dans une superbe forêt de sapins et de hêtres.

4

Col du Ballon

Belle vue sur le sommet du ballon d'Alsace et la trouée de Belfort, où brillent des étangs, et sur le Jura.

★★★ Ballon d'Alsace

30mn à pied AR. Le sentier s'amorce sur la D 465, devant la ferme-restaurant. Il passe à travers les pâturages, vers la statue de la Vierge : avant le retour de l'Alsace à la France, cette statue se trouvait exactement à la frontière. Du balcon d'orientation (1 250 m), le **panorama**★★ s'étend au nord jusqu'au Donon, à l'est sur la plaine d'Alsace et la Forêt-Noire, au sud jusqu'au Mont-Blanc.

La descente vers le lac d'Alfeld est très belle. Elle permet de découvrir en avant le Grand Ballon, point culminant des Vosges (1 424 m), puis la **vallée de la Doller**.

★★★ LA ROUTE DES CRÊTES

La route des Crêtes est généralement fermée entre la Schlucht et le Grand Ballon du 15 novembre au 15 mars à cause de l'enneigement. Elle se transforme alors en piste de ski de fond.

▷ *105 km. Accès au col du Bonhomme au départ de Colmar par la N 415, après Kaysersberg.*

Col du Bonhomme

À 949 m d'altitude, il fait communiquer l'Alsace et la Lorraine, de Colmar à Nancy.

Prendre à gauche la D 148.

Col de la Schlucht

À 1 135 m d'altitude, il fait communiquer la vallée de la Meurthe, qui prend sa source à 1 km de là, avec celle de la Fecht. Au croisement de la route des Crêtes et de la route de Gérardmer à Colmar, c'est l'un des passages les plus fréquentés des Vosges.

Jardin d'altitude du Haut-Chitelet

À 2 km du col de la Schlucht, vers le Markstein, sur le côté droit de la D 430. ☎ *03 29 63 31 46 - juil.-août : tte la journée ; juin-sept. : mat. et apr.-midi - 2,30 € (enf. 1,50 €).*

Ce jardin conserve une hêtraie et une tourbière. Des rocailles présentent 2 700 espèces de plantes originaires des principaux massifs montagneux du monde. Plus loin, jolie **vue**★ sur la vallée de la Vologne au fond de laquelle dorment les lacs de Longemer et de Retournemer *(belvédère aménagé).*

Kientzheim et Sigolsheim, au pied du Ballon des Vosges.
H. Meyer zur Cape/Age Fotostock

★★★ **Le Hohneck**

Le chemin d'accès en forte montée s'embranche sur la route des Crêtes à 4 km de la Schlucht. Ce sommet, l'un des plus célèbres des Vosges, et l'un des plus élevés (1 362 m), est le point culminant de la crête qui constituait, avant la guerre de 1914-1918, la frontière franco-allemande.

Panorama★★★ exceptionnel *(table d'orientation)* sur les Vosges, du Donon au Grand Ballon, sur la plaine d'Alsace et la Forêt-Noire. Par temps clair, on aperçoit les sommets des Alpes.

La route parcourt les **chaumes**. Sur la droite, le **lac de Blanchemer**, dans un beau site boisé. Plus loin, vue magnifique sur la **vallée de la Fecht**.

Le panorama du **Grand Ballon★★★**, ou ballon de Guebwiller, est prodigieux sur les Vosges méridionales, la Forêt-Noire et, par temps clair, le Jura et les Alpes. En descendant, on passe à côté des ruines du château de Freundstein, nid d'aigle médiéval.

Cernay

Parc de réintroduction des cigognes – *9h30 et 15h, w.-end 10h et 15h*. Il a vu le jour en 1978 ; les échassiers sont en liberté et nourris tous les jours.
Prendre la D 35 à l'ouest, vers Thann (voir p. 226).

4

Mulhouse

★★

111 860 Mulhousiens – Haut-Rhin (68)

 NOS ADRESSES PAGE 235

S'INFORMER

Office de tourisme – *9 av. Mar.-Foch - 68100 Mulhouse - ℘ 03 89 35 48 48 - www.tourisme-mulhouse.com - tlj sf w.-end 9h-13h, 14h-18h. Point d'information touristique Place de la Réunion, rdc de l'hôtel de ville - ℘ 03 89 66 93 13 - juil.-août : 10h-19h ; reste de l'année : 10h-12h, 13h-18h (sf. janv.-mars 10h-13h) - fermé 1er janv, 1er Mai et 25 déc.*

SE REPÉRER

Carte générale D2 – *Cartes Michelin n° 721 P7 et n° 516 P12*. Au carrefour de l'A 35 (Strasbourg à 100 km au nord, Bâle à 32 km au sud) et de l'A 36, qui traverse les faubourgs de la ville d'est en ouest, puis se dirige vers Belfort (45 km). Le TGV relie Mulhouse à Paris en 3h.

À NE PAS MANQUER

La place de l'hôtel de ville, les cités de l'Automobile et du train, les musées de l'Impression sur étoffes et du Papier peint ; aux alentours, l'église de Murbach.

ORGANISER SON TEMPS

Centre piétonnier, tramway sont autant de bonnes raisons d'arpenter la ville à pied. Comptez bien deux jours si vous voulez tout voir !

AVEC LES ENFANTS

Train, électricité, automobile, autant de sujets qui vont leur donner envie de visiter les musées ; aux alentours, l'incontournable écomusée d'Alsace.

Mulhouse est la ville industrielle par excellence, dont le patrimoine a été intelligemment mis en valeur : un musée national de l'Automobile, le plus prestigieux de la planète, une Cité du Train, un musée du Papier peint, de l'Impression sur étoffes et EDF Électropolis. L'autre visage de Mulhouse, c'est celui du centre-ville aux maisons anciennes peintes qui lui ont valu d'obtenir en 2008 le label « Ville d'art et d'histoire ». Découvrez toutes ces richesses à pied en suivant le sentier du vieux Mulhouse.

Découvrir

AUTOUR DE LA PLACE DE LA RÉUNION

★★ Ancien hôtel de ville

Construit en 1552 dans le style de la Renaissance rhénane par un architecte bâlois, il est unique en France avec ses façades peintes en trompe l'œil pour certains détails. Son double perron couvert est une merveille d'équilibre. Les écus aux armes des cantons suisses peints sur la façade rappellent le lien historique de Mulhouse avec la Confédération helvétique. Au pied de la volée de marches se trouve l'entrée du **Musée historique★★**.

Sur le côté gauche de la place, le « poêle des tailleurs » est l'immeuble dans lequel se réunissait la corporation la plus nombreuse de la ville. Plus loin *(rue Henriette)*, on repère le « poêle des vignerons », maison dont la façade date du 16ᵉ s.

Temple Saint-Étienne

℘ 03 89 33 78 17 - ὲ - mai-sept. : tlj sf mar. mat. et apr.-midi - fermé j. fériés.
Reconstruit en 1866 à la place d'une église du 12ᵉ s., il en a gardé le nom et les magnifiques **vitraux**★ du 14ᵉ s.

Dans la rue des Franciscains sont installées plusieurs manufactures d'indiennes dont la plus célèbre est la « cour des chaînes » ouverte en 1763 dans un édifice du 16ᵉ s.

LES MUSÉES DE L'INDUSTRIE

★★★ Cité de l'Automobile, collection Schlumpf

192 av. de Colmar - ℘ 03 89 33 23 21 - parking payant - visite guidée ou libre avec audioguide - ὲ - www.collection-schlumpf.com - de déb. janv. à déb. fév. : lun.-vend. 13h-17h, w.-end 10h-17h ; reste de l'année : 10h-17h (18h avr.-oct.) - fermé 25 déc. - 10,50 € (enf. 8,20 €).

Cette fabuleuse collection de quelque 400 automobiles de rêve a été constituée pour permettre d'apprécier la créativité et la personnalité des constructeurs. On aborde l'histoire de l'automobile avec les « ancêtres » (1895-1918) – les Panhard, De Dion, Benz et Peugeot –, puis on passe aux « classiques » (1918-1938), moment de la fusion de deux grands constructeurs, Mercedes et Benz, de l'introduction en série de la traction avant par Citroën, et de l'ouverture des usines Peugeot à Sochaux. Enfin, les « modernes » (après 1945) rappellent l'apparition de voitures économiques et grand public.

👥 Au centre de ce premier espace, vous pourrez démarrer une Renault 1923 à la manivelle, faire des tonneaux dans une voiture spéciale… Les plus jeunes testeront un circuit de kart tandis que leurs aînés s'essaieront aux simulateurs de conduite *(payants)*.

Après cet intermède ludique, rêvez devant les voitures de course : Maserati, Porsche et autres Bugatti… et plus encore devant les « chefs-d'œuvre de l'automobile » : voitures de prestige comme la coach Delahaye type 135, les Rolls Royce Silver Ghost, où le luxe n'a d'égal que la majesté des lignes. Au centre ont été rassemblées les Bugatti que le collectionneur Fritz Schlumpf, instigateur de ce musée, affectionnait tant.

4

★ Musée de l'Impression sur étoffes

14 r. Jean-Jacques-Henner - ℘ 03 89 46 83 00 - www.musee-impression.com - ὲ - possibilité de visite guidée sur demande (3 sem. av.) - 10h-12h, 14h-18h - fermé lun. sf déc., 1ᵉʳ janv., 1ᵉʳ Mai, 25 et 26 déc. mat. - 7 € (-18 ans 3,50 €).

Ici, on découvre comment Mulhouse s'est ouvert à l'impression textile, comment celle-ci s'y est développée, entraînant à sa suite la croissance de la ville, et comment l'évolution des techniques a pu servir la créativité des dessinateurs. Du blanchiment des toiles jusqu'à leur amidonnage et lustrage, teinture par les couleurs naturelles telles qu'indigo ou garance, savoir-faire des dessinateurs et des graveurs. Ainsi naissent les chefs-d'œuvre les plus rares (indiennes du 18ᵉ s. dont les motifs floraux imitent ceux de la Perse) ou les objets les plus familiers.

★★★ Cité du Train

À Mulhouse-ouest, près de la commune de Lutterbach. 2 r. Alfred de Glehn - ℘ 03 89 42 83 33 - www.citedutrain.com - ὲ - de déb. janv. à déb. fév. : lun.-vend.

10h-14h, w.-end 10h-17h ; reste de l'année : 10h-17h (18h avr.-oct.) - possibilité de visite guidée sur demande (20 j. av.) - fermé 25 déc. - 10 € (enf. 5 €), billet combiné avec la cité de l'Automobile.

👥 La collection constituée par la SNCF présente le monde ferroviaire par l'intermédiaire de jeux, de maquettes et de manipulations interactives, ainsi que le matériel ferroviaire : signaux, infrastructures, bâtiments et trains. L'immense hall offre des aménagements astucieux : passerelles pour observer l'intérieur des voitures, fosses pour passer sous les locomotives. Parmi les pièces à ne pas manquer, la locomotive St-Pierre au corps de bois de teck affectée à la ligne Paris-Rouen en 1844, la dernière des locomotives à vapeur, la voiture de 4e classe de la compagnie d'Alsace-Lorraine, la cabine du conducteur de TGV, etc.

★★ Musée EDF Électropolis

Proche de la cité du Train avec lequel il partage un vaste parking - 55 r. du Pâturage - 𝄞 03 89 32 48 50 - www.edf.electropolis.mulhouse.museum - ♿ - tlj sf lun. tte la journée - fermé 1er janv., Vend. saint, lun. de Pâques, 1er Mai, lun. de Pentecôte, 1er et 11 Nov., 25 et 26 déc. - 8 € (-18 ans 4 €).

👥 Dans une ambiance propre à chaque époque, vous revivrez l'histoire de l'électricité et ses applications, depuis la fascination des Anciens pour la foudre jusqu'à nos jours, de manière interactive. Volta et sa pile, Ampère et le magnétisme, Ohm et la résistance, Gramme et la dynamo… la fée électricité devient, à partir du début du 20e s., la bonne à tout à tout faire, métamorphosant les transports, les télécommunications, la médecine, l'éclairage, le cinéma et la vie quotidienne, la musique. Les nouvelles technologies sont aussi présentes. Expositions temporaires et animations enrichissent encore la visite ; dans le théâtre de l'électrostatique, animé à heures fixes, les expériences sont particulièrement décoiffantes.

À proximité

★ Musée du Papier peint à Rixheim

▶ *À 6 km à l'est de Mulhouse sur la route de Bâle. 𝄞 03 89 64 24 56 - www.musee-papierpeint.org - possibilité de visite guidée - tlj mat. et apr.-midi - fermé mar. (nov.-avr.), 1er janv., Vend. saint, 1er Mai et 25 déc. - 7 € (enf. 5 €), billet combiné avec le musée de l'Impression sur étoffes 10 €.*

Dans l'aile droite d'une commanderie de chevaliers Teutoniques, Jean Zuber installa, en 1797, une fabrique de papiers peints qui fit la renommée de sa famille. La **collection**★★ de ces fameux **panoramiques** est remarquable. Ils furent très recherchés et exportés dans le monde entier, notamment en Amérique du Nord. Ce sont pour l'essentiel des paysages aux fraîches couleurs qui mêlent des vues recomposées de la Suisse, de l'Algérie ou du Bengale.

★★ Écomusée d'Alsace

▶ *À 12 km au nord de Mulhouse par la D 430. 𝄞 03 89 74 44 74 - www.ecomusee-alsace.fr - avr.-nov. : tte la journée ; reste de l'année : se renseigner - tarifs variables selon la période - billet valable 2 j. non nécessairement consécutifs - prévoir une journée - animations en soirée, surtout l'été.*

👥 La visite, conçue comme une promenade en plein air, sur près de 20 ha fait revivre tout un patrimoine rural voué à disparaître. Dans le **village**, on découvre 70 maisons paysannes, regroupées selon leur région d'origine, et l'organisation sociale et domestique aux 19e et 20e s. Dans l'**espace naturel**, peuplé de cigognes, poussent des variétés anciennes dans les champs et le verger. Des bénévoles font revivre les vieux corps de métiers (forgeron, sabotier, charron, potier, maréchal-ferrant…), variant les animations au fil des saisons. Dans l'**Éden-palladium**, c'est la fête ! Un carrousel-salon avec ses glaces miroitantes et ses tables bistrot a été entièrement reconstitué. Cinéma forain, piste de quilles, théâtre de marionnettes, manège d'automobiles des années 1960, splendide manège de chevaux frémissants et autres attractions animent cet univers enchanteur.

★★ Église de Murbach

◐ *À 29 km au nord-ouest de Mulhouse en passant par Guebwiller.*

C'est parce qu'il avait trouvé ce creux de vallon propice à la promenade et à la méditation que Pirmin est venu y fonder en 727 une abbaye, devenue depuis une des plus puissantes abbayes bénédictines de la région. Elle déployait des droits et des biens sur plus de 300 localités alentour. Les abbés possédaient des mines, une bibliothèque remarquable et faisaient battre monnaie.

L'église St-Léger, chef-d'œuvre de l'art roman, fut construite au 12e s. Elle est réduite à présent au chœur et au transept, la nef ayant été démolie en 1738. Le **chevet**★★ est la partie la plus remarquable de l'édifice. Son mur plat légèrement en saillie porte des sculptures disposées avec fantaisie dans le large triangle du haut. Puis une galerie de 17 colonnettes dissemblables règne au-dessus de deux étages de fenêtres.

Le tympan du portail sud, avec sa composition en faible relief, deux lions affrontés dans un encadrement de rinceaux et de palmettes, rappelle les ouvrages orientaux.

😊 NOS ADRESSES À MULHOUSE

RESTAURATION

BUDGET MOYEN

Auberge des Franciscains – *46 r. des Franciscains* - ℰ *03 89 45 32 77* - *www.auberge-des-franciscains. com* - *fermé mar. et dim. soir* - *2e quinz. août* - *formule déj. 10,50 € - 23/30 €.* Boiseries, poutres apparentes, batterie de cuisine en cuivre au-dessus du bar : le décor rustique de cette taverne est très chaleureux. Nombreux plats locaux sur la carte : *baeckehoffe, choucroute, cassolette au munster, jarret de porc,* etc.

Wistuwa zum Saüwadala – *13 r. de l'Arsenal* - ℰ *03 89 45 18 19* - *www.restaurant-sauwalda.com* - *fermé lun. midi et dim.* - *formule déj. 12,50 € - 17,50/23,50 €.* La façade de ce restaurant situé au cœur du vieux Mulhouse est si typique que vous ne pourrez la rater. Collection de cochons en réduction (clin d'œil à l'enseigne) et chopes de bière au plafond composent le cadre de cette sympathique adresse. On y sert une cuisine aux accents alsaciens.

La Table de Michèle – *16 r. Metz* - ℰ *03 89 45 37 82* - *www. latabledemichele.fr* - *fermé 1 sem. en avr., 1er-21 août, 22 déc.-4 janv., sam. midi, dim. et lun.* - *formule déj. 17 € - 25/55 € bc.* Michèle joue du piano, en cuisine bien sûr ! Son répertoire ? Plutôt traditionnel, mais sensible aux quatre saisons. En salle, chaleur du bois brut et éclairage intime.

4

La Lorraine

▶ SE REPÉRER

L'autoroute de l'Est A 4, Paris-Strasbourg, dessert Verdun, Metz (330 km de Paris) et Saverne avant de se poursuivre par l'A 352 jusqu'à Obernai en Alsace. L'A 31, qui dessert Metz, Nancy et Toul, se poursuit jusqu'à Dijon. De Nancy, la N 59 qui passe à St-Nicolas-de-Port, mène rapidement au massif des Vosges. La capitale de la Lorraine et celle de l'Alsace sont distantes de 154 km (Nancy-Strasbourg). Enfin, avec le TGV Est européen, Paris est relié à Nancy en 1h30. La gare Lorraine-TGV, située entre Metz et Nancy, assure la liaison directe avec Bordeaux, Nantes, Rennes, Lille et Francfort. Le TGV Méditerranée assure une relation directe quotidienne entre Nice et Metz.

☺ À NE PAS MANQUER

À Metz, les verrières de la cathédrale St-Étienne, les objets d'archéologie aux musées de la Cour d'Or. À Nancy, la place Stanislas et ses alentours, le musée des Beaux-Arts, le Musée historique lorrain dans le Palais ducal, l'église des Cordeliers, le musée de l'École de Nancy et ses collections d'Art déco. Dans les environs, le Musée français de la brasserie à St-Nicolas-de-Port, la cathédrale St-Étienne et le cloître St-Gengoult à Toul. À Verdun, les champs de bataille.

◷ ORGANISER SON TEMPS

Pour découvrir la Lorraine, commencez par Metz, surnommée « la Riche » au Moyen Âge, puis poursuivez vers Nancy qui mérite au moins une journée ; en été, profitez des terrasses animées le soir par des groupes musicaux ou assistez à des concerts de musique classique dans l'église des Cordeliers. Admirez aussi la cathédrale de Toul, puis rejoignez Verdun pour découvrir les témoignages des combats qui eurent lieu lors de la Première Guerre mondiale.

Par ses principaux fleuves – Meuse, Moselle, Meurthe – qui coulent vers le nord, la Lorraine est un trait d'union entre les régions méridionales de la Saône et du Rhône et la Rhénanie, et durant des siècles, cette direction méridienne l'a emporté dans les relations humaines, économiques et politiques, parfois au cœur des plus terribles conflits. La bataille de Verdun, en 1916, l'une des plus coûteuses en vies humaines, laisse le pays meurtri. En 1944, La Lorraine libérée cesse d'être une région frontière et militarisée. Ses champs de bataille se muent en lieux de mémoire. Jusque dans les années 1960, la vie économique de la région repose sur l'extraction du charbon et du minerai de fer, la sidérurgie, ainsi que sur l'industrie du textile dans la partie vosgienne. Aujourd'hui, la Lorraine mise sur d'autres atouts : vastes espaces forestiers, nombreux plans d'eau, villes au riche patrimoine comme Metz et Nancy, musées témoignant de la longue tradition des arts du feu – verreries, faïences, céramiques. Elle gagne aussi à être découverte pour son patrimoine gastronomique où se mêlent bière, mirabelles, quetsches, dragées de Verdun, macarons et bergamotes de Nancy, vins de Moselle et quiche lorraine.

Metz

★★★

122 838 Messins – Moselle (57)

NOS ADRESSES PAGE 239

S'INFORMER

Office de tourisme – *2 pl. d'Armes - 57007 Metz -* 📞 *03 87 55 53 76 - http://tourisme.mairie-metz.fr - 9h-19h, dim. et j. fériés 10h-17h sf oct.-mars 10h-15h.*

SE REPÉRER

Carte générale D1 – *Cartes Michelin n° 721 O5 et n° 516 I4.* Située à 1h30 de Paris grâce au TGV, Metz est un nœud très important de routes, autoroutes, voies ferrées et de navigation sur la Moselle, canalisée vers l'Allemagne, dont la frontière est à moins de 50 km. L'aéroport Metz-Nancy est situé à 25 km au sud de la ville. Metz s'organise autour de deux axes romains est-ouest et nord-sud qui font de la ville un lieu d'échanges depuis des siècles.

À NE PAS MANQUER

La cathédrale St-Étienne et la Cour d'Or ; une promenade nocturne pour profiter de la mise en lumière du patrimoine architectural de la ville.

ORGANISER SON TEMPS

Au cœur de la ville, vous trouverez plusieurs parkings. Ils permettent d'arpenter librement les voies piétonnes dans le centre historique. Pensez en outre aux festivités qui émaillent le calendrier messin, comme les fêtes de la mirabelle (fin août) ou le marché de Noël.

Établie sur la Moselle, Metz, la ville lumière… Plus de 13 000 points lumineux habillent la ville dès la tombée de la nuit. Romaine, médiévale, classique, allemande, Metz garde de manière bien visible les traces de ses trois mille ans d'histoire et surtout sa cathédrale gothique, aérienne avec ses magnifiques vitraux dont plusieurs sont signés de Chagall.

4

Découvrir

★★★ Cathédrale Saint-Étienne

📞 *03 87 75 54 61 - possibilité de visite guidée (1h30) sur demande au bureau à l'intérieur de la cathédrale.*

La cathédrale s'impose par l'harmonie de ses élévations. Ce qui frappe le plus à l'intérieur, c'est la hauteur de la nef (41,77 m), rendue plus saisissante encore par l'abaissement volontaire des collatéraux.

Les **verrières**★★★ (6 496 m²) forment un ensemble somptueux qui a valu à la cathédrale le surnom de « lanterne de Dieu ». Œuvre de maîtres verriers illustres ou anonymes, elles sont de types très variés. La façade est percée d'une magnifique rosace du 14ᵉ s. Dans le transept, la verrière de droite est due au Strasbourgeois **Valentin Bousch** (16ᵉ s.) qui a également réalisé les splendides vitraux du chœur.

Dans le déambulatoire et le transept gauche, les vitraux de **Chagall** illustrent le Songe de Jacob, le Sacrifice d'Abraham, Moïse, David et des scènes du Paradis terrestre.

★★ Musées de la Cour d'Or

℘ 03 87 68 25 00 - Visite : 2h environ - tlj sf mar. tte la journée - fermé j. fériés sf Pâques et Pentecôte - 4, 60 € (-18 ans gratuit), gratuit 1er dim. du mois.

Les musées occupent les bâtiments d'un ancien couvent (17e s.), d'un grenier du 15e s. et plusieurs salles qui relient ou prolongent cet ensemble ; dans les sous-sols sont conservés des vestiges *in situ* de thermes gallo-romains. La muséographie s'organise de ce fait d'une manière labyrinthique et inoubliable.

Les objets d'**archéologie★★★** témoignent de l'importance de la ville gauloise, grand carrefour de routes gallo-romaines et foyer de renouveau culturel sous les Carolingiens. Charlemagne, lui-même, se plaisait à Metz. La vie sociale est évoquée par les vestiges des thermes et du collecteur d'égout. La vie quotidienne à l'**époque gallo-romaine** de même que celle de l'**époque mérovingienne** occupent une place importante : tombes, bijoux, vaisselle. Un ensemble de l'époque paléochrétienne s'articule autour du chancel de St-Pierre-aux-Nonnains. Cette balustrade liturgique en pierre, exceptionnelle, est composée de 34 panneaux sculptés offrant une décoration admirable. L'**époque médiévale** évoque elle aussi la vie quotidienne ; de magnifiques plafonds peints à la détrempe au 13e s. présentent des médaillons au décor fantastique. Les **Beaux-Arts** sont illustrés par des tableaux des écoles françaises du 19e s. : Corot, Delacroix, Moreau, et des peintres de l'**école de Metz** (1834-1870).

★ Place Saint-Louis

Cette très belle place au plan irrégulier est bordée sur un côté de maisons à contreforts et arcades des 14e, 15e et 16e s. Leur alignement suit l'ancien rempart qui leur sert de fondations. Au Moyen Âge, une soixantaine de changeurs y avaient leur boutique.

★ Église Saint-Pierre-aux-Nonnains

℘ 03 87 39 92 00 - www.mairie-metz.fr/arsenal - ᵫ - mar.-vend. 11h-19h, w.-end 14h-19h - fermé lun. et j. fériés.

C'est sous le règne de Constantin, vers 390, que fut bâtie à cet emplacement une basilique civile, endommagée lors du pillage des Huns au 5e s. Mais les murs construits d'un solide appareil de petits moellons renforcé de chaînages en brique rouge ont été remployés dans la chapelle reconstruite vers 615. C'est de cette période que date le splendide **chancel** conservé au musée de la Cour d'Or. St-Pierre-aux-Nonnains serait la plus ancienne église de France.

★ La gare de Metz et le quartier de l'amphithéâtre

Au sud de la ville ancienne. Place du Général-de-Gaulle s'élève la **gare de Metz** construite en 1908 dans la perspective d'un nouveau conflit franco-allemand pour permettre le transfert des troupes en 24h. Fonctionnelle et imposante, elle est aussi richement décorée de chapiteaux et bas-reliefs et son architecture est toute symbolique : le hall des départs représente une église avec son clocher, le hall d'arrivée figure un palais médiéval, unissant ainsi les pouvoirs temporel et spirituel à la manière du Saint Empire romain germanique.

Derrière les terrains de la gare, le projet urbanistique du **quartier de l'amphithéâtre** vise à créer l'un des lieux les plus avant-gardistes de Metz. Il présentera son visage définitif dans quelques années.

Centre Pompidou-Metz – *1 parvis des Droits-de-l'Homme - ℘ 03 87 15 39 39 - www.centrepompidou-metz.fr - ᵫ - lun., merc. et dim. 10h-18h, jeu.-vend.*

11h-20h, sam. 10h-20h - fermé 1ᵉʳ Mai - 7 € (-26 ans gratuit) - audioguide 3 €. Ce nouvel espace dédié à l'art moderne et contemporain est la première grande expérience de décentralisation culturelle en France. Conçue par le Japonais Shigeru Ban et le Français Jean de Gastines, sa structure défie les lois classiques de l'architecture, avec son étonnante charpente en bois aux courbes organiques. Expositions éclectiques et nombreux événements tout au long de l'année.

NOS ADRESSES À METZ

HÉBERGEMENT

BUDGET MOYEN

Hôtel Escurial – *18 r. Pasteur - ✆ 03 87 66 40 96 - www.escurial-hotel.com - fermé 29 déc.-1ᵉʳ janv. - 36 ch. 66/86 € - ☕ 10 €.* Face à la gare, un établissement qui renaît après sa rénovation : intérieur chaleureux aux couleurs vives, chambres bien tenues et plus grandes dans la rotonde.

Hôtel de la Cathédrale – *25 pl. de la Chambre - ✆ 03 87 75 00 02 - www.hotelcathedrale-metz. fr - 30 ch. 75/120 € - ☕ 11 €.* Un charmant hôtel loti dans une jolie maison du 17ᵉ s. qui a reçu de belles plumes dont Mme de Staël et Chateaubriand. Les chambres sont toutes élégantes, et celles de l'annexe, récentes, encore plus soignées.

RESTAURATION

PREMIER PRIX

Chez Mauricette – *Marché couvert - pl. de la cathédrale - ✆ 03 87 36 37 69 - tlj sf dim. et lun. 7h-18h30 - fermé j. fériés, Vend. saint et 26 déc.* Mauricette propose des produits lorrains traditionnels de qualité : assiettes de fromages, de charcuteries (5 €), mixtes (7,50 €). Pour déjeuner sur le pouce en profitant de l'ambiance du marché.

BUDGET MOYEN

Thierry « Saveurs et Cuisine » – *5 r. des Piques, « Maison de la Fleure de Ly » - ✆ 03 87 74 01 23 - www.restaurant-thierry.fr - fermé 21 juil.-10 août, 27 oct.-2 nov., 9-22 fév., merc. et dim. - formule déj. 17 € - 22/34 €.* Cuisine inventive volontiers rehaussée d'herbes et d'épices, joli cadre mêlant la brique et le bois, terrasse d'été : trois atouts assurant le succès de ce bistrot chic.

Maire – *1 r. du Pont-des-Morts - ✆ 03 87 32 43 12 - www.restaurant-maire.com - fermé merc. midi et mar. - formule déj. 23 € - 37/61 €.* Ce restaurant central offre une superbe vue sur la Moselle. Attablé dans son agréable salle à manger-véranda au décor actuel ou sur sa belle terrasse, vous en profiterez en goûtant une cuisine classique.

ACHATS

Conrad – *11 r. de la Doucette - ✆ 03 87 36 11 00 - lun. 15h-19h, mar.-sam. 8h30-12h30, 14h30-19h.* Maîtres fromagers depuis trois générations, les Conrad gèrent aujourd'hui trois fromageries messines. Celle-ci est la maison mère (1920). Elle propose presque toutes les Appellations d'origine contrôlée dont un fabuleux comté et de goûteuses tommes lorraines (de Prény, de Gorze, etc.).

4

Nancy

★★★

106 361 Nancéiens – Meurthe-et-Moselle (54)

 NOS ADRESSES PAGE 245

S'INFORMER

Office de tourisme – *Pl. Stanislas - 54000 Nancy - ℘ 03 83 35 22 41 - www. ot-nancy.fr - avr.-oct. : 9h-19h, dim. et j. fériés 10h-17h ; reste de l'année : 9h-18h, dim. et j. fériés 10h-13h - fermé 25 déc. et 1ᵉʳ janv.*

SE REPÉRER

Carte générale D2 – *Cartes Michelin n° 721 O5 et n° 516 I6.* La ville est posée sur la Meurthe et sur le canal de la Marne au Rhin, au contact des côtes de Moselle et du plateau lorrain, au sud de Metz. Desservie par l'A 31 et l'A 33, elle est en outre à 1h30 de Paris en TGV.

À NE PAS MANQUER

La place Stanislas, le musée de l'École de Nancy et celui des Beaux-Arts, le musée historique lorrain. Goûtez aussi les bergamotes et les macarons !

ORGANISER SON TEMPS

Pour vous déplacer en centre-ville, préférez la marche à pied ou le tramway. Consacrez au moins une journée à la capitale de la Lorraine.

AVEC LES ENFANTS

Le musée du Cinéma, de la Photographie et des Arts audiovisuels à St-Nicolas-de-Port.

Nancy évoque pour les uns les fameuses bergamotes dans leurs belles boîtes de fer, pour les autres la majestueuse place Stanislas toute de dorures sur le ciel bleu, pour d'autres encore, la capitale des ducs de Lorraine mais aussi l'Art nouveau présent dans les rues et derrière les vitrines des musées. Nancy, c'est tout cela, mais bien plus encore : vivante et paisible, artiste et distrayante, la ville saura vous charmer.

Se promener

DE LA PLACE STANISLAS À LA PORTE DE LA CRAFFE

★★★ Place Stanislas

Construite entre 1751 et 1760 pour servir de trait d'union entre la Ville-Vieille et la Ville-Neuve, elle porte d'abord le nom de place Royale : la statue de Louis XV trône alors au centre. Détruite sous la Révolution, la statue est remplacée en 1831 par celle de Stanislas : la place est alors rebaptisée du nom du Polonais. Les **grilles** de Jean Lamour, de fer forgé rehaussé d'or, chef-d'œuvre de légèreté, d'élégance et de fantaisie, en sont le joyau. Inscrite au Patrimoine mondial de l'humanité par l'Unesco, la place, piétonne et rénovée en 2005, reste plus que jamais le lieu de rendez-vous des Nancéens, se prêtant à toutes les réjouissances, victoire de l'équipe locale ou fête de la **St-Nicolas** : un

Place Stanislas.
A. Malon/MICHELIN

gigantesque sapin est installé sur la place ; un feu d'artifice et un défilé animent aussi la ville.

★★ Musée des Beaux-Arts

☎ 03 83 85 30 72 - ♿ - tlj sf mar. tte la journée - fermé 1ᵉʳ janv., 1ᵉʳ Mai, 14 Juil., 1ᵉʳ nov. et 25 déc. - 6 € (-18 ans gratuit).

Installé dans l'un des pavillons (18ᵉ s.) de la place Stanislas, le musée propose un panorama de l'art en Europe du 14ᵉ au 20ᵉ s. Dès l'entrée, on est séduit par la mise en scène intérieure mettant en valeur la collection grâce à un subtil jeu de lumière et à des rapprochements inattendus. L'Italie est très présente avec, aux côtés des primitifs, des œuvres du Pérugin, du Tintoret, de Pierre de Cortone, du Caravage. Le musée possède un **fonds d'art graphique★** remarquable avec tout l'œuvre gravé de **Jacques Callot** (787 gravures) et 1 438 dessins de Grandville. Des vestiges de fortifications du 15ᵉ au 17ᵉ s. abritent la **collection Daum★★** (près de 300 pièces).

★ Arc de triomphe

Grande Rue. Construit de 1754 à 1756 en l'honneur de Louis XV, cet arc de triomphe imite celui de Septime Sévère, à Rome. La partie droite, consacrée aux dieux de la Guerre, est dédiée au « Prince victorieux » ; la partie gauche, consacrée aux déesses de la Paix, glorifie le « Prince pacifique ». Au sommet de l'arc, le groupe doré qui tient le médaillon de Louis XV représente la Gloire et la Renommée.

★ Place de la Carrière

Cette longue place date de l'époque ducale ; elle servait aux exercices équestres. Elle est encadrée aujourd'hui par de beaux hôtels du 18ᵉ s. Aux deux extrémités s'ouvrent les grilles de Lamour, enrichies de potences à lanternes.

★ Palais du Gouvernement

À l'opposé de l'arc de triomphe, la place est fermée par le palais du Gouvernement, ancienne résidence de l'intendant de Lorraine. Le péristyle de l'édifice est relié aux maisons de la place par une **colonnade★** d'ordre ionique surmontée d'une balustrade ornée de vases. Entre chaque colonne, trophées militaires et bustes de guerriers turcs.

★★ Palais ducal

Sa façade nettoyée et restaurée est ornée d'une **Porterie★★**, achevée au 16e s. Le style flamboyant et celui de la Renaissance se mêlent pour composer cette admirable porte surmontée de la statue équestre (reconstituée) du duc Antoine de Lorraine.

★★ Musée historique lorrain

Dans l'ancien palais ducal - ℘ 03 83 32 18 74 - tlj sf lun. 10h-12h30, 14h-18h - fermé 1er janv., 1er Mai, 14 Juil., 1er nov. et 25 déc. - 5,50 € (réduit 3,50 €).

Une documentation d'une valeur exceptionnelle par sa qualité et sa richesse évoque l'histoire du pays lorrain. La galerie des Cerfs rassemble les souvenirs des ducs de Lorraine. On admire aussi les peintures de **Georges de La Tour** *(La Femme à la puce, Découverte du corps de saint Alexis, Le Jeune Fumeur, Saint Jérôme lisant)*.

★ Église et couvent des Cordeliers

Mêmes conditions de visite que le Musée historique lorrain.

Composée d'une nef unique, suivant l'usage des ordres mendiants, l'**église★** a été édifiée à la fin du 15e s. Dans une chapelle à gauche, le **gisant de Philippa de Gueldre★★** a été sculpté, dans un calcaire très fin, par Ligier Richier dont c'est une des plus belles œuvres. À gauche du chœur de l'église, la **chapelle ducale★** s'élève au-dessus du caveau funéraire des ducs de Lorraine. De forme octogonale, la chapelle a ses murs encadrés de seize colonnes, auxquelles s'adossent sept cénotaphes en marbre noir.

Le cloître et une partie des salles de l'ancien monastère abritent un riche **musée d'Arts et Traditions populaires** (reconstitution d'intérieurs lorrains).

NANCY SOUS INFLUENCE POLONAISE

La fondation de Nancy remonte au 11e s. Développée à l'abri du château fort de Gérard d'Alsace, fondateur du duché de Lorraine, entre deux marais de la Meurthe, Nancy comprend alors quelques couvents et le château ducal. Détruite par un incendie en 1228, elle est ensuite rebâtie.

La **croix de Lorraine**, croix à double traverse (la traverse supérieure figurant l'écriteau) fait déjà partie au 15e s. du patrimoine de la maison de Lorraine : elle rappelle le souvenir d'une relique de la vraie Croix conservée en Anjou. En juillet 1940, les forces navales de l'amiral Muselier l'adoptent comme emblème de la France au combat.

François III, duc de Lorraine, cède en 1737 son duché en échange de celui de Toscane, pour épouser Marie-Thérèse, future impératrice d'Autriche. Louis XV installe à sa place, sur le trône de Nancy, son beau-père, **Stanislas Leszczyński**, roi détrôné de Pologne, à la mort duquel la Lorraine reviendra à la France. Il s'agit d'accoutumer la Lorraine à la domination française. Or, nul mieux que ce Polonais ne sut se faire aimer des Lorrains par ses largesses et les embellissements qu'il laissa à sa capitale d'adoption. Durant trente ans, Stanislas joua le rôle d'un gouverneur de province. Esprit européen, pétri des idéaux des Lumières, il favorisa le Collège de médecine, fonda la Société royale des sciences et des belles-lettres dont Montesquieu et Buffon demandèrent à être membres.

> **ART NOUVEAU**
>
> Ce mouvement qui a d'abord touché les arts décoratifs, puis l'architecture, est né dans les années 1880 de façon convergente dans plusieurs pays où il porte des noms différents : *Liberty* en Angleterre, *Jugendstil* en Autriche et en Allemagne, *Tiffany* aux États-Unis. Influencé à l'origine par le style néogothique et l'art japonais, il voulut rompre, par des créations originales, avec la répétition des styles dits « historiques ». En France, les premières œuvres apparaissent à Nancy avec Émile Gallé qui fabrique des verres à décor inspiré de la nature. C'est autour de lui que se regroupent des verriers, des céramistes, des graveurs, des sculpteurs et des architectes qui vont faire de Nancy une des capitales européennes de l'Art nouveau, au même titre que Paris, Vienne, Bruxelles ou Prague.

★ Porte de la Craffe

Vestige de l'enceinte fortifiée qui, au 14ᵉ s. entourait ce qui est aujourd'hui devenu la Ville-Vieille, elle arbore fièrement ses tours jumelles. Le chardon de Nancy et la croix de Lorraine sont des éléments de décor dus à une restauration du 19ᵉ s.

AU SUD DE LA PLACE STANISLAS

★★ Musée de l'École de Nancy

℘ 03 83 40 14 86 - www.ecole-de-nancy.com - possibilité de visite guidée - tlj sf lun. et mar., tte la journée -. fermé 1ᵉʳ janv., 1ᵉʳ Mai, 14 Juil., 1ᵉʳ nov. et 25 déc. - 6 € (-18 ans gratuit), gratuit 1ᵉʳ dim. du mois.

Le musée offre un panorama de l'extraordinaire mouvement de rénovation des arts décoratifs qui se développa à Nancy, entre 1885 et 1914, à la Belle Époque. Il présente une magnifique collection d'œuvres caractéristiques du mouvement nancéien : meubles d'Émile Gallé et de Louis Majorelle, vitraux de Gruber, reliures, affiches et dessins, verreries, céramiques.

★ Église Notre-Dame-de-Bon-Secours

Se renseigner à l'office de tourisme.

Lieu de pèlerinage renommé, elle est dotée d'une façade de style baroque. L'intérieur, richement orné, possède des confessionnaux sculptés, de style Louis XV, des grilles de Jean Lamour et une belle chaire rocaille. Dans le chœur se trouvent le **tombeau de Stanislas★**, le monument du cœur de Marie Leszczyńska, épouse de Louis XV, sculptés par Vassé et le **mausolée de Catherine Opalinska★**, épouse de Stanislas.

À proximité

★ Saint-Nicolas-de-Port

À 12 km au sud-est de Nancy par la D 400.

L'arrivée au 11ᵉ s. d'une relique de saint Nicolas, rapportée par un croisé, bouleverse la cité de Port (appelée ainsi à cause de son activité fluviale sur la Meurthe). Depuis le Moyen Âge, toute la Lorraine célèbre, le 6 décembre, saint Nicolas.

★★ **Basilique** – *℘ 03 83 46 81 50 - juil.-sept. : 3 visites guidées (1h) dim., 1ᵉʳ dép. 14h30 - 5 €.* Sa façade comprend trois portails surmontés de gâbles flamboyants. Le portail central a conservé la statue figurant le miracle de saint

4

Nicolas. La **nef** est un lumineux vaisseau élancé, couvert de belles voûtes à liernes et tiercerons. Dans le transept, les voûtes sont soutenues par des piliers hardis : ce sont les plus hauts de France (28 m). Les magnifiques **vitraux** de l'abside et du collatéral ont été exécutés entre 1507 et 1510. Les inventions décoratives de la Renaissance transparaissent déjà.

Musée français de la Brasserie – *62 r. Charles-Courtois - ☎ 03 83 46 95 52 - visite guidée (1h30) - mi-juin-mi-sept. : apr.-midi ; reste de l'année : tlj sf lun. apr.-midi - fermé 20 déc.-5 janv. - 5 €.* Installé dans l'ancienne brasserie qui ferma en 1986, il possède un décor Art déco ; on visite la salle de dégustation et les différentes installations dans la tour de brassage.

Musée du Cinéma, de la Photographie et des Arts audiovisuels – *10 r. Georges-Rémy - ☎ 03 83 45 18 32 - visite guidée uniquement - jeu.-dim. apr.-midi - fermé 21 déc.-5 janv. et j. fériés - 4 €.* 👥 Il raconte l'histoire des techniques de l'image animée et photographique depuis leurs tâtonnements au début du 19e s., aux origines de la cinématographie, puis leur évolution au fil du temps. Lanterne magique et autres procédés oubliés font revivre la féerie de l'image animée.

★ Toul

◗ *À 23 km à l'ouest de Nancy par l'A 31.*

★★ **Cathédrale St-Étienne** – *☎ 03 83 64 90 60 (office de tourisme) - horaires : se renseigner - possibilité de monter à la tour en été.* Commencée au début du 13e s., elle fut achevée au 16e s. La **façade★★** a été édifiée de 1460 à 1496 dans le style flamboyant. L'intérieur montre des traces du gothique champenois : galeries de circulation hautes et basses au-dessus des grandes arcades et des bas-côtés, arcades très aiguës, absence de triforium. La nef, haute de 36 m, est la plus jolie partie de l'édifice. À droite, belle chapelle Renaissance surmontée d'une coupole à caissons. Les murs du **cloître★** sont ornés d'arcatures et de belles gargouilles.

Église St-Gengoult – *☎ 03 83 64 90 60 (office de tourisme) - visite libre.* Ancienne collégiale de chanoines, édifiée entre le 13e et le 15e s., elle est une manifestation de l'école gothique champenoise. La façade ouest date du 15e s. Le **cloître St-Gengoult★★** date du 16e s. Le long des galeries, dont la décoration extérieure est Renaissance, des gâbles accentuent l'élévation des arcades. Les voûtes en étoile ont des clefs en forme de médaillons, décorées avec fantaisie.

😊 NOS ADRESSES À NANCY

HÉBERGEMENT

BUDGET MOYEN

Hôtel Les Portes d'Or – *21 r. Stanislas - ℘ 03 83 35 42 34 - www. hotel-lesportesdor.com - 20 ch. 65 € - ☐ 6 €.* La proximité de la place Stanislas est l'atout majeur de cet hôtel. Les chambres aux tons pastel ne sont pas très grandes, mais possèdent un mobilier moderne et un équipement correct.

POUR SE FAIRE PLAISIR

Hôtel Crystal – *5 r. Chanzy - ℘ 03 83 17 54 00 - www.bwcrystal. com - fermé 23 déc.-2 janv. - 58 ch. 101/137 € - ☐ 12,50 €.* Hôtel central familial, dont les chambres sont toutes agréables et rigoureusement tenues ; les plus récentes affichent un style actuel plus séduisant. Salon-bar feutré.

Hôtel des Prélats – *56 pl. Mgr-Ruch - ℘ 03 83 30 20 20 - www. hoteldesprelats.com - fermé 26 déc.-4 janv. - 41 ch. 104/249 € - ☐ 12 €.* Superbe hôtel particulier du 17ᵉ s. adossé à la cathédrale. Les chambres, spacieuses, rivalisent de caractère et de raffinement (mobilier d'antiquaire et objets chinés).

RESTAURATION

PREMIER PRIX

Le P'tit Cuny – *99 Grande Rue - ℘ 03 83 32 85 94 - www.petitcuny. fr - formule déj. 9,90 € - 12,90/30 € bc.* Les propriétaires de la célèbre fromagerie Marchand dirigent ce restaurant de la vieille ville. L'intérieur ressemble à une *winstub* et la carte regorge de spécialités d'Alsace et de Lorraine ; celle des vins est aussi dédiée à la région. L'adresse étant très prisée, il est prudent de réserver. Terrasse.

BUDGET MOYEN

Les Pissenlits – *25 bis r. des Ponts - ℘ 03 83 37 43 97 - www.les-pissenlits.com - fermé 1ᵉʳ-15 août, dim. et lun. - 20/38 € bc.* Salle de style École de Nancy, copieuse cuisine régionale énoncée sur tableau noir et service à guichets fermés caractérisent ce restaurant familial. Bar à vins dans une ancienne chapelle : tartines chaudes ou froides et vins choisis par la patronne.

À la Table du Bon Roi Stanislas – *7 r. Gustave-Simon - ℘ 03 83 35 36 52 - http://tablestan.free.fr - fermé lun. midi, merc. midi et dim. soir, fin-oct.-déb. nov. et déb. janv. - 19,50/29,50 €.* Créé en hommage au roi Stanislas, duc de Lorraine au 18ᵉ s. et amateur de fine cuisine, ce restaurant propose une découverte de la gastronomie d'antan, agrémentée d'un historique de tous les plats servis. Le décor très sobre et les recettes originales font de cette table une étape incontournable.

Le V Four – *10 r. St-Michel - ℘ 03 83 32 49 48 - fermé 12-27 sept., 29 janv.-7 fév., dim. soir et lun. - formule déj. 18,50 € - 26,50/39,50 €.* Minuscule salle de style bistrot contemporain et cuisine au goût du jour soignée : cette adresse conviviale, située dans une petite rue piétonne, connaît un franc succès.

Le Grenier à Sel – *28 r. Gustave-Simon - ℘ 03 83 32 31 98 - www. legrenierasel.eu - fermé 21 juil.-9 août, dim. et lun. - 25/65 €.* Le restaurant est installé à l'étage d'une des plus vieilles maisons nancéiennes. Le cadre contemporain, sobre et cosy, sied à la cuisine du chef, inventive et personnelle.

4

Verdun

★★

19 252 Verdunois – Meuse (55)

S'INFORMER

Office de tourisme – *Pl. de la Nation - 55016 Verdun - ℘ 03 29 84 55 55 - www.tourisme-verdun.fr - juil.-août : 10h-19h, dim. et j. fériés 10h-12h, 14h-18h ; mars-juin et sept.-nov. : 9h30-12h30, 13h30-18h, dim. et j. fériés 10h-12h, 14h30-17h ; déc.-fév. : 10h-12h30, 14h-17h, dim. et j. fériés 10h-12h30.*

SE REPÉRER

Carte générale D1 – *Cartes Michelin n° 721 N5 et n° 516 M8.* Verdun, à 80 km à l'ouest de Metz, est desservie par la D 603.

À NE PAS MANQUER

La citadelle souterraine et les champs de bataille, mais aussi une promenade dans la ville haute qui conserve son cachet avec sa cathédrale et son cloître, son palais épiscopal et son hôtel de ville de 1623.

ORGANISER SON TEMPS

Comptez une journée pour la ville et les champs de bataille.

Témoin de la violence des combats sur les champs de bataille de 1914-1918, Verdun évoque, en filigrane, la colère et la tristesse devant la souffrance et la mort… Mais le Verdun d'aujourd'hui sait aussi montrer un autre visage : celui d'une cité aux rues animées, aux quais accueillants le long de la Meuse et aux nombreuses forêts alentour qui invitent à la promenade.

Découvrir

GUERRE ET PAIX DANS VERDUN

★ Citadelle souterraine

℘ 03 29 86 62 02 - www.tourisme-verdun.fr - ⚬ - avr.-sept. : tte la journée ; reste de l'année : mat. et apr.-midi - fermé janv., 25 et 31 déc. - 6 € (enf. 2,50 €).
À partir de 1624, Verdun reçut une ceinture de remparts renforcée par une citadelle ; ces fortifications reprenaient en partie le tracé et les éléments bâtis des murailles médiévales de l'abbaye de St-Vanne, fondée en 952. Les anciennes tours furent arasées, à l'exception de la tour St-Vanne, du 12e s., et remplacées par sept bastions. Achevée par Vauban en 1675-1676, la citadelle fut remaniée aux 18e et 19e s. Celle-ci abritait divers services et les soldats au repos (jusqu'à 2 000). Ses 7 km de galeries étaient équipés pour subvenir aux besoins d'une véritable armée : magasins à poudre et à munitions, central téléphonique, hôpital avec salle d'opération, cuisines, boulangerie, boucherie, coopérative. En 1914, la citadelle devint le centre logistique de la place de Verdun.
À bord d'un véhicule autoguidé, un **circuit★★** fait revivre la vie quotidienne des soldats lors de la bataille de 1916, à l'aide d'effets sonores, de scènes animées (mannequins), d'images virtuelles (salle d'état-major, boulangerie), de

reconstitutions, notamment celle de la vie dans une tranchée pendant les combats, et celle de la désignation du soldat inconnu.

Centre mondial de la Paix

Dans le Palais épiscopal - pl. Montseigneur-Ginisty - ✆ 03 29 86 55 00 - http:// www.centremondialpaix.asso.fr - ♿ - juil.-août : tte la journée ; fév.-juin et de déb. sept. à mi-déc. : mat. et apr.-midi - 5 € (-18 ans 2,50 €).

Le visiteur, muni d'un casque infrarouge, pénètre dans six monolithes illustrant chacun un thème : la guerre, la terre et les frontières ; de la guerre à la paix ; l'Europe ; les Nations unies pour la paix ; les Droits de l'homme ; perceptions de la paix.

★★★ LES CHAMPS DE BATAILLE

Autour de Verdun. Chaque année, des centaines de milliers de visiteurs parcourent le théâtre des opérations de ce qui fut, dix-huit mois durant, du 21 février 1916 au 20 août 1917, la bataille de Verdun. Cette bataille qui se déroula sur les deux rives de la Meuse, de part et d'autre de Verdun, sur un front de 200 km^2, a mis aux prises plusieurs millions d'hommes et entraîné la mort de plus de 300 000 soldats français et allemands, et de milliers de soldats américains. Plusieurs décennies se sont écoulées, et les traces des combats dont Verdun fut l'enjeu n'ont pas encore totalement disparu.

Sur la rive droite de la Meuse

Fort de Vaux – ✆ 03 29 88 32 88 - www.cg55.fr - ♿ - *tte la journée - fermé janv., 25-26 et 31 déc. - 3 € (enf. 1,50 €).* Une route, praticable en voiture, mène au monument, dont les Allemands s'emparèrent le 7 juin 1916 après une héroïque défense de la garnison. Cinq mois plus tard, au cours de leur première offensive, les troupes du général Mangin réoccupaient l'ouvrage. Du sommet, vue sur l'ossuaire, le fort de Douaumont, les côtes de la Meuse et la plaine de Woëvre.

Fort de Douaumont – ✆ 03 29 84 41 91 - www.cg55.fr - *tte la journée - fermé janv., 25-26 et 31 déc. - 3 € (enf. 1,50 €).* Construit en pierre en 1885, en un point haut (cote 388) qui en faisait un observatoire stratégique, il vit ses défenses plusieurs fois renforcées jusqu'en 1913. À l'entrée en guerre, il se trouvait recouvert par une carapace de béton d'un mètre d'épaisseur, elle-même séparée des voûtes de maçonnerie par un mètre de sable. Selon les propres termes du communiqué allemand, cet ouvrage constituait le « pilier angulaire du nord-est des fortifications permanentes de Verdun ». Enlevé par surprise le 25 février 1916, dès le début de la bataille de Verdun, il fut repris le 24 octobre par les troupes du général Mangin. On parcourt les galeries, casemates, magasins, qui montrent l'importance et la puissance de cet ouvrage. Une chapelle marque l'emplacement de la galerie murée où furent inhumés 679 soldats de la garnison allemande, tués par l'explosion accidentelle d'un dépôt de munitions, le 8 mai 1916.

Ossuaire de Douaumont – ✆ 03 29 84 54 81 - ♿ - *mai-août : tte la journée ; reste de l'année : se renseigner - 4 € (-8 ans gratuit).* Cette vaste nécropole, plus important monuments français en souvenir de la guerre 1914-1918, comprend une galerie transversale dont les 18 travées contiennent chacune deux sarcophages en granit. Sous la voûte centrale se trouve la chapelle catholique. Au centre du monument s'élève la **tour des Morts**, haute de 46 m, silencieuse et émouvante vigie en forme d'obus dans lequel s'inscrivent quatre croix, symboliques points cardinaux de pierre voulant marquer l'universalité du drame. Devant l'ossuaire, se dressent les 15 000 croix du **cimetière national**.

4

La Champagne-Ardenne

▶ SE REPÉRER

La Champagne s'étend entre la partie méridionale du Massif ardennais et les marges orientales du Bassin parisien. L'Ardenne est un trait d'union entre la France et la Belgique. La région Champagne-Ardenne est bien reliée aux réseaux routiers (N 4, N 19, N 51) et autoroutiers. L'A 4 ou autoroute de l'Est (Paris-Strasbourg) dessert Reims et Châlons-en-Champagne. De Calais, l'A 26, ou autoroute des Anglais, dessert Troyes, Reims et Châlons-en-Champagne. L'A 5 relie Paris à Troyes. Une voie rapide relie Reims à Charleville-Mézières.

✍ À NE PAS MANQUER

À Reims, la cathédrale, les trésors du palais du Tau, les tapisseries et les tableaux d'Édouard Detaille au musée-abbaye St-Remi, et bien sûr, une visite-dégustation dans l'une des caves champenoises. Une excursion sur les routes de Champagne, à travers les vignobles de la Montagne de Reims et des Côtes des Blancs en passant par les caves d'Épernay. Les villages viticoles et le Mémorial des batailles dans la vallée de la Marne. À Charleville-Mézières, une promenade sur les traces d'Arthur Rimbaud, puis la découverte des beaux points de vue le long des méandres de la Meuse, en passant à Braux pour visiter la collégiale. Dans le vieux Troyes, le centre historique, la cathédrale St-Pierre-et-St-Paul, les nombreuses églises et le musée d'Art moderne pour ses œuvres fauvistes. Enfin, non loin, le mémorial de Colombey-les-Deux-Églises et la visite de la Boisserie, maison familiale du général de Gaulle. À Langres, la promenade sur les remparts.

⏱ ORGANISER SON TEMPS

La belle saison permet de profiter pleinement des nombreux lacs de la région et des vastes forêts ; l'automne, particulièrement doux, est une bonne époque pour parcourir cette région viticole qui s'active au moment des vendanges ; les amateurs de bonnes affaires iront à Troyes en début d'année pour profiter des soldes dans les magasins d'usine. Reims et Troyes sont idéales pour un week-end, mais il faut prévoir 5 jours environ pour emprunter tranquillement des chemins de traverse parmi les vignobles et le long des méandres de la Meuse.

La Champagne ? Il y en a deux ! La crayeuse est le domaine des vignobles, harmonieusement plantés sur les coteaux, et dont la célébrité remonte à la fin du 17e s. La Champagne humide, elle, étroite plaine entre la Marne et l'Yonne, fait la transition avec les terres plus accidentées qui s'appuient au nord sur le massif des Ardennes et au sud sur le Morvan, en Bourgogne : au pied des vignobles, l'Aisne, la Marne, l'Aube ont creusé des vallées verdoyantes où se concentrent villes et villages. Si les amateurs de balades seront séduits par la variété des paysages, les férus d'architecture le seront tout autant, avec le joyau gothique que constitue la cathédrale de Reims, les maisons à pans de bois de la Champagne humide ou les églises fortifiées des Ardennes. Et pour finir sur une note gourmande, goûtez à l'andouillette de Troyes, au jambon cru des Ardennes ou encore aux élégants biscuits roses de Reims.

Reims

★★★

181 468 Rémois – Marne (51)

 NOS ADRESSES PAGE 254

S'INFORMER

Office de tourisme – *2 r. Guillaume-de-Machault - 51100 Reims - ☎ 03 26 77 45 00 - www.reims-tourisme.com - de Pâques à déb. oct. : 9h-19h, dim. et j. fériés 10h-18h ; de déb. oct. à fin fév. : 9h-18h, dim. et j. fériés 10h-16h - de fin fév. à Pâques : 9h-18h, dim. et j. fériés 10h-18h - fermé 1er janv. et 25 déc.*

SE REPÉRER

Carte générale C1 – *Cartes Michelin n° 721 I4 et n° 515 E7*. Délimitée par une ceinture de boulevards tracés au 18e s., la ville se prolonge par de grands ensembles, certains à la limite du vignoble. L'A 4 permet de gagner rapidement le centre-ville en longeant le Centre des congrès.

ORGANISER SON TEMPS

Une journée permet de visiter la ville et de voir une maison de champagne. Le lendemain, partez à la découverte du vignoble sur l'une des routes qui mènent à Épernay ou à la montagne de Reims. Les fêtes johanniques le 2e week-end de juin et les Flâneries musicales d'été (juin-août) animent Reims avec un programme de qualité.

Champagne ou art gothique ? Et pourquoi pas les deux ! Reims est pour tous une étape inoubliable avec la visite de la cathédrale et du palais du Tau, de la basilique et du musée-abbaye St-Remi, sans oublier bien sûr les caves champenoises à la renommée mondiale. Et sans tourner le dos aux trésors ancrés dans son histoire, Reims change de visage avec un vaste projet de redynamisation urbaine, l'occasion d'autres découvertes !

4

Découvrir

★★ LES CAVES DE CHAMPAGNE

Les grands établissements se groupent dans le quartier du Champ-de-Mars et sur les pentes crayeuses de la butte St-Nicaise, trouée de galeries, les « **crayères** », souvent gallo-romaines, dont l'intérêt documentaire se double d'un attrait historique. La profondeur et l'étendue des galeries se prêtent aux vastes installations des caves de champagne où s'élabore le précieux vin des fêtes. La qualité d'un champagne dépend de celle du vin de base ; 75 % de la vendange sont composés de raisins noirs de deux cépages : le pinot noir et le pinot meunier ; on utilise un cépage blanc, le chardonnay. À l'exception des blancs de blancs millésimés, les autres champagnes sont le résultat d'assemblages réalisés sur les vins secs des trois cépages, de provenances et souvent d'âges différents.

Bon à savoir – Les grandes maisons de champagne organisent des visites de leurs caves se terminant par une dégustation (beaucoup ont un musée).

LE CENTRE-VILLE

★★★ Cathédrale Notre-Dame

Classée au Patrimoine mondial de l'Unesco, elle est l'une des plus grandes cathédrales du monde chrétien par son unité de style, sa statuaire et les souvenirs qui la lient à l'histoire des rois de France.

Après l'incendie du premier édifice en 1210, l'archevêque décida d'entreprendre la construction d'une cathédrale gothique à l'image de celles qui étaient en chantier à Paris, Soissons et Chartres. L'élaboration des plans fut confiée au **maître Jean d'Orbais** et, en 1211, la première pierre était posée. En 1285, l'intérieur de la cathédrale était achevé. Le 19 septembre 1914, un bombardement mit le feu à la charpente et l'énorme brasier fit fondre les cloches, les plombs des verrières et éclater la pierre. Des obus l'atteignirent tout au long des affrontements et, à la fin de la guerre, la restauration fut réalisée en grande partie par les fonds provenant de la donation Rockefeller.

La **façade** doit être vue si possible en fin d'après-midi. Les trois portails sont surmontés d'un gâble qui sert de support au groupe de **sculptures** situé sur le tympan ajouré. Celles-ci sont caractéristiques du style champenois du 13ᵉ s. : simplicité des vêtements, imitation de la nature. Au **portail central**, consacré à Marie, *la Vierge au trumeau* sourit ; à droite, parmi les groupes de l'*Annonciation* et de la *Visitation*, à gauche : la *Présentation de Jésus au Temple* avec la Vierge près du vieillard Siméon, saint Joseph au visage malicieux, portant des colombes. Au-dessus de la rosace, la **galerie des Rois** compte 56 statues de 4,50 m de haut. Les **contreforts** sont surmontés de niches dont chacune abrite un grand ange aux ailes déployées, parmi lesquels le célèbre **Ange au sourire** *(portail de gauche, le 1ᵉʳ à gauche de la porte)*.

Du cours Anatole-France s'offre une belle **vue★** sur le **chevet**. La multiplicité des chapelles rayonnantes aux toits surmontés de galeries à arcatures et les deux séries d'arcs-boutants superposées créent une combinaison harmonieuse de volumes.

L'**intérieur** frappe par sa clarté et ses dimensions avec une longueur totale de 138 m et une hauteur sous voûte de 38 m. Le **revers de la façade★★**, œuvre de Gaucher de Reims, est unique dans l'histoire de l'architecture gothique. Le mur est creusé de niches dans lesquelles ont été sculptées des statues. Les différents registres sont séparés par une luxuriante décoration florale. Sur le **revers du portail central**, se déroulent à gauche la *Vie de la Vierge* et à droite la *Vie de saint Jean-Baptiste*. En bas, la *Communion du Chevalier,* en habits du 13ᵉs. Au-dessus, la **grande rosace**, chef-d'œuvre du 13ᵉ s., est dédiée à la Vierge.

La cathédrale conserve une **horloge astronomique** du 15ᵉ s. Chaque heure déclenche deux cortèges de figurines représentant l'Adoration des Mages et la Fuite en Égypte.

★★ Palais du Tau

☏ 03 26 47 81 79 - 6 mai-8 sept. : 9h30-18h30 (dernière entrée 30mn av. fermeture) ; reste de l'année : 9h30-12h30, 14h-17h30 - Possibilité de visite guidée (1h) - fermé 1ᵉʳ janv., 1ᵉʳ Mai, 1ᵉʳ et 11 Nov. et 25 déc. - 7 € (-18 ans gratuit).

Le palais des archevêques de Reims, classé au Patrimoine mondial de l'Unesco, abrite le trésor de la cathédrale et une partie de la statuaire originale. Le bâtiment actuel fut remanié en 1670 par Robert de Cotte et Mansart. Le palais reçut ce curieux nom de Tau en raison de son plan en forme de T, évoquant les premières crosses épiscopales.

Dans l'enfilade des salles, voyez le **salon carré** orné de tapisseries de lisses (Flandres, 15ᵉ s.) et de tapisseries du 17ᵉ s. tissées à Reims ; la **salle des petites**

Statue équestre de Jeanne d'Arc et cathédrale Notre-Dame.
G. Marché/Photononstop

sculptures qui abrite de précieuses têtes finement bouclées provenant des portails du bras nord du transept et du portail de la Passion de la cathédrale, les statues d'Abraham et d'Aaron *(portail sud)* ; la **salle du Goliath** où sont exposées les statues monumentales de saint Paul, saint Jacques, de Goliath, géant de 5,40 m en cotte de mailles, de la Synagogue aux yeux bandés et de l'Église, très endommagée par un obus La **salle du Tau** servait de cadre au festin qui suivait le sacre. Toute tendue d'étoffes fleurdelisées, elle est couverte d'une belle voûte en carène. Les cérémonies des sacres des rois de France y sont évoquées. Le **trésor** renferme des présents royaux très rares préservés à la Révolution, dont le reliquaire de sainte Ursule, délicat vaisseau de cornaline décoré de statuettes émaillées en 1505, et les ornements du sacre de Charles X. La **chapelle palatine** a reçu comme garniture d'autel la croix et les six chandeliers de vermeil réalisés pour le mariage de Napoléon avec Marie-Louise.

4

★ Place Royale

Établie sur les plans de **Legendre**, en 1760, elle montre les traits distinctifs de l'architecture Louis XVI : arcades, toits à balustres dont les lignes horizontales contrastent avec la silhouette de la cathédrale, à l'arrière-plan. La statue de Louis XV par Pigalle, détruite à la Révolution, fut remplacée, sous la Restauration, par une autre de Cartellier.

★★ Basilique Saint-Remi

En 533, saint Remi fut inhumé dans une chapelle dédiée à saint Christophe. La construction de la basilique débuta vers 1007, et c'est sous l'abbé Hérimar que les travaux se terminèrent par le transept et la couverture charpentée. En 1049, l'église fut consacrée par le pape Léon IX. De 1162 à 1181, le porche fut abattu et remplacé par une façade et une double travée gothiques ; puis on substitua un nouveau chœur gothique à déambulatoire. La façade du croisillon droit du transept a été refaite de 1490 à 1515. Enfin, la nef fut couverte par une voûte d'ogives.

★★★ **Intérieur** – Les dimensions de la basilique, longue de 122 m pour une largeur de 26 m, créent une impression d'infini, renforcée par la pénombre qui règne dans la **nef** (11ᵉ s.). Entouré d'une clôture du 17ᵉ s., d'esprit encore Renaissance, le **chœur** gothique à quatre étages, d'une structure harmonieuse et légère, est éclairé par des baies qui gardent leurs vitraux du 12ᵉ s., représentant la Crucifixion, des apôtres, des prophètes et les archevêques de Reims.

★★ Musée-abbaye Saint-Remi

☏ 03 26 35 36 90 - www.reims.fr - 14h-18h30 (w.-end 19h) - fermé 1ᵉʳ janv., 1ᵉʳ Mai, 14 Juil., 1ᵉʳ et 11 Nov. et 25 déc. - 3 € (enf. gratuit).

Il est installé dans l'ancienne abbaye royale St-Remi, bel ensemble de bâtiments des 17ᵉ et 18ᵉ s. qui conserve quelques parties de l'abbaye médiévale comme le parloir et la salle capitulaire. Il présente les collections d'**art rémois** des origines à la fin du Moyen Âge, ainsi que les tapisseries de St-Remi et une section d'histoire militaire de la cité où figurent les célèbres tableaux d'**Édouard Detaille**. Par le superbe escalier d'honneur datant de 1778, on accède à la galerie où est présentée la série des **dix tapisseries de St-Remi★★**, exécutées de 1523 à 1531.

★ Chapelle Foujita

☏ 03 26 35 36 00 - www.reims.fr - mai-oct. : tlj sf merc. 14h-18h - fermé 1ᵉʳ janv., 1ᵉʳ Mai, 14 Juil., 1ᵉʳ et 11 Nov. et 25 déc. - 3 €, 1ᵉʳ dim. du mois gratuit.

Conçue et décorée dans la tradition de l'art chrétien primitif par **Léonard Foujita** (1886-1968), peintre japonais de l'école de Paris, alors âgé de 80 ans, cette chapelle commémore l'illumination mystique ressentie en la basilique St-Remi par cet artiste qui se convertit au catholicisme et fut baptisé dans la cathédrale. L'intérieur est orné de vitraux et de fresques représentant des scènes de l'Ancien et du Nouveau Testament.

Circuits conseillés

★★ LA MONTAGNE DE REIMS

Ce plateau ondulant, couvert par la **forêt de Verzy** fait partie du **Parc naturel régional de la Montage de Reims** (www.parc-montagnedereims.fr), créé en 1976. Sur ses versants nord, est et sud, la roche disparaît sous le vignoble (9 000 ha). Entre **Reims** et **Épernay**, de nombreuses routes facilitent le tour (environ 100 km) de ce petit massif qui culmine à 283 m au mont Sinaï.

▶ Quitter Reims vers le sud par la D 951 jusqu'à Monchenot ; prendre la D 26 vers Villers-Allerand.

À **Rilly-la-Montagne**, producteurs et négociants sont établis dans ce bourg cossu. De Rilly partent des promenades sur les pentes du mont Joli (alt. 274 m).

Verzenay

Ce village est dominé par deux monuments insolites : un moulin à vent et un phare transformé en musée de la Vigne. Ces deux sites offrent une vue étendue sur une mer de vignes

★ **Musée de la Vigne** – ☏ 03 26 07 87 87 - www.lepharedeverzenay.com - mar.-vend. 10h-17h, w.-end et j. fériés 10h-17h30 (dernière entrée 1h av. fermeture) - fermé 25 déc. - 6 € (enf. 3 € sf merc. gratuit). L'exposition, qui fait largement appel aux techniques audiovisuelles, présente le vignoble de Champagne.

Continuer vers Épernay en suivant la D 34, puis la D 9.

À Avenay-Val-d'Or, l'**église St-Trésain** conserve une belle façade flamboyante. Plus loin, **Ay** se loge au pied du coteau au cœur d'un vignoble d'origine gallo-romaine.

Prendre la D 1 à droite.

★ Hautvillers

Ce village conserve des demeures anciennes à portail en anse de panier qu'agrémentent des enseignes en fer forgé. Le moine bénédictin **Dom Pérignon**, qui perfectionna l'élaboration du champagne, repose depuis 1715 dans l'**église abbatiale St-Sindulphe**. Admirez le chœur des moines orné de boiseries de chêne et de stalles de la fin du 18e s.

Suivre la D 386 dans la vallée de l'Ardre.

Coulommes-la-Montagne possède une belle **église** romane, où l'on remarque des chapiteaux à feuilles lisses et palmettes.

Sur une motte près de Ville-Dommange, la **chapelle St-Lié★** se dissimule dans un bosquet. **Vue★** sur la côte, Reims dominée par sa cathédrale et la plaine.

★★ LA CÔTE DES BLANCS

Épernay

🛈 *Office de tourisme – 7 av. de Champagne - 51200 Épernay - 🖉 03 26 53 33 00 - www.ot-epernay.fr.*

Principal centre viticole de Champagne avec Reims, de prestigieuses maisons s'alignent sur l'avenue de Champagne : situées au-dessus de la falaise de craie trouée de longues galeries, elles ouvrent leurs caves à la visite : **Moët & Chandon** *(www.moet.com)* ; **Mercier** *(www.champagnemercier.fr)* ; **De Castellane** *(www.castellane.com).*

◗ *Quitter Épernay au sud-ouest par la D 951 ; à Pierry, suivre la D 10.*

D'Épernay à Vertus, la côte des Blancs est plantée de vignobles à raisin blanc (presque exclusivement le cépage **chardonnay**). Ses crus, d'une finesse élégante, sont utilisés dans l'élaboration des cuvées de prestige et dans la réalisation du « blanc de blancs ». À flanc de coteau s'égrènent les villages, aux rues tortueuses, le long desquelles s'ouvrent les hauts portails des maisons vigneronnes. L'itinéraire en balcon ou à mi-côte offre de jolies vues.

★ **Cramant** – Ce bourg occupe un site agréable. Son célèbre cru, produit par le chardonnay, a acquis une renommée universelle.

Poursuivre par la D 10 vers le Mesnil-sur-Oger.

★ **Musée de la Vigne et du Vin au Mesnil-sur-Oger** – 🖉 *03 26 57 50 15 - Visite guidée (2h) - à partir de 10h, w.-end 10h30 sur RV (1 j. av.) - fermé 1er janv., Pâques et 25 déc. - 7,50 €.* Il évoque dans les caveaux la culture de la vigne, mais aussi la fabrication des bouchons, la verrerie, la tonnellerie. La visite se termine par une dégustation et la découverte du vignoble en petit train.

Vertus – Cette petite cité tranquille est vouée à la vigne. Ses rues entrecoupées de places sont dotées de nombreuses fontaines d'eau vive.

★ LA VALLÉE DE LA MARNE

Au départ d'Épernay, la route permet de découvrir les villages viticoles étagés sur les coteaux couverts de vignes le long des deux rives de la Marne.

◗ *Quitter Épernay par la D 3, tourner à droite vers Mardeuil, traverser la Marne pour longer la rive droite.*

Damery possède une église romane dont les chapiteaux sont sculptés d'un intéressant bestiaire dans un décor de feuillages.

4

Châtillon-sur-Marne

Au Moyen Âge, la cité fortifiée, qui couronne une colline couverte de vignes, servait les intérêts de puissants seigneurs, tel Gaucher de Châtillon (1250-1328), connétable de France. La haute **statue du pape Urbain II**, initiateur de la première croisade, a été érigée en 1887 sur la motte qui portait le donjon du château.

Dormans

Ce village bénéficie de la quiétude des bords de Marne.

Château et mémorial des Batailles de la Marne – *Entrée par l'av. des Victoires -* 📞 *03 26 58 22 31. De mi-avr. à mi-nov. : 14h30-18h30, dim. 10h-12h, 14h30-18h30.* Situé au fond du parc du château Louis XIII, le mémorial décrit le déroulement des opérations de 1918 (table d'orientation).

NOS ADRESSES À REIMS

HÉBERGEMENT

PREMIER PRIX

Hôtel de la Cathédrale – *20 r. Libergier -* 📞 *03 26 47 28 46 - www. hotel-cathedrale-reims.fr - 17 ch. 56/70 € -* 🍴 *7,50 €.* Situé dans un immeuble d'angle, un hôtel aux chambres simples, bien tenues. Le petit-déjeuner est servi dans une salle égayée de tableaux d'artistes locaux.

BUDGET MOYEN

Hôtel Crystal – *86 pl. Drouet-d'Erlon -* 📞 *03 26 88 44 44 - www. hotel-crystal.fr - fermé 24 déc.-3 janv. - 31 ch. 69/79 € -* 🍴 *9 €.* La maison, située en centre-ville, se trouve au bout d'un passage garantissant calme et tranquillité. Chambres rajeunies et bien tenues, jardinet où l'on petit-déjeune l'été.

RESTAURATION

BUDGET MOYEN

Brasserie Le Boulingrin – *48 r. de Mars -* 📞 *03 26 40 96 22 - www. boulingrin.fr - fermé dim. - 18/28 €.* Dans cette institution rémoise depuis 1925, l'ambiance joviale et le décor de brasserie Art déco s'accordent avec une cuisine de produits frais sans chichi.

Le Jamin – *18 bd Jamin -* 📞 *03 26 07 37 30 - www.lejamin.com - fermé 16-31 août, 19 janv.-2 fév., dim. soir et lun. - 21/32 €.* Un restaurant de quartier simple et généreux, au cadre sobre et actuel. Cuisine traditionnelle et suggestions du jour à l'ardoise, à prix doux. Service aimable et efficace.

Au Petit Comptoir – *17 r. de Mars -* 📞 *03 26 40 58 58 - fermé dim. et lun. - formule déj. 20 €.* Un intérieur contemporain sobre mais égayé de peintures. Dans l'assiette, une généreuse cuisine de bistrot revisitée, assortie de vins de la région et du monde.

POUR SE FAIRE PLAISIR

Le Foch – *37 bd Foch -* 📞 *03 26 47 48 22 - www.lefoch.com - fermé vac. scol. fév., 3 1res sem. août, sam. midi, dim. soir et lun. - 31/80€.* Le restaurant borde les Promenades, ces cours ombragés dessinés au 18e s. Salle à manger relookée dans un style actuel et soigné. Cuisine au goût du jour sur une base classique.

Charleville-Mézières

50 876 Carolomacériens – Ardennes (08)

S'INFORMER

Office de tourisme – *4 pl. Ducale - 08102 Charleville-Mézières - ℘ 03 24 55 69 90 - www.charleville-tourisme.org - juin-sept. : 9h (10h jeu.)-12h, 13h30-19h - oct.-mai : lun.-sam. 9h (10h jeu.)-12h, 13h30-18h - fermé j. fériés.*

SE REPÉRER

Carte générale C1 – *Cartes Michelin n° 721 M4 et n° 515 I4.* Au sud de la forêt des Ardennes, à 87 km au nord-ouest de Reims, Charleville (au nord) et Mézières (au sud) sont traversées par les boucles de la Meuse.

À NE PAS MANQUER

La place Ducale, une promenade sur les traces d'**Arthur Rimbaud** et une balade au gré des méandres de la Meuse.

ORGANISER SON TEMPS

Les années impaires a lieu le Festival mondial de la marionnette *(10 j. fin sept.)* et chaque année *(fin oct.)* se tiennent « Les Ailleurs », journées poétiques *(rens. à l'office de tourisme).*

AVEC LES ENFANTS

L'horloge du Grand Marionnettiste.

Dans les Ardennes, Charleville, commerçante et bourgeoise, déploie ses rues commerçantes autour de l'harmonieuse place Ducale, tandis qu'en bordure de ses quais flotte, comme un bateau ivre, le souvenir de Rimbaud. Mézières dresse fièrement ses remparts médiévaux et resserre ses maisons de schiste au cœur d'un large méandre de la Meuse. Les deux villes sont réunies depuis 1966.

Se promener

4

★★ Place Ducale

Conçue par **Clément II Métezeau** (1581-1652), architecte des Bâtiments du duc Charles de Gonzague, elle présente de nombreuses analogies avec la place des Vosges à Paris, réalisée à la même époque. Son aspect reste spectaculaire malgré la construction, en 1843, de l'hôtel de ville à l'emplacement du palais ducal. Une galerie d'**arcades** en anse de panier fait le tour de la place dont les 24 **pavillons**, bâtis en brique rose et pierre ocre, sont coiffés de hauts combles d'ardoise mauve.

Horloge du Grand Marionnettiste

Jacques Monestier a intégré cette horloge dans la façade de l'Institut international de la marionnette. Un mouvement permanent anime la tête et les yeux de l'automate. À chaque heure, de 10h à 21h, un court spectacle de marionnettes retrace un épisode de la légende ardennaise des Quatre Fils Aymon. Tous les samedis à 21h15 a lieu la représentation dans son intégralité.

L'HOMME AUX SEMELLES DE VENT

Le poète **Arthur Rimbaud** (1854-1891) naît à Charleville, d'un père capitaine d'infanterie souvent absent et d'une mère autoritaire qui fera de son fils un révolté. Au collège local, le jeune Arthur accomplit de brillantes études. De 1869 à 1875, il habite au n° 7 du quai qui aujourd'hui porte son nom ; il y compose *Le Bateau ivre,* face au port, non loin du vieux moulin. C'est l'époque des fugues à Charleroi, à Paris où il rencontre **Verlaine** qu'il accompagne en Belgique et à Londres, à Roche enfin près de Vouziers où il écrit *Une saison en enfer* (1873). Rompant alors avec la littérature, Rimbaud commence une vie d'errance qui le mène jusqu'en Orient, sur les bords de la mer Rouge et en Indonésie. Rapatrié, il meurt à l'hôpital de Marseille, à l'âge de 37 ans. Son corps repose dans le vieux cimetière de Charleville. Un **musée** lui est consacré à l'intérieur d'un vieux moulin en bordure de Meuse - *Quai Rimbaud* - ✆ *03 24 32 44 65.*

Circuit conseillé

★★ LES MÉANDRES DE LA MEUSE

Des **excursions en bateau** sont organisées sur la Meuse au départ de Charleville, Monthermé et Revin. Longue de 950 km, la Meuse prend sa source au pied du plateau de Langres et se jette dans la mer du Nord. En aval de Charleville, ce fleuve de faible débit poursuit son cours au travers d'un défilé profond et sinueux et de sombres forêts.

▶ *40 km jusqu'à Revin. Quitter Charleville par la D 1 qui rejoint la Meuse.*

Braux

La **collégiale St-Pierre-ès-Liens**, de plan basilical, conserve de riches autels de marbre du 17ᵉ s. et une belle cuve baptismale du 12ᵉ s. ornée de grotesques. *Franchir la Meuse.* Du pont, voyez la perspective sur le **rocher des Quatre-Fils-Aymon★** ; sa silhouette évoque le légendaire cheval Bayard emportant les quatre fils Aymon.

★ Monthermé

Les maisons de la vieille ville épousent harmonieusement le méandre de la Meuse. D'ici partent plusieurs sentiers menant à de superbes belvédères.

★ Roches de Laifour

À 270 m au-dessus de la Meuse, elles dessinent un promontoire aigu dont les pentes de schiste tombent à pic vers le fleuve.

★ Les Dames de Meuse

Non accessible en voiture. Cette ligne de crête aux pentes abruptes forme une masse noire, ravinée et déchiquetée, s'infléchissant en une courbe parallèle au fleuve. Elle atteint 393 m d'altitude et domine le fleuve de près de 250 m. ➴ *2h AR.* Un chemin se détache de la D 1 au sud de Laifour, monte au refuge et atteint le rebord de la crête : Belle **vue★** sur la vallée et le village.

★★ Mont Malgré Tout

➴ *1h AR.* Le chemin en forte montée mène à un poste de relais TV. De là, on gagne à travers le taillis de bouleaux et de chênes un second belvédère (alt. 450 m).

Châlons-en-Champagne

★★

46 138 Châlonnais – Marne (51)

 S'INFORMER

Office de tourisme – *3 quai des Arts - 51000 Châlons-en-Champagne -*
℘ 03 26 65 17 89 - www.chalons-tourisme.com - mai-sept. : 9h-12h30, 13h30-
18h30, dim. et j. fériés 11h-12h30, 14h-18h ; oct.-avr : lun.-sam. 9h30-12h,
13h30-18h.

SE REPÉRER

Carte générale C1 – *Cartes Michelin n° 721 I5 et n° 515 G9.* À 33 km au sud
de Reims par la N 44. En pleine Champagne crayeuse, la ville est sillonnée
par le Mau et le Nau, formés par de petits bras de la Marne.

À NE PAS MANQUER

Le patrimoine religieux : la cathédrale St-Étienne, l'église et le cloître de
N.-D.-en-Vaux ; aux alentours, N.-D. de l'Épine.

ORGANISER SON TEMPS

En une demi-journée, vous pouvez visiter la cathédrale, flâner dans les
rues aux alentours de l'hôtel de ville et de la préfecture.

Le chef-lieu de la Marne possède le charme discret d'une ville de pro-
vince. Dans une région parsemée de lieux de mémoire liés aux guerres,
la cité a conservé quelques belles maisons à pans de bois, de vieux ponts
enjambant deux canaux, et d'immenses jardins où il fait bon flâner.

Découvrir

★★ Cathédrale Saint-Étienne

De mi-juin à mi-sept. : tlj sf lun. 10h-12h, 14h-18h (dim. 14h30-18h) ; reste de l'an-
née : w.-end 10h-15h.

Les fastes de deux mariages princiers s'y déroulèrent au 17ᵉ s. : celui de Philippe
d'Orléans, frère de Louis XIV, avec la princesse Palatine et celui du Grand
Dauphin avec Marie-Christine de Bavière.

La face nord est d'un gothique très pur. L'intérieur atteint près de 100 m de
long. La nef, haute de 27 m, inondée de lumière, donne une sensation de légèreté avec son triforium élancé et surmonté de vastes baies. De beaux **vitraux★**
permettent de suivre l'évolution de l'art des maîtres verriers du 12ᵉ au 16ᵉ s.
Parmi les œuvres d'art réparties dans le transept et le chœur, un majestueux
maître-autel à baldaquin du 17ᵉ s. attribué à **Jules Hardouin-Mansart**, et de
superbes dalles funéraires gothiques.

★ Église Notre-Dame-en-Vaux

De mi-mai à mi-sept. : 10h-12h, 14h-18h, dim. 14h30-18h ; reste de l'année : tlj sf
dim. 10h-12h, 14h-18h.

Cette ancienne collégiale, classée au Patrimoine mondial de l'Unesco au titre
des chemins de Compostelle, a été commencée vers 1150 dans le style roman,
mais les voûtes, le chœur et le chevet construits dans le style gothique primitif
datent de la fin du 12ᵉ s. et du début du 13ᵉ s.

4

★★ L'**intérieur** impressionne par ses proportions harmonieuses et la sobriété de son ordonnance. Dans la nef, observez la différence de style entre les piliers à chapiteaux romans, soutenant de vastes tribunes, et les voûtes d'ogives gothiques. La nef est éclairée par une harmonieuse série de **vitraux**★ champenois. Les plus beaux, du 16e s., ornent le bas-côté gauche.

★ Musée du Cloître de Notre-Dame-en-Vaux

℘ 03 26 69 99 61 - avr.-sept. : tlj sf mar. 10h-12h, 14h-18h ; oct.-mars : tlj sf mar. 10h-12h, 14h-17h, w.-end 10h-12h, 14h-18h - fermé 1er janv., 1er Mai, 1er et 11 Nov. et 25 déc. - 3,50 €. (enf. gratuit).

Il abrite de remarquables sculptures provenant d'un cloître roman. Une grande salle renferme des colonnes sculptées ou baguées et une série de **55 statues-colonnes**★★ : les plus belles représentent des prophètes, de grandes figures bibliques ou des saints (Moïse, Daniel, saint Paul au visage d'une intense spiritualité).

À proximité

★★ Basilique Notre-Dame de l'Épine

◗ *À 8 km à l'est par la N 3.*

Cette basilique, aux dimensions de cathédrale, est le but de grands pèlerinages depuis la découverte au Moyen Âge, par des bergers, d'une statue de la Vierge dans un buisson d'épines enflammé. Des pèlerins illustres sont venus ici : Charles VII, Louis XI et le roi René d'Anjou que le prodige inspira sans doute lorsqu'il fit exécuter au 15e s., par Nicolas Froment, le triptyque du Buisson ardent, aujourd'hui à la cathédrale d'Aix-en-Provence *(voir p. 657).*

S'élevant sur une légère éminence, la basilique s'aperçoit de fort loin. Du début 15e s. et progressivement agrandie, elle présente une façade de style gothique flamboyant ; les chapelles rayonnantes remontent au début du 16e s. À l'intérieur, le chœur est clos par un élégant **jubé** dont l'arcade droite abrite la statue vénérée de Notre-Dame.

Troyes

★★★

61 544 Troyens – Aube (10)

 NOS ADRESSES PAGE 262

🅘 **S'INFORMER**

Office de tourisme – *16 bd Carnot (bureau gare) - 10000 Troyes - 𝄢 03 25 82 62 70 - r. Mignard (bureau centre-ville) - 𝄢 03 25 73 36 88 - www.tourisme-troyes.com - juil.-sept. : 9h-12h30, 14h-18h30, dim. 10h-19h ; reste de l'année : 9h-12h30, 14h-18h (bureau centre-ville 10h-19h).*

▶ **SE REPÉRER**

Carte générale C2 – *Cartes Michelin n° 721 l6 et n° 515 E13.* La ville est desservie par l'A 5. Son centre-ville est délimité par une ceinture de boulevards. Les zones industrielles sont reléguées dans les faubourgs.

😊 **À NE PAS MANQUER**

Le centre historique, les nombreuses églises, le musée d'Art moderne et, aux alentours, Colombey-les-Deux-Églises.

🕐 **ORGANISER SON TEMPS**

Comptez une demi-journée pour la visite du vieux Troyes ; les magasins d'usine sont particulièrement courus pendant les soldes.

👥 **AVEC LES ENFANTS**

Aux alentours, le parc naturel régional de la forêt d'Orient avec ses lacs, ses plages et ses oiseaux ; le village musée du Pays du Der.

Troyes est une ville d'art, riche en églises aux superbes vitraux, en musées, en hôtels particuliers. Son centre historique regorge de vieilles rues pavées, aux charmantes maisons à colombages souvent un peu de guingois. Et vous pouvez compléter votre visite par celle des magasins d'usine aux marques dégriffées…

Se promener

★★ LE VIEUX TROYES

Au Moyen Âge, Troyes comptait deux quartiers distincts : la cité, centre aristocratique et ecclésiastique autour de la cathédrale, et le bourg, bourgeois et commerçant, où se tenaient les foires de Champagne.

★ Ruelle des Chats
Vision médiévale que celle de ces maisons aux pignons si rapprochés de part et d'autre de la ruelle qu'un chat peut aisément sauter d'un toit à l'autre. Les bornes à l'entrée de la ruelle empêchaient les roues des chariots de heurter les murs. La nuit, comme la plupart des autres voies, une herse la fermait.

★★ Cathédrale Saint-Pierre-et-Saint-Paul
Mai-sept. : 10h-13h, 14h-19h, dim. 14h-19h ; oct.-avr. : 8h30-12h, 13h-17h, dim. 14h-17h.

Construite du 13ᵉ au 17ᵉ s., cette église est remarquable par la richesse de sa décoration et la beauté de sa nef. Façade (début 16ᵉ s.) très ouvragée ornée d'une belle rose flamboyante. Contournez la cathédrale par la gauche pour admirer le portail du transept nord (13ᵉ s.) et son immense rose. L'élégance de l'architecture, l'harmonie des proportions et l'éclat des **verrières★★** soulignent l'admirable perspective de la nef et du chœur.

★ Basilique Saint-Urbain
Mai-sept. : mar.-sam. 10h30-12h, 14h-19h, dim. 14h-19h ; oct.-avr. : mar.-dim. 14h-16h30.

Elle illustre l'art gothique champenois du 13ᵉ s. Longez l'édifice jusqu'au chevet pour admirer la légèreté des arcs-boutants, l'élégance des fenêtres, la grâce des pinacles, des gargouilles. À l'intérieur, le chœur fut construit d'un seul jet. Exemple rare au début du gothique, les **verrières** occupent une surface considérable, réduisant les murs à une simple ossature de pierre. Dans la chapelle à droite du chœur, sur l'autel, se trouve la souriante **Vierge au raisin★.**

★ Église Sainte-Madeleine
Mai-sept. : mar.-sam. 10h30-12h, 14h-19h, dim. 14h-19h ; oct.-avr. : mar.-dim. 14h-16h30.

C'est la plus ancienne église de Troyes. L'église primitive du milieu du 12ᵉ s. a été très remaniée au 16ᵉ s. À l'intérieur, toute l'attention est attirée par le remarquable **jubé★★** de pierre. De style flamboyant, il fut exécuté de 1508 à 1517. Le chevet est orné de grandes **verrières★** Renaissance au coloris éclatant. Dans le bas-côté droit contre un pilier de la nef, belle statue de **sainte Marthe★.**

★★ Maison de l'Outil et de la Pensée ouvrière
7 r. de la Trinité - ℰ 03 25 73 28 26 - www.maison-de-l-outil.com - ﻟ - avr.-sept. : 10h-18h ; oct.-mars : tlj sf mar. 10h-18h - fermé lun. de Pentecôte et 25 déc. - 6,50 € (-12 ans gratuit).

Installée dans l'**hôtel de Mauroy★★** (16ᵉ s.), elle présente quelque 8 000 outils dits de façonnage à main, du 17ᵉ au 19ᵉ s., témoignant d'une époque où l'habileté manuelle était à l'honneur. Exposition de chefs-d'œuvre de compagnons.

★★ Musée d'Art moderne
ℰ 03 25 76 26 80 - ﻟ - mai-sept. : mar.-vend. 10h-13h, 14h-19h, w.-end 11h-19h ; oct.-avr. : mar.-vend. 10h-12h, 14h-17h, w.-end 11h-18h - fermé j. fériés - 5 € (-18 ans gratuit).

En 1976, Pierre et Denise Levy, industriels troyens, firent don à l'État de l'importante collection d'œuvres d'art qu'ils avaient rassemblée depuis 1939, soit 388 peintures (fin du 19ᵉ s. et début du 20ᵉ s.), 1 277 dessins, 104 sculptures, des verreries Art déco et des pièces d'art africain et océanien. Elle est particulièrement riche en œuvres des **peintres fauves★★**. Les œuvres plus récentes comptent des tableaux de Robert Delaunay, avant sa période abstraite, de Roger de La Fresnaye, de Modigliani, de Soutine, de Buffet, de Nicolas de Staël, de Balthus et de nombreuses toiles d'**André Derain** postérieures à sa période fauve.

À proximité

★★ Lacs et forêt d'Orient
◑ *À 15 km à l'est de Troyes par la D 619.*

👥 Le vaste **Parc naturel régional de la forêt d'Orient** préserve la forêt d'Orient, ses trois lacs, une **réserve ornithologique** et un **espace Faune** permettant d'observer notamment sangliers, cerfs et chevreuils. Il englobe également le **parc d'attractions de Nigloland★**, à côté de Bar-sur-Aube.

Le tour, par la route ou en partie avec le train touristique, offre de beaux points de vue. Ils constituent une excellente base d'observation de la nature, surtout lors du passage des grands oiseaux migrateurs, d'octobre à mars.

Maison du Parc – *10220 Piney - ℰ 03 25 43 38 88 - www.pnr-foret-orient.fr - juil.-août : 10h-18h ; avr.-juin et sept.-oct. : 10h-12h30, 13h30-17h30, w.-end et j. fériés 10h-13h, 14h-18h ; nov.-mars : 13h-17h - fermé vac. de Noël.* Elle est installée dans une ancienne maison troyenne du 16e s., dans la **forêt de Piney**, près des lacs.

★★ Lac du Der

⌖ *À 60 km au nord-est de Troyes par la D 960 et la D 400.*

Près de St-Dizier et de Vitry-le-François, ce lac artificiel, entouré par la **forêt de Der**, capte les eaux de la **Marne**, protégeant Paris des inondations. C'est le plus vaste d'Europe occidentale (4 800 ha) ; il possède le plus grand port de plaisance en eau douce de France et six plages. Pays de prairies où paissent chevaux et bovins, de bois, d'étangs, le Der est une contrée originale, aux villages entourés de vergers, dont les maisons et les églises ont été construites en bois dans ce pays pauvre en pierre. Il fut longtemps le pays des bûcherons et des vanniers.

★ **Musée du Pays du Der à Sainte-Marie-du-Lac-Nuisement** – *ℰ 03 26 41 01 02 - www.museedupaysduder.com - ⅃ - juil.-août : 10h-19h ; mai-juin et sept.-oct. : 10h-18h ; reste de l'année : 10h-17h - fermé de fin déc. à mi-janv. - 5,50 € (enf. 3,30 €).* ⚎ Certains bâtiments de l'ancien village de Nuisement-aux-Bois, disparu sous les eaux, ont été remontés dans ce **village musée** et permettent de découvrir le patrimoine de la Champagne humide. Autour de l'église, la grange des Machelignots regroupe les **arts et traditions** champenois (costumes, maquettes de maisons à pans de bois, reconstitutions d'ateliers d'artisans) ; la mairie-école abrite la **Maison de la nature** (aquarium, fourmilière, terrarium). On visite aussi la maison du forgeron (buvette, produits régionaux), le pigeonnier, le four à pain, le lavoir…

Colombey-les-Deux-Églises

⌖ *À 68 km à l'est de Troyes par la N 9.*

À l'orée de la forêt des Dhuits, Colombey doit sa notoriété à Charles de Gaulle qui y possédait, depuis 1933, la propriété de la Boisserie. La tombe du Général se trouve dans le cimetière du village.

La Boisserie – *ℰ 03 25 01 52 52 - www.charles-de-gaulle.org. - avr.-sept. : 10h-13h, 14h-18h30 ; oct.-mars : tlj sf mar. 10h-12h30, 14h-17h30 - possibilité de visite guidée (45mn) - fermé déc. - 4,50 € (-12 ans gratuit).* Visite au rez-de-chaussée : salon, bibliothèque et salle à manger.

Mémorial Charles de Gaulle – *ℰ 03 25 30 90 80 - www.memorial-charles degaulle.fr - mai-sept. : 10h30-19h ; oct.-avr. : tlj sf mar. 10h-17h30 - fermé janv., 1re sem. fév., 24, 25 et 31 déc. - 12,50 € (6-12 ans 8 €).* Inauguré en 2008, dédié à la vie et à l'œuvre du Général, il retrace l'histoire du 20e s. La construction s'intègre parfaitement dans les paysages environnants. Photographies, documents, archives audiovisuelles rappellent les hauts faits de la carrière de Charles de Gaulle, mais aussi des aspects plus intimes de sa vie.

Juste au-dessus du Mémorial se dresse, en hommage au Général, une **croix de Lorraine monumentale** (44,30 m de hauteur). Inaugurée le 18 juin 1972, elle domine le village et les forêts des alentours, dont la forêt de Clairvaux.

4

👀 NOS ADRESSES À TROYES

HÉBERGEMENT

BUDGET MOYEN

Hôtel Les Comtes de Champagne – *56 r. de la Monnaie -* ☎ *03 25 73 11 70 - www. comtesdechampagne.com -* ♿🅿 *- 36 ch. 50/110 € -* ☕ *9 €.* Les comtes de Champagne auraient jadis battu monnaie dans les quatre maisons du 12e s. qui composent cet hôtel. Chambres rénovées, dont certaines avec kitchenette. La cheminée monumentale de la salle des petits-déjeuners témoigne de l'ancienneté du lieu.

Hôtel de Troyes – *168 av. du Gén.-Leclerc -* ☎ *03 25 71 23 45 - www.hoteldetroyes.com -* 🅿 *- 23 ch. 56/76 € -* ☕ *7,50 €.* Situé à l'extérieur de la ville touristique, cet hôtel répartit ses chambres sur deux bâtiments, joints entre eux par une véranda lumineuse et pleine de verdure. On appréciera les coloris tendance, harmonieusement associés au mobilier contemporain. Soirées étapes en partenariat avec le restaurant « le Sarrail », à 400 m.

RESTAURATION

PREMIER PRIX

Aux Crieurs de Vin – *4-6 pl. Jean-Jaurès -* ☎ *03 25 40 01 01 - fermé 1re quinz. de janv. et 1 sem. mi-août, dim. et lun. - formule déj. 10,90 €.* Amateurs de bonnes bouteilles, cette maison saura vous séduire. D'un côté la boutique de vins et spiritueux, de l'autre le chaleureux bistrot à l'atmosphère « rétro ». Côté cuisine, les plats du marché et les recettes du terroir raviront les connaisseurs.

BUDGET MOYEN

Au Jardin Gourmand – *31 r. Paillot-de-Montabert -* ☎ *03 25 73 36 13 - fermé 15 j. en mars,* *3 sem. en sept., lun. midi et dim. - formule déj. 17 €.* Cadre intimiste et romantique dans ce restaurant du vieux Troyes. De bons plats du terroir – dont l'andouillette ! – côtoient des recettes plus créatives. Terrasse sous les glycines.

La Table du Marché – *52 r. du Gén.-de-Gaulle -* ☎ *03 25 73 15 26 - fermé dim. soir et lun. - menu terroir 22 €.* À proximité du marché des halles, cette brasserie dans le style des années 1930 propose une cuisine à base de produits frais. Outre l'incontournable andouillette de Troyes, des tripes et des terrines maison, vous pourrez aussi essayer ses moules et ses soles.

POUR SE FAIRE PLAISIR

Valentino – *35 r. Paillot-de-Montabert -* ☎ *03 25 73 14 14 - fermé 16 août-2 sept., 1er-17 janv., dim. et lun. - 25/55 €.* Cette maison à colombages propose, dans sa salle contemporaine ou sur sa jolie terrasse fleurie, une goûteuse cuisine centrée sur les produits de la mer. Service attentionné.

ACHATS

Les magasins d'usine

Tout commence dans les années 1950, lorsque Petit Bateau décide de vendre à ses employés les articles présentant de légers défauts, impossibles à commercialiser. Aujourd'hui, Troyes est la capitale des magasins d'usine avec plus de 150 enseignes regroupées dans trois zones. Le site de Pont-Ste-Marie (Marques City et McArthur Glen) se trouve au nord-ouest, vers Châlons-Reims. Celui de Saint-Julien-les- Villas (Marques Avenue) est situé au sud-est, vers Chaumont-Dijon.

Langres

★★

8 240 Langrois – Haute-Marne (52)

 S'INFORMER

Office de tourisme du Pays de Langres et des 4 Lacs – *Square Lahalle - 52200 Langres - ℰ 03 25 87 67 67 - www.tourisme-langres.com - juil.-août : 9h-12h, 13h30-18h30, dim. et j. fériés 10h-12h15, 13h45-18h ; avr.-juin et sept. : 9h-12h, 13h30-18h, dim. et j. fériés 10h-12h15, 13h45-18h ; reste de l'année : lun.-sam. 9h-12h, 13h30-17h30 - fermé 1er janv. et 25 déc.*

▷ **SE REPÉRER**

Carte générale D2 – *Cartes Michelin n° 721 N7 et n° 519 PQ4.* À 65 km au nord de Dijon par l'A 31 et la D 428. Langres est une étape touristique sur l'axe nord-sud européen (A 5, A 31). Le plateau correspond à la ligne de partage des eaux entre les bassins parisien, rhénan et rhodanien. L'Aube et la Meuse y prennent leur source.

🕐 **ORGANISER SON TEMPS**

Comptez au moins une bonne demi-journée pour explorer la ville.

👥 **AVEC LES ENFANTS**

La tour de Navarre et, autour de Langres, les quatre lacs, notamment ceux de la Liez et de la Vingeanne (plages aménagées et bases de loisirs).

Perchée à 500 m d'altitude au sommet d'un éperon rocheux, liée à un plateau où naissent la Seine et la Marne, Langres est une véritable acropole, cernée par la plus grande enceinte fortifiée d'Europe. Cachée derrière ses kilomètres de remparts jalonnés de tours et de portes, cette belle ville peut témoigner de 17 siècles d'histoire et fut préservée des trois dernières guerres. Le centre urbain, où naquit Diderot – la rue la plus commerçante de la ville et la place centrale portent son nom –, déploie ses rues sinueuses et ses passages bordés d'édifices de pierre calcaire. Et de ses hauteurs, le regard porte sur un pays aux multiples attraits.

4

Se promener

De nombreux **panneaux d'interprétation** enrichiront votre parcours dans les rues. N'hésitez pas à emprunter les passages, également appelés porches, qui permettaient de passer d'une cour à l'autre, et à suivre le circuit balisé des fontaines et des lavoirs. En saison, il est agréable de se promener le soir dans la ville, dont les remparts et les principaux édifices sont **mis en lumière**.

★★ SUR LES REMPARTS

▷ *Partir de la pl. des États-Unis, au sud.*
Les remparts conservent douze tours et sept portes qui témoignent de l'évolution des fortifications depuis la guerre de Cent Ans jusqu'au 19e s. Le chemin de ronde constitue une agréable promenade : jolie **vue** à l'est sur la vallée de la Marne, le lac de la Liez et les Vosges ; au nord sur la colline des Fourches avec sa chapelle ; à l'ouest sur les coteaux de la vallée de la Bonnelle et plus loin, sur le plateau de Langres et ses coteaux boisés.

LANGRES DANS L'HISTOIRE

Menacée par les invasions, Langres, cité d'origine gallo-romaine, construisit sa première enceinte. Au 4e s., elle se dota d'un évêché qui fut l'une des pairies ecclésiastiques du royaume à partir du 12e s., l'évêché. Saint Didier, évêque de Langres, aurait été martyrisé pour avoir défendu la cité ; la chapelle qui lui a été dédiée fait aujourd'hui partie du musée d'Art et d'Histoire.

La ville devint royale lors du rattachement de la Champagne au royaume, en 1284. Aux confins de la Bourgogne, de la Lorraine et de la Franche-Comté, ce fut au 14e s. une forteresse puissante qui joua un rôle stratégique jusqu'au 17e s. Elle retrouva sa vocation défensive dans la seconde moitié du 19e s. avec la restauration de l'enceinte (ses origines remontent aux invasions barbares), ainsi que la construction d'une citadelle et de huit forts détachés pour contrôler les trouées de Belfort et de Charmes.

Tours de Navarre et d'Orval

𝄞 03 25 87 67 67 - www.tourisme-langres.com - juil.-août : 10h-18h30 ; avr.-juin et sept. : 14h-18h, w.-end et j. fériés 10h30-18h - possibilité de visite guidée - fermé oct.-mars - 4 € (-16 ans gratuit).

Cet ensemble défensif fut inauguré par François Ier en 1521 pour protéger l'accès sud de la ville : ses murs atteignent jusqu'à 7 m d'épaisseur.

La tour de Navarre, dont l'ancienne terrasse d'artillerie fut couverte en 1825 d'une charpente en chêne monumentale, est la plus puissante. Elle est doublée par la tour d'Orval, dont la rampe hélicoïdale permettait d'acheminer les pièces d'artillerie au sommet de la tour de Navarre.

👥 La tour de Navarre accueille un **parcours ludique** et **pédagogique** pour petits et grands. Un audioguide, des écrans vidéo et des bornes interactives vous font découvrir cet ensemble. Par des jeux de lumière, la tour s'anime pour vous conter les légendes de Langres, l'histoire des fortifications et l'Encyclopédie de Diderot.

LA VILLE ANCIENNE

▶ *Partir de la place des États-Unis, au sud.*

😊 **Bon à savoir** – Un **ascenseur incliné** relie le parking Sous-Bie, situé à l'extérieur des remparts, au centre-ville : vue sur Langres, le lac de la Liez et les Vosges.

Dans l'enchevêtrement des rues héritées du Moyen Âge, on découvre des maisons anciennes, pour la plupart construites entre les 16e et 18e s. Parmi les éléments décoratifs, les niches (15e-19e s.) témoignent d'un fort sentiment religieux.

★ Cathédrale Saint-Mammès

Longue de 94 m et haute de 23 m, elle fut édifiée entre 1150 et 1196. La partie haute a été restaurée. L'important diocèse de Langres s'étendait alors du Dijonnais jusqu'au Bassigny. La façade d'origine (12e-13e s.) a été détruite par le feu et remplacée au 18e s. par une façade de style classique à trois étages, d'ordonnance régulière.

Intérieur – De proportions majestueuses, il est de style roman bourguignon. La nef voûtée d'ogives compte 6 travées et illustre la transition avec le gothique. Le **chœur** et l'**abside**, élevés entre 1141 et 1153, sont les plus belles parties de l'édifice. Les chapiteaux du triforium de l'abside sont décorés d'animaux, d'êtres fantastiques et de motifs floraux.

Tour Sud – *Rens. à l'office de tourisme - avr.-juin et sept. : merc. et w.-end 14h30-18h ; juil.-août : 10h30-12h, 14h-18h (sf offices) - montée de la tour 3 € (-16 ans gratuit).* Du haut de la tour (45 m), **vue** sur la ville et les environs.

Musée d'Art et d'Histoire
Pl. du Centenaire - ℰ 03 25 86 86 86 - ﯟ - tlj sauf mar. 9h30-12h, 14h-18h - possibilité de visite guidée (1h, sur réserv. 7 j. av.) - fermé 1ᵉʳ janv., 1ᵉʳ Mai, 1ᵉʳ nov. et 25 déc. - 4 € (-12 ans et 1ᵉʳ dim. du mois gratuit).
Le musée s'étend sur 2 000 m². La chapelle romane St-Didier abrita dès 1842 les collections de Langres, dont une partie est aujourd'hui exposée dans un bâtiment de verre et de béton. La section **préhistoire** et **protohistoire** rassemble les découvertes faites dans la région (têtes celtiques de Perrogney).
La **section gallo-romaine★** comporte des fragments lapidaires provenant de grands ensembles architecturaux. Des collections de **peintures** et de **sculptures** (17ᵉ au 19ᵉ s.) rendent hommage à des artistes régionaux : J. Tassel, E. Bouchardon, G. Courbet, C. Corot.

À proximité

LE PAYS DES QUATRE LACS

Autour de Langres, quatre **réservoirs** ont été créés à la fin du 19ᵉ s. et au début du 20ᵉ s. pour alimenter le canal de la Marne à la Saône. Au cours de l'été, la surface de ces plans d'eau peut diminuer. Les berges des « queues » de réservoirs se transforment alors en vasières et roselières, qui abritent une faune et une flore typiques des lacs : de ce fait, ils sont classés en zone naturelle d'intérêt écologique.

Situés dans un site boisé et verdoyant, ces lacs sont d'agréables lieux de détente et de promenade où l'on peut pratiquer des **activités nautiques**. C'est le cas du lac de la Liez *(à 5 km à l'est par la N 19)*, le plus grand (290 ha), où l'on peut se baigner, pratiquer la voile, louer canoë, pédalo ou bateau électrique et pêcher. Le lac de la Vingeanne *(à 12 km au sud par la D 674)*, renommé pour son avifaune, est également équipé d'une plage et d'une base de loisirs.

4

Bourgogne et Franche-Comté 5

Cartes Michelin National n° 721 et Région n°s 519 et 520

Vignes et cabiote à Savigny-lès-Beaune.
J.-B. Rabouan/Hemis.fr

La Bourgogne

▶ SE REPÉRER

Au cœur de l'Europe de l'Ouest, la Bourgogne est bien desservie par les réseaux autoroutiers nationaux et internationaux qui y font leur jonction, à égale distance de Paris, Lyon, Genève. L'A 6 dessert les grandes villes de la région. À Beaune, elle relie l'A 31 (en provenance de Dijon, et plus au nord, de Metz et de Nancy) et l'A 36 qui va de Besançon à Mulhouse ; à Mâcon, elle est rejointe par l'A 40 qui mène à Bourg-en-Bresse, Genève et au mont Blanc. Les lignes de TGV desservent Dijon, Mâcon, Beaune, Chalon-sur-Saône, Laroche-Migennes (près d'Auxerre) et Sens. TER et autocars assurent les liaisons avec la plupart des villes, notamment Autun ou Paray-le-Monial. Pour venir en avion, il faudra passer par Lyon.

À NE PAS MANQUER

À Dijon : le palais des ducs de Bourgogne, l'église St-Michel, le musée des Beaux-Arts, et aux alentours, l'abbaye de Fontenay et le trésor de Vix à Châtillon-sur-Seine. À Beaune : l'hôtel-Dieu, la collégiale Notre-Dame et aux alentours, la découverte des vignobles de la côte. À Cluny, les vestiges de l'abbaye et aux alentours, la basilique de Paray-le-Monial, l'abbaye de Tournus, le château de Cormatin. À Autun : la cathédrale St-Lazare, le musée Rolin, les vestiges de la ville gallo-romaine et aux alentours, le musée Nicéphore-Niepce à Chalon-sur-Saône. À Vézelay, la basilique Ste-Madeleine et aux alentours le Morvan avec le château de Bazoches. À Auxerre, la cathédrale St-Étienne, l'ancienne abbaye St-Germain, et aux alentours, les châteaux d'Ancy-le-Franc, de Tanlay et de St-Fargeau. À Sens, la cathédrale St-Étienne et son trésor.

⏱ ORGANISER SON TEMPS

L'automne est la saison idéale pour visiter le vignoble alors que les visiteurs sont moins nombreux ; l'été est le moment rêvé pour parcourir le Morvan à l'écart des chaleurs estivales des plaines. Si vous êtes simplement de passage dans la région, profitez des villes-étapes sur l'axe Dijon-Mâcon : vous trouverez nombre de monuments et de sites à visiter en chemin.

La Bourgogne a pour cœur le vieux massif du Morvan aux collines boisées où l'Yonne prend sa source pour devenir la grosse artère fluviale de la région ; au nord, ses hauts plateaux calcaires s'abaissent par paliers vers le val de Saône, dont le dernier escarpement forme la côte d'Or connue pour ses vignobles. Les routes du vin croisent celles des vestiges gallo-romains, conduisent à des édifices religieux parmi les plus importants du monde chrétien au Moyen Âge, et suivent la trace des ducs de Bourgogne qui tenaient leur cour à Dijon. Du vase de Vix aux vitraux modernes de la cathédrale de Nevers, la Bourgogne offre un patrimoine artistique et architectural éclectique. Églises romanes, monastères cisterciens ou bénédictins, hôtels-Dieu et chemins de St-Jacques jalonnent cette terre de spiritualité. Et pour d'autres plaisirs purement bourguignons, parlons des Intemporelles « veurdées », c'est-à-dire les virées champêtres à travers les pâturages où paissent les bœufs charolais et les villages où l'on trouve des caves aux voûtes évoquant le fond des vieux paniers de vendanges.

Dijon

★★★

151 576 Dijonnais – Côte-d'Or (21)

 NOS ADRESSES PAGE 273

🅸 **S'INFORMER**

Office de tourisme – *11 r. des Forges - 21022 Dijon -* 📞 *0 892 700 558 - www. visitdijon.com - avr.-sept. : 9h30-18h30, dim. et j. fériés 10h-18h ; oct.-mars : 9h30-13h, 14h-18h, dim. et j. fériés 10h-16h.*

◑ **SE REPÉRER**

Carte générale C2 – *Cartes Michelin n° 721 M8 et n° 519 O8*. Dijon est desservie par l'A 31, l'A 36, l'A 38 et l'A 39. Elle se trouve à 40 km au nord de Beaune.

☺ **À NE PAS MANQUER**

Le palais des ducs de Bourgogne, l'église St-Michel, le musée des Beaux-Arts et, au nord de la ville, l'abbaye de Fontenay et le trésor de Vix à Châtillon-sur-Seine.

👪 **AVEC LES ENFANTS**

Les reconstitutions de la vie quotidienne au 19e s. au musée de la Vie bourguignonne.

Qui, de la ville de Dijon ou de sa moutarde, est la plus célèbre ? Trop souvent réduite à quelques clichés culinaires, vinicoles ou provinciaux, la capitale de la Bourgogne se bat aujourd'hui sur tous les fronts pour renouveler son image. Transports, économie, emplois, infrastructures urbaines… tout bouge. Le musée des Beaux-Arts, l'un des sites phares de la cité, s'est lancé dans une gigantesque métamorphose qui ne devrait s'achever qu'en 2017. Dijon a bien des atouts à faire valoir : labellisée « Ville d'Art et d'Histoire » en 2008, la cité des grands-ducs d'Occident a su préserver son centre historique et sa grande richesse patrimoniale.

Se promener

5

Le quartier ancien qui entoure le **palais des Ducs et des États de Bourgogne★★** a gardé beaucoup de cachet. En flânant dans ses rues, souvent piétonnes, on découvre de nobles hôtels en pierre de taille ou encore des maisons à pans de bois des 15e et 16e s. La **rue des Forges★** est l'une des rues les plus caractéristiques et les plus fréquentées de la ville. **Rue de la Chouette**, n'oubliez pas d'aller caresser, de la main gauche comme le veut la tradition, la petite chouette sculptée sur un contrefort de l'**église Notre-Dame**, cela vous portera bonheur ! **Rue Verrerie**, parmi les nombreuses maisons à colombages, les n°s 8-10-12 constituent un beau groupe présentant des poutres sculptées ; des magasins de décoration et de design y ont élu domicile.

★ Église Saint-Michel

De style gothique flamboyant, cette église a vu sa façade terminée en pleine Renaissance, ce dont témoignent les deux tours qui l'encadrent : leurs quatre étages aux fenêtres ornées de colonnes se terminent par une balustrade surmontée d'une lanterne coiffée d'une boule de bronze. Cette façade, où se superposent les trois ordres classiques, est majestueuse. Le porche, en forte saillie, s'ouvre par trois portails : une frise de rinceaux et de grotesques se développe à la partie supérieure du porche sur toute sa longueur. Le portail central est surmonté d'un lanternon dont la base évidée crée un curieux puits de lumière. Au-dessous, dans les caissons, se détachent les bustes des prophètes Daniel, Baruch, Isaïe et Ézéchiel, ceux de David avec sa harpe et de Moïse portant les tables de la Loi.

★★ Musée des Beaux-Arts

℘ 03 20 74 52 09 - http://mba.dijon.fr - ♿ - mai-oct. : tlj sf mar. 9h30-18h ; nov.-avr. : tlj sf mar. 10h-17h - fermé 1ᵉʳ janv., 1ᵉʳ et 8 Mai, 14 Juillet, 1ᵉʳ et 11 Nov. et 25 déc. - audioguides. Durant les travaux, aucune fermeture complète du musée n'est prévue, mais la présentation des œuvres et le sens de la visite seront forcément modifiés. La salle d'Armes et la galerie de Bellegarde sont actuellement fermées et la section Art moderne et contemporain est fermée de 11h30 à 13h45. Jusqu'à fin 2013, les tombeaux des ducs seront inaccessibles et une partie des pleurants sera exposée aux États-Unis.

Cet immense musée est installé dans l'aile orientale du **palais des Ducs et des États de Bourgogne★★**. Au rez-de-chaussée, la **salle du chapitre** (14ᵉ s.) abrite la sculpture religieuse du 14ᵉ au 17ᵉ s. avec de précieux objets d'art. Au

---

LE BERCEAU DES « GRANDS-DUCS D'OCCIDENT »

Philippe le Hardi (1363-1404) reçoit le duché de Bourgogne en apanage des mains de son père, le roi Jean le Bon. Puis par son mariage avec Marguerite de Mâle, il hérite du Nivernais, de la Franche-Comté, de l'Artois et de la Flandre, ce qui fait de lui le plus puissant prince de la chrétienté. Il fait venir à Dijon peintres et sculpteurs de son domaine des Flandres. Soucieux d'assurer à sa dynastie une nécropole, il fonde la chartreuse de Champmol. Succédant à son père, **Jean sans Peur** (1404-1419), né à Dijon en 1371, espère, quant à lui, régner sur la France. Le « renard de Bourgogne » finit sa vie au pont de Montereau où il reçoit un coup de hache d'un proche du futur Charles VII. **Philippe le Bon** (1419-1467), fils unique de Jean sans Peur, fonde l'ordre souverain de la Toison d'or dans le but de s'allier la noblesse. En 1435, il se réconcilie avec Charles VII. Dijon devient la capitale d'un puissant État qui comprend une grande part de la Hollande, de la Belgique, le Luxembourg, la Flandre, l'Artois, le Hainaut, la Picardie et le territoire compris entre la Loire et le Jura. Le dernier des ducs Valois de Bourgogne s'appelle **Charles le Téméraire** (1467-1477). Son rêve de conquête est de rattacher les moitiés nord et sud de ses États afin de créer un royaume. Pour cela, et pour lutter contre les rébellions que suscite son très habile rival Louis XI, il soutient des guerres continuelles. Il est proche de la réussite lorsqu'en 1475 il conquiert la Lorraine, mais il meurt en assiégeant Nancy. Son corps est retrouvé dans un étang glacé, à moitié dévoré par les loups.

En un siècle, les ducs ont fait de Dijon une ville d'art : le palais sert de cadre prestigieux à des réceptions fastueuses ; la Ste-Chapelle qui le jouxte est le siège de l'ordre de la Toison d'or. L'activité manufacturière n'est pas négligeable, et le négoce prospère permet aux grands bourgeois de construire d'opulentes demeures encore visibles rue des Forges, rue Vauban, rue Verrerie…

Palais des Ducs et des États de Bourgogne.
I. Vdovin/Age Fotostock

pied de l'escalier sont exposées de belles collections d'orfèvrerie religieuse et d'ivoires sculptés du Moyen Âge et de la Renaissance.

On découvre au **1er étage** la peinture italienne, les **primitifs allemands et suisses** ainsi que l'art en France avec du mobilier et des peintures – le *Portrait d'un peintre* de Mignard, *La Chute des anges rebelles* de Le Brun, *Saint Georges terrassant le dragon* de Carle Van Loo –, des tableaux de Nattier…

L'**escalier du Prince** permet de descendre à la **salle d'Armes**, au rez-de-chaussée, où est exposée la célèbre **Nativité★★** (1420) du **Maître de Flémalle**.

★★★ **Salle des gardes** – Dans l'ancienne salle des Festins, qui fut construite par Philippe le Bon et qui fut le cadre de ripailles, se trouve les trésors d'art provenant de la chartreuse de Champmol, nécropole des ducs de Valois, notamment le **tombeau de Philippe le Hardi★★★** auquel travaillèrent successivement, de 1385 à 1410, les Flamands Jean de Marville, Claus Sluter et Claus de Werwe : le gisant repose sur une dalle de marbre noir soutenue par des arcatures d'albâtre sous lesquelles veille une assemblée de 41 statuettes de « pleurants », prodigieuses de réalisme : membres du clergé, chartreux, parents, amis et officiers du prince, tous en costume de deuil et la tête recouverte du chaperon, composent le cortège funèbre. Le **tombeau de Jean sans Peur et de Marguerite de Bavière★★★**, exécuté de 1443 à 1470, reproduit quant à lui l'ordonnance du tombeau précédent mais avec une touche plus flamboyante. Deux retables en bois commandés par Philippe le Hardi pour la chartreuse éblouissent par la richesse de leur décoration sculptée : seul le **retable de la Crucifixion★★★** a conservé au revers de ses volets les peintures de Broederlam : l'Annonciation, la Visitation, la Présentation au Temple et la Fuite en Égypte.

Art moderne et contemporain – Les sculptures animalières de **François Pompon** (1855-1933) ont été regroupées dans une salle ancienne de la tour de Bar. Parmi la **donation Granville**, on remarque *Le Souffleur à la lampe* de Georges de la Tour, des études romantiques de Géricault, Delacroix, Victor Hugo, des œuvres réalistes de Daumier et Courbet ou symbolistes de Gustave

Moreau et Odilon Redon. Le 19ᵉ s. se termine par les travaux de l'école de Barbizon (Daubigny, J.-F. Millet) et les impressionnistes dont Manet. La sculpture du 20ᵉ s. est représentée par des œuvres de Rodin, Maillol, Bourdelle. Voyez aussi la collection de **masques africains**. De l'art contemporain, on relève, autour de l'école de Paris et du paysagisme abstrait des années 1950 à 1970, les noms d'Arpad Szenes et de son épouse Vieira da Silva, Nicolas de Staël. Le **musée en plein air** de l'université prolonge la visite avec des sculptures de Karel Appel, Arman, Gottfried Honegger.

★ Musée de la Vie bourguignonne

℘ 03 80 48 80 90 - ♿ - mai-sept. : 9h-12h30, 13h30-18h ; oct.-avr. : 9h-12h, 14h-18h - possibilité de visite guidée (1h) : dim. 15h et 16h - fermé mar., 1ᵉʳ janv., 1ᵉʳ et 8 Mai, 14 Juil., 1ᵉʳ et 11 Nov. et 25 déc.

👥 Dans le cloître du monastère des Bernardines, édifié vers 1680, ce musée retrace l'histoire locale grâce à des pièces d'ethnographie régionale et urbaine rassemblées par le collectionneur Perrin de Puycousin (1856-1949).

Mobilier, équipement domestique, costumes, souvenirs divers évoquent, dans une mise en scène très vivante, la vie quotidienne, les cérémonies et les traditions bourguignonnes à la fin du 19ᵉ s. Aux étages, le salon de coiffure, l'épicerie, un train électrique sous les affiches du PLM... reconstituent fidèlement cette époque.

À proximité

★★★ Abbaye de Fontenay

▶ À 78 km au nord-ouest de Dijon par l'A 38, puis la D 905 jusqu'à Marmagne près de Montbard. ℘ 03 80 92 15 00 - www.abbayedefontenay.com - ♿ - avr.-nov. : 10h-18h - reste de l'année : 10h-12h, 14h-17h - possibilité de visite guidée (1h) sur demande (1 mois av.) - 9,20 € (-26 ans 4,40 €).

Fondée par **saint Bernard**, abbé de Clairvaux, Fontenay connut une grande prospérité jusqu'au 16ᵉ s., comptant plus de 300 moines et frères convers. Tapie dans un vallon solitaire et verdoyant, Fontenay donne une vision exacte de ce qu'était un **monastère cistercien** au 12ᵉ s. La règle et le plan cisterciens sont scrupuleusement observés, et l'effet est d'une saisissante grandeur.

★ Châtillon-sur-Seine

▶ À 85 km au nord-ouest de Dijon par la D 971.

Cette coquette petite ville, baignée par la Seine encore chétive, reçoit les eaux abondantes de la Douix, source vauclusienne émergeant au cœur de la cité. **★ Musée du Pays châtillonnais** – *14 r. de la Libération - ℘ 03 80 91 24 67 - www.musee-vix.fr - juil.-août : 10h-19h ; sept.-juin : 9h-12h, 14h-18h - fermé 1ᵉʳ janv., 1ᵉʳ Mai et 25 déc. - 6 € (enf. 3 €).* Des fouilles, pratiquées depuis plus de cent ans dans la région, ont révélé les vestiges d'une agglomération gallo-romaine, avec en janvier 1953 l'extraordinaire découverte du **trésor de Vix★★** : au pied de l'oppidum du mont Lassois fut dégagée sous un tumulus une tombe princière du 1ᵉʳ âge du fer (vers 500 av. J.-C.). Près des restes d'une jeune femme celte furent mis au jour un char d'apparat, des pièces de vaisselle en bronze, en céramique ou en argent, un splendide torque (collier) en or et un extraordinaire **cratère** à volutes en bronze, le plus grand vase métallique de l'Antiquité qui nous soit parvenu ; la richesse de sa décoration permet de le rattacher aux œuvres les plus abouties des bronziers de la Grande Grèce au 6ᵉ s. av. J.-C.

☺ NOS ADRESSES À DIJON

HÉBERGEMENT

PREMIER PRIX

Hôtel Victor Hugo – *23 r. Fleurs -* 📞 *03 80 43 63 45 - www. hotelvictorhugo-dijon.com - 23 ch. 48/54 € -* ☕ *6 €.* Adresse sympathique où les chambres claires, sobrement décorées et très bien tenues, sont plus spacieuses côté cour. Deux agréables petits salons et une grande salle rustique.

BUDGET MOYEN

Hôtel Wilson – *1 r. de Longvic -* 📞 *03 80 66 82 50 - www.wilson-hotel.com - 27 ch. 82/106 € - 12 €.* Ancien relais de poste du 17e s. où les chambres, sobrement décorées, s'ordonnent autour d'une cour intérieure. Plaisante salle des petits-déjeuners avec sa grande cheminée.

RESTAURATION

PREMIER PRIX

Le Chabrot – *36 r. Monge -* 📞 *03 80 30 69 61 - formule déj. 12,80 € - 25 €.* Ce bistrot séduira ceux qui recherchent saveurs traditionnelles et ambiance décontractée. Pour le vin, on fait son choix parmi les casiers à bouteilles alignés sur les murs. Service dynamique, bons petits plats bourguignons, crus de propriétaires, le tout saupoudré de quelques notes de musique : un mélange réussi.

BUDGET MOYEN

Le Bistrot des Halles – *10 r. Bannelier -* 📞 *03 80 49 94 15 - fermé 25 déc.-2 janv., dim. et lun. - formule déj. 17 €.* Face aux halles joliment restaurées, les plats canailles, la rôtissoire et le décor de bistrot 1900 un brin théâtral séduisent les Dijonnais. Convivialité assurée !

POUR SE FAIRE PLAISIR

Le DZ'Envies – *12 r. Odebert -* 📞 *03 80 50 09 26 - www.dzenvies. com - 29/36 €.* Ce nouveau bistrot gastronomique, installé sur la place des halles, dénote dans ce quartier par son style contemporain. La cuisine française y est revisitée avec une pointe d'exotisme, à la mode japonaise et maghrébine. Cuisine actuelle à prix sage.

La Dame d'Aquitaine – *23 pl. Bossuet -* 📞 *03 80 30 45 65 - www. ladamedaquitaine.fr - fermé le midi 20 juil.-20 août, lun. midi et dim. - 29/45 €.* Salle au mobilier actuel aménagée dans une crypte du 13e s., où les jeux de lumière mettent en valeur les voûtes et les arcs. Cuisine suivant le rythme des saisons.

ACHATS

Mulot et Petitjean – *13 pl. Bossuet -* 📞 *03 80 30 07 10 - 9h-12h, 14h-19h, lun. 14h-19h - fermé dim. et j. fériés.* Installé dans une maison à colombages, cet établissement (dont l'origine remonte à 1796) est spécialisé dans le pain d'épice, décliné de multiples manières : tendres mignonnettes, croquantes gimblettes, en forme d'escargot ou de poisson… À l'intérieur, le décor et le somptueux mobilier de marbre et de bois sculpté datent de 1901.

5

Beaune

★★

22 218 Beaunois – Côte-d'Or (21)

 S'INFORMER
Office de tourisme – 1 r. de l'Hôtel-Dieu - 21200 Beaune - ✆ 03 80 26 21 30 - www.ot-beaune.fr - avr.-oct. : 10h-13h, 14h-18h ; reste de l'année : 9h-12h, 13h-18h, dim. et j. fériés 10h-12h30, 13h30-17h.

◗ **SE REPÉRER**
Carte générale C2 – Cartes Michelin n° 721 M8 et n° 519 N9. Beaune est au croisement de l'A 6, de l'A 31 (nord) et de l'A 36 (est) ; de la D 974 pour Chagny, la D 19 pour Chalon, D 973 pour Seurre…

☺ **À NE PAS MANQUER**
La visite de l'hôtel-Dieu, la collégiale Notre-Dame, le musée du Vin ; aux alentours, la découverte du vignoble.

◷ **ORGANISER SON TEMPS**
À l'office de tourisme, vous trouverez des guides de circuits pour des randonnées à pied ou à vélo dans le vignoble. Le troisième dimanche de novembre, vous pouvez assister aux « Trois Glorieuses », la célèbre vente aux enchères des vins des Hospices de Beaune.

👫 **AVEC LES ENFANTS**
À l'hôtel-Dieu de Beaune, la « chambre des pôvres », la cuisine avec son tournebroche à automate, la pharmacie… Dans le vignoble, le souvenir de Napoléon à Fixin, les avions de chasse au château de Savigny-lès-Beaune, le château à pont-levis de La Rochepot.

Au cœur du vignoble bourguignon, Beaune, prestigieuse cité du vin, est aussi une superbe ville d'art. Son hôtel-Dieu, ses musées, sa collégiale, sa ceinture de remparts dont les bastions cachent les caves les plus importantes, ses jardins, ses maisons composent un somptueux ensemble.

Découvrir

★★★ Hôtel-Dieu
✆ 03 80 24 45 00 - www.hospices-de-beaune.tm.fr - ♿ - de fin mars à mi-nov. : 9h-18h30 ; reste de l'année : 9h-11h30, 14h-17h30 - possibilité de visite guidée - 6,70 € (enf. 2,80 €).
Merveille de l'art burgondo-flamand, l'hôtel-Dieu de Beaune fut fondé en 1443 par le chancelier de Philippe le Bon, **Nicolas Rolin** (voir Autun, p. 282). On admire dans la cour d'honneur les bâtiments aux toitures de tuiles vernissées.
👫 L'immense **grand-salle** des malades ou « **chambre des pôvres** »★★★ (50 m de long, 14 m de large, 16 m de haut) conserve une magnifique **voûte** en carène de navire renversée, dont les longues poutres transversales sont « avalées » à chaque extrémité par une gueule de monstre marin. L'ordonnance des ciels de lit, des courtines et de la literie, dans leur harmonie de tons blanc et rouge, est frappante. Au fond de la salle, au-dessus de la grande porte, admirez un poignant **Christ aux liens**★ datant de la fin du 15e s. et sculpté dans un seul et même fût de chêne.

Dans la **salle du Polyptyque** est exposé le tableau du **Jugement dernier★★★** de Roger Van der Weyden, un chef-d'œuvre de l'art flamand, commandé par Nicolas Rolin et réalisé entre 1445 et 1448. Au centre, le Christ juge apparaît encadré par la Vierge et saint Jean-Baptiste. Saint Michel pèse les âmes. Remarquez la puissance d'expression de tous les personnages. Sur le mur latéral droit, on voit le **revers du retable** où figurent les portraits de Nicolas Rolin et de sa femme, accompagnés de grisailles. La visite se termine par la **salle St-Louis** ornée de **tapisseries de Tournai et de Bruxelles** (16ᵉ s.)

★ Collégiale Notre-Dame

℘ 03 80 26 21 30 - juin-sept. : 9h30-12h30, 14h-19h, dim. et j. fériés 13h-19h ; de fin mars à fin mai et oct. : 9h30-12h30, 14h-17h, dim. et j. fériés 13h-17h - visite guidée des tapisseries sur demande à l'office de tourisme de mi-avr. à fin oct, 2,50 €.

Cette « fille de Cluny », commencée vers 1120 et inspirée de St-Lazare d'Autun est un bel exemple de l'art roman bourguignon. À l'intérieur, la haute nef, voûtée en berceau brisé, est flanquée d'étroits bas-côtés voûtés d'arêtes. Derrière le maître-autel, magnifiques **tapisseries★★** aux riches couleurs, tissées en laine et soie, qui retracent l'histoire de la Vierge. Elles furent commandées en 1474, puis exécutées sur les indications du cardinal Rolin.

Musée du Vin

℘ 03 80 22 08 19 - www.musees-bourgogne.org - possibilité de visite guidée (1h, dernière entrée 30mn av. fermeture) avr.-nov. : 9h30-18h ; déc.-mars : tlj sf mar. 9h30-17h - fermé 1ᵉʳ janv., 25 déc. - 5,50 € (-11 ans gratuit) - billet combiné avec le musée des Beaux-Arts.

L'histoire du vignoble bourguignon et de la culture de la vigne est retracée dans l'**hôtel des ducs de Bourgogne★** (15ᵉ et 16ᵉs.). La cour évoque un décor de théâtre. La cuverie (14ᵉ s.) abrite une impressionnante collection de pressoirs et de cuves. Sont également évoqués la tonnellerie, le commerce et les arts bachiques ; dans la salle d'honneur, belles tapisseries des ateliers d'Aubusson, dont une de Lurçat.

Circuits conseillés

Entre Santenay et Dijon, sur 65 km, suivant un axe nord-sud parallèle à l'A 6, la « côte » dévoile une floraison de grands crus qui font la célébrité de la **route★★**. La côte est constituée par le rebord oriental de la « montagne », dont le tracé rectiligne est morcelé par des combes transversales. Dans ces combes, les vignes occupent les pentes calcaires les mieux exposées à l'insolation matinale et les plus abritées des vents froids, tandis que le sommet des coteaux est couvert de buis ou de boqueteaux. Pour les vins rouges, le cépage est le pinot noir fin. Les grands vins blancs sont produits par le chardonnay.

LA CÔTE DE NUITS

Elle s'étend de Corgoloin à Fixin et produit presque uniquement de très grands vins rouges. Riches et corsés, ils demandent huit à dix ans pour acquérir leurs incommensurables qualités de corps et de bouquet.

▶ Quitter Beaune au nord par la D 18 puis après Pernand-Verelesses, suivre à droite la D 8.

Nuits-Saint-Georges

La célébrité des vins de Nuits remonte à Louis XIV. Son médecin Fagon ayant conseillé au Roi-Soleil de prendre à chaque repas quelques verres de nuits

5

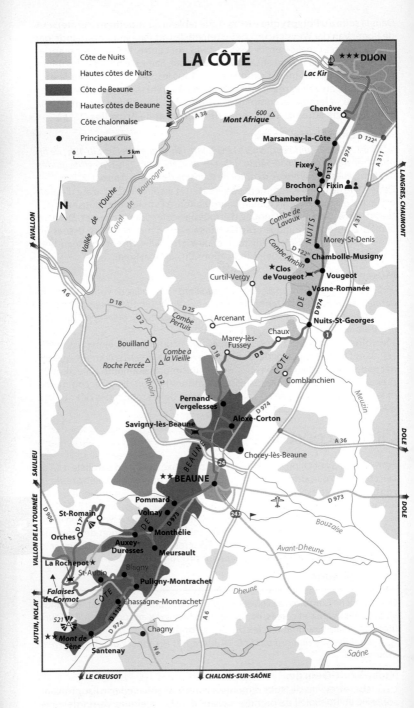

LA CÔTE

Côte de Nuits
Hautes côtes de Nuits
Côte de Beaune
Hautes côtes de Beaune
Côte chalonnaise

● Principaux crus

0   5 km

★★★ DIJON

Lac Kir

Chenôve

Mont Afrique 600 △

Marsannay-la-Côte

Fixey

Brochon   Fixin

Gevrey-Chambertin

Combe de Lavaux

Morey-St-Denis

Combe Ambin

Chambolle-Musigny

Curtil-Vergy

★ **Clos de Vougeot**

Vougeot

Vosne-Romanée

Vallée de l'Ouche

Canal de Bourgogne

D 18

D 25

Combe Pertuis

Arcenant

Chaux

Nuits-St-Georges

Marey-lès-Fussey

Combe à la Vieille

Bouilland

Roche Percée △

Comblanchien

Pernand-Vergelesses

Savigny-lès-Beaune

Aloxe-Corton

Chorey-lès-Beaune

★★ **BEAUNE**

Pommard

Volnay

St-Romain

Monthélie

Orches

Auxey-Duresses

Meursault

La Rochepot ★

St-Aubin

Blagny

Puligny-Montrachet

Falaises de Cormot

Chassagne-Montrachet

Dheune

521 △

★★ *Mont de Sène*

Santenay

Chagny

Saône

LE CREUSOT   CHALONS-SUR-SAÔNE

AVALLON

SAULIEU

VALLON DE LA TOURNÉE

AUTUN, NOLAY

LANGRES, CHAUMONT

DOLE

DOLE

et de romanée, à titre de remède, toute la Cour voulut en goûter. À Nuits, remarquez l'église romane de **St-Symphorien** et le **beffroi** de l'ancien hôtel de ville (17ᵉ s.)

Vosne-Romanée

Ce vignoble ne produit que des vins rouges riches, fins et délicats. Parmi les « climats » qui le constituent, ceux de romanée-conti (l'un des vins les plus chers du monde), de la tâche et de richebourg sont de réputation universelle.

Clos de Vougeot

Le Clos (50 ha), propriété de l'abbaye de Cîteaux du 12ᵉ s. à la Révolution, est un vignoble célébrissime.

★ **Château du Clos de Vougeot** – ℘ 03 80 62 86 09 - www.tastevin-bourgogne. com - visite guidée (45mn - dernier dép. 1h av. fermeture) avr.-sept. : 9h-18h30, sam. 9h-17h ; oct.-mars : 9h-11h30, 14h-17h30, sam. 9h-11h30, 14h-17h - fermé 1ᵉʳ janv., 24-25 et 31 déc. - 4,10 € (enf. 3,10 €). Visitez le Grand Cellier (12ᵉ s.) où ont lieu les cérémonies de l'ordre du Tastevin, la cuverie (12ᵉ s.) aux quatre **pressoirs** gigantesques, la cuisine (16ᵉ s.) avec son immense cheminée et sa voûte nervurée soutenue par une unique colonne centrale, et le dortoir des frères convers à la spectaculaire charpente du 14ᵉ s.

Gevrey-Chambertin

Cette agglomération viticole donne des vins puissants qui acquièrent en vieillissant tout leur corps et tout leur bouquet.

Château – ℘ 03 80 34 36 77 - http://chateaudegevrey.free.fr - visite guidée (1h) - mars-oct. : 10h-12h, 14h-18h ; reste de l'année : sur RV - 6 € (enf. 2,50 €). Dans la partie haute du village, cette forteresse à tours carrées possède des caves voûtées en anse de panier qui renferment sur deux niveaux les récoltes de vin.

Fixin

Prononcer « fissin ». Producteur de vins au bouquet profond ; certains se classent parmi les meilleurs de la côte de Nuits.

Parc Noisot – ℘ 03 80 52 45 52 - de mi-avr. à fin sept. : w.-end 14h-18h - 1,50 € (-12 ans gratuit). 👥 En haut du village, découvrez le touchant témoignage d'un des plus fidèles soldats de Napoléon dans le musée installé dans la maison du gardien.

LA CÔTE DE BEAUNE

Elle s'étend du nord d'Aloxe-Corton à Santenay et produit de grands vins blancs mais aussi d'excellents vins rouges. Ses vins « se font » plus rapidement que ceux de la côte de Nuits, et donc vieillissent plus tôt.

▶ *Quitter Beaune au nord par la D 18.*

Aloxe-Corton

Prononcer « alosse ». Sur une colline isolée, Charlemagne posséda des vignes, d'où le nom de corton-charlemagne, vin blanc de grande allure. Cependant Aloxe-Corton produit surtout des vins rouges, dont le bouquet s'affine avec l'âge, tout en conservant du corps.

Savigny-lès-Beaune

Ce village est connu pour ses vins de qualité.

Château – ℘ 03 80 21 55 03 - www.chateau-savigny.com - avr.-oct. : 9h-18h30 ; nov.-mars : 9h-12h, 14h-17h30 (dernière entrée 1h30 av. fermeture) - fermé 1ʳᵉ quinz. de janv. - 9 € (9-16 ans 4 €). 👥 Cet édifice du 14ᵉ s comprend un espace de

5

LES CHEVALIERS DU TASTEVIN

En 1934, un petit groupe de Bourguignons, réunis dans une cave de Nuits-St-Georges, décide, pour lutter contre la mévente des vins, de fonder une société destinée à mieux faire connaître les « vins de France en général et ceux de Bourgogne en particulier ». Ainsi fut fondée cette célèbre confrérie, propriétaire du **Clos de Vougeot** depuis 1944, et dont la renommée allait gagner l'Europe et l'Amérique. Chaque année se tiennent dans le grand cellier du château plusieurs chapitres de l'ordre. Cinq cents convives participent à ces « disnées », où grand maître et grand chambellan intronisent de nouveaux chevaliers selon un rite scrupuleusement établi, réglé sur le divertissement du *Malade imaginaire* de Molière.

dégustation-vente de vins, mais aussi une exposition de **voitures Abarth** de compétition et 250 exemplaires de **motos★** de marques prestigieuses ; dans le parc, près de 80 avions de chasse.
Après Beaune, continuer ver le sud-ouest par la D 973.

Pommard

Ce village tire son nom d'un temple antique dédié à Pomone, divinité des fruits et des jardins. Ses vins rouges « fermes, colorés, pleins de franchise et de bonne conservation » furent appréciés par les rois et les poètes : Henri IV, Louis XV, Ronsard, Victor Hugo…

Meursault

Cette petite ville devrait son nom à une coupure séparant la côte de Meursault et la côte de Beaune, appelée « saut du Rat ». Les meursault, puligny et chassagne-montrachet passent pour les meilleurs vins blancs du monde : ils ont un goût particulier de noisette, un arôme luxuriant de grappe mûre, une franchise et une finesse exquises. Particularité fort rare, ils sont à la fois secs et moelleux.
Rejoindre la D 171.

Auxey-Duresses

Le vignoble produit des vins fins rouges et blancs. Ses deux hameaux sont nichés dans une combe profonde menant à **La Rochepot★**.
Château – ✆ *03 80 21 71 37 - www.larochepot.com - visite guidée (1h) juil.-août : 10h-18h ; avr.-juin et sept.-oct. : 10h-17h30 (oct. 16h30) - fermé mar. - 7,75 € (enf. 4 €).* 👥 Daté du 13ᵉ s. et remanié au 15ᵉ s., il se dresse sur le piton de la **Roche-Nolay** ; il offre d'une terrasse du chemin de ronde la vue sur ses toits polychromes et un panorama sur le village et les collines.

Puligny-Montrachet

Ses vins blancs sont sublimes, leur bouquet est très riche et leur robe presque verte. Les vins rouges ont beaucoup de corps et de finesse.
Poursuivre au sud par la D 113A.

Santenay

Des bords de la Dheune au **mont de Sène★★**, dans un cirque de falaises, Santenay s'étend entre de vastes vignobles qui, avec les eaux minérales salines, font sa renommée *(thermes fermés)*.

Cluny

4 604 Clunisois – Saône-et-Loire (71)

🗊 **S'INFORMER**

Office de tourisme – *6 r. Mercière - 71250 Cluny -* 📞 *03 85 59 05 34 - www. cluny-tourisme.com - juil.-août : 9h30-19h ; mai-juin et sept. : 9h30-12h30, 14h30-19h ; reste de l'année : horaires réduits - fermé 1er janv., 1er Mai, 1er et 11 nov. et 25 déc.*

▶ **SE REPÉRER**

Carte générale C2 – *Cartes Michelin n° 721 M9 et n° 519 L13*. Au sud de Beaune (par l'A 6), à 24 km au nord-ouest de Mâcon par la D 17, puis la D 980.

☺ **À NE PAS MANQUER**

Les vestiges de l'abbaye, sa reconstitution en 3D au musée d'Art et d'Archéologie, le circuit de découverte des églises du Clunisois.

🕐 **ORGANISER SON TEMPS**

De mi-juillet à fin août, c'est le temps des « Grandes heures de Cluny » : concerts de musique classique suivis de dégustations de vins de Bourgogne *(rens. à l'office de tourisme)*.

👥 **AVEC LES ENFANTS**

La reconstitution de Cluny III, le labyrinthe et les jardins du château de Cormatin.

Depuis la Bourgogne, l'ordre clunisien exerça une influence considérable sur la vie religieuse, intellectuelle, politique et artistique de l'Occident tout au long du Moyen Âge. Il a donné des papes français à l'Église et constitué une sorte de monarchie universelle. Les vestiges de l'abbaye, saccagée après la Révolution, donnent une idée de l'étendue et de la richesse de ce haut lieu du christianisme.

Découvrir

★★ Ancienne abbaye

📞 *03 85 59 15 93 - possibilité de visite guidée (1h15) sur demande (15 j. av.) - mai-août : 9h30-18h30 ; sept.-avr. : 9h30-12h, 13h30-17h - fermé 1er janv., 1er Mai, 1er et 11 Nov. et 25 déc. - 7 € (-25 ans gratuit).*

L'abbaye bénédictine connaît peu après sa fondation par Guillaume d'Aquitaine un développement très rapide. Lorsque la gigantesque abbatiale est achevée sous Pierre le Vénérable, la communauté compte alors 460 moines.

Trois édifices se sont succédé. La première église – **Cluny I** – fut construite dans la tradition carolingienne. **Cluny II**, exemple précoce du premier art roman, fut édifiée à la fin du 10e s. **Cluny III**, dont le chantier débuta vers 1085, était la plus vaste église de la chrétienté (longueur intérieure de 177 m) jusqu'à la reconstruction de St-Pierre de Rome au 16e s. (186 m).

Les rois de France y ont un pied-à-terre à la fin du 15e s. et l'abbaye tombe en commende au 16e s. (c'est-à-dire que l'abbé est nommé par le roi). En 1790, l'abbaye est fermée. Commencent alors les profanations. Les bâtiments sont

5

achetés en 1798 par un marchand de biens qui entreprend leur démantèlement pour en revendre les pierres. Si bien qu'en 1823 ne restent la basilique St-Pierre-et-St-Paul, que les parties encore visibles de nos jours.

Les dimensions du **bras sud** du grand transept (32 m sous la coupole) sont exceptionnelles dans l'art roman et donnent une idée des proportions audacieuses de l'abbatiale. La travée centrale, couverte d'une coupole octogonale sur trompes, porte le beau **clocher de l'Eau-Bénite**★★.

★ **Maior Ecclesia** – 👥 Dans le bâtiment du pape Gélase, grâce à la magie du virtuel, l'église Cluny III apparaît au temps de sa splendeur. Le film (9mn) restitue sur grand écran et en 3D les immenses volumes de l'abbatiale.

Tour des Fromages

📞 03 85 59 05 34 - juil.-août : 10h-19h ; avr.-juin et sept. : 10h-12h30, 14h30-19h ; oct. : 10h-12h30, 14h30-18h ; nov.-mars : 10h-12h30, 14h30-17h - fermé dim. (sf mai-août), 1er Mai, 1er et 11 Nov. - 2 € (enf. 1 €).

Du haut de la tour du 11e s. (120 marches), **vue** sur l'abbaye et le clocher de l'Eau-Bénite, le Farinier et la tour du Moulin, le clocher de St-Marcel, la place et l'église Notre-Dame.

★ Musée d'Art et d'Archéologie

9h30-13h, 14h30-17h30 - 2 € (-25 ans gratuit).

Installé dans l'ancien palais abbatial, gracieux logis du 15e s., il abrite les vestiges de l'abbaye découverts lors des fouilles. Deux salles rassemblent des éléments lapidaires du monument ; des sculptures et des éléments architecturaux provenant des façades de maisons donnent un aperçu de la décoration de la ville au Moyen Âge.

À proximité

★ Paray-le-Monial

▶ À 53 km à l'ouest de Cluny.

À l'instar de Cluny, la ville s'est construite autour des monastères.

★★ **Basilique du Sacré-Cœur** – Bel exemple d'architecture clunisienne, elle est un lieu de pèlerinage en tant que berceau de la dévotion au Sacré-Cœur de Jésus. Construite d'un jet entre 1092 et 1109, sous la direction de saint Hugues, abbé de Cluny, l'église peut être considérée comme un modèle réduit de Cluny III. À l'intérieur, à la hauteur de l'édifice (22 m dans la nef) et à la sobriété du décor s'ajoutent les caractéristiques de l'art clunisien : voûte en berceau brisé, au-dessus des grandes arcades court un faux triforium où alternent baies et pilastres, des fenêtres hautes surmontent l'ensemble, créant une ordonnance à trois niveaux.

★ Tournus

▶ À 33 km au nord-est de Cluny par la D 15, puis la D 56.

Porte nord du vignoble du Mâconnais, la cité riche de vieilles pierres étend ses quais le long de la Saône ; aux alentours, les villages pittoresques parsèment un paysage de vignes, de prairies et de forêts.

★★ **Abbaye** – La façade de l'**église St-Philibert** se présente comme une sorte de donjon percé d'archères. Le parapet crénelé avec mâchicoulis reliant les tours accuse l'aspect militaire de l'édifice (10e-11e s.). Observez aussi la disposition originale de la voûte de la nef composée d'une suite de berceaux transversaux juxtaposés qui reposent sur des arcs doubleaux, aux claveaux alternativement blancs et roses. Édifiés au début du 12e s., le transept et le chœur tranchent avec le reste de la construction par la blancheur de la pierre et montrent l'évolution rapide de l'art roman. Après l'ampleur de la nef, le chœur surprend par son étroitesse, l'architecte ayant dû suivre les contours de la crypte existante. Cette **crypte**★ aux murs épais est une construction de la fin du 10ᵉ s. dont la hauteur sous clef de voûte (3,50 m) est exceptionnelle.

★ **Hôtel-Dieu-Musée Greuze** – ℘ 03 85 51 23 50 - &. - avr.-oct. : tlj sf mar. 10h-13h, 14h-18h - 4 € (-12 ans gratuit). Les salles ont été restaurées pour témoigner des conditions de soins et de vie hospitalière depuis le 17ᵉ s. : lits clos en chêne et une très belle **apothicairerie**★ qui conserve pas moins de 300 pots en faïence de Nevers. L'hôtel-Dieu abrite le **musée Greuze** consacré à l'archéologie et aux sculpteurs de la région et conserve les dessins et peintures de Jean-Baptiste Greuze (1725-1805) dont les scènes domestiques à caractère moralisateur étaient très prisées en leur temps par Diderot.

★★ Château de Cormatin

▶ *À 13 km au nord de Cluny par la D 981 au long de la Grosne. ℘ 03 85 50 16 55 - &. - visite guidée (1h) de déb. avr. à début nov. : 10h-12h, 14h-17h30 (départ de la dernière visite) ; 15 juin-13 juil. et 16 août-15 sept. : 10h-12h, 14h-18h30 ; 14 Juil.-15 août : 10h-18h30 - visite libre parc et salles 1900 - 4,50 € (enf. 4 €).*

Élevé au lendemain des guerres de Religion de 1605 à 1616 par le gouverneur de Chalon, Antoine Du Blé d'Huxelles, Cormatin revêt une architecture sobre aux lignes rigoureuses, caractéristiques de l'époque. Les façades illustrent le style « rustique français » : refus des ordres antiques (sauf pour les portes de la cour), haut soubassement de pierre, chaînages des angles et des encadrements de fenêtres… Les larges fossés en eau et les pavillons d'angle à échauguettes et canonnières lui donnent une apparence défensive.

À l'intérieur, l'aile nord possède un rare **escalier**★★ monumental à cage unique (1610) dont les trois volées droites tournent autour d'un vide central. C'est le plus ancien et le plus vaste spécimen de ce type, succédant aux escaliers Renaissance à deux volées séparées par un mur médian.

La somptueuse **décoration Louis XIII** de l'aile nord est l'œuvre du marquis Jacques Du Blé et surtout de son épouse Claude Phélipeaux. Intimes de Marie de Médicis, habitués du salon littéraire des Précieuses, ils voulurent recréer dans leur résidence d'été la sophistication de la mode parisienne. Les ors, peintures et sculptures qui couvrent murs et plafonds témoignent d'un maniérisme érudit où tableaux, décor et couleurs sont chargés d'un sens allégorique.

L'**antichambre de la marquise**★ est un hommage au roi Louis XIII, représenté en jeune cavalier au-dessus de la cheminée. La **chambre de la marquise**★★ possède un magnifique plafond à la française or et bleu. Au boudoir et à la garde-robe succède le **cabinet des Curiosités**★★, qui abrite un des plus anciens plafonds « à ciels ». Dans le **cabinet de Ste-Cécile**★★★, pièce réservée à la lecture et à la méditation, l'opulente décoration baroque est dominée par un intense bleu de lapis-lazuli et de riches dorures.

★★ **Jardins** – ♣♣ Ces jardins à la française, redessinés et plantés en 1992, font se succéder plusieurs espaces distincts. Ils comprennent un labyrinthe.

5

Autun

14 887 Autunois – Saône-et-Loire (71)

🛈 **S'INFORMER**

Office de tourisme – *13 r. Gén.-Demetz - 71400 Autun - 𝒞 03 85 86 80 49 - www.autun-tourisme.com - lun. 14h30-18h30, mar.-sam. 10h-12h30, 14h30-18h30.*

▶ **SE REPÉRER**

Carte générale C2 – *Cartes Michelin n° 721 M8 et n° 519 J10.* L'accès à cette région boisée est facilité par la proximité du TGV (Le Creusot) et par un important réseau routier : N 80 (vers Le Creusot, Chalon), D 981 vers Dijon, D 973 (vers Beaune), D 978 (vers Nevers).

☺ **À NE PAS MANQUER**

Le tympan de la cathédrale St-Lazare, le musée Rolin, les vestiges de la ville gallo-romaine et aux alentours, la vue depuis la Croix de la Libération et le musée Nicéphore-Niepce à Chalon-sur-Saône.

🕐 **ORGANISER SON TEMPS**

En juillet-août, visitez librement la cathédrale en soirée, avec musiciens, artistes et poètes.

Un théâtre de 20 000 places, le plus grand de Gaule, un temple, des portes monumentales et bien d'autres vestiges attestent la puissance passée de la cité fondée par Auguste. Les rues médiévales, les sculptures de la cathédrale et la richesse du musée Rolin sont très attractives. Autun est aussi une base de départ pour partir en randonnée dans le Morvan.

Découvrir

LA VILLE GALLO-ROMAINE

Théâtre romain

Au nord-ouest de la ville, au-delà de la **promenade des Marbres**, s'étend le théâtre qui peut recevoir encore 12 000 spectateurs : en août, on y donne encore des jeux comme au temps des Romains : c'est le Péplum d'Augustodunum.

★ Porte Saint-André

C'est l'une des quatre portes qui, avec 54 tours semi-circulaires, formaient l'enceinte gallo-romaine. Ses deux grandes arcades pour le passage des voitures et ses deux plus petites pour celui des piétons sont surmontées d'une galerie.

LA VILLE HAUTE

Les remparts

Le long du bd des Résistants-Fusillés et du bd Mac-Mahon, vous avez un bel aperçu de la portion la mieux conservée des remparts gallo-romains. Longez-les à votre guise jusqu'à la tour des Ursulines, donjon du 12ᵉ s.

★★ Cathédrale Saint-Lazare

Prendre des jumelles pour mieux admirer les sculptures.

Afin de rivaliser avec la basilique de Vézelay, l'évêque Étienne de Bâgé décide en 1120 de créer un lieu de pèlerinage à Autun. Consacrée dix ans plus tard, en 1130, par le pape Innocent II, la cathédrale est achevée en 1146.

★★★ **Tympan du portail central** – Réalisé entre 1130 et 1135, il compte parmi les chefs-d'œuvre de la sculpture romane. La figure humaine, privilégiée par le sujet même du tympan, est traitée avec une extrême diversité. Au centre, le **Christ en Majesté** domine la scène du Jugement ; en bas, les morts sortent de leur tombeau, prévenus de l'heure du Jugement par quatre anges, au centre du linteau, les élus sont séparés des damnés. À la gauche du Christ, l'archange saint Michel fait face au Malin qui tente de fausser la pesée des âmes en tirant sur le fléau de la balance. Derrière lui, s'ouvre l'Enfer, de dimension réduite par rapport au Ciel qui occupe le registre supérieur avec les apôtres et Marie. La voussure extérieure qui coiffe l'ensemble de la composition est ornée des signes du zodiaque.

Salle capitulaire – Elle abrite de beaux **chapiteaux★★** (12ᵉ s.) qui ornaient l'église avant la restauration de Viollet-le-Duc au 19ᵉ s. : Pendaison de Judas, Fuite en Égypte, Sommeil des Mages, Adoration des Mages.

★ Musée Rolin

℘ 03 85 52 09 76 - avr.-sept. : 9h30-12h, 13h30-18h ; oct.-mi-déc. et 15 fév.-mars : 10h-12h, 14h-17h, dim. 10h-12h, 14h30-17h - fermé mar., 1ᵉʳ janv., 1ᵉʳ Mai, 14 Juil., 1ᵉʳ et 11 Nov. et 25 déc. - 4 € (enf. 2 €).

La ville connut au Moyen Âge un regain de prospérité grâce au rôle joué par les Rolin. Né à Autun en 1376, **Nicolas Rolin** devint un des avocats les plus célèbres de son temps. Habile négociateur attaché à Jean sans Peur, il reçut de Philippe le Bon la charge de **chancelier de Bourgogne**. Parvenu au faîte des honneurs et des richesses, il fonda l'hôtel-Dieu de Beaune sans toutefois oublier sa ville natale, où il mourut en 1461. Voyez en particulier la **Nativité au cardinal Rolin★★** (fils de Nicolas) par le Maître de Moulins (1480), la **Vierge★★** d'Autun en pierre polychrome, et **la Tentation d'Ève★★** de Gislebertus dont la signature se retrouve à la cathédrale.

À proximité

★ Croix de la Libération

◗ *À 6 km au sud d'Autun.*

Du sommet de cette colline où fut édifiée en 1945 une croix en souvenir de la libération d'Autun, vue sur la dépression d'Autun, la vallée de l'Arroux, les monts du Morvan, le revers de la Côte… *(table d'orientation).*

★ Chalon-sur-Saône

◗ *À 50 km à l'est d'Autun par la D 656.*

Au cœur d'un vignoble dont certains crus sont dignes de leurs grands voisins, la ville est réputée pour ses foires et son carnaval.

★★ **Musée Nicéphore-Niepce** – *℘ 03 85 48 41 98 - www.museeniepce.com - juil.-août : 10h-18h ; reste de l'année : 9h30-11h45, 14h-17h45 - possibilité de visite guidée - fermé mar. et j. fériés.* Situé dans l'hôtel des Messageries (18ᵉ s.), il présente une superbe collection d'images et de matériels qui permet de suivre l'évolution de la photo : lanternes magiques, daguerréotypes, holographies passionneront les plus jeunes.

5

Vézelay

475 Vézeliens – Yonne (89)

S'INFORMER

Office de tourisme – *12 r. St-Étienne - 89450 Vézelay - ℘ 03 86 33 23 69 - www.vezelaytourisme.com - juil.-août : 10h-19h ; reste de l'année : 10h-13h, 14h-18h - fermé jeu. Pâques-Toussaint, jeu. et dim. oct.-mai.*

SE REPÉRER

Carte générale C2 – *Cartes Michelin n° 721 L7 et n° 519 G7.* À 16 km à l'ouest d'Avallon par la D 957 et à 51 km au sud d'Auxerre par la D 606 puis la D 951. De loin, on aperçoit la basilique.

À NE PAS MANQUER

Le tympan du portail central de la basilique Ste-Madeleine et ses chapiteaux ; aux alentours, la découverte du Morvan.

ORGANISER SON TEMPS

Pour éviter la foule des pèlerins, mieux vaut s'y rendre hors périodes de fêtes religieuses, et si vous aimez la musique, pensez à réserver vos places aux Rencontres musicales de Vézelay, à la fin du mois d'août.

AVEC LES ENFANTS

Une halte au lac des Settons.

Aux confins du Morvan, Vézelay occupe pentes et sommet d'une colline qui domine la vallée de la Cure. À la grande époque du pèlerinage vers St-Jacques-de-Compostelle, la ville abrita jusqu'à 10 000 personnes dans les maisons blotties le long de ses ruelles escarpées. Sauvé de la ruine par Mérimée et Viollet-le-Duc, ce haut lieu spirituel, site majeur de l'histoire de l'art, figure au Patrimoine mondial de l'humanité.

Découvrir

★★★ Basilique Sainte-Madeleine

℘ 03 86 33 39 50 - http://vezelay.cef.fr. - 7h-20h - de déb. juil. à mi-août : visite guidée (1h15) mar-dim. 14h30 (jeu. 11h et 14h30) ; reste de l'année : se renseigner.
Fondé au 9ᵉ s., le monastère passe en 1050 sous l'invocation de sainte Madeleine dont il conserve les reliques. Les miracles qui se produisent sur le tombeau de celle-ci attirent bientôt une telle foule de pénitents qu'il faut agrandir l'église (1096-1104) ; en 1120, un violent incendie éclate, détruisant toute la nef. Les travaux reprennent aussitôt. En 1215, le chœur et le transept sont terminés.
Avant-nef – Consacrée en 1132 par le pape Innocent II, elle apparaît comme une première église. Trois portails font communiquer le narthex avec la nef et les bas-côtés. Lorsque le premier est ouvert, la perspective sur le long vaisseau que forment la nef et le chœur, est un émerveillement. Il faut prendre le temps d'examiner en détail leurs sculptures datant du deuxième quart du 12ᵉ s.
★★★ Tympan du portail central – Au centre de la composition, œuvre magistrale, le Christ trône dans une mandorle (amande) et étend les mains vers ses apôtres ; de ses stigmates rayonne le St-Esprit. Autour, se pressent les

peuples appelés : chasseurs, pêcheurs, agriculteurs, et des peuples lointains et légendaires : géants, pygmées, boiteux, hommes à grandes oreilles. Sur la deuxième voussure, on voit un calendrier où alternent les signes du zodiaque et les travaux des mois. Un vent tumultueux agite les draperies et les plis des robes, modèle les corps et dessine des tourbillons.

Nef romane – Elle se distingue par ses dimensions imposantes – 62 m de longueur –, son appareil en pierre calcaire de tons différents et sa luminosité. Un décor d'oves, de rosaces et de rubans plissés souligne les doubleaux, les arcades et les corniches, trouvant son point d'orgue dans la série de chapiteaux.

★★★ **Chapiteaux** – Avec une science étonnante de la composition et du mouvement, le génie des artistes qui les ont créés se manifeste avec esprit et malice ; parmi les plus célèbres, le moulin mystique évoquant par un symbole les rapports de l'Ancien et du Nouveau Testament : où le grain de l'ancienne loi devient la farine de l'Évangile.

Circuit conseillé

★★ LE MORVAN

Ce massif forme un quadrilatère entre Avallon, St-Léger-sous-Beuvray, Corbigny et Saulieu. Autrefois, ce pays qui ne possédait ni vignes ni champs fertiles suscitait le mépris des plaines voisines vouées à l'élevage et la culture. Depuis 1970, il appartient, pour l'essentiel, au **Parc naturel régional du Morvan**. *(www. parcdumorvan.org)*. Avec sa forêt, la plus vaste de Bourgogne, ses escarpements rocheux, ses lacs et cours d'eau rapides, il attire les randonneurs, les amateurs de sports nautiques et les pêcheurs. En hiver, les pentes du Haut-Folin, point le plus élevé, au sud-est de Château-Chinon, font le bonheur des skieurs de fond.

▶ *75 km. Quitter Vézelay au sud par la D 958.*

★ Château de Bazoches

℘ 03 86 22 10 22 - www.chateau-bazoches.com - juil.-août : 9h30-18h ; du 22 mars à fin juin et sept. : 9h30-12h, 14h15-18h - de déb. oct. au 11 Nov. : 9h30-12h, 14h15-17h - 8 € (7-14 ans 4 €). Aire de pique-nique près de l'entrée du château.
Édifié à la fin du 12ᵉ s., il a gardé son aspect féodal. L'intérieur meublé en Louis XV et Louis XVI est riche en souvenirs de **Vauban** qui l'acquit en 1675.
Gagner Vauclaix au sud de Lormes, puis prendre à gauche la D 977bis.

★ Lac des Settons

Ce lac artificiel sert à régulariser le cours de l'Yonne. Entouré de bois d'épicéas, il s'étale au travers de la vallée de la Cure. On y pratique la pêche, des sports nautiques et, dès l'automne, le gibier d'eau fait son apparition. Lieu de séjour très apprécié en saison.
Suivre vers le nord la D 977bis, puis la D 20.

Espace Saint-Brisson

℘ 03 86 78 79 57 - www.parcdumorvan.org - ⓹ - Maison des hommes et des paysages, expositions temporaires mai-sept. : 10h-13h, 14h-18h ; avr. et du 1ᵉʳ oct. au 11 Nov. : 10h-13h, 14h-17h - 3 € (-8 ans gratuit) - visite du domaine tte l'année.
Parmi les cinq « maisons » à thème de l'**écomusée du Morvan**, citons la **Maison des hommes et des paysages** (histoire du Morvan) et le musée de la Résistance en Morvan. Le vaste domaine abrite aussi un **arboretum**, un **herbularium** et un **verger** conservatoires ainsi que le **sentier de découverte** de l'étang Taureau.

5

Auxerre

★★

36 856 Auxerrois – Yonne (89)

 NOS ADRESSES PAGE 289

S'INFORMER

Office de tourisme d'Auxerre et de l'Auxerrois – *1-2 quai de la République - 89000 Auxerre - ℰ 03 86 52 06 19 - www.ot-auxerre.fr - de mi-juin à mi-sept. : 9h-13h, 14h-19h, dim. 9h30-13h, 15h-18h30 ; de mi-sept. à mi-juin : 9h30-12h30, 14h-18h (18h30 sam.), dim. 10h-13h.*

SE REPÉRER

Carte générale C2 – *Cartes Michelin n° 721 L7 et n° 519 F5.* Par l'A 6, Auxerre est à 166 km de Paris et à 149 km de Dijon. La station du TGV Yonne-Méditerranée, à Laroche-Migennes, est à 21 km au nord de la ville.

À NE PAS MANQUER

La cathédrale St-Étienne, l'ancienne abbaye St-Germain.

ORGANISER SON TEMPS

Prévoyez une excursion dans l'Auxerrois ; vers Tonnerre vous attendent les châteaux d'Ancy-le-Franc et de Tanlay ; au sud-ouest, vous rejoindrez le château de St-Fargeau, non loin de la Loire et du canal de Briare.

AVEC LES ENFANTS

À St-Fargeau, le spectacle historique ; à Noyers, les peintures naïves.

Au cœur d'un vignoble dont le cru le plus renommé est le chablis, la capitale de la basse Bourgogne s'étend sur une colline, au bord de l'Yonne ; cette situation privilégiée a valu la création d'un port de plaisance, point de départ du canal du Nivernais. On apprécie ses boulevards ombragés aménagés sur les anciens remparts, ses rues animées et ses maisons anciennes à pans de bois.

Découvrir

★★ Cathédrale Saint-Étienne

ℰ 03 86 52 23 29 - visite du trésor et de la crypte de Pâques au 1er nov. : 9h-18h, dim. apr.-midi ; reste de l'année : 10h-17h. Son et lumière : 1er juin-20 août à 22h ; 21 août-30 sept. à 21h30.

Sur ce site primitivement occupé par un sanctuaire au 5e s., puis une église romane, l'évêque d'Auxerre fit construire cette cathédrale gothique en 1215 : le chœur et les verrières furent achevés en 1234. La nef, les collatéraux, les chapelles et le transept sud datent de l'an 1400 ; la tour nord est du 16e s.

Tout autour du déambulatoire se déroulent de magnifiques **vitraux★★** à médaillons, où dominent les tons bleus et rouges. Ils représentent des scènes de la Genèse et de nombreuses légendes de saints.

★ **Crypte romane** – Elle abrite des **fresques** exceptionnelles (11e au 13e s.) ; sur la voûte est représenté le **Christ chevauchant un cheval blanc**, entouré de quatre anges équestres.

★★ Ancienne abbaye Saint-Germain

℘ 03 86 18 05 50 - visite guidée de la crypte carolingienne (45mn) mai-sept. : 10h-18h30 ; oct.-avr. : 10h-12h, 14h-18h (dernière visite 1h av. fermeture) - fermé mar., 1er janv., 1er et 8 Mai, 1er et 11 Nov.et 25 déc. - 6 € (-16 ans gratuit).
Cette célèbre abbaye bénédictine fut fondée au 6e s. par la reine Clothilde, épouse de Clovis.

★★ **Crypte** – Elle forme une véritable église souterraine. Ses **fresques**★ du 9e s., les plus anciennes connues en France, illustrent l'histoire de saint Étienne.

À proximité

★★ Château d'Ancy-le-Franc

◗ *À 54 km à l'est d'Auxerre, en passant par Tonnerre. ℘ 03 86 75 14 63 - www. chateau-ancy.com - visite guidée (50mn) de fin mars à mi-nov. : 10h30, 11h30, 14h, 15h et 16h (visite suppl. avr.-sept. : 17h) - fermé lun. (sf j. fériés) - 9 € (-6 ans gratuit ; -15 ans 6 €). Sur les quelque 120 pièces que compte le château, on en visite une vingtaine.*
Sur les bords de l'Armançon et du canal de Bourgogne, ce château à l'allure extérieure simple, presque austère, cache une cour intérieure au décor raffiné : en dépit de maints aléas, la demeure reste un premier modèle de la Renaissance classique en France. La somptueuse **décoration murale intérieure** exécutée au milieu du 16e s. fut confiée à des artistes régionaux mais aussi à des élèves du **Primatice** et de **Nicolo dell'Abate** (seconde école de Fontainebleau).

★★ Château de Tanlay

◗ *À 40 km à l'est d'Auxerre, en passant par Tonnerre, et à 6 km au nord d'Ancy-le-Franc. ℘ 03 86 75 70 61 - visite guidée (1h) du 1er avr. à mi-nov. : tlj sf mar. (sf mar. fériés) 10h, 11h30, 14h15, 15h15, 16h15, 17h15 - 9 € (enf. 5 €).*
Ce château entouré de douves séduit autant par la richesse architecturale de son extérieur que par la qualité de la décoration et du mobilier intérieurs.
★ **Grande galerie** – Voyez les fresques en grisaille traitées en trompe l'œil par des artistes italiens.
Parc – *En partie accessible.* Il s'étend le long du canal de Bourgogne.

★ Château de Saint-Fargeau

◗ *À 45 km au sud-ouest d'Auxerre par la D 965.*
℘ 03 86 74 05 67 - www.chateau-de-saint-fargeau.com - visite guidée de mi-mars à mi-nov. : 10h-12h, 14h-18h (19h juil.-août) - 9 € (enf. 5 €).
La tendre couleur rose de la brique enlève à cette imposante construction, cernée de fossés, l'aspect trapu que pourraient lui conférer ses tours massives, dont la plus grosse fut bâtie par **Jacques Cœur** *(voir p. 400)*, banquier du roi Charles VII. À l'intérieur de ce corset féodal, la vaste cour d'honneur, entourée de cinq corps de logis (le plus récent à droite de l'entrée datant de 1735), forme un ensemble d'une élégance inattendue, où plane le souvenir d'Anne-Marie-Louise d'Orléans, cousine de Louis XIV, plus connue sous le nom de Mlle de

5

À CHABLIS, QUATRE APPELLATIONS POUR UN VIGNOBLE

D'origine très ancienne (on situe sa naissance à la fin de l'Empire romain), ce vignoble fut relancé par les moines de Pontigny au Moyen Âge. De nos jours, le vin blanc de Chablis, vif et élégant, est apprécié pour sa saveur fine et son bouquet minéral. Sa robe or vert est à nulle autre pareille. Son parfum particulier s'élabore vers le mois de mars qui suit la récolte et conserve longtemps une remarquable fraîcheur. Ce vignoble de cépage chardonnay regroupe quatre appellations.

Les « **chablis grands crus** », les plus prestigieux, sont groupés sur les coteaux abrupts de la rive droite du Serein, divisés en climats : Vaudésir, Valmur, Grenouilles, les Clos, les Preuses, Bougros et Blanchots.

Les « **chablis premiers crus** » s'étendent sur les deux rives du Serein, sur le territoire de Chablis et des communes environnantes. Les climats les plus réputés sont la Montée de Tonnerre, Mont de Milieu, Forêt, Fourchaume et Vaillons.

Ensuite viennent les « **chablis** », dont le vignoble est le plus étendu, et les « **petits chablis** ».

Montpensier ou de **la Grande Mademoiselle**, incorrigible frondeuse et touchante amoureuse. En 1681, elle fit don de St-Fargeau au **duc de Lauzun**, courtisan en disgrâce auquel elle s'unit en secret.

Grâce aux efforts de l'actuel propriétaire, les appartements de famille du Conventionnel, **Louis-Michel Le Peletier de St-Fargeau**, salle de billard, grand salon et salle à manger ont retrouvé du mobilier et des éléments décoratifs d'époque. Dans la belle bibliothèque de bois clair (19ᵉ s.), vous pourrez repérer des ouvrages originaux de Voltaire.

★ **Combles** – Très vieilles charpentes, dont certaines ont près de 400 ans.

Spectacle historique de St-Fargeau – 𝄞 *03 86 74 05 67 - vend. et sam. de mi-juil. à fin août.* 👥 En une quinzaine de fresques, 600 acteurs, 3 000 costumes et 60 cavaliers font revivre près de mille ans d'histoire en Puisaye.

Ferme du château – 𝄞 *03 86 74 03 76.* Les Fargeaulais, en costume d'époque, présentent à travers de nombreuses animations les animaux de la ferme, la vie rurale et les métiers de la campagne au début du 20ᵉ s.

Circuit conseillé

L'AUXERROIS

Cette excursion présente un intérêt tout particulier en avril, à l'époque des cerisiers en fleur. Le vignoble alterne avec les vergers, dans un paysage souvent vallonné.

▶ *86 km. Se diriger vers St-Bris-le-Vineux, à 8 km au sud-est.*

Saint-Bris-le-Vineux

Église – *Visite sur demande au 𝄞 03 86 42 24 14 (presbytère de Coulanges-la-Vineuse).* Cet édifice gothique du 13ᵉ s. abrite des vitraux Renaissance et une peinture murale immense de l'Arbre de Jessé (généalogie du Christ).

Irancy

Dans un vallon couvert d'arbres fruitiers, ce village produit les vins rouges et rosés les plus réputés du vignoble auxerrois.

Se rendre à Cravant et Vermenton, pour atteindre par la D 11 et la D 49, Noyers.

★ **Noyers**

Resserrée entre ses remparts, cette très jolie petite ville médiévale aux maisons à pans de bois invite le promeneur à errer dans le dédale de ses ruelles et de ses places, qui portent parfois des noms évocateurs, comme la Petite-Étape-aux-vins !

Musée – ℘ *03 86 82 89 09 - juil.-août : tlj sf mar. 10h-18h30 ; juin et sept. : tlj sf mar. 11h-12h30, 14h-18h ; oct.-mai : w.-end, j. fériés et vac. scol. 14h30-18h30 - fermé janv. et 25 déc. - 4 € (-11 ans gratuit).* 👥 Il possède une intéressante **collection de tableaux d'art naïf, brut et populaire★**.

Chablis

« Porte d'or » de la Bourgogne, Chablis, baignée par le Serein, est la capitale du prestigieux vignoble de la basse Bourgogne. Au chevet de la **collégiale St-Martin** est visible un ancien **pressoir** à bois. En vous promenant dans la ville, vous verrez aussi de beaux bâtiments : le prieuré **St-Cosme**, la **porte Noël**…

😊 NOS ADRESSES À AUXERRE

HÉBERGEMENT

BUDGET MOYEN

Hôtel Normandie – *41 bd Vauban - ℘ 03 86 52 57 80 - www.hotelnormandie.fr - fermé 18 déc.-2 janv. - 47 ch. 69/99 € - ☕ 9 €.* Cette demeure bourgeoise a tout pour plaire : paisible cour-terrasse, chambres confortables (optez pour la maison principale), salon-bar meublé Art déco, billard et fitness.

RESTAURATION

BUDGET MOYEN

La P'tite Beursaude – *55 r. Joubert - ℘ 03 86 51 10 21 - fermé mar. et merc. - formule déj. 19 € - 25/28 €.* L'enseigne à consonance régionale, la salle à manger au cachet campagnard simple et chaleureux, les serveurs qui officient en costume local et de copieuses recettes puisant dans le terroir : c'est un véritable concentré de Bourgogne que l'on découvre en poussant la porte de cette P'tite Beursaude !

Le Bourgogne – *15 r. Preuilly - ℘ 03 86 51 57 50 - www.lebourgogne.fr - fermé 1 sem. mai, 2ᵉ quinz. août, fêtes de fin d'année, jeu. soir, dim., lun. et j. fériés - ♿🅿 - 29/40 €.* Sympathique cadre rustique, belle terrasse d'été et petits plats du marché aussi appétissants sur l'ardoise que dans l'assiette : reconversion réussie pour cet ancien garage !

5

Sens

★★

25 899 Sénonais – Yonne (89)

 S'INFORMER
Office de tourisme – *Pl. Jean-Jaurès - 89100 Sens - ℘ 03 86 65 19 49 - www.*
office-de-tourisme-sens.com - juil.-août : 9h30-13h, 14h-18h30, dim. et j. fériés
10h30-13h, 14h-16h30 ; sept.-juin : 9h30-12h30, 14h-18h, dim. et j. fériés
10h30-13h, 14h-16h30 (mai et sept.-oct.).

SE REPÉRER
Carte générale C2 – *Cartes Michelin n° 721 K6 et n° 519 D2*. Sur la D 606 entre
Fontainebleau et Joigny ou par les autoroutes A 5 puis A 19.

À NE PAS MANQUER
St-Étienne, première des grandes cathédrales gothiques de France. Au
palais synodal, le trésor de la cathédrale et les graffitis médiévaux sur les
murs des cachots.

ORGANISER SON TEMPS
Les monuments et les vieilles rues de la ville vous retiendront au moins
une demi-journée.

**Entre les bords de l'Yonne et son ancienne ceinture de remparts amé-
nagée en boulevards et promenade, la vieille ville concentre autour de
la cathédrale St-Étienne ses maisons à pans de bois, ses hôtels particuliers, ses églises anciennes et ses cafés.**

Découvrir

★★ Cathédrale Saint-Étienne
Possibilité de visite guidée en s'adressant au musée - ℘ 03 86 64 46 22.
Sa construction a commencé vers 1130. Son plan, l'alternance de ses piles et
son triforium inspirèrent d'autres bâtisseurs de cathédrales, notamment l'architecte Guillaume de Sens lorsqu'il fit reconstruire le chœur de la cathédrale
de Canterbury (1175-1192).
Sur la façade ouest, le tympan du **portail de gauche** (12ᵉ s.) représente à droite
les vierges folles et à gauche, les vierges sages des Évangiles ; celui du **portail
central** illustre la vie de saint Étienne ; enfin, le **portail de droite** (début 14ᵉs.)
est consacré à la Vierge. Au trumeau du portail central trône une très belle statue de saint Étienne. Cette œuvre de la fin du 12ᵉ s. constitue un bon exemple
de la statuaire gothique à ses débuts. Au croisillon nord, voyez la magnifique
façade de style flamboyant (1503 à 1513), dont le décor sculpté est d'un grand
raffinement. À l'intérieur, prenez le temps de détailler les **vitraux★★**, en particulier les verrières du croisillon droit (1500-1502) figurant l'Arbre de Jessé et
la légende de saint Nicolas ; la rosace illustre le Jugement dernier.

★ Musée, trésor et palais synodal
*℘ 03 86 64 46 22 - juil.-août : 10h-18h ; juin et sept. : 10h-12h, 14h-18h ; oct.-mai et
vac. scol. : merc., w.-end 10h-12h, 14h-18h - fermé mar., 1ᵉʳ janv. et 25 déc. - 4,20 €
(-18 ans gratuit), gratuit dim.*

Vitrail de la cathédrale Saint-Étienne.
Ch. Boisvieux/Hemis.fr

Cet ensemble des musées de Sens occupe les bâtiments de l'**ancien archevêché** et du palais synodal qui bordent la cathédrale.

Ailes François Ier et Henri II – Elles rassemblent des collections archéologiques dont le **trésor de Villethierry** (fonds d'un artisan bijoutier), et la donation Marrey (tableaux flamands, céramiques et mobilier des années 1930 et l'*Âge d'airain* de Rodin).

★★ **Trésor de la cathédrale** – *Dans l'ancienne chapelle privée des archevêques et dans la sacristie ; accès par le musée.* C'est l'un des plus riches de France. Il renferme une splendide collection de **tissus** et de vêtements liturgiques, dont l'aube de **saint Thomas Becket** ; des tapisseries du 15e s. ; des ivoires ; des pièces d'orfèvrerie…

Palais synodal – Construit au début du 13e s. et restauré par Viollet-le-Duc, il conserve ses cachots aux murs couverts de graffitis, certains médiévaux.

5

La Franche-Comté

▶ SE REPÉRER

Les autoroutes A 36 Mulhouse-Beaune (la Comtoise), A 39 Dole-Bourg-en-Bresse et A 40 (qui traverse le sud du massif du Jura et assure une liaison vers Genève) sont les principales voies d'accès de la région. Les liaisons ferroviaires ont aussi contribué à désenclaver la région : le TGV relie Besançon et Paris en 2h40, Besançon et Strasbourg en 2h30, Besançon et Lyon en 2h15. Les aéroports les plus proches sont ceux de Bâle-Mulhouse, Dijon-Bourgogne ou Genève.

▣ À NE PAS MANQUER

À Besançon, la vieille ville, le musée des Beaux-Arts au palais Granvelle et la cathédrale St-Jean puis le parcours de la citadelle ; aux alentours, la saline d'Arc-et-Senans. À Belfort, l'entrée dans la vieille ville par la porte de Brisach, le colossal Lion, le camp retranché et aux alentours, la chapelle de Le Corbusier à Ronchamp. À Lons-le-Saunier, la rue du Commerce et le circuit à travers le vignoble du Jura jusqu'à Arbois. À St-Claude, une promenade sur les vieux remparts pour la vue, la cathédrale St-Pierre et l'exposition de pipes, diamants et pierres fines.

○ ORGANISER SON TEMPS

Alors que la température peut atteindre 30 °C en été dans la plaine, les forêts, la montagne et les lacs offrent toujours de la fraîcheur. L'hiver, tandis qu'on enregistre quelques records de froid, le ski est roi. Renseignez-vous sur les nombreux festivals qui émaillent le calendrier franc-comtois de la Pentecôte à septembre, mois au cours duquel Belfort organise une foire aux vins de France et gastronomie et Arc-et-Senans célèbre les montgolfières.

Belle introduction à la région que ces quelques mots de Gustave Courbet : « Pour peindre un pays, il faut le connaître. Moi je connais mon pays, je le peins. Les sous-bois, c'est chez nous. Cette rivière, c'est la Loue, allez voir et vous verrez mon tableau… » On découvre alors une nature généreuse : sapinières, rivières capricieuses, cascades éblouissantes, vignobles paisibles avec leurs villages aux épaisses demeures de pierre, lacs mystérieux et montagnes du Doubs et du Jura. Mettant à profit la beauté et le caractère préservé de ses paysages, ainsi que sa proximité avec la Suisse, la région tire une part importante de son revenu du tourisme vert : elle attire les randonneurs l'été, les amoureux du ski de fond l'hiver. La Franche-Comté et le massif du Jura dans son ensemble conservent l'image d'un terroir rural, renommé pour la qualité de ses produits : salaisons, fromages, vins… Pourtant, si le secteur agroalimentaire représente une part conséquente de son activité économique, tout comme la filière bois, c'est l'extraordinaire tissu industriel, héritier d'une tradition pluriséculaire, qui fait la richesse de la région, où subsiste un artisanat vigoureux : horlogerie, lunetterie, travail du bois ou des pierres pour bijoux…

Besançon

★★

117 599 Bisontins – Doubs (25)

😊 NOS ADRESSES PAGE 297

☷ S'INFORMER

Office de tourisme – *2 pl. de la Iʳᵉ Armée-Française - 25000 Besançon - ℘ 03 81 80 92 55 - www.besancon-tourisme.com - mai-sept. : 10h-18h ; oct.-avr. : 10h-18h, dim. et j. fériés 10h-13h - fermé 1ᵉʳ janv. et 25 déc.*

⊙ SE REPÉRER

Carte générale D2 – *Cartes Michelin n° 721 N8 et n° 520 F6.* On rejoint Besançon par l'A 36. La ville est située à 416 km au sud-est de Paris, 236 km au nord-est de Lyon, 97 km à l'est de Dijon, et 251 km au sud de Strasbourg.

☺ À NE PAS MANQUER

La vieille ville et la citadelle, l'horloge astronomique et le musée des Beaux-Arts et d'Archéologie ; aux alentours, la saline d'Arc-et-Senans.

🕐 ORGANISER SON TEMPS

Visitez la ville en journée et profitez des illuminations nocturnes.

♟ AVEC LES ENFANTS

Le parcours de l'évolution au Muséum de Besançon ; aux alentours, une excursion en forêt de la Joux ou une promenade en bateau au saut du Doubs.

Discrètement lovée dans l'harmonieuse courbe du Doubs, la capitale de la Franche-Comté se dévoile au promeneur attentif qui découvre, au fil d'étroites rues piétonnières, de beaux hôtels particuliers, le palais Granvelle et bien d'autres témoins de son riche passé. Inébranlable sur son éperon rocheux, la citadelle érigée par Vauban, classée au Patrimoine mondial de l'Unesco, garde fière allure.

Se promener

5

★★ LA VIEILLE VILLE

◗ *La visite de la vieille ville se fait à pied. Garer son véhicule soit au parking de la promenade Chamars, soit sur la rive droite du Doubs. Gagner le pont Battant.* Du pont, vous pourrez admirer les habitations à arcades du 17ᵉ s., aux très belles **façades★** de pierre gris-bleu, qui bordent le Doubs à cet endroit.

Place de la Révolution

Lieu incontournable de la vie bisontine, elle est surtout connue sous le nom de place du Marché ; autour des halles se tient un marché très fréquenté.

★★ **Musée des Beaux-Arts et d'Archéologie** – ℘ 03 81 87 80 49. www.besancon.fr - ♿ - 9h30-12h, 14h-18h, w.-end 9h30-18h - fermé mar., 1ᵉʳ janv., 1ᵉʳ Mai, 1ᵉʳ nov. et 25 déc. - 5 € (-18 ans : gratuit), gratuit dim. Sa principale richesse est la très éclectique **collection de peinture**★. Le destin international de la ville et son rattachement relativement tardif à la France expliquent l'importance d'œuvres majeures des écoles étrangères signées des plus grands noms du 14e au 17e s. Voyez notamment *L'Ivresse de Noé* de Giovanni Bellini (1430-1516), la magnifique *Déposition de Croix* de Bronzino (1503-1572), le panneau central du *Triptyque de Notre-Dame-des-Sept-Douleurs* de Van Orley (1488-1541). La peinture flamande est illustrée par de beaux portraits. Les collections françaises recèlent des œuvres de Fragonard, Hubert Robert, David et Courbet dont le monumental *Hallali du cerf*. On peut également admirer les beaux tableaux de Bonnard, Renoir, Marquet et Signac.

Grande-Rue

Ancienne voie romaine qui traversait de bout en bout *Vesontio* (ancien nom donné à Besançon par César), elle reste, deux mille ans plus tard, l'artère principale de la ville. On remarque, au n° 44, l'**hôtel d'Emskerque** de la fin du 16e s. En face au n° 53, la cour intérieure possède un remarquable escalier en pierre et fer forgé.

HISTOIRE DE BESANÇON

Un grand archevêque – C'est en 1031 que **Hugues de Salins** est nommé archevêque. Représentant d'une des plus illustres familles de la Comté, il est homme de confiance d'Henri III, empereur germanique, qui fait de Besançon une ville impériale. Hugues dispose alors de la justice et de l'administration de la monnaie. Le pouvoir de l'archevêque prend une dimension encore plus grande lorsque son ami Brunon de Toul devient pape sous le nom de Léon IX. Hugues de Salins a déployé à Besançon une grande activité de bâtisseur jusqu'à sa mort en 1066.

Les Granvelle, une famille importante – Elle a édifié le magnifique palais Granvelle et collectionné des chefs-d'œuvre aujourd'hui présentés dans le musée des Beaux-Arts. Cette modeste famille de paysans est devenue, en deux générations, la plus puissante de la région. **Nicolas** ne fut rien de moins que le chancelier et l'homme de confiance de Charles Quint.

Un difficile rattachement – En 1668, Condé occupe la ville, pour peu de temps il est vrai : le traité d'Aix-la-Chapelle, signé la même année, restitue la Franche-Comté à l'Espagne. Quelques années plus tard, en 1674, **Vauban** organise le siège de la place qui se rend. Louis XIV élève alors Besançon au rang de capitale de la province. C'est le **traité de Nimègue** qui, en 1678, rattache la Franche-Comté à la France.

La capitale de la Comté française – Le Parlement, la Chambre des comptes, l'université, la Monnaie émigrent de Dole. À son importance stratégique s'ajoute au fil des ans un rôle de métropole ecclésiastique, puis industrielle grâce notamment à l'horlogerie. L'histoire de celle-ci remonte au 17e s. lorsque les frères Dumont, maîtres horlogers à Besançon, sortent les premières **montres** exécutées grâce au balancier à ressort spiral. En 1767, Frédéric Japy crée sa manufacture d'ébauches de montres qui remporte un vif succès. Mais en 1793, l'arrivée de l'horloger suisse, Mégevand, et de 80 compatriotes maîtres ouvriers bouleverse la donne : avec la mise en point de la fabrication en série et la création d'une école nationale d'horlogerie, Besançon devient la capitale de la montre française. Les industries de microtechniques de précision qui se développent aujourd'hui dans la région ont hérité de ce savoir-faire.

⋆ Palais Granvelle

Édifié de 1534 à 1542 pour le chancelier Nicolas Perrenot de Granvelle, il dresse sur la rue une imposante façade Renaissance au grand toit percé de lucarnes surmontées d'un fronton richement sculpté. La jolie **cour**⋆ intérieure rectangulaire est entourée de portiques aux arcades en anse de panier.

⋆ **Musée du Temps** – *Palais Granvelle* - 📞 *03 81 87 81 50* - &. - *tlj sf lun. 9h15-12h, 14h-18h, dim. 10h-18h - fermé 1er janv., 1er Mai, 1er nov. et 25 déc. - 5 € (billet combiné avec le musée des Beaux-Arts).* À l'aide d'une muséographie interactive, on remonte à l'invention du pendule (1657), au passage à l'horloge mécanique puis électronique et microtechnique, en passant par le pendule de Foucault *(une expérience unique).* Admirez la montre aux « 24 complications » (1904).

⋆ Cathédrale Saint-Jean

Quelle étrange cathédrale ! On ne peut manquer en effet d'être surpris par sa discrétion extérieure, par l'absence de portail principal, par la présence de deux absides opposées et dotées chacune d'un chœur.

Dans le bas-côté droit se trouve le tableau du peintre florentin Fra Bartolomeo (1475-1517), la **Vierge aux saints**⋆, exécuté pour le chanoine Ferry Carondelet. Le prélat est représenté agenouillé, à droite de la composition où la Vierge apparaît comme le pivot autour duquel tourne la composition.

⋆ **Horloge astronomique** – *Salle basse du clocher - visite guidée (20 à 30mn) tlj sf mar. à 9h50-11h50, 14h50-17h50 (ttes les h.) - fermé oct.-mars : mar.-merc., 1er Mai, 1er et 11 Nov., 25 déc. et certains dim. (se renseigner.) - 3 € (-18 ans gratuit).* Cette merveille de mécanique compte 30 000 pièces. Elle a été conçue et exécutée de 1857 à 1860 par l'ingénieur Vérité, de Beauvais. Elle transmet l'heure aux 57 cadrans du clocher qui indiquent les jours, les saisons, les heures dans 16 points du globe, les marées dans 8 ports, la durée du jour et de la nuit, les levers et couchers du Soleil et de la Lune… et, en bas de l'horloge, le mouvement des planètes autour du Soleil. Une série d'automates s'anime toutes les heures.

⋆ Préfecture

C'est l'ancien palais (18e s.) des Intendants élevé sur les plans de l'architecte Louis et dont l'entrée a été dégagée par une place en demi-cercle.

⋆⋆ LA CITADELLE

Prendre derrière la cathédrale la rue en forte montée. 📞 *03 81 87 83 33 - www. citadelle.com - juil.-août : 9h-19h ; avr.-juin et sept.-oct. : 9h-18h ; nov.-mars : tlj sf mar. 10h-17h - fermé 1er janv. et 25 déc. - 9 € (4-17 ans 6 €).*

À l'époque romaine, ce haut lieu fut couronné d'un temple païen, dont les colonnes se retrouvent dans les armes de la ville, puis d'une église dédiée à saint Étienne. Après la conquête française, Vauban édifia la forteresse qui s'étend sur 11 ha et domine de 118 m le cours du Doubs.

Chemin de ronde – Le chemin de ronde ouest, qui débute par la tour de la Reine, à droite, sur la première esplanade, permet de découvrir une **vue**⋆⋆ impressionnante sur Besançon, la vallée du Doubs, les collines de Chaudanne et des Buis.

⋆ **Musée comtois** – *Dans le front royal - mêmes conditions de visite que pour la citadelle.* Large choix de mobilier, d'objets d'art populaire et de folklore, recueillis dans toute la province. L'alimentation, les divertissements, les croyances, le travail et même la contrebande y sont évoqués.

⋆ **Muséum de Besançon** – *Dans l'ancien arsenal - mêmes conditions de visite que pour la citadelle.* 👥 Les collections naturalisées du muséum permettent de

5

suivre un **Parcours de l'évolution** des vertébrés, des poissons aux hominidés ; l'**Insectarium** possède notamment une gigantesque fourmilière, impressionnante par son incroyable organisation ; le **climatorium** propose une exposition sur les mécanismes climatiques et leur répercussion sur l'environnement ; l'**aquarium Georges-Bresse** reproduit le cours du Doubs et présente la faune aquatique des rivières. Le **jardin zoologique**★ présente des espèces menacées, primates, félins, mangoustes… Enfin, dans le **Noctarium**, vous entrez dans le monde mystérieux de la nuit : mulots, souris, jusqu'aux impressionnants surmulots ou rats d'égout…

À proximité

★★ **Saline royale d'Arc-et-Senans**

▷ *À 36 km au sud-ouest de Besançon. Suivre la N 83 en dir. d'Arbois, puis la D 17 à partir de Quingey.* ☏ *03 81 54 45 45 - www.salineroyale.com - juin-sept. : 9h-18h ; avr.-mai et oct. : 9h-12h, 14h-18h ; nov.-mars : 10h-12h, 14h-17h - fermé 25 déc. - 7,50 € (6-15 ans 3,50 €).*

Entre Loue et forêt de Chaux se dresse un fleuron de l'architecture industrielle du 18e s. En 1773, un arrêt du Conseil du roi décide la création d'une saline à Arc-et-Senans afin d'exploiter les eaux saumâtres de Salins, amenées par des conduites en bois. Dès le début, la saline n'assure pas le rendement escompté : 40 000 quintaux annuels au lieu de 60 000. L'essor des nouvelles techniques, en particulier les forges, et une pollution du puits d'Arc par une fuite d'eau salée provoquent la fermeture en 1895.

La saline royale, imaginée par **Claude-Nicolas Ledoux** (1736-1806), est désormais inscrite au Patrimoine mondial de l'Unesco. Ledoux, architecte visionnaire très influencé par les idées du Siècle des Lumières l'édifia selon un plan semi-circulaire.

Maison du directeur – Cœur de l'entreprise, c'est vers elle que les bâtiments des ateliers de travail et d'habitation du personnel situés sur le pourtour de l'hémicycle sont symboliquement orientés. Elle se distingue par les colonnes de son péristyle, dont les tambours sont alternativement carrés et cylindriques. L'ensemble de l'œuvre est d'une profonde unité de style et l'on est frappé par la beauté, la robustesse et l'agencement grandiose des pierres. L'influence de Palladio, architecte italien du 16e s., apparaît dans les colonnes et les frontons à l'antique ; celle des constructions comtoises, dans le dessin des toitures.

Bâtiment des tonneliers – Il abrite le **musée Ledoux, qui** renferme une soixantaine de maquettes d'architecture, révélatrices des conceptions de la vie sociale selon Ledoux.

Mi-septembre, lors du **festival des montgolfières**, la **cour** offre un merveilleux terrain d'envol *(www.ventsdufutur.fr)*.

★★ **Forêt de la Joux**

▷ *À 35 km à l'ouest de Pontarlier par la D 72, puis la D 471 en dir. de Champagnole. Tourner à droite dans la D 107.*

👥 C'est l'une des plus belles sapinières de France. Certains résineux atteignent des dimensions exceptionnelles, jusqu'à près de 50 m de hauteur.

★ **Sapin Président de la Joux** – Âgé de plus de deux siècles, c'est le plus célèbre des arbres du canton des Chérards.

★★ **Source de la Loue**

▷ *À 16 km au nord de Pontarlier par la N 57. Rejoindre Ouhans et gagner la source par la D 443 en très forte pente. Laisser la voiture au parc aménagé devant la* buvette du « *Chalet de la Loue* », puis descendre (👣 *30mn à pied AR*) le chemin tracé au fond du vallon.

L'un des plus beaux sites du Jura. Brusquement, après un tournant, l'hémicycle impressionnant où se produit la résurgence de la Loue apparaît. La source débouche d'une vaste grotte qui s'ouvre au pied d'une falaise haute d'une centaine de mètres. Quand il pleut, les eaux grossissent rapidement. Jusqu'à Ornans, la vallée est superbe : en quelque 20 km, la rivière perd 229 m d'altitude.

★★★ Saut du Doubs

◐ *À 40 km au nord-est de Pontarlier par la D 437 jusqu'à Villers-le-Lac.*

👥 Abandonnant le niveau surélevé du lac, le Doubs regagne son niveau naturel par une chute magnifique.

Villers-le-Lac – ☏ *03 81 68 00 98 - www.villers-le-lac-info.org*. Dans cette petite ville, on peut embarquer sur un bateau qui suit les méandres de la rivière et remonte les gorges. Arrivé au débarcadère, empruntez le chemin (👣 *30mn à pied AR)* qui conduit aux deux belvédères dominant le saut du Doubs. Ils offrent une très belle vue sur la chute d'eau de 27 m de hauteur.

😊 NOS ADRESSES À BESANÇON

HÉBERGEMENT

PREMIER PRIX

Hôtel Foch – *7 bis av. Mar.-Foch - ☏ 03 81 80 30 41 - www.hotel-foch-besancon.com - 27 ch. 50 € - ⌑ 7,50 €*. Derrière la façade un peu austère de ce grand bâtiment d'angle se cache un hôtel tenu de façon irréprochable. Le hall d'accueil, avec réception et salon contemporains, est contigu à la salle des petits-déjeuners. Aux étages, chambres tout confort. Bon rapport qualité-prix.

RESTAURATION

BUDGET MOYEN

Au Petit Polonais – *81 r. des Granges - ☏ 03 81 81 23 67 - déj.* *mar.-dim., dîner jeu.-sam. - fermé lun., 3 sem. de fin juil.-mi-août, 2 sem. pdt vac. de Noël - 18/36 €.* Restaurant fondé en 1870 par un « petit Polonais » dont l'histoire est narrée sur la carte. La simplicité du cadre est volontairement préservée. Cuisine traditionnelle et régionale. Frites maison renommées ! Accueil familial.

Le Poker d'As – *14 square St-Amour - ☏ 03 81 81 42 49 - fermé 12 juil.-11 août, vac. de Noël, dim.-lun. - 19/49 €.* Une affaire 100 % familiale : le jeune chef mitonne des plats traditionnels et régionaux dans une salle agreste ornée de sculptures en bois réalisées par son grand-père.

5

Belfort

50 346 Belfortains – Territoire de Belfort (90)

S'INFORMER
Office de tourisme – *2 bis r. Clemenceau - 90000 Belfort -* $\mathcal{C}$ *03 84 55 90 90 -*
www.belfort-tourisme.com - 9h-12h30, 14h-18h30.

SE REPÉRER
Carte générale D2 – *Cartes Michelin n° 721 O7 et n° 520 K4.* À 16 km au nord
de Montbéliard et à 27 km au sud-ouest de Mulhouse, par l'A 36. En arrivant de Montbéliard par l'autoroute, on aperçoit le camp retranché qui
domine la ville.

À NE PAS MANQUER
L'entrée dans la vieille ville par la porte de Brisach, le colossal Lion, le camp
retranché. Aux alentours, la chapelle de Le Corbusier à Ronchamp.

ORGANISER SON TEMPS
Comptez une journée pour visiter Belfort ; prévoyez quelques jours pour
découvrir l'Alsace : le massif du ballon d'Alsace ou la route des vins.

AVEC LES ENFANTS
Le musée de l'Aventure Peugeot à Sochaux (Montbéliard).

**Aux portes du Parc naturel régional des Ballons des Vosges, ce « fier coin
de terre » doit à sa position, jadis stratégique, un destin des plus mou-
vementés. Témoin de ces heures difficiles, la citadelle « imprenable » de
Vauban domine le célèbre Lion, symbole du courage de ses défenseurs.
Mais la ville ne se limite pas à ses fortifications ; elle a depuis longtemps
franchi sa rivière, la Savoureuse, et les façades colorées invitent à la promenade dans ses rues animées.**

Découvrir

★ LA VIEILLE VILLE

Les teintes, cendre bleue, vert de Colmar, bois-de-rose et ocre albigeois…
et le parti pris de toujours laisser la pierre à nu autour des ouvertures sécrè-
tent une atmosphère chaleureuse et conviviale qui invite à la flânerie et à la
découverte : place de l'Arsenal, place de la Grande-Fontaine, Grande-Rue et
place de la Petite-Fontaine.

★ Porte de Brisach
Il faut franchir la porte et se retourner pour admirer sa décoration. Édifiée en
1687, elle arbore une façade à pilastres ornée d'un écusson à fleur de lis ainsi
qu'un fronton frappé aux armes de Louis XIV.

★★ Le Lion
$\mathcal{C}$ *03 84 54 25 51 - juin-août : 9h-19h ; sept. : 9h-18h ; avr.-mai : 9h-12h, 14h-18h ;
oct.-mars : 10h-12h, 14h-17h - fermé 1er janv., 1er nov. et 25 déc. - 1 € (-18 ans
gratuit).*

Le Lion de Belfort.
T. Grun/Age Fotostock

Cette œuvre gigantesque adossée à la paroi rocheuse, en contrebas de la caserne, a été exécutée entre 1875 et 1880 par **Frédéric Auguste Bartholdi** (1834-1904) qui réalisa par la suite la statue de la Liberté (New York). Le Lion, en grès rouge des Vosges, symbolise la force et la résistance de la ville en 1870. Illuminé la nuit, il a encore plus fière allure.

★★ LA CITADELLE

▶ *Un parcours audioguidé, avec une version pour les enfants, mène de fossés en bastions et s'achève par un son et lumière dans le Grand Souterrain, faisant revivre les grands personnages qui ont marqué l'histoire de Belfort sur le chemin de la liberté - ☎ 03 84 22 84 22 - www.citadelle-belfort.fr - juin-sept : 9h-19h (18h sept.) ; avr.-mai : 9h-12h, 14h-18h - 7 € (-18 ans gratuit).*

Devenue française à la signature des traités de Westphalie, Belfort se voit confirmée dans son rôle de place forte avec les travaux de Vauban dès 1687 : il enserre la ville dans un système de **fortifications** pentagonal. À partir de 1815, la citadelle est créée permettant la surveillance de la trouée qui s'ouvre entre le Jura et les Vosges.

Terrasse du fort *(accès libre, table d'orientation)* – De ce belvédère, le **panorama**★★ porte, au sud, sur les chaînons du Jura au loin, à l'ouest sur la vieille ville, au nord vers les Vosges méridionales, à l'est vers les enceintes du fort et la trouée de Belfort.

Promenade des enceintes – 🐾 *1h.* Le chemin au pied du château passe en tunnel sous le Lion et mène au 4e fossé sur le glacis ; continuez jusqu'à la tour des Bourgeois, vestige de l'enceinte médiévale laissée par Vauban.

Musée d'Art et d'Histoire – *juin-sept. : 10h-18h ; avr.-mai : 10h-12h, 14h-17h - 3,50 € (enf. gratuit).* Installé dans la caserne (ou château), il abrite des collections gallo-romaines et mérovingiennes ; de l'autre côté de la cour d'honneur, dans la batterie Haxo, on peut voir les collections de peintures signées Gustave Doré, Maximilien Luce, Guillaumin, des gravures de Dürer, des sculptures de Dalou et Rodin.

1870, UNE RÉSISTANCE ACHARNÉE

Avec une garnison de 16 000 hommes courageux mais inexpérimentés, le **colonel Denfert-Rochereau** résiste à 40 000 Allemands. Au lieu de s'enfermer dans la place, il en dispute toutes les approches. L'ennemi a mis en batterie 200 gros canons qui, pendant 83 jours consécutifs, tirent plus de 400 000 obus. Mais la résistance ne fléchit pas d'une ligne. Le 18 février 1871, alors que l'armistice de Versailles est signé depuis 21 jours, le colonel consent enfin, sur l'ordre formel du gouvernement, à quitter Belfort après 103 jours de siège.

Le retentissement de cette magnifique défense est grand, ce qui permet à **Thiers**, s'opposant à Bismarck, d'obtenir que la ville invaincue ne partage pas le sort de l'Alsace et de la Lorraine. On en fait donc le chef-lieu d'un « territoire ».

À proximité

★★ Chapelle Notre-Dame-du-Haut à Ronchamp

◗ *À 22 km à l'ouest de Belfort. Prendre la N 19 vers Lure. Accès par une route en forte montée à 1,5 km au nord de la ville.* ℘ *03 84 20 65 13 - www.chapelle deronchamp.com - avr.-sept. : 9h30-19h ; oct. et mars : 10h-17h (18h mars) ; nov.-fév. : 10h-16h.*

Édifiée en 1955, elle est une œuvre essentielle de l'architecture religieuse moderne. **Le Corbusier** rompt ici avec le mouvement rationaliste et la rigidité de ses plans, au point que l'on a parlé de sculpture architecturale. À l'intérieur, on est frappé par la douceur d'une lumière traitée en clair-obscur. Ainsi, malgré des dimensions réduites, l'édifice semble spacieux. Cette adaptation au site est amplifiée par un sol épousant la déclivité de la colline.

★ Montbéliard

◗ *À 16 km au sud de Belfort par l'A 36 ou la N 19.*

Sous le règne de **Frédéric de Wurtemberg** (1581-1608), tandis qu'affluent les réfugiés huguenots, la ville se mue en une cité princière : elle se métamorphose, sous la houlette de l'architecte Heinrich Schickhardt. La principauté est rattachée à la France le 10 octobre 1793.

En vous promenant dans la **vieille ville**, montez au château (15e-16e s.), voyez l'**hôtel Beurnier-Rossel** (18e s.), qui abrite le **musée d'Art et d'Histoire★**, et les halles (16e et 17e s.) à l'imposante toiture.

★★ Musée de l'Aventure Peugeot – *À Sochaux, faubourg industriel à l'est de Montbéliard.* ℘ *03 81 99 42 03 - www.musee-peugeot.com - ⅙ - 10h-18h - fermé 1ᵉʳ janv. et 25 déc. - 8 €. (-6 ans gratuit).* ▲▲ Aménagé dans une ancienne brasserie, il invite à remonter le temps. L'entreprise s'est illustrée dans la fabrication de produits aussi différents que des outils, des moulins à café, des vélos, des motos et, bien sûr, des voitures, qui accompagnent l'évolution de la société française. Le parcours s'achève sur l'évocation des courses automobiles, F1 et rallye.

Lons-le-Saunier

★

18 122 Lédoniens – Jura (39)

🛈 **S'INFORMER**

Office de tourisme – *Pl. du 11-Novembre-1918 - 39000 Lons-le-Saunier -
📞 03 84 24 65 01 - www.ot-lons-le-saunier.com - juil.-août : 9h30-12h30,
13h30-18h30, dim. 10h-12h (de mi-juil. à mi-août) ; sept.-juin : lun.-vend.
9h-12h, 14h-18h, sam. 10h-12h, 14h-16h - fermé j. fériés sf 14 Juil. et 15 août.*

▶ **SE REPÉRER**

Carte générale D2 – *Cartes Michelin n° 721 N9 et n° 520 C9.* Lons-le-Saunier
est à 85 km au sud de Besançon, 155 km au nord-est de Lyon, 97 km au
sud-est de Dijon par l'A 39. La ville se découvre grâce à plusieurs belvédères, en particulier celui de Montaigu, un peu avant le village.

😊 **À NE PAS MANQUER**

La vieille ville et, aux alentours, le vignoble du Jura.

👫 **AVEC LES ENFANTS**

Les cascades du Hérisson.

**Lons est la capitale du Jura, la ville natale de Rouget de Lisle, une ville
thermale dotée d'un important patrimoine artistique, historique et
même archéologique. Le nouvel accès de l'A 39 et de réels efforts pour
la mise en valeur de son patrimoine ouvrent de nouvelles perspectives
pour son avenir touristique.**

Découvrir

Place de la Liberté

Véritable cœur de la ville, la place concentre une bonne part de l'animation
lédonienne. À l'une des extrémités, une statue d'Etex représente le général
Lecourbe. À l'opposé, la place est fermée par l'imposante façade rococo du
théâtre★ dont l'horloge égrène deux mesures de *La Marseillaise* avant de
sonner les heures.

★ Rue du Commerce

Ses 146 arcades sur rue et sous couvert (seconde moitié du 17e s.) lui donnent
un aspect très pittoresque. Les Lédoniens, ayant le goût du beau et l'esprit
indépendant, se sont appliqués à varier les dimensions, la courbure, la décoration des arcs, même dans cette construction réglementée. Remarquez au
n° 24, la maison natale de **Rouget de Lisle,** devenue un musée. Non loin, la
place de la Comédie est bordée d'anciennes maisons vigneronnes.

À proximité

★★★ Cascades du Hérisson

▶ *À 35 km à l'est de Lons-le-Saunier par la D 39. Emporter un imperméable.*

👫 Dans cette région réputée pour ses lacs, on trouve les plus beaux ensembles de chutes du massif du Jura. Né à 805 m d'altitude, le Hérisson s'enfonce

5

rapidement dans le plateau de Doucier en descendant de 225 m sur 3 km ; dans ses célèbres gorges, il se précipite en jet rectiligne puissant ou tombe par rebonds successifs. Le spectacle est particulièrement éblouissant à l'automne. Il vaut mieux alors éviter de passer sous la **cascade du Grand Saut**★★ (60 m de hauteur) car le passage y est très étroit et glissant. Après une longue période de beau temps, la rivière peut être presque à sec et, si les chutes perdent alors une grande partie de leur attrait, le lit du torrent, surtout entre le **Gour Bleu**★ *(vasque)* et le Grand Saut, présente des affouillements intéressants : dallages naturels, marmites de géants, étagements de cavernes.

Plusieurs points de départ de randonnée existent, notamment du parking de Doucier, d'où l'on peut gagner le pied de la **cascade de l'Éventail**★★★. De là, on a la meilleure vue : l'eau tombe par rebonds successifs, d'une hauteur de 65 m.

Circuit conseillé

★ LE VIGNOBLE DU JURA

◗ *Quitter Lons-le-Saunier par la D 471.*

★★★ Baume-les-Messieurs

★★★ **Cirque de Baume** – Ce site naturel formé par la rencontre de trois vallées est absolument grandiose, spectaculaire.

★ **Abbaye** – ☎ 03 84 44 62 47 - *de mi-mai à fin sept. : 10h-12h, 14h-17h - possibilité de visite guidée - 4,50 € (-12 ans 2,50 €).* Elle occupe le site depuis le 9e s. et abrite un magnifique **retable**★★ anversois du début du 16e s.

En contrebas, le village se développe le long de la Seille au creux d'un imposant relief rocheux.

★ Château-Chalon

Cette ancienne place forte ancrée sur son escarpement rocheux offre une belle **vue**★ sur la plaine de la Bresse et le Revermont. Elle règne sur un territoire de 50 ha au renom prestigieux : le mystérieux royaume du **vin jaune**. Issu du cépage savagnin, ce vin se distingue par sa belle couleur ambrée, son parfum développé qui peut se maintenir durant plus d'un siècle ; à déguster avec une poularde aux morilles…

Poligny

Poligny associe la production de ses vins réputés à la fabrication du **comté**, dont la ville est devenue la capitale. Avis aux gastronomes !

★ **Collégiale St-Hippolyte** – Elle renferme un remarquable calvaire en bois et de belles **statues**★ de l'école bourguignonne du 15e s.

Passer par Buvilly et Pupillin pour découvrir la descente d'Arbois dominée par l'impressionnant clocher de son église St-Just.

★ Arbois

Au seuil d'une magnifique reculée, la ville phare du vignoble jurassien recèle nombre de **caves,** plus ou moins prestigieuses. La cité doit également beaucoup à **Pasteur** qui a largement contribué à la renaissance des vignes dévastées par le phylloxéra.

Saint-Claude

 ★

11 523 Sanclaudiens – Jura (39)

S'INFORMER

Office de tourisme – *1 av. de Belfort - 39200 St-Claude - ℘ 03 84 45 34 24 - www.ot-saint-claude.com- juin-août : 9h30-18h30, dim. 10h-13h ; sept.-juin : tlj sf dim. 9h-12h, 14h-18h.*

SE REPÉRER

Carte générale D2 – *Cartes Michelin n° 721 N9 et n° 520 E11.* À 138 km au nord-est de Lyon, par l'A 404 jusqu'à Oyonnax, puis la D 31 et la D 436 et à 59 km au sud-est de Lons le Saunier par la D 52 jusqu'à Orgelet, puis la D 470 et la D 436. On peut y accéder aussi de Genève par le col de la Faucille.

À NE PAS MANQUER

Une promenade place Louis-XI et sur les vieux remparts pour la vue ; la cathédrale St-Pierre ; l'exposition de pipes, diamants et pierres fines.

AVEC LES ENFANTS

Les activités nature aux Rousses et le centre Paul-Émile Victor.

Perché sur une étroite terrasse dominant les torrents de la Bienne et du Tacon, dans la montagne jurassienne, St-Claude est avant tout un site magnifique. Au 5ᵉ s., saint Romain y mena une vie d'ermite, au pied d'une source où fut édifiée une célèbre abbaye dont la prospérité prit rapidement le pas sur l'esprit de pauvreté monastique et entraîna la décadence avant la Révolution. De cette période, il ne reste que la cathédrale. La ville, longtemps renommée pour la fabrication de pipes, a conservé son savoir-faire dans l'artisanat du bois. Au centre du Parc naturel régional du Haut-Jura, elle est chère au cœur des amateurs de randonnées.

Découvrir

★ Cathédrale Saint-Pierre

Possibilité de visite guidée sur demande à l'office de tourisme, juil.-août : 9h15-12h, 13h15-17h - ℘ 03 84 45 34 24.

Elle fut transformée pour être intégrée à l'enceinte de la ville, d'où son étonnante architecture militaire. Seul vestige de l'abbaye au centre de laquelle il se trouvait, cet édifice de style gothique, élevé aux 14ᵉ et 15ᵉ s., étonne plus encore par le contraste entre son abside fortifiée et sa façade classique ajoutée au 18ᵉ s.

Son vaste vaisseau est sobre et lumineux : à gauche de l'entrée, on remarque un beau **retable italien★★**. Le chœur est orné de **vitraux★** et de magnifiques **stalles★★** en bois sculpté du 15ᵉ s. réalisées par le Genevois Jehan de Vitry. Elles présentent sur les dorsaux les apôtres et les prophètes en alternance, puis des abbés du monastère ; sur les jouées, des scènes de l'histoire de l'abbaye ; sur les parcloses et les miséricordes, des scènes de la vie quotidienne. La partie sud de cet ensemble, détruite par un incendie en 1983, fut reconstruite sous la direction de la Conservation régionale des Monuments historiques après un long travail de recherche.

5

Exposition de pipes, de diamants et pierres fines

℘ 03 84 45 17 00 - www.musee-pipe-diamant.com - ⚹ - mai-sept. : 9h30-12h, 14h-18h ; reste de l'année : tlj sf dim. et j. fériés 14h-18h - possibilité de visite guidée (1h30) - fermé de déb. nov. au 20 déc. - 5 € (enf. 3 €).

La collection de pipes, des 18e et 19e s. et provenant du monde entier, est d'une grande variété, tant par leur matériau (écume, terre cuite, cuivre, émail, bruyère, corne…) que par leur décor. L'exposition fait aussi connaître les diamantaires, les pierres fines, naturelles et synthétiques, brutes et taillées, l'outillage du diamantaire et du lapidaire et la progression du travail de la taille.

Circuit conseillé

LE HAUT-JURA

Cette zone de moyenne montagne, dont le point culminant est proche du **crêt de la Neige** (Ain) est propice en hiver à la pratique du ski (alpin et fond) et, en été, aux randonnées pédestres et VTT. Vous rencontrerez de nombreux artisans (tavaillonneurs, tourneurs sur bois, pipiers) et producteurs (bergeries, fruitières, fromageries).

▶ *80 km. Quitter St-Claude à l'est et rejoindre la D 304.*

> **TRANSJURASSIENNE**
> Cette magnifique épreuve de **ski de fond** se déroule sur 76 km entre Lamoura (Jura) et Mouthe (Doubs). Créée en 1979, elle fait partie de la **Worldloppet**, circuit international des courses de longues distances.

★ Crêt Pourri

➤ *30mn à pied AR.* Alt. 1 025 m. De la table d'orientation, beau **panorama★**. *Suivre la D 304 jusqu'à Lamoura que l'on traverse en direction de Lajoux par la D 436 à gauche.*

Lajoux

Maison du Parc naturel régional du Haut-Jura – *℘ 03 84 34 12 27 - www. parc-haut-jura.fr - juil.-août : 10h-13h, 14h-19h, w.-end 10h-19h ; reste de l'année : 10h-12h30, 14h-18h30, w.-end 14h-18h30 - fermé lun., w.-end oct.-déc., 1er janv. et 25 déc.* Une vidéo invite à reconnaître les bruits de la glace qui craque, des cloches, etc. Des expositions avec vidéo, bornes interactives, présentent la géographie du Jura et la vie d'autrefois. Vous pourrez voir aussi un **grenier fort** ; ces solides constructions, à l'écart des fermes à cause des incendies, abritaient les denrées rares et les objets de valeur.

Forêt du Massacre

C'est l'une des forêts les plus élevées du Jura français. Au **crêt Pela**, à 1 495 m d'altitude, la **vue** donne sur le Valmijoux, le Mont-Rond et les Alpes. Dans les bois d'épicéas, de nombreuses espèces survivantes des époques glaciaires y ont trouvé refuge : la chouette chevêchette ou la chouette de Tengmalm pour l'avifaune, l'orchis vanillé, le camérisier bleu ou la myrtille pour la flore. Des visites du massif sont organisées.

★ Les Rousses

👥 À deux pas de la Suisse, la station des Rousses est réputée pour ses vastes domaines skiables qui se développent de 1 100 m à 1 680 m d'altitude. La qualité des animations et une réelle convivialité assurent son succès auprès d'une clientèle familiale. Et quand le massif perd son blanc manteau de neige, marcheurs et vététistes découvrent des paysages sauvages et des panoramas somptueux tandis que le **lac des Rousses** se drape d'une multitude de voiles et attire les baigneurs.

Fort des Rousses – *℘ 03 84 60 02 55 - www.lesrousses.com - sur réserv. pour les Rousses espace Loisirs - 6 parcours-aventure en pleine nature avec 70 ateliers pour tous les âges et tous les niveaux.* Construit au 19e s., c'est l'un des plus vastes de France. Peu impressionnant à première vue, il cache un incroyable réseau de galeries souterraines, abrite d'immenses caves d'affinage du comté, et des parcours pour l'aventure classés par niveaux de difficulté, combinant passerelle suspendue, pont de singe, via ferrata, tyroliennes…

Centre polaire Paul-Émile Victor – *À Prémanon - ℘ 09 77 51 25 45 - www. centrepev.com - 10h-12h, 14h-18h - fermé mar., 15 nov.-15 déc. et 1er janv.- 5,20 € (enf. 2,60 €).* 👥 Il invite à découvrir la vie des populations inuits et lapones ainsi que la faune du Grand Nord, sur les traces de l'explorateur (1907-1995) qui passa son enfance dans le Jura.

Revenez à St-Claude en passant par Morez et les **gorges de la Bienne★** (D 26).

Normandie 6

Cartes Michelin National n° 721 et Région n° 513

Voûte de la cathédrale Notre-Dame à Rouen.
I. Vdovin/Age Fotostock

La Haute-Normandie

▶ SE REPÉRER

Au départ de Paris, l'autoroute de Normandie (A 13) vous conduit en 1h30 à Rouen et de là, à Dieppe via l'A 151 en moins d'une heure. Plus à l'ouest, la même autoroute se scinde en deux en amont de Pont-Audemer pour rallier Le Havre via l'A 131. Cette ville est à 197 km de Paris. De Lille (Nord - Pas-de-Calais), Dieppe est à 254 km et Rouen, à 259 km.

À NE PAS MANQUER

À Rouen, ville d'art et d'histoire, la cathédrale gothique, la tour du Gros-Horloge et le musée des Beaux-Arts pour ses collections de peintures du 15e s. à nos jours. Sur la route des Abbayes, les ruines romantiques de Jumièges et la superbe abbaye du Bec-Hellouin. Sur la côte, entre Étretat et Fécamp, de jolis villages parfois nichés au débouché d'une valleuse servent d'étapes. Au Havre, une promenade dans le centre-ville pour s'imprégner du style Perret et à proximité, les beaux points de vue sur les hauteurs du cap à Ste-Adresse.

⏱ ORGANISER SON TEMPS

En fonction de vos envies et de la saison, les idées ne manquent pas. Si vous ne disposez que de deux jours, visitez Rouen puis suivez l'itinéraire côtier entre Dieppe et Étretat en vous arrêtant au passage à Fécamp pour visiter l'étonnant palais Bénédictine.

La Haute-Normandie s'étale sur les départements de Seine-Maritime et de l'Eure. Quadrillée par un réseau dense de villes en tête desquelles figurent Rouen, Le Havre et Dieppe, elle doit son dynamisme à la présence de la Seine. Trait d'union naturel entre la région parisienne et la Manche, grand axe d'échanges, le fleuve parcourt ses cent derniers kilomètres en dessinant d'amples et magnifiques méandres, séparant la région en deux entités distinctes : au nord, le pays de Caux, un plateau crayeux qui tombe dans la mer par des valleuses qui festonnent la Côte d'Albâtre toute en falaises ; au sud, le pays d'Auge où règne le bocage normand avec ses vergers de pommiers et ses herbages ceints de haies. Terre de grands armateurs qui ont fait la richesse de Dieppe et de Rouen, la Haute-Normandie est aussi, par ses lumières, le berceau de l'impressionnisme ; c'est au Havre que Monet a composé Impression, soleil levant, et à Rouen, ses façades de cathédrale. Importante région industrielle et de commerce maritime qui s'inscrit dans une dimension européenne, la Haute-Normandie n'en est pas moins verte, riche de forêts, de zones protégées. Ici, campagne et mer se rejoignent et ces attraits expliquent la présence de nombreuses villégiatures, de manoirs élégants. La région est célèbre pour son cidre, ses fromages, mais on y vient autant pour goûter les produits du terroir que pour une excursion sur la route des Abbayes ou une promenade iodée le long de la côte.

Rouen

109 425 Rouennais – Seine-Maritime (76)

🙂 NOS ADRESSES PAGE 314

🚩 S'INFORMER

Office de tourlsme – *25 pl. de la Cathédrale - 76000 Rouen -* 📞 *02 32 08 32 40 - www.rouentourisme.com - mai-sept. : 9h-19h, dim. et j. fériés 9h30-12h30, 14h-18h ; oct.-avr. : tlj sf dim. et j. fériés (sf pdt événements exceptionnels) 9h30-12h30, 13h30-18h.*

▶ SE REPÉRER

Carte générale B1 – *Cartes Michelin n° 721 I4 et n° 513 S6.* À 130 km au nord de Paris. Sur la rive droite, les vieux quartiers et le centre historique ; sur la rive gauche, la cité administrative, les centres commerciaux, les quartiers d'habitations et les zones industrielles.

👁 À NE PAS MANQUER

La cathédrale, l'église St-Maclou et l'abbatiale St-Ouen ; le vieux quartier avec le Gros-Horloge et son beffroi ; le musée des Beaux-Arts.

🕐 ORGANISER SON TEMPS

Rouen mérite une journée de visite que vous partagerez entre le musée des Beaux-Arts, la visite d'une église et une flânerie à travers les rues du vieux quartier au gré de la météo.

👪 AVEC LES ENFANTS

La tour du Gros-Horloge pour découvrir Rouen à 360° et les secrets du mécanisme de sa fameuse horloge.

La capitale de la Haute-Normandie s'est développée dès l'époque romaine à hauteur du « premier pont » jeté sur un fleuve à estuaire. Pétrie d'histoire, la ville s'apprécie au fil des rues étroites bordées de maisons à pans de bois. Après la rénovation du centre-ville, la construction d'un sixième pont, la ville part à la reconquête de ses quais en réhabilitant les anciens hangars portuaires. Elle offre aussi à son joyau, la cathédrale Notre-Dame, un audacieux ensemble paysager à ses pieds...

Découvrir

★★★ LE VIEUX ROUEN

6

★★ Rue Saint-Romain

C'est une des rues les plus intéressantes du vieux Rouen avec ses belles maisons à pans de bois du 15e au 18e s.

★★ Église Saint-Maclou

Ravissante construction de style gothique flamboyant, bâtie entre 1437 et 1517. Un grand porche à cinq arcades anime la magnifique façade. Le portail central et celui de gauche portent des **vantaux★★** Renaissance. À l'intérieur, le buffet d'orgues★ (1521) se pare de belles boiseries Renaissance. L'**escalier à vis★** (1517), superbement sculpté, vient du jubé de l'église.

★★ Aître Saint-Maclou

L'endroit est étrange et paisible. Cet ensemble du 16ᵉ s. (du latin *atrium*) est l'un des derniers témoins des charniers de pestiférés du Moyen Âge. La cour centrale est entourée de bâtiments à pans de bois. Sur des colonnes portant des sculptures brisées qui figurent la danse macabre court une double frise, décorée de curieux motifs de crânes, tibias et divers outils de fossoyeur.

★★ Abbatiale Saint-Ouen

Avr.-oct. : 10h-12h, 14h-18h ; reste de l'année : 10h-12h, 14h-17h30 - fermé lun. et vend., 1ᵉʳ janv. et 25 déc.

Cette ancienne abbatiale (14ᵉ s.), bien proportionnée, compte parmi les joyaux de l'architecture du gothique rayonnant. Les travaux, commencés en 1318, ralentis par la guerre de Cent Ans, s'achèvent au 16ᵉ s. Le **chevet★★**, aux chapelles rayonnantes, s'anime de fins arcs-boutants et pinacles. À la croisée du transept, la **tour centrale★** flanquée aux angles de tourelles est surmontée d'une couronne ducale.

À l'intérieur, l'architecture élancée est mise en valeur par la chaude ambiance lumineuse que dispensent les grandes **verrières★★**. Des **grilles★★** dorées (1747), œuvre de Nicolas Flambart, ferment le chœur.

★★ Parlement de Normandie - Palais de justice

Ce splendide édifice de la première Renaissance, aujourd'hui restauré, a été bâti pour abriter l'Échiquier de Normandie (cour de justice). La **façade★★** (1508-1526) est décorée avec un souci de gradation : sobre dans le bas, l'ornementation s'enrichit à chaque étage pour s'achever en une véritable forêt de pierres ciselées. Cet enchevêtrement de pinacles, clochetons, arcs-boutants, gâbles, qui laisse entrevoir de monumentales lucarnes, jaillit au-dessus d'une riche balustrade.

UNE HISTOIRE ÉTERNELLE

Jeanne d'Arc – Jeanne est faite prisonnière à Compiègne par les Bourguignons, et ses deux tentatives d'évasion échouent. Les Anglais, par l'intermédiaire de l'évêque de Beauvais, Cauchon, se font livrer la prisonnière contre 10 000 écus d'or. Le 25 décembre 1430, Jeanne est enfermée dans l'une des tours du château de Philippe Auguste. Cauchon a promis « un beau procès ». La séance s'ouvre le 21 février 1431. Téméraire, mais « sans orgueil ni souci d'elle-même, ne songeant qu'à Dieu, à sa mission et au roi », la Pucelle oppose à toutes les ruses et subtilités de ses juges ce que Michelet appelle « le bon sens dans l'exaltation ». Les interrogatoires se succèdent durant trois mois, et l'acte d'accusation la déclare « hérétique et schismatique ». Aussi est-elle brûlée vive le 30 mai sur la place du Vieux-Marché. Réhabilitée en 1456, elle est canonisée en 1920 et promue patronne de la France.

Le « siècle d'or » – La période qui s'écoule de la reconquête française aux guerres de Religion est un « siècle d'or » pour toute la Normandie. Le cardinal d'Amboise, archevêque et mécène de la ville, importe le style Renaissance. Les notables se font construire de somptueux hôtels de pierre. Les négociants rouennais, associés aux navigateurs dieppois, sont sur toutes les routes maritimes. La vieille ville drapière tisse maintenant la soie et les draps d'or et d'argent.

★ Place du Vieux-Marché

Le quartier est riche en vieilles maisons à pans de bois. La place, où les condamnés étaient mis au pilori ou exécutés au Moyen Âge, regroupe les nouvelles halles, l'église Ste-Jeanne-d'Arc et un monument national.

Église Ste-Jeanne-d'Arc – ℰ 02 32 08 32 40 - avr.-oct. : 10h-12h, 14h-18h, vend. et dim. 14h-18h ; reste de l'année : 10h-12h, 14h-18h, vend. et dim. 14h-18h - fermé 1ᵉʳ janv. et 25 déc. L'édifice achevé en 1979 a la forme d'un bateau renversé ; les principes de la construction navale se retrouvent dans la couverture d'écailles en ardoise ou en cuivre. À l'intérieur, 13 vitraux Renaissance provenant de l'église St-Vincent détruite en 1944 forment une **verrière★★** de 500 m², éclatante illustration de la foi du 16ᵉ s.

★★ Rue du Gros-Horloge

Reliant la place du Vieux-Marché à la cathédrale, cette rue est la plus évocatrice du vieux Rouen. Domaine des marchands depuis le Moyen Âge, siège du pouvoir communal du 13ᵉ au 18ᵉ s., elle a retrouvé sa vocation commerciale, avec ses gros pavés et ses belles maisons à pans de bois.

Gros-Horloge – Avr.-oct. : tlj sf mar. 10h-13h, 14h-19h ; nov.-mars : tlj sf mar. 14h-18h - 6 € (-6 ans gratuit). ♣♣ Flanqué d'une tour de **beffroi**, ce monument est emblématique de Rouen. On y découvre avec plaisir la salle des mécanismes, le cadran ou encore les cloches municipales. Le parcours permet de comprendre les enjeux liés à l'évolution du temps et de l'horlogerie. Du haut de la tour (escaliers escarpés), superbe panorama sur la ville et les méandres de la Seine !

★★★ Cathédrale Notre-Dame

ℰ 02 35 71 71 60 - avr.-oct. : 9h-19h (lun. 14h-19h), dim. j. fériés 8h-18h ; nov.-mars : 9h-12h, 14h-18h (lun. 14h-18h), dim. et j. fériés 8h-18h.

Commencé au 12ᵉ s., reconstruit au 13ᵉ s., l'édifice est embelli au 15ᵉ s. et au 16ᵉ s. Très endommagé entre 1940 et 1944, il a été rendu au culte. La cathédrale doit son charme à la variété de sa composition et à la richesse de son décor sculpté. Elle a servi de thème à la célèbre série des *Cathédrales de Rouen* (1892-1894) peintes par Monet et composant une séquence continue de l'aube au crépuscule.

Façade ouest – Hérissée de clochetons et ajourée, elle s'encadre de deux tours d'allure et de style différents : la **tour St-Romain** à gauche, la **tour de Beurre** à droite. Cette dernière est ainsi nommée car elle a été en partie édifiée grâce aux « dispenses » perçues sur les fidèles autorisés à consommer du lait et du beurre en période de carême.

Du flanc sud, avec un peu de recul, on aperçoit la flèche, gloire de Rouen. Le **portail de la Calende**, chef-d'œuvre du 14ᵉ s., termine le bras droit du transept. Le long du flanc nord s'ouvre la **cour des Libraires** que ferme une splendide clôture de pierre de style gothique flamboyant (1482). Le **portail des Libraires**, que surmontent deux hauts gâbles ajourés, dessert le bras gauche du transept.

Intérieur – Une impression de simplicité et d'harmonie se dégage en dépit des différences de style entre la nef et le chœur. Dominant la croisée du transept (51 m du sol à la clef de voûte), la saisissante **tour-lanterne** est une œuvre remarquable de hardiesse. Les énormes piles, dont chacune ne compte pas moins de 27 colonnes, jaillissent jusqu'au sommet. Les revers des portails de la Calende et des Libraires ont reçu de beaux décors sculptés (14ᵉ s.) et de belles verrières. Le **chœur** constitue la partie la plus noble de la cathédrale par ses lignes simples et la légèreté de sa construction. Le déambulatoire, qui comporte trois chapelles rayonnantes et cinq **verrières★** (13ᵉ s.), abrite

6

plusieurs gisants, notamment celui de Richard Cœur de Lion. À gauche, accolé à l'enfeu gothique de Pierre de Brézé (15ᵉ s.), le **tombeau de Louis de Brézé★**, sénéchal de Normandie et mari de Diane de Poitiers, est une œuvre de la seconde Renaissance, exécutée de 1535 à 1544.

Dans la **chapelle de la Vierge**, le tombeau des cardinaux d'Amboise date de la première Renaissance (1516-1520).

LES MUSÉES

★★★ Musée des Beaux-Arts

Espl. Marcel-Duchamp - ☏ 02 35 71 28 40 - www.rouen-musees.com - ♿ - tlj sf mar. 10h-18h (dernière entrée 40mn av. la fermeture) - possibilité de visite guidée sur demande préalable - fermé 1ᵉʳ janv., 1ᵉʳ et 8 Mai, 14 Juil., 15 août, 11 Nov. et 25 déc. - 3 € (-18 ans gratuit), gratuit 1ᵉʳ dim. du mois ; 8 € billet combiné avec le musée de la Céramique et le musée Le Secq des Tournelles.

À travers les collections présentées, on suit l'évolution de la peinture, de la sculpture du 15ᵉ s. à nos jours, en même temps que celle de l'orfèvrerie, du mobilier ou du dessin. Outre quelques primitifs italiens, on admire des œuvres du Guerchin, de Giordano et surtout de Véronèse et du Caravage. Parmi les maîtres espagnols et hollandais, Vélasquez et Ribera, Maarten De Vos, Van Dyck et Rubens. Parmi les Français, François Clouet, Louis Boullongne, Poussin, Simon Vouet et Jouvenet. Le 19ᵉ s. se distingue tant par l'abondance que par la qualité des œuvres. D'Ingres à Monet, les plus grands maîtres – David, Géricault, Degas, Caillebotte, Corot, Millet, Moreau, Sisley, Renoir et tant d'autres – sont présents à travers des chefs-d'œuvre. Le 20ᵉ s. comprend des toiles de Modigliani, Dufy ou des frères Duchamp.

★★ Musée de la Céramique

Espl. Marcel-Duchamp - ☏ 02 35 71 28 40 - www.rouen-musees.com - tlj sf mar. 10h-18h (dernière entrée 40mn av. la fermeture) - possibilité de visite guidée sur demande préalable - fermé 1ᵉʳ janv., 1ᵉʳ et 8 Mai, 14 Juil., 15 août, 11 Nov. et 25 déc. - 3 € (-18 ans gratuit), gratuit 1ᵉʳ dim. du mois ; 8 € billet combiné avec le musée des Beaux-Arts et le musée Le Secq des Tournelles.

Il raconte l'histoire de la **faïence de Rouen** à travers des objets remarquables. Des carreaux de pavement et des vases de pharmacie représentent l'œuvre de Masséot Abaquesne, premier faïencier à Rouen, vers 1550. Après une brève interruption, la production renaît avec des plats à décor bleu d'inspiration nivernaise et chinoise. Vers 1670 apparaît la couleur rouge. Le début du 18ᵉ s. voit la multiplication des grandes faïenceries et l'arrivée de la polychromie (1699) avec des décors à cinq couleurs. Dès 1720, les motifs se diversifient : style « rayonnant » aux arabesques inspirées de la broderie et de la ferronnerie, « chinoiserie », décors superposés au trait bleu sur fond ocre. Le style rocaille fleurit vers le milieu du siècle, avec ses décors « à la corne » d'où s'échappent fleurs, oiseaux, insectes.

★★ Musée Le Secq des Tournelles

☏ 02 35 88 42 92 - www.rouen-musees.com - tlj sf mar. 10h-13h, 14h-18h (dernière entrée 40mn av. la fermeture) - fermé 1ᵉʳ janv., 1ᵉʳ et 8 Mai, 14 Juil., 15 août, 11 Nov. et 25 déc. - 3 € (-26 ans gratuit) ; 8 € billet combiné avec le musée des Beaux-Arts et le musée de la Céramique.

Ce musée aménagé dans l'ancienne église St-Laurent, bel édifice de style flamboyant, expose de très riches collections de **ferronnerie** du 3ᵉ au 20ᵉ s. : serrures, heurtoirs, ustensiles de la vie domestique, bijoux, instruments professionnels…

Circuit conseillé

★★★ LA ROUTE DES ABBAYES

▶ *83 km. Quitter Rouen vers l'ouest par la D 982. Traverser Canteleu et prendre à gauche la D 67.*

★★ Ancienne abbaye Saint-Georges-de-Boscherville

☎ 02 35 32 10 82 - www.abbaye-saint-georges.com - avr.-oct. : 9h-18h30 ; nov.-mars : 14h-17h - fermé 1er janv. et 25 déc. - avr.-oct. : 5,50 €, nov.-mars : 5 € (-12 ans gratuit).

Voici l'un des fleurons monumentaux de la vallée de la Seine : un édifice de pur style roman normand, aux lignes sobres et harmonieuses, à l'acoustique exceptionnelle, dont les jardins sont replantés comme au 17e s.

★★★ Abbaye de Jumièges

☎ 02 35 37 24 02 - de mi-avr. à mi-sept. : 9h30-18h30 ; reste de l'année : 9h30-13h, 14h30-17h30 - fermé 1er janv., 1er Mai, 1er et 11 Nov. et 25 déc. - 5 € (-18 ans gratuit).

L'abbaye bénédictine et ses ruines occupent un site tranquille sur la rive droite de la Seine qui dessine ici un beau méandre, depuis Duclair jusqu'au Trait. À la Révolution, un marchand de bois entreprit de l'utiliser comme carrière et la fit sauter à la mine. Grâce aux importants travaux de consolidation et rénovation, les visiteurs vont pouvoir accéder en toute sécurité dès 2012 à la majeure partie des ruines. L'émotion sera d'autant plus vive que l'imagination reconstituera les tribunes, le bas-côté droit, la charpente de la nef, le carré du transept, l'hémicycle du chœur, les galeries du cloître…

★ Abbaye de Saint-Wandrille

☎ 02 35 96 23 11 - www.st-wandrille.com - visite libre de l'abbatiale et des extérieurs - 4 € (-15 ans gratuit) - visite guidée du cloître, se renseigner.

Cette abbaye, comme celle du Bec-Hellouin, est un témoignage de la continuité bénédictine en terre normande. La règle de saint Benoît régit toujours la vie monastique. On peut visiter ces lieux pétris de spiritualité et d'histoire, partager la vie des moines le temps d'une retraite ou des offices ponctués de chants grégoriens dans l'église aménagée en 1969 dans une grange seigneuriale du 13e s. Les **ruines de l'abbatiale** comprennent les bases des piliers des grandes arcades de la nef du 14e s. qui émergent de la verdure et les colonnes de la croisée du transept.

Pour rejoindre le Bec-Hellouin, traverser la Seine par le pont de Brotonne. Suivre la D 313 jusqu'à Bourgtheroulde, puis la D 438 à droite, la D 124 à droite et la D 38 à gauche.

★★ Abbaye du Bec-Hellouin

☎ 02 32 43 72 60 - www.abbayedubec.com - 7h-21h - possibilité de visite guidée 45mn (sf mar.), dép. 10h30 (dim. 12h), 15h et 16h - 5 € (-18 ans gratuit).

6

Dès le 11e s., l'abbaye devient l'un des foyers intellectuels de l'Occident. Au début du 19e s., l'église abbatiale, dont le chœur long de 42 m était un des plus vastes de la chrétienté, est abattue, les bâtiments sont transformés en dépôt de remonte. La **nouvelle abbatiale** est aménagée dans l'ancien réfectoire, salle voûtée aux proportions majestueuses. En sortant, à gauche, le corps de bâtiment à l'ordonnance classique, calmement rythmée, illustre le style mauriste. Par le monumental escalier d'honneur (18e s.), on accède au **cloître** (1640-1660) avec terrasses à l'italienne.

☺ NOS ADRESSES À ROUEN

HÉBERGEMENT

PREMIER PRIX

Hôtel Le Vieux Carré – *34 r. Ganterie -* ✆ *02 35 71 67 70 - www. vieux-carre.fr - 13 ch. 65 € -* ☕ *7 €.* Cette belle bâtisse de 1715 avec sa façade à colombages colorée a des allures d'hôtel particulier. Plaisant salon-bibliothèque et chambres actuelles. Formule bistrot pour le restaurant.

Hôtel de la Cathédrale – *12 r. St-Romain -* ✆ *02 35 71 57 95 - www. hotel-de-la-cathedrale.fr - 26 ch. 72/99 € - 8,50 €.* Ravissante bâtisse du 17e s. située dans une rue piétonne. Chambres confortables à la délicieuse atmosphère « vieille France », charmante salle des petits-déjeuners rustique et coquet patio en font une bonne adresse.

RESTAURATION

PREMIER PRIX

Pascaline – *5 r. de la Poterne -* ✆ *02 35 89 67 44 - www.pascaline. fr - formule déj. 13 € - 15,50/29 € - réserv. conseillée.* À côté du palais de justice, ce restaurant à la façade bistrot est très agréable. Dans son décor brasserie avec beaux comptoirs en bois, banquettes et murs jaunes, vous aurez le choix entre plusieurs formules attrayantes. Pensez à réserver, c'est souvent bondé.

BUDGET MOYEN

Le 37 – *37 r. St-Étienne-des-Tonneliers -* ✆ *02 35 70 56 65 - fermé dim., lun., 1 sem. pdt vac. Pâques et 1er-25 août - 18/33 €.* Bistrot « tendance », ambiance décontractée et, au piano, un chef qui prépare une cuisine actuelle et des suggestions à l'ardoise changées chaque jour. Le 37 ? Un numéro gagnant !

La Marmite – *3 r. de Florence - à proximité du Vieux-Marché -* ✆ *02 35 71 75 55 - www. lamarmiterouen.com - 29/39 €.* De délicieux fumets s'échappent de cette Marmite située à deux pas de la place du Vieux-Marché. Poussez la porte pour découvrir sa cuisine pleine de goût, aux saveurs délicates, préparée avec d'excellents produits et présentée avec soin.

La Couronne – *31 pl. du Vieux-Marché -* ✆ *02 35 71 40 90 - www. lacouronne.com.fr - formule déj. 25 € - 33/48 €.* Superbement préservée, cette demeure familiale de 1345 est la plus vieille auberge de France. Cadre rustique et terrasse fleurie l'été. Le livre d'or reste sans comparaison.

ACHATS

Fayencerie Augy-Carpentier – *26 r. St-Romain -* ✆ *02 35 88 77 47 - www.fayencerie-augy. com - 9h-19h - fermé dim. et lun. - visite de l'atelier sur rdv.* Le dernier atelier de fabrication artisanale de faïence à Rouen. Créations originales et reproductions de nombreux motifs traditionnels, bleus ou polychromes, comme le lambrequin ou la corne d'abondance.

Dieppe

33 590 Dieppois – Seine-Maritime (76)

S'INFORMER

Office de tourisme – *55 quai Duquesne - 76200 Dieppe - ℘ 02 32 14 40 60 - www.dieppetourisme.com - juil.-août : 9h-19h, dim. et j. fériés 10h-13h, 14h-17h ; mai-juin et sept. : 9h-13h, 14h-18h, dim. et j. fériés 10h-13h, 14h-17h ; oct.- avr. : tlj sf dim. 9h-12h, 14h-18h.*

SE REPÉRER

Carte générale B1 – *Cartes Michelin n° 721 I3 et n° 513 S3.* Située sur la Côte d'Albâtre, à 65 km au nord de Rouen et à 108 km au nord-est du Havre, la ville, traversée par la Béthune, conserve son quartier ancien et pittoresque sur la rive droite et s'est étendue sur la rive gauche (centre commerçant et administratif).

À NE PAS MANQUER

La vue sur la ville et le port, du haut de la falaise du Pollet (accessible par la D 925) et du haut des tours du château-musée.

ORGANISER SON TEMPS

Prévoyez une journée pour visiter la ville : promenade dans le vieux quartier, le long de la plage ; visite du château-musée et de la Cité de la mer puis flânerie le long des quais.

AVEC LES ENFANTS

Estran-Cité de la mer.

« À Dieppe, la lumière est comme un écrin », disait Matisse. La plage la plus proche de Paris, encadrée de hautes falaises, est la doyenne des stations balnéaires françaises : lancée dans les années 1820, elle accueillit mondains et aristocrates tout au long du 19e s. Son port, où voisinent installations modernes en plein rendement et vieux quartiers de pêcheurs, est l'un des plus insolites de Normandie. Dès la fin du 14e s., c'est par les pérégrinations de ses marins que Dieppe forge sa réputation. Ceux-ci ramènent ivoire et épices des comptoirs d'Afrique noire le long du golfe de Guinée. Aujourd'hui les quais du Pollet s'animent au rythme du va-et-vient des car-ferries.

Se promener

LE CENTRE ET LA PLAGE

6

★ Église Saint-Jacques

Commencée au 13e s., elle sera souvent remaniée. Le portail central, surmonté d'une belle rose, est du 14e s. La nef (13e s.) est de proportions harmonieuses, et le chœur a de jolies voûtes en étoile et un triforium ajouré.

Grand-Rue

Cet axe piéton se déploie sur l'emplacement d'une voie gauloise qui permettait de passer à gué d'une falaise à l'autre lorsque la ville n'était qu'un vaste marécage envahi par la mer à marée haute. De nombreuses maisons en briques blanches aux balcons en fer forgé datent de l'époque de la reconstruction de Dieppe après le bombardement naval anglais de 1694. Le **corsaire Balidar**, terreur des équipages anglais sillonnant la Manche, habita au n° 21 (café du Globe). Au n° 77, une jolie fontaine orne la cour. Aux n°s 137-139 se trouvait un magasin d'articles pour peintres, où Pissarro, Monet, Renoir, Boudin, Sisley, Van Dongen, Dufy et Braque se sont approvisionnés.

Place du Puits-Salé

Au carrefour de six rues, c'est le centre le plus animé de Dieppe. La place doit son nom à un puits d'eau saumâtre, remplacé au 16e s. par une fontaine, terminal de l'un des plus anciens systèmes d'adduction d'eau du pays.

Dans le **square du Canada**, au pied de la falaise de l'Ouest, se dresse une stèle dont les faces rappellent les 350 ans d'histoire commune unissant Dieppe et le Canada, depuis le départ des colons dieppois au Québec (17e s.), jusqu'au raid du 19 août 1942.

Gagnez la **plage** par le boulevard de Verdun ou la porte monumentale « **les Tourelles** » et parcourez-la jusqu'au bout de la jetée qui dévoile un beau panorama sur les falaises et le château.

Le **quartier de pêcheurs**, face au chenal, se compose de quelques ruelles autour de la place du Moulin-à-Vent. Côté nord, il abrite l'Estran-la Cité de la mer *(voir ci-dessous)*. Juste avant l'angle de la rue de la Rade et du quai du Hâble, on distingue les vestiges de la **tour aux Crabes** (14e s.) qui surveillait l'entrée du port.

★ Château-musée

Perché sur un flanc de la falaise. Accès en voiture : suivre la signalisation par la D 75 qui monte au bd de la Mer (parking). À pied : chemin de la Citadelle ou square du Canada en été. ✆ 02 35 06 61 99 - juin-sept. : 10h-12h, 14h-18h (dernière entrée 30mn av. la fermeture) ; oct.-mai : tlj sf mar. 10h-12h, 14h-17h, dim. 10h-12h, 14h-18h - fermé 1er janv., 1er Mai, 1er nov. et 25 déc. - 4 € (-12 ans gratuit).

Appareillé en silex et grès alternés et en briques rouges et blanches, il prend appui sur une grosse tour, vestige des fortifications qui défendaient la ville au 14e s. La visite débute par un rappel du passé maritime de Dieppe : cartes, instruments de navigation, figures de proues, modèles de navires, etc. Le trésor du musée est son incomparable collection d'**ivoires★**, religieux ou profanes. Une reconstitution d'atelier montre l'outillage des ivoiriers locaux. Voyez aussi les toiles d'Isabey, Noël, Boudin, Renoir, Pissarro, Lebourg, Sisley, W. Sickert, Von Thoren, etc. Une salle est dédiée au musicien Camille Saint-Saëns. Enfin, autour d'un fonds d'une centaine d'estampes de **Georges Braque** s'agence une collection d'art du 20e s. (Dufy, Lurçat, Aillaud).

Estran-Cité de la mer

✆ 02 35 06 93 20 - http://estrancitedelamer.free.fr - ♿ - 10h-12h, 14h-18h - possibilité de visite guidée sur demande préalable - fermé 1er janv. et 25 déc. - 6 € (-16 ans 3,50 €).

Dans ce musée sont abordés les thèmes de la construction navale et de la technologie embarquée, depuis la navigation à la rame jusqu'au chalutier contemporain, et l'évolution des techniques, de la pêche côtière à la pêche industrielle. Aquariums où évoluent les principales espèces de la Manche.

Falaises d'Étretat

★★★

1 505 Étretatais – Seine-Maritime (76)

 NOS ADRESSES PAGE 318

S'INFORMER

Office de tourisme – *Pl. Maurice-Guillard - 76/90 Étretat - ☎ 02 35 27 05 21 - www.etretat.net - de mi-juin à mi-sept. : tte la journée, se renseigner ; reste de l'année : 10h-12h, 14h-18h - fermé 1ᵉʳ janv. et 25 déc.*

SE REPÉRER

Carte générale B1 – *Cartes Michelin n° 721 H4 et n° 513 N4.* À 47 km au nord d'Honfleur, 90 km au nord-ouest de Rouen et 219 km de Paris, cette station balnéaire est fréquentée pour son cadre original et grandiose.

ORGANISER SON TEMPS

De la plage, comptez 1h à pied aller-retour pour atteindre chacune des falaises.

AVEC LES ENFANTS

Musée des Terre-Neuvas et de la Pêche à Fécamp.

« Ce petit nom d'Étretat, nerveux et sautillant, sonore et gai, ne semble-t-il pas né de ce bruit de galets roulés par les vagues ? La plage, dont la beauté célèbre a été si souvent illustrée par les peintres, semble un décor de féerie avec ses deux merveilleuses déchirures de falaise qu'on nomme les "portes" » (Maupassant).

Découvrir

Étretat

Étretat tire sa réputation de l'originalité de son cadre, le paysage grandiose est inoubliable quelle que soit la saison. Bordée d'une digue-promenade, la plage de galets est encadrée par les célèbres falaises : à droite, la falaise d'Amont avec la chapelle N.-D.-de-la-Garde ; à gauche, la falaise d'Aval avec son arche monumentale, la porte d'Aval. L'Aiguille, haute de 70 m, se dresse un peu plus loin, solitaire.

★★★ Falaise d'Aval

1h à pied AR. Empruntez l'escalier *(180 marches, main courante)* à l'extrémité de la digue-promenade. Taillé dans la falaise crayeuse, il permet d'atteindre le sommet de la falaise. Longez le bord de la falaise jusqu'à la crête de la porte d'Aval, arcade rocheuse étonnamment découpée. La **vue** est magnifique sur l'arche de la Manneporte à l'architecture monumentale façonnée par la nature, en face sur l'Aiguille et de l'autre côté sur la falaise d'Amont.

★★ Falaise d'Amont

1h à pied AR ou 10mn en voiture : prendre la D 11 « Fécamp par la côte ». Juste avant le panneau marquant la fin de l'agglomération, tourner à angle aigu à gauche dans une route étroite en forte montée.

6

De la chapelle des marins, **vue★** sur Étretat et son site. La longue plage de galets s'étend en dessous, fermée par la falaise d'Aval et l'Aiguille.

Derrière la chapelle, une immense flèche se dresse vers le ciel. Ce **monument à la mémoire de Nungesser et Coli** rappelle le départ de l'*Oiseau blanc*, première et malheureuse tentative de la traversée sans escale de l'Atlantique (8 mai 1927). C'est d'ici que l'appareil fut aperçu pour la dernière fois.

À proximité

★★ Fécamp

▷ *À 20 km au nord-est d'Étretat par la D 11.*

Depuis son origine, la ville est étroitement liée à la mer et au commerce de ses produits. À la Renaissance, les premiers vaisseaux fécampois pêchent la **morue** sur les bancs de Terre-Neuve. Aujourd'hui, le port accueille les bateaux de plaisance tandis qu'une belle plage de galet attire les baigneurs.

★ **Abbatiale de la Trinité** – *℘ 02 35 10 60 96 - ♿ - juil.-août : 10h-18h30 ; reste de l'année : tlj sf mar. 10h-12h, 14h-17h30 - possibilité de visite guidée - fermé 1er janv., 1er Mai, 25 déc. - 3 € (-18 ans gratuit).* Elle fait revivre le passé monastique de la ville.

Deux musées intéressants sont d'autres bonnes raisons de s'y arrêter : 👥 le **musée des Terre-Neuvas et de la Pêche★** ; le **palais Bénédictine★★**, étonnant bâtiment baroque.

☺ NOS ADRESSES À ÉTRETAT

HÉBERGEMENT

BUDGET MOYEN

Hôtel La Résidence – *4 bd René-Coty - ℘ 02 35 27 02 87 - 15 ch. 60/120 € - 立 7 €.* Ce manoir du centre-ville date du 14e s. Ses chambres, plutôt agréables, sont assez amusantes avec leurs meubles disparates. Attention aux marches : le superbe escalier d'époque qui mène à la réception est de guingois, grand âge oblige ! Accueil plaisant. Location de vélos.

RESTAURATION

PREMIER PRIX

Lann Bihoué – *45 r. Notre-Dame - ℘ 02 35 27 04 65 - www.lannbihoue.com - fermé janv., merc. sf vac. scol. - 9-17 €.* Si vous souhaitez faire une entorse à votre régime gastronomique normand, vous trouverez forcément votre bonheur dans cette crêperie proche du centre-ville. Parmi les traditionnelles crêpes salées, au sarrasin, on trouvera la spécialité maison à l'andouille de Guéméné et aux pommes caramélisées. Service sympathique.

BUDGET MOYEN

Le Galion – *Bd René-Coty - ℘ 02 35 29 48 74 - fermé 15 déc.-26 janv., mar. et merc. hors saison - 22/39 €.* En plein centre, cette maison construite avec les éléments d'une vieille demeure de Lisieux a notamment un plafond de poutres sculptées qui date du 14e s. Sa cuisine et ses prix serrés en font une bonne adresse du coin.

Le Havre

178 769 Havrais – Seine-Maritime (76)

▯ S'INFORMER
Office de tourisme – *186 bd Clemenceau - 76059 Le Havre -* ☎ *02 32 74 04 04 - www.lehavretourisme.com - avr.-oct. : 9h-18h45, dim. 10h-12h30, 14h30-18h45 ; nov.-mars : 9h-12h30, 14h30-18h15, dim. et j. fériés 10h-12h30, 14h30-17h15 - fermé 1er janv. et 25 déc.*

◗ SE REPÉRER
Carte générale B1 – *Cartes Michelin n° 721 M6 et n° 513 H4.* À 197 km de Paris et 90 km de Rouen, l'agglomération du Havre s'étend sur la rive droite de l'embouchure de la Seine qu'enjambe le pont de Normandie. Au centre, le quartier moderne s'organise autour de l'Espace Niemeyer. Partant de l'hôtel de ville, l'avenue Foch mène au front de mer.

☺ À NE PAS MANQUER
Les collections du musée Malraux, le style après-guerre de l'appartement témoin d'Auguste-Perret et la promenade aménagée récemment le long des docks.

◷ ORGANISER SON TEMPS
L'idéal est de venir le mercredi ou le week-end pour avoir accès à un maximum de visites.

Gigantesque port maritime, ville industrielle et ultime jalon de la magnifique vallée de la Seine, Le Havre étale ses installations à la pointe la plus avancée du pays de Caux. Situés à quelques minutes du centre, sa plage et son port de plaisance s'ouvrent sur la Manche. Exemple remarquable de l'architecture et de l'urbanisme d'après-guerre, le centre-ville reconstruit par Auguste Perret est inscrit depuis 2005 sur la liste du Patrimoine mondial de l'Humanité. Le Havre possède aussi plusieurs musées et une charmante station balnéaire, Ste-Adresse.

Découvrir

★ Le quartier moderne
Volumes et espaces s'équilibrent, ménageant de grandes perspectives. La **place de l'Hôtel-de-Ville★**, construite suivant les plans de Perret, est l'une des plus vastes d'Europe. Dans l'axe de l'**avenue Foch★**, la « **Porte océane** » s'ouvre sur le front de mer. De l'extrémité de la digue nord, belle vue sur l'avant-port. De là, s'étend la plage du Havre, repaire des véliplanchistes, puis celle de Ste-Adresse. En retrait, l'**église St-Joseph★★** aux lignes sobres, conçue par Perret, se visite pour son intérieur monumental. Au sud de la promenade en front de mer, vous rejoindrez le **sémaphore**. D'ici, on peut suivre tous les mouvements des navires.

★★ Musée Malraux
2 bd Clemenceau - ☎ *02 35 19 62 62 - www.ville-lehavre.fr -* ♿ *- tlj sf mar. 11h-18h, w.-end 19h - fermé 1er janv., 1er Mai, 14 Juil., 11 Nov. et 25 déc. - 5 € (enf. gratuit), gratuit 1er sam. du mois.*

Le musée présente un panorama assez complet de la peinture du 17ᵉ au 20ᵉ s. et notamment un ensemble d'œuvres du Havrais Raoul Dufy (1877-1953), une collection de **toiles d'Eugène Boudin★** (1824-1898), né à Honfleur mais Havrais d'adoption. Le musée inauguré en 1961 par André Malraux a été réaménagé en 2005 et 2009 pour accueillir et mettre en valeur les deux importantes **donations Senn-Foulds★★** (205 et 67 œuvres) qui le placent au premier rang des collections impressionnistes en province

★ Appartement témoin Auguste Perret

Maison du Patrimoine - 181 r. de Paris - ℰ 02 35 22 31 22 - visites merc., sam. et dim. ttes les heures 14h-17h - fermé 1ᵉʳ janv., 1ᵉʳ Mai et 25 déc.

Belle reconstitution de l'appartement témoin qu'Auguste Perret avait présenté à l'Exposition internationale de 1947, puis deux ans plus tard aux Havrais.

À proximité

★ Sainte-Adresse

Au départ de cette charmante localité, le « Nice havrais », où vous apercevrez le manoir de Vitanval (15ᵉ s.), la plus vieille demeure du pays de Caux, rejoignez le phare du **cap de la Hève** pour le **panorama★** et la chapelle **N.-D.-des-Flots** qui renferme des ex-voto marins.

HISTOIRE D'UN PORT INSCRIT DANS SON TEMPS

De la naissance à la reconstruction – **François Iᵉʳ** fait construire le port sur un emplacement marécageux mais où l'étale de la mer haute dure plus de deux heures. De là partiront les découvreurs Jean Verrazzano et Samuel de Champlain ainsi que les Terre-neuvas. Dès la guerre d'indépendance américaine, Le Havre importe les produits d'outre-Atlantique (coton, café, tabac, bois exotique) et devient un des plus importants entrepôts de l'Europe. Au 19ᵉ s., les paquebots transatlantiques, dont le mythique *Normandie*, font la gloire du port. Durant la Seconde Guerre mondiale, Le Havre bombardé, assiégé et occupé par les forces allemandes, n'est libéré qu'après le pilonnage aérien des Alliés. En 1945, la ville se reconstruit suivant un plan d'urbanisme moderne conçu par **Auguste Perret** (1874-1954), le « magicien du béton armé ». Son œuvre vaut au Havre de figurer aujourd'hui au Patrimoine mondial de l'Unesco.

★★ Le port du Havre – Même s'il reste un port d'escales pour les paquebots, Le Havre a tourné la page des transatlantiques. Il est aujourd'hui au tout premier rang des ports européens grâce aux aménagements successifs de Port 2000, implanté dans l'estuaire de la Seine, et s'ouvre sur le monde entier. Le trafic passagers reste aussi important grâce aux rotations des car-ferries vers la Grande-Bretagne (Le Havre-Portsmouth). Et avec le projet du Grand Paris, d'autres enjeux se dessinent : « Paris, Rouen, Le Havre, une seule ville dont la Seine est la grande rue. », comme le disait déjà l'historien Jules Michelet (1798-1874) dans son ouvrage sur l'Histoire de France.

6

La Basse-Normandie

▶ SE REPÉRER

À moins de 2h de Paris par l'autoroute de Normandie, la région commence aux portes du Bassin parisien. Par l'A 13 (de la porte d'Auteuil) ou l'A 14 et l'A 13 de la Défense, Caen est à 236 km (2h30). À Caen, c'est la N 13 qui prend le relais pour rejoindre, via Bayeux, Cherbourg (à 356 km de Paris). À Caen débute aussi l'A 84 en direction d'Avranches (à 87 km) et du Mont-St-Michel, au sud de la presqu'île du Cotentin. D'Avranches, Rennes, la capitale de la Bretagne, n'est distante que de 87 km.

👁 À NE PAS MANQUER

Caen, pour ses remparts offrant un remarquable panorama sur la ville et pour son musée des Beaux-Arts. Bayeux, pour sa cathédrale et la tapisserie de la reine Mathilde. La baie du Mont-St-Michel, l'une des plus belles du monde et non loin, le site de la pointe du Grouin du Sud à Avranches. Granville qui peut constituer un point de départ vers les îles anglo-normandes de Chausey, Guernesey et Jersey. Coutances et sa cathédrale, au cœur du bocage normand. La presqu'île du Cotentin bordée par la mer de trois côtés et séparée du continent par une vaste étendue de marais et de polders peuplée d'oiseaux migrateurs. Cherbourg et sa Cité de la mer. Les nombreux villages qui témoignent de la violence des combats en 1944.

⏱ ORGANISER SON TEMPS

Caen et Bayeux, villes incontournables, ne doivent pas faire oublier, à quelques kilomètres, les stations balnéaires de la côte. En deux jours, vous pouvez concilier les deux facettes de la région en fonction de la météo. Il est également possible de passer la nuit au Mont-St-Michel, pour avoir le plaisir de contempler la baie en toute sérénité, le soir et tôt le matin.

Cette région réunit les départements de la Manche, de l'Orne et du Calvados. Le Cotentin, tel un doigt pointé vers le large, ouvre la région sur l'extérieur... Par l'austérité de ses paysages granitiques, la vie maritime dans ses ports, l'amplitude des marées autour des îles Chausey et dans la baie du Mont-St-Michel où s'élève une merveille de l'Occident, elle évoque la proche Bretagne. La Basse-Normandie, aux bocages ponctués de hameaux, de vergers de pommiers et de massifs forestiers, est dotée d'une riche histoire, depuis l'épopée de Guillaume le Conquérant jusqu'au débarquement des alliés en juin 1944 ; et dans les stations balnéaires situées entre Deauville et Cabourg s'affiche le charme désuet des villégiatures de la Belle Époque. Mais la Normandie, c'est aussi le développement de villes comme Caen ou Cherbourg, la modernisation de l'agriculture et de la pêche, des secteurs de pointe, des métropoles économiques et culturelles. Terre de contrastes, tirant le meilleur de la mer et de la terre, la Normandie n'oublie pas la table : pommes, cidre et calvados, moutons de pré-salé, huîtres de pleine mer, moules de bouchot ou homards de Chausey.

Caen

★★★

109 899 Caennais – Calvados (14)

 NOS ADRESSES PAGE 328

S'INFORMER

Office de tourisme - *Hôtel d'Escoville, pl. St-Pierre - 14000 Caen - ☎ 02 31 27 14 14 - www.tourisme.caen.fr - juil.-août 9h-19h, dim. et j. fériés 10h-13h, 14h-17h ; mars-sept. : 9h30-13h, 14h-18h30, dim. et j. fériés (avr.-sept). 10h-13h ; oct.-fév. : tlj sf dim. 9h30-13h, 14h-18h.*

SE REPÉRER

Carte générale B1 – *Cartes Michelin n° 721 G5 et n° 513 J7.* La ville est accessible par l'autoroute de Normandie, l'A 13. De Paris (234 km), comptez 2h30.

À NE PAS MANQUER

Le Mémorial, l'Abbaye-aux-Hommes et, dans le château, le musée des Beaux-Arts ainsi que la vue depuis les remparts.

ORGANISER SON TEMPS

Prévoyez 2h pour le seul Mémorial (les passionnés y resteront volontiers 3 ou 4h). Après une pause, la promenade dans la ville et la visite de quelques-uns de ses sites les plus intéressants vous conduiront à la fin de l'après-midi.

Capitale culturelle de la Basse-Normandie, Caen est une ville à la personnalité très affirmée. Les bombardements de juin 1944 auraient pu la laisser sans vie tant ils furent violents. Mais Caen a su réussir sa reconstruction. C'est aujourd'hui une ville résolument moderne d'esprit, intellectuellement riche et sachant faire part de tous ses charmes à ceux qui viennent à sa rencontre.

Se promener

Le secteur piétonnier qui s'étend de la place St-Pierre à la place de la République incite à la flânerie. Très animé le soir, le boulevard du Mar.-Leclerc est le lieu de rendez-vous de la jeunesse caennaise.

★★ Abbaye-aux-Hommes

★★ **Église St-Étienne** – C'est l'église de l'ancienne abbaye fondée par **Guillaume le Conquérant**, qui y fut inhumé. Commencée vers 1066 dans le style roman, elle est achevée au 13e s. dans le style gothique. L'art roman a produit peu d'œuvres plus saisissantes que la **façade**. Austérité cependant corrigée par le magnifique envol de deux tours, coiffées de flèches de style gothique. Au 13e s. un chœur gothique fut substitué au chœur roman. Remarquez les belles stalles et la chaire du 17e s. Après avoir contourné le **chevet★★**, gagnez les jardins à la française de l'esplanade Louvel.

Bâtiments conventuels – ☎ 02 31 30 42 81 - www.caen.fr - Visite guidée (1h15) 9h30, 11h, 14h30 et 16h - fermé 1er janv., 1er Mai et 25 déc. - 3 € (-18 ans gratuit), gratuit dim. Ils datent du 18e s. et renferment de belles **boiseries★★**.

6

★ Abbaye-aux-Dames

Fondée en 1062 par la reine Mathilde, cette abbaye constitue le pendant « féminin » de l'Abbaye-aux-Hommes.

★★ **Église de la Trinité** – *𝒫 02 31 86 13 11 - 9h30-18h30.* Élevé au 11ᵉ s., cet édifice de style roman conserve, au centre, le tombeau de la reine Mathilde

★ Château

Cette vaste citadelle élevée sur une butte fut créée par Guillaume le Conquérant en 1060, puis agrandie aux siècles suivants. De la terrasse située à droite et du chemin de ronde établi sur les remparts, de belles **vues** se dégagent sur l'église St-Pierre et la partie ouest de la ville jusqu'à l'Abbaye-aux-Hommes.

★★ **Musée des Beaux-Arts** – *𝒫 02 31 30 47 70 -* ♿ *- 9h30-18h (dernière entrée 1/4h av. fermeture) - fermé mar., 1ᵉʳ janv., 1ᵉʳ Mai, Ascension, 1ᵉʳ nov. et 25 déc. - 3 € -5 € expositions temporaires (-26 ans gratuit).* Intégré dans l'enceinte du château, le musée présente des **peintures italiennes, françaises et flamandes du 15ᵉ au 20ᵉ s**. Parmi les œuvres majeures, voyez *Coriolan apaisé par sa mère* de Guerchin, *La Tentation de saint Antoine* de Véronèse, *Le Vœu de Louis XIII* de Philippe de Champaigne, la *Plage de Deauville* de Boudin, les peintures de Vuillard, Bonnard, Dufy, Van Dongen… et celles des artistes de la région, Lemaître, Lebourg.

★★★ Le Mémorial

𝒫 02 31 06 06 44 - www.memorial-caen.fr - ♿ *- 9h-19h (9h30-18h de mi-nov. à fin déc.) - fermé lun. en nov.-déc., de janv. à mi-fév. et 25 déc. - 18,50 € ou 18 € selon périodes de l'année.*

Ce musée pour la paix convie à effectuer un voyage dans la mémoire collective, de 1918 à nos jours, grâce à une scénographie réussie, aux documents – dont la projection sur un écran panoramique de la « **bataille de Normandie** ». Un espace est consacré à la guerre froide. La présentation des moments clefs de cette période conduit au hall de la Paix qui, dans un souci de réflexion, rappelle les conflits dans le monde. Une galerie permet de découvrir l'action des derniers lauréats du **prix Nobel de la Paix**.

UNE VILLE MARQUÉE PAR L'HISTOIRE

Guillaume et Mathilde – La ville prend de l'importance au 11ᵉ s., lorsqu'elle devient la résidence préférée du duc Guillaume. Après sa victoire sur les barons du Cotentin et du Bessin, Guillaume, assuré de la possession de son duché, demande la main de Mathilde de Flandre. Lorsqu'il part pour la conquête de l'Angleterre, la fidèle Mathilde assume la régence. Couronnée reine d'Angleterre en 1068, elle est inhumée dans l'**Abbaye-aux-Dames** en 1083. Guillaume meurt en 1087 et, selon son désir, est inhumé dans l'abbatiale St-Étienne de l'**Abbaye-aux-Hommes**.

La bataille de Caen – Le 6 juin 1944, l'histoire se charge de confirmer que Caen porte bien son nom (du gaulois *catu*, « combat », et *magos*, « champ ») : Caen ou « le champ du combat »… Les bombes alliées pleuvent en effet sur la ville, qui prend feu ; l'incendie dure onze jours. Il ne reste rien des quartiers centraux. Le 9 juillet, les Canadiens entrent dans la ville par l'ouest ; mais les Allemands, repliés sur la rive droite de l'Orne dans Vaucelles, la pilonnent à leur tour. Un mois s'écoule encore avant que le dernier obus allemand ne tombe sur la ville.

Plage d'Arromanches.
L. Galsin/Age Fotostock

À proximité

★ Lisieux

▶ *À 64 km à l'est de Caen par la D 613.*

Agréablement situé dans la vallée de la Touques, Lisieux est devenu le premier centre commercial et industriel du riche pays d'Auge. La notoriété de cette ville, à la fois tranquille et dynamique, se concentre aujourd'hui sur le « Lisieux de sainte Thérèse ».

Les Buissonnets – ☎ 02 31 48 55 08 - www.therese-de-lisieux.com - *de Pâques à déb. oct. : 9h-12h, 14h-18h ; de déb. oct. à Pâques : 10h-12h, 14h-17h (16h nov.-janv.) - fermé 1ᵉʳ janv, de mi-nov. à mi-déc et 25 déc.* On visite la maison où Thérèse vécut de l'âge de 4 à 15 ans : la salle à manger, sa chambre où elle guérit miraculeusement à 10 ans, la chambre de son père. Souvenirs de l'enfant : robe de première communion, jouets, etc.

Basilique Ste-Thérèse – L'imposante basilique, consacrée le 11 juillet 1954, est l'une des plus grandes églises du 20ᵉ s. (4 500 m² ; dôme de 95 m). Le campanile, dont la construction a été interrompue en 1975, s'élance à 45 m. Il renferme le bourdon, trois autres cloches et un carillon de 45 pièces. L'immense nef, très colorée, se pare de marbres, vitraux et mosaïques. Un reliquaire *(croisillon droit)* contient les os du bras droit de la sainte. Une exposition, « **Le carmel de sainte Thérèse** », est présentée dans le cloître nord de la basilique.

Circuit conseillé

★★ LES PLAGES DU DÉBARQUEMENT

Si au fil des siècles conquérants et armateurs ont porté loin la tradition de la terre normande, en 1944, ce sont sur ses plages que se déroulèrent les prouesses des troupes alliées britanniques, américaines et canadiennes qui entamèrent durement la libération du sol français. Plusieurs lieux du souvenir le long du littoral permettent de retracer ce moment historique unique, sur les pas des combattants, et les moyens mis en œuvre pour combattre l'ennemi.

🚶 **Itinéraire de l'Espace historique de la bataille de Normandie** : www. normandiememoire.com

▶ *140 km. Au départ de Caen par la D 515. Seule est décrite ici la section qui va des plages au nord de Caen, à partir de Ouistreham-Riva-Bella, jusqu'à Ste-Mère-Église, à l'ouest de la pointe du Hoc.*

★ Pegasus Bridge

Les ponts de Ranville-Bénouville furent pris dans la nuit du 5 au 6 juin 1944 par la 5ᵉ brigade parachutiste britannique.

★ **Mémorial Pegasus** – 📞 *02 31 78 19 44 - avr.-sept : 9h30-18h30 ; fév.-mars et d'oct. à mi-déc. : 10h-17h -* ♿ *- 6 €.* Pegasus Bridge, démonté et remplacé sur l'Orne par une réplique plus grande, se trouve près du musée qui présente la vie des hommes sous l'Occupation et pendant le Débarquement.

Sword Beach

Les commandos franco-britanniques débarquèrent à **Colleville-Plage**, **Lion-sur-Mer** et **St-Aubin**. Ils établirent la liaison avec les troupes de Pegasus Bridge.

Juno Beach

Les Canadiens de la 3ᵉ division prirent pied dans **Bernières** et **Courseulles**. Ces troupes entrèrent les premières à Caen, le 9 juillet 1944.

Courseulles-sur-Mer

C'est sur la plage ouest de la localité que prirent pied, le 12 juin 1944, Churchill, le 14, de Gaulle se rendant à Bayeux, et, le 16, George VI.

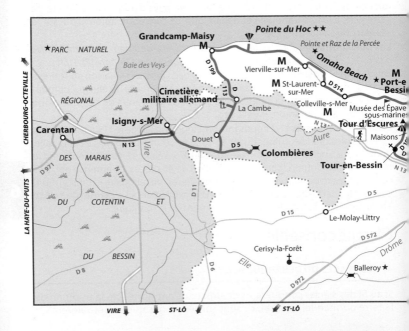

Gold Beach

Les Britanniques de la 50ᵉ division débarquent à **Ver-sur-Mer** et à **Asnelles**. Par un mouvement tournant, ils se rendirent maîtres d'**Arromanches**. Le 47ᵉ commando enlève **Port-en-Bessin★** le 7 juin. La jonction entre le secteur anglais et « Omaha Beach » est effective dès le 9.

★ Arromanches-les-Bains

Les Alliés mirent en place en huit jours un port artificiel dans la rade. Ce qui reste de ce « Mulberry B » témoigne de la prouesse industrielle et maritime la plus extraordinaire de la guerre : il permit de débarquer jusqu'à 9 000 t de matériel par jour.

Omaha Beach

Le nom d'Omaha Beach fut appliqué aux plages de **Colleville-sur-Mer**, **St-Laurent-sur-Mer**, et **Vierville-sur-Mer** en hommage aux soldats américains de la 1ʳᵉ division tombés aux cours de la bataille la plus coûteuse du « D Day » (voir le Visitor Center).

★★ **Pointe du Hoc** – Puissamment fortifiée par les Allemands, elle formait un poste d'observation sur le littoral où apparurent, à l'aube du 6 juin 1944, la flotte et les troupes de débarquement américaines.

Cimetière militaire allemand de la Cambe – Cette impressionnante nécropole rassemble les corps de 21 500 soldats allemands tombés lors des combats de 1944.

Ste-Mère-Église *(hors plan, au nord de Carentan)* – La ville, immortalisée par le film *Le Jour le plus long*, s'est vue portée au 1ᵉʳ rang de l'actualité mondiale dans la nuit du 5 au 6 juin 1944 lorsque les parachutistes américains de la 82ᵉ division sont tombés sur la commune et ses environs.

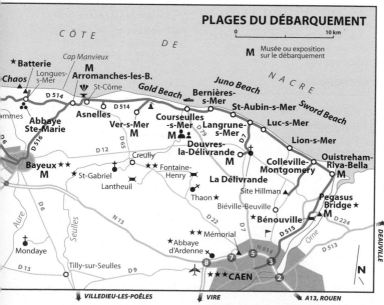

😊 NOS ADRESSES À CAEN

HÉBERGEMENT

PREMIER PRIX

Hôtel Bernières – *50 r. de Bernières* - ☎ *02 31 86 01 26* - *www.hotelbernieres.com* - *17 ch. 47/57 €* - ☕ *6 €*. Ne manquez pas l'entrée discrète de cet hôtel car vous le regretteriez. L'accueil est convivial, la salle du petit-déjeuner et le salon sont charmants et les chambres mignonnettes à souhait.

BUDGET MOYEN

Hôtel du Havre – *11 r. du Havre* - ☎ *02 31 86 19 80* - *www. hotelduhavre.com* - *19 ch. 61/68 €* - ☕ *6 €*. Non loin de la « prairie » et de l'hippodrome, vous trouverez dans cet immeuble de l'après-guerre des chambres modernes, colorées et insonorisées à des prix tout à fait attractifs.

Hôtel du Château – *5 av. du 6-Juin* - ☎ *02 31 86 15 37* - *www. hotel-chateau-caen.com* - 🅿 - *24 ch. 60/80 €* - ☕ *8 €*. Hôtel bien placé au centre-ville, entre le port de plaisance et le château. Chambres petites mais coquettes, sobrement décorées dans des coloris pastel.

RESTAURATION

BUDGET MOYEN

Saint-Andrew's – *9 quai de Juillet* - ☎ *02 31 86 26 80* - *www. restaurantsaintandrews.sitew. com* - *réserv. conseillée* - *formule déj. 19,50 €* - *14,50/26,50 €*. Cette table est idéale pour un dîner convivial après une flânerie le long de l'Orne. Dans un cadre qui n'est pas sans rappeler certains pubs anglais, vous dégusterez une cuisine traditionnelle soignée, élaborée à base de produits frais sélectionnés chez des producteurs de la région.

L'Insolite – *16 r. du Vaugueux (au pied du château)* - ☎ *02 31 43 83 87* - *fermé dim. et lun. sf mai.-sept.* - *réserv. conseillée* - *15/54 €*. Cette maison à colombages du 16e s. vaut le coup d'œil car, comme l'indique l'enseigne, son décor est un rien insolite : plaisant mélange des styles rustique et rétro. Dans l'assiette, poissons et fruits de mer. Terrasse chauffée en hiver.

L'Embroche – *17 r. Porte-au-Berger* - ☎ *02 31 93 71 31* - *fermé sam. midi, dim. et lun.* - *réserv. conseillée* - *19/35 €*. Cette adresse du quartier du Vaugueux propose trois spécialités : le brick de camembert sur lit de salade arrosée au calva, l'éventail de rumsteck et son jus réduit au caramel de balsamique et les tripes artisanales du « Père Michel ». Sélection de fromages affinés et beau choix de vins provenant de petits récoltants.

Pain et Beurre – *46 r. Guillaume-le-Conquérant* - ☎ *02 31 86 04 57* - *fermé sam. midi, dim. soir et lun.* - *23,50/31 €*. Un bistrot de chef dans un cadre sobre et élégant, à deux pas de l'Abbaye-aux-Hommes. Cuisine fine et de qualité mêlant produits du terroir et mets plus exotiques.

Le Carlotta – *16 quai Vendeuvre* - ☎ *02 31 86 68 99* - *www.lecarlotta. fr* - *fermé dim.* - *23/36 €*. Grande brasserie d'inspiration Art déco, fréquentée pour son atmosphère vivante et sa cuisine typique du genre, enrichie de plats de poissons. Véranda ouverte l'été sur le port.

Le Mont-Saint-Michel

★ ★ ★

42 Montois – Manche (50)

 S'INFORMER

Office de tourisme – *Corps de garde des Bourgeois - 50116 Le Mont-St-Michel - ☎ 02 33 60 14 30 - www.ot-montsaintmichel.com, www.abbaye-saintmichel.com - juil.-août : 9h-19h ; reste de l'année : mat. et apr.-midi - fermé 1ᵉʳ janv. et 25 déc.*

▶ **SE REPÉRER**

Carte générale B2 – *Cartes Michelin n° 721 F5 et n° 513 C11*. Quel que soit votre point de départ, vous passerez par Caen ou par Rennes. Le Mont se situe à l'extrême nord de la D 976, qui naît à Pontorson, à 10 km au sud. De là, la N 175 file au nord-est vers Avranches (21 km).

☺ **À NE PAS MANQUER**

Le panorama sur la baie depuis les remparts et l'abbaye, l'observation de la marée montante.

🕐 **ORGANISER SON TEMPS**

En arrivant tôt le matin, vous pourrez vous garer plus près du Mont dans les parkings qui s'étirent sur près de 2 km de digues. L'abbaye peut se visiter en nocturne, des profondeurs jusqu'au cloître. Ne manquez pas le coucher de soleil sur la baie depuis le parvis de l'église !

La baie du Mont-St-Michel est le théâtre des plus impressionnantes marées d'Europe. Classée depuis 1979 au Patrimoine mondial de l'Unesco, elle sert d'écrin à l'abbaye bénédictine du Mont-St-Michel, édifiée sur un îlot granitique de 80 m de haut et reliée depuis 1877 au continent par une digue. Ce joyau de l'architecture médiévale, haut lieu de pèlerinage pour tout l'Occident, fut aussi un important centre intellectuel et politique au Moyen Âge. Au Mont et alentours, toutes les heures sont belles, presque envoûtantes.

Découvrir

LE BOURG

★ Grande-Rue

Étroite et en montée, elle est bordée de maisons anciennes (15ᵉ-16ᵉ s.) dont plusieurs ont gardé leur nom d'antan, Le **Vieux Logis**, la **Sirène**, la **Truie-qui-file**. Coupée de marches à son sommet, elle est extrêmement encombrée et animée pendant la saison estivale, mais les boutiques de souvenirs l'envahissent ni plus ni moins qu'à l'époque des plus fervents pèlerinages, au Moyen Âge.

★★ Remparts

13ᵉ-15ᵉ s. La promenade sur le chemin de ronde offre de belles **vues** sur la baie, en particulier depuis la tour Nord : on distingue le rocher de Tombelaine, sur lequel Philippe Auguste avait fait bâtir des fortifications.

6

★★★ L'ABBAYE

✆ 02 33 89 80 00 - Mai-août : 9h-19h (dernière entrée 1h av. fermeture) ; sept.-avr. : 9h30-18h - fermé 1ᵉʳ janv., 1ᵉʳ Mai et 25 déc. - 9 € (-25 ans gratuit), gratuit 1ᵉʳ dim. du mois (nov.-mars).

La visite s'effectue à travers un dédale de couloirs et d'escaliers. On atteint le **Grand Degré**, escalier qui conduit à l'abbaye. En haut et à droite s'ouvre l'entrée des jardins, puis s'amorce l'escalier des remparts. On passe sous l'arche d'une porte pour pénétrer dans une cour fortifiée que domine le **châtelet**. Dans cet ouvrage militaire transparaît le souci d'art du constructeur : la muraille est bâtie en assises alternées de granit rose et gris. De là part l'**escalier du Gouffre**, un passage couvert d'une voûte en berceau surbaissé. Il aboutit à la belle porte qui donne accès à la **salle des gardes ou porterie**. On gravit ensuite l'**escalier abbatial** qui se développe entre les bâtiments abbatiaux à gauche et l'église à droite et aboutit à la terrasse dite le « **Saut Gautier** ». De la plate-forme de l'ouest, vaste terrasse créée par l'arasement des trois dernières travées de l'église, la **vue**★ s'étend sur la baie du Mont-St-Michel.

★★ Église

Le **chevet**, avec ses contreforts, arcs-boutants, clochetons, balustrades, est un chef-d'œuvre de grâce et de légèreté. À l'intérieur, le contraste entre la nef romane, sévère et sombre, et le chœur gothique, élégant et lumineux, est saisissant.

★★★ La Merveille

Ce nom désigne les bâtiments gothiques qui occupent la face nord. La partie est de ces constructions, la première édifiée (1211-1218), comprend, de bas en haut, l'aumônerie, la salle des Hôtes et le réfectoire ; dans la partie ouest (1218-1228) leur correspondent le cellier, la salle des Chevaliers et le cloître.
Extérieurement, la Merveille a l'aspect puissant d'une forteresse, tout en accusant, par la noblesse et la pureté de ses lignes, sa destination religieuse. À l'intérieur, on découvre l'évolution accomplie par le style gothique depuis la simplicité encore presque romane des salles basses, jusqu'au chef-d'œuvre de finesse et de légèreté qu'est le cloître, en passant par l'élégance de la salle des Hôtes, la majesté de la salle des Chevaliers et la luminosité mystérieuse du réfectoire.

★★★ Cloître

Il est comme suspendu entre mer et ciel. Les arcades des galeries comportent des **sculptures** fouillées, dans un décor de feuillage orné çà et là de formes humaines et d'animaux ; on y découvre quelques motifs poétiques illustrant l'art sacré. Les arcades sont soutenues par de ravissantes colonnettes disposées en quinconce afin de donner une impression de légèreté.

★★ Réfectoire

L'impression est étonnante : il règne une belle lumière diffuse qui, à l'évidence, ne peut provenir des deux baies percées dans le mur du fond ; l'acoustique y est remarquable. En avançant, on découvre l'artifice de l'architecte : pour éclairer la salle sans affaiblir la muraille soumise à la forte pression de la charpente, il a ménagé des **ouvertures** très étroites et très hautes au fond d'embrasures.

★ Salle des Hôtes

L'abbé y accueillait les rois (Saint Louis, Louis XI, François Iᵉʳ) et les visiteurs de marque. La salle, aux voûtes gothiques, présente deux nefs séparées par

UNE BAIE MENACÉE DE DISPARITION

Depuis des décennies, la baie s'ensable. En effet, la mer y dépose annuellement environ 1 000 000 de m^3 de sédiments. Cette **poldérisation** s'est accentuée depuis le milieu du 19e s. jusqu'en 1969, avec la construction d'un certain nombre d'ouvrages. Un barrage sur la rivière du Couesnon et une passerelle en remplacement de la digue-route actuelle (fin des travaux en 2015) devraient créer un effet de chasse d'eau pour évacuer ces sédiments par les marées.

de fines colonnes. En fait, cette salle élégante était divisée en deux par un rideau de tapisseries. Une partie servait de cuisine (2 cheminées), l'autre de salle à manger (cheminée d'ambiance).

★★ LA BAIE DU MONT-SAINT-MICHEL

Environ 100 km de côtes bordent la baie du Mont-St-Michel. Les îles, les falaises, les plages et les dunes forment une succession de zones riches d'une faune et d'une flore très variées. Ce parcours du littoral cotentinois réserve des vues étonnantes sur le Mont et ménage de belles promenades entre les **polders** et les **herbus**.

😊 **Bon à savoir** – L'amplitude des **marées** dans la baie, au fond plat, peut atteindre 14 m et les bancs de sable découvrent très loin : jusqu'à 15 km en vive eau. Le flot monte à l'allure d'un homme marchant d'un bon pas. Ce phénomène, accompagné d'un encerclement dû aux nombreux courants qui grossissent, peut mettre en danger les imprudents.

En partant de la station balnéaire de **Granville★**, les belvédères et la route dévoilent des vues de plus en plus belles à mesure que l'on se rapproche du Mont.

Entre **Carolles** et **St-Jean-le-Thomas**, une **vue★★** étendue et splendide révèle le Mont.

Depuis le **Bec d'Andaine★**, dans un paysage de plages de sable fin et de dunes, la route côtière passe par le Grand Port et offre des vues intéressantes et rapprochées du Mont, particulièrement à **la pointe du Grouin du Sud**.

À l'approche du Mont, l'itinéraire du bord de mer longe la tangue où se forme une végétation spécifique, l'herbu, qui fait le régal des **moutons de pré-salé**.

6

Coutances

★★

9 436 Coutançais – Manche (50)

 S'INFORMER

Office de tourisme – *Pl. Georges-Leclerc - 50200 Coutances - 📞 02 33 19 08 10 - www.tourisme-coutances.fr - été : tlj ; reste de l'année : tlj sf dim., se renseigner pour les horaires.*

▶ **SE REPÉRER**

Carte générale B1 – *Cartes Michelin n° 721 F5 et n° 513 D8.* Coutances se trouve à un carrefour routier : la D 972 la relie à St-Lô (29 km à l'est), la D 900 file vers Cherbourg au nord (77 km) et la D 971 conduit vers Granville (29 km au sud).

🕐 **ORGANISER SON TEMPS**

Consacrez 2h à la visite de la ville et de la cathédrale puis poursuivez votre excursion dans les alentours.

👥 **AVEC LES ENFANTS**

La visite de la cathédrale spécialement conçue pour eux en été.

Ville de bocage, capitale religieuse et judiciaire de la Manche jusqu'à la Révolution, Coutances accueille chaque année en mai le dynamique festival de « Jazz sous les pommiers ».

Découvrir

★★★ Cathédrale

📞 *02 33 19 08 10 - www.coutances.fr - juil.-août : visite guidée (1h30) tlj sf sam. et dim. mat. 11h et 15h ; juin : sam. et dernier dim. du mois 15h ; sept. : mar. et dim. 15h ; oct.-mai : dernier dim. du mois 15h - 7 €. 👥 Début juil. à fin août : lun., mer. et vend. à 14h30, guides pour enfants (6-12 ans) : visite de la cathédrale, construction d'une maquette, visite des greniers de la cathédrale, taille de pierre - 4 €.*

Par l'heureux équilibre de ses proportions et la pureté de ses lignes, cet édifice constitue un fleuron de l'art gothique en Normandie.

Extérieur – La **façade** porte, au-dessus de la grande fenêtre, un couronnement qui s'achève par une superbe galerie. Cette profusion de lignes ascendantes, admirable dans les détails, mène à l'envolée finale des flèches en écailles (78 m). La tour-lanterne de la croisée du transept, encadrée de tourelles en poivrière, est remarquable par la finesse de ses nervures et l'étroitesse de ses ouvertures.

Intérieur – L'audacieuse tour-lanterne de la croisée du **transept**, encadrée de tourelles en poivrière, est remarquable par la finesse de ses nervures et l'étroitesse de ses ouvertures. Arrêtez-vous au fond de la nef d'où la vue sur l'ensemble de l'édifice est exceptionnelle : l'élégance des lignes montantes lui confère une rare distinction. Remarquez les grandes arcades au-dessus desquelles se déroule la file des tribunes dont les baies, surmontées de rosaces aveugles, ont été bouchées.

★★★ **Tour-lanterne** – Octogonale, haute de 41 m sous voûte, elle domine la croisée. Au pied du gros pilier droit de la croisée du transept, belle statue de Notre-Dame de Coutances (14e s.).

Détail de la cathédrale.
D. Hughes/Age Fotostock

★★ **Parties hautes** – La visite guidée fait découvrir les éléments d'époque romane de l'édifice primitif. La promenade se termine par les galeries du 3ᵉ étage et le sommet de la tour-lanterne : **panorama** immense, englobant Granville, les îles Chausey et Jersey.

À proximité

★★ Abbaye de Hambye
◖ *À 26 km au sud-est de Coutances par la D 7, puis la D 13 et la D 51. ℰ 02 33 61 76 92 - d'avr. à fin oct. : 10h-12h, 14h-18h - fermé mar. (sf juil.-août) - 4,20 € (-15 ans 1,75 €).*
Construite au début de la période gothique, elle n'a rien perdu de sa beauté : ses ruines inspirent le recueillement, sentiment que le paysage environnant renforce. L'aspect sévère du monument est atténué par la finesse des baies à lancettes qui apportent au décor une note romantique. Au-dessus de la croisée du transept s'élève un clocher carré percé de baies en plein cintre. Restauré, le chœur gothique, avec ses arcades aiguës, son déambulatoire et ses chapelles rayonnantes, a des dimensions exceptionnelles.

★ Villedieu-les-Poêles
◖ *À 35 km au sud-est de Coutances par la D 7, puis la D 9.*
Universellement connue pour son travail du cuivre – poêles, cloches, batteries de cuisine, coqs de clochers… –, Villedieu possède aussi de charmantes cours intérieures comme celle des Trois-Rois.
★ **Fonderie de cloches Cornille-Havard** – *ℰ 02 33 61 00 56 - ⧖ - www. cornille-havard.com - Juil.-août : 9h30-18h30 ; de mi-fév. à fin juin et sept.-nov. : tlj sf dim.-lun. 10h-12h, 14h-17h30 - 5,50 € (-12 ans 4,50 €).* On y fabrique comme autrefois des cloches destinées aux églises, aux navires, aux édifices publics du monde entier. Guidé par les compagnons fondeurs, vous verrez les fours, les moules, les fosses où sont coulées les cloches.

Presqu'île du Cotentin

Manche (50)

⊞ S'INFORMER

Office de tourisme de Cherbourg-Octeville – *2 quai Alexandre-III - 50100 Cherbourg-Octeville -* 𝒫 *02 33 93 52 02 - www.otcherbourgcotentin.fr - de mi-juin à mi-sept. : 9h30-19h, dim. 10h-13h, 14h-17h ; de mi-sept. à mi-juin : 10h-12h30, 14h-18h (et dim. pdt vac. scol. 10h-13h).*

▶ SE REPÉRER

Carte générale B1 – *Cartes Michelin n° 721 F4 et n° 513 AE4-6.* Pour rejoindre Cherbourg au départ de Caen (123 km au sud-est), ou de Bayeux (96 km), suivez la N 13.

😊 À NE PAS MANQUER

La baie d'Écalgrain, avec Guernesey pour toile de fond, et le nez de Jobourg et ses écueils sur le cap de La Hague, Cherbourg.

🕑 ORGANISER SON TEMPS

Choisissez une base de départ et rayonnez autour en fonction de la météo.

👥 AVEC LES ENFANTS

La Cité de la Mer pour plonger dans le monde sous-marin, l'observatoire - planétarium de La Hague pour rejoindre les étoiles.

Cette péninsule au paysage bocager est bordée au sud par le Parc naturel régional des Marais du Cotentin et finit au nord par le cap de La Hague qui tient tête parfois aux déchaînements de la mer. Sur la côte nord, la ville de Cherbourg-Octeville possède la plus grande rade artificielle du monde et un riche patrimoine monumental, dominé par l'ensemble remarquable de sa grande digue.

Circuit conseillé

▶ *40 km. Au départ de Cherbourg.*

⋆ Cherbourg-Octeville

Ce qui a fait Cherbourg, c'est la **digue** progressivement construite entre 1783 et 1853. Le **port militaire**, commencé sur l'ordre de Napoléon Iᵉʳ, fut inauguré en 1858 par Napoléon III. Dévasté, infesté de mines lors de la Seconde Guerre mondiale par les Allemands qui en avaient fait un des points forts du **mur de l'Atlantique**, il fut remis en état en un temps record par les Américains *(voir « Plages du Débarquement »).*

⋆⋆ **Cité de la Mer** – *Gare maritime transatlantique, en face du port de plaisance -* 𝒫 *02 33 20 26 26 - www.citedelamer.com -* ♿ *- juil.-août : 9h30-19h ; avr. : 10h-18h ; mai-juin et sept. : 9h30-18h ; oct.-mars : tte la journée, se renseigner - fermé 1ᵉʳ janv., 3 sem. en janv. et 25 déc. - de 18 € à 15,50 € selon la saison (-5 ans gratuit). Accès au sous-marin interdit aux -5 ans.* 👥 Dans le pôle « Océan et ses trésors », on découvre un immense **aquarium**⋆ peuplé de 3 500 poissons évoluant dans un atoll corallien, un bassin où les enfants peuvent caresser

les raies… et dans le pôle « monde des sous-marins », on visite, entre autres, le **Redoutable**★, premier sous-marin nucléaire français.
Quitter Cherbourg à l'ouest par la D 901.

Ludiver - Observatoire - Planétarium de La Hague

6 km à l'ouest de Cherbourg. ☏ 02 33 78 13 80 - ♿ - www.ludiver.com - haute saison : 11h-18h30 ; basse saison : tlj sf sam. 14h-18h - 7,50 € (-18 ans 5,50 €).

👥 Installé sur le plateau de Flottemanville-Hague et Tonneville, ce centre a pour objet la découverte du ciel, des astres et des planètes de notre Univers. L'ensemble regroupe : un espace muséographique consacré à l'Univers et à l'astronomie, un planétarium, un amphithéâtre intérieur. Le site d'observation bénéficie de conditions idéales, car la pollution lumineuse et atmosphérique est ici minimale.
Revenir sur la côte et passer sous la D 901.

★ Goury

Le petit port a longtemps été le seul refuge des pêcheurs pris par la tempête dans le **raz Blanchard** où les courants de marée sont parmi les plus forts du monde : ils peuvent atteindre 12 nœuds. Il possède une très importante station de sauvetage. Dans son abri, le canot de sauvetage pivote sur une plaque tournante qui permet le lancement à partir de deux voies rayonnantes différentes : l'une dirigée vers l'intérieur du port à marée haute, l'autre vers l'extérieur à marée basse. Au-delà du raz Blanchard se profilent les silhouettes des îles anglo-normandes. L'échine granitique de La Hague devient de plus en plus sauvage à mesure que l'on se rapproche d'Auderville et de Jobourg. Le paysage est magnifique.

★★ Baie d'Écalgrain

Cette grève solitaire, encadrée de landes tapissées de bruyères, occupe un site d'une grande beauté. À gauche de l'île d'Aurigny (Alderney), apparaissent les îles de Guernesey et de Sercq : au fond se développe la côte ouest du Cotentin.
De Dannery, la D 202 mène au nez de Jobourg.

> **RANDONNÉES**
> 🥾 Les sentiers aménagés par le **Parc naturel régional des marais du Cotentin et du Bessin** offrent une découverte ludique de la faune (nombreux oiseaux) et de la flore à travers les différents milieux des marais, du bocage, des landes, de la forêt et du littoral.
> 🍃 **Maison du Parc** - *17 r. de Cantepie - 50500 Les Veys - ☏ 02 33 71 61 90 - www.parc-cotentin-bessin.fr.*

★★ Nez de Jobourg

Le long promontoire escarpé et décharné, environné d'écueils, est le « finistère » le plus imposant de La Hague. La promenade sur le **nez de Voidries** permet de le voir sous son aspect le plus impressionnant. Le site est grandiose, notamment quand la mer est turbulente et que les vagues viennent s'écraser avec fracas sur les rochers.
Revenir à Cherbourg par la D 901.

De Cherbourg à Barfleur, la route de corniche qui suit la **côte nord**★★ offre entre Bretteville et Fermanville des **points de vue**★ intéressants à la pointe du Brulay.

6

Bayeux

13 478 Bajocasses ou Bayeusains – Calvados (14)

S'INFORMER

Office de tourisme – *Pont-St-Jean - 14400 Bayeux -* ☏ *02 31 51 28 28 -* *www.bessin-normandie.com - juil.-août : 9h-19h, dim. et j. fériés 9h-13h, 14h-18h ; avr.-juin et sept.-oct. : 9h30-12h30, 14h-18h, dim. 10h-13h, 14h-18h ; nov.-mars : tlj sf dim. 9h30-12h30, 14h-17h.*

SE REPÉRER

Carte générale B1 – *Cartes Michelin n° 721 G4 et n° 513 H7.* À deux pas des plages du Débarquement, d'Omaha Beach et d'Arromanches, Bayeux est à 30 km au nord-ouest de Caen.

À NE PAS MANQUER

Les rues du vieux Bayeux sont riches de demeures anciennes en pierre ou à pans de bois. Ne manquez pas celles de la rue St-Martin.

ORGANISER SON TEMPS

L'épopée brodée de Guillaume le Conquérant vous retiendra une bonne heure.

AVEC LES ENFANTS

La tapisserie de la reine Mathilde qui peut se lire comme une BD grâce à la visite audioguidée spécialement conçue pour les enfants.

Le charme nostalgique de la vieille capitale du Bessin est le reflet d'un patrimoine hors du commun et miraculeusement préservé. L'histoire de Bayeux est en effet marquée par deux conquêtes : celle, en 1066, de l'Angleterre par les Normands, et celle, en 1944, des Alliés sur les plages de Normandie qui fit de Bayeux la première ville de France libérée. La cathédrale continue à veiller sur les ruelles et les hôtels particuliers. Et la tapisserie dite « de la reine Mathilde », témoignage d'une valeur unique, fait toujours l'enchantement des visiteurs.

Découvrir

★★★ Musée de la Tapisserie de Bayeux - Centre Guillaume-le-Conquérant

☏ *02 31 51 25 50 -* &. *- www.tapisserie-bayeux.fr - mai-août : 9h-19h (dernière entrée 3/4h av. fermeture) ; de mi-mars à fin avr. et sept.-oct. : 9h-18h30 ; de déb. nov. à mi-mars : 9h30-12h30, 14h-18h - fermé 31 déc.-2 janv., 2ᵉ sem. janv., 24-26 déc. - 7,80 € (enf. 3,80 €).*

La présentation de la célèbre **tapisserie★★★** est organisée en deux espaces. Dans la sombre salle Harold est exposé derrière une vitrine ce chef-d'œuvre roman long de 70 m. Puis une exposition permet de comprendre l'origine et l'histoire de la tapisserie. Des maquettes, panneaux et vitrines expliquent le règne de Guillaume le Conquérant ainsi que les secrets de réalisation de la broderie et les contraintes liées à sa conservation.

Elle illustre, en **58 scènes** aux détails piquants, l'histoire de Guillaume le Conquérant, duc de Normandie, et de Harold, roi d'Angleterre. Les Anglais se

---

LA PREMIÈRE BD

Il est probable que la tapisserie ait été commandée en Angleterre par **Odon de Conteville**, comte de Kent, évêque de Bayeux et demi-frère de Guillaume, à un atelier de brodeurs saxons pour orner la cathédrale. L'œuvre figure officiellement dans un inventaire du Trésor daté de 1476. C'est au 18e s. qu'elle a été faussement attribuée à la reine Mathilde. La broderie est exécutée en laines de couleur sur une bande de toile en lin mesurant 70 m de longueur et 0,50 m de hauteur. Cet ouvrage constitue le document le plus précis et le plus vivant que nous ait légué le Moyen Âge sur les costumes, les navires, les armes, et les mœurs de l'époque.

---

reconnaissent à leurs moustaches et à leurs cheveux longs, les Normands à leur nuque rasée, les clercs à leur tonsure, les femmes à leurs vêtements amples et voile sur la tête. La bande est « surtitrée » de longues inscriptions latines orthographiées à la saxonne. On remarque notamment l'embarquement de Harold, l'audience de Guillaume, le Mont-St-Michel, le serment de Harold, la mort et l'enterrement d'Édouard le Confesseur, l'apparition de la comète de Halley, présage de malheur pour Harold, la construction de la flotte, la marche vers Hastings, et pour finir, la bataille et la mort de Harold. Les bordures sont brodées d'animaux fantastiques.

★★ Cathédrale Notre-Dame

Le portail représente, au **tympan**, l'histoire de saint **Thomas Becket**, archevêque de Canterbury, assassiné dans sa cathédrale sur ordre d'Henri II Plantagenêt. Le **chœur**, à trois étages, avec son déambulatoire et sa couronne de chapelles rayonnantes, est un magnifique exemple d'architecture gothique normande.

La **crypte** (11e s.) s'étend sous le chœur. Au-dessus des chapiteaux, remarquez des fresques du 15e s., représentant des anges musiciens.

★ Musée-mémorial de la Bataille de Normandie

Accès par la r. St-Loup, puis à droite sur le bd du 6-Juin. ℘ *02 31 51 46 90 -* ♿ *- de déb. mai à mi-sept. : 9h30-18h30 ; de mi-sept. à fin avr. : 10h-12h30, 14h-18h - fermé 1er janv., de mi-janv. à fin janv., 24-25 et 31 déc. - 6,50 €.*

Situé à la limite des secteurs américain et britannique de 1944, il retrace les événements de l'été 1944. Nombreux souvenirs de Tommies ou de GI's.

À L'AUBE DU JOUR J : « D DAY »

4 266 péniches et navires de débarquement, sans compter les centaines de navires de guerre et d'accompagnement, quittèrent les ports du sud de l'Angleterre dans la soirée du 5 juin, précédés par les flottilles de dragueurs chargées d'ouvrir les chenaux de passage dans les champs de mines de la Manche. Pendant que la traversée s'accomplissait, les troupes aéroportées étaient lâchées aux deux flancs du front d'invasion. La 6e division britannique, chargée de garder l'aile gauche du dispositif, s'assurait du pont de Bénouville-Ranville, baptisé depuis Pegasus Bridge, et jetait le trouble dans les défenses ennemies entre l'Orne et la Dives, interdisant l'arrivée de renforts. À l'ouest de la Vire, les 101e et 82e divisions américaines montaient à l'assaut de points importants comme Ste-Mère-Église ou s'employaient à dégager les « sorties » de la plage d'« Utah ».

6

Honfleur

★★★

8 163 Honfleurais – Calvados (14)

 NOS ADRESSES PAGE 341

S'INFORMER

Office de tourisme – *Quai Lepaulmier - 14600 Honfleur - ℘ 02 31 89 23 30 - www.ot-honfleur.fr - juil.-août : 9h30-19h, dim. et j. fériés 10h-17h ; de Pâques à fin juin et sept. : 9h30-12h30, 14h-18h30, dim. et j. fériés 10h-12h30, 14h-17h ; reste de l'année : se renseigner.*

SE REPÉRER

Carte générale B1 – *Cartes Michelin n° 721 H4 et n° 513 N6.* La ville s'étend sur la rive gauche de la Seine, à 3 km du pont de Normandie, 25 km du Havre et 91 km de Rouen.

À NE PAS MANQUER

Les ruelles du vieux Honfleur et son étonnante église Ste-Catherine à deux nefs.

ORGANISER SON TEMPS

Promenez-vous de préférence le matin ou en fin de journée le long des quais du Vieux Bassin : le matin, les façades anciennes du quai Ste-Catherine bénéficient des belles lumières, le soir, ce sont les greniers à blé, sur le quai opposé.

Sur l'estuaire de la Seine qu'enjambe l'impressionnant pont de Normandie, aux portes du pays d'Auge et de la Côte de Grâce si bien nommée, Honfleur distille toute l'année le parfum des vacances. On flânerait des heures durant le long du Vieux Bassin et autour du clocher Ste-Catherine, à travers les vieilles rues pleines de charme. Côté port, une flottille de bateaux de pêche débarque chaque jour poissons et crustacés. La double vocation de port fluvial et maritime de Honfleur s'affirme lors des escales de navires de croisière, de plus en plus fréquentes.

Découvrir

★★ LE VIEUX HONFLEUR

Déambulez le long des quais et dans les rues et ruelles pavées du quartier Ste-Catherine ; arrêtez-vous devant la façade d'une demeure ancienne, devant le chevalet d'un peintre ou à la terrasse d'un café autour du Vieux Bassin et… d'une bolée de cidre. Voilà comment s'apprécie Honfleur. Le samedi matin, la place Arthur-Boudin déborde d'animation grâce à son marché aux fleurs.

★★ Vieux Bassin

Créé sur ordre de Colbert, il est entouré de riches demeures de pierre le long du quai St-Étienne, à deux étages et mansardées, qui contrastent avec celles du quai Ste-Catherine dont les maisons étroites et hautes, comptant jusqu'à 7 étages, élancent leurs façades de bois protégées d'ardoises.

Bassins de Honfleur.
J.-C. & D. Pratt/Photononstop

Lieutenance – Vestige de la demeure (16e s.) du lieutenant du roi, elle domine le pont levant. Sur la façade tournée vers le port, une plaque commémore les départs de Champlain pour le Canada. Vieux gréements devant l'édifice.

★★ Église Sainte-Catherine

Après la guerre de Cent Ans, impatients de remercier Dieu du départ des Anglais, les « maîtres de hache » de Honfleur, autrefois centre de chantiers navals, décident de construire eux-mêmes l'église, à leur manière. À l'intérieur, chaque nef est recouverte d'une voûte de bois à charpente apparente soutenue par des piliers de chêne, en forme de **carène renversée**.

★ Clocher Sainte-Catherine

☏ *02 31 89 54 00 - 4 avr.-30 sept. : 10h-12h, 14h-18h ; de déb. oct. à mi-nov. : 14h30-17h, w.-end 10h-12h, 14h30-17h - fermé mar., 1er Mai et 14 Juil. - 2 €, 5,70 € billet combiné avec le musée Eugène-Boudin.*

Cette robuste construction de chêne, isolée de l'église et recouverte d'essences de châtaignier, repose sur un large soubassement qui abritait la maison du sonneur. Ce type de construction est un exemple rare en Europe occidentale.

👤 Pour les amateurs d'insolite et de musique, rendez-vous aux **Maisons Satie★** *(67 bd Charles-V)*.

À proximité

6

★★ Pont de Normandie

▶ *À 3 km à l'est par la D 580. Péage pour les voitures ; piétons, cyclistes et motards peuvent passer gratuitement, mais… attention : ça souffle fort à cette hauteur !*
Œuvre d'art et prouesse technique, le pont de Normandie a pris place dans l'histoire du génie civil en pulvérisant, en son temps, le record de longueur des ponts à haubans (2 141 m). Ce monstre de béton et d'acier, véritable défi à la pesanteur, est pourtant d'une extrême légèreté et d'une grande sécurité. Il est prévu pour

résister aux vents les plus violents (440 km/h). Outre l'éclairage normal pour la circulation, le Breton **Yann Kersalé** a conçu une « Rhapsodie en bleu et blanc » sur les pylônes et le long du tablier : des lumières verticales rasant les branches des pylônes répondent au scintillement bleu des spots du tablier.

Circuits conseillés

★★ LA CORNICHE NORMANDE

▷ *21 km de Honfleur à Trouville.*
Au milieu d'une végétation magnifique, ce trajet réserve, à travers les haies et les vergers, des échappées sur l'estuaire de la Seine. De belles propriétés s'égrènent tout au long du parcours. Peu avant Villerville, la vue s'élargit sur l'estuaire du fleuve et ses installations pétrolières. Au fond à gauche, Le Havre est reconnaissable à sa centrale thermique et au clocher de l'église St-Joseph.

Villerville
Charmante station balnéaire dans un cadre de prairies et de bois.

★★ Trouville-sur-Mer
« Je réserve le mois d'août pour voir un petit pays appelé Trouville, qui fourmille de motifs charmants », écrit Corot en 1828. Dans les années 1860-1870, Boudin et Courbet plantent aussi leur chevalet sur la plage, le long des planches ou des quais. Vers 1890, Marcel Proust y séjourne également.

★★ LA CÔTE FLEURIE

▷ *19 km de Deauville à Cabourg.*

★★ Deauville
Deauville est réputée pour le luxe de ses installations, à l'élégance des manifestations qui ponctuent son calendrier des festivités : courses hippiques, championnats de polo, régates, tournois de golf et tennis, marché international du yearling. Début septembre, le Festival du cinéma américain transforme Deauville en une proche banlieue d'Hollywood. La station s'étend le long d'une plage de 2 km, entre Trouville et le **mont Canisy★**, point culminant de la Côte Fleurie. Un chemin de **planches** caractérise la vie de plage à Deauville.

Villers-sur-Mer
Le charme de cette station balnéaire tient à son animation estivale, à son immense plage et à son arrière-pays, accidenté et boisé, sillonné de sentiers qui descendent au cœur de la ville. La plage, qui court de Blonville à la **falaise des Vaches Noires**, est bordée, à l'aplomb de la localité, par une longue digue-promenade où une borne signale le passage du méridien de Greenwich.

★ Houlgate
Type parfait de ces villes normandes où littoral et campagne environnante rivalisent de charme, Houlgate conserve un grand nombre de villas et chalets, témoins de l'architecture de villégiature à la fin du 19e s. Un patrimoine original à découvrir au hasard de promenades. L'église se signale par son clocher roman. De la terrasse qui domine la plage, vue sur Le Havre.

★ Cabourg
Station balnéaire mondaine et animée, créée sous le Second Empire, Cabourg conserve un parfum d'antan et la faveur d'une élégante clientèle.

😊 NOS ADRESSES À HONFLEUR

HÉBERGEMENT

BUDGET MOYEN

Hôtel Le Belvédère – *36 r. Émile-Renouf - ☎ 02 31 89 08 13 - www.hotel-belvedere-honfleur.com - fermé janv. - 9 ch. 69 € - ☕ 8,50 € - rest. 18,50/27 €.* Cette ancienne maison de maître doit son nom au belvédère planté sur son tolt. Chambres au calme, dont quatre installées dans un cottage offrant une vue imprenable sur le pont de Normandie. Jardin sur l'arrière.

RESTAURATION

BUDGET MOYEN

La Tortue – *36 r. de l'Homme-de-Bois - ☎ 02 31 81 24 60 - www.restaurantlatortue.fr -17/36 €.* Dans une ruelle du vieux Honfleur, ce restaurant régional renouvelle chaque jour ses suggestions, à l'ardoise, selon l'arrivage de la pêche locale. Petite épicerie fine.

Le Bistrot des Artistes – *14 pl. Berthelot - ☎ 02 31 89 95 90 - fermé janv., mar. d'oct. à avr. et merc. sf juil.-sept. - 15/30 €.* Banquettes en moleskine, objets anciens, marines et vues de Honfleur composent le décor de ce restaurant aux airs de bistrot parisien. Les tables près de la fenêtre offrent une jolie vue sur le Vieux Bassin. Tartines, salades, huîtres, etc. Service à toute heure.

POUR SE FAIRE PLAISIR

Entre Terre et Mer – *12 pl. Hamelin - ☎ 02 31 89 70 60 - www.entreterreetmer-honfleur.com - 28/55 € - 11 ch.* Deux salles contemporaines ; l'une décorée de photos sur la Normandie, l'autre de tableaux régionaux. La Terre ? Goûteuses recettes valorisant légumes, huiles et crèmes souvent issus de l'agriculture biologique, poulets et fromages du terroir normand. La Mer ? Huîtres et moules, mais surtout poissons frais issus de la pêche locale. Poussez donc la porte de ce restaurant qui marie avec bonheur les deux cuisines.

Au Vieux Honfleur – *13 quai St-Étienne - ☎ 02 31 89 15 31 - www.auvieuxhonfleur.com - fermé 25 déc. - 31/51 €.* Cette maison à colombages du 12e s., avec une terrasse et le Vieux Bassin en toile de fond, met à l'honneur les produits de la mer et les spécialités normandes.

ACHATS

La Cave Normande – *13 r. de la Ville et 12 quai Ste-Catherine - ☎ 02 31 89 38 27 - www.lacavenormande.com - hiver : 10h-12h30, 14h30-19h ; en saison : 9h-22h - fermé janv. et mar. en hiver.* Une bonne adresse pour trouver des calvados haut de gamme, cidre, pommeau et poiré.

6

Bretagne 7

Cartes Michelin National n° 721 et Région n° 512

Fort national de Saint-Malo.
G. Guittot/Photononstop

La Bretagne

▶ SE REPÉRER

L'A 11 est le principal axe routier menant en Bretagne au départ de Paris. Arrivée au Mans, elle continue sa route vers Angers puis Nantes, tandis que l'A 81, qui devient l'E 50, file à l'ouest vers Rennes et poursuit son chemin jusqu'à Brest via Guingamp. La Bretagne en elle-même est parcourue par trois axes majeurs : au nord la N 12 (qui vient de Paris et passe à Rennes) est doublée par la voie express E 50. Au centre, la N 164 court de Rennes jusqu'à Châteaulin (aux portes de la presqu'île de Crozon). Le sud est desservi par la N 165 qui longe la voie express E 60 et relie Nantes à Brest. À l'ouest de Nantes, la N 165 se divise, et une portion, la N 171, file vers St-Nazaire, La Baule et Guérande.

À NE PAS MANQUER

En Bretagne Nord : St-Malo et aux alentours, Dinan et le cap Fréhel ; la Côte de Granit rose et la baie de Morlaix ; Brest, le littoral découpé en abers et la presqu'île de Crozon. En Bretagne Sud : Quimper, la Cornouaille et la réserve du cap Sizun, la pointe du Raz ou encore Audierne ; le golfe du Morbihan, la jolie ville de Vannes, les menhirs de Carnac ainsi que la presqu'île de Quiberon.

⏱ ORGANISER SON TEMPS

L'été est la pleine saison touristique sur le littoral : c'est la saison idéale pour découvrir des secteurs aussi sauvages que les Abers dans le Finistère. Le printemps et l'automne sont les époques des grandes marées, toujours spectaculaires à St-Malo. L'hiver, privilégiez des visites à l'intérieur, comme Océanopolis, avant de prendre un bon bol d'air si le vent a chassé les nuages sur la côte.

La Bretagne déroule plus de 1 000 km de côtes découpées le long de la Manche au nord et de l'océan Atlantique au sud. C'est « l'Armor » ou « pays voisin de la mer », dans les limites duquel s'inscrit « l'Argoat », ou pays de l'intérieur, pays de la terre et des forêts. La mer a modelé une diversité de côtes d'où se dégagent de superbes panoramas ; cap Fréhel, pointe de l'Arcouest… La côte des Abers – ces estuaires qui entaillent profondément la côte – apparaît comme un « bout du monde ». C'est sans doute dans le Finistère, à la presqu'île de Crozon et à la pointe du Raz, que le relief et la mer font le mieux ressortir le caractère à la fois sévère et sublime de cette côte. Découvrez St-Malo sertie de remparts, Morlaix tapie au creux de sa baie, Brest, capitale océane de la Bretagne au sein de sa rade immense… De port en port, la route mène plus au sud vers le golfe du Morbihan, tandis qu'au large, les îles d'Ouessant et de Belle-Île méritent un détour. En Bretagne, partez aussi pour un voyage dans le temps, des mégalithes de Carnac au palais du Parlement à Rennes, en passant par les enclos paroissiaux, qui ont fleuri en Basse-Bretagne entre la Renaissance et le 17e s., ou les vieux quartiers de Dinan, Quimper ou Vannes. Cette région est aussi une destination de vacances, le rendez-vous des amoureux de la voile et le lieu idéal pour découvrir les richesses de la mer, celles qui se dégustent et celles qui s'admirent, comme par exemple, à Océanopolis, sanctuaire des espèces marines du monde.

Rennes

★★

206 665 Rennais – Ille-et-Vilaine (35)

NOS ADRESSES PAGE 350

S'INFORMER

Office de tourisme – *11 r. St-Yves - 35064 Rennes - ☏ 02 99 67 11 11 - www. tourisme-rennes.com - juil.-août : 9h-19h, dim. et j. fériés 11h-13h, 14h-18h ; reste de l'année : lun. 13h-18h, mar.-sam. 10h-18h, dim. et j. fériés 11h-13h, 14h-18h - fermé 1ᵉʳ janv., 1ᵉʳ Mai et 25 déc.*

SE REPÉRER

Carte générale B2 – *Cartes n° 721 F6 et n° 512 UV6.* Rennes est l'un des nœuds routiers les plus importants de Bretagne : la N 137, qui vient de Nantes (113 km au sud) traverse la ville pour continuer sur St-Malo (74 km au nord). De sa rocade rayonne aussi la N 157, qui part sur Laval (75 km à l'est) en frôlant Vitré, et la N 24, qui file vers Vannes (115 km) et Lorient (153 km) au sud-ouest. Enfin, la N 12 mène à Brest (242 km) et dessert la Bretagne Nord.

À NE PAS MANQUER

Une promenade dans le vieux Rennes et la visite du palais du Parlement de Bretagne.

ORGANISER SON TEMPS

S'il vous reste du temps, après la visite de la ville, faites un tour au parc du Thabor, surtout à la belle saison lorsqu'il se pare de fleurs.

AVEC LES ENFANTS

Le château de Fougères, à 39 km de Rennes, vaut le détour pour les passionnés d'ouvrages fortifiés.

La capitale régionale de la Bretagne, agrémentée de ruelles médiévales et de façades classiques, a su mettre en valeur son patrimoine. Ses deux places royales, qui expriment l'élégante solennité du 18ᵉ s., forment le cœur battant de la ville. En même temps, Rennes poursuit sa mue, offrant le visage d'une ville universitaire tournée vers les technologies de pointe.

Découvrir Plan p. 348

★★ LE VIEUX RENNES AB1

Une atmosphère de détente règne dans la vieille ville dont les façades des 15ᵉ et 16ᵉ s. bordent la **rue St-Sauveur** (au n° 6, maison canoniale du 16ᵉ s.), la **rue St-Guillaume** (au n° 3, maison médiévale dite de Du Guesclin), **la rue de la Psalette**, la **rue du Chapitre** (au n° 22, maison de style Renaissance ; au n° 8, hôtel de Brie du 17ᵉ s. ; au n° 6, hôtel de Blossac du 18ᵉ s.), la **rue St-Yves** (aux nᵒˢ 6 et 8, maisons du 16ᵉ s.), St-Michel (vieilles maisons à pans de bois), la **rue des Dames** (au n° 10, hôtel Freslon de La Freslonnière), du Pont-aux-Foulons (maisons à pans de bois du 17ᵉ s.), etc.

7

UN PEU D'HISTOIRE

Le rattachement à la France – En 1489, lorsque François II meurt, son héritière Anne de Bretagne n'a que 12 ans, ce qui n'empêche pas les prétendants d'affluer. Son choix se porte sur Maximilien d'Autriche, futur empereur, et le mariage religieux a lieu en 1490, par procuration. Mais le roi Charles VIII, qu'un mariage blanc lie à Marguerite d'Autriche, fille de Maximilien, sollicite la main de la duchesse. Éconduit, il l'assiège dans Rennes. La population, qui souffre de la disette, presse la souveraine de consentir à l'épouser. Elle se résigne et rencontre Charles VIII. Les fiançailles sont célébrées à Rennes, et les noces, au château royal de Langeais, dans le val de Loire, le 6 décembre 1491. Cette liaison rattache la Bretagne à la France.

Le grand incendie de 1720 – Au 18ᵉ s., la ville a encore son aspect médiéval : ruelles étroites, maisons en torchis et en bois. Le 29 décembre 1720 au soir, un menuisier ivre enflamme, avec sa lampe à huile, un tas de copeaux. Le feu se propage : 900 maisons à pans de bois disparaissent. La ville est reconstruite sur les plans de Jacques Gabriel : elle reçoit de belles rues rectilignes, bordées de maisons de granit à l'élégance sévère.

Place des Lices

Sur cette place se déroulaient joutes et tournois. Au nº 34, à l'intérieur de l'hôtel de Molant (17ᵉ s.), voyez le luxueux escalier en chêne, dont la cage est décorée au plafond d'un ciel et de boiseries en trompe-l'œil.

Place Sainte-Anne

Les maisons colorées à pans de bois sont de tradition gothique et Renaissance. Elles entourent une église néogothique du 19ᵉ s. et jouxtent le couvent des Jacobins où eurent lieu les fiançailles d'Anne de Bretagne avec Charles VIII.

Rue du Champ-Jacquet

Elle conduit à la curieuse place de forme triangulaire, de même nom, bordée au nord de hautes maisons du 17ᵉ s., à pans de bois, et sur laquelle donne la façade en pierre et en bois de l'ancien hôtel de Tizé.

Par les rues La Fayette et Nationale, découvrez une partie de la ville classique où s'élèvent de majestueux édifices, dont le palais du Parlement de Bretagne.

Rue Saint-Georges

Dans cette rue animée, bordée de cafés et de restaurants, toutes les maisons sont anciennes. Au nº 3, l'hôtel de Moussaye (16ᵉ s.) possède une splendide façade Renaissance. Les nᵒˢ 8, 10 et 12 forment un ensemble remarquable de maisons à pans de bois du 17ᵉ s.

★★ Palais du parlement de Bretagne

℘ 02 99 67 11 66 - visite guidée (s'inscrire à l'office de tourisme), horaires variables - fermé 1ᵉʳ janv., 1ᵉʳ Mai et 25 déc - 6,90 € (7-18 ans 4,10 €).

Le parlement de Bretagne, l'un des treize parlements provinciaux que comptait le royaume, siégea d'abord tantôt à Rennes, tantôt à Nantes, avant de se fixer définitivement à Rennes en 1561. Cour suprême des 2 300 justices bretonnes, il jouait aussi un rôle législatif et politique. Son installation hissa Rennes au rang de capitale régionale et de cité aristocratique. La construction du bâtiment dura près d'un siècle : de 1618 à 1655 pour l'architecture, et jusqu'à 1706 pour le décor. Ce fut, en pays breton, l'arrivée d'un art royal et parisien, marqué par l'alternance de matériaux – granit au rez-de-chaussée et tuffeau à l'étage – et

Place du Champ-Jacquet.
A. Eastland/Age Fotostock

par la belle unité de la toiture en façade. La **Grand'Chambre** est le joyau du palais, avec son plafond en bois doré peint par Coypel et Errard. À la suite d'un dramatique incendie en 1994, l'édifice a été magnifiquement restauré.

À VOIR AUSSI

★★ Parc du Thabor

Au 16ᵉ s., hors des murs de la ville, se dressait l'abbaye bénédictine St-Mélaine, sur un lieu élevé que les moines auraient baptisé Thabor en souvenir de la montagne de Palestine. Ce parc de 10 ha comprend un jardin à la française, un jardin botanique, une roseraie, un jardin paysager et une volière. On y prend le frais en admirant ses roses, dahlias, chrysanthèmes, camélias, rhododendrons, séquoias, cèdres.

★ Musée des Beaux-Arts

℘ 02 23 62 17 45 - www.mbar.org - ♿ - 10h-12h, 14h-18h, mar. 10h-18h - fermé lun. et j. fériés - 4,65 € (-18 ans gratuit).

Le « cabinet de curiosités » constitué par Christophe Paul de Robien, président du parlement de Bretagne au 18ᵉ s., est à l'origine de ce musée très éclectique, de l'archéologie aux primitifs italiens et à l'art contemporain.

Il possède une riche série d'œuvres du 17ᵉ s. Voir l'exubérante *Chasse au tigre* de Rubens et le célèbre **Nouveau-Né★** de Georges de La Tour. Le *Panier de prunes* de Chardin se détache pour le 18ᵉ s. Le *Massacre des Innocents*, chef-d'œuvre de Cogniet, voisine pour le 19ᵉ s. avec l'école de Pont-Aven, comme **Effet de vagues★** de Georges Lacombe. Également : des Corot, Jongkind, Sisley, Denis et Caillebotte. Le 20ᵉ s. est illustré par Picasso, Magnelli, Kupka, Tanguy, De Staël, Poliakoff, Sam Francis.

★ Les Champs Libres

℘ 02 23 40 66 00 - www.leschampslibres.fr - ♿ - se renseigner pour périodes, horaires d'ouverture et tarifs.

7

Ce nouveau pôle culturel inauguré en 2006 rassemble trois institutions : le Musée de Bretagne, l'Espace des Sciences et la bibliothèque. Le bâtiment ultra-contemporain est signé Christian de Portzamparc, qui a imaginé un édifice composé de trois « corps » imbriqués : un parallélépipède horizontal monté sur pilotis (le musée) traversé par une pyramide inversée (la bibliothèque) et par un cône coiffé d'un dôme (l'Espace des Sciences).

Musée de Bretagne – Il est centré autour de l'exposition permanente « **Bretagne est univers** » : ce parcours rappelle l'histoire de la région en mettant en scène 2 300 objets (du galet taillé paléolithique au gilet bigouden) en alternance avec des séquences vidéo. Une seconde exposition permanente à caractère plus artistique, « **Bretagne des mille et une images** », présente la région à travers des tableaux et des photos.

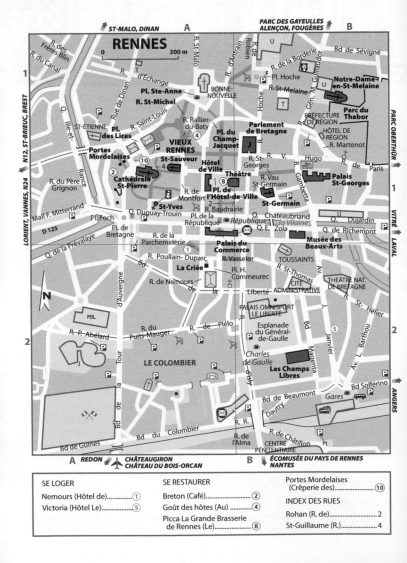

À proximité

★★ Fougères
◗ *À 49 km au nord-est de Rennes par la N 12.*

À la frontière de la Bretagne et de la France, Fougères a toujours eu une grande importance militaire. Cette ville forte domine la vallée sinueuse du Nançon. L'enceinte de son magnifique château féodal compte parmi les plus considérables d'Europe.

★★ Château – ☎ 02 99 99 79 59 - www.chateau-fougeres.com - *juil.-août : 10h-19h ; mai-juin et sept. : tlj sf lun. 10h-13h, 14h-19h ; oct.-avr. : tlj sf lun. 10h-12h30, 14h-17h30 - fermé janv. et 25 déc. - 7,50 € (-6 ans gratuit).* Son site en contrebas de la ville haute est inhabituel. Un méandre de la rivière, qui baignait une éminence rocheuse en forme de presqu'île très étroite, fournissait un excellent site défensif. L'architecture militaire a tiré parti de cet emplacement en y élevant des remparts et des tours, et en transformant la presqu'île en île, par une courte dérivation du Nançon. Reliée à la ville haute par des remparts, la garnison pouvait participer à sa défense et même s'y replier en cas de chute de la ville, pour jouer son rôle de garde-frontière du duché de Bretagne.

L'entrée, précédée d'un fossé alimenté par une dérivation du Nançon, se fait par la tour carrée de La Haye-St-Hilaire. Le château comprend trois enceintes successives. La visite de l'**intérieur★★** donne une idée de la puissance d'une telle forteresse. Par la courtine la plus élevée du château, on atteint la **tour Mélusine** *(75 marches jusqu'au sommet)*, considérée comme un chef-d'œuvre de l'architecture militaire de l'époque.

Une scénographie, à la fois sobre et design, accompagne la visite du château. À l'extérieur, le parcours invite à comparer l'architecture d'hier et d'aujourd'hui en se glissant dans la visière de personnages historiques. À l'intérieur des tours Mélusine, Surienne et Raoul, le contexte historique des Marches de Bretagne se dévoile au fil d'illustrations et de films projetés à même les pierres.

★ Quartier du Marchix – La place du Marchix occupe le site de l'ancien marché au cœur de la vieille ville qui abrite de belles maisons du 16e s.

★ Église St-Sulpice – Construite en gothique flamboyant, sa flèche d'ardoise très élancée est d'une facture originale. L'intérieur s'enrichit, dans le chœur, de boiseries du 18e s. et de **retables★**, dont celui d'Anne de Bretagne sculpté sur granit.

7

NOS ADRESSES À RENNES

TRANSPORTS

Bon à savoir – Rennes est desservie par le métro Val et de nombreuses lignes de bus qui incitent à laisser sa voiture au parc relais La Poterie au sud-est de la ville.

Vélo – *www.levelostar.fr.* Service de vélos en libre-service 24h/24 et 7j/7 dans 81 stations proches des stations de métro, de bus et de la gare ; premières 30mn gratuites.

HÉBERGEMENT

PREMIER PRIX

Hôtel Le Victoria – *B2 - 35 av. Jean-Janvier -* 🌮 *02 99 31 69 11 - www.hotel-levictoria.com - 37 ch. 54/77 € -* 🛏 *8 € - rest. 5/17 €.* Une cure de jouvence est venue réveiller cet hôtel situé à proximité de la gare. Ses petites chambres sobres et fraîches en font une étape convenable. Côté restaurant, ambiance brasserie et fresque évoquant un voyage de la reine Victoria.

Hôtel de Nemours – *A2 - 5 r. de Nemours -* 🌮 *02 99 78 26 26 - www.hotelnemours.com - 29 ch. 65/97 €* 🛏. Sis dans une rue fréquentée à proximité du métro République, cet hôtel central est heureusement bien insonorisé. Ses chambres, rafraîchies, sont desservies par un minuscule ascenseur. Jolie salle de petit-déjeuner à la décoration épurée.

RESTAURATION

PREMIER PRIX

Crêperie des Portes Mordelaises – *A1 -6 r. des Portes-Mordelaises -* 🌮 *02 99 30 57 40 - fermé mar. et merc. - 10/15 €.* Face à la maison d'Anne de Bretagne, pour déguster galettes et crêpes aux farines « bio » et bretonnes près de la cheminée en hiver ou sur la terrasse en été, même le dimanche. Accords de vins avec chaque galette.

Au Goût des Hôtes – *A1 - 8 pl. Rallier-du-Baty -* 🌮 *02 99 79 20 36 - fermé le 2 janv. - 11/19,90 €.* En retrait de l'agitation du quartier de la Soif, ce restaurant propose une carte inventive soutenue par des produits de qualité et une judicieuse sélection de vins.

BUDGET MOYEN

Café Breton – *A1 - 14 r. Nantaise -* 🌮 *02 99 30 74 95 - www.cafe-breton.fr - fermé dim. et lun. - formule déj. 12 € - 22/28 €.* Cette ancienne épicerie est un incontournable de la cité bretonne. La recette du succès : suggestions du marché présentées à l'ardoise, vieux mobilier de bistrot, service décontracté et ambiance conviviale.

Le Picca La Grande Brasserie de Rennes – *A1 - Pl. de la Mairie -* 🌮 *02 99 78 17 17 - www.lepicca. fr - formule déj. 13,50 € - 23,50 €.* Cette institution rennaise fondée en 1832 accueille ses clients de midi à minuit sur les banquettes capitonnées de sa belle salle habillée de boiseries. Agréable terrasse adossée au théâtre. Carte brasserie et brunchs.

Saint-Malo

★★★

48 211 Malouins – Ille-et-Vilaine (35)

 S'INFORMER

Office de tourisme – *Espl. St-Vincent - 35400 St-Malo -* ☏ *0825 135 200 - www.saint-malo-tourisme.com - juil.-août : 9h30-19h30, dim. et j. fériés 10h-18h ; avr.-juin et sept. : 9h-13h, 14h-18h30, dim. et j. fériés 10h-12h30, 14h30-18h ; oct.-mars : lun.-sam. 9h-13h, 14h-18h.*

▶ **SE REPÉRER**

Carte générale B2 – *Cartes Michelin n° 721 E5 et n° 512 ST3.* Au nord de Dinan (35 km) et de Rennes (75 km), St-Malo contrôle l'embouchure de la Rance. Sa partie intra-muros, fortifiée, est une presqu'île entourée d'anciennes communes intégrées : St-Servan, Paramé, Rothéneuf…

☺ **À NE PAS MANQUER**

La promenade sur les remparts offre des vues magnifiques. Elle est recommandée à marée haute, dont la grande amplitude (de 8 à 14 m) modifie de façon spectaculaire l'aspect du rivage et des flots. Les grandes marées se produisent en mars et septembre, lors des équinoxes.

🕐 **ORGANISER SON TEMPS**

L'île du Grand Bé, le Fort national ne sont accessibles à pied sec qu'à marée basse : renseignez-vous sur les horaires.

👥 **AVEC LES ENFANTS**

Une promenade sur les remparts, qui mènera à la plage et, aux alentours, Fort la Latte.

Presque entièrement détruite en août 1944, St-Malo a été si bien restaurée que ses visiteurs y retrouvent sans mal, une fois l'enceinte franchie, l'époque des corsaires. Port très actif, la cité malouine est aussi une station balnéaire réputée.

Découvrir

SAINT-MALO INTRA-MUROS

★★★ Remparts

Passer sous la porte St-Vincent et prendre, à droite, l'escalier donnant accès au chemin de ronde. 👥 Commencés au 12ᵉ s., les remparts (sortis intacts des destructions de 1944) ont été agrandis et modifiés jusqu'au 18ᵉ s. Aussitôt après la Grande Porte, couronnée de mâchicoulis, on découvre l'isthme étroit qui relie la vieille ville à ses faubourgs. Puis du **bastion St-Louis** au **bastion St-Philippe**, le rempart borde les maisons des riches armateurs malouins. La vue se développe sur l'avant-port, l'estuaire de la Rance, ainsi que sur Dinard. Ensuite, on aperçoit en partie la grande plage de Dinard ; on distingue l'île des Ebihens, la pointe de St-Cast et le cap Fréhel ; plus proche, l'île Harbour, les îles du Grand Bé et du Petit Bé, puis à l'arrière-plan, l'île de Cézembre et le fort de la Conchée. Après avoir longé les bâtiments de l'École nationale de la marine marchande, on découvre les plages de Paramé, de Rochebonne et du Minihic.

7

★★ Château

📞 *02 99 40 71 57 - avr.-sept. : 10h-12h30, 14h-18h ; oct.-mars : tlj sf lun. 10h-12h, 14h-18h - fermé 1er janv., 1er Mai, 1er et 11 Nov. et 25 déc. - 5,80 € (-8 ans gratuit).*

★ Musée d'Histoire de la ville et d'Ethnographie du pays malouin – Occupant le grand donjon et le castelet, il est consacré à l'histoire de St-Malo et de ses hommes célèbres. Documents, maquettes de navires, peintures et armes rappellent le passé maritime de la cité.

★ Tour Quic-en-Groigne – Elle est située dans l'aile gauche du château. Son nom rappelle la réplique d'Anne de Bretagne aux Malouins : « Qui qu'en groigne, ainsi sera, car tel est mon bon plaisir. »

LE SYSTÈME DÉFENSIF

🕊 **Bon à savoir** – En cas de mauvais temps, visitez le **Grand Aquarium★★**.

Île du Petit Bé

Accès à pied ou en bateau (en fonction des marées) à partir du Grand Bé. Rens. à l'office de tourisme - 📞 06 08 27 51 20 - 4 €.

Située après le Grand Bé, l'île possède un remarquable **fort** construit à partir de 1693 par Vauban. La visite *(guidée)* présente les fortifications de la baie de St-Malo et le phénomène des marées.

Île du Grand Bé

🐾 *À marée basse, 45mn à pied AR. Quitter St-Malo par la porte des Champs-Vauverts et traverser la plage pour gagner la chaussée qui conduit à l'île. Suivez le chemin accroché au flanc droit de l'île.*

Le **tombeau de Chateaubriand** se trouve du côté du large. Du sommet de l'île, superbe **panorama★★** sur toute la Côte d'Émeraude.

★ Fort national

Accès par la plage de l'Éventail à marée basse - 🐾 15mn à pied AR - juin-sept. : visite guidée (45mn) à marée basse (horaires variables en fonction des marées) - s'adresser à l'office de tourisme de St-Malo - 4 €.

Construit par Vauban en 1689, le Fort royal est devenu Fort national après 1789. Bastion avancé qui assurait la protection de la cité corsaire, il fait corps avec le rocher. La **vue★★** des remparts est exceptionnelle : de l'estuaire de la Rance aux îles Chausey, et la visite du cachot impressionnante. Au cours de la visite du fort est évoqué le duel mémorable de **Surcouf** qui défendit l'honneur de la France contre 12 adversaires. Il épargna le dernier… comme témoin de ses exploits !

À proximité

★★ Dinan

▶ *À 30 km au sud de St-Malo par la N 137, puis la N 176.*

Sa vieille ville ceinturée de remparts que son imposant château semble toujours vouloir défendre se dresse sur le bord escarpé d'un plateau qui domine de 75 m la Rance et son petit port de plaisance. Dans la **vieille ville★★**, rendez-vous **place des Merciers★**. Elle est bordée de belles maisons à pignons triangulaires et forme, avec la rue de l'Apport et la place des Cordeliers qui la prolongent, un bel ensemble de demeures à pans de bois typiquement dinannaises des 15e, 16e et 17e s. Jetez un coup d'œil dans les rues avoisinantes de la Cordonnerie et du Petit-Pain, avec leurs maisons à encorbellement. La **rue**

du Jerzual★ était jadis la rue des bourgeois, des artisans et des marchands. Pavée et en pente raide, elle est bordée de boutiques des 15e et 16e s. qui abritent aujourd'hui tisserands, fileurs de verre et sculpteurs. De la tour de la **maison du Gouverneur**, belle **vue★★** sur la vallée de la Rance.

Circuit conseillé

★★★ LA CÔTE D'ÉMERAUDE

▶ *130 km. Des vedettes partant de St-Malo, avec escale à Dinard, permettent de contempler le cap Fréhel par la mer. C'est sous cet aspect qu'il est le plus impressionnant.*

Cette partie de la côte qui s'étend de la pointe du Grouin, au nord de **Cancale★** réputé pour ses huîtres plates, offre une succession de sites majestueux, de villes historiques, de plages célèbres, de stations paisibles ! La route qui longe la Côte d'Émeraude ne borde pas la mer sur tout son parcours, mais permet des excursions vers les sites côtiers, dont les vues révèlent le caractère de ce rivage très découpé.

★★ Pointe du Grouin

Le panorama s'étend du cap Fréhel à Granville, en passant par la baie du Mont-St-Michel *(voir p. 331)*. Au large, on distingue les îles Chausey.
Contourner St-Malo par la D 301 pour gagner Dinard.

★★ Dinard

Lovée dans un site magnifique à l'embouchure de la Rance, Dinard fut « lancée » vers 1850 par un Américain et devint la rivale de l'anglaise Brighton. Station balnéaire mondaine, Dinard contraste avec St-Malo : en face, une cité blottie dans ses remparts, une plage familiale, un port de commerce ; ici, un village de pêcheurs devenu une station raffinée aux villas luxueuses, aux jardins et aux parcs splendides.

★ Saint-Lunaire

Élégant centre balnéaire qui possède deux belles plages : St-Lunaire, la plus animée, regarde St-Malo ; Longchamp, la plus vaste, est tournée vers le cap Fréhel.

★★ **Pointe du Décollé** – Elle est reliée à la terre ferme par un pont naturel qui franchit la profonde crevasse du saut du Chat. À la pointe, la **vue★★** sur la Côte d'Émeraude, du cap Fréhel jusqu'à la pointe de la Varde, est splendide.

★ Saint-Cast-le-Guildo

Cette station familiale a une longue histoire de tourisme balnéaire, comme en témoignent les belles villas du quartier des Mielles. St-Cast possède un charmant port de pêche, dont la flottille se consacre aux coquilles St-Jacques et aux praires.

★★★ Cap Fréhel

Accès au cap juin-sept. : 8h-20h. 2 € par voiture.
Le site du cap est l'un des plus grandioses de la côte d'Émeraude. On domine les rochers de la Fauconnière, peuplés de goélands, cormorans, pétrels, guillemots ; le contraste entre le rouge violacé de la roche – schiste, grès et porphyre – et le bleu-vert de la mer est étonnant. Le **panorama★★★**, particulièrement beau en fin d'après-midi, est immense par temps clair, s'étendant de la pointe du Grouin à l'est, jusqu'à l'**île de Bréhat★★** à l'ouest ; les îles

7

> **QUELQUES VOYAGEURS MALOUINS CÉLÈBRES**
>
> **Jacques Cartier (1491-1557)** part, en 1534, chercher de l'or dans la région de Terre-Neuve et du Labrador. Il découvre l'estuaire du St-Laurent. Comme le mot « Canada », qui signifie village en huron, revient souvent dans les propos des Indiens, il appelle ainsi le pays.
>
> **Duguay-Trouin** et **Surcouf** – Ce sont les plus illustres corsaires malouins. Fils d'un riche armateur, Duguay-Trouin (1673-1736) est embarqué à 16 ans sur un navire corsaire pour mettre fin à une jeunesse orageuse. Ses talents sont tels qu'il passe à 24 ans dans le « Grand Corps » de la Marine royale, comme capitaine de frégate. Il meurt anobli, lieutenant général et commandeur de St-Louis.
>
> Répondant à l'appel de la mer, Surcouf (1773-1827) commence très jeune une carrière riche en exploits fabuleux. Négrier, puis corsaire, il amasse un énorme butin et prend à 36 ans une retraite précoce au cours de laquelle il arme des corsaires, des navires marchands et continue à accroître sa fortune.

anglo-normandes sont parfois visibles. À droite du cap se dresse la silhouette du fort La Latte.

Phare – ℘ 02 96 41 40 03 - *juil.-août : 10h-12h, 14h30-18h ; avr.-juin et sept.-Toussaint : 14h-17h.* Il surgit à la pointe extrême du cap. Il comporte 145 marches et abrite une lampe à arc au xénon.

★★ Fort La Latte

℘ *02 99 30 38 84 ou 02 96 41 57 11 - www.castlelalatte.com - juil.-août : 10h30-19h ; avr.-juin et sept. : 10h30-18h ; oct.-mars : vac. scol., w.-end et j. fériés 13h30-17h30 - 5 € (5-12 ans 3 €).*

Ce château a conservé son aspect féodal et occupe un **site★★** spectaculaire. Dominant la mer de plus de 60 m, il est séparé de la terre ferme par deux crevasses que l'on franchit par des ponts-levis. Passé l'épais mur pare-boulets, vous atteignez la tour de l'Échauguette et le curieux four à rougir les boulets, et, par un poste de guetteur, accédez au donjon. Du chemin de ronde apparaît un **panorama★★** étonnant sur toute la Côte d'Émeraude.

★ Erquy

Dans un joli site de falaises, cet actif port de pêche côtière, réputé pour ses soles, turbots, grondins et coquilles St-Jacques, continue à prendre de l'extension.

★ **Cap d'Erquy** – *30mn à pied de l'entrée d'Erquy, au sud.* Sa plus belle plage, dont la configuration assure une sécurité totale aux enfants, est celle de Caroual.

Par Pléneuf-Val-André, gagnez **le Val-André★**, station balnéaire fréquentée pour sa plage de sable fin.

Côte de Granit rose

★★

Côtes-d'Armor (22)

S'INFORMER

Office de tourisme de Perros-Guirec – *21 pl. de l'Hôtel-de-Ville - 22700 Perros-Guirec - ℘ 02 96 23 21 15 - www.perros-guirec.com - juil.-août : 9h-19h30, dim. 10h-12h30, 16h-19h ; sept.-juin : lun.-sam. 9h-12h30, 14h-18h - fermé 1er janv., 25 et 31 déc.*

SE REPÉRER

Carte générale A1 – *Cartes Michelin n° 721 D5 et n° 512 JK2.* La Côte de Granit rose, qui débute à la pointe de l'Arcouest, donne son nom à la route reliant Perros-Guirec à Trébeurden. On y accède par la N 12-E 50 qui va de Rennes à Brest : sortir à Guingamp et suivre la D 767 pendant 47 km jusqu'à Perros-Guirec.

À NE PAS MANQUER

Tréguier, patrie du saint le plus vénéré des Côtes-d'Armor, Ploumanach pour la couleur et les formes étranges de ses rochers.

AVEC LES ENFANTS

Le Planétarium de Bretagne pour un voyage dans le temps et l'espace.

La grande variété de granits que l'on y trouve – rose à gros grains, beige orangé à grains fins, gris – se traduit par la diversité des paysages entre Perros-Guirec et Trébeurden. Des blocs isolés émergent de la lande tandis qu'en bord de mer les rochers érodés s'amoncellent et créent des formes surprenantes et suggestives. Leurs couleurs, associées aux bleus profonds de l'océan, incitent à contempler ce rivage inoubliable, à l'abri des petites criques aux plages tranquilles.

Circuit conseillé

38 km. Au départ de Perros-Guirec.

★ **Perros-Guirec**

Bâtie en amphithéâtre, cette station balnéaire familiale domine les ports de pêche et de plaisance. Arrêtez-vous à la **Pointe du Château** ou à la **table d'orientation** pour la **vue★**.

★★ **Ploumanach**

À hauteur de cette station balnéaire, qui est aussi un petit port de pêche, la Côte de Granit rose est particulièrement belle.

★★ **Les Rochers** – *De Porz Rolland à Porz ar Mor, par le sentier des douaniers.* De ce lieu-dit qui longe la plage **St-Guirec**, on découvre d'innombrables rochers aux formes étranges.

★★ **Trégastel-Plage**

Cette station séduit par la beauté de ses rochers et leurs formes chaotiques.
★★ **Île Renote** – On la rejoint par un isthme sablonneux *(praticable en voiture)* et l'on découvre de magnifiques points de vue sur le large et les **Sept-Îles★★**. La D 788 en bord de mer longe une côte étrange aux nombreux îlots et récifs.

7

Pleumeur-Bodou
Planétarium de Bretagne – ☎ *02 96 15 80 30 - www.planetarium-bretagne. fr - ♿ - se renseigner pour les horaires des séances d'astronomie - 7 € (5-17 ans 5,60 €).* 👥 Sous une coupole de 20 m de diamètre, il transporte le spectateur en divers points de l'espace et du temps. Différents thèmes sont abordés suivant les séances.
Revenir à la route de corniche.

Trébeurden
Cette station balnéaire s'est dotée d'un nouveau port de plaisance, d'une taille imposante. À la **pointe de Bihit★**, **vue★** panoramique sur la côte.

À proximité

★★ Tréguier
◗ *À 21 km à l'est de Perros-Guirec.*
Au fond de l'estuaire formé par la réunion du Jaudy et du Guindy, l'ancienne cité épiscopale s'étage au flanc d'une colline. Sa cathédrale, ses ruelles et ses maisons à pans de bois forment un ensemble très séduisant, à quelques encablures d'une côte bretonne de granit rose particulièrement belle.
★★ **Cathédrale St-Tugdual** – ☎ *02 96 92 22 33 - 9h-12h, 14h-18h.* C'est l'une des plus belles cathédrales bretonnes (14e-15e s.). Trois tours reposent sur le transept. Celle du croisillon sud s'ouvre par le « porche des cloches », surmonté d'une belle **fenêtre★** flamboyante. Avec ses arcades gothiques élégamment travaillées dans le granit, la nef paraît lumineuse. Le **tombeau de saint Yves**, patron des avocats, date de 1890 : il reproduit le monument érigé au 15e s. Remarquez les **enfeus** sculptés de chevaliers en armure, du 15e s., les **stalles★** Renaissance aux miséricordes sculptées, et la **Grande Verrière★**.
★ **Cloître** – *Avr.-sept. : 10h-12h, 14h-18h - 4 €.* Adossé à l'évêché, il forme un bel ensemble du 15e s. encadrant une croix de calvaire. Sous les voûtes à charpente boisée et sablière, voyez les gisants.

Baie de Morlaix

★★

Finistère (29)

S'INFORMER

Office de tourisme – *Parvis St-Melaine - 29600 Morlaix - ℘ 02 98 62 14 94 - www.tourisme.morlaix.fr - juin-sept. : 9h-19h (18h30 juin et sept.), dim. 10h-12h30, 15h-18h ; oct.-mai : lun.-sam. 9h-12h30, 14h-18h, j. fériés 10h-12h30 - fermé 1er janv., 1er Mai, 11 Nov. et 25 déc.*

SE REPÉRER

Carte générale A1-2 – *Cartes Michelin n° 721 C5 et n° 512 HI3.* La baie s'ouvre plein nord à partir de Morlaix, à l'est jusqu'à Plougasnou, à l'ouest jusqu'à Roscoff. La ville de Morlaix est traversée au nord par la N 12, qui vient de Guingamp (57 km à l'est) et file vers Brest (58 km au sud-est en passant par Landivisiau). La rive gauche de la baie est longée par une route magnifique, la D 769, qui se transforme en D 73. On accède par la rive droite à la D 76.

À NE PAS MANQUER

Le vieux Morlaix, la vue de la pointe de Pen-al-Lann et aux alentours, les monts d'Arrée qui viennent expirer sur l'estuaire de Morlaix, les enclos paroissiaux à St-Thégonnec, Guimiliau.

ORGANISER SON TEMPS

Comptez une journée pour le tour de la baie.

AVEC LES ENFANTS

Un après-midi sur les plages protégées du noroît, à Carantec, ou à l'île Callot, accessible à marée basse.

Cette baie est l'une des plus magnifiques de France, un site enchanteur qu'il faut découvrir lorsque le crépuscule d'été y jette ses dernières lueurs. Tout au fond de l'estuaire, à cheval sur le Léon et le Trégor, se niche Morlaix, ville active qui conserve un beau quartier ancien.

Découvrir

★ LE VIEUX MORLAIX

★ Grand'Rue

Réservée aux piétons. Les demeures du 15e s. sont ornées de statuettes de saints et de grotesques ; certaines boutiques basses prennent jour par une large fenêtre, l'étal, en particulier aux nos 8-10.

Maison « de la Reine Anne »

9 r. du Mur - ℘ 02 98 88 23 26 - www.mda-morlaix.com - mai-sept. : tlj sf dim. et j. fériés 11h-18h - 1,80 €.

Cette maison de trois étages en encorbellement (16e s.) possède une façade ornée de statues de saints et de grotesques. L'**intérieur★** est l'exemple même d'une **maison à lanterne** morlaisienne. Dans l'un des angles, un très bel escalier à vis, colonne de 11 m faite d'une seule pièce, dessert les galeries des étages. Le pilier est orné de statues de saints, sculptées dans la masse. Entre le 1er et le 2e étage, remarquez l'acrobate sur son tonneau !

Circuits conseillés

★★ LA BAIE DE MORLAIX

◗ *14 km. Quitter Morlaix au nord par la D 73.*
La D 73 longe la rive gauche de la rivière de Morlaix. La **vue**★ est superbe, particulièrement à marée basse. Elle s'élargit à mesure que l'estuaire s'ouvre sur la baie, parsemée d'**îlots** et d'innombrables **écueils**.

Carantec

👤👤 Situé sur une presqu'île, entre l'estuaire de la Penzé et la rivière de Morlaix, Carantec est un centre balnéaire familial. Les plages sont protégées du noroît (vent de nord-ouest). De la « Chaise du Curé », plate-forme rocheuse, la **vue**★ se développe, à gauche, sur la grève de Porspol et la grève Blanche ; en fond, St-Pol-de-Léon et Roscoff ; à droite, la pointe de Pen-al-Lann.
★**Château du Taureau** – *Accès de Carantec par des navettes -* 📞 *02 98 62 29 73 - les horaires changent selon les marées -13 € (4-12 ans 6 €).* Il fut construit en 1542 pour se protéger des attaques des corsaires anglais.

Pointe de Pen-al-Lann

1,5 km à l'est et 🚶 *15mn à pied AR.* La **vue**★★ s'étend sur la côte depuis la pointe de Bloscon à l'ouest, jusqu'à celle de Primel à l'est. En face, le château de l'île du Taureau *(voir ci-dessus).*

Île Callot

👤👤 Une chaussée submersible, praticable cependant en voiture à mi-marée, relie le port de la grève Blanche à l'île. Faites attention à l'heure de la marée… L'île est un excellent lieu de pêche et abrite deux plages charmantes.

★★★ LES ENCLOS PAROISSIAUX

Les enclos paroissiaux sont une réalisation originale de l'art breton, principalement situés en Basse-Bretagne. Ces ensembles sont l'expression artistique de la prospérité des ports bretons du 15e au 17e s. Ils s'ouvrent par une porte triomphale donnant accès à l'église, au calvaire et à l'ossuaire, et permettent à la vie paroissiale de rester attachée à la communauté des morts, puisque l'enclos avait pour centre le cimetière.
◗ *47 km. Quitter Morlaix au sud-ouest par la D 712.*

★★ Saint-Thégonnec

★**Chapelle funéraire** – *De Pâques à fin sept. : 9h-18h.* Elle fut construite de 1676 à 1682. Dans la crypte, voyez le **saint sépulcre**★ à personnages sculptés.
★★ **Calvaire** – Il fut élevé en 1610. Sur le socle se déroulent les scènes de la Passion
★ **Église** – Cet édifice Renaissance possède une magnifique **chaire**★★, chef-d'œuvre de la sculpture bretonne.

★★ Guimiliau

L'enclos de Guimiliau, en granit, est l'un des plus imposants de l'Argoat.
★★ **Calvaire** – Daté de 1581-1588, le calvaire comprend plus de 200 personnages d'une facture naïve. Les scènes sont très expressives et réparties sans ordre chronologique.

★**Église** – Son **porche méridional**★★ est orné d'une belle décoration biblique. À l'intérieur se trouve un magnifique **baptistère**★★ baroque, en chêne.

★★ Lampaul-Guimiliau

Cette petite localité possède un **enclos paroissial**★ complet. On remarque la richesse de la décoration.

★★ **Église** – La poutre de gloire (16e s.) porte un crucifix, entre les statues de la Vierge et de saint Jean. Les deux faces sont décorées de sculptures. À gauche du chœur, l'autel est orné d'un retable où l'on voit des personnages en haut relief d'un réalisme saisissant.

Retour par la N 12 via Landivisiau.

★★ LES MONTS D'ARRÉE

Frontière naturelle entre la Cornouaille et le Léon, les monts d'Arrée sont les plus élevés des « montagnes bretonnes », bien que leur point culminant ne dépasse pas 384 m. Arides, couvertes de landes, souvent humides, ces crêtes de quartzite et ces vallées sauvages sont aujourd'hui protégées par le **Parc naturel régional d'Armorique** *(www.parc-naturel-armorique.fr).*

◔ *À 20 km au sud de Morlaix par la D 785.*

Du **roc Trévezel**★★ (384 m), le **panorama**★★ est immense. On découvre une succession de mamelons où serpentent les rivières encaissées aux eaux brunes et vives.

Châteaulin

Sur une boucle de l'Aulne, cette ville est le rendez-vous des pêcheurs d'eau douce. C'est le centre de la pêche au saumon, surtout en mars et avril.

★★Pleyben

Au pied des monts d'Arrée, cette localité est connue pour ses excellentes galettes et son magnifique **enclos paroissial**★★. C'est le plus imposant de Bretagne. Il fut construit en 1555. L'énorme piédestal met en valeur les personnages de la plate-forme qui se détachent sur le ciel en une très belle ordonnance.

Brest

142 097 Brestois – Finistère (29)

🙂 NOS ADRESSES PAGE 363

S'INFORMER

Office de tourisme – *1 pl. de la Liberté - 29200 Brest - ℰ 02 98 44 24 96 - www.brest-metropole-tourisme.fr - juil.-août : 9h30-19h, dim. 10h-12h, j. fériés 10h-18h ; reste de l'année : tlj. sf dim. et j. fériés 9h30-18h.*

▶ **SE REPÉRER**

Carte générale A2 – *Cartes Michelin n° 721 B6 et n° 512 E4.* Capitale océane, Brest jouit d'une position privilégiée face à sa rade dont la profondeur n'est jamais inférieure à 10 m.

😊 **À NE PAS MANQUER**

La vue sur la rade depuis la promenade des remparts, Océanopolis.

🕐 **ORGANISER SON TEMPS**

Laissez votre voiture à l'un des parkings du centre-ville. Consacrez au moins une journée à Brest. Si vous disposez de deux jours, partez en mer pour rejoindre l'île d'Ouessant, l'île la plus occidentale du continent européen.

👥 **AVEC LES ENFANTS**

Océanopolis, les maquettes du musée national de la Marine.

La majestueuse rade de Brest en dit long sur le mariage de la ville avec l'Atlantique : son port, consacré à la marine pendant des siècles, accueille ferries et paquebots de croisière ainsi que, tous les quatre ans, en juillet, un rassemblement de navires anciens qui passionne les amateurs de voile. Ville universitaire, Brest est aussi la capitale de l'océanographie. De quoi oublier la géométrie de ses rues, car la ville a été totalement reconstruite après la Seconde Guerre mondiale.

Découvrir

★★★ Océanopolis

Du centre-ville, suivre la dir. du port de plaisance ; en bus : ligne 7 - ℰ 02 98 34 40 40 - www.oceanopolis.com - ♿ - visite libre, compter au moins une 1/2 j - 16,50 € (4-17 ans 11,50 €).

👥 Vaste bâtiment aux allures de crabe, Océanopolis est une superbe vitrine de la vie dans les océans. Dans ce lieu qui abrite 10 000 animaux, des aquariums géants reconstituent, de façon spectaculaire, la diversité propre à chaque milieu naturel. À la beauté de ces décors sous-marins, où une machinerie complexe permet de recréer houles et marées, s'ajoute la richesse de l'information.

Pont de Recouvrance

Inauguré en 1954, c'est le plus important pont-levant d'Europe (87 m de portée). Il enjambe la rivière Penfeld et atteint sa position haute en 2mn 30s. Sur la rive est se trouve un canon de 380 mm, provenant du cuirassé *Richelieu*.

Pointe de Pern, île d'Ouessant.
C. Boisvieux/Age Fotostock

Cours Dajot
La table d'orientation offre une **vue sur la rade★★** qui se déploie sur le port de commerce, l'École navale, l'île Longue, la presqu'île de Crozon, le fort du Portzic et la rade-abri qui sert de mouillage à la flotte de guerre.

★ Musée des Beaux-Arts
☎ 02 98 00 87 96 - tlj sf lun. et dim. mat. 10h-12h, 14h-18h - fermé 1er janv., 1er Mai, 1er et 11 Nov. et 25 déc. - 4 € (-18 ans gratuit), gratuit 1er dim. du mois.
Ses collections recèlent un grand nombre de toiles illustrant le courant symboliste, surtout l'**école de Pont-Aven** (1880-1889). À voir : les *Deux Perroquets* de Manet, *Bord de mer en Bretagne* d'Émile Bernard, *Les Blés verts au Pouldu* de Paul Sérusier.

★ Musée national de la Marine
☎ 02 98 22 12 39 - www.musee-marine.fr - avr.-sept. : 10h-18h30 (dernière entrée 1h av. fermeture) ; oct.-mars : 13h-18h30 - fermé janv., 1er Mai et 25 déc. - 5,50 € (-18 ans gratuit).
👥 Précieux modèles réduits de navires, instruments de navigation, tableaux, maquettes… nous ramènent au temps de la marine à voile. Au pied de la terrasse : un sous-marin de poche S 622 et une embarcation de *boat people* recueillie en mer de Chine. La visite est jalonnée de majestueuses figures de proue.

★★ Conservatoire botanique national du vallon du Stang-Alar
À l'est de la ville par la r. Jean-Jaurès, puis par la rte de Quimper. ☎ 02 98 02 46 00 - www.cbnbrest.fr - ♿ - jardin : 9h-19h - pavillon d'accueil et serres : merc., w.-end, j. fériés et ponts 14h-17h30 ; vac. scol. zone A : 14h-17h30 - visite des serres : 4,50 € (-10 ans gratuit).
Ce prestigieux conservatoire botanique assure la conservation des plantes menacées d'extinction et tente de les réintroduire dans leur milieu naturel. Les serres permettent de voyager dans les différentes zones tropicales de la planète. Quelques espèces rares y sont visibles, comme le géranium de Madère.

À proximité

★★★ Île d'Ouessant

▶ *Accès à l'île : au dép. de Brest (ligne régulière) à bord de l'Enez Eussa pour Ouessant ou Molène via Le Conquet ; du Conquet (ligne régulière) ; d'Ouessant, juil.-août : dép. suppl. de Brest à bord de l'André Colin, de Camaret, d'Ouessant. Rens. : Compagnie maritime Penn Ar Bed. ℘ 02 98 80 80 80 - www.pennarbed. fr - 29,90 € en été, 18,90 € ou 22,90 € hors saison - Accès en avion au dép. de Brest-Guipavas - ℘ 02 98 84 64 87.*

Pour mériter cette île longue de 7 km et large de 4 km, il faut traverser une mer souvent houleuse. L'excursion en bateau permet de voir la **pointe de St-Mathieu**, le chenal du Four et le fameux écueil des Pierres-Noires.

Lampaul – La capitale de l'île se distingue par ses maisons bien entretenues, aux volets peints en bleu ou vert. Le **phare de Créac'h** indique, quant à lui, avec le phare britannique de Lands End, l'entrée de la Manche. En le contournant, on découvre la côte déchiquetée ; les **rochers★★★** offrent un spectacle extraordinaire. Ouessant est le refuge de goélands argentés, cormorans huppés, huîtriers pie, macareux… et des phoques.

★★★ Ménez-Hom

▶ *À 64 km au sud-est par la N 165 jusqu'à Châteaulin, puis par une petite route qui s'embranche sur la D 887 reliant Châteaulin à Crozon, 1,5 km après la chapelle Ste-Marie.*

Sommet des Montagnes Noires, le Ménez-Hom est l'un des plus hauts reliefs bretons, avec ses 330 m. Il occupe une position clef à l'entrée de la presqu'île de Crozon, sur laquelle il offre un **panorama★★★** exceptionnel.

Circuits conseillés

★★ LES ABERS

▶ *80 km. Quitter Brest au nord par la D 13 jusqu'à Lannilis.*

La côte nord-ouest du Finistère, basse et rocheuse, offre le spectacle magnifique d'un littoral sauvage, entaillé par les abers. Les amoureux de panoramas romantiques et de sentiers côtiers solitaires apprécieront cette région.

Aber-Wrach – C'est peut-être le plus connu avec son important centre de voile, est un port de plaisance très fréquenté et un lieu de séjour balnéaire. La route en corniche suit la baie des Anges.

Aber-Benoît – Après voir franchi cet aber en venant de Lannilis, la route le longe pendant quelques kilomètres et permet d'en apprécier la belle situation : un vrai petit coin de paradis. Des chemins escaladent à l'extrémité de l'Aber-Benoît les **dunes de Corn-ar-Gazel** et conduisent aux immenses plages de sable blanc, comme celle des Trois-Moutons et sa base de chars à voile. *Revenir jusqu'à Brest par la D 26 en passant par Ploudalmézeau.*

★★★ LA PRESQU'ÎLE DE CROZON

▶ *160 km. Quitter Brest par la N 165 jusqu'au Faou. Suivre la corniche par la D 791 jusqu'à Crozon, puis la D 8 vers Camaret.*

La plus belle des quatre pointes de la presqu'île de Crozon, avec son à-pic de 70 m et son panorama, est certainement celle de **Penhir★★★**.

Gagnez ensuite la **pointe des Espagnols★★**. Elle porte ce nom depuis qu'au printemps 1594, une garnison d'Espagnols alliés de la Ligue y entreprit la construction d'un fort. Mais, six mois après leur arrivée, les troupes d'Henri IV les passèrent tous par les armes.

☺ NOS ADRESSES À BREST

HÉBERGEMENT

PREMIER PRIX

Hôtel Du Questel – *120 r. F.-Thomas -* 📞 *02 98 45 99 20 - www.hotel-du-questel.fr -* 🅿 *- 36 ch. 49/55 € -* ☕ *8 €.* Un hôtel flambant neuf très pratique, car situé à proximité de la rocade nord (mais au calme), chambres fonctionnelles bien tenues, prix tout doux et, sur demande, petit service snack.

BUDGET MOYEN

Hôtel La Paix – *32 r. Algésiras -* 📞 *02 98 80 12 97 - www.hoteldelapaix-brest.com - fermé 19 déc.-3 janv. - 29 ch. 88/140 € -* ☕ *11 €.* Ce petit hôtel du centre-ville a été entièrement redécoré dans un style moderne épuré. Belles chambres neuves, bien équipées et insonorisées. Copieux buffet au petit-déjeuner

RESTAURATION

PREMIER PRIX

Crêperie Moderne – *34 r. Algésiras -* 📞 *02 98 44 44 36 - fermé dim. midi - 8/16 €.* Si la longévité est un gage de qualité, cette maison-là décroche la palme. Fondée en 1922, elle continue de faire courir les Brestois qui la fréquentent avec assiduité, ne se lassant pas d'admirer la dextérité des crêpières sur leurs douze *biligs*.

Ma Petite Folie – *R. Eugène-Bere - port du Moulin-Blanc -* 📞 *02 98 42 44 42 - formule déj. 10,50/28 €.* Ponts inférieur et supérieur aménagés en salles à manger, décor nautique, terrasse les pieds dans l'eau et belle cuisine de la mer : un second souffle pour ce langoustier de 1952.

BUDGET MOYEN

Fleur de Sel – *15 bis r. de Lyon -* 📞 *02 98 44 38 65 - fermé 1er-22 août, 1er-10 janv., lun. midi, sam. midi, et dim. - formule déj. 17 € - 29,50/43 €.* Le chef prépare une savoureuse cuisine inventive sublimant les produits du terroir, les herbes et les saveurs… Intérieur moderne épuré et accueil charmant.

7

Quimper

★★

63 929 Quimpérois – Finistère (29)

 S'INFORMER

Office de tourisme – *Pl. de la Résistance - 29000 Quimper -* ℘ *02 98 53 04 05 - www.quimper-tourisme.com - juil.-août : 9h-19h, dim. 10h-12h45, 15h-17h45 ; avr.-juin et sept : tlj. sf dim. 9h30-12h30, 13h30-18h30 - fermé 1er janv., lun. de Pâques, 1er et 8 Mai et Noël.*

 SE REPÉRER

Carte générale A2 – *Cartes Michelin n° 721 C6 et n° 512 G7.* Nœud routier du Finistère Sud, Quimper est traversé par la N 165-E 60 qui vient de Lorient (68 km à l'est) et se poursuit vers Brest (75 km au nord). La D 785 rejoint Pont-l'Abbé (19 km au sud).

 À NE PAS MANQUER

La cathédrale St-Corentin, le musée des Beaux-Arts, Locronan et ses belles maisons Renaissance, la Pointe du Raz, le panorama sur la baie d'Audierne depuis le phare d'Eckmühl.

 ORGANISER SON TEMPS

Prévoyez la journée pour la visite du vieux Quimper et ses musées.

 AVEC LES ENFANTS

L'Aquashow à Audierne, la réserve ornithologique du cap Sizun, le port-musée de Douarnenez.

Les flèches de la cathédrale St-Corentin jaillissent au cœur de Quimper, ancienne capitale de la Cornouaille. Elles protègent d'étroites venelles, bordées de maisons à colombages, et dont les noms évoquent les corporations du Moyen Âge. Il fait bon s'y promener sur les bords de l'Odet, à mi-chemin entre la Bretagne intérieure et la mer.

Découvrir

★★ Cathédrale Saint-Corentin

℘ *02 98 95 06 19 - juil.-août : possibilité de visite guidée (SPREV, Sauvegarde du Patrimoine Religieux en Vie) juil.-août : 9h30-18h30 ; sept.-juin : 9h30-12h, 18h30.*
L'histoire de ce bel édifice débute au 13e s. avec la construction du chœur. Le transept et la **nef** sont ajoutés au 15e s. Superbement restaurée, jusqu'à ses orgues et ses vitraux, la cathédrale a retrouvé la luminosité du style gothique flamboyant.

★★ **Vitraux** – Remarquables de sobriété et de finesse, ils représentent des chanoines, des seigneurs et des châtelaines de Cornouaille, à genoux, entourés de leurs saints patrons. On remarque une nette évolution entre les vitraux du chœur et ceux de la nef et du transept, respectivement exécutés au début et à la fin du 15e s. À cette époque, dessin et modelé atteignent une grande maîtrise.

★ Le Vieux Quimper

Ce quartier s'étend face à la cathédrale, entre l'Odet et le Steir. Cet affluent, canalisé et couvert en amont de son confluent, offre une vaste zone piétonne.

LE ROI D'YS

La statue équestre du bon roi Gradlon couronne le portail de la cathédrale. Ce souverain de légende est le père de la belle Dahut, qui mène une vie de débauche et rencontre le diable sous la forme d'un séduisant jeune homme. Comme preuve d'amour, ce dernier lui demande d'ouvrir les portes de la ville aux flots. Dahut dérobe la clef pendant le sommeil du roi et bientôt la mer se rue dans la ville d'Ys. Gradlon fuit à cheval, sa fille en croupe. Mais les vagues le poursuivent et vont l'engloutir. À ce moment, une voix céleste lui ordonne, s'il veut être sauvé, de jeter à l'eau le démon qu'il porte derrière lui. Le cœur serré, le roi obéit, et la mer se retire aussitôt. Mais Ys est détruite. Gradlon, qui choisit Quimper comme nouvelle capitale, finit ses jours en odeur de sainteté, guidé par saint Corentin. Quant à Dahut, changée en sirène, elle est devenue Marie-Morgane et entraîne, depuis lors, au fond de la mer les marins que sa beauté attire.

Rue du Sallé – C'était, au Moyen Âge, la rue des « lardiers, saucissiers et charcutiers », d'où son nom. Au n° 10, l'ancienne **demeure des Mahault de Minuellou★** se remarque par la richesse de son décor, avec ses consoles Renaissance.

★ **Rue Kéréon** – Cette ancienne rue des cordonniers (*Kereon* en breton), commerçante et animée, offre une charmante perspective sur la cathédrale. La maison du n° 9, avec ses personnages sculptés, présente un décor polychrome.

★★ Musée des Beaux-Arts

☎ 02 98 95 45 20 - musee-beauxarts.quimper.fr - ♿ - juil.-août : 10h-19h ; avr.-juin et sept.-oct. : tlj sf mar. 10h-12h, 14h-18h ; nov.-mars : dim. 14h-18h - fermé 1er janv., 1er Mai, 1er et 11 Nov. et 25 déc. - 6 € (-12 ans gratuit).

Installé dans un palais à l'italienne construit en 1867 face à la cathédrale, ce musée est résolument moderne. Un éclairage subtil s'y conjugue avec la lumière naturelle, pour mettre en valeur les peintures du 14e s. à nos jours.

L'école française des 18e et 19e s. est représentée avec des œuvres de Boucher, Fragonard, Chassériau, Corot et Eugène Boudin. Les toiles de l'**école de Pont-Aven** (1880-1889) constituent les fleurons des collections : Gauguin, Sérusier, Schuffenecker, Maufra, Émile Bernard, Maurice Denis, Charles Filiger, Henry Moret, Georges Lacombe et Félix Vallotton. Une salle est consacrée à **Max Jacob**, écrivain et peintre (1876-1944) né à Quimper. Sa vie et son œuvre sont évoquées à travers documents, dessins et gouaches dont une série de portraits signés Picasso et Cocteau.

★ Musée départemental breton

☎ 02 98 95 21 60 - juin-sept. : 9h-18h ; oct.-mai : tlj sf lun. et j. fériés 9h-12h, 14h-17h, dim. 14h-17h - 4 € (-18 ans gratuit), gratuit dim. (oct.-mai).

Consacré à l'histoire et aux arts et traditions populaires du Finistère, il occupe l'ancien palais épiscopal, bâtiment construit du 16e au 19e s. qui jouxte la cathédrale. Vous y verrez deux des plus importants **bijoux d'or préhistoriques★** découverts en France : le collier de Tréglonou et la ceinture torsadée d'Irvillac. Des vêtements traditionnels (19e et 20e s.) sont exposés en parallèle avec des sculptures et des tableaux : on découvre l'influence exercée par ces modes sur les artistes, comme René Quillivic. La présentation du mobilier met en valeur les meubles du 17e s. aux années 1930 : coffres, armoires de mariage, lit clos… Enfin, des objets d'art ancien (vitraux, orfèvrerie, statuaire sacrée) et des sculptures de façades sont aussi à découvrir.

7

À proximité

★★ Descente de l'Odet en bateau
Avr.-sept. : jusqu'à 5 croisières/j (2h30) - croisière-déj. tlj sf lun. - possibilité d'escale à Bénodet, selon la marée, ou de prolonger l'excursion jusqu'aux îles Glénan - se renseigner auprès de l'office du tourisme de Quimper ou aux vedettes de l'Odet - ☎ 02 98 57 00 58.

L'Odet prend sa source à 40 km au nord-est de Quimper, au cœur des **Montagnes Noires★★**. La rivière poursuit son cours dans une superbe vallée où bois et parcs des châteaux forment un décor verdoyant.

★ Concarneau
◗ *À 33 km au sud-est de Quimper par la D 783. Concarneau occupe un site abrité, face à Beg-Meil.*

Grand port de pêche, Concarneau attire pour le spectacle de sa vie maritime, la qualité de ses plages, mais aussi pour sa « ville close ».

★★ **Ville close** – Ses ruelles occupent un îlot de forme irrégulière, long de 350 m et large de 100 m, relié à la terre par deux petits ponts que sépare un ouvrage fortifié. D'épais remparts, élevés au 14e s., reconstruits au 16e s. et complétés par Vauban au 17e s., en font le tour.

Tour des Remparts – ☎ 02 98 50 39 17 - www.ville-concarneau.fr - juil.-août : 9h-19h ; avr.-mai : 10h-17h30 ; juin et sept. : 10h-18h30 - fermé oct.-mars. L'accès aux remparts peut être interdit par suite de conditions météorologiques défavorables et lors de la fête des Filets bleus. Pour l'entreprendre, montez les marches à gauche immédiatement après le pont et prenez le chemin de ronde.

Circuit conseillé

★★ LA CORNOUAILLE

Royaume puis duché de Bretagne au Moyen Âge, la Cornouaille s'étendait très loin, au nord et à l'ouest de Quimper. La région correspond aujourd'hui au Finistère sud. La partie que l'on découvre ici est celle du littoral, jusqu'à la pointe du Raz : outre ses nombreux ports, sa côte rocheuse et ses larges baies, elle recèle une campagne tranquille, ponctuée de hameaux aux maisons blanches.

◗ *168 km. Quitter Quimper au nord-ouest par la D 39.*

★★Locronan
Cadre de plusieurs films historiques *(Tess d'Uberville, Chouans…)*, Locronan a conservé sa belle **place★★** centrale, ses maisons Renaissance de granit, son vieux puits et sa vaste église. À Locronan, les pardons se nomment « troménies ». Elles se déroulent au mois de juillet et attirent une large foule, surtout la grande qui a lieu tous les six ans (2013 pour la prochaine).

★★ **Église St-Ronan et chapelle du Pénity** – Ces deux édifices communiquent. L'église (15e s.) frappe par sa voûte en pierre. Le beau **vitrail★** dans l'abside évoque des scènes de la Passion. La chapelle (16e s.) abrite la dalle funéraire de saint Ronan et une Descente de Croix en pierre polychrome, dont le soubassement est orné de deux beaux **bas-reliefs★**.

★Douarnenez
Au fond de la baie qui a pris son nom, Douarnenez est la « ville aux trois ports ». Le port de plaisance se niche à Tréboul près des plages. La ville accueille tous

les deux ans (2012 pour la prochaine), en juillet, une grande **fête maritime**. Ses maisons colorées inspirèrent des peintres comme Renoir ou Boudin.

★★ **Port-musée** – ☎ 02 98 92 65 20 - www.port-musee.org - juil.-août : 10h-19h ; sept.-Toussaint et fév.-juin : tlj sf lun. 10h-12h30, 14h-18h - fermé de déb. nov. à janv. - 7,50 € (-6 ans gratuit). Avec sa collection de bateaux en voie de disparition (pêche, cabotage, plaisance), il témoigne de la culture traditionnelle des gens de mer, vouée à une profonde mutation. Le **musée à terre**★ accueille des expositions temporaires dédiées à l'histoire locale des conserveries. Le **musée à flots**★ accueille plusieurs bateaux anciens qui se visitent.

★ Réserve du Cap Sizun

☎ 02 98 70 13 53 - www.bretagne-vivante.org - accès libre tte l'année - visite guidée 6,50 € (-12 ans gratuit).

Ce site magnifique et sauvage, qui domine la mer, abrite des milliers d'oiseaux de mer se rassemblant en colonies : guillemots de Troïl, cormorans huppés, goélands argentés, bruns et marins, les plus rares, mouettes tridactyles, pétrels fulmars, grands corbeaux et craves à bec rouge.

Il est conseillé de visiter le site pendant la période de reproduction, au printemps. Les adultes et les jeunes de l'année quittent peu à peu la réserve, jusqu'à la fin du mois d'août.

★★ Pointe du Van

De la **chapelle St-They**, suivez, en restant toujours à gauche, la piste mal tracée qui contourne le cap (🚶 1h à pied AR). **Belle vue**★★ sur la pointe de Castelmeur derrière laquelle se profile la pointe de Brézellec ; en face, le cap de la Chèvre, la pointe de Penhir et les « Tas de Pois », la pointe de St-Mathieu ; au large de la pointe du Raz, l'île de Sein et le phare de la Vieille. Si vous êtes tenté par la descente, soyez prudent. Le paysage devient plus sévère : murs de pierres sèches, lande rase, aucun arbre n'égaye l'extrémité du cap.

★★★ Pointe du Raz

Parking obligatoire à 800 m, 6 € par voiture. 🚶 15mn AR à pied. Maison de la pointe du Raz et du cap Sizun - ☎ 02 98 70 67 18 - www.pointeduraz.com - juil.-août : 10h30-19h30 ; avr.-juin et sept. : 10h30-18h - promenade guidée « découverte du site » 4 €, randonnée guidée 6 €, parking gratuit dès 4 pers., navette gratuite pour les personnes handicapées.

À l'extrémité ouest de la Cornouaille, la pointe du Raz, Grand Site de France, occupe un site d'exception. Cet éperon rocheux s'enfonce dans le terrible raz de Sein. Près de la statue de N.-D.-des-Naufragés, le **panorama**★★ sur le large permet de distinguer l'île de Sein, au-delà de laquelle on aperçoit par temps clair le phare d'Ar Men, et, au nord-ouest, le phare de Tévennec. Le sentier suit le bord de gouffres vertigineux (câble de sécurité).

★ Audierne

Ce port de pêche et de plaisance est situé sur l'estuaire du Goyen, dans un joli **site**★, au pied d'une colline boisée.

★ **Aquashow** – ☎ 02 98 70 03 03 - www.aquarium.fr - avr.-sept. : 10h30-13h, 14h-18h30 ; oct.-mars : 14h-18h - 13,80 € (4-11 ans 10,80 €). Vingt bassins accueillent la **faune aquatique bretonne**. Le cours du Goyen sert de fil conducteur à la présentation du biotope. Certains animaux sont de taille impressionnante : congres de 2 m, homards de 6 kg, araignée japonaise de 1,50 m… On peut effleurer les raies. À voir aussi le spectacle en 3D sur le monde des requins et la reconstitution d'une épave du 17ᵉ s. ou, dans une **volière,** les plongeons impressionnants des cormorans pour attraper le poisson.

7

★★ Calvaire et chapelle Notre-Dame-de-Tronoën

ℰ 02 98 82 04 63 - juin-sept. : 10h-12h, 14h-18h ; de mi-mars à fin mai : 14h-18h - fermé de déb. oct à mi-mars.

Ils se dressent en bordure de la baie d'Audierne, dans un paysage sauvage de dunes. Sur le calvaire (1450-1460), l'Enfance et la Passion du Christ se déroulent sur deux frises, à travers cent personnages doués d'une vie intense, et d'une originalité remarquable. Les sujets sont traités en ronde bosse ou en haut relief, dans un granit grossier de Scaër, assez friable.

Pointe de la Torche

Ce paradis de « la glisse » rassemble les adeptes du surf et du funboard ; l'école de surf de Bretagne y est installée. Attention, les deux plages sont extrêmement dangereuses.

★ Phare d'Eckmühl

ℰ 02 98 58 81 44 ou 06 07 21 37 34 - avr.-sept. : 10h30-17h30 - fermé en cas de pluie ou de mauvais temps - 2,50 € (7-16 ans 1 €).

Construit en 1897 grâce à un don de la fille du maréchal Davout, prince d'Eckmühl, le phare (65 m de haut) se dresse à l'extrémité de la pointe de Penmarch. Il atteint une puissance de 2 millions de candelas et a une portée moyenne de 54 km. Ses 307 marches mènent au balcon : **panorama★★** sur la baie d'Audierne, qui se termine par la pointe du Raz et le phare de l'île de Sein, la côte de Concarneau, de Beg-Meil, l'archipel de Glénan.

Pont-l'Abbé

La capitale du pays bigouden, la ville la plus bretonne de toutes selon Maupassant, doit son nom au premier pont construit par les abbés de Loctudy. Très connue pour son costume et sa coiffe, la ville demeure spécialisée dans la broderie et la construction navale. Bien que bâtie au fond d'un estuaire, elle est tournée vers la mer, avec son port et ses chantiers navals. Les quais sont un lieu d'intense activité, lorsque les chalutiers rentrent accompagnés par les goélands.

Musée bigouden – *ℰ 02 98 66 09 03 - www.letriskell.com - juin-sept : 10h-12h30, 14h-18h (18h30 juil.-août) ; fév.-mai : tlj sf lun. 14h-18h - fermé d'oct. aux vac. scol. de fév. et 1ᵉʳ Mai - 3,50 € (-12 ans gratuit).* Installé dans le donjon du château, on peut y voir des lits-clos, des armoires à clous, des coiffes et des costumes richement brodés.

Quitter Pont-l'Abbé par la rue du Pont-Neuf pour regagner Quimper.

Vannes

52 983 Vannetais – Morbihan (56)

⊚ NOS ADRESSES PAGE 375

🗎 S'INFORMER

Office de tourisme – *Quai Tabarly - 56000 Vannes - ℘ 0 826 13 56 10 - www. tourisme-vannes.com - lun.-sam. 9h30-12h30, 13h30-18h.*

◐ SE REPÉRER

Carte générale A2 – *Cartes Michelin n° 721 D7 et n° 512 O9.* Située au fond du golf du Morbihan, Vannes est traversée par la N 165 qui vient de Nantes (112 km) et continue jusqu'à Brest.

☺ À NE PAS MANQUER

La vieille ville et aux alentours, les mégalithes de Carnac et le site de Gavrinis dans le golfe du Morbihan, la presqu'île de Quiberon, une excursion à Belle-île, le château de Suscinio sur la presqu'île du Rhuys.

○ ORGANISER SON TEMPS

Consacrez une bonne demi-journée à la découverte de la ville avant d'aborder ses environs et les rives du golfe du Morbihan.

⚑ AVEC LES ENFANTS

L'aquarium du Golfe, le musée des Poupées au château de Josselin.

Bâtie en amphithéâtre au fond du golfe du Morbihan, Vannes conserve des remparts qui protègent la cité médiévale bretonne groupée autour de la cathédrale. C'est ici qu'en 1532 fut proclamée l'union perpétuelle du pays et duché de Bretagne avec le royaume et couronne de France. La ville est le point de départ idéal pour découvrir les mégalithes de Carnac, les îles du golfe du Morbihan, et déguster les fruits de mer dans les petits ports.

Se promener

★★ LA VIEILLE VILLE

◐ Au départ de la pl. Gambetta.
Enfermée dans ses remparts et groupée autour de la cathédrale St-Pierre, la vieille ville a été aménagée en zone piétonne.

Maison de Vannes

Cette demeure médiévale est ornée de deux bustes en granit, aux visages hilares. Ces figures populaires sont connues sous le nom de « Vannes et sa femme ».

★ Place Henri-IV

Par la rue des Halles et la rue St-Salomon bordée de vieilles demeures, on gagne cette place aux jolies maisons à pignons (16ᵉ s.).

7

★ La Cohue

La Cohue est le terme employé en Bretagne pour désigner les halles, le lieu de commerce et de la justice. Au 13ᵉ s., la salle basse abritait de petites échoppes, tandis que dans la salle haute siégeait la justice ducale. Le bâtiment accueille aujourd'hui le **musée des Beaux-Arts.**

★ Cathédrale Saint-Pierre

Elle fut érigée du 13ᵉ au 19ᵉ s. On y entre par le beau portail du transept (gothique flamboyant, avec niches Renaissance). À l'entrée, à gauche, un tableau évoque la mort de **saint Vincent Ferrier** en présence de la duchesse de Bretagne.

★ Remparts

De la promenade de la Garenne, vous profiterez d'une **vue★★** pittoresque sur Vannes : le ruisseau qui coule au pied des remparts élevés au 13ᵉ s. sur des vestiges gallo-romains, les jardins à la française, la cathédrale à l'arrière-plan composent un tableau qui a tenté de nombreux peintres. Du petit pont conduisant à la porte Poterne, on domine des **lavoirs★** coiffés d'une longue toiture.

À VOIR AUSSI

★ Aquarium du Golfe

𝄐 0 810 406 901 - www.aquarium-du-golfe.com - ♿ - juil.-août : 9h-19h30 ; avr.-juin, sept. et vac. scol. : 10h-12h, 14h-18h ; oct.-mars : 14h-18h - 11,40 € (6-12 ans 7,40 €).

👥 Dans plus de cinquante bassins où les milieux naturels ont été reconstitués évoluent des poissons provenant de toutes les eaux du monde. Un bassin recrée un récif corallien avec ses nombreuses espèces de poissons. Une grande fosse présente les requins de récif.

À proximité

★★ Château de Josselin

◐ À 44 km au nord-est de Vannes par la D 126. 𝄐 02 97 22 36 45 - www.chateaujosselin.fr - de mi-juil. à fin août : 11h-18h ; de déb. avr. à mi-juil. : 14h-18h ; sept. : 14h-18h30 ; oct. : w.-end et vac. scol. 14h-17h30 - 7,60 € (7-14 ans 5 €), château et musée des Poupées 12,30 € (7-14 ans 8,50 €).

Au bord de l'Oust, le château de Josselin, qui appartient depuis le 15ᵉ s. à la famille de Rohan, surprend par l'à-pic de ses murailles. Donnant sur le parc

Alignements de Carnac.
K. O'Hara/Age Fotostock

qui occupe l'ancienne cour, la ravissante **façade★★** du corps de logis forme un contraste extraordinaire avec l'appareil fortifié de la face extérieure. On visite quelques pièces, dont le grand salon et la bibliothèque.

Musée des Poupées – 🚸 Installé dans les anciennes écuries du château, il expose environ 600 poupées avec leurs accessoires, costumes et meubles miniatures.

★★ LES MÉGALITHES DE CARNAC

▷ *À 32 km à l'ouest de Vannes par la N 165 au-delà d'Auray, puis la D 768.*
Au nord de **Carnac**, un circuit fait découvrir l'essentiel des monuments mégalithiques de la région.

🔹 **Bon à savoir** – Les menhirs sont aujourd'hui menacés de déchaussement en raison du piétinement des innombrables visiteurs. Aussi, les alignements de Carnac ont été clôturés. Ils restent cependant parfaitement visibles au cours de la promenade à partir de la **Maison des mégalithes**, face aux alignements du Menec.

★★ Alignements du Menec

Datés approximativement du néolithique moyen (3000 av. J.-C.), ces alignements s'étendent sur plus d'un kilomètre. Ils comptent 1 099 menhirs orientés sud-ouest/nord-est ; le plus élevé mesure 4 m de haut. Un cromlech se trouve à chacune des extrémités : l'un comprend 70 menhirs, l'autre 25 seulement (très abîmé).

★★ Alignements de Kermario

𝒫 *02 97 52 29 81 - se renseigner pour les horaires - 6 € (-18 ans gratuit).*
Ici, 1 029 menhirs sont disposés en 10 lignes parallèles sur 1 120 m de long. Ils sont sensiblement contemporains de ceux du Menec. De la passerelle latérale, on observe la progression de la taille des menhirs d'est en ouest.

★★ Musée de Préhistoire J.-Miln-Z.-Le-Rouzic

𝒫 *02 97 52 22 04 - www.museedecarnac.com - &. - juil.-août : 10h-18h ; avr.-juin et sept. : tlj sf mar. 10h-12h30, 14h-18h ; oct.-mars : tlj sf mar. 10h-12h30, 14h-17h - fermé janv., 1er Mai et 25 déc. - 5 €.*

Il rassemble d'exceptionnelles collections allant du paléolithique inférieur au début du Moyen Âge. La visite s'organise de manière chronologique. Des vitrines expliquent l'architecture mégalithique, la vie quotidienne au néolithique, période où l'homme devient agriculteur et éleveur. L'âge du bronze et la période romaine sont également abordés.

★ **LA PRESQU'ÎLE DE QUIBERON**

▷ *À 32 km à l'ouest par la N 165, puis la D 768. À l'ouest du golfe, à 47 km de Vannes.*

Cette ancienne île, que les apports d'alluvions ont rattachée à la terre par un isthme étroit – un tombolo –, déploie des dunes de sable où s'accrochent les pins maritimes, un impressionnant chaos rocheux sur la Côte Sauvage, ainsi que des plages très ouvertes, réputées pour leur ensoleillement.

Située à la pointe de la presqu'île, **Quiberon★** est une station balnéaire recherchée pour sa belle plage de sable fin, bien exposée au sud.

★★ **La Côte Sauvage**

Cette côte, aujourd'hui protégée par le Conservatoire du littoral, se compose d'une succession de falaises déchiquetées où grottes, crevasses, gouffres alternent avec de petites plages de sable sur lesquelles les vagues se brisent en rouleaux *(attention, baignade interdite à cause des lames de fond)*.

★★★ **BELLE-ÎLE**

▷ *Dép. quotidien de Quiberon vers Le Palais (5 à 12 rotations/j suivant la période). Dép. de mi-juil. à fin août de Lorient (1 AR/j, 1h). Société morbihannaise et nantaise de Navigation - ℰ 0 820 056 000 (0,12 €/mn) - www.smn-navigation.fr.*

Face à la presqu'île de Quiberon, elle porte un nom prometteur… Des vallons entaillent de hauts rochers, pour aboutir à des plages ou des ports. Des champs alternent avec les ajoncs, les maisons blanchies à la chaux sont entourées de grasses prairies. Telle est la plus grande des îles bretonnes, avec sa **Côte Sauvage★★★** offerte aux amoureux des promenades et de randonnées équestres.

Quittez **Le Palais** (principal port de l'île) pour gagner le petit port de **Sauzon★** qui occupe un joli **site★**. Puis poursuivez vers la **pointe des Poulains★★★**. On découvre à gauche le fort Sarah-Bernhardt, devenu un musée.

★★ **Musée Sarah Bernhardt**

ℰ 02 97 31 61 29 - *d'avr. à fin sept. : tlj sf lun. et jeu. 10h30-17h30 - 4 € (-13 ans gratuit).*

Villa des cinq parties du monde – Elle a été construite pour le fils de la tragédienne, Maurice. Aujourd'hui, une exposition ludique et un commentaire sur audioguide dont le texte est récité par Fanny Ardant font découvrir la personnalité extraordinaire et la vie tumultueuse de la grande tragédienne et surtout l'histoire de sa relation avec l'île et ses habitants.

Fort de Sarah-Bernhardt – Là où Sarah Bernhardt avait installé sa demeure, le décor a été si bien recréé que l'on s'attendrait à la voir arriver… La table est mise, et par la baie vitrée on aperçoit le phare et les vagues qui viennent se fracasser sur les rochers.

★★ **Port Donnant**

La plage de sable, où déferlent des rouleaux, est encadrée de hautes falaises. Les **Aiguilles de Port Coton★★** surgissent à l'extrémité de la route.

Bangor

Ce village est encadré par les sites les plus sauvages de l'île. Il tire son nom de l'abbaye de Bangor (Irlande du Nord) d'où sont venus les premiers moines installés sur l'île au 6e s.

Regagner Le Palais par la D 190.

Circuits conseillés

★★ LE GOLFE DU MORBIHAN

Large de 20 km, cette petite mer intérieure, parsemée de soixante îles ou îlots, est une destination recherchée pour la beauté de ses paysages. Barques de pêche, bateaux de plaisance et barges ostréicoles qui fréquentent Auray et le port de Vannes animent ce golfe, où pointe perpétuellement une voile.

▶ *49 km de Vannes à Locmariaquer. Quitter Vannes à l'ouest par la D 101.*

De la **pointe d'Arradon★**, la **vue★** sur le golfe du Morbihan permet de distinguer de nombreuses îles, notamment l'**île aux Moines★**.

Larmor-Baden

Cette charmante station balnéaire abrite un petit port et un centre ostréicole important.

★★ Cairn de Gavrinis

Dép. de la cale de Penn-Lannic à Larmor-Baden. Juil.-août : visite guidée (1h30) 9h30-12h30, 13h30-19h ; avr., juin et sept. : 9h30-12h30, 13h30-18h30 ; mai : 13h30-18h30, w.-end et j. fériés 9h30-12h30, 13h30-18h30 ; oct. : tlj sf merc. 13h30-17h - 12 €. Réserv. conseillée en haute saison - Sagemor ℘ 02 97 57 19 38.

Il a été construit au néolithique sur l'**île de Gavrinis**, voici environ 5 000 ans. Ce cairn est l'un des plus intéressants monuments mégalithiques de Bretagne. Constitué de pierres amoncelées sur une butte, il atteint 6 m de haut et 50 m

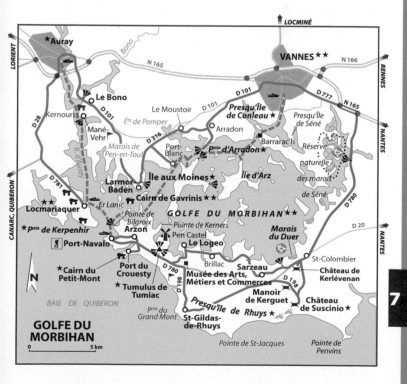

GOLFE DU MORBIHAN

de diamètre. Une galerie couverte mène à la chambre funéraire. Cette petite pièce est recouverte d'une seule pierre de granit, reposant sur des supports ornés de dessins.

Après **Le Bono**, le nouveau pont offre une **vue★** sur la rivière du Bono, le port et le village, avec son vieux pont suspendu (1840) et ses bateaux de plaisance. Remarquez les tas de tuiles chaulées qui servent à recueillir le naissain d'huîtres.

★ Auray
La ville possède un charmant petit port, (St-Goustan) très vivant le soir.

★★ Ensemble mégalithique de Locmariaquer
À hauteur du cimetière, prendre le chemin signalisé jusqu'au parking. ✆ *02 97 57 37 59 -* ♿ *- juil.-août : 10h-19h (dernière entrée 30mn av. fermeture) ; mai-juin : 10h-18h ; sept.-avr. : 10h-12h30, 14h-17h15 - 5 € (-18 ans gratuit).*

Il fait la notoriété de la presqu'île. Voyez le **Grand Menhir brisé** qui atteignait 20 m et pesait 48 t, la **Table des Marchands**, où l'on observe des motifs sur la dalle de chevet et le **tumulus d'Er-Grah** dont la longueur d'origine est estimée à plus de 170 m.

★ LA PRESQU'ÎLE DE RHUYS

Cette langue de terre et de sable ferme au sud le golfe du Morbihan.
◖ *60 km. Quitter Vannes à l'est par la N 165 vers Nantes, puis prendre à droite la D 780.*

Sur la côte sud de la presqu'île, **Sarzeau** étend de longues plages.

Port-Navalo est une sympathique station balnéaire, avec sa plage aux allures de carte postale, nichée dans une crique.

Le Crouesty, important port de plaisance, d'allure moderne, forme un véritable complexe qui abrite un centre de thalassothérapie.

St-Gildas-de-Rhuys doit son origine au monastère fondé au 6ᵉ s. par saint Gildas. Parmi les abbés qui le gouvernèrent, le plus célèbre fut Abélard, au 12ᵉ s.

★ Château de Suscinio
À 3,5 km de Sarzeau par la D 198. ✆ *02 97 41 91 91 - www.suscinio.info - avr.-sept. : 10h-19h ; fév.-mars et oct. : 10h-12h, 14h-18h ; nov.-janv. : 10h-12h, 14h-17h - fermé 1ᵉʳ janv., 25-26 et 31 déc. - 7 € (-8 ans gratuit).*

Il fut la résidence préférée des ducs de Bretagne. Édifié au 13ᵉ s. et remanié aux 14ᵉ et 15ᵉ s., exploité comme carrière de pierres durant la Révolution, il ne conserve que six tours. Aujourd'hui, les salles du logis d'entrée, restaurées, abritent un intéressant musée consacré à l'histoire de Bretagne.

😊 NOS ADRESSES À VANNES

HÉBERGEMENT

PREMIER PRIX

Hôtel de France – *57 av. Victor-Hugo - ☏ 02 97 47 27 57 - www.hotelfrance-vannes.com - fermé 21 déc.-2 janv. -* 🅿 *- 30 ch. 58/103 € - ☕ 8 €.* On reconnaît aisément cet hôtel à sa façade de bois et de zinc. Chambres fraîches et fonctionnelles, rénovées dans un plaisant style contemporain. Salon-véranda.

BUDGET MOYEN

Marébaudière – *4 r. A. Briand - ☏ 02 97 47 34 29 - www.marebaudiere.com -* 🅿 *- 41 ch. 79/99 € - ☕ 11 €.* À 5mn à pied des remparts, bâtisse régionale coiffée d'ardoises, aux chambres colorées (tons bleu, jaune et rouille), très pratiques et bien équipées. Tenue irréprochable.

RESTAURATION

PREMIER PRIX

Crêperie Dan Ewen – *3 pl. du Gén.-de-Gaulle - ☏ 02 97 42 44 34 - www.danewen.com - fermé fin sept.-déb. oct., 1 sem. en fév., dim. et lun. sf saison - 9/16,50 € bc.* La tradition bretonne est cultivée avec passion dans cette belle maison à colombages proche de la préfecture : crêpes à l'ancienne, mobilier breton, musique celte… Un bastion culturel.

Le Gavroche – *17 r. de la Fontaine - ☏ 02 97 54 03 54 - www.restaurant-legavroche.com - fermé 25 juin-20 juil., 1er-20 nov., dim. et lun. - formule déj. 11,90 € - 15,50/25,50 €.* Dans une rue envahie par les restaurants de toutes nationalités, cette adresse sort du lot. La cuisine mitonnée y est on ne peut plus traditionnelle : blanquette, foie gras maison, tête de veau, pied de porc… Terrasse d'été. Pousse-café offert.

BUDGET MOYEN

Roscanvec – *17 r. des Halles - ☏ 02 97 47 15 96 - www.roscanvec.com - fermé dim. et lun. - 20/53 €.* Installé dans une maison à colombages, ce restaurant fait salle comble avec ses menus servis au rez-de-chaussée (où quelques tables offrent le coup d'œil sur les cuisines) ou à l'étage. Recettes inventives.

Rive Gauche – *5 pl. Gambetta - ☏ 02 97 47 02 40 - 18/22 €.* Petites tables en bois, menus et carte des vins inscrits sur ardoise : ce bistrot installé au rez-de-chaussée d'une maison bourgeoise du port ne manque pas de charme. On y mange au coude à coude une cuisine du marché arrosée par de bons crus.

Centre et Pays de la Loire 8

Cartes Michelin National n° 721 et Région nᵒˢ 517, 518 et 521

Passage Pommeraye à Nantes.
ARCO/B. Boensch/Age Fotostock

Le Centre

▶ SE REPÉRER

La région regroupe les six départements du Cher, d'Eure-et-Loir, de l'Indre, d'Indre-et-Loire, de Loir-et-Cher et du Loiret. Elle s'étend de l'Île-de-France à l'Auvergne, des Pays de la Loire à la Bourgogne. Tours est aux portes de Paris (55mn par le TGV). Orléans est à 1h de Paris au départ de la gare d'Austerlitz (train Corail intercités, lequel relie aussi Blois et Amboise sur le réseau régional).

À NE PAS MANQUER

La région mérite bien une visite de quatre à cinq jours. Si vous ne disposez que de deux jours, établissez votre itinéraire en fonction de ces châteaux incontournables : Chambord, Blois, Cheverny, Villandry, Azay-le-Rideau, Valencay. Au gré des balades dans les vieux quartiers des villes, n'hésitez pas à faire un tour dans l'un des musées des Beaux-Arts de la région.

⏱ ORGANISER SON TEMPS

De nombreuses routes à thème sur des routes historiques (par exemple, la route de Jacques Cœur à Bourges et aux alentours) sont aménagées et vous conduiront parfois vers un lieu à découvrir sous la magie d'un son et lumière. L'été, de nombreux musées et châteaux ne ferment pas leurs portes à l'heure du déjeuner, ce qui permet de vivre au rythme souvent décalé des vacances…

La Loire, en descendant, coupe la région d'est en ouest, puis fait un coude à hauteur d'Orléans. Le fleuve marque alors une séparation entre le nord et le sud. Au nord, la grande plaine de la Beauce ; au sud, les étangs de Sologne, les plateaux calcaires, les pays d'herbages (Gâtines de Loches et de Valençay) et la Champagne berrichonne dominée par la cathédrale de Bourges. Le cours du fleuve offre à lui seul une véritable leçon d'histoire : il y a tout d'abord la Loire des abbayes et des églises sorties du Moyen Âge, avec ses lieux de pèlerinages (Tours, St-Benoît-sur-Loire) ; Français et Anglais se sont longtemps battus dans ce pays, guerres et sièges favorisant l'évolution de l'architecture militaire, à Loches et à Chinon. Durant un siècle, à la suite de Charles VII, les rois et les seigneurs délaissent Paris pour le Val de Loire. La Loire, alors navigable, et ses affluents servent à convoyer les matériaux de construction issus de la région : brique, tuffeau, ardoise. Un nouvel art de bâtir et de vivre, à la rencontre des traditions françaises et du raffinement italien, voit le jour : à Chambord, élevé par François Ier, où plane le génie de Léonard de Vinci ; ou bien à Chenonceau, nid d'amour de Diane de Poitiers que Catherine de Médicis lui enlèvera… Au printemps, le Val de Loire se montre sous son plus beau jour, avec ses jardins en fleurs. L'été, les châteaux reprennent vie grâce aux sons et lumières… Mais en toute saison, c'est aussi à une bonne table que l'on découvre les vins issus des cépages de la région.

Orléans

★

113 257 Orléanais – Loiret (45)

 NOS ADRESSES PAGE 382

🔲 **S'INFORMER**

Office de tourisme – *2 pl. de l'Étape - 45056 Orléans Cedex 1 - ℘ 02 38 24 05 05 - www.tourisme-orleans.com - juil. août : 9h-19h, dim. 10h-13h, 14h-17h ; mai-juin et sept. : tlj sf dim. 9h30-13h, 14h-18h (18h30 juin) ; reste de l'année : lun.-sam., se renseigner pour les horaires.*

▶ **SE REPÉRER**

Carte générale C2 – *Cartes Michelin n° 721 J7 et n° 518 M10.* À 1h15 de Paris (130 km) et de Tours (115 km) par l'A 10. Entre la Beauce et la Sologne.

☺ **À NE PAS MANQUER**

Les boiseries de la cathédrale, les collections du musée des Beaux-Arts.

🕐 **ORGANISER SON TEMPS**

Laissez votre voiture dans l'un des parkings souterrains, bien signalés, en centre-ville. Comptez une demi-journée pour la ville, un peu plus pour les environs.

👥 **AVEC LES ENFANTS**

Le parc du château de La Ferté-St-Aubin.

Orléans, la capitale régionale du Centre et l'une des trois grandes villes du Val de Loire, s'étend à l'orée de la Sologne où les forêts de bouleaux, pins et châtaigniers, les étangs et marais font la joie des pêcheurs, des chasseurs et des randonneurs. La ville, marquée par le souvenir de Jeanne d'Arc, est riche d'une cathédrale, d'une vieille ville, d'une belle rue Royale, d'un exceptionnel musée des Beaux-Arts, de jardins et parcs superbes. Et pour voir un château, il suffit de se rendre à Chambord !

Découvrir

★★ Cathédrale Sainte-Croix

La cathédrale, dont la construction fut commencée à la fin du 13ᵉ s. et poursuivie jusqu'au début du 16ᵉ s., fut en partie détruite par les protestants en 1586. Henri IV, en témoignage de gratitude pour la ville qui s'était ralliée à lui, entreprit sa reconstruction dans un style gothique composite.

La **façade** compte trois grands porches surmontés de rosaces, elles-mêmes coiffées d'une galerie ajourée. La pierre y est travaillée avec une extrême finesse. De splendides **boiseries★★** du début du 18ᵉ s. décorent le chœur et les stalles.

★★ Musée des Beaux-Arts

℘ 02 38 79 21 55 - ♿ - 10h-18h - fermé lun., 1ᵉʳ janv., 1ᵉʳ et 8 Mai, 14 Juil., 1ᵉʳ et 11 Nov. et 25 déc. - 3 € (-18 ans gratuit), 4 € collection permanente et expositions temporaires, gratuit 1ᵉʳ dim. du mois.

8

La richesse et la diversité des collections placent le musée parmi les premières collections publiques françaises. Peintures, sculptures et objets d'art offrent un vaste panorama sur la création en Europe du 16e au 20e s., dont de très belles peintures françaises des 17e et 18e s., un magnifique **cabinet de pastels** du 18e s. – avec le superbe *Autoportrait aux bésicles* de Chardin. La collection d'**art moderne** se distingue par l'importance de la sculpture : Rodin, Maillol, Bourdelle…

⋆ **Maison de Jeanne d'Arc**

☏ 02 38 52 99 89 - fermé jusqu'en avr. 2012.

Sa haute façade à colombages tranche sur la place, moderne, du Général-de-Gaulle, dans ce quartier dévasté par les bombardements de 1940. C'est la copie de la maison de Jacques Boucher, trésorier du duc d'Orléans, chez qui Jeanne fut logée en 1429. Au 1er étage, le montage audiovisuel raconte la levée du siège d'Orléans par Jeanne d'Arc, le 8 mai 1429. Des reconstitutions de costumes de l'époque et de machines de guerre complètent l'exposition.

À proximité

⋆⋆ **Saint-Benoît-sur-Loire**

▶ À 36 km au sud-est d'Orléans par la D 960, puis la D 60 qui épouse la courbe du fleuve. ☏ 02 38 35 72 43 - visite guidée sur demande préalable de Pâques à Toussaint - 4 €.

Éblouissant témoignage d'art et de spiritualité, l'abbaye St-Benoît subjugue par ses proportions, la richesse de ses sculptures et la lumière dorée qui semble draper voûtes et colonnes. Elle fut un des tout premiers foyers intellectuels d'Occident, rayonnant en particulier sur l'ouest de la France et l'Angleterre.

⋆⋆ **Basilique** – Elle a été bâtie de 1067 à 1107, mais la nef ne fut achevée qu'à la fin du 12e s. Le **clocher-porche⋆⋆** est un des plus beaux monuments de l'art roman. Sur les chapiteaux de type corinthien, admirez les feuilles d'acanthe, qui alternent avec des animaux fantastiques, des scènes de l'Apocalypse, des épisodes de la vie du Christ. À la façade du porche (2e pilier en partant de la gauche), l'un des chapiteaux est signé : « *Umbertus me fecit* » (« Umbertus me fit »). Le **chœur⋆⋆** roman, très profond, est entouré de chapelles rayonnantes, caractéristique d'une église construite pour les foules et les processions.

⋆ **Église de Germigny-des-Prés**

▶ À 35 km au sud-est d'Orléans. ☏ 02 38 58 27 97.

Rare et précieux témoin de l'art carolingien, la ravissante église de Germigny est l'une des plus vieilles de France. L'édifice a conservé sur sa voûte une remarquable **mosaïque⋆⋆** figurant l'Arche d'alliance, surmontée de deux chérubins, encadrée de deux archanges ; au centre apparaît la main de Dieu. L'emploi de mosaïques d'or et d'argent dans le dessin des archanges rattache cette œuvre à l'art byzantin de Ravenne.

Circuit conseillé

⋆ **LA SOLOGNE**

De la Loire au Cher, le terroir solognot, avec ses villages colorés de brique, vous réserve bien des plaisirs, entre terrines et tartes Tatin, entre étangs et grands bois, peuplés de hérons, butors, faisans, cerfs, sangliers, brochets,

> **LA TARTE TATIN**
>
> Les demoiselles Tatin, aubergistes à Lamotte-Beuvron au 19ᵉ s., ont inventé ce succulent et célèbre dessert, dont voici la recette.
>
> Enduire l'intérieur d'un grand plat d'une belle couche de beurre et d'une couche non moins épaisse de sucre en poudre. Éplucher et couper en quartiers de belles pommes reinettes. Remplir le plat complètement en serrant bien les fruits. Les arroser de beurre fondu. Sucrer un peu et recouvrir le tout d'une couche de pâte brisée, un peu molle et pas trop épaisse. Cuire à four chaud entre 20 et 25mn. Démouler en retournant le plat de façon à avoir les pommes en haut, parfaitement caramélisées. Et le tour est joué…

sandres, anguilles, carpes… C'est au début de l'automne, lorsque le cuivre des chênes se mêle au vert persistant des pins sylvestres, par-dessus les fougères rousses et les tapis de bruyère mauve, que la Sologne exerce son charme le plus profond.

▶ *120 km. Quitter Orléans par la N 20.*

La Ferté-Saint-Aubin

★ **Château** – ℘ *02 38 76 52 72 - www.chateau-ferte-st-aubin.com - de mi-fév. à Pâques et de fin sept. à mi-nov. : 14h-18h ; de Pâques à fin sept. : 10h-19h - 9 € (enf. 6 €).* Sur la rive du Cosson, semée de nénuphars, ce superbe édifice classique dresse ses façades de brique rose parmi les feuillages. Dans la cour d'honneur, deux bâtiments abritent de magnifiques **écuries** et une orangerie. À l'intérieur du « grand château », la salle à manger et le Grand Salon ont conservé des meubles du 18ᵉ s. Dans les cuisines, une animation permanente initie aux secrets de la fabrication des madeleines au miel.

Parc – 👥 Avec ses maisons à la taille des enfants, l'**Île enchantée** permet de jouer Alice ou à Lancelot et de découvrir des jeux, comme les pendules, la quintaine ou encore marelle géante.

★★★ **Château de Chambord**

À 36 km à l'ouest de la Ferté-St-Aubin par la D 61 puis la D 103. ℘ 02 54 50 40 00 - www.chambord.org - avr.-sept. : 9h-18h ; janv.-mars et oct.-déc. : 10h-17h - fermé 1ᵉʳ janv. et 25 déc. - 9,50 € (-25 ans gratuit).

Grandiose folie du roi François Iᵉʳ stimulé par ses rêves, son amour de l'art et du faste, Chambord est unique. Si le nom de l'architecte ne nous est pas connu avec certitude, la conception initiale semble bien avoir germé dans l'esprit fécond de Léonard de Vinci. Le vieil artiste, installé depuis peu à la cour de France, meurt au printemps 1519, au moment où débutent les travaux. En 1537, le gros œuvre est terminé. En 1545, le logis royal est achevé. Le plan de Chambord est d'inspiration féodale : un **donjon** central à quatre tours entouré d'une enceinte. Au cours de la construction sont ajoutées deux ailes : l'une abrite l'appartement royal, l'autre la **chapelle**★. Mais la construction Renaissance n'évoque plus aucun souvenir guerrier : c'est une royale demeure de plaisance, dont les façades, imposantes, doivent à l'Italie l'agrément de leurs sculptures et de leurs larges ouvertures. Vous découvrirez le célèbre **escalier à double révolution**★★★, sans nul doute création de Léonard de Vinci. Au niveau des **terrasses**★★★, la richesse du décor est étonnante.

Le **parc** du château offrait un magnifique territoire de chasse. 🚶 Aujourd'hui, les promeneurs à pied peuvent suivre l'un des quatre sentiers balisés dans la partie ouest du parc ou le GR 3.

Prendre au sud la D 112, tourner à gauche au carrefour de Chambord, puis à droite au carrefour du Roi-Stanislas pour emprunter une route forestière.

Neuvy
Église – *Visite sur demande auprès de la mairie -* ℘ 02 54 46 42 69. Solitaire, elle est entourée d'un cimetière, dans un site agréable près d'une vieille ferme de brique, à pans de bois. Dans la nef, la poutre de gloire supporte des statues du 15e s.

Chaumont-sur-Tharonne
Cette cité conserve, dans son plan, le témoignage des remparts qui l'entouraient jadis. Elle occupe une butte que couronne une église des 15e et 16e s.

Lamotte-Beuvron
Grâce à l'acquisition du château en 1852 par Napoléon III, ce simple hameau est devenu une capitale de la chasse. Tous les bâtiments publics et nombre d'habitations en brique datent de la période 1860-1870.

Souvigny-en-Sologne
Autour de l'église (12e-16e s.) précédée de son **caquetoir** (grand porche en charpente qui longe deux façades de l'édifice), vous remarquerez les typiques maisons à colombages. ☞ 80 km de chemins ruraux sont balisés aux alentours *(plan détaillé disponible chez les commerçants).*

😊 NOS ADRESSES À ORLÉANS

HÉBERGEMENT

PREMIER PRIX
Hôtel Jackotel – *18 cloître St-Aignan -* ℘ 02 38 54 48 48 *- fermé dim. et j. fériés 13h-18h -* 🅿 *- 61 ch. 60/65 € -* ☕ *7 €.* Dans la vieille ville, proche des bords de Loire, cet établissement profite du calme de la jolie place du cloître St-Aignan. Les chambres meublées simplement sont confortables et fonctionnelles.

RESTAURATION

PREMIER PRIX
Chez Jules – *136 r. de Bourgogne -* ℘ 02 38 54 30 80 - *fermé 6-21 juil., dim. et lun. - formule déj. 19 € - 19/33 €.* Cette petite enseigne, rustique et économique, se distingue des nombreuses tables voisines par son accueil très chaleureux et ses généreux plats traditionnels revisités.
La Dariole – *25 r. Étienne-Dolet -* ℘ 02 38 77 26 67 *- fermé 3-23 août, sam., dim. et le soir sf mar. et vend. - formule déj. 19 € - 23,50 €.* Goûteuse cuisine personnalisée servie dans la pimpante salle à manger rustique de cette maison à colombages du 15e s. et sur la petite terrasse d'été, ouverte sur une placette.

Blois

★★

46 834 Blésois – Loir-et-Cher (41)

 NOS ADRESSES PAGE 388

S'INFORMER
Office de tourisme de Blois-Pays de Chambord – *23 pl. du Château - 41006 Blois - ℘ 02 54 90 41 41 - www.bloispaysdechambord.com - juin-août : 9h-19h ; avr.-mai et sept. : 9h-18h ; oct.-mars : 10h-17h - fermé 1er janv. et 25 déc.*

SE REPÉRER
Carte générale B2 – *Cartes Michelin n° 721 I7 et n° 518 I12.* À mi-chemin entre Orléans (62 km) et Tours (65 km), sur la rive droite de la Loire.

À NE PAS MANQUER
Le vieux Blois, la conception novatrice de l'escalier du château ; le décor original du cabinet de Catherine de Médicis ; les paysages de bord de Loire et tout près, le château de Cheverny.

ORGANISER SON TEMPS
Comptez une demi-journée pour la ville, autant pour les environs.

AVEC LES ENFANTS
À Blois, la maison de la magie Robert-Houdin et ses spectacles de grande illusion. Au Clos-Lucé, les machines de Léonard de Vinci.

Façades blanches, toits bleutés et cheminées de brique révèlent le charme souriant de la vieille ville étirée en bord de Loire. Ses ruelles escarpées et tortueuses, reliées ici et là par des volées d'escaliers, grimpent à l'assaut du coteau qui domine le fleuve. Sur cette hauteur se dresse le château royal que Louis XII, François Ier et Gaston d'Orléans ont façonné à l'image de leur époque.

Découvrir

★★★ LE CHÂTEAU

℘ 02 54 90 33 33 - www.chateaudeblois.fr - juil.-août : 9h-19h ; avr.-juin et sept. : 9h-18h30 ; oct. : 9h-18h ; janv.-mars et nov.-déc. : 9h-12h30, 13h30-17h30 - fermé 1er janv. et 25 déc. - 9,50 € (enf. 4 €), gratuit 1er dim. du mois (oct.-mars).

Place du Château
La **façade** du château sur la place comporte le pignon pointu de la salle des États généraux, vestige du château féodal (13e s.), et le gracieux bâtiment construit en brique et pierre par Louis XII, avec ses galeries et ses lucarnes. Le grand portail flamboyant est surmonté d'une niche contenant la **statue équestre de Louis XII★**.

Cour intérieure
En traversant la cour, vous rejoindrez la charmante terrasse d'où l'on a une belle **vue** sur l'église St-Nicolas et la Loire.

L'**aile Louis-XII** comporte une galerie qui desservait les différentes salles du logis, progrès notable pour l'époque car jusqu'alors dans les châteaux, les pièces se commandaient l'une l'autre.

L'**aile François-Ier** est bâtie 12 ans après l'aile Louis-XII. C'est le triomphe de la mode italienne dans la décoration. Les fenêtres répondent encore à la disposition intérieure des pièces, sans soucis de symétrie. Véritable aboutissement de l'architecture gothique et chef-d'œuvre de sculpture italianisante, l'**escalier★★** a une fonction d'apparat. La cage est évidée entre les contreforts et forme une série de balcons d'où la Cour assistait à l'arrivée des grands personnages. Son décor glorifie le roi et la reine : candélabres, initiales, couronne.

L'**aile Gaston-d'Orléans**, de style classique, contraste avec le reste du bâtiment. Pour la juger équitablement, il faut la voir de l'extérieur de l'enceinte et imaginer dans son ensemble l'édifice projeté.

Appartements et musées

Installé dans les cuisines de François Ier, le **Musée archéologique** présente le produit des fouilles en Loir-et-Cher, des objets provenant du promontoire du château à l'époque médiévale, et un exceptionnel ensemble daté de la période carolingienne.

COMPLOTS ET MEURTRE AU CHÂTEAU

L'âge d'or de la Renaissance – Né à Blois en 1462, **Louis XII** succède à Charles VIII en 1498. Blois devient résidence royale au détriment d'Amboise. Le roi et sa femme, **Anne de Bretagne**, font bâtir une aile et dessiner des jardins en terrasses. **François Ier** s'installe à son tour à Blois, qui partage sa faveur avec Amboise, et fait reconstruire l'aile qui porte son nom, la plus belle partie de l'édifice.

Assassinat au château – Au 16e s., la famille de Guise, issue de la maison de Lorraine, domine la vie politique française : ces princes, très catholiques, voient leur ascension politique confirmée sous le règne d'Henri II. En 1588, **Henri de Guise**, lieutenant général du royaume, chef de la Ligue, oblige Henri III à convoquer les états généraux à Blois. 500 députés y prennent part, presque tous acquis aux Guises qui comptent obtenir d'eux la déchéance du roi. Celui-ci ne voit alors plus que l'assassinat pour se débarrasser de son rival. Au matin du 23 décembre 1588, le roi convoque Henri de Guise pour l'attirer dans son guet-apens : face aux hommes qui l'attendent, l'épée à la main, le duc ne peut reculer, car les huit autres lui coupent la retraite. Ils se jettent sur leur victime, qu'ils neutralisent en enroulant son manteau autour de son épée. Le duc renverse quatre des agresseurs, en blesse un cinquième, mais ne peut échapper à la meute ; criblé de blessures, il tombe près du lit du roi.

Un conspirateur : Gaston d'Orléans – En 1626, Louis XIII, pour éloigner son frère Gaston d'Orléans, en lutte contre le tout-puissant cardinal de Richelieu, lui donne le comté de Blois, les duchés d'Orléans et de Chartres. Ce dernier connaît l'exil, revient en France, complote, puis repart, et ainsi de suite. Réconcilié avec le roi en 1634, il se consacre à sa résidence de Blois : il fait appel à Mansart et lui commande le plan d'un très vaste édifice. De 1635 à 1638, un nouveau corps de logis s'élève, mais, faute de subsides, les travaux doivent s'arrêter. Le conspirateur reprend alors du service : de 1650 à 1653, il prend une part active à la Fronde contre Mazarin. Définitivement exilé sur ses terres, il habite l'aile François Ier, embellit les jardins, et meurt en 1660, au milieu de sa cour.

Intérieur du château de Blois.
S. Grandadam/Age Fotostock

Cheminées, tapisseries, bustes et portraits ornent les **appartements de l'aile-François Ier**. Le **cabinet de Catherine de Médicis**★ a gardé ses 237 panneaux de bois sculpté qui dissimulent des armoires secrètes pour abriter des bijoux et des papiers d'État ou par goût des placards muraux fréquents dans les cabinets italiens. On les manœuvre en pressant du pied une pédale, cachée dans la plinthe.

★ **Musée des Beaux-Arts** – *1er étage de l'aile Louis XII - mêmes horaires et tarifs que le château.* On y verra l'exceptionnelle collection de tapisseries (16e-17e s.), le **cabinet des Portraits** et la remarquable série de **médaillons** en terre cuite de Jean-Baptiste Nini. Dans la salle de ferronnerie et de serrurerie, vous remarquerez une superbe garniture de cheminée destinée au comte de Chambord, œuvre d'un serrurier blésois : Louis Delcros.

★ **LE VIEUX BLOIS**

Jardin des simples et des fleurs royales
Ce jardin en terrasse est le seul vestige des vastes jardins du château. Près de la balustrade, belle **vue**★ à gauche sur le pavillon Anne-de-Bretagne, sur l'église St-Vincent et le château. En contrebas apparaît le jardin (1992) créé par Gilles Clément dans l'esprit de la Renaissance.

★ Église Saint-Nicolas
L'église (12e et 13e s.) est dotée d'un vaste chœur entouré d'un déambulatoire et de chapelles rayonnantes, avec de beaux chapiteaux historiés.

Maison de la magie Robert-Houdin
℘ 02 54 55 26 26 - avr.-août : spectacle (1/2h) 10h-12h30, 14h-18h30 ; sept. : 14h-18h30, w.-end 10h-12h30, 14h-18h30 - ♿ - 8 € (enf. 5 €).
👥 Le visiteur traverse le kaléidoscope géant et le cabinet des images avant de descendre vers le foyer des grands magiciens. Le **théâtre des Magiciens**★ propose un spectacle présenté par des prestidigitateurs de haut niveau.

À proximité

★★ Amboise

▶ *À 36 km au sud-ouest de Blois en suivant la Loire par la N 152 ou la D 751.*

★★ **Château royal** – ℘ *0 820 20 50 50 - www.chateau-amboise.com - juil.-août : 9h-19h ; avr.-juin : 9h-18h30 ; sept.-oct. : 9h-18h ; mars et 1re quinz. nov. : 9h-17h30 ; de mi-nov. à fin janv. : 9h-12h, 14h-16h45 ; fév. : 9h-12h30, 13h30-17h - fermé 1er janv. et 25 déc. - 10 € (7-14 ans 6,50 €).* C'est au 15e s. qu'Amboise connaît son âge d'or. **Charles VIII,** qui a passé son enfance dans le vieux château bâti sur un promontoire rocheux, songe, dès 1489, à le rénover et à l'agrandir pour en faire une résidence luxueuse. En 1492, le chantier s'ouvre et, en cinq ans, deux corps de bâtiment prolongent les constructions anciennes. Entre-temps, le roi s'est rendu en Italie. Ébloui par le raffinement artistique de la péninsule, il rapporte à Amboise un butin considérable : mobilier, œuvres d'art, étoffes, etc. En outre, il ramène à son service toute une équipe d'érudits, d'architectes, de sculpteurs, d'ornemanistes, de jardiniers, de tailleurs d'habits… Les jardins italiens l'ont émerveillé. Dès son retour, il fait tracer par **Pacello** un jardin d'ornement sur la terrasse.

Aujourd'hui, de la vaste **terrasse** qui domine le fleuve, on découvre une très belle **vue★★** sur la Loire et les toits de la ville, d'où émergent la **tour de l'Horloge** (15e s.) et, au sud-est, le manoir de brique du Clos-Lucé.

Bâtie en 1491, en porte-à-faux sur la muraille, la **chapelle St-Hubert** possède d'admirables vantaux de style gothique flamboyant. Observez le linteau de porte finement sculpté où figure la légende de saint Hubert à droite, l'histoire de saint Christophe à gauche. Contiguë au **logis du roi,** l'énorme **tour des Minimes** renferme une large rampe que pouvaient gravir cavaliers et attelages, pour l'approvisionnement du château.

★ **Château du Clos-Lucé, parc Leonardo-da-Vinci** – *à 500 m du château royal d'Amboise - ℘ 02 47 57 00 73 - www.vinci-closluce.com - juil.-août : 9h-20h ; fév.-juin et sept.-oct. : 9h-19h ; nov.-déc. : 9h-18h ; janv. : 10h-18h - fermé 1er janv. et 25 déc. - dernière entrée 1h av. fermeture - 13 € (enf. 8 €) - basse saison 9,50 € (enf. 6 €).* Le Clos-Lucé avait été acquis par Charles VIII pour Anne de Bretagne. En 1516, François Ier installe Léonard de Vinci au Clos-Lucé, où l'artiste organise les fêtes de la Cour. Il y demeure jusqu'à sa mort, le 2 mai 1519, à l'âge

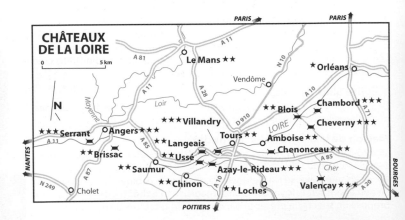

de 67 ans. À l'étage, on visite la chambre, restaurée et meublée, où mourut le maître, ainsi que son cabinet de travail.

👥 Le sous-sol est consacré aux « **fabuleuses machines** » de Léonard de Vinci, avec pas moins de quarante maquettes.

★★ Vendôme

▶ *À 30 km au nord-ouest de Blois par la D 957.*

Promenez-vous en barque ou à pied, pour découvrir les secrets du **vieux Vendôme**, petite Venise aux charmes secrets, qui s'ouvre sur le Loir et sa vallée. Ronsard y naquit et chanta ses paisibles beautés. Chaque heure, le carillon du clocher de l'église St-Martin égrène ici aussi, comme à Beaugency, la célèbre chanson « … que reste-t-Il À ce dauphin si gentil, De son royaume ? Orléans, Beaugency, N.-D.-de-Cléry, Vendôme, Vendôme… »

L'étonnante façade flamboyante de l'**église★★** de l'**ancienne abbaye de la Trinité★**, fouillée et ajourée comme une dentelle, contraste avec la sobre tour romane. La nef, commencée au milieu du 14e s., n'a été achevée qu'au début du 16e s. Le **chœur** est garni de **stalles★** de la fin du 15e s. ; les miséricordes s'agrémentent de scènes naïves racontant la vie de tous les jours à travers les métiers et les signes du zodiaque.

★★★ Château de Cheverny

▶ *À 17 km au sud de Blois. 📞 02 54 79 96 29 - www.chateau-cheverny.com - juil.-août : 9h15-18h45 ; avr.-juin et sept. : 9h15-18h15 ; oct. : 9h45-17h30 ; nov.-mars : 9h45-17h - « Soupe des chiens » de déb. avr. à mi-sept. : 17h ; de mi-sept. à fin mars : tlj sf mar., w.-end et j. fériés 15h - 7,70 € château et parc, 12,20 € château et exposition permanente, 12,40 € château et découverte insolite du parc et du canal.*

Cheverny, c'est Moulinsart bien sûr, le château du capitaine Haddock, théâtre de certaines aventures de Tintin et Milou, comme l'intrusion d'Abdallah… Remarquable exemple de classicisme 17e s., Cheverny frappe d'emblée par la blancheur de sa pierre et par ses proportions harmonieuses, fondées sur un jeu rigoureux de symétries, parfaitement inscrit dans un parterre de pelouses. Mais ce « palais enchanté », bâti d'un seul jet de 1624 à 1634 par le comte Hurault de Cheverny, vous émerveillera plus encore par son intérieur.

Dans la **salle d'armes★**, la tapisserie des Gobelins (17e s.), **L'Enlèvement d'Hélène★★**, surprend par la fraîcheur de ses coloris. Les armes et les armures datent des 15e, 16e et 17e s.

La **chambre du roi★★** au plafond divisé en caissons à l'italienne, rehaussé d'or, est meublée d'un lit à baldaquin somptueux recouvert de soieries persanes brodées de fleurs (1550).

Le **Grand Salon★★**, meublé et orné de tableaux, présente un plafond entièrement revêtu, comme les lambris des murs, d'un décor peint rehaussé de dorures.

La **galerie** contient de nombreux tableaux : arrêtez-vous devant les trois **portraits de François Clouet★★**.

Dans le **salon des Tapisseries**, l'extraordinaire **horloge★★**, « régulateur » Louis XV, marque invariablement depuis plus de deux siècles, la date, le jour, l'heure, les minutes, les secondes et les phases de la Lune.

Dans le parc, le **chenil★** abrite la plus grande meute privée de France : une centaine de chiens issus du croisement du fox-hound britannique et du poitevin français. L'heure du repas est toujours un grand moment qui révèle l'organisation et la hiérarchie de la meute.

☺ NOS ADRESSES À BLOIS

VISITE

Bateau découverte de la Loire - le Saint-Martin-de-Tours – *56 quai de la Loire - 37210 Rochecorbon -* ℘ *02 47 52 68 88 - www.naviloire.com - fermé nov.-mars. - en saison, dép. fréquents annoncés au n° de tél. ci-dessus - durée 50mn.*

HÉBERGEMENT

PREMIER PRIX

Hôtel Anne de Bretagne – *31 av. Jean-Laigret -* ℘ *02 54 78 05 38 - www.annedebretagne.free.fr - fermé 15 fév.-7 mars - 27 ch. 54/58 € -* ☕ *8 €.* Ce petit est à deux pas du château et du jardin du Roi en terrasses. Une adresse familiale où il fait bon s'arrêter : salon cosy, chambres simples et joliment colorées, petit-déjeuner servi dehors l'été.

RESTAURATION

BUDGET MOYEN

Les Banquettes Rouges – *16 r. des Trois-Marchands -* ℘ *02 54 78 74 92 - fermé 10 j. en juin, 10 j. en août, vac. de Noël, dim. et lun. - 15/32 €.* D'entrée, on éprouve de la sympathie pour ce petit restaurant. Le cadre est chaleureux : chaises bistrot, tables au coude à coude et banquettes rouges. Dans l'assiette, tout est fait maison et les saveurs sont au rendez-vous.

Côté Loire « Auberge Ligérienne » – *2 pl. de la Grève -* ℘ *02 54 78 07 86 - www.coteloire. com - formule déj. 18,50 € - 28,50 € - 8 ch. 56/79 € -* ☕ *8,50 €.* Accueillante auberge du 16ᵉ s. située à proximité des quais de la Loire. Intérieur rénové avec beaucoup de goût et cuisine traditionnelle (brochet au beurre blanc, coq au vin, blanquette de veau, etc.) proposée sous la forme d'un menu unique qui change chaque jour. Terrasse et chambres douillettes en sus.

Le Bistrot de Léonard – *8 r. Mar.-de-Lattre-de-Tassigny -* ℘ *02 54 74 83 04 - www.lebistrotdeleonard. com - fermé 24 déc.-1ᵉʳ janv., sam. midi et dim. - 25/45 €.* Ambiance bistrot parisien restituée derrière une jolie façade en bois donnant sur les quais. Plats canailles notés à l'ardoise, mise de table design, clins d'œil à da Vinci.

ACHATS

La Maison du vin de Loir-et-Cher – *11 pl. du Château -* ℘ *02 54 74 76 66 - tlj sf w.-end 9h-12h, 14h-17h (17h30 en été) - fermé 1ᵉʳ janv., 1ᵉʳ et 11 Nov. et 25 déc.* Cette maison créée par la Fédération des syndicats viticoles du Loir-et-Cher est une étape idéale pour découvrir les vins de la région. Les crus vendus ici bénéficient des appellations d'origine contrôlée côteaux-du-vendômois, crémant de Loire, touraine-mesland, touraine, cheverny, cour-cheverny ou valençay, ou de la dénomination « vins de pays de Val de Loire », de moindre notoriété.

Tours

★★

135 480 Tourangeaux – Indre-et-Loire (37)

NOS ADRESSES PAGE 395

S'INFORMER

Office de tourisme – *78-82 r. Bernard-Palissy - 37000 Tours - ℘ 02 47 70 37 37 - www.ligeris.com - avr.-sept. : 8h30-19h, dim. et j. fériés 10h-12h30, 14h30-17h ; oct.-mars : 9h-12h30, 13h30-18h, dim. et j. fériés 10h-13h - fermé 1er janv. et 25 déc.*

SE REPÉRER

Carte générale B2 – *Cartes Michelin n° 721 H7 et n° 518 F13.* À mi-chemin entre Orléans (116 km) et Angers (133 km), la ville historique est située à la rencontre de la Loire et du Cher. Venant de Paris (240 km), vous surplombez la Loire et apercevez les tours de la cathédrale.

À NE PAS MANQUER

Une promenade dans le vieux Tours, et non loin, le château de Chenonceau.

ORGANISER SON TEMPS

Garez votre voiture dans l'un des nombreux parkings du centre-ville, à proximité des sites touristiques. Comptez au moins une bonne demi-journée pour la ville et son musée des Beaux-Arts.

AVEC LES ENFANTS

Le potager du château de Villandry ; le donjon et le parc de l'An Mil du château de Langeais.

Première ville du Val de Loire, devant Orléans et Angers, capitale de la Touraine, ancienne cité royale et ville universitaire, Tours ne conserve pas moins de trois quartiers anciens, parfaitement préservés : le vieux Tours, avec sa place Plumereau et ses maisons médiévales ou Renaissance, le quartier St-Julien au centre, et celui de la cathédrale plus à l'est, avec son archevêché. Longues promenades en perspective, au gré de ses rues commerçantes, piétonnières, de ses places secrètes, de ses beaux hôtels et de ses jardins…

Se promener

★★★ LE VIEUX TOURS

★ Place Plumereau et rues alentours

Aménagée en zone piétonne, la place est bordée de belles maisons du 15ᵉ s. à pans de bois qui alternent avec des façades de pierre. Terrasses de cafés et de restaurants débordent sur la place dès les premiers beaux jours, attirant touristes et étudiants. Autour de la place, promenez-vous dans la **rue du Grand-Marché**, l'une des plus intéressantes du vieux Tours, avec ses nombreuses

8

façades à colombages garnies de briques ou d'ardoises et dans la **rue Briçonnet★** qui rassemble tous les styles de maisons tourangelles, depuis la façade romane jusqu'à l'hôtel 18ᵉ s. Au n° 35, une maison présente, sur l'étroite rue du Poirier, une façade romane ; au n° 31, façade gothique de la fin du 13ᵉ s. ; en face, au n° 32, maison Renaissance aux jolies statuettes en bois. Au n° 16 se trouve la **maison de Tristan**, remarquable construction de brique et pierre, au pignon dentelé, de la fin du 15ᵉ s. **Rue Paul-Louis-Courier**, remarquez, au n° 10, dans la cour intérieure, le portail d'entrée de l'hôtel Binet (15ᵉ-16ᵉ s.).

Place de Châteauneuf
Belle vue sur la **tour Charlemagne**, vestige de la **basilique St-Martin**, élevée du 11ᵉ au 13ᵉ s. sur le tombeau du grand évêque de Tours. Saccagé en 1562 par les huguenots, l'édifice fut laissé à l'abandon pendant la Révolution et ses voûtes s'écroulèrent. En face, voir l'ancien **logis des ducs de Touraine** (14ᵉ s.) et l'**église St-Denis** (15ᵉ s.).

★★ LE QUARTIER DE LA CATHÉDRALE

À l'écart des flux touristiques, c'est un quartier plein de charme.

★★ Cathédrale Saint-Gatien
St-Gatien a été commencée au milieu du 13ᵉ s. et terminée au 16ᵉ s, exposant ainsi toute la panoplie du style gothique ; malgré ce mélange, la façade s'élance de façon très harmonieuse. Une légère asymétrie des détails évite toute monotonie.

L'**intérieur** de la cathédrale frappe par la pureté de ses lignes. La nef des 14ᵉ et 15ᵉ s. s'harmonise parfaitement au **chœur** : ce dernier est une belle réalisation du 13ᵉ s. et rappelle la Ste-Chapelle de Paris. Les **verrières★★** du chœur, aux chauds coloris, sont du 13ᵉ s. ; les roses du transept, du 14ᵉ s. Dans la chapelle qui donne sur le croisillon sud, remarquez le **tombeau★** des enfants de Charles VIII, œuvre gracieuse du 16ᵉ s.

★ Place Grégoire-de-Tours
À gauche se dresse le pignon médiéval du **palais des Archevêques** : de la tribune Renaissance, on donnait lecture des jugements du tribunal ecclésiastique. Remarquez, sur la rue Manceau, une maison canoniale (15ᵉ s.) surmontée de deux lucarnes à gâble et, à l'entrée de la rue Racine, une maison de tuffeau à toit pointu (15ᵉ s.).

★★ Musée des Beaux-Arts
℘ 02 47 05 68 73 - ♿ - tlj sf mar. 9h-12h45, 14h-18h - fermé 1ᵉʳ janv., 1ᵉʳ Mai, 14 Juil., 1ᵉʳ et 11 Nov. et 25 déc. - 4 € (-12 ans gratuit), gratuit 1ᵉʳ dim. du mois.
Les salons de l'ancien **archevêché** (17ᵉ-18ᵉ s.), garnis de boiseries Louis XVI et de soieries de Tours, exposent des œuvres d'art provenant en partie des châteaux détruits de Richelieu et de Chanteloup, ainsi que des grandes abbayes tourangelles.
Aux murs, dans la salle Louis XIII, remarquez la suite très colorée *Les Cinq Sens*, tableaux anonymes exécutés d'après des gravures du Tourangeau **Abraham Bosse** (1602-1676). Parmi les peintures des 14ᵉ et 15ᵉ s., des **primitifs italiens★** et les chefs-d'œuvre du musée : deux Mantegna ayant appartenu au retable de San Zeno Maggiore de Vérone. Dans la section consacrée aux 19ᵉ et 20ᵉ s., voyez les toiles de Delacroix, Chassériau, un portrait de Balzac par Boulanger et une riche collection d'**œuvres orientalistes**, dominée par les envoûtantes *Femmes d'Alger* de Giraud. Une salle est consacrée au peintre contemporain Olivier Debré.

★ LE QUARTIER SAINT-JULIEN

Proche du pont sur la Loire, ce quartier a beaucoup souffert des bombardements de la dernière guerre ; mais derrière les façades rectilignes de la moderne rue Nationale subsistent d'intéressants vestiges historiques.

★★ Musée du Compagnonnage

📞 02 47 21 62 20 - www.museecompagnonnage.fr - ♿ - de mi-juin à mi-sept. : 9h-12h30, 14h-18h ; de mi-sept. à mi-juin : tlj sf mar. 9h-12h30, 14h-18h (dernière entrée 30mn av. fermeture) - fermé 1er janv., 1er mai, 14 juil., 1er et 11 nov. et 25 déc. - 5,20 € (-12 ans gratuit).

Aménagé au-dessus de la salle capitulaire de l'abbaye St-Julien, cet intéressant musée présente un ensemble de métiers du compagnonnage, les outils correspondants et les chefs-d'œuvre que les compagnons réalisent pour acquérir leur titre.

★ Hôtel de Beaune-Semblançay

De cet hôtel Renaissance ont échappé aux destructions une galerie à arcades surmontée d'une chapelle, une belle façade décorée de pilastres, isolée dans la verdure, et la ravissante fontaine de Beaune, finement sculptée. Autour, les buis du petit jardin à la française sont taillés pour former les armes des Beaune.

Place Foire-le-Roi

Là se tenaient les foires franches établies par François Ier ; on y jouait aussi des mystères lors de l'entrée des rois à Tours. La place est bordée au nord de maisons à pignons du 15e s. Sur le côté droit en venant du quai, au fond d'une petite ruelle, s'ouvre, pour rejoindre la **rue Colbert**, l'étroit et tortueux passage du Cœur-Navré, dernier passage médiéval de Tours.

À proximité

★★★ Château de Chenonceau

▶ À 35 km à l'est de Tours. 📞 0 820 209 090 - www.chenonceau.com - juil.-août : 9h-20h ; juin et sept. : 9h-19h30 ; w.-end de Pâques, Ascension et Pentecôte : 9h-19h30 ; avr.-mai : 9h-19h ; oct. : 9h-18h30 ; nov.-mars : 9h30-17h ou 19h - 10,50 € château et jardins (7-18 ans 8,50 €). Accès au château jusqu'à 30mn apr. fermeture de la billetterie - l'été, nocturne (21h30-23h) dans les jardins 5 € (-7 ans gratuit) - aires de pique-nique le long des douves.

Château de Dames et demeure de charme ! Tel un Narcisse de pierre, il se complaît, encore et toujours, à admirer le reflet de sa silhouette lumineuse et délicate dans les eaux du Cher. Le château se compose d'un corps de logis carré, avec des tourelles aux angles. À gauche, en saillie, se trouvent la librairie et la chapelle. Sur le pont du Cher s'élève la galerie à deux étages de Catherine de Médicis. Sa masse, d'une sobriété déjà classique, la fait apparaître comme une construction annexe.

À l'intérieur, bien meublé, dans le **cabinet Vert★★** de Catherine de Médicis, le plafond est un exemple rare de peinture à la tonalité verte appliquée sur des feuilles d'étain. La **Grande Galerie★** sur le Cher, au dallage noir et blanc, fut transformée en infirmerie militaire pendant la Première Guerre mondiale. Dans la **chambre de François Ier**, voyez l'imposante cheminée Renaissance et le superbe meuble italien (16e s.) incrusté de nacre et d'ivoire. On accède à l'étage par un superbe **escalier à rampe droite**, perpendiculaire au vestibule menant aux chambres de Gabrielle d'Estrées, des **Cinq Reines★**. Aménagées dans les piles creuses du château, les **cuisines**★ comprennent l'office, le garde-manger, la boucherie, la cuisine proprement dite…

Les rives du Cher et les **jardins**★★ forment un décor de rêve et offrent d'excellents points de vue sur le château.

Promenade nocturne au château de Chenonceau – *Tous les w.-end de juin et tous les soirs en juil.-août : 21h30-23h - 5 € (-7 ans gratuit).* Profitez de cette nocturne pour flâner dans les jardins et le domaine mis en lumière, sur une musique de Corelli.

Circuit conseillé

★★★ LES CHÂTEAUX DE LA LOIRE SAUMUROISE

◗ *61 km. Quitter Tours à l'ouest par la D 88.*
La route suit la levée de la Loire entre des jardins et des potagers.

★★★ Jardins et château de Villandry

À 15 km de Tours, en aval du confluent du Cher et de la Loire.

★★★ **Jardins** – ☎ 02 47 50 02 09 - *de 9h à la tombée de la nuit - 6,50 € (enf. 4,50 €).* Ils restituent l'ordonnance architecturale adoptée à la Renaissance, sous l'influence des jardiniers italiens emmenés en France par Charles VIII. Quatre **terrasses** sont superposées : la plus élevée, le jardin du soleil, est une ancienne prairie, entourée de tilleuls, qui domine l'ensemble du domaine ; le jardin d'eau est à l'étage suivant avec son beau miroir formant réserve ; au-dessous s'étend le jardin d'ornement, formé de deux salons de buis remplis de fleurs (l'un représente les allégories de l'Amour, l'autre symbolise la Musique) ; enfin, 🏃🏃 le **potager Renaissance**, formant un damier multicolore avec ses carrés plantés de légumes anciens et d'arbres fruitiers. Le jardin des « simples » est consacré aux herbes aromatiques, médicinales ou condimentaires.

★★ **Château** – ☎ 02 47 50 02 09 - *fév.-mi-nov. : 9h-17h (18h en été) ; vac. scol. de Noël : 9h30-16h30 - 9,50 € (enf. 5,50 €).* De la forteresse primitive, il reste le donjon, tour carrée englobée dans l'édifice bâti au 16e s. Trois corps de logis entourent une cour d'honneur ouverte sur la vallée. L'Espagnol **Joachim Carvallo** à qui l'on doit la restauration du **château** entre 1906 et 1924 a décoré l'intérieur de meubles espagnols et d'une intéressante collection de peintures (écoles espagnoles des 16e-18e s.). La galerie de tableaux se termine par la salle au **plafond mudéjar**★ (13e s.) provenant de Tolède.

Après Villandry, quitter le pays des maisons troglodytiques et, par la D 39, gagner la vallée de l'Indre.

★★★ Château d'Azay-le-Rideau

☎ 02 47 45 42 04 - www.monum.fr - *juil.-août : 9h30-19h ; avr.-juin et sept. : 9h30-18h ; oct.-mars : 10h-12h30, 14h-17h30 (dernière entrée 45mn av. fermeture) - possibilité de visite guidée (45mn) ou audioguidée (+ 4 €) - fermé 1er janv., 1er Mai et 25 déc. - 8 € (-18 ans gratuit), gratuit 1er dim. du mois (nov.-mars).*

L'harmonie des proportions, la richesse de la décoration et la beauté du site donnent à ce joyau de la première Renaissance un pouvoir de séduction sans pareil. Chaque détail, architecture, décors et proportions, suscite l'émerveillement. Le contrôleur général des finances et trésorier de France **Gilles Berthelot** fait élever l'édifice de 1518 à 1527 : c'est sa femme, Philippa Lesbahy, qui dirige les travaux. En 1528, François Ier confisque Azay et l'offre à l'un de ses compagnons d'armes des campagnes d'Italie, Antoine Raffin. De nombreux propriétaires se succèdent, jusqu'à l'achat de la propriété par l'État, en 1905.

LE CHÂTEAU DES DAMES

En 1512, Thomas Bohier, intendant des Finances de François Ier, achète Chenonceau. Très absorbé par sa charge, il ne peut diriger les travaux de construction de sa nouvelle résidence. C'est donc sa femme, **Catherine Briçonnet**, qui les surveille. Le château est achevé en 1521, mais le couple n'en profite guère, puisque Thomas et Catherine meurent en 1524 et 1526. En 1535, pour payer la dette de son père au Trésor, Antoine Bohier cède le château à François Ier.

En 1547, lorsqu'Henri II monte sur le trône, il offre Chenonceau à **Diane de Poitiers**. Elle a vingt ans de plus que lui, mais reste très séduisante. La mort d'Henri II, tué en 1559 lors d'un tournoi, remet tout en cause. Sachant Diane très attachée à Chenonceau, **Catherine de Médicis** frappe au point sensible en l'obligeant à le lui céder en échange de Chaumont. L'ex-favorite quitte les rives du Cher pour se retirer au château d'Anet, où elle meurt sept ans plus tard.

Avec le goût des arts, Catherine de Médicis a celui du faste : Chenonceau satisfait l'un et l'autre. Le pont est doté d'une galerie à double étage, et de vastes communs sont bâtis. Les fêtes se succèdent : il y a celle de l'entrée de François II et de Marie Stuart, puis, celle de Charles IX, plus brillante encore. Repas, danses, feux d'artifice, combat naval sur le Cher, rien ne manque aux réjouissances.

Catherine lègue Chenonceau à sa belle-fille **Louise de Lorraine**, femme d'Henri III. Après l'assassinat du roi par Jacques Clément, Louise se retire au château, prend le deuil en blanc selon l'étiquette royale et le garde durant onze ans, jusqu'à la fin de sa vie, priant souvent dans sa chambre ornée d'un décor funèbre.

Construit en partie sur l'Indre, le château édifié sur des calculs précis se compose d'un grand corps de logis et d'une aile en équerre. La partie la plus remarquable du logis est l'escalier d'honneur avec, sur la cour, ses trois étages de baies jumelées formant loggias et son fronton richement ouvragé. L'**escalier★** à rampes droites – à l'italienne – dessert salle d'apparat et appartements privés. Décor et mobilier d'une grande richesse se signalent par leur qualité : chaire à dais en chêne de la fin du 15e s., lit brodé de la fin du 17e s., cabinets incrustés d'ivoire, portrait de la belle Diane de Poitiers, de l'inquiétante Marie de Médicis… Également remarquable, un magnifique ensemble de **tapisseries★** des 16e et 17e s.

Son et lumière au château d'Azay-le-Rideau – *Juil.-août : 21h15 ou 22h - fermeture à 0h30 (dernière entrée à 23h45) - 9 € (-12 ans gratuit). Le visiteur spectateur évolue à son rythme et suivant sa sensibilité entre parc et château. Les façades éclairées, la musique qui semble jaillir des bois, le jeu des lumières sur l'eau contribuent à renforcer l'image féerique du domaine et restituent le puissant élan créatif de la Renaissance.*

La D 17 court entre la rivière, qui se scinde en de nombreux bras, et la forêt de Chinon. Du pont sur l'Indre, on découvre le château d'Ussé.

★★ Château d'Ussé

À 14 km à l'ouest d'Azay. ☎ 02 47 95 54 05 - www.chateaudusse.fr - avr.-août : 10h-19h ; de mi-fév. à fin mars et de sept. à mi-nov. : 10h-18h (dernière entrée 1h av. fermeture) - 13 € (8-16 ans 4 €).

Adossé à la falaise où vient mourir la forêt de Chinon, il déploie ses jardins en terrasses en surplomb de l'Indre. On dit qu'il inspira Charles Perrault pour sa

Belle au bois dormant. Au fur et à mesure de la montée au château, toits et clochetons se dessinent au travers des cèdres du Liban. Les façades, construites au 15e s., conservent un aspect médiéval, alors que les bâtiments d'habitation, sur la cour d'honneur, sont imprégnés de style Renaissance. L'aile nord a été supprimée au 17e s. pour ouvrir la vue.

Le château renferme un très beau mobilier, dont un cabinet italien du 16e s., d'immenses et somptueuses **tapisseries flamandes★** (18e s.) figurant des scènes villageoises d'après Teniers le Jeune. Le donjon abrite une très intéressante **salle de jeux★** (dînettes de porcelaine, trains mécaniques, meubles de poupée).

Le long du **chemin de ronde**, des personnages de cire (la princesse Aurore, la fée Carabosse, le Prince charmant…) évoquent l'histoire de la *Belle au bois dormant*.

Après Rigny-Ussé, traverser le Véron. D'une grande fertilité, entre prairies et peupleraies, le Véron produit vins, asperges et fruits.

★★ Château de Chinon

À 45 km à l'ouest de Tours et à 33 km à l'est de Saumur. ℘ 02 47 93 13 45 - www. forteressechinon.fr - avr.-sept. : 9h-19h ; oct.-mars : 9h30-17h - possibilité de visite guidée (1h) - fermé 1er janv. et 25 déc. - 7 € (-12 ans gratuit).

Forteresse médiévale impressionnante, Chinon déploie sous le ciel de Touraine ses immenses ruines romantiques. À ses pieds, la petite ville étire ses ruelles, ses places et ses quais tout au long de la Vienne : une vallée riche de culture et d'histoire, un pays de coteaux et de vignobles dorés, dont le climat exceptionnel a favorisé l'essor d'un grand vin.

★★ Forteresse royale – Bâtie sur un éperon qui avance vers la Vienne, elle date pour l'essentiel de l'époque d'Henri II Plantagenêt (12e s.). Elle était formée de trois constructions séparées par de profondes douves sèches : le **fort St-Georges**, à l'est, le **château du Milieu**, qui renferme les **logis royaux★★**, et le **fort du Coudray** à l'ouest. Après six ans de travaux, au cours desquels ont été restaurés, entre autres, les remparts et les logis royaux, on pénètre désormais dans la forteresse par un bâtiment très contemporain sur le fort St-Georges. Le parcours muséographique dans les logis royaux est résolument moderne, avec de nombreux dispositifs interactifs et des films qui évoquent les événements marquants de la forteresse. L'épopée de **Jeanne d'Arc** qui vint ici en 1429 est aussi longuement retracée. À l'ouest des jardins, un second pont sur les douves mène au fort du Coudray. En 1308, Philippe le Bel fit enfermer des templiers dans le donjon : on distingue encore les graffitis gravés dans la pierre par les prisonniers.

Musée animé du Vin et de la Tonnellerie – ℘ 02 47 93 25 63 - avr.-sept. : 10h-22h - 4,50 € (enf. 3,50 €). Au cœur du **vieux Chinon★★**, un musée où des automates grandeur nature, Rabelais et ses disciples, vous initient aux travaux de la vigne, à la vinification et au métier de la tonnellerie.

Gagner la Loire par la D 749, et suivre le fleuve sur la rive droite par la N 152.

★★ Château de Langeais

À 30 km à l'est de Tours. ℘ 02 47 96 72 60 - www.chateau-de-langeais.com - juil.-août : 9h-19h ; avr.-juin et 1er sept.-12 nov. : 9h30-18h30 ; 13 nov.-31 janv. : 10h-17h ; fév.-mars : 9h30-17h30 - possibilité de visite guidée (1h) - 8,50 € (10-17 ans 5 €).

Forteresse massive, avec ses hautes murailles, ses grosses tours pointues, son chemin de ronde à mâchicoulis et son pont-levis, Langeais a traversé les siècles sans prendre une ride. Le château fut élevé par **Jean Bourré**, contrôleur des finances de Louis XI.

★★★ **Appartements** – Désormais mis en lumière, on y admire de splendides **tapisseries**, des Flandres pour la plupart, notamment des mille-fleurs et la suite des Neuf Preux qui vous replongent dans l'atmosphère de la vie seigneuriale au 15e s. et au début de la Renaissance.

Donjon – Un échafaudage médiéval a été reconstitué sur toute la hauteur et permet de se mettre dans la peau des assaillants !

Parc de l'An Mil – Ce superbe parc magnifiquement arboré invite à la promenade. Pour les enfants, jeux en bois et cabane dans l'Arbre.

😊 NOS ADRESSES À TOURS

HÉBERGEMENT

BUDGET MOYEN

Hôtel l'Adresse – *12 r. de la Rôtisserie* - 🕿 *02 47 20 85 76* - *www.hotel-ladresse.com* - *17 ch. 70/100 € -* 🍽 *8 €.* Hôtel particulier de charme du 18e s. Décoration moderne ; tons gris, blanc cassé, taupe et bordeaux. Pierres en tuffeau et poutres apparentes. Salles de bains très tendances. Agréable et calme au cœur du quartier Plumereau animé. Délicieux petit-déjeuner.

RESTAURATION

PREMIER PRIX

Le Bistrot de la Tranchée – *103 av. Tranchée - 🕿 02 47 41 09 08 - fermé 25 juil.-18 août, dim. et lun. - formule déj. 9 € - 13,50/25 €.* Belle façade en bois, décor simple et chaleureux, vue sur les cuisines, plats soignés et ardoise du jour : ce sympathique bistrot gourmand fait souvent salle comble.

La Deuvalière – *18 r. de la Monnaie - 🕿 02 47 64 01 57 - fermé sam. midi, dim. et lun. - formule déj. 14/17 € - 29/33 €.* Heureux mariage entre les vieilles pierres d'une maison tourangelle du 15e s. et le style contemporain. Appétissante carte traditionnelle actualisée.

BUDGET MOYEN

La Trattoria des Halles – *31 pl. G.-Pailhou - 🕿 02 47 64 26 64 - fermé août, dim. et lun. - 30/50 €.* Ambiance chic et décontractée dans ce bistrot contemporain situé face aux Halles. La chef, d'origine russe, prépare une appétissante cuisine aux couleurs de l'Italie.

Loches

6 450 Lochois – Indre-et-Loire (37)

S'INFORMER

Office de tourisme du Lochois – *Pl. de la Marne - BP 112 - 37601 Loches - 02 47 91 82 82 - www.loches-tourainecotesud.com*. L'office de tourisme vous renseignera sur les **spectacles nocturnes** et sons et lumières au château, lesquels se renouvellent chaque année.

SE REPÉRER

Carte générale B2 – *Cartes Michelin n° 721 I8 et n° 518 G15*. À 44 km au sud-est de Tours par la N 143, au sud d'Amboise (36 km).

À NE PAS MANQUER

Le gisant d'Agnès Sorel dans la collégiale ; le logis royal et son donjon.

ORGANISER SON TEMPS

Comptez une demi-journée pour la ville, 1h30 pour ses environs.

AVEC LES ENFANTS

Le grand labyrinthe Napoléon au château de Valençay.

Puissante forteresse militaire, puis séjour royal et palais Renaissance, Loches est d'abord le château d'une femme : Agnès Sorel, favorite de Charles VII, la « Dame de Beauté », dont vous retrouverez les traits gravés dans l'albâtre de son gisant. Loches peut prendre aussi une teinte plus sombre, avec ses cachots et la « cage » du cardinal La Balue, ou des couleurs éclatantes, avec le sublime triptyque de l'école de Jean Fouquet. La cité authentiquement médiévale, serrée autour de ses remparts, commande la vallée de l'Indre, toute de calme et de verdure.

Découvrir

★★ LA CITÉ ROYALE

La forte position naturelle de Loches a été utilisée depuis au moins le 6e s. Du 10e au 13e s., Loches appartient aux comtes d'Anjou. Henri II Plantagenêt en renforce encore les défenses. Enfin, en 1249, Saint Louis l'acquiert, et Loches devient résidence royale.

★ Porte Royale

La porte Royale (11e s.), puissamment fortifiée, a été flanquée de deux tours au 13e s. On y voit encore les saignées servant au pont-levis et les mâchicoulis.

★ Collégiale Saint-Ours

La collégiale est dédiée au saint évangélisateur du Lochois au 5e s. Son porche de type angevin possède un **portail roman** richement orné. La nef est couverte par les étonnants **dubes**, édifiés au 12e s. Les « dubes » sont l'appellation ancienne des couvercles de fonts baptismaux de forme conique. Les deux pyramides octogonales, dressées entre les tours, sont d'un type habituellement employé pour les clochers, les cuisines ou les lavabos monastiques.

Château de Valençay.
C. Ehlers/Age Fotostock

★ **Gisant d'Agnès Sorel** – Il est soutenu par deux anges qu'un demi-sourire illumine, tandis que deux agneaux – rappel de son prénom et symbole de douceur – sont couchés à ses pieds. Agnès Sorel (1422-1450), célèbre pour ses charmes, fut la favorite du roi Charles VII (à qui elle donna quatre filles). Les raisons de sa mort, à l'âge de 28 ans, restent une énigme : empoisonnement volontaire ou erreur de prescription médicale ?

Logis royal

☏ 02 47 59 01 32 - www.monuments-touraine.fr - avr.-sept. : 9h-19h ; oct.-mars : 9h30-17h - fermé 1ᵉʳ janv. et 25 déc. - billet couplé avec donjon 7 € (12-18 ans 4,50 €).

Le vieux logis (14ᵉ s.) a été prolongé sous Charles VIII et Louis XII par une demeure de plaisance. On pénètre par l'antichambre dans la **salle d'apparat**, où, en 1429, **Jeanne d'Arc** pressa Charles VII de se rendre à Reims.

Arrêtez-vous aussi devant le **triptyque**★ attribué à l'école de Jean Fouquet (15ᵉ s.) : Crucifixion, Portement de Croix et Déposition font éclater une symphonie de verts, de rouges et de bleus, où la Vierge évanouie et le Christ stupéfient par leur réalisme tragique.

★★ Donjon

☏ 02 47 59 01 32 - avr.-sept. : 9h-19h ; oct.-mars : 9h30-17h - fermé 1ᵉʳ janv. et 25 déc. - billet couplé avec château 7 € (12-18 ans 4,50 €).

Élevé au 11ᵉ s. par **Foulques Nerra**, le donjon est une puissante construction carrée. À l'intérieur, les planchers ont disparu, mais on distingue encore sur les murailles les cheminées et les baies. Avant de monter l'escalier (*160 marches*), on remarquera, sur la gauche, le **pavillon d'entrée** contenant une reconstitution de la célèbre « cage de Louis XI » où fut enfermé Philippe de Commynes. Du sommet on découvre une belle **vue**★ sur la ville, la vallée de l'Indre et la forêt de Loches.

Tour Louis XI (tour ronde) – Avec ses cellules, sa salle de la question et sa salle des graffitis★, elle offre une plongée dans l'univers carcéral du Moyen Âge.

8

Martelet – Constitué par plusieurs étages de souterrains, il renferme des cachots impressionnants, dont celui de Ludovico **Sforza**, duc de Milan, dit le More, fait prisonnier par Louis XII.

★ LA VIEILLE VILLE

À l'intérieur de la seconde enceinte, les rues se faufilent entre les maisons de tuffeau. On passe devant la **chancellerie**, d'époque Henri II, décorée de colonnes cannelées, de pilastres et de jolies grilles de balcon en fer forgé. Accolée à l'**hôtel de ville★**, gracieux édifice Renaissance aux balcons fleuris, la **porte Picois**, du 15e s., est couronnée de mâchicoulis. Au bout de la Grande-Rue, la **porte des Cordeliers★** (fin 15e s.) était la principale entrée de Loches d'où arrivait la route d'Espagne. Traversez le pont et promenez-vous dans le jardin public d'où l'on a une bonne vue sur la cité médiévale.

À proximité

★★★ Château de Valençay

◗ À 49 km à l'est de Loches par la D 760, puis la D 960. ℘ 02 54 00 10 66 - www.chateau-valencay.fr - juil.-août : 9h30-19h ; mai et sept. : 10h-18h : juin : 9h30-18h30 ; de mi-mars à fin avr. ; 10h30-18h ; de déb. oct. à déb. nov. : 10h30-17h30 - 11 € château et spectacle (7-17 ans 8 €) ; soirées chandelles 15 € (7-17 ans 11 €).

Au sud de la vallée du Cher, Valençay, bâti sur un coteau, est entouré d'un beau jardin à la française où se promènent en liberté cygnes noirs, canards, paons… Le cadre exceptionnel du château est mis en valeur par un **spectacle son et lumière** qui met en scène pas moins de 900 personnages costumés.

Valençay fut construit vers 1540 par Jacques d'Estampes. Ce seigneur, ayant épousé la fille bien dotée d'un financier, voulut avoir une demeure digne de sa nouvelle fortune. Parmi les propriétaires successifs, on compte le fameux **John Law,** dont l'étourdissante aventure bancaire fut un premier et magistral exemple d'inflation. **Charles Maurice de Talleyrand-Périgord**, qui avait commencé sa carrière sous Louis XVI comme évêque d'Autun, était ministre des Relations extérieures lorsqu'il acheta Valençay en 1803 à la demande de Bonaparte, pour y organiser de somptueuses réceptions en l'honneur des étrangers de marque.

Le pavillon d'entrée est une énorme construction traitée en donjon de plaisance. Remarquez ici les premières touches du style classique : des pilastres superposés, aux chapiteaux doriques, ioniques et corinthiens, et des dômes prennent la place des toits en poivrière.

Dans l'**aile ouest**, vous visiterez la galerie consacrée à la famille Talleyrand-Périgord, le Grand Salon et le salon Bleu qui contiennent de nombreux objets d'art et un somptueux mobilier Empire, dont la célèbre table dite du congrès de Vienne, ainsi que l'appartement de la duchesse de Dino. La salle à manger et les cuisines permettent d'imaginer le faste des réceptions données par Talleyrand avec la participation de son chef de bouche, **Marie-Antoine Carême**.

👫 Dans le parc, accompagnez les enfants dans le grand labyrinthe Napoléon ou à la petite ferme et à son château qui leur sont réservés.

Bourges

★★★

68 980 Berruyers – Cher (18)

NOS ADRESSES PAGE 401

S'INFORMER
Office de tourisme – *21 r. Victor-Hugo (près de la cathédrale) - 18000 Bourges - ℘ 02 48 23 02 60 - www.bourges-tourisme.com - avr.-sept. : 9h-19h, dim. 10h-18h ; oct.-mars : 9h-18h, dim. 14h-17h.*

SE REPÉRER
Carte générale C2 – *Cartes Michelin n° 721 J8 et n° 518 P15.* Bourges est située au sud-est de Tours (160 km). À mi-chemin entre Paris (245 km) et Clermont-Ferrand (190 km) par l'A 71-E 11.

À NE PAS MANQUER
Les splendides vitraux de la cathédrale St-Étienne ; le palais Jacques-Cœur et, bien sûr, une promenade dans la cité historique qui conserve de belles demeures à colombages des 15e et 16e s.

ORGANISER SON TEMPS
La ville mérite bien une journée. Visitez la cathédrale en fin de matinée pour apprécier les vitraux de la partie sud. L'été est la saison des « Très riches heures de l'orgue en Berry », et le mois d'avril, le rendez-vous musical du « Printemps de Bourges » *(www.printemps-bourges.com).*

Centre de l'Hexagone, Bourges en est aussi le « Printemps » : par la noble parure de ses hôtels et de ses jardins, et les chanteurs qui électrisent son atmosphère chaque année au retour des beaux jours. La cité a vu naitre un roi fin politique, Louis XI, et un as de la finance, Jacques Cœur.

Découvrir

★★★ CATHÉDRALE SAINT-ÉTIENNE

Sa construction se déroula en deux campagnes. De 1195 à 1215, on édifia le chevet et le chœur puis, de 1225 à 1260, la nef, la façade et la décoration (vitraux historiés, sculptures des portails et du jubé). Ce majestueux vaisseau de pierre est classé au patrimoine mondial de l'Unesco depuis 1992. Sur la **façade occidentale**, le **portail central,** considéré comme l'un des chefs-d'œuvre de la sculpture gothique du 13e s., a pour thème le Jugement dernier.
Montée à la tour Nord – *℘ 02 48 65 49 44 - visite guidée, se renseigner sur les horaires - 5 € (-18 ans gratuit), 9,50 € billet combiné avec la crypte et le palais Jacques-Cœur.* Un escalier à vis *(396 marches)* conduit au sommet (65 m), d'où se révèle une **vue★★** panoramique sur la ville.
Intérieur – Avec 124 m de longueur, 41 m de largeur et une hauteur sous voûte de 37,15 m, St-Étienne est la plus large cathédrale gothique de France. L'originalité de l'édifice tient aux doubles bas-côtés d'une différence d'élévation telle qu'il a été possible de percer dans le premier des fenêtres s'ouvrant

---

UN HOMME DOUÉ POUR LES AFFAIRES : JACQUES CŒUR

Ce fils de marchand de fourrures, né à Bourges vers 1395, réalise en peu de temps une fortune colossale. Maître de la Monnaie de Paris, Jacques Cœur gagne la confiance de **Charles VII** qui en fait son **argentier** en 1439 et son conseiller en 1442. Détesté par des courtisans jaloux, il tombe en disgrâce peu après la mort en 1450 d'Agnès Sorel, sa fidèle alliée. Et le roi se débarrasse de lui par un procès inique. En 1454, il s'évade de sa prison de Poitiers et se réfugie à Rome auprès du pape qui lui confie le commandement d'une flotte ; Il meurt lors d'une croisade à Chio le 25 novembre 1456.

---

au-dessus du second : ainsi alternent cinq étages d'ombre et de lumière. Les fenêtres sont ornées de **vitraux**★★★ datant pour la plupart de 1215 à 1225. La chapelle Jacques-Cœur abrite une splendide verrière de l'**Annonciation** (1451).

★★ Crypte

℘ 02 48 65 49 44 - visite guidée tte la journée, dim et j. fériés apr.-midi - fermé 1er janv., 1er Mai, 1er et 11 Nov. et 25 déc. - 7 € (-18 ans gratuit), gratuit 1er dim. du mois (nov.-avr.) - 9,50 € billet combiné crypte, tour nord et palais Jacques-Cœur.
L'église basse abrite des fragments du **jubé** qui, malgré d'importantes mutilations, détiennent encore un fort pouvoir émotionnel.

★ Horloge astronomique

Conçue par le mathématicien et astronome **Jean Fusoris** en 1424, cette intéressante horloge de 6,20 m de haut est logée dans un bahut carré. Le cadran central comporte les 12 signes du zodiaque. Un soleil glissant de bas en haut sur l'aiguille marque sa position par rapport à l'horizon suivant les solstices.

★★ PALAIS JACQUES-CŒUR

℘ 02 48 24 79 42 - visite guidée tte la journée - fermé 1er janv., 1er Mai, 1er et 11 Nov. et 25 déc. - 7 € (-18 ans gratuit), gratuit 1er dim. du mois ; 9,50 € billet combiné avec la crypte et la tour.
Commencée en 1443 pour Jacques Cœur, cette splendide demeure fut pratiquement achevée en moins de dix ans. La **façade** affiche une riche décoration. De part et d'autre de la loge à festons apparaissent, dans l'entrebâillement de fenêtres simulées, le maître et la maîtresse de maison. La **cour** abrite les galeries réservées au négoce et le grand corps de logis. La tourelle centrale est décorée d'arbres exotiques qui évoquent les pays d'Orient où Jacques Cœur a voyagé. L'agencement du palais témoigne de sa réussite exceptionnelle.

À proximité

★★ Château de Meillant

◗ *À 39 km au sud de Bourges par la N 144, puis la D 37 à gauche à Jariolle.*
℘ 02 48 63 32 05 - www.chateau-de-meillant.com - juil.-août : 9h30-18h ; mars-juin et de sept. à mi-nov. : 9h30-12h, 14h-18h - 7,50 € (enf. 5,50 €).
Le caractère féodal de la forteresse n'apparaît plus que sur la façade sud baignée de douves. La partie orientale s'apparente aux châteaux de la Loire par la richesse de sa décoration.
Passé la galerie des Césars et une chambre, vous arrivez dans la grande salle à manger, aux murs tapissés de cuir de Cordoue et au plafond à caissons

Renaissance, où la table est somptueusement dressée. Juste après la bibliothèque, remplie d'ouvrages rares et d'où l'on a une jolie vue sur le puits et la chapelle, on entre dans la chambre du **cardinal d'Amboise** au splendide mobilier flamand du 17e s. Dans les jardins, jouets anciens et maisons de poupées.

★★ Abbaye de Noirlac

▶ *À 39 km au sud de Bourges par la N 144.* 𝄞 *02 48 62 01 01 - avr.-sept. : 10h-18h30 ; fév.-mars et oct.-déc. : 14h-17h - 7 € (-16 ans gratuit).*
Bâtie à partir de 1150 et achevée un siècle plus tard, l'abbaye cistercienne construite en belle pierre blanche du pays, ornée de vitraux modernes, constitue l'un des ensembles monastiques les mieux conservés de France. Messes en grégorien, concerts et manifestations culturelles.

Nohant

▶ *À 76 km au sud-ouest de Bourges. Prendre la N 144 vers le sud jusqu'à Levet, puis suivre la D 940 jusqu'à La Châtre ; Nohant est à 6 km au nord par la D 943.* 𝄞 *02 54 31 06 04 - visite guidée (1h, dernier dép. 1h av. fermeture) - juil.-août : 9h-18h30 ; mai-juin : 9h30-12h15, 14h-18h30 ; avr. et sept. : 10h-12h30, 14h-18h ; oct.- mars : 10h-12h30, 13h30-17h - fermé 1er janv., 1er Mai, 1er et 11 Nov. et 25 déc. - 7 € (-25 ans gratuit).*
Le château de Nohant est en fait la **maison de George Sand★.** La demeure conserve d'innombrables souvenirs de l'écrivain – de son vrai nom Aurore Dupin (1804-1876) – et de ses hôtes : Chopin, Liszt, Balzac, Flaubert, Delacroix, Fromentin… Rien n'a changé ici depuis le 19e s. ni le boudoir aux boiseries peintes, ni la chambre de la « bonne dame de Nohant » – auteur de *La Mare au diable*, de *La Petite Fadette* et de *François le Champi* –, ni le théâtre de marionnettes aménagé par son fils, Maurice.

☺ NOS ADRESSES À BOURGES

RESTAURATION

PREMIER PRIX

Le Bourbonnoux – *44 r. Bourbonnoux -* 𝄞 *02 48 24 14 76 - http://bourbonnoux.com - fermé 10-18 avr., 16 août-5 sept., 26 fév.-6 mars, sam. midi, dim. soir et vend. - 13/32 €.* Coloris vifs et colombages composent le plaisant intérieur de ce restaurant situé dans une rue jalonnée de boutiques d'artisans. Accueil aimable. Cuisine classique actualisée.

POUR SE FAIRE PLAISIR

Le d'Antan Sancerrois – *50 r. Bourbonnoux -* 𝄞 *02 48 65 96 26 - www.dantansancerrois.fr - fermé 3-21 août, 23 déc.-4 janv., dim., lun. et j. fériés - formule déj. 34 € -*
68/85 €. Dans un cadre élégant (vieilles pierres, mobilier moderne et tons gris bleu), belle partition du chef qui signe une cuisine originale, aux saveurs franches et marquées.

ACHATS

La Maison des Forestines – *3 pl. Cujas -* 𝄞 *02 48 24 00 24 - 9h30-12h15, 14h-19h15, lun. 15h-19h - fermé dim. et j. fériés.* Dans cette confiserie-chocolaterie fondée en 1825 et dotée d'un superbe plafond à caissons décoré de faïences de Gien, vous vous laisserez tenter par de délicieuses spécialités, dont la Forestine créée en 1879, mince fourreau de sucre satiné fourré de praliné aux amandes, noisettes et chocolat.

Les Pays de la Loire

◗ SE REPÉRER

Les Pays de la Loire s'étendent au sud de la Bretagne et de la Basse-Normandie : à l'est et au sud-est, la région est limitrophe du Centre. Au sud, le Poitou-Charentes s'étend jusqu'à l'estuaire de la Gironde. De Paris, Le Mans est à 2h de route par l'A 11-E 50 ; du Mans, Angers est à 96 km par l'A 11-E 501. Nantes est reliée par de grands axes de circulation à Angers, Rennes, Vannes et, via Niort, à La Rochelle et Bordeaux.

☺ À NE PAS MANQUER

Le Mans et, à 60 km au sud, le château du Lude. Angers, sa forteresse et sa splendide tenture de l'Apocalypse. Nantes, son château des ducs de Bretagne et son vieux quartier. La Baule, ses petits ports voisins, et dans l'arrière-pays tout proche, la presqu'île de Guérande.

◷ ORGANISER SON TEMPS

En été, vous profiterez de l'ouverture maximale des sites. L'affluence vous incitera peut-être à vous lever tôt pour visiter certains lieux, ou bien à privilégier l'automne : moins de monde, tarifs plus attractifs et températures encore très douces. Au printemps, un week-end dans la région donne un avant-goût de vacances, avec de belles promenades aux effluves océanes.

Entre Le Mans et l'estuaire de la Loire, au fond duquel Nantes établit son port, la région s'étire d'est en ouest et constitue un grand axe de circulation entre l'Île-de-France et la façade océane. L'Anjou ouvre à la Loire un domaine d'une douceur presque méridionale. Au tournant de l'an mille, les comtes d'Anjou y régnaient en maîtres lorsqu'Henri II Plantagenêt, marié à Aliénor d'Aquitaine, devint roi d'Angleterre en 1154... S'ensuivit une longue série de luttes, les Capétiens n'entendant pas laisser l'ouest de la France aux Anglais. Passé Angers, la Loire se nourrit des eaux du Maine, du Loir, de la Sarthe et de la Mayenne ; autant de fleuves qui invitent à un détour. Ainsi, le Loir mène au château du Lude et à ses jardins à la française ; la Sarthe conduit au Mans qui réserve son vieux quartier aux amoureux de l'art et de l'histoire, et ses circuits automobiles aux passionnés des courses. À Nantes, métropole régionale, le château ducal, baigné à l'origine par la Loire, n'a plus les pieds dans l'eau depuis l'aménagement des quais en 1808. Le plus long fleuve de France arrive bientôt à son terminal : St-Nazaire, dont le nom reste attaché à la construction navale, au départ des paquebots transatlantiques... Au nord de l'estuaire, le quadrillage des marais salants de la presqu'île de Guérande et la grande plage de sable fin de La Baule ; au sud, la Vendée, un pays d'eau marqué par la Révolution, où, au Puy du Fou, on rejoue l'histoire. La côte, qui devient plus rectiligne et basse, égrène encore ses îles : Yeu, Noirmoutier. Un petit verre de Muscadet, un plateau de fruits de mer... vous voilà en pays cousin de l'Atlantique.

Nantes

★★★

283 288 Nantais – Loire atlantique (44)

 NOS ADRESSES PAGE 409

🄷 **S'INFORMER**

Office de tourisme – *7 r. de Valmy - 44041 Nantes -* 📞 *0892 464 044 - www. nantes-tourisme.com - point d'accueil de la cathédrale : tlj sf lun. 10h-13h, 14h-18h ; point d'accueil 3 cours Olivier-de-Clisson : tlj sf dim. 10h-18h.*

▶ **SE REPÉRER**

Carte générale B2 – *Cartes Michelin n° 721 F8 et n° 517 G9*. Nantes est facilement accessible par l'A 11-E 60 à partir d'Angers. Aux portes de la Bretagne, la ville est reliée à Rennes par la N 137 (1h20) et à Vannes par la N 165-E 60 (1h20) ; le Poitou-Charentes n'est pas si loin par la A 83. De Paris, le TGV vous conduit à Nantes en 2h.

☺ **À NE PAS MANQUER**

Le château des ducs de Bretagne, le musée des Beaux-Arts.

🕓 **ORGANISER SON TEMPS**

Comptez trois heures environ pour la visite du château et ses alentours. Les amateurs de musique classique ne manqueront pas la Folle Journée, manifestation organisée la dernière semaine de janvier.

👪 **AVEC LES ENFANTS**

Le Muséum d'histoire naturelle, le musée dédié à Jules Verne, enfant de la ville, et les Machines de l'Île ; aux alentours, la Planète sauvage.

La capitale historique des ducs de Bretagne est située au confluent de la Sèvre, de l'Erdre et de la Loire qui lui a tout apporté. Grand pôle tertiaire, la métropole de l'Ouest est devenue la sixième ville de France ; elle attire un nombre record de nouveaux citadins, tant il fait bon y vivre. Réputée pour ses festivals, elle déploie ses larges artères où circule un vent maritime. Le château des ducs convie à une flânerie vers le cœur classique, où s'alignent d'altiers bâtiments des 18e et 19e s.

Se promener Plan p. 404-405

★★ **AUTOUR DU CHÂTEAU** D1

★ Cathédrale Saint-Pierre-et-Saint-Paul

Commencé en 1434, achevé en 1891 et restauré après l'incendie de 1972, cet édifice imposant surprend par l'austérité de sa façade : deux tours sans fantaisie encadrent une grande baie flamboyante. Les trois portails, en revanche, présentent des voussures finement sculptées.

★★ **Intérieur** – Le tuffeau a permis d'élever des voûtes jusqu'à 37,50 m de hauteur. Il en résulte un vaisseau de style gothique, aux lignes très pures. Dans le croisillon droit, le **tombeau de François II★★** est l'une des grandes

8

A B

SE LOGER

Coin chez soi (Un) ①

Colonies (Hôtel des) ③

SE RESTAURER

Café Cult' (Le) ②

Chez l'huître ④

Cigale (La) ⑥

Enfants Terribles (Le Bistrot des) ⑧

Heb Ken (Crêperie) ⑩

INDEX DES RUES

Bouffay (Pl. du) 1

Flesselles (Allées) 3

Fosse (R. de la) 5

Kervégan (R.) 7

Paix (R. de la) 9

Petite-Hollande (Pl. de la) 11

Pré-Nian (R.) 13

St-Léonard (R.) 15

St-Vincent (Pl.) 17

Ste-Croix (Pl.) 19

A MUSÉE JULES VERNE PLANÉTARIUM TRENTEMOULT FRESQUE DES ACADIENS B

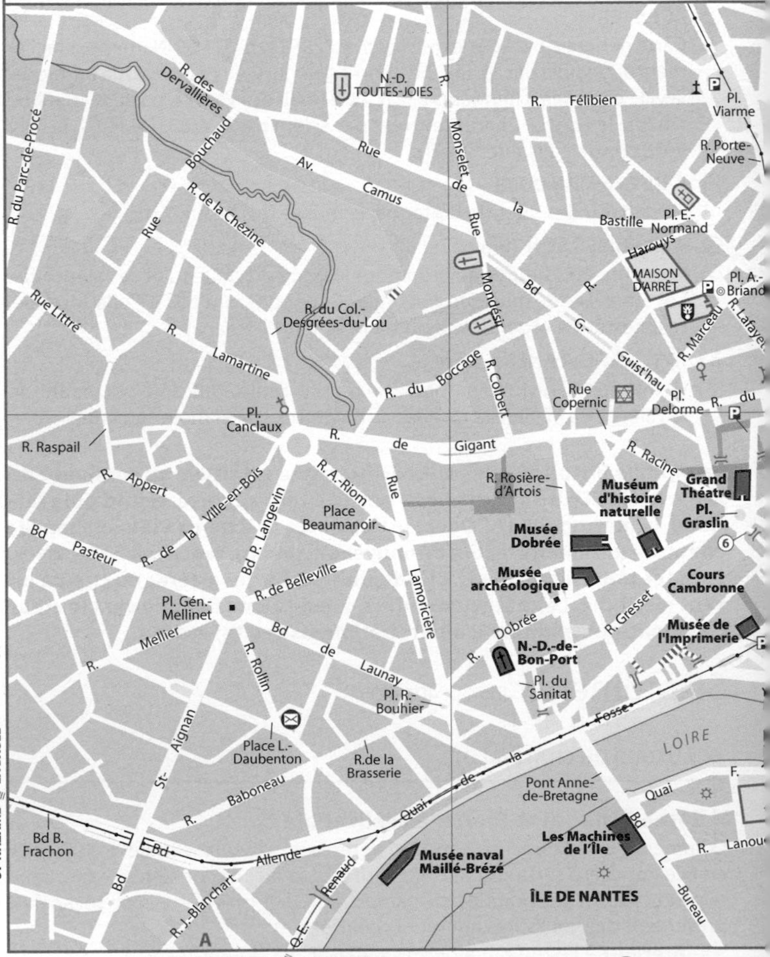

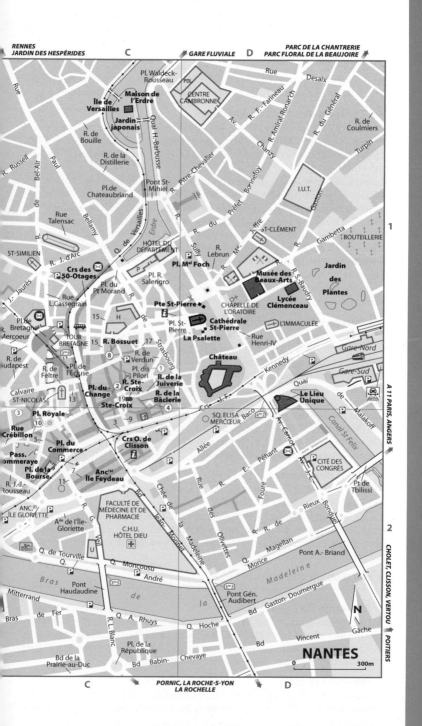

RENNES
JARDIN DES HESPÉRIDES

GARE FLUVIALE

PARC DE LA CHANTRERIE
PARC FLORAL DE LA BEAUJOIRE

C

D

Pl. Waldeck-Rousseau

Rue

Desaix

POL

CENTRE
CAMBRONNE

R. F. Farineau

R. du Général

R. de Coulmiers

Maison de l'Erdre

Île de Versailles

Jardin japonais

Quai H.-Barbusse

R. de Bouille

R. de la Distillerie

Pl. de Chateaubriand

Pont St-Mihiel

Av. R.-Amiral-Rionarch

R. de la Distillerie

Turpin

R. Russeil

Rue de

Paul

Bel-Air

Rue Talensac

R. J. d'Arc

ST-SIMILIEN

Crs des 50-Otages

Rue L.Cassegrain

Pl. du Pt Morand

HÔTEL DU DÉPARTEMENT

Pl. Mal Foch

Pl. R. Salengro

R. Lebrun

ST-CLÉMENT

Gambetta

BOUTEILLERIE

I.U.T.

Pitre-Chevalier

Préfet-Bonnefoy

Chanzy

Musée des Beaux-Arts

R.-S.-Baudry

Jardin

des

Plantes

Pl. de Mercoeur

R. de Bretagne

R. de Budapest

TOUR BRETAGNE

Pl. de l'Écluse

15 H

R. Bossuet 17

R. de Verdun

Pte St-Pierre

Pl. St-Pierre

CHAPELLE DE L'ORATOIRE

Cathédrale St-Pierre

La Psalette

Lycée Clémenceau

L'IMMACULÉE

Rue Henri-IV

Gare-Nord

Gare-Sud

Calvaire ST-NICOLAS

Pl. Royale

Rue Crébillon

Pass. Pommeraye

Pl. du Change

Ste-Croix

R. Ste-Croix

Pl. du Pilori

R. de la Juiverie

R. de la Bâclerie

Château

Kennedy

Quai

Le Lieu Unique

A 11 PARIS, ANGERS

Malakoff

SQ. ELISA MERCŒUR

Canal St-Félix

Pl. du Commerce

Crs O. de Clisson

Allée

Péhant

CITÉ DES CONGRÈS

Pl. de la Bourse

Anc(ne) Île Feydeau

FACULTÉ DE MÉDECINE ET DE PHARMACIE

C.H.U. HÔTEL DIEU

Chée de Jean Monnet

Rue des Olivettes

Rieux

Fouré

Pt de Tbilissi

ANC.(ne) ÎLE GLORIETTE

Ae de l'Île-Glloriette

Q. de Tourville

Q. Moncousu

André

R. de la Madeleine

Q. Morice

Magellan

Pont A.-Briand

CHOLET, CLISSON, VERTOU, POITIERS

Bras

Mitterrand

Bras de Fer

Pont Haudaudine

R.L.Blanc

Q. A. Rhuys

Q. Hoche

Madeleine

Pont Gén. Audibert

Bd Gaston-Doumergue

N

Bd de la Prairie-au-Duc

Pl. de la République

Bd Babin-Chevaye

Bd

Vincent

Gâche

NANTES

0   300m

C

D

PORNIC, LA ROCHE-S-YON
LA ROCHELLE

productions de la Renaissance, commandée par Anne de Bretagne à Michel Colombe (1502-1507) pour recevoir les restes de son père, François II, et de sa mère, Marguerite de Foix. Les anges qui soutiennent les têtes représentent l'accueil céleste. Le lion couché aux pieds du duc est l'emblème de la Puissance ; le lévrier de Marguerite, celui de la Fidélité. Les grandes statues personnifient les vertus cardinales : la Justice, la Force, la Prudence et la Tempérance.

★★ Château des ducs de Bretagne
𝄞 02 40 41 56 56 - www.chateau-nantes.fr - juil.-août : cour et remparts 9h-20h, musée 10h-19h ; sept.-juin : cour et remparts 10h-19h, musée tlj sf lun. 10-18h - ensemble du site fermé j. fériés - 5€ (-18 ans gratuit), gratuit 1er dim. du mois (sept.-juin).

En 1466, le duc de Bretagne, François II, décide de reconstruire le château. Les travaux se poursuivent avec sa fille, Anne de Bretagne. Par son architecture, le château rappelle toujours la double fonction qu'il avait jadis : place forte aux murailles de granit et palais à l'architecture élégante, comme en témoigne le tuffeau ouvragé des logis. Dans la cour, le **puits★★**, qui remonte probablement à François II, est surmonté d'une magnifique armature en fer forgé.

★★ **Musée d'Histoire de Nantes** – Un parcours en sept séquences à travers l'histoire de Nantes, de François II, fondateur du château et père d'Anne de Bretagne, à aujourd'hui : vie de l'estuaire et des mariniers sur la Loire, négoce des esclaves, commerce du sucre, le Nantes industriel…

★★ Musée des Beaux-Arts
𝄞 02 51 17 45 00 - tlj sf mar. 10h-18h, jeu. 10h-20h - fermé j. fériés - 3,50 € (-18 ans gratuit), gratuit jeu. 18h-20h et 1er dim. du mois, demi-tarif tlj à partir de 16h30.

Ses collections couvrent l'histoire de la peinture du 13e s. à nos jours. Parmi les **œuvres anciennes**, le *Saint Sébastien* du Pérugin, le *Vielleur*, le *Songe de saint Joseph*, le *Reniement de saint Pierre* de Georges de La Tour, et *Arlequin, empereur dans la Lune* de Watteau. Ingres, Delacroix… vous vous rapprochez de l'**art moderne**, de l'Impressionnisme aux œuvres de **Wassily Kandinsky** (de l'époque où il enseignait au Bauhaus entre 1922 et 1933). Voyez aussi le *Cheval rouge* de Chagall, ainsi qu'un ensemble abstrait de l'école de Paris (Manessier, Poliakoff, Hartung, Soulages).

★ Jardin des plantes
11 bd de Stalingrad (face à la gare) ou pl. Sophie-Trébuchet - 𝄞 02 40 41 65 09 - ♿ - 8h30-20h (17h30 ou 18h30 nov.-fév.).

Ce jardin paysager de 7 ha, entrepris dès 1807, s'agrémente de nombreuses cascades et pièces d'eau. La flore bretonne y côtoie les végétaux d'Amérique, d'Asie et d'Afrique. Des serres abritent l'une des plus riches collections de cactées en France.

★ AU CŒUR DU VIEUX NANTES BC2

★ Ancienne île Feydeau
Marécageuse, l'île fut lotie au début du 18e s. selon un strict cahier des charges qui lui a donné toute sa régularité. Ces immeubles d'opulents négociants s'ornent de mascarons et de balcons galbés. L'île a été rattachée à la ville entre 1926 et 1938, par le comblement des bras de la Loire.

★ Quartier Graslin
★ **Passage Pommeraye** – Dans la rue Santeuil s'ouvre cette galerie couverte, aménagée en 1843. C'est l'un des lieux les plus attachants de Nantes, avec

son escalier de bois et de métal dont les contremarches sont ornées de souris, ses colonnes cannelées, ses balustrades ajourées et ses statues d'enfants surmontées de torchères.

Place Graslin – La **rue Crébillon**, étroite et commerçante, mène à cette esplanade où s'élève le grand théâtre (1783) de style corinthien. À l'angle de la brasserie La Cigale (intérieur 1900 aux belles mosaïques) s'amorce le noble **cours Cambronne★**. Réalisé par Mathurin Crucy, il est bordé sur 180 m de maisons à pilastres, commencées sous Napoléon Ier et terminées sous le Second Empire.

★★ Muséum d'histoire naturelle

℘ 02 40 41 55 00 - www.museum.nantes.fr - ⌖ - tlj sf mar. 10h-18h - fermé j. fériés - 3,50 € (-18 ans gratuit), gratuit 1er dim. du mois.

Créé en 1799, le Muséum occupe les murs de cet ancien hôtel de la monnaie depuis 1975. Il abrite d'importantes collections : zoologie générale, faune régionale, paléontologie, préhistoire, sciences de la terre, minéralogie, ethnographie. Dans la galerie de zoologie, entièrement réaménagée, remarquez tout particulièrement le squelette de la baleine. La section de conchyliologie se distingue par la beauté et la variété des coquillages. Un vivarium présente des reptiles et batraciens de toutes origines.

NANTES AU CŒUR DE L'HISTOIRE

Gauloise, puis romaine, Nantes est mêlée aux luttes sanglantes qui opposent les rois francs aux comtes et ducs bretons. Au Moyen Âge, Nantes lutte pour son titre de **capitale de la Bretagne** contre Rennes.

En 1597, la Bretagne, lasse des troubles engendrés par la Ligue et par les ambitions séparatistes de son gouverneur, Philippe de Lorraine, adresse un appel à **Henri IV** pour qu'il rétablisse l'ordre. Devant le château, le roi s'écrie, admiratif : « Ventre Saint-Gris, les ducs de Bretagne n'étaient pas de petits compagnons ! » Durant son séjour, le 13 avril 1598, il signe l'édit de tolérance, ou **édit de Nantes** qui, en 92 articles, règle la question religieuse.

Du 16e au 18e s., la vente aux Antilles des esclaves noirs achetés sur la côte de Guinée permet l'achat du **sucre de canne**, qui est raffiné à Nantes : ce commerce, pudiquement dénommé du « **bois d'ébène** », laisse 200 % de bénéfice. À la fin du 18e s., l'opulence de Nantes est éclatante. Premier port négrier de France, la ville développe des **chantiers navals** et des fabriques de toiles indiennes. Sa flotte compte 2 500 navires. Les armateurs, qui forment de véritables dynasties, se font construire les beaux immeubles du quai de la Fosse et de l'île Feydeau. L'abolition de la traite en 1815, la fabrication du sucre à partir de la betterave et l'ensablement de la Loire marquent la fin d'une époque.

La ville se tourne vers la métallurgie et les fabrications alimentaires : **biscuiteries** (les fameux petits LU), **conserveries**… En 1856, elle crée un avant-port à **St-Nazaire**. Au tournant du 20e s., elle creuse un canal latéral à la Loire et ouvre l'estuaire aux cargos de 8,25 m de tirant d'eau. Après la fermeture des chantiers navals et le déclin de l'industrie agroalimentaire dans les années 1980, Nantes se développe dans les activités tertiaires (assurances, informatique, téléphonie…). En dix ans, la ville universitaire se propulse parmi les villes les plus jeunes de France.

L'ÎLE DE NANTES B2

★★ Les Machines de l'Île

℘ 0810 12 12 25 - www.lesmachines-nantes.fr - juil.-août : 10h-19h ; de mi-mai à fin juin et sept.-oct. : mar.-vend. 10h-17h, w.-end 10h-18h ; reste de l'année : se renseigner - fermé 1ᵉʳ janv. et 25 déc. - 7 € (-18 ans 5,50 €).

Vous verrez d'abord l'éléphant sagement parqué sous la halle ou en balade dans les alentours. Avec ses 12 m de haut, vous ne pouvez pas le rater. Il est le premier de toute une série de machines, comme l'arbre géant aux hérons et le manège des mondes sous-marins, installées dans les anciens ateliers de chaudronnerie des Chantiers de la Loire. Ce projet très original a l'air tout droit sorti de l'imaginaire de Jules Verne. Deux grues gigantesques marquent les deux extrémités de la promenade aménagée le long de la Loire.

AU SUD DU PONT ANNE-DE-BRETAGNE AB2

★ Musée Jules-Verne

℘ 02 40 69 72 52 - juil.-août : tlj sf mar. 10h-18h ; sept.-juin : tlj sf mar. 10h-12h, 14h-18h, dim. 14h-18h - fermé j. fériés - 3 € (-18 ans gratuit), gratuit 1ᵉʳ dim. du mois.

Une demeure du 19ᵉ s. sert de cadre à ce musée où de nombreux souvenirs et des jeux et bornes interactives invitent à découvrir la vie de l'écrivain nantais, l'auteur des *Voyages extraordinaires* ou du *Tour du Monde en 80 jours…*

À proximité

★★ Planète sauvage

◗ À 20 km au sud-ouest de Nantes par la D 723, la D 751, puis la D 758. ℘ 02 40 04 82 82 - & - www.planetesauvage.com - de mi-juil. à fin août : 9h30-20h ; d'avr. à mi-juil. et sept. : 10h-19h ; mars et oct. : 10h-18h - 22 € (enf. 17 €).

Sur la **Piste Safari**, l'automobiliste est invité à rouler au pas sur 10 km de pistes dans un environnement de brousse et de savane peuplé d'hippopotames, éléphants, impalas, tigres, lions, lycaons, girafes, etc. Du **village de brousse**, on découvre l'arche des reptiles ; dans la ferme miniature, ce sont ratons laveurs, porcs-épics, coatis, suricates, perroquets et autres créatures de moins de 60 cm qui vous attendriront. N'oubliez pas l'île aux siamangs et aux flamants roses, où les singes apostrophent les colonies d'oiseaux bordant la rive, ni le spectacle d'otaries de la Cité marine.

L'ENFANCE D'UN VISIONNAIRE

Jules Verne passa vingt ans à Nantes, depuis sa naissance en 1828 dans l'île Feydeau jusqu'à son installation à Paris, en 1848. Le spectacle du grand port encombré de navires, les machines à vapeur dans l'usine d'Indret, les récits de voyages entendus chez l'oncle Prudent, ancien armateur, comme l'apprentissage de la lecture avec Mᵐᵉ Sambin, veuve d'un capitaine au long cours, et les naufrages que l'enfant inventait en jouant aux abords des îlots de la Loire : autant de souvenirs qui contribuèrent à fortifier la vocation de Jules Verne à l'heure des *Voyages extraordinaires*.

Romancier mêlant avec un exceptionnel talent le rêve, la science et l'aventure, il fut plébiscité par plus de 25 millions d'adolescents avant d'être universellement reconnu comme un très grand écrivain.

😊 NOS ADRESSES À NANTES

TRANSPORTS

😊 **Bon à savoir** – Trois lignes de tramway, une soixantaine de lignes d'autobus et un service fluvial sur l'Erdre et la Loire permettent des déplacements rapides et pratiques.
En vélo – www.bicloo. nantesmetropole.fr. Les « Bicloo » en libre-service sont répartis sur 89 stations du centre-ville jusqu'au nord de l'île de Nantes. La première demi-heure de chaque trajet est gratuite.

HÉBERGEMENT

PREMIER PRIX

Hôtel des Colonies – C2 - 5 r. du Chapeau-Rouge - ☎ 02 40 48 79 76 - www.hoteldescolonies.fr - 38 ch. 65/78 € - ☐ 8,50 €. Des expositions d'œuvres d'art égayent le petit hall d'accueil de cet hôtel situé dans une rue peu passante. Chambres relookées dans un esprit contemporain.

BUDGET MOYEN

Un coin chez soi – C1 - 1 r. de Briord - ☎ 06 64 20 31 09 - www. un coinchezsoi.net - 89/180 €. La formule « Un coin chez soi » offre une alternative à l'hôtellerie traditionnelle. Elle propose des appartements privés situés en centre-ville et pouvant accueillir de 2 à 4 personnes. Décoration soignée.

RESTAURATION

PREMIER PRIX

Crêperie Heb Ken – C2 - 5 r. de Guérande - ☎ 02 40 48 79 03 - www.heb-ken.fr - fermé dim. et lun. - 9/15 €. Prix très raisonnables pour ces crêpes de qualité servies dans deux salles sans fioritures, décorées de photos du pays bigouden. Une escale sympathique à prévoir au cours de vos flâneries nantaises, entre la place Royale et la rue Crébillon.
Le Café Cult' – C1 - 2 r. des carmes - ☎ 02 40 47 18 49 - www. lecult.com - fermé 2 sem. en août et dim. - formule déj. 12/15 € - 20/28 €. Remontez le temps en admirant la façade de cette maison nantaise à colombages du 15ᵉ s. et sa grande terrasse, puis poussez sa porte pour découvrir son cadre médiéval et s'attabler autour de plats inspirés par l'histoire du lieu, désormais monument classé. L'établissement fait aussi bar.
La Cigale – B2 - 4 pl. Graslin - ☎ 02 51 84 94 94 - www.lacigale. com - formule déj. 14 € - 16,50/25 € - Avec son décor de céramiques 1900 qui lui a valu d'être classée, cette brasserie à l'ambiance animée est l'un des rendez-vous préférés des Nantais. Un menu du marché au déjeuner, des brunchs le week-end en font un lieu incontournable.
Le Bistrot des Enfants Terribles – C1 - 4 r. Fénelon - ☎ 02 40 47 00 38 - fermé dim. et lun. - formule déj. 14,50 € - 14,50/24 €. Restaurant « cosy » et convivial, salle agrémentée de cheminées des 16ᵉ et 17ᵉ s., de miroirs et de banquettes. La carte, renouvelée quotidiennement, propose des produits maison.

BUDGET MOYEN

Chez l'huître – C1 - 5 r. des Petites-Écuries - ☎ 02 51 82 02 02 - tlj sf dim. soir de mai à fin sept. - fermé 1ᵉʳ-15 janv. - 22/25 €. Amateurs de saveurs marines, ce bistrot a tout pour vous plaire : vous y dégusterez ses différentes variétés d'huîtres, et l'été, attablé à la terrasse dans la rue piétonne, vous vous régalerez de bigorneaux et autres crustacés.

La Baule

16 731 Baulois – Loire-Atlantique (44)

🛈 **S'INFORMER**
Office de tourisme – 8 pl. de la Victoire - 44500 La Baule - 𝄞 02 40 24 34 44 - www.labaule.tm.fr. - 9h15-12h30, 14h-18h, dim. et j. fériés 10h-13h ; juil.-août : 9h30-19h30 - fermé 1er janv., 1er Mai et 25 déc.

▶ **SE REPÉRER**
Carte générale A2 – *Cartes Michelin n° 721 E8 et n° 517 B9*. La Baule est à 75 km de Nantes et à 81 km de Vannes, entre le golfe du Morbihan et l'estuaire de la Loire, et adossée au parc naturel de la Grande Brière.

☺ **À NE PAS MANQUER**
Les marais de Guérande.

🕐 **ORGANISER SON TEMPS**
L'été, si vous aimez la tranquillité, allez au marché du Croisic ou du Pouliguen tôt le matin puis profitez de la plage en fin de matinée, quitte à déjeuner un peu tard.

Au sud de la Bretagne, La Baule étend sa longue plage de sable en arc de cercle. Sports nautiques, tennis, casino, hippisme et golf font de cette station l'une des plus courues de la côte atlantique. Tout près, les marais salants de Guérande sont un espace protégé.

Se promener

★ Front de mer
Protégée des vents par les pointes de Penchâteau à l'ouest et de Chémoulin à l'est, cette promenade bordée d'immeubles modernes s'étire sur près de 7 km entre Le Pouliguen et Pornichet. Malheureusement, les villas du début du 20e s., qui faisaient l'âme de la station, n'ont pas résisté aux appétits des promoteurs. On en retrouve quelques-unes plus en arrière dans la station.

★ La Baule-les-Pins
Ce quartier, né en 1930 au milieu des bois, s'étend à l'est de La Baule. L'allée Cavalière mène à la forêt d'**Escoublac** *(voir ci-dessous)*. Près de la place des Palmiers, le **parc des Dryades**, tracé à l'anglaise, est riche en arbres d'essences variées et présente de beaux parterres fleuris.

Forêt d'Escoublac
Elle porte le nom de l'ancien bourg enseveli sous les dunes, fixées en 1840 par 400 ha de pins maritimes. Il ne reste aujourd'hui de cette vaste pinède que quelques dizaines d'hectares non construits.
🥾 Deux sentiers de randonnée les parcourent *(plan à l'office de tourisme)*. Chacun des deux sentiers fait environ 2,5 km. Celui qui est balisé en rouge propose de découvrir le milieu forestier *(départ au cœur de la pinède, sur l'aire de pique-nique du bd de Cacqueray)*. Le second, repérable à ses flèches orange, se contente de promener le randonneur dans la partie orientale de la forêt *(départ sur l'aire de pique-nique du bd de la Forêt)*.

Marais salants de la presqu'île de Guérande.
M. Viard/Photononstop

À proximité

★ Guérande
▶ *À 10 km au nord-ouest de La Baule par la D 213.*
🛈 **Office de tourisme** – *1 pl. du Marché-au-Bois - 44350 Guérande - ✆ 0 820 150 044 - www.ot-guerande.fr.*
Vous pouvez suivre, à pied, la promenade qui fait le tour des quelque 1 434 m de remparts. Elle a été aménagée au 18ᵉ s. par le duc d'Aiguillon, gouverneur de Bretagne, qui fit combler une partie des fossés. L'enceinte ne comporte aucune brèche. Flanquée aujourd'hui de six tours, sur les onze qu'elle compta, elle s'ouvre par quatre portes fortifiées. L'entrée principale de la petite cité est la massive porte St-Michel qui accueille le musée du Pays de Guérande.

★ Presqu'île de Guérande
Elle offre un admirable quadrillage de marais salants, halte pour les oiseaux migrateurs. Ils s'étendent sur 2 000 ha, répartis en deux bassins, et sont délimités par des fossés. Les **salines** furent très prospères jusqu'à la Révolution : en effet, le sel circulait dans toute la Bretagne sans être soumis à la gabelle ; les marchands pouvaient l'échanger dans les provinces voisines contre des céréales. Aujourd'hui, on exploite environ 7 000 œillets, qui produisent en moyenne 10 000 t de gros sel par an.

Angers
★★

148 405 Angevins – Maine-et-Loire (49)

 NOS ADRESSES PAGE 415

S'INFORMER

Office de tourisme – *7 pl. du Président-Kennedy - 49000 Angers -* ℰ *02 41 23 50 00 - www.angersloiretourisme.com - mai-sept. : lun. 10h-19h, mar.-sam. 9h-19h, dim. et j. fériés 10h-18h ; oct.-avr. : lun. 14h-18h, mar.-sam. 10h-18h, dim. et j. fériés 10h-13h.*

SE REPÉRER

Carte générale B2 – *Cartes Michelin n° 721 G7 et n° 517 M8.* À 65 km au nord-ouest de Saumur et 1h20 de Tours, Angers est aussi à 1h de Nantes par l'A 1, ouvrant ainsi la porte depuis l'ouest à la vallée des châteaux de la Loire.

À NE PAS MANQUER

La vue des tours de la forteresse, les tapisseries anciennes et modernes, la galerie David-d'Angers et, aux alentours, le château de Serrant.

ORGANISER SON TEMPS

Vous n'aurez pas trop d'une journée pour visiter la ville. Si vous décidez de n'y passer qu'une demi-journée, donnez la priorité à la tenture de *l'Apocalypse.*

Les murailles colossales de sa forteresse se mirant dans la Maine rappellent qu'Angers fut la capitale d'un royaume qui comprenait l'Angleterre et la Sicile. Patrie des formidables Foulques, puis des Plantagenêts, la cité garde la tenture de l'Apocalypse, chef-d'œuvre universel. Cette terre d'histoire, si magnifiquement chantée par Joachim Du Bellay, conserve encore tout le charme de sa « douceur angevine », avec ses vins frais, ses fleurs, ses primeurs et ses paysages ensoleillés.

Découvrir

Se promener à travers les rues du vieil Angers, c'est un peu visiter les galeries d'un musée en plein air. Certes, la vie ne manque pas, ni l'animation, mais vous aurez tant de choses à voir, sans compter le château, alors pourquoi ne pas couper la journée par un pique-nique au **jardin des Plantes** ?

★ Cathédrale Saint-Maurice

Ce très bel édifice des 12ᵉ et 13ᵉ s. à nef unique est couvert d'une des premières voûtes gothiques nées en Anjou (milieu du 12ᵉ s.). Les chapiteaux et les consoles sont remarquablement sculptés. Remarquez dans le transept les voûtes bombées aux nervures légères et gracieuses. D'un type particulier, la **voûte angevine** se distingue par la clef des ogives qui est située à plus de 3 m au-dessus des clefs des formerets et des doubleaux. Les voûtes couvrent la plus large nef qui ait été élevée à l'époque : 16,38 m, alors que la largeur normale était de 9 à 12 m. Les **vitraux**★★ du 13ᵉ s., aux belles tonalités bleues et rouges, illuminent le chœur.

LA DYNASTIE ANGEVINE

Elle apparaît en 898 avec **Foulques le Roux**, vicomte puis comte d'Angers – titre qu'il transmet à ses descendants. **FoulquesIII Nerra** (972-1040) est le plus redoutable de cette lignée de puissants féodaux. Turbulent, féroce, il ne cesse de guerroyer pour agrandir son domaine : tour à tour, il obtient la Saintonge, annexe les Mauges, pousse jusqu'à Blois et Châteaudun, s'empare de Langeais, de Tours, intervient en Vendômois, prend Saumur et de nombreuses autres places fortes. Ambitieux, cruel, violent, rapace et cupide, Nerra (le Noir, car il avait le teint très brun) est le type même du grand féodal de l'an 1000. Il est également un grand bâtisseur de forteresses à travers tout le Val de Loire.

Ses descendants poursuivent son œuvre. Fils de Geoffroy V et de Mathilde d'Angleterre, **HenriII Plantagenêt** épouse en 1152 **Aliénor d'Aquitaine**, récemment divorcée de Louis VII. À ses domaines, qui comprennent l'Anjou, le Maine, la Touraine et la Normandie, il ajoute le Poitou, le Périgord, le Limousin, l'Angoumois, la Saintonge, la Gascogne, la suzeraineté sur l'Auvergne et le comté de Toulouse. En 1154, il devient roi d'Angleterre : Henri II réside cependant souvent en France, notamment à Angers.

En 1231, profitant d'une trêve, Blanche de Castille et son fils Louis IX entreprennent la construction de l'impressionnante forteresse d'Angers. L'Anjou revient alors dans la mouvance capétienne. Dernier des ducs d'Anjou, le **roi René** *(voir Aix-en-Provence)*, amateur de parfums et de jardins fleuris, introduit dans la région l'œillet et la rose de Provins. Vers la fin de sa vie, il voit Louis XI mettre la main sur l'Anjou. Comme il est aussi comte de Provence, il délaisse Angers qu'il a embellie pour Aix où il termine ses jours.

★★★ Forteresse

℘ 02 41 86 48 77 - www.monuments-nationaux.fr - de déb. mai à déb. sept. : 9h30-18h30 ; reste de l'année : 10h-17h30 (dernière entrée 45mn av. fermeture) - possibilité de visite guidée du château et de la tapisserie (1h) - fermé 1er janv., 1er mai, 1er et 11 nov. et 25 déc. - 8 € (-25 ans gratuit), gratuit 1er dim. du mois (oct.-mars). La tapisserie étant conservée à température constante, prévoyez un chandail l'été.

Commencée à partir de 1231 par Blanche de Castille, mère et régente de Saint Louis, elle constitue un magnifique spécimen d'architecture médiévale. Pendant les guerres de Religion, le roi Henri III ordonne sa démolition, mais le gouverneur se contente de découronner les tours. Les 17 tours, qui atteignent 40 à 50 m, étaient autrefois plus hautes d'un ou deux étages et coiffées de toits en poivrière. La **tour du Moulin**, la plus haute, réserve une **vue★** étendue.

★★★ Tenture de l'Apocalypse

– Cette superbe tenture est la plus ancienne qui nous soit parvenue, après la « tapisserie » de Bayeux. Vraisemblablement exécutée à Paris entre 1373 et 1383, elle mesurait à l'origine 133 m de long. Cette œuvre raffinée manifeste un vrai sens de la composition et de la narration. En effet, dans chacune des tentures, un personnage est assis sous un dais, le regard tourné vers deux rangées de 7 tableaux dont le fond, alternativement rouge et bleu, forme un damier.

★ Galerie David-d'Angers

33 bis r. Toussaint - ℘ 02 41 05 38 00 - www.musees.angers.fr - juin-sept. : 10h-19h (vend. 21h) ; oct.-mai : tlj sf lun. 10h-12h, 14h-18h - possibilité de visite guidée (1h30) sur demande au ℘ 02 41 05 38 38 - fermé 1er janv., 1er Mai, 1er et 11 Nov. et 25 déc. - 4 € (-26 ans gratuit).

L'ancienne église abbatiale Toussaint (13e s.), dont les voûtes angevines effondrées ont été remplacées par une verrière, abrite les œuvres d'atelier que le sculpteur **David d'Angers** (1788-1856) légua de son vivant à sa ville natale. La collection présente des statues monumentales (le roi René, Gutenberg, Jean Bart) et un ensemble de bustes de ses contemporains, hommes de lettres et du monde politique, musiciens et scientifiques. À la sortie du musée, on peut voir à gauche le cloître du 18e s.

★★ Musée Jean-Lurçat et de la Tapisserie contemporaine

4 bd Arago - ✆ 02 41 24 18 45 - de mi-juin à mi-sept. : 10h-18h30 ; de mi-sept. à mi-juin : tlj sf lun. 10h-12h, 14h-18h - fermé 1er janv., 1er et 8 Mai, 14 Juil., 1er et 11 Nov. et 25 déc. - 4 €.

Jean Lurçat (1892-1966), rénovateur de l'art de la tapisserie, découvre avec admiration, en 1938, la tenture de l'*Apocalypse* ; dix-neuf ans plus tard, il entreprend sa plus belle pièce, exposée ici, dans cet ancien **hôpital St-Jean★**. La série de ces dix compositions symboliques, intitulée **Le Chant du monde★★**, est l'aboutissement de ses recherches : conception monumentale, absence quasi totale de perspective, travail à gros points, réduction du nombre des teintes. L'ensemble illustre les joies et les angoisses de l'homme face à l'univers, et enchevêtre formes, rythmes et couleurs avec un rare dynamisme.

À proximité

★★ Château de Brissac

▶ *À 15 km au sud d'Angers. Après avoir traversé la Loire, suivre la D 748 vers Doué-la-Fontaine. ✆ 02 41 91 22 21 - www.chateau-brissac.fr : juil.-août : 10h-18h30 ; avr.-juin et sept.-oct. : tlj sf mar. 10h-12h15, 14h-18h ; nov.-mars : vac. scol., horaires se renseigner - 9 € (-16 ans 4,50 €) ; 4,50 € parc et jardins.*

Dominant la vallée de l'Aubance, active région viticole, le château trône au milieu de son parc planté de superbes **cèdres**. Deux cents fenêtres vous regardent… et en font l'un des plus imposants châteaux de la Loire, qui surprend aussi par l'enchevêtrement des deux constructions, aux styles très tranchés mi-médiéval, mi-Louis XIII.

À l'intérieur, les **plafonds** à la française ont conservé leurs peintures du 17e s. ; les **tapisseries** et le **mobilier** sont superbes. Un très bel **escalier Louis XIII★★** mène au 1er étage. Au 2e étage, on pénètre dans le ravissant théâtre aux somptueuses dorures et draperies rouges construit en 1883 dans le style des théâtres du 17e s. En descendant, on admire les cuisines, les caves fortifiées, les celliers. Promenez-vous dans le parc à l'anglaise pour apprécier l'architecture atypique du château.

★★★ Château de Serrant

▶ *À 20 km à l'ouest d'Angers juste avant St-Georges-sur-Loire, en retrait de la N 23. ✆ 02 41 39 13 01 - www.chateau-serrant.net - visite guidée (1h) de juin à mi-sept. : 9h15-17h15 ; de mi-mars à fin mai et de mi-sept. à mi-nov. : merc.-sam. 13h30-17h15, dim. et j. fériés 9h45-12h, 13h30-17h15 (horaires de fermeture : départ de la dernière visite) - dép. ttes les heures - 9,50 € (enf. 6,50 €).*

Commencé en 1546 par Charles de Brie, ce château Renaissance, entouré de larges douves en eau, vous séduira progressivement pour vous laisser une forte impression de totale harmonie, remarquable accord entre la perfection du détail et la beauté d'ensemble. La cour d'honneur, ses balustrades et ses pavillons de schiste, le corps central et ses deux ailes, pierre blanche rythmée de pilastres, les deux tours rondes coiffées de clochetons, s'agencent dans une parfaite symétrie.

À l'intérieur, les **appartements**★★★, magnifiquement meublés, vous permettront de saisir pleinement ce que la « vie de château » signifie. La **bibliothèque**★★★ recèle quelque 12 000 volumes (incunables, gravures de Piranèse, 1res éditions des *Fables* de La Fontaine et de l'*Encyclopédie* de Diderot…). Le sens du raffinement est perceptible jusque dans les **cuisines** où un remarquable ensemble de pièces témoigne de l'art de la table dans les grandes maisons ducales.

😊 NOS ADRESSES À ANGERS

HÉBERGEMENT

BUDGET MOYEN

Hôtel Le Progrès – *26 r. Denis-Papin -* 📞 *02 41 88 10 14 - www.hotelleprogres.com -* 🅿 *- fermé 6-21 août et 24 déc.-1er janv. - 41 ch. 60/78 € -* ☕ *8,50 €.* À deux pas de la gare, une adresse accueillante, des chambres actuelles, claires et pratiques. Buffet copieux pour le petit-déjeuner.

Hôtel Le Continental – *14 r. Louis-de-Romain -* 📞 *02 41 86 94 94 - www.hotellecontinental.com - 25 ch. 65/75 € -* ☕ *9,50 €.* Une situation centrale, des chambres lumineuses et régulièrement entretenues, et une bonne insonorisation font la réputation de cet hôtel aménagé dans un immeuble ancien.

RESTAURATION

PREMIER PRIX

La Ferme – *2 pl. Freppel -* 📞 *02 41 87 09 90 - fermé 20 juil.-12 août, dim. soir et merc. - réserv. obligatoire - formule déj. 12,50 € - 19/30 €.* Dans ce restaurant bien connu situé au pied de la cathédrale, vous dégusterez une cuisine du terroir traditionnelle dans un décor simple. L'une des plus agréables terrasses de la ville.

BUDGET MOYEN

Le Théâtre – *7 pl. du Ralliement -* 📞 *02 41 24 15 15 - formule déj. 18 €.* Cette brasserie haut de gamme fait face au théâtre, et les acteurs ont inspiré la décoration de ces trois belles salles réparties sur deux niveaux. Goûteuse cuisine élaborée avec des produits frais.

Le Relais – *9 r. de la Gare -* 📞 *02 41 88 42 51 - www.destination.anjou.com/relais - fermé 3 août-3 sept., 24 déc.-8 janv., dim., lun. et j. fériés - 22/40 €.* Banquettes rouges, boiseries, comptoir en bois et fresques murales sur le thème du vin caractérisent le sobre décor contemporain de ce sympathique restaurant apprécié des gourmets. Appétissante cuisine actuelle et une carte des vins bien composée.

ACHATS

Maison du Vin de l'Anjou – *5 bis pl. Kennedy -* 📞 *02 41 88 81 13 - www.vinsdeloire.fr - avr.-sept. : tlj sf dim. et lun. mat. 10h-13h, 14h30-19h ; oct.-mars : tlj sf dim. et lun. 10h30-12h30, 15h-18h - fermé j. fériés et de mi-janv. à mi-fév.* Située près du château, cette maison au cadre lumineux présente bien sûr une palette de vins d'Anjou, mais aussi plus largement des références allant du pays nantais à la Touraine.

Le Mans

143 547 Manceaux – Sarthe (72)

S'INFORMER
Office de tourisme – *16 r. de l'Étoile - 72000 Le Mans - ℘ 02 43 28 17 22 - www.lemanstourisme.com - lun.-sam. 9h-18h.*

SE REPÉRER
Carte générale B2 – *Cartes Michelin n° 721 H6 et n° 517 R4.* Autoroute (A 11) et TGV (54mn de Paris) relient Le Mans à la capitale (190 km) et à Rennes (150 km). Le vieux Mans borde la rive gauche de la Sarthe.

À NE PAS MANQUER
La vue du pont Yssoir, l'enceinte gallo-romaine, la cathédrale, le circuit des 24 Heures, le château du Lude et son parc dominant le Loir.

ORGANISER SON TEMPS
Laissez votre voiture sur l'un des parkings des quais, au pied de l'enceinte gallo-romaine ; comptez 1/2 journée pour la ville. Pour avoir une place assise aux 24 Heures du Mans, réservez très à l'avance.

AVEC LES ENFANTS
Les superbes véhicules du Musée des 24 Heures du Mans.

Le Mans, capitale du Maine, satisfait tous les appétits : pour les gourmets, ses « rilles, rillons et rillettes mancelles », ses reinettes parfumées, ses poulets (de Loué) et ses gélines ; pour les amateurs d'art, sa cathédrale grandiose, son chevet, ses portails, vitraux, voûtes et tombeaux ; pour les promeneurs, sa vieille ville, ses ruelles et ses quais en bordure de Sarthe ; enfin, pour les fous de vitesse, son célèbre circuit automobile.

Découvrir

★★ LA CITÉ PLANTAGENÊT (VIEUX MANS)

L'**enceinte gallo-romaine**★, ouvrage militaire long de 1 300 m, est jalonnée de onze tours : elle compte pour être l'une des plus grandes qui subsistent en France. Sur la colline à l'intérieur du rempart, le vieux Mans est sillonné de ruelles coupées d'escaliers, bordées de maisons à pans de bois du 15e s., de logis Renaissance et d'hôtels du 18e s. aux gracieux balcons de fer forgé. La cité, aux nombreux restaurants et boutiques d'artisans, a conservé tout son cachet.

Maison des Deux-Amis
18-20 r. de la Reine-Bérengère. Ce vaste édifice bâti vers 1425 fut habité au 17e s. par Nicolas Denizot, poète et peintre, ami de Ronsard et de Du Bellay. Sur la façade, deux personnages se tenant la main et supportant un écu, d'où le nom de la maison.

★ Église Notre-Dame-de-la-Couture
La nef, très large, élevée à la fin du 12e s. en style Plantagenêt, est éclairée par d'élégantes baies géminées. Face à la chaire, ravissante **Vierge**★★ en marbre blanc (1571) de Germain Pilon.

★★ Cathédrale Saint-Julien

Dédié au premier évêque du Mans, St-Julien dresse au-dessus de la place des Jacobins son **chevet★★★** gothique, admirable par son système enveloppant d'arcs-boutants à double volée. Sur la charmante place St-Michel, le porche sud abrite un superbe **portail★★** du 12ᵉ s.

À l'**intérieur**, la simplicité de la nef romane contraste avec l'audace du chœur gothique. Dans la chapelle des fonts se font face deux remarquables **tombeaux★★** Renaissance. Celui de gauche, œuvre du sculpteur Francesco Laurana, fut élevé pour Charles IV d'Anjou, frère du roi René ; le gisant repose, à la mode italienne, sur un sarcophage antique ; réaliste, le visage est dessiné avec une extrême finesse. À droite, le monument à la mémoire de Guillaume Du Bellay, cousin du poète, le représente tenant son épée et un livre, accoudé à la manière antique sur un sarcophage qu'orne une ravissante frise de divinités nautiques. Entouré d'un double déambulatoire à chapelles rayonnantes, le **chœur** déploie une ampleur et un élancement qui le placent parmi les plus beaux de France. D'une magnifique envolée, il s'élève sur deux étages séparés par une galerie de circulation et terminés par des arcs brisés très pointus, d'influence normande. Aux fenêtres flamboient de superbes **vitraux★★** du 13ᵉ s. à dominantes rouges et bleues. La célèbre suite de **tapisseries** du 16ᵉ s., consacrée à l'histoire des saints Gervais et Protais, est tendue au-dessus des stalles de la même époque. Un **ensemble pictural★** (14ᵉ s.) couvre les voûtes de la **chapelle du chevet** dédiée à la Vierge Marie : d'une élégance et d'une finesse rares, il représente le concert céleste.

★ Musée de Tessé

☏ 02 43 47 38 51 - www.lemanstourisme.com - ᵬ - juil.-août : 10h-12h30, 14h-18h ; sept.-juin : 9h-12h, 14h-18h, w.-end 10h-12h, 14h-18h - fermé lun. et certains j. fériés (se renseigner) - 4 € (-18 ans gratuit).

Ce musée conserve notamment une plaque de cuivre en émail champlevé, dite **émail Plantagenêt★** (12ᵉ s.), qui provient de la cathédrale où elle ornait son tombeau aujourd'hui disparu. Cette pièce exceptionnelle représente Geoffroi Plantagenêt, comte d'Anjou et du Maine de 1129 à 1151, duc de Normandie en 1144, et père du futur roi d'Angleterre Henri II.

La **peinture italienne** occupe une place privilégiée : belle série de retables à fond d'or des 14ᵉ et 15ᵉ s. La peinture classique est aussi superbement représentée avec Philippe de Champaigne, Georges de La Tour et Nicolas Tournier.

Une salle entière est consacrée au *Roman comique* de Scarron : outre un portrait de l'auteur, des tableaux de Coulom, des gravures d'Oudry et de Pater illustrent les aventures burlesques créées par cet esprit plein de verve.

Carré Plantagenêt

R. Claude-Blondeau - ☏ 02 43 47 46 45 - www.lemanstourisme.com - ᵬ - tlj sf lun. 10h-18h - 4 €, dim. 2 € (-18 ans gratuit).

Ce tout nouveau musée d'Archéologie et d'Histoire, à deux pas de la cité Plantagenêt, raconte, de la préhistoire au 15ᵉ s., l'histoire de la ville et de ses environs à travers des collections contenant plus de 1 000 objets. Deux circuits sont proposés, à la fois ludiques et scientifiques grâce à une scénographie moderne.

LES CIRCUITS AUTOMOBILES DE VITESSE

Au sud du Mans, entre la N 338 et la D 139. À l'entrée principale du circuit des « 24 Heures », sur la D 139, un souterrain donne accès au circuit permanent Bugatti et au musée.

Circuit des « 24 Heures » – Long de 13,6 km, il s'amorce au virage du Tertre-Rouge. Les courbes en S de la route privée, les virages en épingle à cheveux de Mulsanne et d'Arnage constituent les points les plus marquants du parcours.

Gustave Singher et Georges Durand lancèrent en 1923 la première épreuve d'endurance du Mans qui allait devenir un événement sportif de retentissement mondial, et un banc d'essai formidable pour l'automobile de série. Le circuit a été considérablement amélioré depuis le tragique accident survenu en 1955 à la Mercedes de Levegh (83 morts et 100 blessés).

Le spectacle des courses est inoubliable, vu des tribunes ou des prés et des bois de pins qui jalonnent le circuit ; le vrombissement des moteurs, le sifflement des bolides lancés à plus de 350 km/h sur les Hunaudières, les odeurs de gaz brûlés se mêlant aux senteurs des résineux, et, la nuit, les faisceaux des phares, attirent chaque année des milliers d'amateurs.

Circuit permanent Bugatti

℘ 02 43 40 24 24 - 9h-12h, 14h-18h.

Outre son école de pilotage, ce circuit (4,430 km) constitue un banc d'essais permanent utilisé par les écuries auto et moto de compétition dans le cadre de séances d'essais privés.

★★ Musée des 24 Heures du Mans - circuit de la Sarthe

Accès par l'entrée principale du circuit (D 139 au nord de la D 921) - ℘ 02 43 72 72 24 - www.museeauto24h.sarthe.com - ⅙ - avr.-sept. : 10h-18h ; oct.-déc. : tlj sf mar. 11h-17h ; janv. : vend.-dim. 11h-17h ; fév.-mars : tlj sf mar. 11h-17h - fermé 1er janv. et 25 déc. - 8 € (10-18 ans 6 €).

La nouvelle muséographie développe la genèse des 24 Heures du Mans et présente 110 véhicules dans un décor résolument moderne et pédagogique. Maquettes et vidéos à l'appui, des vitrines retracent la saga de l'automobile depuis plus d'un siècle. Plusieurs voitures victorieuses : la Bentley de 1924, la Ferrari de 1949, la Matra de 1974, la Rondeau de 1983, la Jaguar de 1988, la Mazda de 1991, la Peugeot de 1992…

À proximité

★★ Château du Lude

À 60 km au sud du Mans par la D 307. ℘ 02 43 94 60 09 - www.lelude.com - ⅙ - château : visite guidée (45mn) - de mi-juin à fin août : 14h30-18h ; du 1er avr. à mi-juin et sept : tlj sf merc. 14h30-18h - château et jardins 7 € (enf. 3,50 €), jardins seuls : 10h-12h30, 14h-18h - 4,60 € (enf. 2,30 €).

Le Lude offre plusieurs visages : médiéval et gothique avec ses grosses tours rondes, Renaissance italienne par son aménagement, ses lucarnes et ses médaillons, de style Louis XVI avec son harmonieuse façade côté rivière. Le visiteur sera ébloui par les tapisseries, boiseries, peintures exceptionnelles et mobilier de somptueuse facture ainsi que par le superbe parc qui domine et borde le Loir.

Saumur

28 145 Saumurois – Maine-et-Loire (49)

S'INFORMER

Office de tourisme - Pl. de la Bilange - BP 241 - 49418 Saumur - 📞 02 41 40 20 60 - www.saumur-tourisme.com - de mi-mai à déb. oct. : 9h15-19h, mar. 10h-19h, dim. 10h30-17h30 - de déb. oct à mi-mai : 9h15-12h30, 14h-18h, mar. 10h-12h30, 14h-18h, dim. 10h-12h - fermé 1er janv. et 25 déc.

SE REPÉRER

Carte générale B2 – Cartes Michelin n° 721 G8 et n° 517 P9. À 65 km au sud-est d'Angers, 32 km au nord-ouest de Chinon, 80 km à l'ouest de Tours, Saumur est aussi à 1h40 de Paris par le TGV.

À NE PAS MANQUER

La découverte à pied de la vieille ville, une visite à l'École nationale d'équitation et un des spectacles équestres du Cadre noir pour lequel il convient de réserver obligatoirement et à l'avance (📞 02 41 53 50 81).

ORGANISER SON TEMPS

Comptez une journée pour la ville et le château, une demi-journée pour les alentours.

AVEC LES ENFANTS

Un spectacle équestre à l'École nationale d'équitation ; les espèces protégées au zoo de Doué.

« La perle de l'Anjou »… Son château, campé sur son piédestal de pierre et captant le doux soleil de Loire comme une enluminure, ne semble-t-il pas échappé des « Très Riches Heures » du duc de Berry ? Et si les virtuoses démonstrations du Cadre noir vous ont laissé la bouche un peu sèche, bien des caves profondes vous attendent, avec leur vin mousseux.

Découvrir

★ LE VIEUX QUARTIER

Entre le château et le pont, les ruelles tortueuses qui sillonnent la vieille ville ont gardé leur tracé médiéval ; à côté de certains quartiers reconstruits dans le style médiéval ou moderne, d'autres ont conservé et mis en valeur nombre de façades anciennes. La rue St-Jean et ses commerces vous mènent jusqu'à la **place St-Pierre**, où voisinent façades à colombages et maisons du 18e s. aux balcons de fer forgé. La halle, construite en 1982, s'harmonise avec les maisons alentour.

Église Saint-Pierre

Édifice gothique Plantagenêt dont la façade écroulée a été rebâtie au 17e s., l'église a conservé au croisillon droit une porte romane aux belles voussures. À l'intérieur, une riche **tapisserie★** de six pièce (16e s.) illustre dix scènes de la vie de saint Pierre. Elle est présentée durant l'été. La restauration des grands orgues permet d'organiser des concerts réguliers.

★★ Château

☎ 02 41 40 24 40 - seules quelques salles du château ont rouvert à la visite après travaux - visite des extérieurs (accès au rempart restauré et à la cour d'honneur) et des salles d'expositions temporaires (dont l'ancienne église abbatiale) - juil.-août : tlj sf lun. 10h-18h30 ; avr.-juin et de déb. sept. à déb. nov. : tlj. sf lun. 10h-13h, 14h-17h30 - haute saison : 9 € (6-16 ans 6,50 €) ; basse saison : 4 € (6-16 ans 3 €).

Il se dresse sur un piédestal formé par des fortifications en étoile (16e s.). N'ayant pratiquement pas changé depuis sa reconstruction (fin 14e s.), il a conservé son allure de forteresse et son architecture gracieuse marquée par l'élancement de ses multiples tours aux toits coniques. La reconstruction du rempart nord-ouest qui s'est effondré en avril 2001 s'est achevée en 2008 (seuls 150 m ont été restaurés sur 900 m de rempart !).

★★ Musée d'Arts décoratifs – *Fermé.* Il présente un bel ensemble d'œuvres d'art du Moyen Âge et de la Renaissance : émaux, sculptures, albâtres, **tapisseries**, meubles, peintures, faïences et porcelaines tendres françaises des 17e et 18e s…

★ Musée du Cheval – Exposition partielle des plus belles pièces des collections d'harnachement.

À proximité

★ École nationale d'équitation - le Cadre noir

▶ *À St-Hilaire-St-Florent (à 7 km au sud du centre-ville). ☎ 02 41 53 50 60 - www. cadrenoir.fr - ⅙ - visite guidée des installations de l'école (1h), dép. ttes les 30mn du lun. apr.-midi au sam. midi - 7 €. Soirées de gala selon calendrier : le Printemps des écuyers en avril, les Musicales (reprises de manège avec orchestre sur la piste) en septembre.*

👥 Depuis 1972, cette école moderne est chargée d'assurer le maintien et le rayonnement de l'équitation française. On visite son manège de 1 200 places, ses greniers, écuries, selleries et salles de douche. Fondé à Saumur en 1815, le **Cadre noir** a rejoint l'École nationale d'équitation en 1984. Il présente à travers le monde les aspects les plus variés de l'équitation académique.

★★ Abbaye de Fontevraud

▶ *À 15 km au nord-ouest de Saumur. ☎ 02 41 51 71 41 - www.abbaye-fontevraud. com - juin-sept. : 9h-18h30 ; avr.-mai et oct. : 9h30-18h30 ; nov.-mars : 10h-17h30 (dernière entrée 30mn av. fermeture) - fermé 1er janv., 1er Mai, 1er et 11 Nov. et 25 déc. - 9 € (8-18 ans 6 €).*

L'abbaye de Fontevraud, ultime demeure des Plantagenêts, malgré de nombreuses mutilations, reste l'un des plus importants ensembles monastiques subsistant en France. Elle conserve de purs joyaux d'architecture angevine : une superbe **église abbatiale★★** aux voûtes aériennes, des gisants polychromes et de très impressionnantes **cuisines romanes★★**.

★★ Zoo de Doué

▶ *À 20 km au sud-ouest de Saumur par la D 960. À la sortie de Doué-la-Fontaine sur la route de Cholet. ☎ 02 41 59 18 58 - www.zoodoue.fr - juil.-août : 9h-19h30 ; avr.-juin et sept. : 9h-19h ; nov.-mars : 10h-18h30 - 17,50 € (3-10 ans : 12 €).*

👥 Il occupe un **site★** troglodytique exceptionnel ou plus de 500 animaux vivent en semi-liberté. Rendez-vous dans la « fosse aux charognards », l'immense volière des vautours et dans le « canyon aux léopards » pour observer les panthères des neiges et les léopards du Sri Lanka.

Le Puy du Fou

Vendée (85)

S'INFORMER
Parc du Puy du Fou – *℘ 02 51 64 11 11 - www.puydufou.com - point infor-mation de l'office de tourisme à l'entrée du parc : ℘ 0 820 321 315 - www.ot-lesherbiers.fr - de mi-avr. à fin sept. : mat et apr.-midi.*

SE REPÉRER
Carte générale B2 – *Cartes Michelin n° 721 F8 et n° 521 E3.* Sur l'A 87, sortie 28. Le Puy du Fou est à 1h de Nantes, d'Angers ou des Sables d'Olonne ; 1h30 de La Baule ou de La Rochelle ; 2h30 de Bordeaux ; 3h de Paris.

ORGANISER SON TEMPS
Profitez des Nocturnes en juillet et août, ou des Cinéscénie, le vendredi ou le samedi, et prenez la journée pour découvrir le Grand Parc.

AVEC LES ENFANTS
Le Grand Parc, la Cinéscénie.

La nuit, le château brille sous les feux d'un célèbre son et lumière. Le jour, le Grand Parc, superbe domaine boisé de 40 ha, plonge petits et grands dans un monde merveilleux, à travers les siècles.

Découvrir

★★★ La Cinéscénie
Juin : sam. ; juil.-mi-sept. : vend. et sam. - 22h ou 22h30 - ♿ - durée 1h40 - 25 € (5-13 ans 16 €), billet combiné avec le Grand Parc 44 € (5-13ans : 26 €) - réserv. obligatoire - prévoir un vêtement chaud.
La terrasse de la façade du château donnant sur une pièce d'eau compose le décor et l'aire scénique (23 ha) de la grandiose Cinéscénie du Puy du Fou. 1 200 acteurs font revivre 700 ans d'histoire de la Vendée à travers l'histoire d'une famille symbolique : les Maupillier. Décors, costumes, chorégraphie, musique, effets spéciaux, éclairages, pyrotechnie et jets d'eau.

★★ Le Grand Parc
℘ 02 51 64 11 11 - 10h-19h - 27 € (5-13 ans 18 €) - pour billets combinés avec les soirées Cinéscénies et Nocturnes du Grand Parc, se renseigner.
L'**allée des volières**★, le **conservatoire animal**★, la **vallée fleurie**★ invitent, entre autres chemins, à découvrir la faune et la flore. Le parcours souterrain sur le **chemin de la mémoire**★ raconte les guerres de Vendée et quatre villages sont reconstitués sur le site : dans la **cité médiévale**★★, vous croiserez des artisans, des enlumineurs et des ménestrels avant d'assister à l'adoubement d'un che-valier dans la chapelle romane. Remontez ainsi le temps, depuis le **fort de l'An Mil**★★ jusqu'au **village du 18ᵉ s.**★★ et au **bourg 1900**★★. Ne manquez pas non plus les spectacles (Les **Vikings**★★★, le **bal des oiseaux fantômes**★★ ou les jeux des **Gladiateurs**★★ dans le **stadium gallo-romain**★, réplique du Colisée de Rome). L'**Odyssée du Puy-du-Fou**★, chorégraphie d'images, de jets d'eau illuminés et d'aquaflammes, évoque avec émotion l'aventure du Puy du Fou.

Les Sables-d'Olonne

15 027 Sablais – Vendée (85)

S'INFORMER

Office de tourisme – *1 prom. Joffre - 85100 Les Sables-d'Olonne - ✆ 02 51 96 85 85 - www.ot-lessablesdolonne.fr - juil.-août : 9h-19h ; avr.-juin et sept. : 10h-12h30, 14h-18h ; oct.-mars : tlj sf dim. 10h-12h30, 14h-17h30.*

SE REPÉRER

Carte générale B2 – *Cartes Michelin n° 721 E9 et n° 517 F14.* Sur la côte vendéenne, à mi-chemin entre Nantes et La Rochelle ; 37 km au sud-ouest de La Roche-sur-Yon.

À NE PAS MANQUER

La promenade du Remblai.

ORGANISER SON TEMPS

Comptez 2h pour la ville et consultez les horaires des bateaux si vous décidez de découvrir l'île d'Yeu.

Bâtie sur les sables d'un cordon littoral, cette station balnéaire offre la douceur de son climat et les vents du large. Son vivant front de mer tranche avec les quartiers plus typiques du port et de la Chaume, où vivent les pêcheurs. Optez pour une vivifiante balade en mer et enchaînez sur la terre ferme avec une visite des Sables, à moins que vous ne soyez là pour le départ du Vendée Globe, célèbre course en solitaire autour du monde sans escale ni assistance, qui s'élance tous les quatre ans de Port Olona…

Se promener

★ Le Remblai

Édifié au 18ᵉ s. pour protéger la ville qui se trouve en contrebas, le Remblai est une promenade bordée d'immeubles luxueux et de boutiques, de cafés et d'hôtels. Cachées derrière des immeubles se dissimulent les ruelles de la vieille ville.

La Corniche

Elle prolonge le Remblai vers le quartier résidentiel de la Rudelière. La route suit le bord de la falaise et atteint (3 km) le **Puits d'Enfer**, un creux étroit et impressionnant au fond duquel bouillonne la mer.

À proximité

★ Île de Noirmoutier

À 65 km au nord des Sables. Un pont routier traverse le goulet de Fromentine (gratuit). Le passage du Gois, chaussée submersible de 4,5 km reliant l'île au continent, n'est praticable qu'à marée basse (consulter les horaires, accès par la D 948).

Parcs à huîtres de l'île de Noirmoutier et pêcheurs à pied.
Nevio Doz/Age Fotostock

Prenez le large à Noirmoutier et venez-y par la route du **passage du Gois★★** ; il y règne une atmosphère de bout du monde. L'île attire grâce à son climat doux, ses petites criques et ses bois odorants, le charme de ses marais salants, ses haies de tamaris et ses murets de pierres sèches qui protègent les cultures de pommes de terre réputées du vent marin, ses moulins à vent et ses huîtres cultivées en baie de Bourgneuf. L'île se divise en trois secteurs.

Au sud, les **dunes de Barbâtre** s'allongent vers la côte vendéenne dont elles sont séparées par la fosse de Fromentine, large de 800 m, parcourue de violents courants. En son centre, l'île rappelle un peu la Hollande avec ses marais salants qui, comme les polders, sont situés au-dessous du niveau de la mer. Ils sont quadrillés de chenaux dont le principal, l'**étier de l'Arceau**, traverse l'île de part en part. Au nord, la côte rocheuse est découpée de criques bordées de pins maritimes, comme au **Bois de la Chaise★** ; non loin, le phare des Dames mène à la jolie **promenade des Souzeaux★**.

★★ Île d'Yeu

Au nord-ouest au large des Sables. Deux embarcadères accueillent des bateaux effectuant une liaison maritime régulière ou saisonnière avec l'île : Fromentine et St-Gilles-Croix-de-Vie. Se renseigner à l'office de tourisme de l'île d'Yeu ☎ 02 51 58 32 58 ou auprès de la Compagnie vendéenne ☎ 0 825 139 085 (015 €/mn), www.compagnie-vendeenne.com.

Par la nature de son terrain – les schistes cristallins – par sa configuration et sa **Côte Sauvage★★**, l'île d'Yeu peut s'apparenter à sa grande sœur bretonne Belle-Île *(voir Vannes)*. Par ses côtes sud et est, elle se montre vendéenne : longues plages de sable fin, dunes, pins et chênes verts. De **Port-Joinville★**, elle se découvre à pied ou à vélo sur les chemins de douaniers qui longent ses côtes. Du sommet du **Grand Phare**, du **Vieux château★** ou du **Port-de-la-Meule★★ vues** splendides sur l'île et l'océan. L'été, à la **pointe de la Tranche★**, des anses bien abritées invitent à la baignade.

Poitou-Charentes 9

Cartes Michelin National n° 721 et Région n° 521

Futuroscope de Poitiers.
J. Larrea/Age Fotostock

Poitou-Charentes

▶ SE REPÉRER

Dans cette région de l'ouest de la France, les transports s'ordonnent sur l'axe de l'A 10 qui passe par Poitiers et Saintes, d'où partent des bretelles et routes nationales menant à tous les autres sites ou villes.

☺ À NE PAS MANQUER

Selon vos centres d'intérêts, vous aurez l'embarras du choix entre les églises et abbayes romanes, la côte avec ses ports, ses plages de sable fin et ses îles où règne une belle luminosité, la visite de villes au riche patrimoine historique et culturel comme Poitiers ou La Rochelle.

⏱ ORGANISER SON TEMPS

Sur la côte, songez à consulter l'horaire des marées : le temps peut changer avec elles. L'été, à l'intérieur des terres, le climat est plus continental et il peut faire assez lourd. Privilégiez alors le début de la matinée ou la fin d'après-midi pour flâner dans les rues des vieux quartiers et réfugiez-vous dans les musées ou les églises aux heures les plus chaudes. Pensez à réserver à l'avance votre lieu d'hébergement sur les sites d'attractions ou lorsque votre visite coïncide avec un festival ou tout autre événement festif de la région.

Sur la façade océane, les côtes charentaises se hérissent de fortifications qui ont longtemps tenu tête aux Espagnols, Hollandais ou Anglais. Parmi ces fortifications, la citadelle de St-Martin à l'île de Ré et de nombreux forts entre les îles d'Aix et d'Oléron, dans le pertuis d'Antioche. L'un des plus célèbres architectes de ce système défensif fut Vauban. Rochefort, port militaire et important chantier naval sous Louis XIV, la forteresse de Brouage, jadis capitale du sel et grand port de mer, mais vaincue aujourd'hui par l'envasement, témoignent de l'histoire du littoral français. La Rochelle, ville protestante, assiégée et en partie détruite en 1628 par Richelieu, a conservé ses tours qui évoquent sa puissance océane. Sous la porte de la Grosse Horloge passèrent des générations d'émigrants vers le Nouveau Monde. Sur la côte et ses îles, la luminosité et la douceur du climat attirent les vacanciers : le bassin de Marennes-Oléron, pays des huîtres vertes ; Royan, station pionnière dans la mode balnéaire en Charente-Maritime ; et partout, des villages aux toits de tuiles et aux murs crépis à la chaux et au sable de carrière. Vous voici déjà sur l'estuaire de la Gironde au large duquel le phare de Cordouan surveille le golfe de Gascogne depuis 1610. À l'intérieur des terres, en suivant la Charente, vous rejoindrez Saintes et l'abbaye aux Dames, puis le vignoble de Cognac et Angoulême, capitale internationale de la bande dessinée… Plus au nord, le Poitou se couvre d'églises romanes, comme à St-Savin. Au Futuroscope de Poitiers ou à Angoulême, où l'on fabrique les images en 3D, vous aurez rendez-vous avec la technologie et les effets spéciaux mis au service de spectacles époustouflants. Poitou-Charentes, une destination éminemment touristique !

Poitiers

89 282 Poitevins – Vienne (86)

S'INFORMER

Office de tourisme – *45 pl. Charles-de-Gaulle - BP 377 - 86009 Poitiers - ℘ 05 49 41 21 24 - www.ot-poitiers.fr - de mi-juin à mi-sept : 10h-23h, dim. et j. fériés 10h-18h, 19h-22h ; reste de l'année : tlj sf dim. 10h-18h - fermé 1er janv., dim. et lun. de Pâques, 1er et 8 Mai, dim. de Pentecôtc, 15 août et 25 déc.*

SE REPÉRER

Carte générale B2 – *Cartes Michelin n° 721 H9 et n° 521 M5.* Poitiers est facilement accessible par l'A 10 : à environ 330 km de Paris, 100 km de Tours, 138 km de La Rochelle. Pour entrer et sortir de Poitiers, empruntez la rocade qui enserre le plateau sur lequel la ville est perchée et qui est reliée aux principaux axes de communication.

À NE PAS MANQUER

La façade romane poitevine de N.-D.-la-Grande ; les fresques de l'*Apocalypse* de l'église St-Hilaire-le-Grand ; aux alentours, les fresques romanes de l'abbaye de St-Savin.

ORGANISER SON TEMPS

Comptez une bonne journée pour visiter la ville et une autre pour découvrir les environs. Si vous allez au Futuroscope, essayez de vous loger sur place pour profiter du spectacle de nuit. Les programmes du Futuroscope sont régulièrement renouvelés.

AVEC LES ENFANTS

Les *Voyageurs du ciel et de la mer*, le parcours dans le noir des *Yeux grands fermés*… n'imaginez pas tout voir d'un coup au Futuroscope !

La ville séduit par sa jeunesse et par son dynamisme culturel. En effet, Poitiers réunit tous les avantages d'une grande ville tout en gardant des dimensions humaines. Des chemins pentus vous entraînent à la découverte d'une floraison d'églises romanes, extraordinaire patrimoine architectural. Dans les quartiers médiévaux du centre, il est bon de flâner dans les rues piétonnes et de se mettre à vivre au rythme des étudiants sur des places animées de terrasses de cafés.

Découvrir

★★ Église Notre-Dame-la-Grande

L'œil est immédiatement attiré par sa **façade★★★** superbement restaurée. Caractéristique de l'architecture romane poitevine, bien qu'influencée par l'art de Saintonge, elle présente un décor sculpté animé d'une vie intense. Au-dessus des arcs, des bas-reliefs figurent : Adam et Ève ; Nabuchodonosor ; Moïse, Jérémie, Isaïe et Daniel ; l'Annonciation ; l'arbre de Jessé ; à droite, la Visitation, la Nativité, le bain de l'Enfant Jésus et la méditation de saint Joseph. Les voussures des arcades et arcatures sont ornées d'un décor végétal et d'un bestiaire fantastique. Le pignon présente, dans une gloire en amande, un Christ en majesté entouré des symboles des évangélistes et surmonté d'une

LA CAPITALE DU POITOU

L'aube du christianisme – Aux 3e et 4e s., **saint Hilaire**, évêque de Poitiers (mort en 368) et docteur de l'Église, fait de la ville le centre du christianisme en Gaule. Il a pour disciple le futur saint Martin. Poitiers compte alors une très importante communauté chrétienne. L'église poitevine va demeurer un centre religieux important grâce notamment à l'arrivée de **sainte Radegonde**, épouse de Clotaire Ier, qui se réfugie à Poitiers en 559 et y fonde le monastère Ste-Croix.

Charles Martel et les Arabes : 732 – Maîtres de l'Espagne, les Arabes envahissent la Gaule par le sud. Tenus une première fois en échec par Eudes, duc d'Aquitaine, ils l'écrasent près de Bordeaux et continuent leur avancée vers le centre du pays. Ils attaquent Poitiers et brûlent l'église St-Hilaire. C'est alors que Charles Martel et ses troupes les affrontent victorieusement. L'armée musulmane se repliera petit à petit et quittera l'Aquitaine.

Les comtes du Poitou – Après l'arrivée de Charlemagne, la ville tombe dans le giron des ducs d'Aquitaine. Elle est marquée par la personnalité de **Guillaume IX** (1071-1126), le premier troubadour. La ville se couvre d'églises romanes.

La cour de Jean de Berry – Passée sous la domination anglaise par deux fois, au 12e s., sous Henri Plantagenêt et Aliénor d'Aquitaine, puis au 14e s. après la bataille de Poitiers de 1356, la ville, grâce à Du Guesclin, est rendue à la Couronne, en la personne du frère de Charles V : Jean, duc de Berry et d'Auvergne, comte du Poitou. Le gouvernement de ce dernier (1369-1416) donne à Poitiers un essor rapide.

palme de lumière (le soleil) et d'un croissant (la lune), symboles d'éternité à l'époque romane. La façade est flanquée de part et d'autre d'un faisceau de colonnes supportant un lanternon ajouré, aux corniches droites ou en arcatures. L'intérieur, de type poitevin mais dépourvu de transept, fut repeint en 1851 dans un style chargé. Les puissantes colonnes rondes qui forment l'hémicycle du chœur portent la voûte en cul-de-four décorée d'une fresque du 12e s. représentant la Vierge en majesté et le Christ en gloire.

★ Cathédrale Saint-Pierre

Commencée à la fin du 12e s. et presque achevée à la fin du 14e s., date de sa consécration, St-Pierre surprend par l'ampleur de ses dimensions.

Sa large **façade**, ornée d'une rosace et de trois **portails★** du 13e s. est flanquée de deux tours dissymétriques.

Dès l'entrée s'impose la puissance architecturale du large vaisseau divisé en trois nefs de hauteur presque égale ; l'impression d'une perspective fuyante vers le chevet est accentuée par le rétrécissement progressif de la largeur des nefs et l'abaissement de la voûte centrale à partir du chœur. Les vingt-quatre voûtes ogivales bombées dénotent l'influence du style Plantagenêt. Dans le chœur, les **stalles★** du 13e s. passent pour être les plus vieilles de France. Sur leurs dosserets, les écoinçons sculptés évoquent la Vierge et l'Enfant, des anges porteurs de couronnes, l'architecte au travail. Au chevet, dans l'axe du chœur, on remarque le superbe vitrail de la **Crucifixion★** (fin 12e s.).

★ Baptistère Saint-Jean

℘ 05 49 41 21 24 - *juil.-août : 10h30-12h30, 15h30-18h ; avr.-juin et sept. : tlj sf mar. 10h30-12h30, 15h30-18h ; oct.-mars : tlj sf mar. 14h30-16h30 - fermé 1er janv., 1er Mai et 25 déc. - 1,75 €.*

Édifié au milieu du 4e s., ce baptistère est le plus ancien témoignage de l'architecture chrétienne en France. Il renferme un important **musée lapidaire**, en particulier une belle collection de sarcophages mérovingiens. La **cuve baptismale octogonale** servait au baptême par immersion. Au 7e s., on boucha la cuve sur laquelle furent installés des fonts baptismaux pour procéder au baptême par aspersion (eau versée sur la tête). Admirez le décor de colonnes de marbre et de colonnettes soutenant les arcatures, et les chapiteaux sculptés de feuilles, tresses, perles, à la mode antique.

Les **fresques romanes**★ qui animent les murs du baptistère représentent l'Ascension, le Christ en majesté, et sur les murs de la salle rectangulaire les apôtres, l'empereur Constantin à cheval, sur le mur de gauche, des paons, symboles d'immortalité, un combattant et un dragon.

★★ Église Saint-Hilaire-le-Grand

Un peu à l'écart du centre s'élève ce très grand monument de l'art roman, inscrit au patrimoine mondial de l'Unesco. Au 11e s., les trois nefs de St-Hilaire étaient couvertes de charpentes en bois. Pour se prémunir contre un éventuel incendie, les architectes décidèrent de la voûter en pierre. Ils partagèrent chaque bas-côté primitif en deux nefs par la construction de piliers centraux venant étayer les voûtes d'arêtes en leur milieu. Dans la nef centrale fut élevée une rangée de colonnes qui se raccordent de façon ingénieuse aux murs d'origine et portent la série des coupoles sur pendentifs. Ainsi sont nés les sept vaisseaux de l'église actuelle. L'avant-chœur est orné au sol d'une belle mosaïque et, aux piliers, de chapiteaux intéressants dont, à gauche, celui de la mise au tombeau de saint Hilaire. Les **fresques de l'Apocalypse**★ sont du même atelier que celles de St-Savin.

★★ Musée Sainte-Croix

3 bis r. Jean-Jaurès - ☎ 05 49 41 07 53 - www.musees-poitiers.org - juin-sept. : mar. 10h-17h, merc.-vend. 10h-12h, 13h15-17h, w.-end 10h-12h, 14h-18h ; oct.-mai : mar. 10h-17h, merc.-vend. 10h-12h, 13h15-17h, w.-end 14h-18h - fermé lun. mat., 1er janv., Pâques, Pentecôte, 1er nov. et 25 déc. - 4 €, gratuit 1er dim. du mois.

Ce musée très étendu présente trois riches collections patrimoniales. Dans la section d'**archéologie régionale** vous remarquerez d'étranges gravures du Paléolithique, provenant de la grotte de la Marche, des poignards et vases du Néolithique, des objets de parure de l'âge du fer… Parmi les œuvres de la section consacrée à **Poitiers dans l'art et l'histoire**, une effrayante **Grand'Goule**, monstre légendaire de la région, terrassée par sainte Ragedonde. La section **Beaux-Arts** est riche de peintures des 19e et 20e s. (du néoclassique au début de l'abstraction) et de sculptures parmi lesquelles on admire des œuvres de Maillol, Rodin et surtout de **Camille Claudel.**

À proximité

★★★ Parc du Futuroscope

◗ *À 10 km au nord de Poitiers. Gare TGV à l'entrée du site. ☎ 05 49 49 30 80 - www. futuroscope.com - de 10h à la tombée de la nuit ou à la fin du spectacle nocturne qui débute entre 9h et 22h selon la saison fermé janv. - se renseigner pour plus de précisions sur les horaires - 36 € (5-16 ans 27 €), soirée 15 € et 10 €.*

Pour organiser votre visite en fonction des horaires de séances, consultez la **brochure** remise à l'entrée ou les divers **points info** à l'intérieur du parc.

👥 Dans un site de 110 ha, ce parc européen de l'image à l'architecture futuriste dispose de toutes les technologies pour vous transporter dans la quatrième dimension. Le parcours **Les Yeux grands fermés**★★ vous plonge dans l'univers quotidien d'un aveugle. Vous êtes en totale immersion avec le monde des airs et celui des océans grâce aux deux écrans de 700 m² de **Voyageurs du ciel et de la mer**★★. **Les Ailes du courage**★★ vous fera remonter le temps et partager l'incroyable épopée de Guillaumet, l'un des héros de l'Aéropostale. **La Vienne dynamique**★★ est une course burlesque à travers les hauts lieux touristiques de la Vienne, pleine d'effets spéciaux. Vous découvrirez aussi des jeux en tout genre : jeux virtuels interactifs, chiens-robots… et bien sûr, miroirs déformants ou toboggans pour jouer en plein air. On peut passer ici deux jours, et ainsi profiter du féerique spectacle nocturne.

★★ Abbaye de Saint-Savin

▶ *À 40 km à l'est de Poitiers par la N 151.* ℰ *05 49 84 30 00 - www.abbaye-saint-savin.fr - église abbatiale ouverte tte la journée, à l'exception des offices religieux - visite libre ou guidée - fermé janv., 11 nov., 25 déc. et 31 déc. - 6 € (12-18 ans, 4,50 €).*

L'**abbatiale**★★ frappe par l'ampleur de ses dimensions : longueur totale 76 m, longueur du transept 31 m, hauteur de la flèche 77 m. Outre les beaux chapiteaux de la nef, ornés de feuillages et d'animaux, elle recèle des **peintures murales**★★★ du 11e s. d'une valeur universelle. Sauvées de la destruction en 1836 par l'inspecteur des Monuments historiques **Prosper Mérimée**, elles sont désormais inscrites au patrimoine mondial de l'Unesco ; dans la nef, elles ont fait récemment l'objet d'une minutieuse restauration afin de stabiliser les couleurs. Contrairement à la plupart des fresques exécutées à partir d'un canevas, les peintures de St-Savin ont été dessinées directement sur le mur, par un procédé intermédiaire entre la fresque et la détrempe. Elles sont vraisemblablement l'œuvre d'un seul atelier qui les aurait réalisées dans un temps très court, entre 1080 et 1110.

Dans le **narthex**, les scènes représentent des épisodes de l'Apocalypse ; la prédominance des tons pâles (verts, ocre jaune, ocre rouge) permet une meilleure lecture de ces peintures, le porche étant placé dans une semi-obscurité. Dans la **nef**, les peintures de la voûte se déroulent à plus de 16 m de hauteur, sur une superficie de 412 m². S'y succèdent les scènes inspirées de la Genèse et de l'Exode, placées sur deux registres, de part et d'autre de la ligne du sommet.

Une vie intense anime les personnages : les pieds entrecroisés indiquent le mouvement, les vêtements moulent les formes, les mains souvent d'une longueur disproportionnée sont très expressives. On retrouve cette allure dansante dans la sculpture romane. Les visages sont dessinés à grands traits, des taches rouges et blanches soulignant les joues, les narines et le menton.

La Rochelle

★★★

75 822 Rochelais – Charente-Maritime (17)

 NOS ADRESSES PAGE 436

S'INFORMER

Office de tourisme – *quai G.-Simenon - Le Gabut - 17025 La Rochelle Cedex 1 - ℘ 05 46 41 14 68 - www.larochelle-tourisme.com - juil.-août : 9h-20h, dim. et j. fériés 10h-18h ; reste de l'année : 9h-18h (19h en juin et sept.), dim. et j. fériés 10h30-18h (10h-13h d'oct. à mars) - fermé 1ᵉʳ janv. et 25 déc.*

SE REPÉRER

Carte générale B3 – *Cartes Michelin n° 721 F9 et n° 521 D7.* Du nord-est, on arrive à La Rochelle par l'A 10 puis la N 11, et de Rochefort par la D 137.

À NE PAS MANQUER

Le vieux port dominé par ses deux tours, le quartier ancien de la ville, les collections du Muséum d'histoire naturelle et le musée du Nouveau-Monde.

ORGANISER SON TEMPS

Comptez au moins une journée et demie pour visiter la ville et découvrir ses curiosités. Si vous aimez vraiment l'animation, optez pour les 6 jours des Francofolies, en juillet.

AVEC LES ENFANTS

L'aquarium, le Musée maritime, le musée des Automates, une excursion à l'île de Ré.

Avec son vieux port fortifié et ses structures nautiques ultramodernes, ses églises, ses musées, ses rues secrètes bordées d'arcades, ses vieilles maisons de bois ou ses hôtels aristocratiques, ses parcs et ses plages, son festival de musique francophone, la capitale de l'Aunis possède d'innombrables atouts qui en font une ville agréable à vivre et délicieuse à découvrir.

Découvrir

★★ LE VIEUX PORT

Immortalisé par les œuvres de Joseph Vernet, Corot, Signac et Marquet, le port ancien est situé au fond d'une baie étroite. Il comprend un avant-port, un bassin d'échouage ou Vieux Port, un petit bassin à flot où s'amarrent les yachts, un bassin à flot extérieur ou bassin des chalutiers, et un bassin de retenue alimenté par un canal amenant les eaux de la Sèvre.

★ Tour Saint-Nicolas

℘ 05 46 41 74 13 - avr.-sept. : 10h-18h30 ; oct.-mars : 10h-13h, 14h15-17h30 - fermé 1ᵉʳ janv., lun. de Pâques, 1ᵉʳ Mai et 25 déc. - 6 € (-18 ans gratuit) 10,50 € billet jumelé avec les tours de la Chaîne et de la Lanterne, gratuit 1ᵉʳ dim. du mois.

9

La tour St-Nicolas doit son nom au patron des navigateurs. Percée de meurtrières munies de bretèches, elle servit longtemps de prison. Un escalier extérieur aboutit à la **salle des Gouverneurs** couverte d'une élégante voûte d'ogives. De là, d'autres escaliers, pratiqués dans l'épaisseur des murs, conduisent à des pièces où est retracée l'évolution du site portuaire du 12ᵉs. à nos jours. De la plate-forme supérieure **vue★** sur la sortie de la rade, la baie et l'île d'Aix.

Tour de la Chaîne
⌕ 05 46 34 11 81 - mêmes dates et heures d'ouverture que la tour St-Nicolas - 5 € (enf. gratuit), 10,50 € billet jumelé avec la tour de St-Nicolas, gratuit 1ᵉʳ dim. du mois (avr.-oct.).
Elle doit son nom à la grosse chaîne qui, durant la nuit, la joignait à sa sœur St-Nicolas pour fermer le port. Cette tour fut utilisée comme poudrière. Bâtie également au 14ᵉ s., elle fut décoronnée au 17ᵉs. Aujourd'hui, elle abrite des expositions temporaires.

★ Tour de la Lanterne
⌕ 05 46 41 56 04 - mêmes conditions d'ouverture que la tour St-Nicolas.
Érigée au 15ᵉ s., elle concilie soucis esthétiques et impératifs militaires. L'ouvrage, aux murs de 6 m d'épaisseur à la base, contraste avec la flèche octogonale à crochets et la fine lanterne, servant jadis de fanal, qui la surmontent. Sur les murs, remarquez les **graffitis★** de prisonniers ou de soldats. Du balcon, superbe **panorama★★** sur les toits de la vieille ville, le port, les îles.

★★ LE QUARTIER ANCIEN

Ses grands axes sont la Grande-rue des Merciers et la rue du Palais. Les maisons les plus anciennes sont à pans de bois couverts de plaques d'ardoise destinées à protéger ceux-ci de la pluie et des embruns.
L'entrée de la ville côté port se fait par la **porte de la Grosse-Horloge★**. Cette tour gothique a été remaniée au 18ᵉs. par l'adjonction d'un couronnement. Au centre, son beffroi abrite la cloche et l'horloge. La **rue du Palais★** est l'une des principales voies de La Rochelle. À droite, les boutiques se succèdent sous des galeries. À gauche alternent galeries et bâtiments publics ; on y voit de vieilles maisons, dont une dotée de fenêtres ornées d'arcades et masques. Très commerçante, la **Grande-rue des Merciers★** est une des artères les plus caractéristiques de La Rochelle, par ses galeries et ses maisons des 16ᵉ et 17ᵉs. Les constructions médiévales, aux pans de bois couverts d'ardoises, alternent avec des demeures Renaissance en pierre, ornées de fantasiques gargouilles sculptées.

★★ Muséum d'histoire naturelle
⌕ 05 46 41 18 25 - de mi-mai à fin sept. : 10h-19h, w.-end 14h-19h ; d'oct. à mi-mai : mar.-vend. 9h-18h, w.-end 14h-18h - 4 € (-18 ans gratuit), 1ᵉʳ dim. du mois gratuit - accès libre au jardin des plantes.
Sur cinq niveaux, le plus ancien muséum de France déploie ses riches collections dans une scénographie contemporaine : fossiles, cristaux et minéraux, masques et autres trésors rapportés par les naturalistes et ethnologues lors de grandes expéditions dans le monde. Ancêtre du muséum, le **cabinet des curiosités Lafaille**, au superbe mobilier, présente des coquillages, mollusques et crustacés rares. La **grande salle de zoologie**, créée en 1832, donne une vision très complète du règne animal tel qu'il était considéré à l'époque où la classification commençait tout juste à obéir à une véritable rationalisation. Les **collections ethnographiques** illustrent quant à elles, avec plus de 6 000 objets, de nombreuses cultures extra-européennes.

UNE VILLE OUVERTE SUR LE MONDE

Le commerce portuaire – Dès le 13e s., des remparts sont dressés, et La Rochelle noue des relations commerciales avec l'Angleterre et les Flandres. Le vin et le sel sont exportés, les toiles et la laine sont importées. La ville regorge de banques et de marchands bretons, espagnols, anglais ou flamands. À partir du 15e s., le port s'enrichit avec le Canada (commerce de fourrures) et les Antilles, avec la traite des Noirs.

Les premiers conflits – Très tôt, La Rochelle compte des adeptes du protestantisme dont les idées ont suivi les routes maritimes depuis le nord de l'Europe. En 1568, les protestants ont le pouvoir à La Rochelle. En 1573, un siège est tenu devant la cité par l'armée royale. Mais La Rochelle résiste. Un second siège a lieu en 1627, opposant de nouveau la ville à l'armée royale. Un blocus est organisé côté terre, et sur la mer une digue gigantesque barre la baie. Les Rochelais ne réagissent guère, persuadés que l'ouvrage ne résistera pas aux tempêtes. Or il tient, réduisant la cité à la famine : le 30 octobre 1628, **Richelieu** entre dans la ville après treize mois de siège ; Louis XIII l'y rejoint le 1er novembre.

Le nautisme – Escale incontournable sur le trajet des grandes courses, la ville possède des chantiers de construction navale, des voileries, des fabricants d'électronique et d'accastillage réputés et accueille plusieurs manifestations liées au nautisme. Des grands noms de la voile ont amarré là leurs bateaux. À quai, mouille la *Calypso*, le célèbre navire océanographique du commandant Cousteau en cours de restauration. À l'entrée de la baie, rive sud, les pontons du **port des Minimes** peuvent accueillir 3 200 quillards de tous types, ce qui en fait le premier port européen sur l'Atlantique.

★ Musée du Nouveau-Monde

☏ 05 46 41 46 50 - avr.-sept. : tlj sf mar. tte la journée, dim. apr.-midi ; se renseigner pour reste de l'année - fermé 1er janv., 1er Mai, 14 Juil. 1er et 11 Nov et 25 déc. - 4 € (-18 ans gratuit).

L'**hôtel Fleuriau**, acquis en 1772 par l'armateur rochelais de ce nom, abrite les collections illustrant les relations tissées entre La Rochelle et les Amériques depuis le 16e s. Les armateurs s'enrichirent avec le Canada, la Louisiane et surtout les Antilles où ils possédaient de vastes domaines produisant des épices, du sucre, du cacao, du café, de la vanille. Ces « négriers » prospéraient aussi avec le commerce du « bois d'ébène » ou commerce triangulaire : vente de tissus et achat d'esclaves sur les côtes d'Afrique, vente de ces esclaves et achat de produits coloniaux à l'Amérique, vente de ces produits coloniaux en Europe. Ne manquez pas la **Mascarade nuptiale★** (1788) de José Conrado Roza (école portugaise) : dans cette curieuse scène, où les trois continents concernés par l'aventure coloniale sont représentés, des nains parodient une cérémonie de mariage.

LA VILLE-EN-BOIS

À l'ouest du bassin des Grands Yachts s'étend le quartier rénové de la Ville-en-Bois, nommé ainsi à cause de ses maisons basses en bois, où artisanat, université et musées cohabitent.

★★ Aquarium

Bassin des Grands Yachts - ☏ 05 46 34 00 00 - www.aquarium-larochelle.com - ♿ - tte la journée - 14 € (enf. 11 €).

👥 Grand vaisseau de verre et de bois, l'aquarium abrite de manière originale plus de 10 000 animaux marins de l'Atlantique, de la Méditerranée, des mers chaudes et du Pacifique. Ses 65 bassins recréent l'environnement (relief, flore) des espèces présentées. Parmi les innovations muséographiques, citons l'amusante entrée dans les profondeurs océanes en sous-marin, les bancs de poissons (sardines, barracudas) et les méduses, la salle obscure révélant la magie des espèces fluorescentes, le **grand aquarium des requins** ou la magnifique serre tropicale. L'aquarium est aussi un centre d'études et de soins des tortues marines.

★ Musée maritime

Quai Sénac-de-Meilhan - 𝒫 05 46 28 03 00 - www.museemaritimelarochelle.fr - juil.-août : 10h-19h ; avr.-juin et sept. : 10h-18h30 - 8 € (-16 ans 5,50 €).

👥 Le long des quais mouillent canots, chalutiers, remorqueur, yachts. Le chalutier l'*Angoumois* et la frégate météorologique *Francel*, tous deux classés aux Monuments historiques, ouvrent leurs ponts à la visite. N'y manquez pas d'intéressantes expositions et vidéos sur la vie à bord, la météorologie, les télécommunications, la pêche rochelaise, le chalutage, le glaçage du poisson…

★ Musée des Automates

𝒫 05 46 41 68 08 - www.museeslarochelle.com - ♿ - Juil.-août : tte la journée ; reste de l'année : mat. et apr.-midi - 7,50 € (-10 ans 5 €).

👥 Dans des décors et une mise en scène somptueuse, 300 personnages en mouvement rivalisent d'ingéniosité pour attirer l'attention du visiteur. D'un réalisme stupéfiant, ces automates sont mus par des mécanismes que l'on peut observer sur l'*Arlequin écorché*. Une bouche de métro donne accès à **Montmartre★★**. Les enfants seront émerveillés par les automates publicitaires des boutiques. Les adultes pourront flâner dans des rues pavées éclairées par des candélabres et se laisser surprendre par le passage d'un métro aérien.

À proximité

★ Île de Ré

▶ *À 10 km à l'ouest de La Rochelle par le pont-viaduc. 𝒫 05 46 00 51 10 - péage auto (conducteur et passagers compris) - 16,50 € (20 juin-11 sept.), 9 € le reste de l'année, gratuit pour les cyclistes et les piétons.*

Bus – *𝒫 0 811 361 717 (0,06 €/mn) - www.lesmouettes-transport.com.* Le réseau Keolis-Les Mouettes dessert toutes les communes de l'île de Ré à partir de La Rochelle *(gare SNCF et pl. de Verdun)* toute l'année. En juillet-août, service Vélo Mouettes : vous partez avec votre vélo et revenez en bus ou l'inverse.

🏛 **Office de tourisme** – *2 quai Nicolas-Baudin - 17410 St-Martin-en-Ré - 𝒫 05 46 09 20 06 - www.saint-martin-de-re.fr - juil.-août : tte la journée, dim. mat. et apr.-midi, j. fériés apr.-midi ; reste de l'année : mat. et apr.-midi, dim. et j. fériés mat. (sf oct.-mars).* L'île possède d'autres offices de tourisme éparpillés à travers ses communes, où l'on vous renseignera notamment sur les locations de vélos et les parcours dans l'île.

👥 Allongée à fleur d'eau, l'île de Ré est appréciée des vacanciers pour ses plages de sable bordées de dunes, ses villages aux maisons blanches et aux ruelles bordées de roses trémières, son climat où malgré la chaleur estivale, l'air reste léger. On sillonne l'île à vélo sur les pistes cyclables qui traversent les vignes, les marais salants (réserve ornithologique) et mènent de port en port jusqu'au **Fier d'Ars** (plan d'eau fermé à marée basse par un banc de sable), puis au **phare des Baleines★**. La ville, port et citadelle de **St-Martin-de-Ré★**

Citadelle de Saint-Martin-en-Ré.
K. O'Hara/Age Fotostock

conservent l'aspect classique du Grand Siècle avec ses **fortifications**★ du début du 17e s, remaniées par Vauban et désormais classées au Patrimoine mondial de l'Unesco, son enceinte percée de deux portes monumentales, la porte Toiras et la porte des Campani, son bel **hôtel de Clerjotte** (musée Ernest-Cognacq) abritant objets et œuvres d'art illustrant l'histoire de l'île. En contournant la ville par la route, saluez les **baudets du Poitou**, qui, en raison de leur résistance, furent utilisés pour les travaux d'assèchement du Marais poitevin. Nés du croisement entre un baudet et une jument, ils doivent leur survie à l'Asinerie nationale de Dampierre-sur-Boutonne.

★★ Marais poitevin
◗ *À 33 km au nord-est de La Rochelle par la N 11, en dir. de Niort.*
Plonger dans le monde aquatique et végétal du Marais poitevin, c'est percer le mystère d'un immense labyrinthe de bras d'eau et de chemins. On peut se laisser glisser en barque sur les eaux vertes du **Marais mouillé**★★ ou le parcourir à vélo ou à pied, sous des cieux immenses et lumineux, le long de prés bordés de peupliers et de saules. Dans la **baie de l'Aiguillon**, les oiseaux migrateurs ont trouvé un havre naturel et les hommes s'adonnent à l'élevage des huîtres et des moules de bouchot.
L'idéal pour découvrir le Marais mouillé, apprécier sa beauté, son silence et sa poésie est de faire une promenade en barque au départ de **Coulon**★, du Vanneau, de Damvix, de **Maillezais**★ ou du charmant **port**★★ d'Arçais.

😊 NOS ADRESSES À LA ROCHELLE

HÉBERGEMENT

PREMIER PRIX

Hôtel de l'Océan – *36 cours des Dames - ℰ 05 46 41 31 97 - www.hotel-ocean-larochelle. com - fermé 2 sem. de fin déc. à déb. janv. - 15 ch. 56/87 € - ⌷ 6 €.* Situé sur le Vieux Port en plein cœur des animations de la ville, l'hôtel dispose de chambres rénovées, claires, confortables et climatisées. Côté quai, elles sont toutes insonorisées et offrent une vue sur la mer et les célèbres tours. Salle des petits-déjeuners prolongée d'une terrasse close. Accueil agréable.

BUDGET MOYEN

Trianon et de la Plage – *6 r. Monnaie - ℰ 05 46 41 21 35 - www. hoteltrianon.com - fermé 18 déc.-1er fév. - 25 ch. 78/110 € - ⌷ 9 € - rest. 19,50/35 €.* Cet hôtel particulier du 19e s. au confort bourgeois est dans la même famille depuis 1920. Salle des petits-déjeuners façon jardin d'hiver. Chambres plus calmes sur l'arrière. Atmosphère feutrée dans la salle de restaurant ; cuisine traditionnelle.

RESTAURATION

PREMIER PRIX

Le Mistral – *10 pl. Coureauleurs - ℰ 05 46 41 24 42 - fermé vac. de fév. (zone B) et vac. de Toussaint - formule déj. 11 € - 12,50/29 €.* Maison à pans de bois située au cœur du quartier du Gabut, à une

encablure de l'office de tourisme. La grande salle à manger de style « paquebot » est au premier étage, tout comme la terrasse qui donne sur l'ancien port de pêche.

La Gerbe de Blé – *R. Thiers - ℰ 05 46 41 05 94 - 6h30-20h - fermé le soir sept-mars - formule déj. 18,50 € - 8/15,50 €.* Ce bistrot, d'une rare convivialité, propose une petite restauration au choix restreint mais d'une grande qualité : le patron s'approvisionne directement chez les artisans des halles voisines. Casse-croûte du jour, sandwichs au fagot, grillon charentais ou dégustation d'huîtres.

POUR SE FAIRE PLAISIR

Les Flots – *1 r. de la Chaîne - ℰ 05 46 41 32 51 - www. gregorycoutanceau.com - 28/69 €.* Estaminet du 18e s. au pied de la tour de la Chaîne. Décor mêlant rustique, moderne et esprit marin. Cuisine de l'océan personnalisée et beau livre de cave.

ACHATS

Poterie de la Chapelle des Pots – *4 r. Chaudrier - ℰ 05 46 42 54 03 ou 05 46 91 14 82 - www. faienceriejeanalexiu.fr - tlj sf dim.-lun. 10h-12h30, 14h30-19h.* Les faïences présentées dans cette boutique sont réalisées à La-Chapelle-des-Pots, bourg saintongeais réputé pour ses poteries depuis le 13e s. Décors et prix identiques à ceux de la fabrique.

Rochefort

★★

25 676 Rochefortais – Charente-Maritime (17)

 S'INFORMER

Office de tourisme du pays rochefortais – *Av. Sadi-Carnot - 17300 Rochefort - ℰ 05 46 99 08 60 - www.rochefort-ocean.com - juil.-août : 9h30-19h ; reste de l'année : 9h30-12h30, 14h-18h (18h30 avr.-juin et sept.) - fermé dim. et j. fériés.*

▶ **SE REPÉRER**

Carte générale B3 – *Cartes Michelin n° 721 F10 et n° 521 E9.* À 30 km au sud-est de La Rochelle, entre la rive droite de la Charente et les marais, la ville est desservie par l'A 837.

☺ **À NE PAS MANQUER**

Le quartier de l'Arsenal, et bien sûr la forteresse de Brouage échouée au milieu des marais ou l'île d'Oléron, ses marais et petits ports ostréicoles.

🕔 **ORGANISER SON TEMPS**

Comptez deux jours pour visiter la ville et ses environs.

👥 **AVEC LES ENFANTS**

La fabrication des cordes comme au temps de Louis XIV et le fabuleux chantier pour la reconstruction de la frégate l'*Hermione*.

Base de défense des côtes de l'Atlantique choisie par Colbert pour lutter contre les incursions anglaises au 17ᵉ s., la ville est fière de son riche passé maritime. Son arsenal, où se préparaient les grandes expéditions, exhale encore un parfum d'exotisme très particulier. Les quais évoquent ce sentiment d'ailleurs que l'on retrouve à la maison de Pierre Loti.

Découvrir

★ LE QUARTIER DE L'ARSENAL

L'arsenal aménagé par Colbert en 1690 fut le plus grand et le plus achevé du royaume. Le long de la Charente, il s'étendait sur deux plans encore existants, séparés par des cales de lancement. Il comprenait une fonderie, une chaudronnerie, des forges, des scieries, une tonnellerie, une corderie, des bassins de « raboud » (cale sèche pour le carénage des navires)… Des fosses aux mâts pouvaient contenir 50 000 stères de bois que l'eau saumâtre rendait imputrescible. Un atelier de « sculpteurs de la Marine » ciselait poupes et proues.

★★ Chantier de reconstruction de l'« Hermione »

ℰ *05 46 82 07 07 - www.hermione.com - avr.-sept. : tte la journée ; reste de l'année : mat. et apr.-midi - fermé 1ᵉʳ janv., 3 dernières sem. janv. et 25 déc. - 8 € (6-15 ans 4 €) ; 14 € billet combiné avec la Corderie royale.*

👥 Depuis 1997, charpentiers, forgerons, menuisiers et autres artisans travaillent ici à reconstruire à l'identique l'*Hermione*, célèbre frégate de La Fayette. L'une des formes de radoub de l'arsenal a été spécialement restaurée et aménagée pour accueillir l'imposante réplique de ce trois-mâts d'une longueur de 45 m, dont la mise à l'eau est prévue fin 2011.

★★ Corderie royale

👤 Achevée en 1670, la Corderie fournit toute la marine en cordages jusqu'à la Révolution. Admirez sa longue façade. Ce bâtiment classique représente l'un des rares témoignages de l'architecture industrielle du 17e s.

À VOIR AUSSI

★ Maison de Pierre Loti

141 r. Pierre-Loti - ℰ 05 46 99 08 60 - de mi-juin à sept. : visite guidée sur demande préalable, mat. et apr.-midi ; reste de l'année : mat. et apr.-midi, dim apr-midi - fermé mar., janv. et 1er mai - 7,80 € (-18 ans 5 €).

La maison se compose de deux habitations communicantes : la demeure natale de l'écrivain et celle qu'il acquit plus tard. Remarquez le **salon turc** avec son sofa, ses coussins, ses tentures, son plafond en stuc et la **chambre arabe** ornée d'émaux et d'un moucharabieh…

À proximité

★ Brouage

▶ *À 11 km au sud-ouest de Rochefort par la D 3.*

Dès le Moyen Âge, Brouage devient la capitale européenne du sel, expédié surtout en Flandre et en Allemagne. Le siège de La Rochelle en 1628 fait de Brouage l'arsenal de l'armée royale. Richelieu fait reconstruire les fortifications, qui font de la cité la plus forte place de la côte atlantique… À la fin du 17e s., la fondation de Rochefort lui enlève une part de son rôle militaire. **Vauban** entreprend cependant de renforcer ses remparts, mais le havre s'envase et les marais salants deviennent générateurs de fièvres. Les **remparts★★**, bâtis de 1630 à 1640, illustrent l'art des fortifications avant Vauban. Dessinant un carré de 400 m de côté, ils sont défendus par sept bastions à échauguettes. Le côté nord formait le front de mer, donnant sur le havre, aujourd'hui réduit à un chenal.

★ Île d'Oléron

▶ *À 33 km à l'ouest de Rochefort. Un pont routier relie Oléron au continent.*

Prolongement de la Saintonge, Oléron est la plus vaste des îles françaises (après la Corse), avec 30 km de long sur 6 km de large. Cette île charentaise à la beauté sauvage offre un air pur, des forêts magnifiques, des plages de sable, et bien sûr… des huîtres ! Un rivage de sable forme une couronne le long des dunes boisées au nord et à l'ouest. À l'intérieur des terres, les maisons blanches sont entourées de fleurs et les moulins à vent ponctuent le paysage. On y part sur les traces des oiseaux et à la découverte du monumental fort Boyard !

Au cœur de l'île, en bordure des marais, **St-Pierre-d'Oléron** en est le centre administratif et commercial. L'été, les rues piétonnes sont très animées. De la plate-forme du clocher de l'église, le **panorama★** embrasse la totalité d'Oléron, les îles d'Aix et de Ré, l'estuaire de la Charente.

St-Trojan-les-Bains★ est une agréable station balnéaire. Villas et chalets sont disséminés sous une belle forêt de pins maritimes et le Gulf Stream vient adoucir les eaux des plages de sable fin. Place forte du 17e s., le **Château-d'Oléron** conserve les restes d'une citadelle construite à l'initiative de Richelieu. Le charmant port de **La Cotinière★** abrite de petits chalutiers qui alimentent la criée.

Escalier en colimaçon du phare de Cordouan.
D. Schneider/Photononstop

Royan

★★

18 541 Royannais – Charente-Maritime (17)

 S'INFORMER

Office de tourisme – *Rd-pt de la Poste - 17207 Royan -* 📞 *05 46 05 04 71 - www.royan-tourisme.com - 15 juin-31 août : 9h-19h30 ; reste de l'année : lun.-sam. 9h-12h30, 14h-18h, dim. à partir de Pâques et j. fériés 10h 12h30.*

▶ **SE REPÉRER**

Carte générale B3 – *Cartes Michelin nᵒˢ 721 F10 et 521 D11.* Entre La Rochelle et Bordeaux, Royan est desservie par de multiples départementales et par la N 150 venant de Saintes, à 35 km au sud-ouest.

☺ **À NE PAS MANQUER**

Le front de mer et sa promenade couverte.

🕐 **ORGANISER SON TEMPS**

Comptez une demi-journée pour flâner dans la ville et une journée entière pour les environs.

👥 **AVEC LES ENFANTS**

Le zoo de La Palmyre, le phare de Cordouan.

À l'entrée de la Gironde, Royan, tissant sa toile le long de splendides conches de sable fin, devint la star de la Côte de Beauté à la Belle Époque. Après les bombardements alliés de 1945, la ville s'est reconstruite, conservant sous ses allures plus modernes un charme certain : le doux climat dont elle bénéficie et sa côte bordée de forêts de chênes verts et de pins maritimes s'ajoutent aux multiples distractions qu'elle propose.

Découvrir

Des villas Belle Époque et quelques-unes de style Art nouveau ont résisté aux bombardements aériens alliés de 1945 qui ont rasé presque totalement la ville. Aujourd'hui, seule la **conche de Pontaillac★** évoque le Royan d'avant-guerre, avec ses villas et ses chalets nichés dans la verdure.

★ Église Notre-Dame

Construite de 1955 à 1958 sous la direction de l'architecte Guillaume Gillet, cette église en béton armé est recouverte d'une couche de résine pour la protéger de l'érosion du vent. À l'intérieur, l'envolée de la nef frappe le visiteur. Les grandes orgues en étain martelé, dues à Robert Boisseau, sont renommées pour leur musicalité.

★ Front de mer

Parallèle à la **Grande Conche**, immense plage de 2 km de long, le boulevard F.-Garnier aboutit au **front de mer** de Royan, commerçant et résidentiel. On peut y faire des achats et admirer la vue sur la Gironde (à droite, la silhouette du phare de Cordouan) ; à son extrémité, se déploie le port. Il comprend un bassin d'échouage pour les chalutiers et les sardiniers pêchant la fameuse « royan » (sardine), un bassin pour les bateaux de plaisance, un bassin à flot avec jetée où aborde le bac de la pointe de Grave.

À proximité

★★★ Zoo de La Palmyre

▶ *À 15 km au nord-ouest de Royan par la D 25.* 📞 *08 92 68 18 48 - www.zoo-palmyre.fr - ᵹ - avr.-sept. : 9h-19h ; oct.-mars : 9h-18h - 15 € (enf. 3-12 ans 11 €).*
👥 Ce parc animalier de 14 ha est installé au sein de la forêt et des dunes de La Palmyre. La visite, suivant un parcours fléché parmi plus de 1 600 animaux de tous les continents, est agrémentée de plans d'eau. Les carnivores (guépard, loup, tigre de Sibérie) côtoient petit panda et suricate. Perroquets, reptiles, singes, ongulés… vous voici bientôt au bord de la banquise du côté du **bassin des ours★**. Ne manquez pas la grotte **Nocturama★** et ses 300 chauves-souris, ni les animations autour de la nurserie des animaux, les spectacles d'otaries et de cacatoès ou le repas des primates !

★★ Phare de Cordouan

▶ *Au large de la pointe de Grave.* 📞 *05 56 09 62 93 - www.vedettelaboheme.com - visite guidée sur réserv., liaisons selon les marées et conditions climatiques - fermé nov.-mars - 35 € (enf. 24 €) ; traversée en bateau et entrée du phare. Comptez 3 à 4h AR.*
👥 Au 14e s., le **Prince Noir** fit élever une tour octogonale au sommet de laquelle un ermite allumait de grands feux. À la fin du 16e s., cette tour tombant en ruine, l'ingénieur et architecte **Louis de Foix** se mit en devoir de bâtir avec plus de 200 ouvriers une sorte de belvédère surmonté de dômes et de lanternons. Avec ses étages Renaissance qu'une balustrade sépare du couronnement bâti en 1789, ce phare, haut de 66 m, donne une impression de hardiesse. L'escalier de 301 marches grimpe à la lanterne.

Saintes

★★

26 470 Saintais – Charente-Maritime (17)

S'INFORMER
Office de tourisme de Saintes et de la Saintonge – *Pl. Bassompierre - 17100 Saintes - ℘ 05 46 74 23 82 - www.saintes-tourisme.fr - de juin à déb. sept. : 9h-19h ; reste de l'année : 9h30-12h30, 13h30-18h (17h30 oct.-mars).*

SE REPÉRER
Carte générale B3 – *Cartes Michelin n° 721 G10 et n° 521 G10.* À 39 km au sud-est de Rochefort, Saintes est desservie par l'A 10.

À NE PAS MANQUER
L'abbaye aux Dames et sa superbe église de style roman saintongeais, l'arc de Germanicus ; aux alentours, l'église St-Pierre d'Aulnay et ses chapiteaux historiés.

ORGANISER SON TEMPS
Comptez au moins une journée pour visiter cette superbe Ville d'art et d'histoire.

9

Des platanes et des maisons blanches à toits de tuiles donnent à Saintes, en Charente, un air méridional. On ne sait plus où donner de la tête tant le patrimoine historique et artistique de la ville est riche. Commencez par le centre historique et ses musées avant de découvrir la splendide abbaye aux Dames et l'amphithéâtre gallo-romain.

Découvrir

Capitale des Santons, une tribu gauloise sous domination romaine, la ville s'étendait sur la rive gauche de la Charente que franchissait un pont où était érigé l'arc de Germanicus. Sous les Plantagenêts, la ville édifia de nombreux monuments religieux.

★ Arc de Germanicus
Cet arc romain votif (bâti en 19) à double arcade se dressait jusqu'en 1843 sur le pont principal de Saintes. Menacé de destruction quand le pont, d'origine romaine, commença à être démoli, il fut sauvé par l'intervention de Prosper Mérimée, inspecteur des Monuments historiques, et remonté sur la rive droite de la Charente, sur la place Bassompierre (rendue aux piétons). Les arêtes des trois piliers qui soutiennent la double arcade sont soulignées par des pilastres cannelés coiffés de chapiteaux corinthiens.

★ Amphithéâtre gallo-romain
Accès par la rue Lacurie. ℘ 05 46 97 73 85 - ♿ - juin-sept. : 10h-19h ; avr.-mai : 10h-18h, dim. 13h30-18h ; oct.-mars : 10h-12h30, 13h30-17h, dim. 13h30-17h - fermé 1er janv., 1er Mai, 1er Nov. et 25 déc. - 2 € (-10 ans gratuit).
Un peu à l'écart, cet amphithéâtre (ou arènes) doit une part de son agrément à la verdure qui a remplacé une partie des gradins. Élevé au début du 1er s., il est l'un des plus anciens du monde romain ; 15 000 spectateurs pouvaient y prendre place.

★ Abbaye aux Dames

℘ 05 46 97 48 48. - www.abbayeauxdames.org - de mi-janv. au 23 déc. : mat. et apr.-midi (sf dim. apr.-midi oct.-mars) - 2 € (-16 ans gratuit).

Consacrée en 1047 et dédiée à la Vierge, confiée à des religieuses bénédictines, l'abbaye avait la charge d'éduquer les jeunes filles nobles. La façade de l'**abbatiale**★ est dotée d'arcatures latérales aveugles, encadrant un portail central richement ornementé : elle est de style roman saintongeais.

Le curieux **clocher**★, à la croisée du transept, se caractérise par un étage de plan carré, surmonté d'une assise octogonale, sur laquelle repose une rotonde percée de baies jumelées, séparées par des colonnettes, et coiffée d'un toit à écailles conique.

Treize **tapisseries** contemporaines couvrent les murs de la nef. Elles illustrent la Genèse et la Création. Cette œuvre collective, d'après des cartons de J.-F. Favre, renoue avec la technique de la broderie, utilisée à l'époque romane.

À proximité

★★ Église Saint-Pierre d'Aulnay

À 44 km au nord-est de Saintes par la N 150, puis la D 950 au-delà de St-Jean-d'Angély.

Ce chef-d'œuvre de l'art roman poitevin, inscrit au Patrimoine mondial de l'Unesco, est bâti dans une pierre au ton chaud et exhibe un somptueux décor sculpté, dans le cadre campagnard du grand chemin de St-Jacques-de-Compostelle.

Sur la façade ouest, l'église comprend un **portail**★ en arc légèrement brisé, entouré de deux arcades brisées : au tympan de l'arcade gauche la Crucifixion de saint Pierre, à celui de droite, le Christ en majesté. Sur le **transept**, le portail du **croisillon droit**★★ montre les apôtres, les vieillards de l'Apocalypse tenant chacun une fiole à parfum et un instrument de musique, ainsi que des atlantes et des animaux de fiction. À l'intérieur, les **chapiteaux**★ forment un ensemble remarquable.

Cognac

★

19 066 Cognaçais – Charente (16)

 S'INFORMER

Office de tourisme – *16 r. du 14-Juillet - 16100 Cognac - ☏ 05 45 82 10 71 - www.tourism-cognac.com - tte la journée - fermé dim. et j. fériés (sf juil.-août).*

◯ **SE REPÉRER**

Carte générale B3 *Cartes Michelin n° 721 G10 et n° 521 I10.* Cognac se trouve sur la N 141, entre Angoulême et Saintes dont elle est éloignée de 28 km au sud-est.

◉ **À NE PAS MANQUER**

La visite des chais et la découverte du cognac ; le superbe musée des Arts du cognac.

◷ **ORGANISER SON TEMPS**

Comptez au minimum 1h pour flâner dans la ville, 2h pour découvrir les secrets de l'eau-de-vie et une demi-journée pour les alentours.

9

Sur les bords de la Charente, la ville, mondialement connue grâce à l'eau-de-vie qui porte son nom, vous ouvre les portes de ses chais pour vous dévoiler le secret de ses alambics et de ses tonneaux… À moins que vous ne préfériez suivre d'autres enquêtes, au printemps, lors du Festival du Polar, consacré au genre sous toutes ses formes : romans, BD, télé, cinéma…

Découvrir

★ LA VILLE DU COGNAC

Les chais sont répartis sur les quais, près du port et dans les faubourgs. Les maisons sont noircies par les champignons microscopiques qu'engendrent les vapeurs d'alcool.

Camus

21 r. Cagouillet - ☏ 05 45 32 72 96 - www.camus.fr - ♿ - visite guidée : se renseigner sur les horaires - 9 € (12-18 ans 7 €).
La visite de cette maison de négoce du cognac, fondée en 1863, permet de se familiariser avec l'histoire du cognac, sa distillation, son vieillissement et son assemblage. On entre ensuite dans la tonnellerie et dans les chais avant d'assister à l'embouteillage.

Hennessy

Quai Richard-Hennessy - ☏ 05 45 35 72 68 - www.hennessy.com - ♿ - visite guidée tte la journée - fermé janv.-fév., 1er Mai et 25 déc. - 7 € (16 ans gratuit).
Après douze ans de service dans la brigade irlandaise des régiments de Louis XV, le capitaine Richard Hennessy découvre la Charente en 1760, et s'installe à Cognac. Conquis par l'élixir, il en expédie quelques fûts à ses proches, en Irlande. En 1765, il fonde une société de négoce qui connaîtra une

grande prospérité. Les chais s'étendent de part et d'autre de la Charente que l'on traverse en bateau. À l'aide de scénographies (sons, odeurs), ils dévoilent les étapes nécessaires à l'élaboration du cognac : double distillation, fabrication des fûts de chêne, vieillissement et assemblage des eaux-de-vie. Un film et la visite d'exposition précèdent la dégustation du cognac.

Le bâtiment Hennessy, conçu par l'architecte **Jean-Michel Wilmotte**, reprend les trois symboles du cognac : le cuivre (alambic), le chêne (tonnellerie), le verre (bouteille).

★ Martell

7 pl. Édouard-Martell - ☎ 05 45 36 33 33 - www.martell.com - visite guidée avr.-sept. : tte la journée, w.-end et j. fériés apr.-midi ; oct.-mars : tlj sf dim. tte la journée, sam. et j. fériés apr.-midi - fermé 1er janv. -30 mars, 1er et 11 Nov et 25 déc. - 7,50 € (enf. 3 €).

Voici la plus ancienne des grandes maisons de cognac. Jean Martell, natif de l'île de Jersey, s'installa dans le pays en 1715. On visite la chaîne d'embouteillage, puis des chais de stockage et de vieillissement où le cognac se bonifie pendant six à huit ans en fûts de chêne. Dans la maison du fondateur, trois pièces restaurées restituent l'atmosphère de vie et de travail d'un entrepreneur du début du 18e s. Avant de rejoindre le hall pour une dégustation, vous êtes invité à jeter un coup d'œil aux chais les plus prestigieux : le « purgatoire » et le « paradis » où séjournent des eaux-de-vie centenaires.

★★ Musée des Arts du cognac

Pl. de la Salle-Verte - ☎ 05 45 36 21 10 - www.musees-cognac.fr - ♿ - juil.-août : tte la journée ; avr.-juin et sept.-oct. : tlj sf lun. - fermé 1er janv., 1er Mai, 1er Nov. et 25 déc. (sf sur RV).

Installé en partie dans l'hôtel Perrin de Boussac (1567), ce musée résolument contemporain vous propose un parcours à la fois visuel, olfactif et sonore pour découvrir, à travers une collection de plus d'un millier d'objets, l'histoire du cognac et les métiers qui lui sont liés, depuis la viticulture jusqu'au design et packaging. À voir et à écouter absolument entre deux visites de chais.

À proximité

Domaine Rémy Martin

◗ À 4 km au sud-ouest par la D 732. Prendre la dir. de Pons, puis tourner à gauche sur la D 47 vers Merpins. ☎ 05 45 35 76 66 - www.visitesremymartin.com - visite guidée avr.-sept. sur demande préalable ; 15 €, 12-18 ans 7 € (-12 ans gratuit).

Cette entreprise fondée en 1724 élabore exclusivement ses cognacs à partir des deux premiers crus de la région : la Grande et la Petite Champagne. La visite s'effectue à bord d'un train. On traverse la tonnellerie, puis une parcelle de vigne et des chais de vieillissement. La visite s'achève par une séance de dégustation accompagnée de bouchées gastronomiques.

Angoulême

★★

43 112 Angoumois ou Angoumoisins – Charente (16)

 NOS ADRESSES PAGE 447

S'INFORMER

Office de tourisme – *7 bis r. du Chat - pl. des Halles - 16007 Angoulême Cedex 7 - ℘ 05 45 95 16 84 - www.angouleme-tourisme.com - juil.-août : 9h-18h30, dim. et j. fériés 10h-13h ; sept.-juin : lun.-vend. 9h-12h30, 13h30-18h, sam. 9h30-12h30, 13h30-17h.*

SE REPÉRER

Carte générale B3 – *Cartes Michelin n° 721 H10 et n° 521 I11.* Angoulême se partage en une partie haute et une partie basse. Les nationales et départementales qui vous y conduisent se prolongent par des voies de communication qui cernent la ville haute et permettent d'accéder à des parkings.

À NE PAS MANQUER

Le tour des remparts à pied, la ville haute couronnée par la cathédrale St-Pierre et les collections du musée d'Angoulême.

ORGANISER SON TEMPS

Fin janvier, lors du festival de la bande dessinée, il y a foule : prévoyez de réserver longtemps à l'avance *(www.bdangouleme.com).*

AVEC LES ENFANTS

Les fans de BD trouveront forcément ici leur bonheur.

On parcourt Angoulême à pied pour le plaisir de découvrir un lacis de rues étroites, de beaux édifices anciens et de vastes horizons du haut de ses remparts. Ou encore pour se plonger dans l'atmosphère fébrile du Festival de la bande dessinée, fin janvier. La ville porte d'ailleurs l'empreinte du festival, depuis les peintures reproduites sur ses murs, jusqu'aux plaques de ses rues en forme de bulles de BD.

Découvrir

★★ LA VILLE HAUTE

Elle se découvre en faisant le tour complet des **remparts★** qui la cernent. Le nord de la vieille ville est sillonné de rues étroites tandis que le sud est coupé de voies spacieuses bordées de façades aristocratiques.

★★ Cathédrale Saint-Pierre

Elle date du 12e s. Admirez la **façade★★** de style poitevin, où plus de 70 personnages, statues et bas-reliefs, illustrent le thème du Jugement dernier et de l'Ascension. Un Christ en majesté, entouré des symboles des évangélistes, d'anges et de saints dans des médaillons, préside l'ensemble. Remarquez aussi les archivoltes et les frises des portails latéraux sculptés de feuillages,

9

LA CAPITALE DU 9e ART

Tout commence en 1972 avec la reprise à Angoulême de l'exposition « Dix millions d'images ». En 1974, un Salon de la bande dessinée démarre ; Hugo Pratt signe l'affiche. Hergé, Reiser, Moebius, Tardi, Bilal… soutiennent la manifestation. Claire Bretécher et Paul Gillon sont couronnés lors du 10e anniversaire, et le Salon expose la BD française à New York.

En 1989 est créé **Centre national de la bande dessinée et de l'image** (CNBDI). En 1996, le Salon devient **Festival international de la BD**. Il attire 200 000 passionnés chaque année, séduisant de plus en plus le grand public. Adossé à **Magelis**, grand pôle image englobant des centres de formation, avec notamment une École supérieure des arts et de la technologie de l'image (dessins animés, images 3D…) et un pôle d'entreprises expertes dans le secteur de l'image animée, le CNBDI est devenu, en 2008, la Cité internationale de la Bande dessinée et de l'Image, avec un musée de la BD réaménagé dans des chais.

d'animaux et de figures d'une grande finesse. Au linteau du premier portail latéral aveugle, à droite, observez les curieuses scènes de combat, tirées d'épisodes de la *Chanson de Roland*.

L'intérieur en impose par son ampleur. Son envolée de coupoles sur pendentifs est d'une grande hardiesse. Admirez les remarquables chapiteaux.

★★ **Cité internationale de la Bande dessinée et de l'Image (CIBDI)**
121 r. de Bordeaux - ☏ 05 45 38 65 65 - www.citebd.org - juil.-août : mar.-vend. 10h-19h, w.-end et j. fériés 14h-19h ; reste de l'année : mar.-vend. 10h-18h, sam. et j. fériés 14h-18h - fermé 1er janv., 1er Mai et 25 déc. - 6,50 € (-18 ans gratuit), gratuit 1er dim du mois de sept. à juin.

La cité regroupe deux sites de part et d'autre de la Charente, reliés par une passerelle ornée d'une statue représentant Corto Maltese. L'entrée se fait par le bâtiment Castro, œuvre de l'architecte Roland Castro. Clin d'œil à Hollywood, le parvis est orné de dalles peintes par des stars de la BD.

Bibliothèque – Véritable temple de la bande dessinée, elle reçoit en dépôt légal un exemplaire de tout ce qui est édité en matière de BD et rassemble la quasi-totalité de la production française depuis 1946.

Le musée de la BD – Cette addition à la Cité internationale occupe de vastes chais à vins élevés au milieu du 19e s., sur la rive opposée. Le musée présente sur 1 400 m² les grandes évolutions de la bande dessinée des années 1830 à la fin du 20e s. Un très bel espace à visiter régulièrement car les planches présentées sont remplacées tous les quatre mois en raison des exigences de la conservation.

★ **Musée d'Angoulême**
1 r. de Friedland (entrée par le square Girard côté jardin) - ☏ 05 45 95 79 88 - mar.-dim. 10-18h ; fermé lun. 1er janv., 1er Mai, 1er Nov. et 25 déc.

Après cinq ans de restauration, le musée a rouvert ses portes en mars 2008 et présente sa magnifique collection d'**art d'Afrique et d'Océanie** sur un exceptionnel plateau muséographique ainsi qu'une collection d'**archéologie** évoquant l'histoire charentaise des temps géologiques à l'époque médiévale. Le musée possède aussi une collection de **Beaux-Arts** (peintures européennes du 17e au 19e s., céramiques, armes anciennes).

À proximité

★★ **Château de La Rochefoucauld**

À 22 km au nord-est d'Angoulême par la N 141. ℘ *05 45 62 07 42 - de déb. avr. à fin déc. : tlj sf mar. 10h-19h ; janv.-mars : dim. apr.-midi - 9 € (4-12 ans 5 €).* Reconstruit en grande partie au 16e s., cette ancienne forteresse médiévale appartient toujours à l'illustre famille des La Rochefoucauld. Remarquez dans la **cour d'honneur**★★ les galeries à arcades, souvenir de la Renaissance italienne. Admirez aussi l'**escalier à vis**★ et son élégante voûte en palmier ainsi que le **petit boudoir**★ de Marguerite d'Angoulême, décoré au 17e s. de panneaux peints.

9

☺ NOS ADRESSES À ANGOULÊME

HÉBERGEMENT

BUDGET MOYEN

Hôtel du Palais – *4 pl. Francis-Louvel -* ℘ *05 45 92 54 11 - www.hoteldupalais16.com - 43 ch. 75/160 €.* Situé au cœur de la vieille ville, dans un immeuble de 1778 qui dépendait d'un couvent de Tiercelettes, l'hôtel, progressivement réhabilité, bénéficie d'un cadre préservé. Son élégante façade orientée au midi domine la place Francis-Louvel.

RESTAURATION

BUDGET MOYEN

L'Aromate – *41 bd René-Chabasse -* ℘ *05 45 92 62 18 - fermé le soir, 1 sem. en janv., 1er-11 mai*
et août - 14,50/31,50 €. Accueil charmant, convivialité d'un cadre rustique sans chichi, belle cuisine traditionnelle un brin actualisée : ce petit bistrot de quartier ne désemplit pas.

ACHATS

Chocaleterie Letuffe – *10 pl. Francis-Louvel -* ℘ *05 45 95 00 54 - www.chocaleteire-letuffe16.com - tlj sf dim. 9h-12h, 14h-19h - fermé j. fériés.* Parmi les spécialités, laissez-vous tenter par les chocolats au cognac ou au pineau, les Duchesses d'Angoulême (délicieuses nougatines pralinées), la Truffe charentaise parfumée au cognac et la Marguerite à l'orange confite.

Auvergne et Limousin 10

Cartes Michelin National n° 721 et Région n° 522

Façades à Clermont-Ferrand.
W. Bibikow/Age Fotostock

L'Auvergne

▶ SE REPÉRER

Au nord du Massif central, l'Auvergne couvre les départements du Puy-de-Dôme, du Cantal, de l'Allier et de la Haute-Loire. Clermont-Ferrand est une étape importante entre le nord et le sud de l'Hexagone : à 3h20 de train de Paris et à 4h de route environ par l'A 71 et à 3h30 de Montpellier-Béziers par l'A 75. Par ailleurs, l'A 72 relie Clermont à Lyon en 2h ; l'A 89 permettra bientôt de rejoindre Bordeaux en 4h. L'aéroport de Clermont-Ferrand Auvergne est relié quotidiennement à la capitale ainsi qu'à 12 autres villes française et 4 villes européennes.

⊛ À NE PAS MANQUER

À Clermont-Ferrand : la basilique N.-D.-du-Port, les ruelles autour de la cathédrale N.-D.-de-l'Assomption, les maisons anciennes en pierre noire de Volvic et aux alentours, les étapes à Riom, Issoire, et Thiers ainsi que le panorama depuis le Puy de Dôme. Au Mont-Dore, l'architecture thermale, et aux environs, une halte à Orcival ou St-Nectaire pour leurs joyaux d'architecture religieuse. De Salers, vous rejoindrez le puy Mary et le cirque du Falgoux. De St-Flour, après la visite de la cathédrale, vous pourrez rejoindre les gorges de la Truyère ou le viaduc de Garabit. Au Puy-en-Velay, outre la visite de la cathédrale Notre-Dame, prenez votre souffle pour atteindre St-Michel-d'Aiguilhe, puis poursuivez vers la Chaise-Dieu. Au nord de Clermont-Ferrand, Vichy est une ville étonnante, même si vous n'êtes pas curiste ; Moulins est l'occasion unique d'aller admirer le triptyque du Maître de Moulins et de faire un crochet vers l'abbaye de Souvigny avant de poursuivre en forêt de Tronçais.

⊙ ORGANISER SON TEMPS

Compter trois ou quatre jours. La période estivale est bien sûr favorable à la découverte de la région. L'hiver, la neige oblige à fermer certains cols.

L'Auvergne est le royaume des volcans, des échappées vers de vertes vallées, des cascades, des forêts, des lacs de cratère. Au nord, dans le massif du Mont-Dore, domine le puy de Sancy (1 885 m) ; au sud, dans les monts du Cantal s'élève le plus vaste volcan d'Europe, encore en activité il y a 8 millions d'années. D'innombrables éruptions ont nourri la terre auvergnate avant que les glaciers ne prennent le relais pour la façonner, la raboter. Le passage du feu et de la glace, les mouvements tectoniques expliquent les paysages de plateaux, les vallées creusées par les rivières, les gorges, les lacs et les sources, chargées de minéraux. Dans ce grand château d'eau, les routes sinueuses conduisent à des bourgs aux maisons taillées dans le basalte. Un peu partout, le génie créateur du Moyen Âge s'est exprimé dans des églises qui font la gloire de l'art roman auvergnat. L'art sacré côtoie les fantaisies architecturales des stations thermales comme Vichy, les châteaux médiévaux et les audaces de Gustave Eiffel à Garabit. Et partout, les sommets réservent aux marcheurs des vues à perte d'horizon et des moments de grande sérénité.

Clermont-Ferrand

★★

139 006 Clermontois – Puy-de-Dôme (63)

 NOS ADRESSES PAGE 456

S'INFORMER

Office de tourisme – *Pl. de la Victoire - 63000 Clermont-Ferrand* ℘ *04 73 98 65 00 - www.clermont-fd.com - juil.-août : 9h-19h, w.-end et j. fériés 10h-19h ; reste de l'année : 9h-18h, w.-end et j. fériés 10h-13h, 14h-18h - fermé 1er janv. et 25 déc.*

SE REPÉRER

Carte générale C3 – *Cartes Michelin n° 721 K10 et n° 522 S7*. La ville bénéficie d'une position centrale : les autoroutes A 71, A 72, A 75 et A 89 permettent de la rejoindre rapidement.

À NE PAS MANQUER

La basilique N.-D.-du-Port, les ruelles autour de la cathédrale N.-D.-de-l'Assomption, les maisons anciennes en pierre noire de Volvic.

AVEC LES ENFANTS

Vulcania, les arts et traditions d'Auvergne au Musée régional de Riom, le musée de la Coutellerie à Thiers, le volcan de Lemptégy.

10

À proximité des volcans, Clermont-Ferrand conjugue les attraits de la ville à ceux de la campagne environnante. Le vieux Clermont est bâti sur une légère butte, vestige de l'un des trois cônes volcaniques qui s'étendaient jadis jusqu'à l'entrée de Chamalières. Son histoire, ses traditions, son dynamisme Industriel, son rayonnement culturel : tout désigne aujourd'hui la cité clermontoise comme la capitale de l'Auvergne.

Se promener

★ LE VIEUX CLERMONT

Les ruelles qui gravitent autour de la cathédrale et de la place de la Victoire mènent à la découverte des cours des hôtels particuliers et des fontaines au charme baroque.

★ Fontaine d'Amboise

Érigée en 1515 par Jacques d'Amboise, évêque de Clermont, cette belle œuvre Renaissance, décorée de rinceaux, a été taillée dans la lave de Volvic.

★★ Basilique Notre-Dame-du-Port

L'église romane, classée au patrimoine mondial de l'Unesco, marquait une étape sur le chemin vers Compostelle. Le **chevet** porte une riche décoration (mosaïques de pierres de couleur, rosaces, corniches en damier…). À l'intérieur, le **chœur★★★** est entouré d'un déambulatoire sur lequel s'ouvrent des chapelles rayonnantes. Un éclairage met en valeur les **chapiteaux★**, certains évoquant les scènes de la vie de la Vierge Marie.

LA CITÉ DU PNEU

En 1889, les frères Antoine et Édouard Michelin reprennent une entreprise familiale et créent Michelin et Cie. L'aventure industrielle commence avec une idée révolutionnaire : le pneu démontable. Elle se poursuit par toute une série d'innovations qui permettent d'équiper les premières michelines, le métro, les poids lourds, les machines agricoles, les avions, les motos… En parallèle, la mascotte Bibendum, dessinée en 1898, accompagne les voyageurs sur la route (Guides rouges, cartes routières, guides de tourisme) et participe à de multiples défis sportifs ou techniques, tel celui de la Croisière jaune en Asie ou la construction des avions Bréguet, durant la Première Guerre mondiale. Si depuis 1960, l'ex-Manufacture est devenue une entreprise aux multiples filiales à travers le monde, elle reste indissociable de la ville où elle a grandi : en achetant des terrains pour ses usines, ses logements d'ouvriers, ses équipements sportifs, elle contribua au rattachement des deux anciennes cités de Clermont et de Montferrand.

🏛 **L'Aventure Michelin★★** – *32 r. du Clos-Four -* 𝒫 *04 73 98 60 60 - www. aventure-michelin.com.*

★★ Cathédrale Notre-Dame-de-l'Assomption

Fermée entre 12h et 14h ; visite du trésor : se renseigner 𝒫 *04 73 29 79 73.*
Cette belle église gothique, inspirée des cathédrales de l'Île-de-France, fut commencée en 1248. Au 19e s., Viollet-le-Duc éleva les flèches de lave. Le transept est éclairé par de superbes **vitraux★★** (12e-20e s.), aux dominantes de bleus et de rouges. Dans la tribune du croisillon nord, une **horloge à jacquemarts** du 16e s. (mécanisme des 17e et 18e s.) frappe les heures. Le **chœur★★** est fermé par de grandes arcades très légères.

Place de Jaude

Avec l'arrivée du tramway, la place est plus que jamais le lieu de vie et de rassemblement clermontois. L'espace piétonnier est agrémenté de 26 **fontaines** et à la nuit tombée, les éclairages mettent en valeur les magnifiques **façades 1900** des grands magasins et le dôme de l'église St-Pierre-les-Minimes.

★★ LE VIEUX MONTFERRAND

Ce quartier, l'un des plus anciens secteurs sauvegardés de France, avec quelque 80 maisons anciennes, connaît une importante opération de restauration. En flânant, vous pourrez observer différents types de constructions : les modestes **demeures paysannes** des anciens vignerons et maraîchers, les **maisons à pans de bois** des commerçants avec leur rez-de-chaussée en pierre où s'ouvraient les arcades des étals, et les **hôtels particuliers** en pierre de Volvic des négociants et officiers.

★★ Musée d'Art Roger-Quilliot

𝒫 *04 73 16 11 30 -* ♿ *- 10h-18h, w.-end 13h-18h - fermé lun., 1er janv., 1er Mai, 1er Nov. et 25 déc. - 5 € (-18 ans gratuit), gratuit 1er dim. du mois.*
Les collections sont présentées de façon chronologique, tous genres confondus. Au fil des salles, on peut donc admirer émaux du Limousin, Vierges romanes auvergnates, peintures françaises, italiennes et flamandes du 17e s. Le 20e s. est présent avec des bustes (*Mme de Massary* par Camille Claudel) et des toiles de Bernard Buffet, Othon Friesz, Édouard Goerg, etc.

À proximité

★★ Vulcania (Parc de l'aventure de la Terre)

À 15 km à l'ouest de Clermont-Ferrand. ℰ 0 820 827 828 - www.vulcania.com - ₺ - juil.-août : 10h-19h30 (merc. 23h) ; de mi-mars à fin juin : 10h-18h ; de déb. sept. à mi-oct. : tlj sf certains lun. et mar. 10h-18h ; de fin oct. à mi-nov. : 10h-18h - fermé de mi-nov. à mi-mars - 21 € (enf. 6-16 ans : 15 €, enf. handicapés 14 €) - attention, l'accès de certaines attractions est interdit aux femmes enceintes, aux personnes souffrant de problèmes cardiaques…

Nous savons bien peu de chose sur les volcans. « Apprendre en s'amusant », telle est la vocation de ce parc, dont le parcours est jalonné de maquettes, de films, d'expositions et de nombreuses attractions. Durant votre « voyage au centre de la Terre », vous serez amené à parcourir une succession de larges espaces, de galeries dans le basalte, avec des zones d'ombres, mystérieuses à souhait, ou des haltes inondées de lumière. Vous découvrirez la diversité des manifestations volcaniques, vous ferez connaissance avec la Terre et le système solaire, suivrez la gestion d'une crise… Amateurs de sensations fortes, préparez-vous à vivre quelques scénarios d'éruptions volcaniques dans le Massif central avec **Le réveil des Géants d'Auvergne**, film en 3D que l'on visionne installé dans un siège dont les mouvements sont synchronisés avec les images. Parmi les autres films proposés, **Dragon Ride** (qui plonge le spectateur dans les profondeurs de la Terre au cœur d'un monde onirique peuplé de dragons), les **Forces de la Nature** ou encore **Magma Explorer** (qui fait pénétrer le spectateur au cœur d'un volcan). Ne manquez pas **La Terre en colère**, un simulateur interactif enrichi d'effets spéciaux, ou le film inédit en 70 mm, **L'Odyssée magique**, qui propose de partir à la rencontre des beautés et fragilités de la Terre.

★★ Issoire

À 35 km au sud-est de Clermont-Ferrand.

L'**abbatiale St-Austremoine**★★ fut bâtie au 12e s. Son **chevet**★★ est un exemple accompli de l'art roman auvergnat par l'harmonie des proportions, la pureté des lignes et la sobriété de la décoration. Remarquez les sculptures figurant le **cycle du zodiaque** (il y en a 13 et non 12 !). La nef frappe par ses proportions ; la décoration peinte, du 19e s., lui donne une tonalité chaleureuse. Dans le chœur, admirez les 188 **chapiteaux**★ historiés.

★★ Riom

À 15 km au nord de Clermont-Ferrand.

Sur une butte dominant une grande plaine, l'ancienne sénéchaussée d'Auvergne garde, à l'intérieur des boulevards tracés à l'emplacement de ses remparts, de nombreux témoignages de sa splendeur passée. Cette ville très festive mêle musique, patrimoine, gastronomie et savoir-faire en un été animé qui se termine en beauté par un festival de jazz.

★ **Musée régional d'Auvergne** – *ℰ 04 73 38 17 31 - juil.-août : 10h-18h ; avr.-juin et sept.-nov. : 10h-12h, 14h-17h30 - fermé lun., déc.-mars, 1er Mai, 14 Juil., 15 août, 1er et 11 Nov. - 3 € (-18 ans gratuit), gratuit merc.* Ce musée d'arts et traditions populaires conserve une remarquable collection d'outils ruraux, artisanaux, de meubles, jeux, costumes et d'intérieurs auvergnats.

★ **Ste-Chapelle** – *ℰ 04 73 38 99 94 - juil.-août : mar.-vend. 10h-12h, 15h-17h ; juin et sept. : merc.-vend. 15h30-17h ; reste de l'année : mar. 16h30 - visite adaptée aux non-voyants et déficients visuels - fermé 1er janv., 1er et 8 Mai, 14 Juil., 15 août et 25 déc. - 0,50 €.*

10

Unique vestige du château du duc de Berry, la chapelle (14ᵉ s.) offre, dans le chœur aux lignes harmonieuses, de remarquables **vitraux**★ de la fin du 15ᵉ s., qui ont provoqué l'admiration de Prosper Mérimée, séduit par la vivacité de leurs coloris.

★ Thiers

À 45 km à l'est de Clermont-Ferrand.

Ce sont les eaux de la Durolle qui ont fait sa fortune. Les industries du papier et des couteaux y sont pratiquées depuis le 15ᵉ s., et si la première a presque disparu, la seconde maintient le renom de la cité.

★ **Musée de la Coutellerie et ses ateliers** – *23 et 58 r. de la Coutellerie - 04 73 80 58 86 - www.musee-coutellerie-thiers.com - visite guidée des*

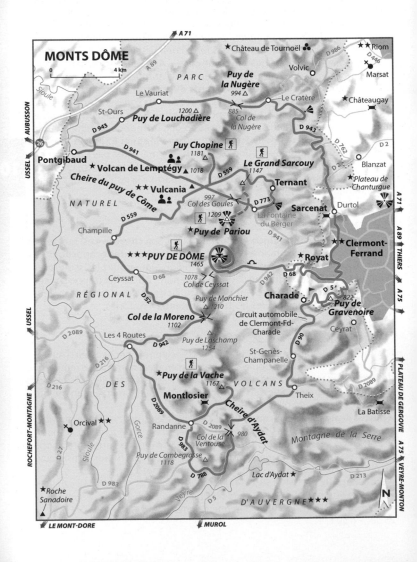

ateliers (20mn) juil.-août : 10h-12h30, 13h30-19h ; juin et sept. : 10h-12h, 14h-18h ; oct.-mai : tlj sf lun. 10h-12h, 14h-18h - fermé janv., 1ᵉʳ Mai, 24 et 25 déc. - 5,40 €.

Aux **nᵒˢ 21 et 23**, le musée retrace l'histoire des métiers de la coutellerie thiernoise et se termine par la démonstration du travail d'un émouleur. Au **nᵒ 58**, on découvre les ateliers, avec démonstration d'émouture, de polissage et d'assemblage d'un couteau. Un son et lumière évoque l'univers assourdissant des forges. Superbe donation Frédéric-Albert Peter.

Circuit conseillé

★★★ LA CHAÎNE DES PUYS

Une multitude de volcans, cônes à cratères simples ou emboîtés et dômes de lave durcie, ont conservé leur forme originale : ils sont là, juste à l'ouest de Clermont, entre les **gorges de la Sioule**★★ et la grande Limagne. Sur une longueur de 40 km environ, quelque 80 volcans éteints forment un long alignement.

Quitter Clermont-Ferrand au nord-ouest par la D 941ᴮ.

★ Volcan de Lemptégy

☎ 04 73 62 23 25 - www.auvergne-volcan.com - juil.-août : 9h30-19h30 (dernier dép. 2h av. fermeture), certains mar. et jeu. nocturne à partir de 22h ; avr.-juin et sept.-oct. : 10h30-18h30 ; de mi-fév. à fin mars : 14h-17h30 - visite guidée (2h) w.-end et j. fériés - fermé de mi-nov. à mi-fév. - de 7 à 12 €.

Alt. 1 018 m. Un sentier de découverte (*2 km à pied ou en train jusqu'au cœur du volcan à ciel ouvert*) révèle l'histoire géologique du site à travers des paysages de cheminées, de coulées de lave, de bombes volcaniques ; en fin de visite, la **Mine explosive** (*déconseillée aux femmes enceintes, aux personnes souffrant de claustrophobie ou de problèmes cardiaques et interdit aux moins de 4 ans*) fait revivre une éruption volcanique grâce à un film en 3D doublé d'effets dynamiques.

★ Puy de Pariou

Au départ de la D 941ᴮ, après la Fontaine-du-Berger. *2h30 à pied AR (suivre le PR)*. Alt. 1 209 m. On franchit la paroi du premier cratère d'où est sortie la coulée, qui traverse la route près d'Orcines, puis le second cratère, entonnoir régulier de 950 m de circonférence et profond de 96 m. Du bord, belle **vue** sur les monts Dôme.

★★★ Puy de Dôme

La route d'accès (D 68) est en travaux jusqu'en juin 2012. L'accès se fait uniquement à pied par le chemin des muletiers. *45mn*. Alt. 1 465 m. Au sommet, deux tables d'orientation permettent d'identifier les monts de ce splendide **panorama**★★★ : à admirer de préférence au coucher du soleil.

★ Puy de la Vache

Chemin d'accès au cratère sur la gauche de la D 5. *1h à pied AR*. Alt. 1 167 m. Ce volcan encore bien formé offre un des spectacles les plus évocateurs de la chaîne des Puys.

10

☺ NOS ADRESSES À CLERMONT-FERRAND

HÉBERGEMENT

PREMIER PRIX

Hôtel Albert-Élisabeth – *37 av. A.-Élisabeth* - ✆ *04 73 92 47 41* - *www.hotel-albertelisabeth.com* - 🅿 - *38 ch. 55/59 €* - ☕ *7,90 €.* Le nom de cet hôtel évoque un séjour clermontois des souverains belges. Beau salon au mobilier rustique. Chambres pratiques, bien tenues et climatisées.

BUDGET MOYEN

Dav'Hôtel Jaude – *10 r. des Minimes* - ✆ *04 73 93 31 49* - *www. davhotel.fr* - *28 ch. 58/65 €* - ☕ *9,50 €.* Atout majeur de l'hôtel : sa proximité avec la place de Jaude (commerces, parking public et cinémas). Chambres de bonne ampleur, refaites dans des tons vifs.

POUR SE FAIRE PLAISIR

Hôtel Lafayette – *53 av. de l'Union-Soviétique* - ✆ *04 73 91 82 27* - *www.hotel-le-lafayette. com* - 🅿 - *fermé 24 déc.-4 janv.* - *48 ch. 95/125 €* - ☕ *10 €.* Cet hôtel voisin de la gare est entièrement rénové : hall contemporain, chambres aux tons pastel dotées de meubles modernes en bois clair et bonne insonorisation.

RESTAURATION

PREMIER PRIX

Le Chardonnay – *1 pl. Philippe-Marcombes* - ✆ *04 73 90 18 28* - *www.restaurantlechardonnay. com* - *fermé sam. midi, dim. et j. fériés* - *formule déj. 13,50 €* - *20/40 €.* Ce bar à vins du centre-ville jouit d'une bonne réputation. Le décor, de style bistrot, est agréable, le menu, présenté sur ardoise, est très copieux et chaque vin est accompagné d'une fiche explicative. Également une belle sélection de whiskies.

BUDGET MOYEN

Le Charolais – *77 r. Pré-la-Reine* - ✆ *04 73 91 65 35* - *fermé w.-end et le soir en sem.* - *réserv. conseillée* - *16/20 €.* Les amateurs de bonne viande se pressent dans ce restaurant aménagé dans une maison d'allure traditionnelle. Sur la table, assiettes copieuses à prix doux et, accrochées aux murs, les médailles des champions bovins élevés autrefois par la famille.

Le Pile-Poêle – *9 r. St-Dominique* - ✆ *04 73 36 08 88* - *tlj. sf dim.* - *formule déj. 15 €* - *21/32 €.* Restaurant traditionnel de style contemporain possédant une belle salle voûtée en sous-sol. Il offre un large éventail de plats copieux. Une bonne adresse pour un repas de qualité, préparé avec des produits frais.

ACHATS

François Vazeilles – *Marché St-Pierre* - ✆ *04 73 36 16 13* - *7h15-13h, 15h-19h30, vend. 7h-19h30, sam. 6h-19h30* - *fermé dim.-lun., 1re quinz. d'août et j. fériés.* Les connaisseurs disent de François Vazeilles qu'il est un « prince de l'affinage ». Goûtez donc son saint-nectaire fermier, son bleu d'Auvergne ou son salers dont la maturation s'est achevée dans les caves naturelles de la maison. En vente également, des fromages régionaux moins connus, comme le lavort ou le gaperon.

Michelin la Boutique – *2 pl. de la Victoire* - ✆ *04 73 90 20 50* - *tlj sf dim.-lun. 10h-13h, 14h-19h* - *fermé j. fériés.* Mondialement connu et particulièrement représenté à Clermont, Bibendum se devait d'avoir une boutique où sont présentés ses nombreux produits dérivés et de collection.

Le Mont-Dore

1 384 Mondoriens – Puy-de-Dôme (63)

S'INFORMER
Office de tourisme – *Av. de la Libération - 63240 Le Mont-Dore - ☎ 04 73 65 20 21 - www.sancy.com - 9h-12h, 14h-18h, dim. se renseigner.*

SE REPÉRER
Carte générale C3 – *Cartes Michelin n° 721 K10 et n° 522 Q8.* Le Mont-Dore est à 45 km au sud-ouest de Clermont-Ferrand. On y accède par la N 89, puis la D 983 à gauche, après le col de la Ventouse. La plus jolie arrivée se fait par la D 996 et le col de la Croix-Morand.

À NE PAS MANQUER
La montée au puy de Sancy pour jouir d'un formidable panorama.

ORGANISER SON TEMPS
La saison thermale se déroule de fin avril à mi-octobre.

Le Mont-Dore s'étire sur les bords de la Dordogne naissante, dans un cirque de montagnes dominé par le puy de Sancy ; station thermale et de sports d'hiver, la cité aux toits pentus est aussi le point de départ pour une visite à Orcival et à St-Nectaire, joyaux du patrimoine religieux de la région.

10

Découvrir

Les eaux étaient déjà exploitées par les Gaulois dans des piscines dont on a découvert les vestiges sous les thermes romains. C'est seulement sous Louis XIV que la station retrouva une clientèle. Puis la vogue vint au 19e s., grâce aux travaux du Dr Bertrand et au séjour qu'y fit la duchesse de Berry, en 1821. Ces eaux, les plus siliceuses de France, chargées de gaz et d'acide carboniques, émergent de filons de lave ; leurs températures varient de 38 à 44 °C. Elles sont utilisées dans le traitement de l'asthme, des affections respiratoires et des rhumatismes.

Établissement thermal

☎ 04 73 65 05 10 - de mi-avr. à fin oct. : visite guidée (45mn) sur demande tlj sf dim. à 14h, 15h, 16h et 17h ; de mi-janv. à mi-avr. : tlj sf w.-end à 14h - fermé vac. de Noël - 3,50 € (10-15 ans 2,30 €).
Construit de 1817 à 1823, il a été agrandi et modernisé depuis, sa décoration intérieure comporte de multiples références à l'art byzantin, à l'architecture romaine ainsi qu'à l'art roman auvergnat. Les aménagements les plus remarquables sont le **hall des Sources** et la **salle des Gaz thermaux**, la **galerie de la Source César★** et la **salle des Pas perdus★**.

Station de sports d'hiver

À 4 km au sud de la ville thermale, elle bénéficie des nombreuses infrastructures pour les curistes. La saison d'hiver déploie ses pistes de **ski alpin** sur le flanc nord du Sancy et permet aussi snowboard, **ski de fond**, randonnée à raquettes et escalade sur cascade glacée.

★★★ Puy de Sancy

Téléphérique à la station de sports d'hiver - 📞 *04 73 65 02 23 - adulte : 5,80 €, 7,50 € A/R. Vents souvent violents, emporter… un coupe-vent !*

🚶 *45mn AR.* Point culminant des monts Dore et de la France centrale, le puy de Sancy (alt. 1 885 m) est recouvert de pelouses subalpines. La rigueur du climat rendant leur reconstitution difficile, une fréquentation estivale piétonne trop importante peut être cause de dégradation. Il est donc recommandé de bien respecter les zones récemment plantées. De la vaste plate-forme **vue★★★** sur l'immensité des monts, jusqu'aux Alpes du Dauphiné, par temps très clair. Plus près, vous découvrez au nord-est la chaîne des Puys, au sud le massif du Cantal, aux premiers plans les monts Dore (*table d'orientation*).

À proximité

★★ Château de Murol

▶ *À 19 km à l'est du Mont-Dore par la D 996. Se renseigner pour les horaires au* 📞 *04 73 26 02 00 - www.chateaudemurol.fr - 6,30 € (-15 ans 5,20 €).*

Cette forteresse médiévale occupe le sommet d'une butte recouverte d'une épaisse couche de basalte à proximité du **lac Chambon★★**.

Des **visites animées★** sont organisées par les Paladins du Sancy. Dans la cour basse se dresse le **pavillon Renaissance**. Au nord s'élève le château central. À côté du donjon, relié à une tour par une courtine, se trouvent les **chapelles**. Une rampe d'accès conduit à une élégante **porte,** décorée des armoiries de Murol et de Gaspard d'Estaing. Dans la cour intérieure, remarquez la galerie que surmontaient la salle des Chevaliers, les cuisines, la boulangerie et ses dépendances. On peut emprunter le chemin de ronde pour faire le tour du château central (quelques passages vertigineux) puis monter au sommet du donjon : beau **panorama★** sur Murol, la vallée de la Couze, le lac Chambon, les monts Dore, le Tartaret et, au loin, sur le Livradois.

★ Saint-Nectaire

▶ *À 25 km à l'est du Mont-Dore par la D 996.*

Le mont Cornadore, qui porte St-Nectaire et dont le nom signifie « réservoir des eaux », était habité dès l'époque celtique. Les Romains y établissent des thermes. Au Moyen Âge s'installe un prieuré bénédictin dépendant de l'abbaye de La Chaise-Dieu. Le nom de « saint-nectaire » s'applique aussi à un fromage de caractère bien connu des gastronomes.

Massif du Sancy.
J. Damase/Photononstop

★★ **Église St-Nectaire** – 📞 04 73 88 50 67 - avr.-oct. : 9h-19h ; nov.-mars : 10h-17h. Construite vers 1150, elle relève de l'art roman auvergnat et s'apparente aux autres églises majeures du roman auvergnat (N.-D.-du-Port à Clermont-Ferrand, St-Austremoine d'Issoire, N.-D.-d'Orcival, St-Saturnin).

La façade ouest s'orne d'une humble porte en plein cintre. Le **chevet,** en revanche, d'une magnifique ordonnance, est couronné d'un clocher reconstruit au 19ᵉ s. Sa décoration est sobre : délicate frise de mosaïques figurant des rosaces, arcatures aveugles aux fines colonnettes, petits murs pignons.

L'intérieur est remarquable par l'harmonieuse unité de son style. Cent trois superbes **chapiteaux★★** ornent la nef et le chœur ; ils valent par la vivacité d'imagination et le sens de la composition déployés par l'artiste. Ils illustrent des épisodes de l'Ancien et du Nouveau Testament, des scènes de l'Apocalypse, des miracles de saint Nectaire, et les thèmes du bestiaire, traités avec charme et fantaisie.

Le **trésor★★**, pillé pendant la Révolution, possède encore de très belles œuvres : le **buste de saint Baudime★★**, en cuivre doré (12ᵉ s.) ; la Vierge du mont Cornadore (12ᵉ s.), en bois marouflé polychrome ; un bras-reliquaire (15ᵉ s.) de saint Nectaire en argent repoussé.

★★ Orcival

▶ *À 17 km au nord du Mont-Dore. Prendre la D 983, puis la D 27.*

En limite du massif du Sancy et de la chaîne des Puys, dans un vallon qu'arrose le Sioulet, Orcival possède une superbe basilique romane, fondée par les moines de La Chaise-Dieu, et une Vierge en majesté, vénérée et admirée.

★★ **Basilique N.-D.-des-Fers** – Elle fut vraisemblablement élevée dans la première moitié du 12ᵉ s. Les volumes du chevet se superposent jusqu'à la flèche du clocher octogonal. Les vantaux des trois portes ont conservé leurs pentures romanes ; les plus ornées, de rinceaux et de têtes humaines, sont sur la porte sud (dite St-Jean). Sous les arcatures du transept sud sont suspendues des chaînes, ex-voto de captifs délivrés.

À l'intérieur de l'édifice, sentiment de plénitude ; le regard est attiré par l'enfilade des piliers vers le chœur, baigné de lumière. Les chapiteaux intéressants dans le déambulatoire sont sculptés d'animaux fabuleux, d'oiseaux, de poissons, de démons. Derrière le maître-autel, sur une colonne, trône la **Vierge d'Orcival★★** en noyer, aux parements d'argent et de vermeil.

Salers

★★

364 Sagraniers – Cantal (15)

S'INFORMER

Office de tourisme du pays de Salers – *Pl. Tyssandier-d'Escous - 15140 Salers - ℘ 04 71 40 70 68 - www.pays-de-salers.com - juil.-août : 9h30-19h ; mai-juin : 9h30-12h, 14h-18h ; reste de l'année : 9h30-12h, 14h-17h30.*

SE REPÉRER

Carte générale C3 – *Cartes Michelin n° 721 J11 et n° 522 O11.* Salers se trouve à 68 km à l'ouest de St-Flour par la D 680 puis la D 926, et à 45 km au nord d'Aurillac par la D 922, puis la D 680.

À NE PAS MANQUER

La gastronomie locale : la truffade, le pounti aux pruneaux, les carrés de Salers (sablés), le salers (fromage au lait de vache cru et entier).

ORGANISER SON TEMPS

Profitez de la ville et de son terroir durant une journée.

Salers est l'une des villes les plus attirantes de Haute-Auvergne. Ancien bailliage royal, elle conserve un rare ensemble de remparts et d'hôtels Renaissance, groupés sur un piton dominant le confluent de l'Aspre et de la Maronne.

Découvrir

Le double caractère des constructions de Salers s'explique par l'histoire de la ville. Tout d'abord ouverte, elle subit les assauts des Anglais et des routiers, et s'entoure des remparts qu'elle possède encore. Ils la protègent des attaques des huguenots et des ligueurs pendant les guerres de Religion. Au 16ᵉ s., Salers devient chef-lieu du **bailliage des Hautes Montagnes d'Auvergne** ; les familles de la bonne bourgeoisie, d'où sortaient les juges, font alors élever de charmants logis à tourelles.

★ Église Saint-Mathieu

Un porche du 12ᵉ s. subsiste de l'édifice qui précéda la construction actuelle commencée à la fin du 15ᵉ s. Remarquez, au portail, les cordons à billettes et les sculptures de la voussure supérieure. À l'intérieur, la **Mise au tombeau★**, œuvre en pierre polychrome, inspirée de l'art bourguignon, fut donnée à l'église en 1495. Chaque personnage y occupe une place exceptionnelle : Joseph d'Arimathie et Nicodème aux extrémités, la Vierge de douleur au centre, entourée de Jean et des saintes femmes.

Circuit conseillé

★★ LA ROUTE DU LIORAN

Cet itinéraire permet de suivre le cours des **vallées de la Cère et de l'Alagnon**. Il offre de belles échappées sur le Griou et le Plomb du Cantal, et fait découvrir un intéressant patrimoine bâti.

⊙ *135 km. Gagner Aurillac par les D 680 et D 922 au sud, puis prendre la N 122 à l'est.*

★ Vic-sur-Cère

Station thermale pleine de charme, avec ses pittoresques maisons aux toits de lauzes.

Des hautes falaises tombe la belle **cascade de Malbec**. Puis, la vallée se resserre, et la route passe en corniche au-dessus de la gorge profonde du **pas de Compaing★**.

Au **col de Cère★**, beaux points de vue sur le **Plomb du Cantal★★**. Peu avant le col, observez sur la gauche, en arrière, la belle pyramide du **puy Griou★★★**,

★ Le Lioran

Encerclée par les belles sapinières recouvrant les versants de la vallée de l'Alagnon, à plus de 1 000 m d'altitude, Le Lioran est une agréable station, été comme hiver.

Quelques kilomètres après **Laveissière**, on passe au pied des rochers basaltiques qui dominent **Murat★**, agréable centre d'excursion vers les volcans cantaliens.

Quitter Murat au nord-ouest par la D 680.

En montant vers le Pas de Peyrol, la route s'accroche en corniche au flanc abrupt du puy Mary et offre des **vues saisissantes★★** sur les vallées de l'Impradine et de la petite Rhue, les monts Dore et le Cézallier. Le **pas de Peyrol★★** (1 589 m) est le col routier le plus élevé du Massif central.

★★★ Puy Mary

Au départ du Pas de Peyrol. ⤢ *1h à pied AR (montée rude, ne pas s'écarter du sentier balisé).* Le sentier suit l'arête nord-ouest du puy jusqu'au sommet (1 787 m d'alt.). Au premier plan, le regard embrasse le gigantesque éventail de **vallées glaciaires** s'échappant du cœur de ce château d'eau, séparées par de puissantes lignes de crêtes dont l'altitude s'abaisse dans les lointains *(table d'orientation).*

10

★★ Cirque du Falgoux

La **vallée du Mars★** y prend naissance et se creuse au pied du puy Mary. Ce cirque glaciaire est occupé par une forêt de sapins pectinés en exploitation.

Regagner Salers par la D 680.

Saint-Flour

6 610 Sanflorains – Cantal (15)

🅗 **S'INFORMER**

Office de tourisme du pays de St-Flour – *17 bis pl. d'Armes - 15100 St-Flour -* 📞 *04 71 60 22 50 - www.saint-flour.com - juil.-août : 9h-12h30, 13h30-19h, dim. et j. fériés 10h-12h30, 14h30-17h30 ; mai-juin et sept. : 9h-12h30, 14h-18h30, dim. et j. fériés 10h-12h30, 14h30-17h30 ; oct.-avr. : lun.-sam. 9h-12h, 14h-18h.*

▶ **SE REPÉRER**

Carte générale C3 – *Cartes Michelin n° 721 K11 et n° 522 S11.* St-Flour, à proximité de l'A 75 (sortie 28) est située au carrefour de la route d'Aurillac (D 926) et de celle de l'Aubrac (D 921). C'est par l'est qu'il faut arriver pour apprécier la beauté de son **site★★** et voir surgir, au-dessus des escarpements rocheux, l'alignement des maisons dominées par les tours massives de la cathédrale.

😊 **À NE PAS MANQUER**

La cathédrale et la visite de la ville haute ; aux alentours, les gorges de la Truyère.

🕐 **ORGANISER SON TEMPS**

Comptez une journée pour visiter la ville et ses environs.

👫 **AVEC LES ENFANTS**

Une promenade en bateau dans les gorges de la Truyère.

Campée sur une table basaltique aux grandes orgues qui domine la vallée de l'Allier, St-Flour dresse vers le ciel les tours carrées de sa cathédrale, semblant garder la voie menant du Languedoc à l'ancien royaume de France. Cette ville consulaire et épiscopale, qui a perdu de sa superbe, a gagné en charme et en dynamisme. Et non loin, il y a les gorges de la Truyère.

Se promener

★ Cathédrale

Elle se dresse sur la vaste place d'Armes, où toutes les rues convergent. De style gothique sévère, cet édifice en pierre de lave noire de Liozargues rappelle la vocation de forteresse de la ville. Construite en 1396, elle ne fut achevée qu'à la fin du 15ᵉ s., avec un maître d'œuvre travaillant sous les ordres du duc de Berry. À l'intérieur, admirez contre le pilier gauche, à l'entrée du chœur, le grand **Christ★** en bois, dit le « Beau Dieu noir ».

Rues anciennes

Flânez dans les rues qui partent de la **place d'Armes** bordée d'arcades. La **rue Marchande** possède de vieilles demeures à remarquer : la maison du Gouverneur, du 15ᵉ s. dont on voit la façade et la cour (n° 31) ; l'hôtel Brisson avec une cour du 16ᵉ s., aux fenêtres originales séparées par des colonnes à torsades (n° 15).

Viaduc de Garabit au-dessus des gorges de la Truyère.
G. Labriet/Photononstop

Circuit conseillé

★★ LES GORGES DE LA TRUYÈRE

▲▲ La **Truyère** a creusé dans les plateaux granitiques de la haute Auvergne des gorges étroites, profondes et sinueuses. Elles figurent parmi les plus belles curiosités naturelles de la France centrale et donnent l'occasion de superbes promenades en bateau. Des barrages, créés pour l'industrie de la houille blanche, les ont transformées en lac sur une grande longueur. Les sites fabuleux, tels que celui du viaduc de Garabit ou du château d'Alleuze, vous impressionneront certainement.

▸ *55 km. Quitter St-Flour au sud-est par la N 9.*

★★ Viaduc de Garabit

Depuis l'achèvement du barrage de **Grandval**★, l'eau atteint les piles de soutien de l'ouvrage qui domine encore de 95 m le niveau maximal de la retenue. C'est par l'expérience acquise à Garabit (1882-1884) que Gustave **Eiffel** put concevoir sa fameuse tour à Paris. La construction du viaduc ferroviaire permit de relier Paris à Béziers, désenclavant le Massif central.

Par la D 13, longer la retenue, passer sur le barrage de Grandval et par la D 48 gagner le château d'Alleuze.

★★ Site du château d'Alleuze

Les ruines féodales se dressent sur une butte rocheuse et dénudée, d'où elles dominent de près de 30 m le plan d'eau formé par la retenue de Grandval. Ce lieu romantique se cache au sein d'une vallée boisée. On accède au château à pied (5mn) par un sentier escarpé. Bâtie au 13e s. par les connétables d'Auvergne, la forteresse est composée d'un vaste donjon flanqué de 4 tours rondes.

Reprendre la D 48 pour retrouver la D 921 (à droite, vers St-Flour).

Le Puy-en-Velay

★★★

18 879 Ponots – Haute-Loire (43)

 S'INFORMER

Office de tourisme – *2 pl. de Clauzel - 43000 Le Puy-en-Velay - ✆ 04 71 09 38 41 - www.ot-lepuyenvelay.fr - juil.-août : 8h30-19h, dim. et j. fériés 10h-12h30, 14h-17h30 ; de Pâques à fin juin et sept. : 8h30-12h, 13h30-18h15, dim. et j. fériés 10h-12h30, 14h30-17h30 ; reste de l'année : 8h30-12h, 13h30-18h15, sam. 9h-12h, 13h30-18h, dim. et j. fériés 10h-12h - fermé 1er janv. et 25 déc.*

▶ **SE REPÉRER**

Carte générale C3 – *Cartes Michelin n° 721 L11 et n° 522 X11.* La ville est située sur la N 88, qui va de St-Étienne à Mende, en Lozère. Elle se trouve aussi sur les grandes voies de pèlerinage qui mènent à Compostelle, en Espagne, ou au mont Gagliano, en Italie.

🐾 **À NE PAS MANQUER**

La cathédrale Notre-Dame, inscrite au Patrimoine mondial de l'Unesco ; l'ascension du rocher d'Aiguilhe et la visite de sa chapelle.

🕐 **ORGANISER SON TEMPS**

Le Puy-en-Velay mérite une halte de deux jours qui peut comprendre aussi la découverte des alentours, dans le massif du Mézenc au riche patrimoine religieux.

👥 **AVEC LES ENFANTS**

La montée au rocher Corneille ; la maison des Arts et Traditions populaires à Lavaudieu.

L'un des sites les plus extraordinaires de France… Vision étrange et splendide que cette ville écartelée entre ses buttes couronnées de statues, le rocher St-Michel, surmonté d'une chapelle romane, le rocher Corneille portant une Vierge monumentale. Non moins étrange, la cathédrale Notre-Dame, presque orientale, dont la célèbre Vierge noire fait encore aujourd'hui l'objet d'une grande dévotion. Le samedi, jour de marché, la place du Breuil et les vieilles rues des alentours présentent une animation extraordinaire.

Découvrir

★★ Saint-Michel-d'Aiguilhe

✆ 04 71 09 50 03 - www.rochersaintmichel.fr - mai-sept. : 9h-18h30 ; de mi-mars à fin avr. et de déb. oct. à mi-nov. : 9h30-17h30 ; de déb. fév. à mi-mars et vac. scol. de Noël : 14h-17h - fermé 1er janv. et 25 déc. - 3 € (-25 ans 1,50 €). À pied, la montée de Gouteyron relie le rocher d'Aiguilhe à la ville haute. On peut aussi parvenir au pied du rocher en voiture et la laisser à proximité. On accède au sommet par un escalier de 268 marches.

Avant d'entreprendre la découverte de la ville haute et l'ascension du rocher Corneille, pour une bonne compréhension d'ensemble du site, commencez la promenade par la montée à cette ravissante chapelle romane, juchée au sommet d'un dyke basaltique, aiguille de lave qui s'élève d'un jet à 82 m

FUSEAUX, AIGUILLES ET DOIGTS DE FÉE…

Au Puy et dans le **Velay**, la **dentelle à la main** tenait autrefois une place importante dans l'économie locale. C'est au 17e s., grâce à l'action d'un père jésuite, saint François Régis, qu'elle prend un essor décisif et qu'une organisation particulière se met en place. Dans les villages, des femmes travaillent à domicile pour le compte de marchands établis dans les villes voisines. Des « leveuses » apportent fils et cartons aux ouvrières, elles servent d'intermédiaires avec les patrons. La transmission du savoir-faire se faisait de mères en filles, mais aussi par des femmes pieuses, qui enseignaient en même temps le catéchisme. Grâce à leurs doigts de fée, les dernières initiées réalisent des dentelles au fuseau, en faisant s'entrecroiser les fils sur un « carreau ».

Musée Crozatier – *Jardin Henri-Vinay* - ℘ 04 71 06 62 40. Il conserve une riche collection de dentelles à la main du 16e s. au début du 20e s.

Hôtel de la Dentelle – *À Brioude (voir p. 467)* - ℘ 04 71 74 80 02 - *www. hoteldeladentelle.com*. Pour découvrir l'art de la dentelle.

---

au-dessus du sol. La chapelle (10e s.) est d'inspiration orientale avec son portail trilobé, son gracieux décor d'arabesques, ses **mosaïques** de pierres noires, grises, blanches et rouges. À l'intérieur, le plan épouse les contours du rocher. La complexité du système de voûtes témoigne de l'art avec lequel les architectes ont su tirer parti du terrain. La voûte de la petite abside est décorée de **peintures murales** du 10e s.

★★★ L'ÎLE AUX TRÉSORS

10

La cité épiscopale domine la ville haute. Partez de la place des Tables où s'élève la gracieuse fontaine du Choriste (15e s.) et montez vers la cathédrale par la rue des Tables où vous pourrez voir dentelliers et dentellières au travail.

★★★ Cathédrale Notre-Dame

Ce merveilleux édifice de style roman doit son originalité à l'influence byzantine, due aux croisés. Un large escalier de 134 marches donne accès à l'étrange façade ouest de la cathédrale, aux laves polychromes et parements mosaïqués. On retrouve l'influence orientale dans la suite de coupoles qui couvrent la nef. Remarquez la chaire et le beau maître-autel, qui porte la statue en bois remplaçant la première Vierge noire brûlée lors de la Révolution. Dans le bras gauche du transept, belles **fresques romanes** : *Les Saintes femmes au tombeau* et *Le Martyre de sainte Catherine d'Alexandrie*. Un petit escalier, sur la gauche, mène à une tribune où se trouve une **fresque de saint Michel★** (fin 11e s.-début 12e s.), la plus grande peinture connue en France représentant l'Archange. Les plus belles pièces du **trésor★** sont exposées dans la sacristie.

★★ Cloître

℘ 04 71 05 45 52 - de mi-mai à fin-sept. : 9h-12h, 14h-18h30 (tte la journée juil.-août) ; reste de l'année : 9h-12h, 14h-17h - fermé 1er janv., 1er Mai, 11 Nov. et 25 déc. - 5 € (-18 ans gratuit).

Accolé au nord de la cathédrale, ce beau cloître est composé de galeries d'époques différentes, où l'on détaille nombre de **chapiteaux historiés**. Une **grille romane★** ferme la galerie ouest. La polychromie des claveaux, les écoinçons en losanges rouges, ocre, blancs ou noirs formant des mosaïques composent un décor dont on souligne la parenté avec l'art islamique.

★★ Trésor d'art religieux

Mêmes conditions de visite que le cloître.

Aménagé dans l'ancienne **salle des États du Velay,** il rassemble notamment une **chape de soie** du 11ᵉ s., une **châsse** en émail champlevé du 13ᵉ s., une **Vierge allaitant** du 15ᵉ s., un remarquable **parchemin** du 15ᵉs. Voyez aussi une *Sainte Famille*, attribuée au Maître de Flémalle (fin 15ᵉs.).

Rocher Corneille

☏ 04 71 04 11 33 - juil.-août : 9h30-19h30 ; mai-juin et sept. : 9h-19h ; de mi-mars à fin avr. : 9h-18h ; d'oct. à mi-mars et vac. de Noël : 10h-17h - fermé 16 nov.-31 janv. sf. dim. apr.-midi - 3 € (enf. 1,50 €)

👥 Appelé aussi mont d'Anis, ce reste de cône appartenait sans doute au volcan dont le rocher St-Michel représente la cheminée. De la plate-forme, **vue★** sur la ville et le bassin du Puy. Le rocher est surmonté d'une **statue de Notre-Dame de France**, érigée en 1860, par souscription nationale. On peut monter à l'intérieur jusqu'au niveau du cou.

★ EN PARCOURANT L'ANCIENNE CITÉ

Les hautes maisons se regroupent autour du rocher Corneille. Au pied de la cathédrale, la **place des Tables** offre un bel aperçu de la cité épiscopale.

Rejoignez la **place du Plot** et empruntez la **rue Pannessac** bordée de maisons Renaissance : les façades en encorbellement sont parfois flanquées d'une tour ou échauguette. À droite, les ruelles de traverse ont conservé leur caractère médiéval ; au n° 18, **rue du Chamarlenc**, la façade de la **demeure des Cornards**, dont le privilège était de brocarder les bourgeois de la ville, est ornée de deux têtes à cornes, l'une hilare, l'autre tirant la langue, surmontées d'inscriptions facétieuses.

À proximité

★★★ Mont Mézenc

▶ *À 38 km au sud-est du Puy-en-Velay par la D 535, puis la D 631 sur la gauche.*

Les Estables est un village montagnard très prisé en hiver pour ses pistes de ski de fond. Culminant à 1 753 m d'altitude, le **massif volcanique du Mézenc** offre du côté du Velay l'aspect d'un immense plateau dénudé et côté vivarois un paysage des plus tourmentés s'enfonçant brutalement en direction du Rhône. Au flanc des vallées, l'érosion a dégagé d'amples coulées basaltiques, en forme d'orgues prismatiques ; elles ont créé des sites célèbres : cascade du Ray-Pic, chaussée de Thueyts, éperons de Pourcheyrolles, Jaujac, Antraigues. Le Haut-Mézenc possède une flore exceptionnelle : séneçon leucophylle, anémone des Alpes, gentianes, trolles, etc.

Par la Croix de Boutières – 2,5 km au départ des Estables par la D 631 à l'est. Laisser la voiture à la Croix de Boutières. 🚶 *1h15 à pied AR.* Le rocher qui domine le col offre une belle **vue★★**. Prendre le GR 7 qui s'élève, à gauche, vers le sommet d'où l'on a un **panorama★★★** immense. Si le temps le permet, venez dès l'aube assister au lever du soleil *(prévoir des vêtements chauds)* : le spectacle est inoubliable.

★★ Lavaudieu

▶ *À 56 km au nord-ouest du Puy-en-Velay par la N 102.*

Église abbatiale – *☏ 04 71 76 08 90 - visite libre tlj - visite guidée du cloître tlj sf mar. 10h-12h, 14h-18h - 5 € (billet incluant la maison des Arts et Traditions*

populaires). À l'intérieur, la nef est ornée de belles **fresques★** du 14e s., d'influence italienne ; les scènes sont inspirées du cycle de la Passion du Christ et des Malheurs du temps (les méfaits de la peste noire).

Des bâtiments conventuels subsiste un **cloître★★**, aux colonnettes de formes variées dont les chapiteaux sont sculptés de feuillages et d'animaux.

Maison des Arts et Traditions populaires – *℘ 04 71 76 08 90 - visite guidée (1h) tlj sf mar. 10h-12h et 14h-18h - 5 € (enf. 3 €), billet combiné avec le cloître.* 👥 Tout est en place dans cette **ancienne maison de paysan-boulanger** de la fin du 19e s. : le four, le puits, le pétrin, le comptoir. On découvre aussi les objets de la vie domestique dans la salle commune et les vieux outils dans l'étable.

★★ La Chaise-Dieu

◖ *À 42 km au nord du Puy-en-Velay par la N 102, puis la D 906.*

★★ **Église abbatiale St-Robert** – *℘ 04 71 00 06 06 ou 04 71 00 01 16 - www. abbaye-chaise-dieu.com - juil.-août : 9h-19h, dim. 14h-19h ; juin : 9h-12h, 14h-18h, dim. 14h-18h ; mai et sept. : 10h-12h, 14h-18h, dim. 14h-18h ; oct.-avr. : 10h-12h, 14h-17h, dim. 14h-17h (déc.-fév. : tlj sf lun. ; janv. : seult w.-end) - fermé pdt le Festival de musique et 25 déc. - 4 € (chœur et trésor).* Taillée dans le granit, cette église aux proportions impressionnantes fut achevée en 1350. Sa grandeur et sa sévérité semblent refléter la personnalité de son promoteur, le pape Clément VI. La vaste **nef** centrale est couverte de voûtes surbaissées et flanquée de collatéraux d'égale hauteur. Un **jubé** du 15e s. rompt la perspective et semble réduire la nef en hauteur. En face, le superbe **buffet d'orgues★** est du 17e s. Le **chœur★★** est entouré de **144 stalles★★** en chêne, du 15e s., dont les sculptures représentent Vices et Vertus, visages et personnages. Au-dessus de la clôture sont tendues d'admirables **tapisseries★★★** en laine, lin et soie, exécutées au début du 16e s. à Arras et Bruxelles. Dans le bas-côté gauche du chœur se trouve la fameuse peinture murale de la **Danse macabre★** longue de 26 m. Les panneaux mettent les grands de ce monde en présence des morts qu'ils deviendront et qui les invitent à danser. Ce thème, souvent représenté au 15e s., n'a été nulle part esquissé avec autant de réalisme et de mouvement.

★★ Brioude

◖ *À 62 km au nord-ouest du Puy-en-Velay par la N 102.*

Avec 74,15 m de longueur, la **basilique St-Julien★★** se rattache à l'école romane auvergnate par son chevet étagé et ses pierres de plusieurs couleurs, mais en diffère par d'autres points, comme l'agencement des portails, surmontés de voussures lisses, sculptées ou en dents de scie, et l'ornementation bourguignonne du chevet. L'église, entreprise en 1060, fut achevée en 1180. Sa nef fut surélevée et voûtée en 1259. Faites le tour de la basilique pour admirer le **chevet★★**. Remarquez, sous les toits de lauzes, les modillons sculptés de monstres, de personnages et de feuillages. Les **porches latéraux★** présentent un aspect original dû à leur utilisation comme chapelles au 16e s. et à la tribune qui les surmonte. L'ampleur du vaisseau et sa chaude coloration, due aux grès rouges des murs et des piliers, sont frappantes, ainsi que l'élégant **pavage polychrome★** de galets, du 16e s. dans l'ensemble de la nef. Des **chapiteaux★★** à feuilles d'acanthe, historiés ou illustrant des thèmes communs aux églises d'Auvergne, abondent, haut placés sur les colonnes cantonnant chaque pilier.

10

Vichy

25 221 Vichyssois – Allier (03)

S'INFORMER
Office de tourisme – *5 r. du Casino - 03200 Vichy -* ℘ *04 70 98 71 94 - www. vichy-tourisme.com - juil.-août : 9h30-19h, dim. 10h-12h, 14h30-19h ; avr.-juin et sept. : 9h30-12h, 13h-18h30, dim. 15h-18h ; oct.-mars : tlj sf dim. 9h30-12h, 13h30-18h.*

SE REPÉRER
Carte générale C3 – *Cartes Michelin n° 721 K10 et n° 522 U5.* Vichy est raccordée au réseau autoroutier (A 71), à 16 km de l'échangeur de Gannat, ou directement à Clermont-Ferrand par la D 1093, prolongée par la D 210 (via Ennezat et Randan). En venant de Thiers (au sud) par la D 906, l'arrivée par la montagne bourbonnaise procure la plus belle vue.

À NE PAS MANQUER
L'architecture thermale de la ville et ses parcs.

ORGANISER SON TEMPS
Depuis Vichy, visitez le château de La Palice.

AVEC LES ENFANTS
Le parc des Sources.

Illustre station thermale et ville-séjour, Vichy séduit par la qualité de ses commerces et par la variété des distractions qu'elle propose : casino-théâtre, cabarets, festivals, concerts, expositions, conférences, courses hippiques. Le centre omnisports constitue l'un des plus beaux complexes sportifs européens. Le lac d'Allier, voué aux compétitions internationales (aviron, régate, ski nautique, etc.), complète cet ensemble dédié aux loisirs.

Découvrir

Les vertus curatives des eaux de Vichy étaient déjà reconnues des Romains qui fondèrent ici une petite cité thermale, *Vicus Calidus*. Après une longue éclipse, cette activité revint en faveur au 17e s. Aujourd'hui, grâce aux eaux chargées de bicarbonate de soude et d'acide carbonique, on y soigne les affections du foie, de la vésicule et de l'estomac, le diabète, les migraines, les troubles de la nutrition et de la digestion, et les affections relevant de la rhumatologie.

★ Quartier thermal
Restaurées et protégées depuis quelques années, les réalisations les plus remarquables forment un patrimoine insolite et d'une densité exceptionnelle. L'atmosphère mondaine de la station, son combat quotidien contre l'ennui et sa propension au défoulement doré prédisposèrent les architectes à cette recherche du jamais vu, de l'inattendu qui les exposa aux influences divergentes de Byzance, de l'art roman auvergnat, du Quattrocento florentin, sans oublier les cottages anglais et les chalets alpestres, et assura le triomphe d'un « éclectisme baroquisant » faisant coexister dans une charmante anarchie tous les styles et toutes les époques.

★ **Parc des Sources** – 🚶🧍 Il abrite le **hall des Sources**, en verre et métal, où arrivent par captage les eaux des six sources thermales exploitées à Vichy. Celle qui jaillit dans le parc est à 24 °C, celle des Célestins à 21,5 °C, d'autres atteignent 40 °C. Le parc est au cœur de la vie thermale : le matin, c'est l'atmosphère si particulière des villes d'eaux, avec le va-et-vient des curistes. L'après-midi et les soirs de galas, c'est l'animation entretenue par les promeneurs, les consommateurs du Grand Café et les adeptes des réceptions mondaines.

★ **Grand Casino** – Ouvert en 1865, il associe sous un même toit salles de spectacle ou de bal et établissement de jeux ; il fut le premier du genre en France. À l'intérieur, la qualité du décor de style Art nouveau doit beaucoup au ferronnier Émile Robert et au maître verrier François Chigot. La façade principale, expression du goût « Belle Époque », donne sur le parc par un bel escalier.

★ **Les chalets** – Ceux qui bordent le boulevard des États-Unis (n°s 101 à 109 *bis*) furent construits à partir de 1862 pour accueillir Napoléon III et sa suite, qui prenaient les eaux à Vichy. L'allure mi-suisse, mi-coloniale conférée à ces ludiques architectures par leurs balcons ou lambrequins festonnés et leurs façades de brique est représentative de la mode de l'époque. C'est toutefois après la chute de l'Empire que les architectes bâtirent les villas les plus excentriques. On en découvre de remarquables boulevard de Russie, rue de Belgique et rue Prunelle.

À proximité

★★ Château de La Palice à Lapalisse

⊙ *À 20 km au nord-est de Vichy par la D 906ᴮ.* ☎ *04 70 99 37 58 - avr.-oct. : visite guidée (1h) 9h-12h, 14h-18h - 6 € (enf. 3 €).*

L'édifice entrepris en 1527 est l'œuvre de Florentins que Jacques II de Chabannes, seigneur de La Palice, avait ramenés d'Italie ; il relève de la première Renaissance. De la terrasse haute du château où se situe le porche d'entrée, vous bénéficierez de points de vue sur la Besbre, où les pêcheurs trouvent leur bonheur.

Dans les appartements, le **Salon doré**★★ est orné d'un magnifique plafond à caissons dorés et des deux tapisseries des Preux représentant Godefroi de Bouillon et Hector.

10

Moulins

19 760 Moulinois – Allier (03)

S'INFORMER

Office de tourisme – *11 r. François-Péron - 03000 Moulins - ☎ 04 70 44 14 14 - www.pays-bourbon.com - tlj sf dim. et j. fériés (sept.-juin) 9h30-12h30, 14h30-18h30 - fermé 1ᵉʳ janv., 1ᵉʳ et 8 Mai, 1ᵉʳ et 11 Nov., 25 déc.*

SE REPÉRER

Carte générale C2 – *Cartes Michelin n° 721 K9 et n° 522 U2*. Sur l'axe nord-sud Nevers-Vichy (N 7 puis N 209), Moulins occupe une position stratégique sur l'axe est-ouest qui va de Montluçon à Mâcon via Paray-le-Monial.

À NE PAS MANQUER

Le triptyque du Maître de Moulins dans la cathédrale Notre-Dame ; le musée Anne-de-Beaujeu.

ORGANISER SON TEMPS

Comptez deux jours au moins pour visiter la ville et profiter des environs : l'abbaye de Souvigny et la forêt de Tronçais.

AVEC LES ENFANTS

Les automates du beffroi, une balade en forêt de Tronçais pour surprendre les grèbes huppés sur les étangs ou s'y baigner.

La charmante capitale du Bourbonnais vous réserve une jolie promenade le long des rives de l'Allier, dans le quartier des anciens mariniers et dans la cité, riche d'un remarquable patrimoine. La ville s'ouvre aussi sur le bocage et la Sologne bourbonnaise, avec son maillage très dense de gentilhommières et de châteaux.

Découvrir

De la halle du 17ᵉ s., on jouit d'une vue d'ensemble sur la cathédrale. Les tours et la nef, du 19ᵉ s., prolongent la collégiale, édifiée de 1474 à 1507 dans le style gothique flamboyant, et comprenant le chœur et le déambulatoire à chevet plat.

★ Cathédrale Notre-Dame

La cathédrale retient l'attention par ses œuvres d'art et ses **vitraux★★** où sont figurées les célébrités de la cour des Bourbons. Dans une chapelle, à droite du chœur, la **Vierge noire**, réplique de celle du Puy-en-Velay, rappelle que Moulins était une étape pour les pèlerins en route pour Le Puy et St-Jacques-de-Compostelle.

★★★ Triptyque du Maître de Moulins – *☎ 04 70 20 89 65 - de Pâques à la Toussaint : visite guidée (20mn) 9h30-11h40, 14h-17h30, dim. 14h-17h30 ; de la Toussaint à Pâques : tlj sf dim. 9h30-11h40, 15h-17h30 - fermé j. fériés - 3 €.* Il est exposé dans la **salle du trésor**. Cette peinture sur bois, probablement achevée en 1498, paraît se rattacher à l'école flamande par ses attitudes, à l'école florentine par le dessin des visages et des fronts. L'éclat des couleurs, la grâce des personnages en font une œuvre d'une grande fraîcheur. Il fut réalisé pour le compte de Pierre II, duc de Bourbon, et de son épouse Anne de France (Anne de Beaujeu) : ils sont représentés sur les faces intérieures encadrant la Vierge en gloire. Celle-ci, les yeux baissés sur l'Enfant Jésus, se détache sur un fond de soleil et d'arc-en-ciel qui donne à l'ensemble une grande perspective.

★ Jacquemart

Le **beffroi**, coiffé d'une charpente couverte et d'un campanile abritant cloches et automates, était jadis le symbole des libertés communales de la ville. Le père Jacquemart, en uniforme de grenadier, et sa femme Jacquette sonnent les heures, leurs enfants, Jacquelin et Jacqueline, égrènent les demies et les quarts.

★★ Musée Anne-de-Beaujeu

Tlj sf lun. et dim. mat. 10h-12h, 14h-18h, (juil.-août : tlj sf dim. 10h-12h, 13h-18h) - fermé 1er janv., 1er Mai et 25 déc. - 5 € (-12 ans gratuit).

Dans ce pavillon Renaissance sont rassemblées des **collections archéologiques** *(sous-sol)*, des collections de **sculptures** et **peintures médiévales** *(rez-de-chaussée)* où l'on remarque de beaux panneaux de retables des écoles autrichienne et flamande. Parmi les **peintures du 19e s.** *(1er étage),* il est intéressant d'observer l'étude préparatoire au tableau de J.-P. Laurens, *Les Hommes du Saint-Office*, en même temps que l'œuvre finale. Découvrez aussi des **faïences de Moulins** et de **Moustiers**.

À proximité

★★ Abbaye de Souvigny

À 13 km à l'ouest de Moulins par la D 945. ☏ 04 70 43 99 75 - www.ville-souvigny. com - visite guidée au départ du musée de Souvigny 10h, 14h30 et 15h45, dim. 15h - 4 € (-12 ans gratuit), billet combiné avec le musée et les jardins 7 €.

Ce superbe ensemble abbatial, l'un des grands prieurés dépendant de l'abbaye de Cluny, renaît après une vaste campagne de restauration.

L'intérieur de l'**église prieurale St-Pierre-et-St-Paul★★** surprend par ses vastes dimensions : 87 m sur 28 m. La **chapelle vieille★** abrite le tombeau de Louis II de Bourbon, dit le Bon, et de sa femme Anne d'Auvergne. La **chapelle neuve★★** abrite le tombeau de Charles Ier et de sa femme Agnès de Bourgogne. Les gisants, revêtus de manteaux aux plis amples, sont l'œuvre de Jacques Morel, formé à l'art bourguignon.

★★★ Forêt de Tronçais

À 50 km à l'ouest de Moulins par Cérilly et la D 953.

Centre permanent d'initiatives pour l'environnement – av. Nicolas-Rambourg - 03360 St-Bonnet-Tronçais - ☏ 04 70 06 14 69 - www.pays-de-tronçais.com.

Au contact du Berry et du Bourbonnais, la forêt domaniale de Tronçais, avec plus de 10 600 ha, se distingue par ses **chênes tricentenaires**, les plus hauts dépassant 20 m. Autrefois, on pouvait dire que cette forêt naviguait sur toutes les mers du globe puisque Colbert entreprit de réserver les plus beaux chênes aux bateaux de la marine. Pour cela, il organisa rationnellement l'exploitation de la forêt royale avec des réensemencements en chênes ne devant être abattus qu'à l'âge de 200 ans. Aujourd'hui, le chêne de Tronçais fournit des **grumes** de 50 cm de diamètre pour du bois d'œuvre de haute qualité et des placages exportés à l'étranger. Les chênes de faible diamètre servent à la fabrication des tonneaux pour la maturation du cognac et des vins de Bordeaux.

Promenez-vous dans la **futaie Colbert★** ; l'**étang de Pirot★** et de St-Bonnet se prêtent à la baignade l'été et à d'agréables pauses ; faites une balade à vélo électrique ou inscrivez-vous à un stage mycologique…

10

Le Limousin

▶ SE REPÉRER

La traversée nord-sud de la région est facilitée par l'A 20. L'A 89 entre Clermont et Bordeaux traverse la Corrèze en passant par Brive. Limoges et Brive sont respectivement à 220 et 200 km de Bordeaux et 290 et 200 km de Toulouse. Par le train, Limoges est à 3h de Paris, et Brive à 4h. Les aéroports de Brive et de Limoges permettent aussi des liaisons aériennes depuis Paris.

😀 À NE PAS MANQUER

À Limoges, la cathédrale St-Étienne, les collections de faïences et de porcelaines du musée Adrien-Dubouché, une promenade dans le quartier du château et aux alentours, l'église abbatiale de Solignac et le village d'Oradour-sur-Glane. À Brive-la-Gaillarde, l'hôtel de Labenche et aux alentours Beaulieu-sur-Dordogne ou le circuit passant par Collonges-la-Rouge et le gouffre de la Fage.

🕐 ORGANISER SON TEMPS

Si vous disposez de trois ou quatre jours, commencez par visiter Limoges, la capitale de la porcelaine et ses musées, puis Oradour-sur-Glane. Ensuite, allez jusqu'à Solignac et faites éventuellement une halte dans le parc naturel régional Périgord-Limousin avant de rejoindre le pays de Brive-la-Gaillarde.

Le Limousin est encore une région rurale, orientée vers l'élevage, de bovins principalement, lesquels donnent une viande tendre et persillée. Au sud, le pays de Brive est réputé pour sa production de fraises, de prunes, de truffes, de châtaignes et enfin de noix dont le décorticage occupa longtemps les femmes, à qui cette délicate opération pour conserver les cerneaux intacts fut longtemps dévolue ! La richesse de cette région est donc bien la nature, un patrimoine préservé qui invite aux balades et aux loisirs en plein air. Des bois et des champs, il n'y a qu'un pas à faire pour découvrir le passé rural au détour de vieux villages, mais aussi la culture gastronomique de la région où les plats simples côtoient les plus raffinés ; les produits de la ferme se déclinent en foie gras, confits et rillettes d'oie ou de canard, en pâtés truffés, en soupe au lard, en boudin aux châtaignes, en galette aux noix ou en clafoutis aux pommes... Dans ce pays aux fortes traditions, le savoir-faire perdure aussi bien dans les ateliers de porcelaine, de tapisserie ou du travail du cuir qui fournissent de grandes griffes, que dans les industries de haute technologie autour de la céramique, à Limoges. L'art est intimement lié à ces techniques ancestrales : les émaux mettent en valeur des coffrets à bijoux, des objets religieux, des vases... Loin d'être à l'abri des luttes féodales ou de la guerre de Trente Ans, la région a vu se multiplier églises, bourgs fortifiés et donjons carrés.

Limoges

★

140 138 Limougeauds – Haute-Vienne (87)

 NOS ADRESSES PAGE 477

S'INFORMER
Office de tourisme – *12 bd de Fleurus - 87000 Limoges -* ℘ *05 55 34 46 87 -*
www.tourismelimoges.com - de mi-juin à mi-sept. : tte la journée ; reste de
l'année : tlj sf dim. tte la journée.

SE REPÉRER
Carte générale B3 – *Cartes Michelin n° 721 I10 et n° 522 H6-7.* La construction
de l'A 20 a désenclavé la région de Limoges qui se trouve à mi-distance
entre Paris, via Châteauroux (120 km), et Toulouse via Brive (95 km). La
ville est traversée par la D 941/N 41 qui relie Clermont-Ferrand (180 km)
à Bordeaux (220 km).

À NE PAS MANQUER
La cathédrale St-Étienne, les collections de faïences et de porcelaines du
musée Adrien-Dubouché, une promenade dans le quartier du château.

ORGANISER SON TEMPS
Comptez une journée et demie pour la ville et ses environs : l'église abbatiale de Solignac et le village d'Oradour.

10

**La capitale de la porcelaine possède deux visages : celui de la « cité épis-
copale », groupée autour de sa cathédrale, et celui du « château », ville
active et commerçante construite sur le versant voisin autour de l'abbaye
St-Martial. La porcelaine, dont les usines sont à la pointe du progrès de
l'industrie porcelainière mondiale, les émaux, les fabriques de chaussures, ont contribué à son essor industriel. Enfin les musées, rénovés,
possèdent de remarquables collections qui dévoilent sans conteste la
richesse du passé artistique de Limoges.**

Se promener

LA CITÉ

Du pont St-Étienne, vous aurez une belle vue sur le plus ancien quartier de
Limoges, situé sur une hauteur dominant la Vienne.

★ Cathédrale Saint-Étienne
La construction se déroula sur six siècles, du 13e au 19e s. Le **portail St-Jean★**
a été édifié entre 1516 et 1530 dans le style flamboyant. Tout le tympan est
garni d'un remplage à arcatures dans lesquelles sont sertis des verres aux
riches coloris.
À l'intérieur, la hardiesse et l'élégance des voûtes sont remarquables. Sous
le buffet d'orgue se trouve le **jubé★** construit en 1533, qui séparait autrefois le chœur du transept. Ce monument de pierre calcaire est surmonté
d'une galerie aux clefs pendantes ornées des statues des six Vertus. Tout

l'ensemble est paré d'une riche décoration à l'italienne, où l'on remarque dans les bas-reliefs du soubassement des scènes mythologiques, comme les travaux d'Hercule. Autour du chœur, les **trois tombeaux★** sont d'un grand intérêt décoratif, le plus remarquable étant celui de Jean de Langeac, exemple gracieux de la Renaissance (1544).

★ Musée des Beaux-Arts de Limoges – Musée de l'Émail

℘ 05 55 45 98 10 - www.museedesbeaux-artsdelimoges.fr - avr.-sept. : tlj sf mar. 10h-18h ; oct.-mars : tlj sf mar. et dim. mat. 10h-12h, 14h-17h.
Installé dans l'ancien palais épiscopal du 18ᵉ s., ce musée entièrement réaménagé fait désormais partie des plus beaux musées des Beaux-Arts de province. Ses collections remarquables, qui ne cessent de grandir, se déploient suivant une muséographie contemporaine qui met parfaitement en valeur les œuvres exposées, améliorant ainsi leur lisibilité. Peintures, dessins et estampes d'artistes de renom (Delacroix, Chagall, Matisse…) côtoient une collection inestimable de quelque 500 **émaux★** limousins du 12ᵉ s. à la fin du 18ᵉ s., réalisés selon diverses techniques : émaux cloisonnés, champlevés et peints.

LE QUARTIER DU CHÂTEAU

Le quartier du château, né jadis autour de l'abbaye St-Martial, puis du château des vicomtes, constitue le centre-ville aux vieilles rues commerçantes.

★ Rue de la Boucherie

Cette singulière rue étroite abrite de typiques maisons à pans de bois dont certaines conservent quelques-uns des 52 étals de bouchers dénombrés au 13ᵉ s. Aujourd'hui désertée par la corporation, la rue retrouve son animation d'antan lors de la pittoresque Frairie des Petits Ventres, fête gastronomique se déroule le troisième vendredi d'octobre.

★ Gare des Bénédictins

Symbole de la prospérité et du développement de Limoges entre les deux guerres, c'est l'un des monuments les plus connus de la ville. Construite de 1923 à 1929, elle déploie les formes distendues de son dôme vert-de-gris sur

L'OR BLANC DU LIMOUSIN

Longtemps, l'Occident n'a connu que les porcelaines importées d'Extrême-Orient. La porcelaine est fabriquée à partir d'une pâte où se mélangent kaolin, feldspath et quartz. Le **kaolin,** une argile fine et pure, dont le nom vient de la colline chinoise de Kao-ling où elle fut découverte donne à la pâte sa blancheur ; le feldspath, un « fondant » qui permet à la pâte de se vitrifier dans le four, lui donne sa translucidité. En 1752, à Maupertuis, près d'Alençon, on découvre un premier gisement de kaolin, puis, en 1768 un autre de grande pureté, à St-Yrieix. Après des essais effectués à la Manufacture royale de Sèvres, **Turgot** crée, en 1771, une **fabrique de porcelaine** dure, sous le patronage du comte d'Artois : une ère de prospérité commence pour la céramique limousine. Après le Premier Empire, l'industrie porcelainière se concentre autour de Limoges qui, par la Vienne, reçoit les trains de bois indispensables à l'alimentation des fours.
La porcelaine de Limoges représente plus de la moitié de la production française et jouit d'une renommée mondiale. Des artistes du monde entier viennent aujourd'hui travailler à l'**École nationale supérieure d'art de Limoges** pour créer de nouvelles œuvres.

Pièces de porcelaine.
C. L. Abreu/Age Fotostock

une plate-forme au-dessus des voies. L'originalité de son architecture est mise en valeur par l'esplanade du Champ-de-Juillet.

★★ Musée national de la porcelaine Adrien-Dubouché

☏ 05 55 33 08 50 - www.musee-adriendubouche.fr - ♿ - tlj sf mar. 10h-12h25, 14h-17h40 - fermé 1er janv., 1er Mai et 25 déc. - 4,50 € (-25 ans gratuit), gratuit 1er dim. du mois. Le musée est actuellement en cours de rénovation et d'agrandissement ; de nouvelles salles ouvrent progressivement.

Fondé en 1845 et devenu musée national en 1881, il porte le nom de son principal bienfaiteur, auquel il doit une part importante de ses fonds. Les collections retracent l'évolution de la poterie, de la **faïence**, du **grès** et les caractéristiques de la plupart des grandes manufactures mondiales. Les **porcelaines** (tendres et dures) occupent une place de choix dans cette extraordinaire rétrospective. Environ 1 200 pièces de Limoges permettent de comprendre la renommée acquise par cette ville depuis les débuts de la production, en 1771.

À proximité

★★ Thermes de Chassenon

▶ *À 51 km à l'ouest de Limoges par la N 141, puis la D 23 à Chabanais. ☏ 05 45 89 32 21 - www.cassinomagus.fr - de déb. juin à mi-sept. : tte la journée ; de mi-sept. à fin mai : mat. et apr.-midi - fermé de mi-déc. à déb. janv. - possibilité de visite guidée - 7 € (-18 ans 4,50 €) - visite libre avec audioguide.*

Il y a quelque 200 millions d'années, une énorme météorite percutait la Terre, creusant un cratère de 20 km dans la région. L'impact donna naissance à une curieuse pierre, la « brèche » de Chassenon, avec laquelle fut bâti un sanctuaire thermal gallo-romain, « romanisé » par la suite et qui atteignit son apogée au 2e s. Des fouilles successives, entreprises depuis 1850, permettent de visiter ces thermes, les mieux conservés d'Europe : on peut suivre au niveau supérieur le parcours des curistes qui traversaient des salles froides et tièdes, puis une immense salle consacrée à la divinité guérisseuse avant d'atteindre les **piscines chaudes**★ et la salle de gymnastique. À un niveau inférieur, on remarque l'esplanade où était déchargé le combustible, les latrines, un égout qui desservait des salles voûtées et obscures, l'une d'entre elles abritant une partie des statues et objets trouvés lors des fouilles. Au niveau intermédiaire, on découvre l'ingénieux système de chauffage de bois par hypocauste.

★★ Église abbatiale de Solignac

▶ *À 13 km au sud de Limoges par la D 704, puis la D 32 à droite. ✆ 05 55 00 42 31 - possibilité de visite guidée juil.-août : dim. 15h30 - rens. à l'office de tourisme.*

De la célèbre abbaye fondée en 632 par **saint Éloi** subsiste une belle église romane où sont visibles des influences aussi bien périgourdines que mozarabes…

Né en 588 à Chaptelat, ce saint homme apprend le métier d'orfèvre à l'atelier de Limoges, puis travaille à Paris sous les ordres du trésorier du roi. Son talent et sa probité le font remarquer par Clotaire II qui en fait son trésorier ; mais c'est surtout la confiance du roi Dagobert qui permet à saint Éloi de déployer toutes ses capacités de ministre. Titulaire de l'évêché de Noyon, saint Éloi a la nostalgie du sol natal : il demande au roi la terre de Solignac pour y fonder le monastère où il compte mourir en paix. Le roi répond favorablement à cette sollicitation. L'abbaye prend aussitôt une grande importance mais, en dépit de ses fortifications, elle ne peut se soustraire aux sévices des Normands, des Sarrasins, des Anglais et des huguenots qui la ravagent périodiquement. L'actuelle église abbatiale date de la première moitié du 12e s.

Entrez par le portail placé sous le porche. Le vaisseau est couvert de vastes coupoles hémisphériques, et les murs sont ornés d'arcatures aveugles en plein cintre. Ces dernières sont décorées de **chapiteaux** et de culs-de-lampe archaïques dont la sculpture apparaît de plus en plus recherchée au fur et à mesure que l'on s'avance vers le chœur. Les **stalles** datent pour l'essentiel du 15e s. : leurs miséricordes et leurs accoudoirs sont sculptés de feuillages, d'animaux et de masques grimaçants.

★★ Oradour-sur-Glane

▶ *À 23 km au nord-ouest de Limoges par la N 141, puis la D 9 sur la droite.*

Le 10 juin 1944, quatre jours après l'annonce du débarquement allié en Normandie, toute la population d'un village – soit 642 personnes de tout âge – est anéantie par la division d'élite « Das Reich ». Des pans de murs calcinés, un mémorial, un cimetière où ont été rassemblées les dépouilles de victimes du nazisme composent le « village martyr ». Ils appellent au recueillement.

★ **Centre de la Mémoire** – *✆ 05 55 43 04 30 - www.oradour.org - de mi-mai à mi-sept. : 9h-19h ; de déb. mars à mi-mai et de mi-sept. à fin oct. : 9h-18h ; fév., nov. et de déb. déc. à mi-déc. : 9h-17h - fermé de mi-déc. à fin janv. - 7,70 € (-8 ans 5,20 €), pass famille 22 €.* Donnant accès aux ruines, ce Centre de la Mémoire propose un émouvant parcours de la mémoire, un cheminement du témoignage historique vers la réflexion richement documenté : photographies, films, bandes sonores, fac-similés de lettres et de documents officiels replacent le drame d'Oradour dans son contexte historique pour mieux l'appréhender.

À proximité des ruines, un **nouveau village** a été construit. Le modernisme de l'église avec ses verrières lumineuses et son clocher carré peut surprendre ; pourtant, l'ensemble est en parfaite harmonie avec les constructions voisines.

😊 NOS ADRESSES À LIMOGES

HÉBERGEMENT

BUDGET MOYEN

Nos-Rev – *16 r. Gén.-Bessol -* 𝒞 *05 55 77 41 43 - www.hotelnos-rev.com - fermé 1ᵉʳ-15 août -* 🅿 *- 12 ch. 58/63 € -* ☕ *7,50 €.* L'hôtel est proche de la gare, mais il a d'autres atouts : son appréciable style contemporain et son ambiance familiale font que l'on s'y sent tout simplement bien.

Hôtel Richelieu – *40 av. Baudin -* 𝒞 *05 55 34 22 82 - www.hotel-richelieu.com - 41 ch. 88/118 € -* ☕ *14 €.* Près de la mairie, cet hôtel allie confort moderne et décor de style années 1930. Chambres contemporaines dans l'extension.

RESTAURATION

PREMIER PRIX

Chez François – *Pl. de la Motte -* 𝒞 *05 55 32 32 79 - fermé 3 sem. en août, le soir, dim. et j. fériés - 12/20 €.* Installé dans les Halles, ce bistrot sympathique adapte sa carte selon les arrivages du marché. De la salle à manger décorée d'une fresque en bois sculpté, vous verrez le chef aux fourneaux. Bon rapport qualité-prix. Casse-croûte dès 6h30 du matin…

La Bibliothèque – *7 r. Turgot -* 𝒞 *05 55 11 00 47 - fermé 1ᵉʳ janv. et 25 déc. - 13/16 €.* Située dans l'ancienne bibliothèque municipale (d'où son nom…), cette brasserie à l'ambiance très « cosy » est un incontournable de la ville. Décoration d'esprit pub anglais et honorable cuisine servie par une équipe dynamique.

BUDGET MOYEN

Le Pont St-Étienne – *8 pl. de Compostelle - 𝒞 05 55 30 52 54 -* www.lepontsaintetienne.fr - fermé 25 déc.-1ᵉʳ janv. - 15/42 €. Au pied du pont St-Étienne, cette maison à colombages, parfaitement restaurée, s'est transformée en restaurant. Sur deux étages, de grandes salles à manger où l'on sert une cuisine régionale. Plats cuisinés par une équipe jeune et dynamique, ou plus simplement une « plancha » au bœuf, canard ou saumon. Agréable terrasse dominant la Vienne.

Le Versailles – *20 pl. d'Aine -* 𝒞 *05 55 34 13 39 - www. restaurateursdefrance.com - 16/45 €.* Avec le palais de justice en toile de fond, cette brasserie fondée en 1932, agrandie d'une mezzanine circulaire, sert des petits plats simples adaptés à l'esprit du lieu.

Les Petits Ventres – *20 r. de la Boucherie - 𝒞 05 55 34 22 90 -* www.les-petits-ventres.com - fermé 16 avr.-2 mai, 4-25 sept., 19 fév.-7 mars, dim. et lun. - 25/36 €. Plats canailles (spécialité de tripes) et large éventail de menus régalent les petits ventres et les autres ! Cadre rustique à colombages en cette maison du 14ᵉ s.

ACHATS

Royal Limoges – *28 r. Donzelot -* 𝒞 *05 55 33 27 30 - www.royal-limoges.fr - 10h-18h30 - fermé j. fériés et dim. hors saison.* Cette fabrique de porcelaine située dans le quartier historique des Casseaux est la plus ancienne manufacture du genre encore en activité. La visite guidée *(sur réserv.)* vous fera découvrir l'histoire de l'établissement au fil des siècles. Souvenirs raffinés en vente au magasin d'usine.

10

Brive-la-Gaillarde

49 675 Brivistes – Corrèze (19)

🛈 S'INFORMER

Office de tourisme de Brive et son pays – *Pl. du 14-Juillet - 19100 Brive-la-Gaillarde - 𝒫 05 55 24 08 80 - www.brive-tourisme.com - juil.-août : 9h-19h, dim. et j. fériés 11h-17h ; reste de l'année : tlj sf dim. 9h-12h, 14h-18h (13h30-18h30 avr.-juin et sept.).*

◓ SE REPÉRER

Carte générale C3 – *Cartes Michelin n° 721 I11 et n° 522 J11.* À 95 km au sud de Limoges par l'A 20 ; à 25 km au sud-ouest de Tulle.

✿ À NE PAS MANQUER

L'hôtel de Labenche et aux alentours, Collonges -la-Rouge, Turenne, le gouffre de la Fage ; Beaulieu-sur-Dordogne.

🕓 ORGANISER SON TEMPS

Brive est un point de départ idéal pour découvrir la vallée de la Corrèze et le causse corrézien ; la ville s'anime lors de sa Foire du Livre (fin octobre début novembre).

👪 AVEC LES ENFANTS

Les stalactites et les chauves-souris au gouffre de la Fage, un bain ou un pique-nique au lac du Causse.

Au carrefour du Bas-Limousin, du Périgord et des causses du Quercy, Brive-la-Gaillarde règne au cœur d'un généreux terroir et vit au rythme des clameurs du stade de rugby qui résonnent longtemps dans les mémoires après le coup de sifflet final, autour d'un verre de vin et d'une tranche de foie gras. Brive est populaire, tout en étant la ville la plus riche de Corrèze ; en témoignent ses hôtels particuliers, ses monuments et ses musées autour du quartier ancien. Le pays de la noix gaillarde conserve de beaux villages aux couleurs pourpres.

10

Se promener

LA VIEILLE VILLE

Le mariage des bâtiments anciens et modernes s'uniformise par la chaude couleur du grès beige et la teinte bleutée des toitures. Depuis la collégiale St-Martin, rejoignez la place Latreille bordée de maisons anciennes.

★ Hôtel de Labenche

𝒫 05 55 18 17 70 - www.brive.fr - ♿ - avr.-oct. : tlj sf mar. 10h-18h30 ; nov.-mars : tlj sf mar. 13h30-18h - fermé 1ᵉʳ janv., 1ᵉʳ Mai, 1ᵉʳ Nov. et 25 déc. - 5 € (-16 ans gratuit), gratuit dernier dim. du mois.

Bâti vers 1540, ce magnifique spécimen de la Renaissance toulousaine est le plus remarquable édifice de la ville. L'hôtel abrite un **musée**★ aux collections diversifiées : géologie, paléontologie mais aussi mobilier Art nouveau dessiné par Pierre Selmershein ; la salle des comtes de Cosnac est décorée d'un superbe ensemble de tapisseries. D'autres salles présentent Brive et sa région depuis la préhistoire avec des reconstitutions réussies de fouilles et des objets et outils illustrant la vie au 19ᵉ s. et au début du 20ᵉ s.

À proximité

★★ Beaulieu-sur-Dordogne
▶ *À 46 km au sud-est de Brive par la D 38, puis la D 940.*
Une belle église romane, les rives de la Dordogne, un dédale d'étroites ruelles bordées de demeures anciennes : tout concourt à faire de Beaulieu la « Riviera limousine ».
★★ **Église abbatiale St-Pierre** – *℘ 01 46 51 39 30 - www.guidecasa.com - visite guidée uniquement 1ʳᵉ quinz. août : 10h-12h, 14h30-18h - appeler pour connaître les jours sans visite.* Imprégnée d'influences architecturales venant du Limousin comme du sud-ouest de la France, cette église du 12ᵉ s. fut un lieu de pèlerinage important. Édifié en 1125, le **portail méridional★★** est l'un des premiers chefs-d'œuvre de la sculpture romane. Il fut exécuté par les tailleurs d'images toulousains qui travaillèrent à Moissac, Collonges, Souillac et Carennac. Précédé d'un porche ouvert, il présente un ensemble sculpté d'une composition et d'une exécution remarquables, figurant les préliminaires du Jugement dernier.

Circuit conseillé

★ SUR LES TERRES DE M. DE TURENNE

La route traverse la partie centrale de l'ancienne vicomté de Turenne, unie à la couronne de France en 1738 seulement. Au-delà de Turenne, les collines boisées du Limousin font place aux premiers plateaux du causse quercynois.
▶ *50 km. Quitter Brive au sud-est par la D 38, en dir. de Meyssac.*
À **Noailhac**, on pénètre dans le pays du grès rouge.

★★ Collonges-la-Rouge
Bâtis en grès pourpre, les gentilhommières, les vieux logis et l'église romane ont été édifiés sur un sol de calcaire… blanc !
Cette cité s'est développée au 8ᵉ s. et devint au 16ᵉ s. le lieu de villégiature privilégié des grands fonctionnaires de la vicomté de Turenne, qui firent construire les charmants manoirs et logis, flanqués de tours et de tourelles.
★ **Église St-Pierre** – Datée des 11ᵉ et 12ᵉ s., elle a été fortifiée lors des guerres de Religion au 16ᵉ s. Le grand donjon carré fut alors pourvu d'une salle de défense. Le **tympan★** illustre l'Ascension (ou peut-être la parousie : le retour du Christ à la fin des temps).
À Meyssac, prendre la D 14 (dir. Martel). Après 2 km, prendre à droite la D 28.

Saillac
Le village apparaît au milieu des noyers et des maïs. Il a conservé son **moulin** qui produit de l'huile de noix tous les deux ans le 1ᵉʳ dimanche d'octobre, lors de la Fête de la noix.
Église St-Jean-Baptiste – Cet édifice de style roman (12ᵉ s.) a subi de nombreuses attaques au cours des guerres de religion et de la Révolution, d'où son aspect défensif : clocher-porche massif, baies pour le tir et le guet. De style languedocien, son portail à triples voussures a un très beau **tympan★**

en pierre polychrome. Dans le chœur, couvert d'une coupole sur pendentifs, se trouvent de beaux chapiteaux historiés.

Quitter Saillac par le nord-ouest pour rejoindre la D 19, puis, vers le nord, la D 8.

★ Turenne

Le village se presse autour d'une butte dominée par les ruines du château. Fief du huguenot Henri de la Tour d'Auvergne (1555-1623), maréchal de France et héros de la guerre de Trente Ans, Turenne conserve sa fierté de capitale de l'ancienne vicomté.

Château – ☎ 05 55 85 90 66 - juil.-août : tte la journée ; avr.-juin et sept.-oct. : mat. et apr.-midi ; nov.-mars : dim. apr.-midi - 3,80 € (-10 ans gratuit). Démantelé par Louis XV après la réunion à la Couronne, il conserve encore deux tours. De la **tour César**, superbe **panorama★★** sur la région, avec en toile de fond, vers l'est, les **monts du Cantal★★★** et, plein sud, la vallée de la Dordogne.

Poursuivre sur la D 8. Après 3 km, prendre sur la gauche vers Lagleygeolles.

★ Gouffre de La Fage

☎ 05 55 85 80 35 - juil.-août. : 9h30-13h, 14h-19h (visite guidée l'apr.-midi sf sam.) ; visite libre avr.-juin et sept.-oct. : apr.-midi sf merc. ; vac. Toussaint : visite mar. et jeu. 15h - 7 € (4-12 ans 4,50 €).

👥 La descente du grand aven, par un escalier, mène à une salle à 25 m de profondeur à la croisée de deux galeries qui occupent le lit d'une ancienne rivière. Dans la première galerie, **stalactites** et **stalagmites** ont pris avec le temps des formes étranges : piliers, orgues, draperies, dos de tortue, colonnettes et cascades. Les couleurs des concrétions – du orange au vert – varient selon les oxydes transportés par les eaux de pluie. La grotte est habitée par une importante colonie de plusieurs milliers de **chauves-souris** (près de 14 000 !), relevant de quatorze espèces différentes. Dans la deuxième galerie, de véritables forêts d'aiguilles pendent des plafonds. On découvre ensuite un gisement paléontologique : les os de ce **cimetière d'animaux**, vieux de 400 000 ans, sont ceux d'éléphants, de cervidés et d'espèces disparues.

Le site, classé **Natura 2000**, fait l'objet d'une mise en valeur particulière avec la création d'un sentier d'interprétation qui aborde la géologie, la paléontologie et le thème des chauves-souris.

Traverser Farges, emprunter à gauche la D 154 jusqu'à Roziers, puis la D 19 à droite et 1,5 km plus loin, la D 181 pour rejoindre le lac du Causse.

★ Lac du Causse

👥 Appelée aussi lac de **Chasteaux**, cette superbe étendue d'eau de 100 ha, enchâssée dans la riante vallée de la Couze a été aménagée en **base de loisirs** avec baignade, voile, ski nautique, planche à voile… Le site est réputé pour ses courses d'aviron. La route permet de faire le tour du lac jusqu'à **Lissac-sur-Couze**.

Rejoindre la D 158 ; à Noailles, prendre la D 920 qui ramène à Brive en passant par les grottes de St-Antoine.

Grottes de Saint-Antoine

Creusées dans le grès, les grottes où saint Antoine de Padoue se retirait lorsqu'il séjournait à Brive forment un sanctuaire de plein air. Les franciscains assurent l'accueil du pèlerinage. En suivant le chemin de croix, on arrive au sommet de la colline d'où l'on découvre une belle vue sur Brive.

10

Aquitaine 11

Cartes Michelin National n° 721 et Région n°s 522, 524 et 525

Colonnade du Grand Théâtre de Bordeaux.
J. D. Dallet/Age Fotostock

Le Bordelais et les Landes

▶ SE REPÉRER

Le Sud-Ouest est facilement accessible : par l'A 10, Bordeaux est à 230 km de Poitiers (2h40) et à 193 km de La Rochelle (2h) ; par l'A 62, à 244 km de Toulouse (2h20). Bordeaux est aussi reliée à Bayonne par l'A 63 (191 km). Le TGV relie Paris à Bordeaux en 3h. Des liaisons directes sont assurées au départ de Lille, Lyon, Toulouse et Tours. Les TER sillonnent toute la région au départ des villes principales. De Bordeaux, ils vous conduisent à Arcachon en 1h.

⊙ À NE PAS MANQUER

À Bordeaux, le Grand Théâtre, ses nobles édifices, son musée d'Aquitaine ; les vignobles du Bordelais et leurs châteaux ; le bassin d'Arcachon, ses plages et ses petits ports ostréicoles ; le Parc naturel régional des Landes de Gascogne, propice à des promenades à vélo et où vous découvrirez un riche héritage agropastoral.

⏱ ORGANISER SON TEMPS

Dès le printemps, les fêtes sont nombreuses : renseignez-vous auprès des offices de tourisme pour connaître le calendrier des événements si vous voulez concilier les excursions nature et culture avec des moments festifs : portes ouvertes dans les grands châteaux viticoles, fêtes de la mer, de l'huître ou du vin ou spectacles son et lumière. La plupart des villes proposent des visites guidées ; informez-vous du programme et pensez à vous inscrire, surtout pendant la période estivale.

L'océan et son climat doux donnent son unité à cette région du Sud-Ouest où le soleil brille presque autant qu'en Provence. Entre Gironde et Dordogne, les conditions idéales sont réunies pour la culture de la vigne depuis le 1er s. Ici, se retrouvent les prestigieux vignobles du Bordelais – Médoc, Haut-Médoc, Blaye, St-Émilion, Graves... Sur les étiquettes des grands crus, l'image du château et des chais reflète une longue tradition. Bordeaux, avant de devenir la métropole du Sud-Ouest, était le port d'exportation des vins de la région vers l'Angleterre ou les Flandres. Aujourd'hui, la cuisine de la région reste liée au vin mais aussi aux produits de la pêche que lui apportent la Garonne et la façade océane. De l'estuaire de la Gironde au sud des Landes, la houle du golfe de Gascogne lèche un long cordon de plages de sable fin ; le bassin d'Arcachon, un accroc sur cette côte rectiligne, est une véritable mer intérieure avec ses bancs de sable et ses passes, le royaume des oiseaux sédentaires et migrateurs et le pays de l'ostréiculture. Plus au sud, les pins des Landes forment un gigantesque triangle vert sillonné de sentiers aux senteurs de résine. La forêt créée de toutes pièces au 19e s. a permis de fixer les dunes de la côte d'Argent dont la plus étendue se trouve au Pilat, au sud d'Arcachon.

Bordeaux

235 891 Bordelais – Gironde (33)

😀 NOS ADRESSES PAGE 492

❚ S'INFORMER

Office du tourisme – *12 cours du 30-Juillet - 33080 Bordeaux Cedex - ☎ 05 56 00 66 00 - www.bordeaux-tourisme.com - tte la journée - fermé 1ᵉʳ janv. et 25 déc.*
Maison du tourisme de la Gironde – *21 cours de l'Intendance - 33000 Bordeaux - ☎ 05 56 52 61 40 - www.tourisme-gironde.fr.*

◗ SE REPÉRER

Carte générale B3 – *Cartes Michelin n° 721 G12 et n° 524 H6.* Au sud de l'estuaire de la Gironde. De nombreuses communes jouxtent Bordeaux dont elles sont séparées par une ceinture de grands boulevards. La rocade est accessible par les quais de la Garonne et rejoint l'A 10 vers Paris, l'A 63 vers Bayonne-Espagne, l'A 62 vers Toulouse-Marseille.

☺ À NE PAS MANQUER

Les musées municipaux, en particulier le musée d'Aquitaine et le musée d'art contemporain. La place de la Bourse, le Grand Théâtre, la cathédrale St-André, la porte de la Grosse Cloche, la rue Ste-Catherine. Aux alentours, une excursion dans les vignobles.

🕐 ORGANISER SON TEMPS

Comptez au moins 2 jours pour visiter la ville. Et si vous y séjournez en été, assistez à la fête du vin les années paires (*www.bordeaux-fete-le-vin.com*) et à celle du fleuve les années impaires *(www.bordeaux-fete-le-fleuve.com).*

👥 AVEC LES ENFANTS

Le miroir d'eau ; de délicieux canelés pour le goûter.

11

Au front des maisons de Bordeaux, des silènes couronnés de pampres invitent le passant à goûter la capitale de la dive bouteille. Cette ville, qui depuis des siècles a le commerce dans la peau, séduit par ses multiples facettes. Avec l'un des secteurs sauvegardés les plus vastes de France, désormais classé au Patrimoine mondial de l'Unesco, elle s'est métamorphosée au gré des nombreux aménagements urbains : l'arrivée du tramway, la réhabilitation de ses quais sur la rive gauche rendant l'accès au fleuve, le développement rive droite d'un quartier aux nombreux espaces verts… Voilà une ville fière de son passé et tournée vers l'avenir.

Se promener

★★ LE VIEUX BORDEAUX

★★ Place de la Bourse

Cette jolie place en fer à cheval fut aménagée de 1730 à 1755, d'après les plans des architectes Gabriel père et fils. Elle est cantonnée par le palais de la Bourse au nord et l'ancien hôtel des Fermes (qui abrite le musée national des Douanes) au sud.

🧑‍🤝‍🧑 En face, côté fleuve, le **miroir d'eau**★ et sa dalle de granit, imaginé par Michel Courajoud, reflète l'élégante façade 18e s. Petits et grands se sont approprié le lieu. Une animation permanente incontournable !

★★ Grand Théâtre
Visite guidée (1h) selon le planning des répétitions et sur réserv. à l'office de tourisme - 6 €.

Situé place de la Comédie, il fut élevé de 1773 à 1780 par l'architecte Victor Louis. Restauré, il compte parmi les plus beaux de France. Son péristyle à l'antique est surmonté d'une balustrade ornée des neuf Muses et des trois Grâces ; le plafond à caissons du **vestibule** repose sur seize colonnes et donne accès à un bel escalier à double volée. La **salle de spectacle**, parée de lambris, colonnes dorées, fresques… est d'une acoustique parfaite.

★ Église Notre-Dame
R. Mably - mat. et apr.-midi - possibilité de visite guidée.

Ancienne chapelle des Dominicains, elle fut édifiée entre 1684 et 1707. La façade de style jésuite baroque donne un air très romain à la place. Le portail central est surmonté d'un bas-relief illustrant l'apparition de la Vierge à saint Dominique.

BORDEAUX DANS L'HISTOIRE

La dot d'Aliénor – En 1137, dans la cathédrale de Bordeaux, Louis, futur Louis VII épouse la très jeune Aliénor d'Aquitaine. Celle-ci lui apporte en dot le duché d'Aquitaine, le Périgord, le Limousin, le Poitou, l'Angoumois, la Saintonge, la Gascogne et la suzeraineté sur l'Auvergne et le comté de Toulouse. Le couple divorce en 1152, après le retour de croisade de Louis VII. Aliénor recouvre sa liberté et sa dot. Son remariage, deux mois plus tard, avec Henri Plantagenêt, comte d'Anjou *(voir Angers, p. 412)* et suzerain du Maine, de la Touraine et de la Normandie, est pour les Capétiens une catastrophe politique : les domaines réunis d'Henri et d'Aliénor sont plus vastes que ceux du roi de France. En 1154, le Plantagenêt devient, par héritage, roi d'Angleterre, sous le nom d'Henri II. Cette fois l'équilibre territorial est rompu, et la lutte franco-anglaise qui s'engage durera trois siècles.

La capitale du Prince Noir – Au 14e s., la capitale de la Guyenne est rattachée depuis deux siècles à la couronne anglaise. Le commerce ne se ralentit pas pendant la guerre de Cent Ans : Bordeaux exporte ses vins en Angleterre et fournit des armes à tous les belligérants. Le Prince Noir (fils du roi d'Angleterre Édouard III), ainsi nommé à cause de la couleur de son armure, y établit son quartier général et sa cour. Il terrifie, pille les provinces alentour. En 1453, Bordeaux est repris par l'armée royale française avec toute la Guyenne. C'est la fin de la guerre de Cent Ans.

Le Bordeaux des intendants – D'une cité aux rues étroites et tortueuses, entourée de marais, les intendants font au 18e s. l'une des plus belles villes de France. Alors apparaissent les grandioses ensembles que forment les quais, la place de la Bourse, l'hôtel de ville, le Grand Théâtre, l'hôtel des Fermes, des plantations comme les cours et le jardin public. Bordeaux devient le premier port du royaume.

★ Cathédrale Saint-André

☎ 05 56 52 68 10 - tlj sf lun. mat. et apr.-midi - possibilité de visite guidée sur demande préalable.

C'est le plus majestueux des édifices religieux de Bordeaux. Le **portail royal** (13ᵉ s.) est orné de sculptures figurant les apôtres aux ébrasements, et au tympan le Jugement dernier, belle œuvre de style gothique. Le **chœur★** gothique est plus élevé que la nef. Son élévation est accentuée par la forme élancée des grandes arcades surmontées d'un triforium aveugle, éclairé par les fenêtres hautes flamboyantes.

★ Musée des Arts décoratifs

☎ 05 56 10 14 00 - apr. midi - fermé mar. et J. fériés.

L'hôtel de Lalande (1779), l'un des plus beaux bâtiments anciens de Bordeaux, abrite le musée dont les salles sont décorées d'élégantes boiseries, de mobilier et d'une importante collection d'objets d'arts décoratifs.

★ Musée des Beaux-Arts

☎ 05 56 10 20 56 - tte la journée - fermé mar. et j. fériés.

Aménagé dans les galeries du jardin de l'hôtel de ville, le musée conserve de très belles œuvres du 15ᵉ au 20ᵉ s.

L'**aile sud** abrite des tableaux de la Renaissance italienne, des peintures françaises du 17ᵉ s., dont une toile de Vouet, *David tenant la tête de Goliath*. L'**aile nord** est consacrée à l'art moderne et contemporain. L'école romantique est représentée par la célèbre toile de Delacroix, *La Grèce sur les ruines de Missolonghi*. La seconde moitié du 19ᵉ s. s'ouvre sur le scandaleux *Rolla* d'Henri Gervex. Du 20ᵉ s., voyez entre autres le beau *Portrait de Bevilacqua* (1905), par Matisse. Une petite salle rend hommage à **Odilon Redon** (1840-1916), enfant du pays.

★★ Musée d'Aquitaine

☎ 05 56 01 51 00 - www.bordeaux.fr - ♿ - 11h-18h - fermé lun. et j. fériés - expositions temporaires 5 €.

Ce musée d'histoire retrace la vie de l'homme en Aquitaine de la préhistoire à nos jours. Voyez tout d'abord la *Vénus à la Corne* (20 000 ans avant J.-C.), le bison de l'abri du Cap-Blanc, puis le **trésor de Tayac**. Dans la section gallo-romaine, ne manquez pas le **trésor de Garonne** composé de 4 000 pièces de monnaie et l'altière statue d'Hercule en bronze. L'**âge d'or bordelais (18ᵉ s.)** s'accompagne de la mise en œuvre de grands projets d'urbanisme et de la construction des hôtels particuliers luxueusement aménagés. Les dernières salles évoquent le port et le négoce colonial.

11

★ Porte de la Grosse Cloche

Les Bordelais sont très attachés à leur « Grosse Cloche », rescapée de la démolition d'un beffroi du 15ᵉ s. Autrefois, quand le roi voulait punir Bordeaux, il faisait enlever la cloche et les horloges.

En face de la place se trouve le square Vinet, un espace vert où s'élève le plus long mur végétal du monde.

Rue Sainte-Catherine

Cette très longue rue piétonne, qui suit le tracé d'une voie romaine, est la plus commerçante de la ville. Remarquez certaines maisons au rez-de-chaussée sous arcades et au 1ᵉʳ étage percé de larges baies en arc de cercle.

★ Place du Parlement

Cette agréable place, belle et calme, présente un harmonieux quadrilatère d'immeubles Louis XV, ordonnés autour d'une cour centrale au pavage ancien.

★ Musée d'Art contemporain

Dans le quartier des Chartrons - ℘ 05 56 00 81 50 - www.capc-bordeaux.fr - tlj sf lun. et j. fériés apr.-midi - expositions temporaires 5 € (-18 ans gratuit).

Le CAPC, musée d'Art contemporain, est installé dans l'ancien **entrepôt Laîné★★**, construit en 1824 pour stocker les denrées coloniales de Bordeaux. Les galeries d'exposition se répartissent autour de la spectaculaire **nef centrale**. Les collections du musée, réaménagé avec réussite, couvrent une période allant de la fin des années 1960 jusqu'aux tendances les plus actuelles de la création.

Circuits conseillés

La diversité des produits du vignoble bordelais, premier au monde pour les vins fins, est prodigieuse : 12 000 « châteaux », 57 appellations. Au total, la production se partage entre 75 % de vins rouges et 25 % de vins blancs. Annuellement, elle atteint près de 850 millions de bouteilles.

  www.bordeaux.com

LES CÔTES DE BORDEAUX

105 km. Prendre la D 113 puis la D 10 qui suivent la Garonne au sud-est de Bordeaux.

Cadillac

Cette bastide, fondée en 1280, a donné son nom au cadillac, petite appellation de vins blancs liquoreux. La route longe le coteau calcaire portant les vignobles compris dans l'appellation premières-côtes-de-bordeaux.

★ Sainte-Croix-du-Mont

De la terrasse du château de Tastes *(mairie)*, **vue★** très étendue en direction des Pyrénées. En contrebas, on peut accéder librement à des **grottes★**.

★ Saint-Macaire

Cette charmante cité médiévale conserve trois portes de son enceinte du 12e s. et de jolies maisons gothiques ou Renaissance.

Église St-Sauveur – Elle abrite des **peintures murales★** aux couleurs chaudes (14e s.)

Loupiac

Célèbre pour ses vins blancs, la localité existait déjà du temps des Romains. *Pour revenir à Bordeaux, suivre la D 10 puis la D 20 vers Créon puis la D 14 à gauche qui rejoint la D 113.*

L'ENTRE-DEUX-MERS

55 km. Quitter Bordeaux à l'est par la D 936 et suivre la D 936-E5 à droite.

Carignan-de-Bordeaux

Maison Ginestet – ℘ 05 56 68 81 82 - www.ginestet.fr - visite guidée sur demande de déb. janv. à mi-déc. : lun.-vend. mat. et apr.-midi - fermé 1 sem. fin déc. et j. fériés. Fondée en 1897, elle ouvre ses installations à la visite et fait découvrir les métiers d'éleveur et de vinificateur.

Créon

Ancienne bastide, la capitale de l'Entre-Deux-Mers est un marché agricole important. Le site très vallonné qu'elle occupe, lui a valu le nom de « Petite Suisse ».

Sauveterre-de-Guyenne

Bastide créée en 1281, Sauveterre témoigne, par son nom, des privilèges qui lui avaient été octroyés.

Suivre la D 672 vers Ste-Foy-la-Grande, et prendre à gauche.

Ancienne abbaye de Blasimon

℘ 05 56 71 52 12 - &. - visite guidée sur demande - de mi-juin à mi-sept. ; visite libre le w.-end.

Cette abbaye bénédictine ruinée se dissimule au fond d'un vallon. L'**église** du 12e-13e s. associe des éléments romans (décor sculpté, baies en plein cintre) et gothiques (arcs brisés, voûtes d'ogives). Le **cloître** a conservé des arcades aux beaux chapiteaux romans.

Rauzan

Gros bourg-marché, Rauzan conserve les ruines d'un **château des Duras** de la fin du 13e s.

Château – ℘ 05 57 84 03 88 - mat. et apr.-midi sf lun. (sept.-juin) - fermé 1er janv. et vac. Noël - 3 €. Une enceinte à merlons et un logis seigneurial accompagnent le donjon, haut de 30 m, d'où l'on a une belle **vue** sur la campagne.

Prendre la D 128 vers Daignac, et revenir à Bordeaux par la D 936.

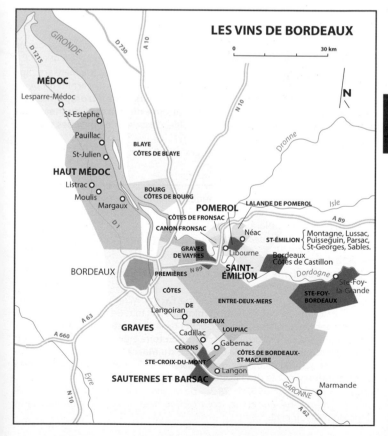

LES VINS DE BORDEAUX

SAUTERNES ET BARSAC

Petit par la surface, ce vignoble est un « pays » constitué par la basse vallée du Ciron. Ici, les grains de raisin parvenus à maturité ne sont pas cueillis aussitôt, afin qu'ils puissent subir la « pourriture noble », causée par un champignon propre à la région. Ces grains « confits » sont détachés un par un et transportés avec d'infinies précautions.

▶ *À 40 km au sud-est de Bordeaux par l'A 631.*

Barsac
Église – *℘ 05 56 27 18 58 - www.barsac.fr - se renseigner auprès de l'abbé Faure pour les horaires d'ouverture.* Curieux monument de la fin du 16ᵉ et du début du 17ᵉ s., elle comprend trois nefs de même hauteur dont les voûtes constituent un exemple de la survivance du gothique en période classique.

Sauternes
Un bourg viticole incontournable pour les amateurs. Au sud du village, le **château Filhot** (premier grand cru classé) a été construit au 17ᵉ s., remanié au 19ᵉ s.

Château Yquem
Le plus prestigieux des crus de sauternes était connu déjà au 16ᵉ s. Vue sur le Sauternais en direction de la Garonne.

★ Château de Malle
℘ 05 56 62 36 86 - www.chateau-de-malle.fr - château : visite guidée (libre pour les jardins) - avr.-oct. : apr.-midi (mat. sur demande) - fermé w.-end et j. fériés - 7 €.
Le château, charmante demeure, coiffé d'un toit d'ardoises à la Mansart, rappelle par son plan les chartreuses girondines. L'intérieur, garni d'un beau mobilier ancien, abrite une **collection de silhouettes en trompe-l'œil** du 17ᵉ s., unique en France. Elles servaient autrefois de figuration au théâtre du jardin. Ces **jardins** en terrasses, à l'italienne, sont ornés de groupes sculptés du 17ᵉ s.
Par Preignac et la N 113, regagner Barsac.

LE SAINT-ÉMILION

Le vignoble s'étend sur huit communes, qui donnent des vins rouges d'une grande diversité, dont certains ont droit à l'appellation grand cru ; ils ont pour nom ausone, cheval-blanc, angelus, etc.

▶ *À 42 km à l'est de Bordeaux. À Libourne, suivre la jolie D 243.*

★★ Saint-Émilion
🛈 **Office de tourisme** – *Pl. des Créneaux - 33330 St-Émilion - ℘ 05 57 55 28 28 - www.saint-emilion-tourisme.com.*
C'est l'une des plus jolies cités d'Aquitaine. Face au Midi, elle essaime, sur deux collines calcaires, de petites maisons blondes aux toits de tuiles vieux rose. À la jonction des deux collines, le haut clocher de la plus vaste **église monolithe★** souterraine de France surmonte un promontoire creusé de cavités. Au pied de ce promontoire et de l'église, la **place du Marché** fait la liaison entre les quartiers couvrant les collines, dont l'une arbore le **château du Roi** et l'autre la **collégiale**, symbole de la puissance religieuse.
Château du roi – *℘ 05 57 55 28 28 - de mi-avr. à mi-nov. : tte la journée ; de mi-nov. à mi-avr. : w.-end et vac. scol. tte la journée - 1,25 € (-6 ans gratuit).* Jadis siège du pouvoir civil.

> **TERROIRS ET CRUS DU MÉDOC**
> Si les graviers déposés par la Gironde ne constituent pas en eux-mêmes un sol très fertile, ils ont la propriété d'emmagasiner la chaleur diurne et de la restituer au cours de la nuit, évitant ainsi la plupart des gelées printanières : les vignes médocaines sont donc taillées très bas pour profiter au maximum de cet avantage. Le climat bénéficie, d'un côté, de la Gironde dont la masse d'eau joue un rôle adoucissant et, de l'autre, de l'écran protecteur que forme la pinède landaise face aux vents marins.
> La région du Médoc fournit environ 8 % des vins d'appellation du Bordelais. Exclusivement rouges, ils proviennent principalement du cépage cabernet ; légers, bouquetés, élégants, tanniques. Château Lafite, Château Margaux, Château Latour, Château Mouton Rothschild sont les crus les plus cotés.

★ LE HAUT-MÉDOC

Entre Gironde et Atlantique, favorisé par des conditions naturelles exceptionnelles et par une tradition viticole remontant au règne de Louis XIV, le Haut-Médoc est le pays des châteaux et des grands crus.
▶ *À 30 km au nord-ouest de Bordeaux par la N 1215 et à Eysines, prendre la D 2 à droite.*

Château Margaux

℘ 05 57 88 83 83 - www.chateau-margaux.com - visite guidée (1h30) sur demande des chais du château 2 janv.-mars et mai-juil. : lun.-vend. mat. et apr.-midi - fermé 1er sept.-19 déc. et j. fériés. Premier grand cru classé, le vignoble de Château Margaux fait partie de l'aristocratie des vins de Bordeaux. Remarquez les rangées de très vieux ceps, noueux et tordus, et la majesté du **château** du début du 19e s.

★ Château Mouton-Rothschild

℘ 05 56 73 21 29 - en travaux jusqu'à fin 2011.
Au cœur des vignobles qui dominent la ville portuaire de Pauillac se niche le Château Mouton Rothschild, un des noms glorieux du Médoc, classé premier cru en 1973, dont se visitent les **chais★** et le **musée★★** aménagé dans d'anciens caveaux.

11

Château Lafite Rothschild

www.lafite.com - visite guidée sur demande 9h, 10h30, 14h et 15h30 - fermé w.-end, j. fériés, ponts et août-oct.
C'est le plus fameux des premiers grands crus classés du Médoc, dont les caves abritent une collection de bouteilles vénérables. Le château, construit sur une terrasse plantée de beaux cèdres, appartient depuis le Second Empire aux Rothschild.

👓 NOS ADRESSES À BORDEAUX

HÉBERGEMENT

PREMIER PRIX

Hôtel Opéra – *35 r. de l'Esprit-des-Lois - ℰ 05 56 81 41 27 - www.hotel-bordeaux-opera. com - fermé 24 déc. -2 janv. - 28 ch. 55/70 € - ☕ 7 €.* Hôtel familial sans prétention à deux pas du Grand Théâtre et des allées de Tourny. Chambres simples et bien tenues, mansardées au dernier étage.

Hôtel Acanthe – *12 r. St-Rémi - ℰ 05 56 81 66 58 - www.acanthe-hotel-bordeaux.com - fermé 23 déc.-15 janv. - 20 ch. 69/77 € - ☕ 6,10 €.* La situation centrale et les prix très raisonnables sont les points forts de cet établissement en partie rénové. Les chambres, de taille correcte, sont claires et bien insonorisées.

BUDGET MOYEN

Hôtel des Quatre Sœurs – *6 cours du 30-Juillet - ℰ 05 57 81 19 20 - http://4sœurs.free.fr - 33 ch. 85/120 € - ☕ 8 €.* Ce vénérable, établissement, idéalement situé en plein cœur de Bordeaux et restauré, abrite aujourd'hui des chambres claires, climatisées, très bien insonorisées et garnies de jolis meubles peints.

RESTAURATION

PREMIER PRIX

Le Bistro du Musée – *37 pl. Pey-Berland - ℰ 05 56 52 99 69 - www. lebistrotdumusee.com - fermé dim. - formule déj. 13,50 € - 23/33 €.* Bistrot à la jolie devanture en bois vert foncé et au cadre soigné : murs de pierres apparentes, parquet en chêne, banquettes en moleskine et décor d'outils vignerons. Cuisine du Sud-Ouest escortée d'une belle carte de vins du Bordelais.

La Petite Gironde – *75 quai des Queyries - ℰ 05 57 80 33 33 - www. lapetitegironde.fr - fermé dim. soir et 24 déc.-4 janv. - 🅿 - 17/33 €.* Ce restaurant posé sur la rive droite de la Garonne arbore un joli décor, parfaitement dans l'air du temps. Terrasse « les pieds dans l'eau » très prisée. Plats traditionnels.

Chez Dupont – *45 r. Notre-Dame - ℰ 05 56 81 49 59 - fermé dim. et lun. - formule déj. 16/25 €.* Une cuisine du marché présentée avec goût et raffinement sur un mode bistrot, dans un lieu chaleureux en plein cœur des Chartrons.

BUDGET MOYEN

La Tupina – *6 r. Porte-de-la-Monnaie - ℰ 05 56 91 56 37 - www. latupina.com - formule déj. 18/35 € - 60 €.* Ambiance décontractée dans cette maison à l'atmosphère champêtre. Plats du Sud-Ouest rôtis dans la cheminée ou mijotés sur le fourneau, comme autrefois. Belle carte des vins.

DÉGUSTATION

Le Bar à Vins du CIVB – *1-3 cours du 30-Juillet - ℰ 05 56 00 43 47 - http://baravin.bordeaux.com - 11h-22h - fermé dim. et j. fériés - 2/8 € le verre de vin et 4,50/6 € les assiettes de fromage, charcuterie.* Sélection de vins de Bordeaux, service sommelier et assiettes gourmandes.

ACHATS

👥 Baillardran Canelés – *Galerie des Grands-Hommes - ℰ 05 56 79 05 89 - www.baillardran.com - tlj sf dim. 10h-19h30 - fermé j. fériés.* Cette boutique confectionne de délicieux canelés : ces petits gâteaux bordelais à la robe brune, fine et caramélisée sont croquants à l'extérieur et moelleux à l'intérieur.

Arcachon

11 789 Arcachonnais – Gironde (33)

S'INFORMER

Office de tourisme – *Espl. G.-Pompidou - 33311 Arcachon Cedex - ℘ 05 57 52 97 97 - www.arcachon.com - 9h-18h, dim. et j. fériés 10h-13h, 14h-17h - fermé 1ᵉʳ janv. et 25 déc.* Pensez à y retirer l'utile Guide pratique du bassin d'Arcachon.

Syndicat intercommunal du bassin d'Arcachon – *16 allée Corrigan - ℘ 05 57 52 74 74 - www.bassin-arcachon.com - tlj sf w.-end et j. fériés : mat. et apr.-midi.*

SE REPÉRER

Carte générale B3 – *Cartes Michelin n° 721 F12 et n° 524 D8.* À 60 km de Bordeaux (D 1250 ou A 63), les quatre « villes » d'Arcachon correspondent à quatre quartiers aux caractéristiques propres, la plus fréquentée étant la ville d'été qui borde la mer.

À NE PAS MANQUER

Le front de mer, la ville d'hiver avec ses villas et son parc mauresque ; le bassin d'Arcachon du cap Ferret à la dune du Pilat.

ORGANISER SON TEMPS

Comptez 2 jours pour l'ensemble du site. L'été, la circulation est infernale autour du bassin.

AVEC LES ENFANTS

Le parc ornithologique du Teich, la dune du Pilat, l'écomusée de la Grande Lande.

11

Un air de vacances les pieds dans l'eau, des villas folles au parfum d'autrefois… Arcachon est née de l'imagination des frères Pereire qui en font un lieu à la mode sous Napoléon III. Belle aux quatre saisons, la ville a ses inconditionnels. Située au sud du bassin qui porte son nom, elle séduit aussi pour son cadre naturel : des dunes aux allures d'erg saharien, une lagune où l'océan se fraye un passage entre les bancs de sable, des eaux émeraude ou outremer, le vert intense des pins, et des oiseaux par milliers.

Se promener

La ville de printemps

Dynamique, sportive et cossue, elle tient ses quartiers dans le **parc Pereire**. La plage est bordée d'une longue promenade piétonne ombragée. À l'extrémité sud, les Arbousiers est le spot des surfers.

★ Le front de mer ou la ville d'été

À la fois détendue aux terrasses des restaurants de fruits de mer, mondaine dans son casino ou sportive lors des régates à la voile, elle longe la mer entre la jetée de la Chapelle et la jetée d'Eyrac. De la **jetée Thiers**, vue d'ensemble sur le bassin.

> **OSTRÉICULTURE**
> Les huîtres plates d'Arcachon, les **gravettes**, ont un goût de noisette incomparable et sont délicieuses avec des crépinettes chaudes (galettes de chair à saucisse) et un vin blanc sec. Le bassin d'Arcachon abrite une multitude de ports ostréicoles. En été, pour la **fête de l'huître**, les ostréiculteurs sortent de leurs cabanes pour parader dans leur costume traditionnel : vareuse bleu marine et pantalon de flanelle rouge. Ces fêtes (musique, danses, dégustation d'huîtres) ont lieu mi-juillet aux ports de Lanton, Lège-Cap-Ferret et Andernos, mi-août dans ceux de Gujan-Mestras et Arès.

La ville d'automne
À l'est, Arcachon devient maritime, avec son port de plaisance où s'alignent les voiliers et son port de pêche où vont et viennent les chalutiers.

★ La ville d'hiver
En retrait, elle est bien abritée des vents du large. Ses artères jalonnées de chalets à pans de bois, cottage anglais, villa mauresque, manoir néogothique ou maison coloniale, sillonnent une forêt de pins. Robiniers, prunus, micocouliers, platanes, tilleuls, mimosas, catalpas, magnolias… et essences exotiques au **parc mauresque**.

À proximité

★★ Bassin d'Arcachon
▶ *À l'est d'Arcachon, suivre la route qui fait le tour du bassin.*
★ **Parc ornithologique du Teich** – ☎ *05 56 22 80 93 - www.parc-ornithologique-du-teich.com - ♿ - tte la journée - possibilité de visite guidée sur demande préalable - 7,40 € (enf. 5,20 €).* 👥 Cette réserve naturelle de 120 ha contribue à sauvegarder les espèces d'oiseaux sauvages menacées et à préserver leur milieu naturel. L'avifaune européenne se répartit dans quatre parcs : le parc des Artigues, le parc de la Moulette, le parc de Causseyre et le parc Claude-Quancard. Jumelles recommandées.
★ **Cap-Ferret** – Étroite bande de terre entre océan et bassin, le cap court sur une vingtaine de kilomètres. Au programme : balades à vélo dans la pinède, baignades au calme dans le bassin ou plus houleuses côté océan, dégustation d'huîtres dans les restaurants en plein air, visite des villages ostréicoles…

★★ Dune du Pilat
▶ *Accès par la D 218 au sud de Pilat-Plage. Laisser sa voiture au parking payant. Pour gagner le sommet, escalader à flanc de dune (montée assez difficile) ou emprunter l'escalier (lors de la saison estivale).*
👥 Énorme ventre de sable qui enfle chaque année sous l'action des vents et des courants (actuellement 2,7 km de long, 500 m de large, 105 m de haut), c'est la plus haute dune d'Europe. Le versant ouest descend en pente douce vers l'océan ; celui de l'est plonge en pente abrupte vers la forêt de pins. **Panorama★★** superbe au coucher de soleil.

★ LE PARC NATUREL RÉGIONAL DES LANDES DE GASCOGNE

▶ *Au sud de Bordeaux. Gagner Belin-Béliet, au croisement de la N 10 et de la D 110.*
Il s'étend de l'extrémité est du bassin d'Arcachon jusqu'aux vallées de la Grande et de la Petite Leyre. Ici la nature est reine : refuges pour la faune et la flore,

forêt de pins plantée au 19e s. piquée de-ci de-là d'un petit village ou d'un airial, souvenirs d'un passé rural original… Des richesses et des paysages à découvrir à pied, à cheval, sur l'eau, à vélo.

🛈 **Maison du Parc naturel régional des Landes de Gascogne** – *33 rte de Bayonne - 33830 Belin-Béliet -* ✆ *05 57 71 99 99 - www.parc-landes-de-gascogne.fr.*

Au cours de votre pérégrination, rendez-vous dans les unités de l'**écomusée de la Grande Lande★** à Sabres (Marquèze), Luxey et Garein qui évoquent la vie quotidienne et les activités traditionnelles propres à la campagne landaise aux 18e et 19e s. Au cours de l'année, plusieurs manifestations font revivre les traditions landaises.

🛈 **Écomusée de Marquèze** – *Rte de Solférino - 40630 Sabres -* ✆ *05 58 08 31 38 - juil.-août : 10h-18h.* Le point d'informations touristiques se trouve dans le musée. Le Parc naturel régional des Landes de Gascogne met à disposition une carte-guide répertoriant l'ensemble des sites à visiter et des activités proposées.

★★ Marquèze

Accès par chemin de fer au départ de Sabres. ✆ *05 58 08 31 31 - www.parc-landes-de-gascogne.fr -* ♿ *- avr.-oct. - 13 € (enf. 11 €).*

👥 Cette partie de l'**écomusée** permet de découvrir la vie telle qu'elle s'organisait au 19e s. On visite l'**airial** où étaient répartis les habitations du maître, des bergers, des métayers et les bâtiments d'exploitation. Une promenade dans la forêt où opérait le **résinier**… et vous voilà à la **maison du meunier**. La visite se poursuit au **parc à moutons**. Dans la **grange-vidéo** et dans la **grange-exposition,** vous saurez tout sur l'ancien système agropastoral.

Garein

Graine de forêt – ✆ *05 58 08 31 31 ou 06 88 81 30 08 - juil.-août : 9h30-12h30, 14h-18h ; avr.-juin et sept.-oct. : dim. et j. fériés 13h-18h, vac. scol. 14h-18h - 5 € (enf. 3,50 €).* 👥 Cet espace muséographique interactif et ludique sur le thème de la filière bois a été aménagé dans une maison traditionnelle. Là, vous trouverez toutes les réponses à vos questions concernant la sylviculture, qui reste la première ressource de la région.

🚶 *2,6 km AR.* Complétez vos connaissances sur le terrain en parcourant le sentier jalonné de bornes sonores dans la forêt afin d'y planter votre graine de pin !

Luxey

★ **Atelier de produits résineux Jacques et Louis Vidal** – ✆ *05 58 08 01 39 - réouverture prévue au printemps 2012.* Il a fonctionné entre 1859 et 1954. Aujourd'hui partie intégrante de l'écomusée, il illustre le fonctionnement d'une structure économique au début de la révolution industrielle dans la Grande Lande. De la réception des gemmes jusqu'au stockage de l'essence de térébenthine, toutes les étapes du traitement de la résine sont abordées.

11

DES MARAIS AUX PINS

À l'origine, la Grande Lande était une zone marécageuse occupée par des bergers se déplaçant sur des échasses pour surveiller leurs moutons. Ce **système agropastoral** rude a disparu sous le Second Empire, lorsque fut entrepris un vaste plan de drainage, de défrichement et de boisement. La forêt de pins maritimes, arbres choisis pour leur croissance rapide, permit l'exploitation de la résine (gemmage). Cette activité a cessé au profit de la **sylviculture** ; les quelques landes restantes sont désormais préservées.

Le Périgord

▶ SE REPÉRER

Plusieurs grands axes routiers mènent dans la région :
l'A 20 via Limoges, l'A 89 au départ de Bordeaux, l'A 62
puis l'A 20 de Toulouse, l'A 89 de Clermont-Ferrand.

À NE PAS MANQUER

Les vieux quartiers de Périgueux et de Sarlat, les vestiges gallo-romains
à Périgueux, le château d'Hautefort, les jardins d'Eyrignac, les bastides et les églises du Périgord noir dans la vallée de la Dordogne, les
Eyzies-de-Tayac-Sireuil.

ORGANISER SON TEMPS

Au printemps et en automne, l'affluence touristique est moins importante et
les beaux jours sont nombreux ; l'été, la température peut monter jusqu'à 25
et 35 °C et la vallée de la Dordogne est souvent embouteillée.

**Mot très évocateur sur le plan touristique, le Périgord est le nom de l'an-
cienne province qui correspond à l'actuel département de la Dordogne.
Dans ce département, la dureté de la roche a obligé les cours d'eau à
tailler des falaises et les premiers Européens en ont suivi les berges pour
s'installer dans des grottes. Celles que l'on visite témoignent de la main
sûre des artistes du magdalénien : bisons, chevaux, rennes, cerfs sont
d'une finesse étonnante. Dans la vallée de la Vézère, classée par l'Unesco,
la copie de la grotte de Lascaux est un lieu aussi magique et initiatique
que l'original. Les grottes de la région recèlent d'autres trésors, nés de
l'infiltration des eaux de pluie dans ses sols calcaires : galeries souterraines ou gouffres sont le fruit d'un travail d'érosion millénaire. Dans
certaines grottes, notamment aux Eyzies, le goutte-à-goutte a créé
un monde féerique de concrétions époustouflantes. À côté des grottes, c'est l'art de bâtir qui retient l'attention : églises romanes couronnées de coupoles évoquant l'Orient ; châteaux perchés et édifices semi-
fortifiés qui rappellent les luttes franco-anglaises pour ces terres d'Aquitaine très convoitées et qui ne furent rattachées qu'en 1453 au royaume
de France ; villes d'artisans et de commerçants, aux riches demeures,
comme Périgueux et Sarlat. À table, enfin, la carte vous en dira long sur
la riche cuisine de la région où foie gras et confit d'oie, truffes et noix ont
la part belle. Particulièrement vert, le Périgord a fait de sa faible densité
urbaine et industrielle un véritable atout pour le tourisme.**

Périgueux

★★

29 080 Périgourdins – Dordogne (24)

S'INFORMER
Office de tourisme – *26 pl. Francheville - 24000 Périgueux - ☎ 05 53 53 10 63 - www.ville-perigueux.fr - juin-sept. : 9h-19h, dim. 10h-13h, 14h-18h ; reste de l'année : tlj sf dim. et j. fériés (sf 1er janv. et 25 déc.) 9h-12h30, 14h-18h.*

SE REPÉRER
Carte générale B3 – *Cartes Michelin n° 721 H11 et n° 524 P4.* La préfecture de la Dordogne est à 43 km au nord de Bergerac et à 45 km au nord-ouest des Eyzies-de-Tayac-Sireuil.

À NE PAS MANQUER
Les rues piétonnes du quartier St-Front, la cathédrale St-Front, le Musée gallo-romain et, aux alentours, Brantôme et le château d'Hautefort.

ORGANISER SON TEMPS
Comptez une journée, plus une demie pour les environs.

AVEC LES ENFANTS
Le Musée gallo-romain où ils découvriront le confort et le raffinement d'une riche villa au temps des Romains.

Périgueux se parcourt comme un livre d'histoire : d'un côté la cité antique avec sa villa gallo-romaine abritée sous un préau de verre dû à Jean Nouvel, de l'autre la ville médiévale et Renaissance où s'élève la cathédrale St-Front aux airs byzantins donnés par Paul Abadie. Entre les deux, la place de Francheville à l'aménagement contemporain avec son jardin fermé par un complexe de cinéma. Vous pourrez aussi rallier ces deux quartiers distincts en suivant la voie verte le long de l'Isle, l'occasion d'une agréable promenade offrant un coup d'œil différent sur la ville.

11

Se promener

★★★ LE QUARTIER SAINT-FRONT

Les façades Renaissance, les cours, les escaliers, les maisons nobles, les échoppes de l'ancien quartier des artisans et des commerçants ont été restaurés. Les rues piétonnes ont retrouvé leur fonction d'artères commerçantes, comme la **rue Limogeanne★** et la **galerie Daumesnil★** ; les **places du Coderc et de l'Hôtel-de-Ville** s'animent le matin avec le marché aux fruits et aux légumes, tandis que la place de la Clautre sert de cadre aux grands marchés du mercredi et du samedi. En hiver, les prestigieuses ventes de truffes et de foie gras attirent des foules de connaisseurs.

★★ Cathédrale Saint-Front

St-Front, l'une des plus vastes cathédrales du Sud-Ouest et l'une des plus originales de France, est inscrite au Patrimoine mondial de l'Unesco.
Achevée vers 1173, la troisième basilique, de type byzantin, rappelle par ses coupoles et son plan en croix grecque, rare en France, St-Marc de Venise et

les Sts-Apôtres de Constantinople. L'architecte **Paul Abadie** (1812-1884) l'a restaurée, et s'est inspiré de la cathédrale St-Front pour dessiner les plans du Sacré-Cœur à Paris. De la place de la Clautre, vous avez une vue d'ensemble de la cathédrale.

À l'intérieur, bel exemple d'ébénisterie du 17e s., la **chaire**★ est entourée d'Hercule soutenant la cuve auquel font écho les deux atlantes portant l'abat-son. Les cinq **lustres** de cuivre monumentaux, éclairant chacun une travée de l'édifice, furent dessinés par Abadie. Un **retable**★★ en noyer meuble le fond de l'abside. Ce chef-d'œuvre de sculpture baroque magnifie la Dormition et l'Assomption de la Vierge.

★ LE QUARTIER DE LA CITÉ

Situé à l'emplacement de l'ancienne source sacrée de Vésone, où les Gaulois Pétrocores établirent un oppidum qui allait devenir l'une des plus belles cités de l'Aquitaine sous la domination romaine, ce quartier possède de nombreux vestiges gallo-romains.

★ Saint-Étienne-de-la-Cité

Construite au 11e s. à l'emplacement du temple antique de Mars, cette église est le premier sanctuaire chrétien de la cité. Après l'occupation de la ville en 1577, les protestants ne laissèrent de l'édifice d'origine que les deux travées orientales. À l'intérieur, la première travée élevée au 11e s. est trapue, obscure. Les grands arcs jouent le rôle de formerets, et la coupole, la plus vaste du Périgord avec ses 15 m de diamètre, est éclairée par de petites fenêtres. La seconde travée est plus élancée avec sa coupole cursive.

Arènes

Un agréable jardin public occupe aujourd'hui l'espace des arènes. Construit au 1er s., cet amphithéâtre elliptique pouvait contenir jusqu'à 20 000 personnes. D'énormes blocs de maçonnerie font encore apparaître des cages d'escalier, des vomitoires (larges sorties) et des voûtes.

Temple de Vésone

La tour de 27 m de haut et de 17 m de diamètre est le seul vestige d'un temple dédié à la déesse tutélaire de Vésone. Élevé au cœur du forum de la cité antique sous le règne d'Antonin le Pieux au 2e s. apr. J.-C., ce temple comprenant à l'origine un péristyle était entouré de portiques et encadré par deux basiliques. La tour reste imposante malgré ses mutilations et la brèche qui la déchire.

★★★ Vesunna - Site-musée gallo-romain de Périgueux

℘ 05 53 53 00 92 - se renseigner pour les horaires - fermé lun. de fév. à juin et de sept. à déc., 1er janv., 2e et 3e sem. de janv.et 25 déc - possibilité de visite audioguidée - 6 € (6-25 ans 4 €).

Le musée, grand préau vitré imaginé par Jean Nouvel au cœur d'un jardin, abrite les vestiges d'une riche **maison gallo-romaine** (4 000 m²) qui ordonnait ses pièces d'habitation et de service autour d'une cour carrée bordée d'un péristyle. Les fouilles ont révélé la présence d'une première *domus* (1er s.) remblayée sur un mètre environ et considérablement agrandie au milieu du 2e s. Les sols ainsi surélevés ont préservé, sur la base des murs de la maison primitive, de riches **peintures murales**. Vous découvrirez aussi l'antique ville de Vésone à travers une **collection lapidaire** (beaux décors architecturaux) et une maquette installée à l'entrée du site et vous pourrez admirer, dans des vitrines thématiques, des objets de la vie quotidienne.

À proximité

★★ Brantôme
◗ *À 22 km au nord de Périgueux par la D 939.*
Sa position insulaire, au creux d'un méandre de la Dronne, dédoublée et enjambée par cinq ponts, lui vaut le surnom de « Venise du Périgord ». La ville est une halte agréable avant une excursion dans le Parc naturel régional Périgord-Limousin. Traversez la rivière afin de découvrir les bâtiments de l'abbaye bénédictine. Au pied d'une falaise, ils dominent de leurs façades blanches l'île sur laquelle le bourg s'est installé.

Église abbatiale – Ses deux coupoles ont été remplacées au 15e s. par des voûtes angevines, compromis entre la croisée d'ogives et la coupole. Sous le porche, le bénitier, qui repose sur un beau chapiteau roman orné d'entrelacs, est surmonté d'un bas-relief du 13e s. représentant le Massacre des Innocents.

★★ **Clocher** – Édifié au 11e s. sur un rocher abrupt de 12 m de hauteur, il est composé de 4 étages en retrait les uns par rapport aux autres, coiffés d'une pyramide en pierre.

Grottes troglodytiques – *Sous le clocher 𝄞 05 53 05 80 63 - possibilité de visite guidée sur demande auprès de l'office de tourisme - avr.-sept. : 10h-18h (19h juil.-août) ; oct.-mars : 10h-12h, 14h-17h - fermé janv. - 4,50 € (-18 ans gratuit).*

★★ Château d'Hautefort
◗ *À 45 km à l'est de Périgueux par la D 5 qui suit l'Auvezère. 𝄞 05 53 50 51 23 - www.chateau-hautefort.com - ♿ - juin-août : tlj 9h30-19h (nocturne merc.) ; jours d'ouverture et horaires variables les autres mois, se renseigner - fermé janv., fév. et de mi-nov. à déc. - possibilité de visite guidée 8,50 € (7-14 ans 4 €) - jardin en visite libre 4 €.*

Juché sur un éperon rocheux, ce château n'a cessé d'être embelli au fil des siècles. Aujourd'hui restauré, il offre son décor à un nombre croissant d'animations.

Sur la forteresse du 9e s., plusieurs édifices se succèdent au Moyen Âge. La capacité défensive du château, renforcée au 16e s. lors des guerres de Religion, par des échauguettes et un pont-levis, est allégée dès le 17e s. : Hautefort devient une résidence d'agrément où se mêlent styles Renaissance et classique. On y admire la magnifique **charpente** de châtaignier, œuvre des compagnons du Tour de France, des **tapisseries** du 16e s., des souterrains voûtés… Des allées du **parc à l'anglaise** de 40 ha, on atteint les terrasses du château aménagées en **jardin à la française★** formant un écrin aux motifs géométriques et arabesques toujours renouvelés.

11

Sarlat-la-Canéda

★★★

9 331 Sarladais – Dordogne (24)

 NOS ADRESSES PAGE 502

S'INFORMER

Office de tourisme – *R. Tourny - 24200 Sarlat-la-Canéda -* ℘ *05 53 31 45 45 - www.ot-sarlat-perigord.com - juil.-août : 9h-19h, dim. 10h-12h, 14h-18h ; avr. : 9h-12h, 14h-18h, dim. 10h-13h, 14h-17h ; mai-juin : 9h-18h, dim. 10h-13h, 14h-17h ; reste de l'année : horaires réduits, se renseigner.*

SE REPÉRER

Carte générale B3 – *Cartes Michelin n° 721 I12 et n° 524 S6.* À 63 km à l'est de Bergerac et 90 km au nord-ouest de Cahors.

À NE PAS MANQUER

Le vieux Sarlat avec son lacis de ruelles et ses hôtels restaurés ; aux alentours, les jardins du manoir d'Eyrignac ainsi qu'une excursion dans le sud du Périgord noir jusqu'à Souillac.

ORGANISER SON TEMPS

Comptez deux jours pour la ville et ses environs.

AVEC LES ENFANTS

Le musée national de l'Automate à Souillac.

De nombreux films ont été tournés dans les ruelles médiévales de Sarlat, la photogénique. Il suffit de faire le tour de la magnifique vieille ville périgourdine pour comprendre les raisons de cet engouement. Mais Sarlat n'est pas seulement un décor : on y vit, et même très bien ; ne manquez pas le marché, ni les délicieuses pommes de terre… à la sarladaise.

Se promener

★★★ Le vieux Sarlat

Sarlat est coupé en deux par la rue de la République, artère percée au 19ᵉ s. qui sépare le quartier ouest plus populaire et le quartier est plus aristocratique. Les maisons frappent par leur architecture : les cours intérieures, l'appareillage et la qualité de leurs pierres de taille choisies dans un beau calcaire ocre blond. La plupart ont été surélevées au cours des siècles et présentent un rez-de-chaussée médiéval, un étage gothique rayonnant ou Renaissance, des faîtages et des lanternons classiques et une couverture de lauzes.

Ne manquez pas de voir la **maison de La Boétie★**, construite autour de 1525, l'**hôtel de Maleville★** du 16ᵉ s. avec sa porte d'entrée surmontée de médaillons représentant Henri IV et Marie de Médicis, puis la **rue des Consuls**, où les hôtels forment un ensemble intéressant d'architecture sarladaise du 14ᵉ au 17ᵉ s.

Poursuivez jusqu'à la **place de la Liberté**, place centrale de Sarlat bordée à l'est par l'hôtel de ville, ancienne maison commune reconstruite au début du 18ᵉ s. après un incendie.

Lors du marché du samedi, de décembre à mars, la **place du Marché-aux-Oies**★ est réservée aux négociations concernant les oies. Elle offre un beau décor architectural de tourelles, clochetons et escaliers d'encoignure, ainsi qu'une sculpture contemporaine dédiée au fameux volatile.

À proximité

★★ **Jardins du manoir d'Eyrignac**

▶ *À 15 km de Sarlat-la-Canéda par la D 7 jusqu'à Ste-Nathalène, puis vers le nord par La Tour.* ☎ *05 53 28 99 71 - www.eyrignac.com -* ♿ *- mai-sept. : 9h30-19h ; oct. : de 10h à la tombée de la nuit ; avr. : 10h-19h ; nov.-mars : 10h30-12h30, de 14h30 à la tombée de la nuit - 8,50 € (7-14 ans : 4 €) - audio-guide 1 €.*

Aménagés au 18e s., ces jardins de verdure appartiennent à la même famille depuis cinq siècles. Ils offrent un heureux compromis entre le style à la française et l'art topiaire toscan. Les végétaux à feuillage persistants permettent ainsi tout au long de l'année de garder les allées bordées d'ifs savamment taillés, les chambres de verdure, les dés de charmille, les quinconces de pommiers, l'**allée des charmes**★★, les bosquets de cyprès. En complément du jardin français, la **roseraie**★ où des buis nains encadrent des rosiers blancs et mènent à cinq bassins illustrant les cinq sens.

★★ **Château de Bonaguil**

▶ *À 52 km à l'ouest de Cahors par la D 811. À Condat, prendre à droite la D 673, puis à gauche la D 158.* ☎ *05 53 41 90 71 - www.bonaguil.org - juil.-août et nov. : 10h-19h, dim. et vac. scol. 10h30-12h30, 14h-17h ; mars-oct. : 10h-12h30, 14h-17h30 (18h en juin) ; déc.-fév. : vac. scol. 14h-17h - 7 € (6-12 ans : 4 €).*

Aux confins du **Périgord noir**★★ et du Quercy, cette forteresse se dresse au milieu des bois sur une éminence rocheuse : une aiguille. D'où son nom. Il fallut quarante ans pour édifier ce nid d'aigle, qui offre une remarquable adaptation aux techniques nouvelles des armes à feu (canonnières et mousqueteries). Jamais attaqué, c'est l'un des plus parfaits spécimens de l'architecture militaire de la fin du 15e et du 16e s.

11

Circuit conseillé

★★★ LA VALLÉE DE LA DORDOGNE AU SUD DU PÉRIGORD NOIR

▶ *52 km. Quitter Sarlat par le sud en empruntant la D 457. Après avoir franchi la Dordogne, prendre à droite la D 50.*

★★ **Beynac-et-Cazenac**

Accroché à l'une des sompteuses falaises de la vallée de la Dordogne, ce village est classé parmi les plus beaux de France. Des ruelles pavées du bourg au vaste panorama qui embrasse les châteaux de Marqueyssac, Fayrac ou des Milandes, le **site**★★ est enchanteur.

★★ **Château** – ☎ *05 53 29 50 40 - mars-sept. : 10h-18h30 ; oct.-fév. : de 10h à la tombée de la nuit - visite guidée (1h15) sf entre 12h15 et 13h45 avr.-oct.* Dominant la vallée de la Dordogne de 150 m, ce château fut une redoutable place forte Le donjon garni de créneaux remonte au 13e s. tandis que le manoir seigneurial date du 15e s.

Longer la Dordogne vers l'est par la D 703 puis la traverser pour gagner Domme.

★★ Domme

Le magnifique site de Domme semblait l'emplacement idéal pour contrecarrer les velléités d'expansion anglo-gasconnes. Aussi Philippe le Hardi décide-t-il, en 1283, de fonder ici une **bastide royale★** pour surveiller la vallée de la Dordogne. Les fortifications qui enserrent le bourg s'adaptent au relief, tout comme les rues qui suivent, dans la mesure du possible, un plan géométrique. Du haut de la **bastide★**, le **panorama★★★** s'étend sur la vallée de la Dordogne de Montfort au château de Beynac.
Revenir sur la D 703 et suivre la Dordogne vers l'est.

★ Château de Montfort

Il surveille la courbe de la Dordogne. Ce **cingle★** (méandre) est l'un des plus connus et des plus beaux du Périgord.

★ Souillac

La ville est considérée comme la porte orientale du Périgord noir : un excellent lieu de villégiature pour découvrir le Quercy et le Sarladais. L'ancienne **église abbatiale** s'apparente aux cathédrales romanes d'inspiration byzantine d'Angoulême. De la place de l'abbaye, admirez le joli chevet aux cinq absidioles pentagonales.

★ **Musée national de l'Automate** – *Accès par le parvis de l'abbatiale St-Pierre - ☎ 05 65 37 07 07 - juil.-août : 10h-18h ; avr.-juin et sept. : tlj sf lun. 10h-12h, 15h-18h ; reste de l'année : merc.-dim. 14h30-17h - fermé 1er janv., 1er Mai et 25 déc. - 6 € (enf. 3 €).* ▲▲ Découvrez plus d'un siècle d'histoire du jouet mécanique, en particulier le **jazz-band**, groupe d'automates électriques créé en 1920.

😊 NOS ADRESSES À SARLAT

RESTAURATION

BUDGET MOYEN

Le Bistro de l'Octroi – *111 av. de Selves - ☎ 05 53 30 83 40 - www. lebistrodeloctroi.fr - fermé 24-25 déc. - formule déj. 13 € - 18/26 €.* Ce restaurant, proche du centre historique, possède de sérieux atouts pour allécher les gourmets. Outre les recettes locales, la carte offre une place de choix au bœuf limousin et aux spécialités de poisson. De beaux volumes dans les salles et une terrasse-jardin sympathique.

Rossignol – *15 r. Fénelon - ☎ 05 53 31 02 30 - fermé lun. - 22/60 €.* Salle à manger au petit air champêtre avec son mobilier en bois et ses cuivres accrochés aux murs. Cuisine familiale et régionale.

ACHATS

👁 **Bon à savoir** – Marché traditionnel : samedi matin dans les rues de la vieille ville. Marché couvert de l'église Ste-Marie : tous les jours *(sf lundi et jeudi entre les vac. de Toussaint et les vac. de printemps).*

Les Eyzies-de-Tayac-Sireuil
★★

835 Eyzicois ou Tayaciens – Dordogne (24)

 S'INFORMER

Office de tourisme – *19 av. de la Préhistoire - 24620 Les Eyzies-de-Tayac-Sireuil -* ℘ *05 53 06 97 05 - www.tourisme-vezere.com - de mi-juin à mi-sept. : 9h-19h, dim. 10h-12h, 14h-18h ; reste de l'année : se renseigner.*

▶ **SE REPÉRER**

Carte générale B3 – *Cartes Michelin n° 721 I12 et n° 524 R6.* Le village est à la croisée de la route menant du Bugue à Montignac et de l'axe majeur Périgueux-Sarlat, la D 47.

☺ **À NE PAS MANQUER**

Les collections du musée national de Préhistoire, les peintures de la grotte de Font-de-Gaume, le site de la Madeleine et surtout, l'ensemble des peintures de Lascaux II.

🕑 **ORGANISER SON TEMPS**

Comptez 2h pour le musée qu'il est préférable de visiter en fin de parcours pour mieux en comprendre le contenu. Prévoyez environ 1h par site, l'idéal étant de réserver à l'avance pour l'ensemble des grottes.

👥 **AVEC LES ENFANTS**

Lascaux II est une belle occasion pour eux de s'émerveiller devant les animaux peints par leurs ancêtres. Les ateliers préhistoriques proposés par le musée national de Préhistoire les initieront de manière ludique à l'art pariétal.

11

La situation géographique des Eyzies est superbe : un cadre de falaises couronnées de chênes verts et de genévriers pour un village tout en hauteur. Mais il y a plus : les parois rocheuses des falaises ont livré leur secret, celui de millénaires d'occupation humaine. Les Eyzies sont une des portes de la préhistoire : alors, parmi les grottes, les dessins, les outils et les ossements, c'est une véritable quête de nos ancêtres qui commence…

Découvrir

★★ Musée national de Préhistoire
℘ *05 53 06 45 45 -* ♿ *- juil.-août : 9h30-18h30 ; juin et sept. : tlj sf mar. 9h30-18h ; oct.-mai : tlj sf mar. 9h30-12h30, 14h-17h30 - fermé 1ᵉʳ janv. et 25 déc. - 5 € (-25 ans gratuit), gratuit 1ᵉʳ dim. du mois.*

👥 Le musée est installé dans une forteresse qui surplombe le village des Eyzies. De la terrasse, on découvre une belle vue sur le bourg et sur les vallées de la Vézère et de la Beune. Il abrite une exceptionnelle collection d'objets : entre autres, d'émouvantes statuettes féminines et de très belles reconstitutions en « **dermoplastie** » : l'adolescent du lac Turkana (Kenya, – 1,8 million d'années), un homme et un enfant de Néandertal, l'homme de l'abri de Cro-Magnon et son étrange lésion au front, l'énorme ancêtre du cerf (mégacéros).

Vous découvrirez aussi les méthodes de datation, les techniques de taille des silex et les activités des hommes préhistoriques (recherche de matières premières, chasse, pêche), les sépultures (remarquez la **parure★** de 1 296 coquillages de l'enfant de la Madeleine) et le matériel des artistes de l'art pariétal.

À proximité

★★ Grotte de Font-de-Gaume

◗ *Suivre la D 47 vers l'est et laisser la voiture au débouché du vallon de St-Cyprien, face à une falaise en forme d'éperon. ℘ 05 53 06 86 00 - www.momum.fr - sur réserv. uniquement, 1 mois à l'avance, visite guidée (45mn) - de mi-mai à mi-sept. : 9h30-17h30 ; de mi-sept. à mi-mai : 9h30-12h30, 14h-17h30 - fermé sam., 1er janv., 1er Mai, 1er et 11 Nov. et 25 déc. - 7 € (18-25 ans 4,50 €).*

Voici le dernier site à figures polychromes ouvert au public. La grotte se présente sous la forme d'un couloir d'environ 120 m orné de peintures pariétales – très belles. On découvre ainsi une frise polychrome de **bisons★★** (dont un est classé au Patrimoine mondial de l'humanité), de chevaux et de mammouths. Une partie de ces peintures (entre -16 000 et -13 000 ans) sont probablement contemporaines de **Lascaux.** Des signes en forme de toit évoquent des habitations.

Le paysage est alors façonné par le méandre le plus étroit de la rivière.

★ Site de la Madeleine

◗ *Suivre la Vézère par la D 706 et franchir le pont vers l'Espinasse. ℘ 05 53 46 36 88 - www.village-la-madeleine.com - visite guidée (1h) - juil.-août : 9h30-19h - 6 € (enf. 3,50 €).*

Au pied de la falaise s'étend le **gisement paléolithique** qui permit de définir la culture du magdalénien. À mi-pente, incrusté dans la falaise et protégé par des abris-sous-roche, le splendide **village troglodytique** fut occupé probablement de la fin du 9e s. jusqu'en 1920.

LA « CAPITALE DE LA PRÉHISTOIRE »

Des abris creusés à la base des masses calcaires ont tenu lieu d'habitations aux hommes de la préhistoire, tandis que des grottes s'ouvrant à mi-hauteur des falaises leur servaient de sanctuaires. La découverte de ces abris, depuis le 19e s., dans un rayon restreint autour des Eyzies, leur exploration méthodique et l'étude des gisements qu'ils recèlent ont permis à la préhistoire de s'ériger en science et ont fait des Eyzies la « capitale de la préhistoire ».

Au paléolithique – La basse Vézère offrait une multitude de cavités que, pendant plusieurs dizaines de milliers d'années, les hommes ont fréquentées, y laissant des traces de leur passage et de leurs activités : ossements, cendres de foyers, outils, armes, ustensiles, représentations figuratives et abstraites. Cependant, il est faux de dire que l'homme préhistorique a vécu dans les cavernes : elles étaient trop humides ! Il se contentait de camper à l'entrée, à l'abri du vent, sur la pente exposée au soleil (si possible du matin, afin de se débarrasser de la fraîcheur nocturne).

Le domaine des chercheurs – L'étude méthodique des gisements de la région des Eyzies a permis aux archéologues de mieux connaître la préhistoire. Le département de la Dordogne offre en effet une fabuleuse richesse de vestiges : près de 200 gisements sont dénombrés, dont plus de la moitié se situe dans la basse vallée de la Vézère !

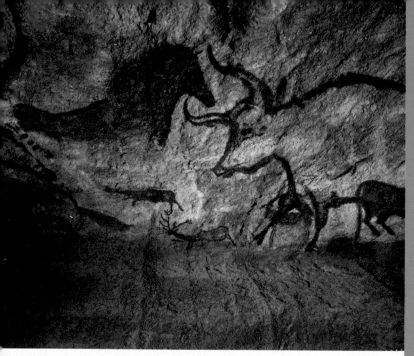

Fac-similé de la grotte de Lascaux (Lascaux II).
DEA/G. Dagli Orti/Age Fotostock

★★ Lascaux II

▶ *Continuer à longer la Vézère en dir. de Montignac. ✆ 05 53 51 95 03 - visite guidée (40mn) - juil.-août : 9h-20h ; avr.-juin et sept. : 9h30-18h30 ; de déb. oct. à mi-nov. : 10h-12h30, 14h-18h ; de mi-nov. à fin avr. : 10h-12h, 14h-17h30 - fermé lun. 5 nov.-mars, 1ᵉʳ janv. et 25 déc. - attention ! d'avr. à sept., la billetterie se trouve à Montignac, sous les arcades à côté de l'office de tourisme - la vente des billets commence à 9h et se termine aussitôt la barre des 2 000 entrées atteinte (ce qui, en haute saison, se produit rapidement) - réserv. obligatoire 3/4 j. av. (juil.-août) ✆ 05 53 51 96 23 - 9 € (6-12 ans 6 €).*

👤👤 À 200 m de la grotte originale découverte en 1940 puis fermée en 1963 par souci de préservation, son fac-similé reconstitue la Rotonde et le Diverticule axial de manière très fidèle. Des « sas » muséographiques présentent l'archéologie de la grotte (sagaies, silex des graveurs, poudres colorées ayant servi aux peintures, lampe à suif pour l'éclairage, reconstitution d'un échafaudage…), expliquent les techniques utilisées par l'artiste magdalénien et retracent l'histoire de la découverte. Une prouesse technologique doublée d'une rigueur scientifique a permis de recréer l'atmosphère incomparable de la cavité originale. Dès 1966, l'Institut géographique national avait effectué des relevés stéréophotogrammétriques de la grotte afin de reconstituer son relief de façon précise. Ce travail permit de réaliser une coque en ferrociment puis de recopier sur la paroi artificielle les peintures murales, en s'aidant de relevés et de diapositives et en utilisant les mêmes pigments et procédés que les artistes magdaléniens.

Comme dans l'original, on peut donc admirer les cinq grands taureaux noirs de la Rotonde, dont le quatrième, long de 5,50 m, demeure la plus grande figure paléolithique connue, ainsi que des vaches rouges, des chevaux noirs, rouges, jaunes et bruns, et deux petits bouquetins jaune et rouge, affrontés dans le Diverticule axial. L'ensemble, apparemment désordonné, présente cependant de nombreuses compositions harmonieuses, dont certaines sont en rapport avec le relief des parois. Ces œuvres sont traditionnellement attribuées au magdalénien ancien (-17 000 ans environ).

Le Pays basque et le Béarn

▶ **SE REPÉRER**

Le Pays basque français s'étend de Bayonne à la frontière espagnole au creux du golfe de Gascogne et constitue la partie occidentale des Pyrénées-Atlantiques, délimitée à l'est par le Béarn.

☺ **À NE PAS MANQUER**

Biarritz, le Musée basque et de l'Histoire de Bayonne, les grottes d'Isturitz et d'Oxocelhaya, St-Jean-de-Luz, le splendide panorama au sommet de la Rhune.

🕐 **ORGANISER SON TEMPS**

Partagez votre temps entre les plages du littoral, les excursions qui vous mèneront vers les belles demeures du Béarn et du pays basque, les fêtes, férias et parties de pelote qui animent les villes durant l'été.

Au sud de la longue plage de sable qui borde les Landes, les falaises rocheuses de la corniche basque annoncent déjà les Pyrénées. Les petits ports aux longues traditions de pêche – chasse à la baleine puis pêche au thon et à la sardine – sont devenus depuis la fin du 19e s. des lieux de villégiature aux architectures tournées vers le spectacle de la mer. L'empereur Napoléon III et l'impératrice Eugénie, la reine Victoria… on ne compte plus les célébrités qui firent des séjours prolongés à Biarritz. La côte aux vagues puissantes est devenue le haut lieu des surfeurs du monde entier. La région affiche son identité entre la mer et la montagne, entre traditions et succès touristique. Son architecture est variée : maisons rurales aux façades blanchies à la chaux faisant ressortir les pans de bois peints en rouge ou villas Art déco dans la partie atlantique ; murs en galets et toitures d'ardoise dans la vallée montagnarde de la Soule. La culture basque qui se traduit par la langue, les légendes fortement liées à des lieux naturels – grottes, gouffres, falaises –, les chants et la musique, mais aussi les fêtes, la danse, les jeux de pelote et la passion du rugby, révèlent un art de vivre que l'on retrouve dans la gastronomie où s'expriment le piment d'Espelette, le chocolat, importé dès le 16e s., les poissons, les jambons et les fromages au lait de brebis venus des montagnes basques. Dans l'intérieur, peu de villes, hormis l'élégante cité de Pau, dans le Béarn ; les provinces du Labourd, de la Basse-Navarre et de la Soule ont conservé leurs paysages de bocages, de montagnes boisées et de pâturages ; les cols pyrénéens ont fait la légende des héros du Tour de France ; isards et marmottes y respirent un air de liberté.

Biarritz

★★

26 273 Biarrots – Pyrénées-Atlantiques (64)

 NOS ADRESSES PAGE 511

S'INFORMER

Office de tourisme – *Square d'Ixelles - Javalquinto - 64200 Biarritz -
℘ 05 59 22 37 10 - www.biarritz.fr - juil.-août : 9h-19h ; de mi-juin à fin sept. :
9h-19h, w.-end 10h-18h ; reste de l'année : 9h-18h, w.-end 10h-12h, 14h-17h
(10h-18h d'avr. à mi-juin) - fermé 1ᵉʳ janv. et 25 déc.*

SE REPÉRER

Carte générale B4 – *Cartes Michelin n° 721 E14 et n° 524 B15*. Biarritz forme
avec Anglet et Bayonne une même et grande agglomération. Cette station balnéaire est à 8 km de Bayonne par la D 810 et la D 910.

À NE PAS MANQUER

Le rocher de la Vierge, le musée de la Mer, la vue depuis le phare de la pointe
St-Martin et aux alentours, le Musée basque et de l'Histoire de Bayonne.

AVEC LES ENFANTS

Assister au repas des phoques au musée de la Mer.

**Biarritz doit son essor à l'impératrice Eugénie. Lieu de villégiature du beau
monde, on y découvre villas princières, salles de casino, bâtiments Art déco
où artistes et têtes couronnées se mêlaient dans des fêtes somptueuses.
Aujourd'hui, la cité reine de la côte basque s'ancre dans son temps, en
témoignent notamment les aménagements urbains confiés à Jean-Michel
Wilmotte ou des bâtiments contemporains audacieux. Et sur les plages,
hauts lieux de l'animation biarrote, les surfeurs défient les rouleaux !**

11

Se promener

★ Rocher de la Vierge

Napoléon III eut l'idée de faire creuser ce rocher, entouré d'écueils, et de le
relier à la falaise par un pont de bois. Aujourd'hui, il est rattaché à la côte par
une passerelle métallique sortie des ateliers d'Eiffel et qui, par gros temps,
est inaccessible, les paquets de mer embarquant par-dessus la chaussée. En
continuant vers la Grande Plage, belle promenade le long de rampes en pente
douce ombragées de tamaris.

Pointe Saint-Martin

*℘ 05 59 22 37 10 - www.biarritz.fr - juil.-août : 10h-13h30, 14h-19h ; mai-juin et
sept. : 14h-18h ; reste de l'année : w.-end 14h-17h - 2,50 €.*
Des jardins et surtout de la lanterne du **phare**, à 73 m au-dessus du niveau
de la mer, **vue★** sur la ville et les Pyrénées basques.

★ Musée de la Mer

*Esplanade du Rocher-de-la-Vierge. ℘ 05 59 22 75 40 - www.museedelamer.com -
🔏 - juil.-août : 9h30-0h ; vac. Pâques, juin et sept. : 9h30-19h ; vac. fév., vac. Noël*

et mai (w.-end et j. fériés) : 9h30-18h - fermé lun. (nov.-mars sf vac. scol.), 1er janv. (mat.), 2e et 3e sem. de janv. et 25 déc. - 8 € (enf. 5,50 €).

🏊‍♂️ Ce musée, né dans les années 1930, possède une subtile décoration : mosaïques, fresques murales, fontaine. **Aquariums** présentant la faune du golfe de Gascogne, **galerie des Cétacés,** ballet aquatique des phoques (ne manquez pas leur déjeuner à 10h30 et 17h) et **Galerie d'ornithologie**.

À proximité

★★ Bayonne
◗ *À 10 km à l'est de Biarritz par la D 810.*

🅸 **Office de tourisme** – *Pl. des Basques - 64108 Bayonne Cedex -* 📞 *05 59 40 01 46 - www.bayonne-tourisme.com.*

De hautes maisons se pressent les unes contre les autres le long de la Nive. Début août, après les courses de vaches landaises, les corridas et le corso lumineux, on danse sur les places au son des flûtes et des tambours.

Promenez-vous **rue du Port-Neuf**, bordée d'arcades basses sous lesquelles s'ouvrent des pâtisseries et des confiseries, qui fleurent bon le chocolat. Savez-vous que le cacao fut introduit à Bayonne au 17e s. par des juifs chassés d'Espagne et du Portugal ?

★★★ **Musée basque et de l'Histoire de Bayonne** – *Maison Dagourette - 37 quai des Corsaires.* 📞 *05 59 59 08 98 - www.musee-basque.com -* ♿ *- 10h-18h (nocturne merc. en juil.-août) - fermé lun. (sf juil.-août) et j. fériés - 5,50 €, gratuit 1er dim. du mois sf juil.-août.* Installé dans une maison du 17e s. mais doté d'une scénographie très actuelle, il est le conservatoire de la tradition basque. Une muséographie très moderne et dynamique permet, entre autres, de découvrir la maison basque, les activités agricoles et les différentes étapes marquantes de la vie traditionnelle basque.

Circuits conseillés

LA BASSE-NAVARRE

◗ *112 km. Au départ de St-Jean-Pied-de-Port, à 59 km au sud-est de Biarritz.*

★ Saint-Jean-Pied-de-Port
Dernière étape avant l'Espagne, par le col de Roncevaux, pour les pèlerins en route vers St-Jacques-de-Compostelle, l'ancienne capitale de Basse-Navarre aligne ses maisons anciennes sur les bords de la Nive. La **citadelle** rénovée par Vauban veille sur la ville aux murs rougis par le grès. Somme toute, un endroit bien tranquille blotti dans ses remparts du 15e s. et du 17e s.

★ Saint-Étienne-de-Baïgorry
Village basque à la fois caractéristique par ses maisons, sa belle place ombragée de platanes, et original par sa disposition en longueur dans la vallée et sa division en deux quartiers autrefois rivaux de part et d'autre du torrent.

Église St-Étienne – Reconstruite au 18e s., elle est intéressante par ses trois étages de galeries, son chœur surélevé dont les trois autels sont ornés de **retables** de bois doré, son orgue (contemporain) de style baroque et son arc triomphal peint.

Prendre au nord la D 948 puis la D 918 à gauche.

★ Cambo-les-Bains

Verte et limpide, cette station thermale a séduit en son temps Edmond Rostand : venu soigner sa pleurésie à l'automne 1900, l'écrivain tombe sous le charme de Cambo et décide d'y rester.

★★ **Villa Arnaga** – ℘ 05 59 29 70 57/83 92 - juil.-août : 10h-19h ; avr.-juin et sept. : 9h30-12h30, 14h30-18h30 ; mars : w.-end 14h30-18h ; d'oct. à la Toussaint : 14h30-18h - 6,50 €. C'est dans cette immense villa de style basque-labourdin qu'Edmond Rostand s'installa. Au milieu d'un parc planté de palmiers, l'établissement thermal est un petit bijou de style néoclassique (1927) paré de mosaïques Art déco et de ferronneries. Les deux sources thermales sourdent aux abords du parc.

Suivre au nord-est la D 10, puis la D 22. À St-Esteben, tourner à gauche dans la D 251.

★★ Grottes d'Isturitz et d'Oxocelhaya

℘ 05 59 29 64 72 - www.grottes-isturitz.com - visite guidée (45mn)- juil.-août : 10h-12h, 14h-18h ; juin et sept. : 11h, 12h et 14h-17h ; mars-mai et oct.-nov. : 14h-17h, dim., j. fériés et vac. scol. visite suppl. 11h - 9 € (enf. 3,80 €).

Un calme de cathédrale, des voûtes de dentelles, des parois ciselées dans le plus fin des cristaux : l'eau, le calcaire et le temps ont travaillé ces merveilleuses stalactites, stalagmites et autres draperies translucides. Un étonnant voyage au centre de la Terre au cœur de la colline de Gaztelu.

Revenir à la D 22 que l'on prend à gauche.

Saint-Palais

Dans la Basse-Navarre des collines et des rivières calmes, St-Palais justifie son appartenance au monde basque surtout par ses traditions : galas de pelote, festival de force basque… Les ponts, gués, chapelles, tronçons d'antiques chemins pavés rencontrés aux environs évoquent le passage des pèlerins de Compostelle.

Rejoindre St-Jean-Pied-de-Port par la D 933.

11

LE LABOURD

Si la **Rhune** n'atteint pas des sommets (900 m), c'est le plus haut de cette région du Labourd, tout en coteaux et en landes. Ce circuit traverse des villages traditionnels et des paysages vallonnés, domaine des pottoks et des brebis manechs, dont le lait qui sert à l'élaboration de l'ossau-iraty, délicieux fromage longuement affiné.

▶ *116 km. Au départ de St-Jean de Luz, à 18 km au sud-ouest de Biarritz.*

★★ Saint-Jean-de-Luz

Après avoir fait fortune sur les mers, la ville maria le Roi-Soleil, puis fut happée par le tourbillon mondain né à Biarritz dans les années 1850. Les villas balnéaires poussèrent aux côtés des maisons basques aux bois peints et des palais du 17e s. Il se dégage de cet heureux mariage de styles une exquise douceur de vivre que l'on savoure sur la grande plage, en balade, ou bien en s'attablant devant des piquillos farcis à la morue. Le **port★**, d'où partaient jadis les baleiniers basques, abrite les sardiniers et les thoniers peints de couleurs vives.

★★ **Église St-Jean-Baptiste** – ℘ 05 59 26 08 81 - 8h30-12h, 14h-18h, dim. 8h30-11h30, 15h-18h. La plus célèbre des églises basques est d'une architecture très sobre, avec ses hautes murailles percées de maigres ouvertures, sa tour massive sous laquelle se glisse un passage voûté. L'**intérieur**, somptueux, date, pour l'essentiel, du 17e s. Trois étages de galeries de chêne encadrent la nef unique que couvre une remarquable voûte en carène lambrissée. Le **chœur** très surélevé, clos par une belle grille de fer forgé, porte un **retable★** resplendissant d'or.

Quitter St-Jean-de-Luz au sud-ouest par la N 10 jusqu'à Urrugne. Rejoindre la D 4.

★ Ascain

Une place de village entourée de maisons labourdines où le bleu, le vert et le rouge tranchent sur les crépis blancs, un fronton de pelote, un trinquet et une église, au massif clocher-porche et à 3 étages de galeries : voilà Ascain, en toute saison.

★★★ La Rhune

Du col de St-Ignace, prendre le petit chemin de fer à crémaillère. Retour possible à pied (se munir de bonnes chaussures). Se renseigner au préalable sur la visibilité au sommet et prendre un vêtement chaud - ℘ 05 59 54 20 26 - fév.-nov. : 9h30-11h30, 14h-16h30 (dép. ttes les 30mn) - 14 € AR (enf. 8 € AR).

Le petit train de bois qui vous emmène au sommet de la Rhune, en 35mn (à l'allure de 8 km/h), a l'air de sortir tout droit d'une collection. Il date de 1924. La Rhune est la montagne emblème du Pays basque français. Du sommet-frontière (avec son émetteur de télévision) **panorama★★★** splendide sur l'Océan, la forêt des Landes, les Pyrénées basques et, au sud, la vallée de la Bidassoa.

★ Sare

Très joli village que Pierre Loti a décrit dans *Ramuntcho*. Là aussi un bourg tout à fait basque avec son grand fronton, ses rues ombragées, sa belle église à trois étages de galeries et aux riches retables baroques et ses 14 chapelles votives.

★ Ainhoa

C'est le village basque par excellence : maisons rouges et blanches, fronton de pelote qui fait presque corps avec l'église, cimetière hérissé de stèles discoïdales. Ce sont les « croix basques », l'un des symboles solaires devenus l'emblème de la région.

★ Espelette

En automne, les façades des maisons de ce joli village se couvrent du rouge foncé des guirlandes de **piments** mises à sécher. Introduit au Pays basque au 17e s., le piment est devenu très vite le condiment favori de ses habitants.

Revenir sur ses pas et prendre la D 918 vers St-Jean-de-Luz.

LA SOULE

La haute Soule est séparée du bassin de St-Jean-Pied-de-Port par les massifs d'**Iraty★** et des **Arbailles★** qui forment écran par leur relief difficile et la densité de leur couverture forestière. Un endroit idéal pour les adeptes de randonnées en forêt, de pêche, et en hiver de ski de fond.

▶ *130 km. Au départ de Mauléon-Licharre, à 105 km au sud-est de Biarritz. Prendre la D 147 au sud de Mauléon-Licharre.*

Ahusquy

De ce lieu de rassemblement de bergers basques, établi dans un **site★★** panoramique, subsiste une auberge (rénovée).

Col d'Aphanize

Dans les pacages autour du col évoluent librement les chevaux. Un kilomètre à l'est du col, la **vue★★** devient immense.

★★ Gorges de Kakuetta

Accès par la D 113, route de Ste-Engrâce. ◆ *Traverser l'Uhaïtxa sur une passerelle, escalader l'autre rive et descendre dans les gorges. ℘ 05 59 28 73 44 (bar La Cascade) ou 05 59 28 60 83 (mairie) - www.sainte-engrace.com - de mi-mars à mi-nov. : de 8h à la tombée de la nuit - 4,50 € (enf. 3,50 €). Attention, le terrain est glissant.*

Taillées à pic dans le calcaire, ces gorges sont très belles. Le « Grand Étroit » est un splendide canyon, large de 3 à 10 m. Le torrent mugit dans la fissure riche en végétation. Le sentier aboutit près d'une cascade formée par une résurgence. Une grotte aux stalactites et aux stalagmites géantes marque le terme de ce parcours sportif.

Revenir à Mauléon par les D 113, 26 puis 918.

😊 NOS ADRESSES À BIARRITZ

HÉBERGEMENT

BUDGET MOYEN

Hôtel Maïtagaria – *34 av. Carnot - ℘ 05 59 24 26 65 - www.hotel-maitagaria.com - fermé 23 nov.-15 déc. - 15 ch. 62/95 € - ⬡ 9 €.* Accueil sympathique en cette demeure de style régional qui a revu son aménagement. Le mobilier chiné des chambres style Art déco.

Le Petit Hôtel – *11 r. Gardères - ℘ 05 59 24 87 00 - www.petithotel-biarritz.com - 12 ch. 95/105 € - ⬡ 6 €.* Coquet petit hôtel situé dans une rue tranquille non loin de la Grande Plage. Chambres très bien insonorisées.

RESTAURATION

BUDGET MOYEN

La Table d'Aranda – *87 av. de la Marne - ℘ 05 59 22 16 04 - www.tabledaranda.fr - fermé 3-18 janv., lun. sf le soir en juil.-août et dim. - formule déj. 15 € - 20 €.* Le bouche à oreille ne fait pas défaut à cette table au cadre rustique et basque. Cuisine personnelle et inventive, aimant le sucré-salé.

Chez Benat – *22 r. Harispe - ℘ 05 59 41 01 41 - formule déj. 18 € - 29 €.* Dans un décor simple mais chaleureux, vous dégusterez des huîtres et une cuisine à base de poissons à la plancha, sans oublier les fameux jambons espagnols. Accueil sympathique.

POUR SE FAIRE PLAISIR

Chez Albert – *Allée Port-des-Pêcheurs - ℘ 05 59 24 43 84 - www.chezalbert.fr - fermé 4 janv.-10 fév., 22 nov.-16 déc. et merc. - 40 €.* Les produits de la mer sont à l'honneur dans cette adresse animée et décontractée d'où l'on aperçoit le petit port de pêche. Terrasse très prisée en été.

ACHATS

Maison Pariès – *1 pl. Bellevue - Biarritz - ℘ 05 59 22 07 52 - www.paries.fr - en saison : 8h30-19h30 ; hors saison : 9h-13h, 14h30-19h.* Fidèle à plus d'un siècle de tradition familiale, cette maison élabore des spécialités telles que le mouchous, sorte de macaron à base d'amandes fraîches, le kanouga, caramel tendre au chocolat, les célèbres gâteaux basques et les tourons.

11

Pau

84 036 Palois – Pyrénées-Atlantiques (64)

😊 NOS ADRESSES PAGE 515

⊞ S'INFORMER
Office de tourisme – *Pl. Royale - 64000 Pau -* ☎ *05 59 27 27 08 - www.pau-pyrenees.com - tte la journée, dim. et j. fériés mat. et apr.-midi - fermé 1er janv., 1er et 8 Mai, 1er et 11 Nov. et 25 déc.* L'office propose deux guides (gratuits) pour visiter la ville et une brochure sports et loisirs.

◯ SE REPÉRER
Carte générale B4 – *Cartes Michelin n° 721 G14 et n° 524 I16.* Sur l'A 64 Biarritz-Toulouse, ainsi que sur la ligne du TGV Bordeaux-Tarbes, la ville est aussi reliée à Paris et à Lyon par des vols réguliers.

⊙ À NE PAS MANQUER
La vue du boulevard des Pyrénées ; le château et les quartiers anciens ; la vallée de l'Aspe, la vallée d'Ossau, la route de l'Aubisque.

◯ ORGANISER SON TEMPS
Consacrez au moins 2 jours à Pau et ses environs.

⊥⊥ AVEC LES ENFANTS
L'Éco-zoo de Borce, le petit train de la Sagette au lac d'Artouste.

Capitale du Béarn, ville natale d'Henri IV, Pau est la plus élégante des cités de la bordure pyrénéenne, toute en sobriété et raffinement, à l'image de son château. De 1814 à 1914, elle devint une station touristique élégante prisée par une clientèle britannique. Aujourd'hui, héritage de sa colonie d'outre-Manche, elle est sportive, intellectuelle et culturelle.

Découvrir

★★ Boulevard des Pyrénées
La place Royale fut ouverte par Napoléon Ier et, sous l'impulsion des Anglais en villégiature, prolongée en terrasse au-dessus de la vallée : le boulevard des Pyrénées était né. Au-delà des coteaux de Gelos et de Jurançon, le **panorama★★★** s'étend du pic du Midi de Bigorre au pic d'Anie. Le pic du Midi d'Ossau se détache parfaitement. Par temps clair, le spectacle est de grande beauté.

★★ Château
☎ *05 59 82 38 00 - www.musee-chateau-pau.fr - visite guidée mat. et apr.-midi - fermé 1er janv., 1er Mai et 25 déc.*
Dominant le gave (terme qui désigne un cours d'eau dans le Sud-Ouest), le château, élevé par **Gaston Phœbus** au 14e s., a perdu tout caractère militaire malgré son donjon de brique. **Marguerite d'Angoulême**, sœur de François Ier, et épouse d'Henri d'Albret, roi de Navarre, transforme le château dans le goût de la Renaissance et crée de somptueux jardins. Il est entièrement restauré au 19e s.

Les appartements forment une suite de salles richement décorées au 19ᵉ s. qui abritent une admirable collection de **tapisseries★★★**, tissées aux Gobelins. Le **cabinet de l'Empereur** conserve son curieux lit monumental de style Louis XIII, et l'**appartement de l'impératrice Eugénie** a été restitué dans son état du Second Empire. Découvrez la **chambre du roi** avec l'étonnant berceau d'Henri IV : une carapace de tortue des Galapagos, présentée sous un panache blanc et entourée d'un faisceau de lances porte-drapeaux.

Circuits conseillés

Partagé entre les hauts sommets, les vertes vallées et les gaves, animé par une faune et une flore exceptionnellement denses, le Béarn est l'une des plus anciennes contrées françaises. Parsemé de vestiges médiévaux, c'est un pays chargé d'histoire. Trois superbes vallées forment l'ossature de la montagne béarnaise. À l'ouest, pays de pâturages, la **vallée de Barétous**. Au centre, la **vallée d'Aspe**, la plus sauvage, suit la route naturelle menant d'Oloron au col du Somport. Enfin, la **vallée d'Ossau,** dominée par le pic du Midi d'Ossau, découpée par les torrents et les lacs, est réputée pour son marbre d'Arudy et les eaux chaudes de Laruns.

★★ LA VALLÉE D'ASPE

▷ *88 km. Au départ d'Oloron-Ste-Marie, à 32 km au sud-ouest de Pau. Suivre la N 134.*
La route de la rive droite du gave remonte la vallée campagnarde avec ses champs de maïs coupés de rideaux de peupliers. Le pic Mail-Arrouy (alt. 1 251 m) semble fermer le passage au sud.
★ **Écomusée de la vallée d'Aspe - Notre-Dame-de-la-Pierre à Sarrance** – *℘ 05 59 34 57 65 - www.ecomusée.vallee-aspe.com - juil.-sept. : tte la journée ; reste de l'année : w.-end et vac. scol. apr.-midi - fermé janv. et 25 déc. - 4 € (-16 ans 2,50 €).* Il retrace l'histoire du pèlerinage à **Sarrance** et raconte, à travers un récit narré par le chanteur béarnais Marcel Amont, les rapports entre l'homme, la pierre et l'eau.
En parvenant à **Bedous**, on découvre le bassin médian de la vallée, où se groupent sept villages. À l'arrière-plan se découpent les crêtes d'Arapoup et, à l'extrême droite, les premiers sommets du cirque de Lescun (pic de Burcq).
Écomusée de la vallée d'Aspe - Les Fermiers Basco Béarnais à Accous – *℘ 05 59 34 76 06 - de déb. juil. à mi-sept. : mat. et apr.-midi ; reste de l'année : tlj sf dim. mat. et apr.-midi - fermé 1ᵉʳ janv., 1ᵉʳ Mai, 1ᵉʳ nov. et 25 déc.* Pour tout savoir sur les troupeaux, les bergers, la fabrication du fromage…

★ Lescun

Village aimé des montagnards pour son cirque de montagnes calcaires aux sommets acérés, dont les **aiguilles d'Ansabère** (alt. 2 377 m).
⌔ *30mn à pied AR.* Pour admirer le **panorama★★**, suivez la route en montée à hauteur de l'église. Au-delà d'un lavoir et d'une croix, le sentier tourne… Retournez-vous pour admirer le **pic d'Anie**.
La N 134 remonte la vallée presque continuellement étranglée. Les villages, deux par deux, semblent se surveiller l'un l'autre.

★ Borce

★ **Écomusée de la vallée d'Aspe - « Une halte sur le chemin de St-Jacques »** – *℘ 05 59 34 88 99.* Muni de votre bourdon, vêtu de votre cape

11

> ### LE « VA-NU-PIEDS »
>
> Les Béarnais l'appellent *pe descaous*, le « va-nu-pieds ». L'ours brun euro-péen ne subsiste plus en France qu'en très petit nombre, dans la partie ouest des Pyrénées centrales. Il a élu domicile à 1 500 m d'altitude, sur les versants rocheux et dans les forêts de hêtres et de sapins qui surplom-bent les vallées d'Aspe et d'Ossau. Ce plantigrade, autrefois carnivore, est devenu omnivore et, selon les saisons, se nourrit de tubercules, de baies, d'insectes, de glands mais aussi de petits mammifères et parfois de brebis (ce qui soulève bien des polémiques). L'aménagement du réseau routier, l'exploitation forestière et l'engouement touristique, joints à un cycle de reproduction très lent (la femelle met bas un ourson tous les deux ans) ont entraîné la régression de l'espèce. Pour pallier la menace d'ex-tinction, 7 000 ha ont été interdits à la chasse en automne, lorsque l'ours constitue ses réserves avant l'hibernation. Les ours slovènes qui ont été réintroduits dans les Pyrénées depuis 1996 ont mis au monde plusieurs oursons. À l'heure des bilans, après plusieurs attaques, des mesures ont été mises en place par l'État, visant à une meilleure cohabitation entre ours et éleveurs.

et la coquille autour du cou, entrez dans l'ancien hôpital pour compléter vos connaissances sur le pèlerinage.

Éco-zoo de Borce – *05 59 34 89 33- www.eco-zoo.fr - de mi-juin à mi-sept. : 10h-19h ; de mi-avr. à mi-mai et de mi-oct. à mi-nov. : 10h-18h ; de mi-mai à mi-juin et de mi-sept. à mi-oct. : 13h-18h - 8 € (4-12 ans 5 €).* Au-dessus du village, isards, mouflons, marmottes… vivent en semi-liberté dans un espace de 10 ha.

★★ Col du Somport

Alt. 1 632 m. Ce col, le seul des Pyrénées centrales accessible en toute saison, est chargé de souvenirs historiques depuis le passage des légions romaines. Les pèlerins de St-Jacques-de-Compostelle l'empruntèrent jusqu'au 12ᵉ s. Vues imposantes sur les Pyrénées aragonaises, aux sommets très découpés.

★★ LE HAUT OSSAU

La région appartient en grande partie au **Parc national des Pyrénées** *(www. parc-pyrenees.com)*. Ce parc vise à ranimer l'économie pastorale et les villa-ges, et à protéger la faune et la flore pyrénéennes, tout en prévoyant l'accueil des visiteurs.

79 km. Au départ de Pau, que l'on quitte au sud par la N 134. Suivre la D 934 jusqu'à Artouste-Fabrèges peu après Gabas.

Montée en télécabine à La Sagette

05 59 05 36 99 - mai-sept. - 7 €.

De la station supérieure (alt. 1 950 m), la **vue**★★, plongeant sur l'ancienne vallée glaciaire du gave de Brousset – noyée en partie par la retenue de Fabrèges – ne se détache guère de la silhouette du pic du Midi d'Ossau.

De La Sagette au lac d'Artouste

05 59 05 36 99 - www.trainartouste.com - haute saison : 8h30-17h ; basse sai-son : 9h-15h - 21,50 € télécabine et train AR (4-10 ans 17 €).

Le **petit train** serpente à flanc de montagne, sur un parcours de 10 km à 2 000 m d'altitude. Il offre des **vues**★ plongeantes sur la vallée du Soussouéou, 500 m en contrebas.

★ LA ROUTE DU COL D'AUBISQUE

▷ *107 km. Au départ d'Eaux-Bonnes, à 43 km au sud de Pau.*
La station thermale d'**Eaux-Bonnes**, au fond de la vallée boisée du Valentin, procure les bienfaits de cures aux affections des voies respiratoires.

Aas
Village typiquement ossalois avec ses rues étroites en pente raide. Quelques-uns de ses habitants pratiquent encore le langage sifflé, qui permettait jadis aux bergers de communiquer entre eux dans la vallée jusqu'à une distance de 2,5 km.

Gourette
Important centre de sports d'hiver, Gourette doit son existence au Palois **Henri Sallenave** qui, dès 1903, y effectua les premières descentes à ski des Pyrénées. Le **site★** lui-même vaut le détour : les immeubles se nichent en pleines Pyrénées calcaires, dans un cirque marqué par les strates du pic du Ger.

★★ Col d'Aubisque
15mn à pied depuis le parking jusqu'à l'émetteur TV, route généralement obstruée par la neige de nov. à juin ; croisements difficiles sur la partie de la route en corniche, après le col d'Aubisque (route très étroite). Entre le col et le département des Hautes-Pyrénées, la circulation est alternée toutes les 2h.
Alt. 1 709 m. Rendu illustre par le passage du Tour de France cycliste, il offre un **panorama★★** saisissant sur le cirque de Gourette. La route de la corniche est un des passages les plus saisissants du parcours.

★ Col du Soulor
Alt. 1 474 m. Au loin, au-delà de la vallée d'Azun, s'élèvent le **pic du Midi de Bigorre** et le **pic de Montaigu**.
Tourner à gauche dans la D 126 pour regagner Pau.

11

🙂 NOS ADRESSES À PAU

HÉBERGEMENT

BUDGET MOYEN
Hôtel Le Bourbon – *12 pl. Clemenceau -* 🕾 *05 59 27 53 12 - www.hotel-lebourbon.com - 31 ch. 65/70 € -* ☕ *7,20 €.* Hôtel situé dans un quartier animé par de nombreux cafés. Les chambres, toutes rénovées, donnent en majorité sur la place, tout comme la salle des petits-déjeuners.

RESTAURATION

BUDGET MOYEN
La Table d'Hôte – *1 r. du Hédas -* 🕾 *05 59 27 56 06 - fermé vac. de Noël, lun. sf le soir en juil.-août et* dim. - formule déj. 20 € - 25/30 €. Briques, poutres et galets donnent un petit air campagnard à cette ancienne tannerie du 17e s. nichée dans une ruelle médiévale. Ambiance sympathique, cuisine du terroir.

O'Gascon – *13 r. du Château -* 🕾 *05 59 27 64 74 - restaurant-ogascon-pau.com - fermé merc. et à midi - 23/48 €.* Murs en pierres et briques, vieux meubles en bois et poutres au plafond : il règne une chaleureuse ambiance dans ce restaurant très orienté cuisine du terroir. On peut y déguster la vraie garbure, servie dans une soupière en terre cuite. Accueil très agréable.

Midi-Pyrénées 12

Cartes Michelin National n° 721 et Région n° 525

Ruelle de Toulouse.
A. Gonçalves/Age Fotostock

Le Midi toulousain

▶ SE REPÉRER

De Paris, Bordeaux, Biarritz, Pau, Clermont-Ferrand ou Montpellier, la région est accessible par des axes autoroutiers. Grâce au TGV, Toulouse n'est qu'à 5h20 de Paris, 3h30 de Marseille, 4h de Lyon et 7h30 de Lille ! Enfin, Air France et ses filiales, ainsi que la compagnie « low cost » Easy Jet desservent l'aéroport de Toulouse.

👁 À NE PAS MANQUER

À Toulouse, la place du Capitole, la basilique St-Sernin, la Fondation Bemberg, la Cité de l'Espace, puis le canal du Midi aux alentours ; Auch et les bastides de Gascogne ; l'abbaye de Moissac et le musée Ingres à Montauban ; le site de Rocamadour et sa cité religieuse, aux alentours le gouffre de Padirac ; à Figeac, le musée Champollion - les Écritures du monde ; à Rodez, la cathédrale Notre-Dame, et non loin, l'abbaye de Conques et Villefranche-de-Rouergue ; Millau et son musée de la Peau et du Gant, ainsi qu'une traversée dans les Causses avec des haltes aux caves de Roquefort, dans les grottes et au chaos de Montpellier-le-Vieux ; à Albi, la cathédrale Ste-Cécile, le musée Toulouse-Lautrec et les berges du Tarn ; à Castres, le musée Goya et une excursion dans la Montagne noire jusqu'aux rives du canal du Midi.

🕐 ORGANISER SON TEMPS

De Toulouse, qui mérite à elle seule 2 jours, 4 jours ne seront pas de trop pour explorer la région : entre la visite des bastides et castelnaux aux alentours d'Auch ou les Causses, vous avez le choix des itinéraires. Le printemps est sans doute la saison idéale pour la randonnée, l'été étant souvent sec et chaud, parfois caniculaire, avec des risques d'orage à partir de la mi-août. En automne, les beaux jours sont encore nombreux et l'affluence touristique s'est dissipée.

Entre Atlantique et Méditerranée, le canal du Midi forme un trait d'union enchanteur tandis que, sur une boucle de la Garonne, Toulouse, la capitale, concentre l'histoire ancienne de la région. La place forte catholique, cité des capitouls, s'est développée dans une province gagnée par l'hérésie cathare, puis par la Réforme, et fut le théâtre de conflits sanglants. Mais aujourd'hui, la voici prestigieuse cité de l'aéronautique et point de départ pour visiter ce Midi qui s'étend entre les Causses, sur les contreforts du Massif central, et la Montagne noire, au pied des Pyrénées. Au fil du Lot, de l'Aveyron et du Tarn se déploient de belles perspectives, entre coteaux et vallées : gouffres, grottes aux concrétions féeriques, rochers aux formes suggestives. La mémoire humaine est partout présente : chevaux pommelés et empreintes de mains laissées sur les parois de la grotte du Pech-Merle, châteaux forts perchés sur des éperons rocheux, bastides du Moyen Âge, abbayes romanes de Conques et de Moissac sur les chemins de Compostelle, Vierge noire à Rocamadour, cathédrales gothiques de brique à Toulouse et à Albi. Et après les musées d'art essaimés ci et là, d'autres richesses roboratives se profilent, contribuant à la bonne humeur de cette région qui se veut toujours rurale : le cassoulet, l'aligot, le foie gras d'oie et de canard, les fromages de brebis et de chèvre, les vins gascons et l'armagnac…

Toulouse

★★★

439 553 Toulousains – Haute-Garonne (31)

 NOS ADRESSES PAGE 525

S'INFORMER

Office de tourisme – *Donjon du Capitole - 31000 Toulouse -* ☎ *0 892 180 180 - www.toulouse-tourisme.com - juin-sept. : 9h-19h, dim. et j. fériés 10h30-17h15 ; reste de l'année : 9h-18h, sam. 9h-12h30, 14h-18h, dim. et j. fériés 10h-12h30, 14h-17h - fermé 1er janv. et 25 déc.*

SE REPÉRER

Carte générale B4 – *Cartes Michelin n° 721 I14 et n° 525 I10*. Accès par l'A 20 en venant de Paris ou l'A 62 de Bordeaux.

À NE PAS MANQUER

La place du Capitole, la basilique St-Sernin, la Fondation Bemberg, les Abattoirs. Le pont St-Michel offre un beau point de vue sur la ville, surtout si l'on se place entre le milieu du pont et la rive gauche : par temps clair, la chaîne des Pyrénées se profile au sud.

ORGANISER SON TEMPS

Visitez le vieux Toulouse la première journée et réservez la seconde pour découvrir le pôle aéronautique.

AVEC LES ENFANTS

Le Muséum d'histoire naturelle, la Cité de l'Espace, une promenade à vélo le long du canal du Midi.

« Ville rose à l'aube, ville mauve au soleil, ville rouge au crépuscule »… Toulouse mélange avec bonheur les couleurs et les époques. Cette ancienne capitale des terres d'Oc et des capitouls, résolument tournée vers l'avenir avec ses usines aéronautiques, est une ville universitaire très animée. En se promenant dans ses vieux quartiers, on découvre de superbes cours Renaissance et de magnifiques maisons cachées derrière de lourdes portes. Ajoutez-y des musées passionnants et une table alléchante, et votre passage à Toulouse a toutes les chances de durer…

12

Se promener Plan p. 522

★★★ LE VIEUX TOULOUSE

★★★ **Basilique Saint-Sernin** A1

C'est la plus célèbre et la plus belle des grandes églises romanes du Midi, la plus riche de France en reliques, classée par l'Unesco. Dès la fin du 4e s., une basilique abritait ici le corps de saint Sernin. Commencée vers 1080, en brique et pierre, l'église a été achevée au milieu du 14e s. St-Sernin est le type accompli de la grande église de pèlerinage. Elle est conçue pour faciliter les dévotions des foules et rendre possible la célébration des offices par un chœur de chanoines : une nef flanquée de doubles collatéraux, un immense

LES EMPREINTES DE L'HISTOIRE

La cité des capitouls – Plaque tournante du commerce des vins sous les Romains, *Tolosa* devient le centre intellectuel de la Narbonnaise. Capitale des Wisigoths au 5ᵉ s., elle passe dans le domaine des Francs. Après Charlemagne, Toulouse est gouvernée par des comtes. Du 9ᵉ au 13ᵉ s., sous la dynastie des comtes Raimond, elle est le siège de la cour la plus magnifique d'Europe. Des consuls ou capitouls, choisis dans la bourgeoisie commerçante, administrent la cité, une véritable « république » à l'italienne. Le comte les consulte pour la défense de la ville et pour toute question de relations extérieures. Pour symboliser leur élévation, les nouveaux promus flanquaient leurs demeures de tours. Mais le pouvoir des capitouls perd de sa substance (même si le titre subsiste) après le rattachement à la Couronne, à l'issue de la crise albigeoise (1271).

Le boom du pastel – Au 15ᵉ s., le commerce des coques de pastel jette les négociants toulousains dans l'aventure du commerce international : Londres et Anvers figurent parmi les principaux débouchés. La spéculation permet aux Bernuy et aux Asségat de mener un train de vie princier. De splendides hôtels sont élevés à cette époque, symboles de la fortune, de la puissance et de la richesse des « princes du pastel ». L'influence italienne, et notamment le renouveau florentin, va modifier la physionomie de cette cité florissante, encore médiévale. Mais à partir de 1560 en Europe, l'indigo et le marasme s'installent avec les guerres de Religion. Le système s'effondre.

transept et un chœur avec déambulatoire sur lequel ouvrent cinq chapelles rayonnantes. La **porte des Comtes** s'ouvre dans le croisillon sud du transept. Les chapiteaux de ses colonnettes se rapportent à la parabole de Lazare et du mauvais riche et aux châtiments appliqués aux péchés d'avarice et de luxure. Le **chevet** du 11ᵉ s., partie la plus ancienne du monument, comporte les chapelles de l'abside et celles des croisillons, les toitures étagées du chœur et du transept, dominées par le clocher : tout cela forme un ensemble magnifique. La sculpture romane de la **porte Miégeville** a fait école dans tout le Midi. Du début du 12ᵉ s., elle recherche l'expression et le mouvement.

★★ Les Jacobins A2

🕿 05 61 22 21 92 - www.jacobins.mairie-toulouse.fr - ᴋ - 9h-19h - possibilité de visite guidée (1h) - 3 € (enf. gratuit), gratuit 1ᵉʳ dim. du mois.

En 1215, saint Dominique fonde l'ordre des Frères prêcheurs. Le premier couvent des dominicains est installé à Toulouse en 1216. La construction de l'église et du couvent, première université toulousaine, commencée en 1230, se poursuivit aux 13ᵉ et 14ᵉ s. L'église de brique est un chef-d'œuvre de l'école gothique du Midi, dont elle marque l'apogée. Extérieurement, elle frappe par ses arcs de décharge disposés entre les contreforts et surmontés d'oculi, par sa tour octogonale allégée d'arcs en mitre qui servit de modèle à de nombreux clochers de la région. Le **vaisseau★★** à deux nefs traduit le rayonnement de l'ordre, sa prospérité et ses deux missions bien tranchées : le service divin et la prédication. Les colonnes portent la voûte à 28 m de hauteur sous clef. Sur la dernière **colonne★★** repose la voûte tournante de l'abside : ses 22 nervures alternativement minces et larges composent le fameux « palmier ».

Place du Capitole A2

Cette grande place, lieu de rendez-vous des Toulousains, est bordée à l'est par la majestueuse façade du Capitole. On prend le temps d'une pause pour se joindre aux Toulousains qui envahissent les terrasses des brasseries.

★ **Capitole** A2

🕿 05 61 22 29 22 - 8h30-19h, w.-end 10h-19h - fermé 1er janv.

L'hôtel de ville de Toulouse tire son nom de l'assemblée des capitouls. La façade sur la place date du milieu du 18e s. Longue de 128 m, ornée de pilastres ioniques, elle est un bel exemple d'architecture colorée, jouant habilement des alternances de la brique et de la pierre. Dans l'aile droite se trouve le théâtre.

★★ **Hôtel d'Assézat** A2

C'est le plus bel hôtel de Toulouse. Il fut élevé en 1555-1557 sur les plans de Nicolas Bachelier, le plus grand architecte toulousain de la Renaissance. Sur les façades de l'hôtel d'Assézat, pour la première fois à Toulouse, s'est développé le style classique caractérisé par la superposition des trois ordres antiques : dorique, ionique et corinthien. Pour donner de la variété à ces façades, l'architecte a ouvert, au rez-de-chaussée et au 1er étage, des fenêtres rectangulaires sous des arcades de décharge. Au 2e étage, c'est l'inverse : la fenêtre est en plein cintre sous un entablement droit.

À cette recherche correspond la décoration poussée des deux portes, l'une avec ses colonnes torses, l'autre avec ses cartouches et ses guirlandes. Au revers de la façade donnant sur la rue s'ouvre un portique élégant, à quatre arcades, surmonté d'une galerie. Le 4e côté est resté inachevé : le mur est seulement décoré d'une galerie couverte reposant sur de gracieuses consoles.

★★ **Fondation Bemberg** A2

🕿 05 61 12 06 89 - www.fondation-bemberg.fr - ♿ - tlj sf lun. 10h-12h30, 13h30-18h (jeu. 21h) - possibilité de visite guidée (1h15) - fermé 1er janv. et 25 déc. - 6 € (-8 ans gratuit, 8-18 ans 3,50 €).

Les collections proviennent du don que fit l'amateur d'art Georges Bemberg à la ville. Endommagée par l'explosion de l'usine AZF, la fondation a fait peau neuve. L'art ancien (16e-18e s.) est présenté comme dans une maison particulière : peinture vénitienne avec des *vedute* de Canaletto et de Guardi, flamande du 15e s. et hollandaise du 17e s. avec un *Couple jouant de la musique* de Pieter de Hooch ; meubles vénitiens du 18e s. et objets d'art du 16e s. accompagnent ses tableaux. Dans la **galerie des portraits Renaissance**, les tableaux font face à des groupes sculptés du 16e s. Dans le cabinet voisin, des bronzes d'Italie, dont un superbe Mars attribué à Jean de Bologne, côtoient des émaux de Limoges.

La collection d'art moderne, dominée par un ensemble de tableaux de Bonnard aux couleurs vibrantes, rassemble pratiquement tous les grands noms de l'école française moderne, offrant un panorama des principaux courants de peinture à la charnière du 19e et du 20e s.

12

Rue de la Dalbade A3

Les demeures des capitouls s'y succèdent. Remarquez au n° 22 le grand portail sculpté, d'inspiration païenne (16e s.), de l'hôtel Molinier. Au n° 25, l'**hôtel de Clary** comporte une belle cour intérieure Renaissance ; sa façade en pierre fit sensation lorsqu'elle fut élevée, au 17e s. C'était là un signe d'opulence en cette ville de brique.

Rue Mage B3

C'est l'une des rues les mieux conservées du vieux Toulouse : demeures d'époque Louis XIII, Louis XIV et régence.

★ **Cathédrale Saint-Étienne** B2

La cathédrale apparaît disparate : en effet, sa construction s'est étendue du 13e au 17e s. La nef unique, aussi large que haute, est la première manifestation de

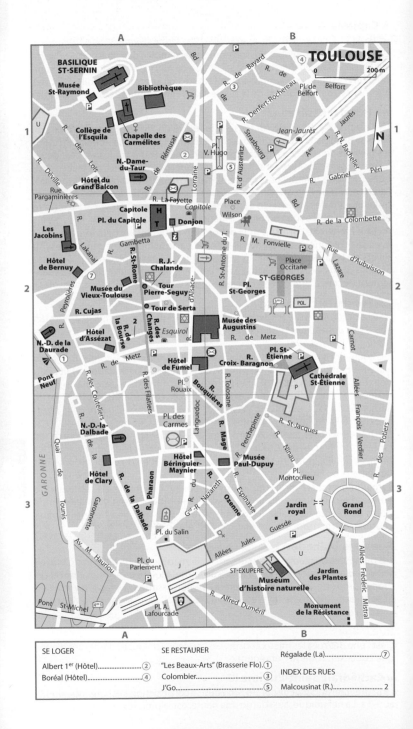

TOULOUSE

0   200 m

BASILIQUE ST-SERNIN

Musée St-Raymond

Bibliothèque

Collège de l'Esquila

Chapelle des Carmélites

N.-Dame-du-Taur

Hôtel du Grand Balcon

Rue Pargaminières

Capitole
Pl. du Capitole

Donjon

Les Jacobins

Hôtel de Bernuy

Musée du Vieux-Toulouse

R. Cujas

R. J.-Chalande

Tour Pierre-Seguy

Tour de Serta

N.-D. de la Daurade

Hôtel d'Assézat

Pont Neuf

Hôtel de Fumel

Pl. Rouaix

Musée des Augustins

R. Croix-Baragnon

Pl. St-Étienne

Cathédrale St-Étienne

N.-D.-la-Dalbade

Pl. des Carmes

Hôtel de Clary

Hôtel Béringuier-Maynier

Musée Paul-Dupuy

Pl. Montoulieu

Pl. du Salin

Jardin royal

Grand Rond

Pl. du Parlement

ST-EXUPERE

Muséum d'histoire naturelle

Jardin des Plantes

Monument de la Résistance

Pont St-Michel

Pl. A. Lafourcade

Pl. de Belfort

Jean-Jaurès

Pl. V. Hugo

Place Capitole

Place Wilson

R. M. Fonvielle

Place Occitane

ST-GEORGES

Pl. St-Georges

Place

R. de Metz

GARONNE

SE LOGER	SE RESTAURER	Régalade (La) .... ⑦
Albert 1er (Hôtel) .... ②	"Les Beaux-Arts" (Brasserie Flo) . ①	INDEX DES RUES
Boréal (Hôtel) .... ④	Colombier .... ③	Malcousinat (R.) 2
	J'Go .... ⑤	

l'architecture gothique du Midi. L'austérité des murs est corrigée par une belle collection de tapisseries des 16ᵉ et 17ᵉ s. retraçant la vie de saint Étienne.

★★ Musée des Augustins B2

☎ 05 61 22 21 82 - www.augustins.org - 10h-18h (merc. 21h) - possibilité de visite guidée (1h30) - fermé 1ᵉʳ janv., 1ᵉʳ Mai et 25 déc. - 3 € (-18 ans et étudiants gratuit), gratuit 1ᵉʳ dim. du mois.

Il est installé dans les bâtiments désaffectés du couvent des Augustins, de style gothique méridional (14ᵉ et 15ᵉ s.). Les galeries du grand cloître abritent une intéressante **collection lapidaire** paléochrétienne ainsi qu'une série de gargouilles gothiques. L'église abrite des **peintures religieuses** des 14ᵉ-18ᵉ s. (Rubens, Le Guerchin, Vouet, Tournier) et quelques sculptures. Dans l'aile occidentale que rythment de grands arcs en plein cintre, les admirables **chapiteaux romans★★★** historiés ou à décor végétal sont les pièces maîtresses du musée. À l'étage, les sculptures du 19ᵉ s. précèdent une galerie de peinture où sont exposés des tableaux de Laurens, Corot, Gros, Delacroix, Toulouse-Lautrec, Vuillard ainsi que la production toulousaine des 17ᵉ et 18ᵉ s.

AU SUD DE LA VILLE

★★ Muséum d'histoire naturelle B3

Métro ligne B, station Palais-de-Justice ou Carmes - ☎ 05 67 73 84 84 - www.museum.toulouse.fr - tlj sf lun. 10h-18h - fermé 1ᵉʳ janv., 1ᵉʳ Mai et 25 déc. - 8 € (-12 ans 5 €).

👥 Le Muséum de Toulouse, qui a rouvert en 2008 après dix ans de travaux, mérite vraiment la visite. L'exposition permanente s'articule autour de cinq grands espaces, respectivement dédiés à la Terre, au vivant, à l'histoire de la vie à travers le temps, aux grandes fonctions du vivant et enfin, au futur. Tout au long de son parcours, le visiteur est amené à s'émerveiller, s'interroger et prendre conscience de sa responsabilité dans le devenir de la planète. Le « **mur des squelettes** » est peut-être ce qui vous amusera le plus : dans la courbe en verre qui sert de façade au Muséum sont exposés des squelettes de toutes sortes. Ils ont la particularité d'être en situation dynamique, ce qui leur donne une allure étonnamment vivante : vous verrez un homme sur un cheval, un lion sautant sur une gazelle, un ours qui se gratte le dos, etc.

LE QUARTIER SAINT-CYPRIEN

12

★ Les Abattoirs (musée d'Art moderne et contemporain)

Rive gauche de la Garonne - Métro St-Cyprien-République, bus n° 1 - ☎ 05 34 51 10 60 - www.lesabattoirs.org - ♿ - tte la journée (11h-19h en juil.-août) - fermé lun.-mar. - possibilité de visite guidée (1h) - 7 € (-18 ans 3 €), gratuit 1ᵉʳ dim. du mois.

Les bâtiments de brique, qui servaient autrefois d'abattoirs, sont aujourd'hui réhabilités pour recevoir le fonds d'art moderne et contemporain. Divers courants artistiques nés après la Seconde Guerre mondiale sont représentés : expressionnisme abstrait, art brut, art informel, Gutai, arte povera, Support/Surfaces, etc.

LE PATRIMOINE AÉRONAUTIQUE ET SPATIAL

Airbus visit

À Blagnac, dans la banlieue ouest de Toulouse. Rocade direction Blagnac Aéroport, sortie 4 - Village Aéroconstellation - r. Franz-Josef-Strauss - ☎ 05 34 39 42 00 -

www.taxiway.fr - visite guidée sur réserv. (1 mois à l'avance) au service réserv. de Taxiway - papiers d'identité obligatoires - fermé dim. et j. fériés - circuit Lagardère A 380 : 14 € (+ 6 ans 11 €), suppl. Concorde 4,50 € (+ 6 ans 3 €) ; circuit Mach 2 : 11 € (+ 6 ans 9,50 €) ; circuit Lagardère + Mach 2 : 21,15 € (+ 6 ans 17,10 €).

Le circuit Jean-Luc Lagardère démarre par une présentation du programme A 380. Un bus vous conduit ensuite sur le site J.-L.-Lagardère à la découverte des postes d'essais généraux et extérieurs. En complément, une visite guidée vous permet de monter à bord du premier Concorde (n° 1). Le circuit Mach 2 se consacre exclusivement à l'avion de légende : après le Concorde n° 1, vous découvrirez le Concorde n° 9, qui a été le dernier Concorde à avoir volé en France. Vous pouvez combiner les deux circuits.

★ Cité de l'Espace

Au parc de la Plaine, en bordure de la rocade est. ☎ 05 62 71 48 71 - www.cite-espace.com - ♿ - tte la journée (9h30-19h en juil.-août) - fermé 2 sem. en janv. - 22 € (enf. 15,50 €).

Dans le **pavillon des expositions**, sept thèmes donnent un aperçu de notre univers, de la Terre aux planètes les plus lointaines, et présentent la vie des cosmonautes dans l'espace et les communications à distance. Le **parc** est dominé par une maquette grandeur nature de la fusée Ariane 5 ; un passage mène à la **base des enfants.** Une allée conduit à l'**Astralia**, l'espace des spectacles en trois dimensions comprenant un écran haut comme un immeuble de 6 étages et un **planétarium**. De l'autre côté du parc, le **Terr@dome**, avec ses effets spéciaux et images inédites, fait revivre près de 5 milliards d'années de la vie de notre planète. La **station Mir** permet de se faire une idée de la vie et du travail des cosmonautes.

À proximité

★ Canal du Midi

Quitter Toulouse par la N 113 au sud-est.

La grandiose idée de relier l'Atlantique et la Méditerranée fut réalisée par Pierre Paul de Riquet (1604-1680), fermier de la gabelle du Languedoc. Aujourd'hui, on peut découvrir le canal, de Toulouse à Sète *(240 km de long, 91 écluses)*, en voiture, mais rien ne vaut une promenade à pied, à vélo ou à bord d'une péniche pour goûter au charme de son cours et de ses rives. Sa majesté et celle de ses ouvrages lui valent d'être inscrit au **Patrimoine mondial de l'Unesco**. Un bel itinéraire de 52 km, avec une piste cyclable balisée, traverse la plaine du Lauragais jusqu'au **seuil de Naurouze★**.

😊 NOS ADRESSES À TOULOUSE

TRANSPORTS

😊 **Bon à savoir** – L'agglomération toulousaine est dotée d'un large réseau de transports en commun : une soixantaine de lignes de bus et 2 lignes de métro. Il est possible de laisser gratuitement sa voiture dans les « parkings d'échange », avant de rejoindre le centre.
Vélo – *www.velo.toulouse.fr.* Toulouse s'est équipée de plus de 200 stations « VélôToulouse ».

HÉBERGEMENT

BUDGET MOYEN
Hôtel Boréal – B1 - *20 r. Caffarelli - ☎ 05 61 62 57 21 - www.hotel-toulouse-boreal.com - 24 ch. 65/75 € - ☕ 9 €.* Idéalement situé entre la gare et la place Wilson, cet hôtel a été entièrement rénové. Façade de briques roses, vaste hall à la décoration très contemporaine et sur trois étages, des chambres de taille variable, mais toujours confortables. Bon rapport qualité-prix.
Hôtel Albert 1er – A1 - *8 r. Rivals - ☎ 05 61 21 17 91 - www.hotel-albert1.com - 47 ch. 65/123 € - ☕ 10 €.* Adresse très pratique pour sillonner à pied la « ville rose », tout proche du Capitole. Préférez les chambres joliment relookées ; celles sur l'arrière sont plus calmes.

RESTAURATION

PREMIER PRIX
J'Go – B1 - *16 pl. Victor-Hugo - ☎ 05 61 23 02 03 - www.lejgo.com - fermé 1er janv., 24 et 31 déc. - formule déj. 13 € - 16/30 €.* Un décor qui rend hommage à la région (photos et affiches dédiées aux mondes du rugby et de la corrida), une cuisine du terroir évoluant avec les saisons et une ambiance conviviale… Une adresse prisée par les Toulousains, très animée à l'heure de l'apéritif.
La Régalade – A2 - *16 r. Gambetta - ☎ 05 61 23 20 11 - fermé 3 sem. en août et w.-end - formule déj. 12 € - 12/27 €.* Entre le Capitole et la Garonne, petit restaurant abrité derrière une jolie façade de briques roses. L'intérieur est plaisant : poutres apparentes, exposition de toiles contemporaines, mobilier en bois et chaises bistrot. Copieuse cuisine traditionnelle et régionale.
Colombier – B1 - *14 r. Bayard - ☎ 05 61 62 40 05 - www.restaurant-lecolombier.com - fermé 2e quinz. août, 1 sem. à Noël, sam. midi, lun. midi, dim. et j. fériés - formule déj. 17 € - 21/36 €.* À Toulouse, un pèlerinage culinaire passe forcément par le Colombier, véritable temple du cassoulet fondé en 1874. Belle salle avec briques roses, galets de la Garonne, fresque à thème gargantuesque et mise en place soignée. Service souriant et décontracté.

BUDGET MOYEN
Brasserie Flo « Les Beaux-Arts » – A2 - *1 quai Daurade - ☎ 05 61 21 12 12 - www.brasserielesbeauxarts.com - formule déj. 24,50 € - 30/39 € bc.* Les Toulousains apprécient l'ambiance et le décor rétro de cette brasserie des bords de la Garonne, jadis fréquentée par Ingres, Matisse et Bourdelle. Carte très variée.

12

Auch

21 744 Auscitains – Gers (32)

S'INFORMER

Office de tourisme – *1 r. Dessoles - 32000 Auch -* 📞 *05 62 05 22 89 - www. auch-tourisme.com - de mi-juil. à fin août : 9h30-18h30, dim. 10h-12h15, 15h-18h ; de déb. mai à mi-juil. et sept. : 9h15-12h, 14h-18h, dim. 10h-12h15 ; reste de l'année : tlj sf dim. 9h15-12h, 14h-18h - ouverture à 10h le lun.*

SE REPÉRER

Carte générale B4 – *Cartes Michelin n° 721 H14 et n° 525 G10*. De Toulouse ou Mont-de-Marsan, on accède à Auch par la N 124 ; d'Agen ou Tarbes, par la N 21.

À NE PAS MANQUER

Les stalles et les vitraux de la cathédrale Ste-Marie.

ORGANISER SON TEMPS

Découvrez la ville puis consacrez une journée pour visiter les châteaux et les bastides de la région.

AVEC LES ENFANTS

Le donjon médiéval de Bassoues, les airs de Duke Ellington ou de Miles Davis aux Territoires du jazz à Marciac, les mousquetaires à Termes-d'Armagnac.

Capitale administrative de la Gascogne, Auch est une halte gourmande au cœur du Gers producteur de foie gras, d'armagnac et de croustades. Très animée dans la semaine, elle se farde de multiples couleurs le samedi, jour de marché. On la découvre à travers le labyrinthe de ses ruelles médiévales, où il est bien agréable de se perdre. Et elle constitue un bon point de départ pour explorer les bastides de la région.

Découvrir

★★ Cathédrale Sainte-Marie

📞 *06 30 41 19 38 - de mi-juil. à fin août : 8h30-18h30 ; de déb.-avr. à mi-juil. et sept. : 8h30-12h, 14h-18h ; oct.-mars : 9h30-12h, 14h-17h - 2 € (-13 ans gratuit).*
Sa construction, commencée en 1489 par le chevet, n'a été terminée que deux siècles plus tard ; l'ensemble est de style gothique. Au début du 16ᵉ s., les chapelles du déambulatoire ont été dotées de 18 **verrières★★**, œuvre du verrier gascon Arnaud de Moles. La répartition des sujets tient compte, suivant les thèses des théologiens de l'époque, de la concordance entre l'Ancien Testament, le Nouveau Testament et le monde païen, comme en témoigne la représentation des sibylles.
Les **Stalles★★★**, gigantesque chef-d'œuvre demanda 50 années de travail (vers 1500-1552). Les 113 stalles de chêne, dont 69 stalles hautes abritées par un baldaquin flamboyant, sont peuplées de plus de 1 500 personnages ! Le thème d'ensemble manifeste le même souci de parallélisme iconographique que les vitraux. La Bible, l'histoire profane, la mythologie et la légende y mêlent leurs motifs.

Circuit conseillé

★ ENTRE BASTIDES ET CASTELNAUX

▶ *85 km. Quitter Auch au sud-ouest par la N 21.*

Mirande
Place à couverts (arcades), maisons à pans de bois, plan régulier en damier… voilà une vraie bastide. Ce type de ville neuve apparut au 12ᵉ s. en terre occitane, à l'instigation des seigneurs désireux d'étendre leur influence politique et de contrôler leur territoire. On compte environ 300 bastides disséminées le long de la Garonne et du Tarn.
Suivre la signalisation « Route des bastides et des castelnaux ».

Montesquiou
Ce castelnau – agglomération dépendante d'un château – est situé en hauteur. Au bout de la rue principale subsiste une porte, vestige de l'enceinte fortifiée du 13ᵉ s.

★ Bassoues
★ Donjon – ℘ 05 62 70 97 34 - juil.-août : 10h-19h ; reste de l'année : se renseigner - 4 € (8-12 ans 2 €). 🔍 Du 14ᵉ s., ce magnifique exemple d'architecture militaire abrite des intérieurs raffinés dus à Arnaud Aubert, archevêque d'Auch et neveu du pape Innocent VI. Des échauguettes, entre la terrasse et le sommet des contreforts, **vue★** au sud sur les Pyrénées.

★ Marciac
Cette charmante bastide fondée à la fin du 13ᵉ s. s'est forgé une réputation internationale grâce à son festival du jazz.
« Les Territoires du jazz » – ℘ 05 62 08 26 60 (office de tourisme) - www.marciactourisme.com - &. - juin-août : 9h30-12h30, 14h30-18h30 - 6 € (-18 ans 3 €). 🔍 Aménagés dans une ancienne abbaye, ils proposent au visiteur, muni d'un casque récepteur, un parcours initiatique dans l'histoire du jazz, depuis ses origines africaines jusqu'à ses manifestations les plus contemporaines.

Termes-d'Armagnac
Tour de Termes – ℘ 05 62 69 25 12 - www.tourdetermes.com - juin-sept. : 10h-19h, mar. 14h-19h30 ; reste de l'année : tlj sf mar. 14h-18h - fermé 1ᵉʳ janv. et 25 déc. - 6 € (7-18 ans 4 €). 🔍 Sur la terrasse sud, après avoir gravi un escalier à vis aussi raide qu'obscur, vous attendent les figures de cire des mousquetaires, d'Henri IV… Au sommet, **panorama★** sur la vallée de l'Adour et le pic du Midi de Bigorre.

★ Fourcès
Adorable bastide anglaise fondée au 13ᵉ s. Son originalité ? Le plan circulaire de la cité. Ses maisons à colombages abritent des ateliers d'artisans et des galeries d'art.

Condom
Une cité pittoresque, avec sa cathédrale, ses beaux hôtels… et on ne peut plus gasconne.
Musée de l'Armagnac – ℘ 05 62 28 47 17 - www.gers-gascogne.com. Découvrez de vieux alambics !
Regagner Auch par la N 124 puis la N 21.

12

Moissac

12 290 Moissagais – Tarn-et-Garonne (82)

S'INFORMER

Office de tourisme – *6 pl. Durand-de-Bredon - 82200 Moissac - ℘ 05 63 04 01 85 - www.moissac.fr - juil.-août : 9h-19h ; avr.-juin et sept.-oct. : 9h-12h, 14h-18h, w.-end et j. fériés 10h-12h, 14h-18h ; nov.-mars : 10h-12h, 14h-17h, w.-end et j. fériés 14h-17h.*

SE REPÉRER

Carte générale B3 – *Cartes Michelin n° 721 I13 et n° 525 J7.* Moissac est à 71 km au nord-ouest de Toulouse, par l'A 62. À Moissac, pour rejoindre l'abbaye, suivre les panneaux et surtout les grosses flèches orange.

ORGANISER SON TEMPS

Comptez une heure pour la visite de l'abbaye. Fin juin-début juillet, les mélomanes assisteront au festival de la voix *(http://moissac-culture.fr)*.

Dans un cadre d'eau et de verdure, entouré de coteaux couverts de vergers et de vignobles, Moissac s'élève autour de son abbaye, sur la rive droite du Tarn et de part et d'autre du canal latéral à la Garonne. L'été, ses vieilles pierres résonnent de sonorités musicales…

Découvrir

★★ L'ABBAYE

Fondée au 7ᵉ s. l'abbaye bénédictine connut une ère de prospérité grâce à saint Odilon, abbé de Cluny : de passage en 1047, il unit l'abbaye de Cluny à celle de Moissac qui étend alors son influence jusqu'en Catalogne en établissant partout des prieurés. Importante étape sur la route de Compostelle durant le Moyen Âge, l'abbaye fut pillée et ses statues mutilées sous la Révolution.

★ Église Saint-Pierre

De l'édifice d'origine, l'église n'a conservé que son clocher-porche qui fut fortifié vers 1180. Le tympan du **portail méridional★★★**, exécuté vers 1130, compte parmi les chefs-d'œuvre de la sculpture romane. La majesté de sa composition, l'ampleur des scènes traitées, l'harmonie des proportions sont d'une puissance et d'une beauté auxquelles la maladresse de certains gestes et la rigidité de quelques attitudes ne font qu'ajouter un charme supplémentaire.

Le thème traité est celui de la **Vision de l'Apocalypse** d'après saint Jean l'Évangéliste. Trônant au centre, le Christ, serrant dans la main gauche le Livre de la Vie, lève la main droite dans un geste de bénédiction. Il est entouré des évangélistes, représentés par leurs symboles : un jeune homme ailé (saint Matthieu), un lion (saint Marc), un taureau (saint Luc) et un aigle (saint Jean). Le reste du tympan est occupé par les 24 vieillards de l'Apocalypse.

Les figures longilignes de saint Paul, à gauche, et de Jérémie, à droite, sont sculptées sur les faces latérales du trumeau. Sur les piédroits apparaissent saint Pierre, patron de l'abbaye, et le prophète Isaïe. Dans la nef, voyez la Vierge de Pitié 1476, un **Christ★** roman (12ᵉ s) et une Mise au tombeau (1485).

★★★ Cloître

Accès par l'office de tourisme. ☏ 05 63 04 01 85 - juil.-août : 9h-19h ; avr.-juin et sept.-oct. : 9h-12h, 14h-18h, w.-end et j. fériés 10h-12h, 14h-18h ; nov.-mars : 10h-12h, 14h-17h, w.-end et j. fériés 14h-17h - fermé 1ᵉʳ janv. et 25 déc. - 5 € (-11 ans gratuit).

Remarquable par la légèreté de ses arcades et de ses colonnes, alternativement simples ou géminées, l'harmonie des tons de ses marbres – blanc, rosé, vert, gris – et la richesse de sa décoration sculptée, ce cloître de la fin du 11ᵉ s., qu'ombrage un grand cèdre, dégage un charme incomparable.

À proximité

★ Montauban

◖ *À 46 km au sud-est de Moissac par la D 813, puis la D 958.*

À la limite des collines du bas Quercy et des riches plaines alluviales de la Garonne et du Tarn, Montauban mérite une halte ses vieux quartiers de brique rouge, son musée exceptionnel consacré à Ingres et son pont Vieux du 14ᵉ s.

★ **Musée Ingres** – *19 r. de l'Hôtel-de-Ville - ☏ 05 63 22 12 91 - juil.-août : 10h-18h ; reste de l'année : tlj sf lun. (et dim. mat. de nov. à mars) 10h-12h, 14h-18h - fermé 1ᵉʳ janv., 1ᵉʳ Mai, 14 Juil., 1ᵉʳ nov. et 25 déc. - 7 € avec exposition, 5 € hors exposition (enf. gratuit), gratuit 1ᵉʳ dim. du mois.* Après une salle consacrée à la tradition classique chez Ingres, d'où ressort son admirable composition de *Jésus parmi les docteurs*, achevée à l'âge de 82 ans, une grande pièce renferme de nombreuses esquisses, des études d'académie, des portraits et le *Songe d'Ossian* (1812) exécuté pour la chambre à coucher de Napoléon à Rome. Des œuvres de David, Chassériau, Géricault et Delacroix complètent cette présentation. La salle consacrée à **Bourdelle** permet de suivre l'évolution de l'artiste. On y découvre son *Héraclès archer* en plâtre patiné, des bustes de Beethoven, de Rodin, et, bien sûr, d'Ingres.

Face au musée, en bordure du square, remarquez l'admirable bronze du **Centaure mourant★**, une œuvre puissante et ramassée de Bourdelle (1914).

★ **Place Nationale** – Après deux incendies, les arcades ont été reconstruites en brique au 17ᵉ s. Voûtées en arcs brisés ou en plein cintre, elles offrent une double galerie : l'intérieure était une simple voie de circulation tandis que l'extérieure était réservée aux marchands. Il en résulte une place, qui frappe par une homogénéité non dépourvue de fantaisie, d'autant que les tons chauds de la brique atténuent la rigueur de la composition. Le marché qui s'y tient chaque matin ajoute à l'ensemble une touche de couleur, aussi bien visuelle qu'auditive.

12

UN MAÎTRE DU DESSIN...

Né à **Montauban** en 1780, d'un père artisan-décorateur qui lui donne de solides bases en musique et en peinture, **Jean Auguste Dominique Ingres** devient à Paris l'élève de David. Grand prix de Rome à 21 ans, il se fixe près de vingt ans en Italie avant d'ouvrir un atelier et fonder une école à Paris. Il est surtout reconnu comme un extraordinaire dessinateur et a laissé d'innombrables portraits et études, exécutés en général à la mine de plomb. Comblé d'honneurs, il mourut à 87 ans. Plusieurs milliers de ses œuvres occupent le musée qui porte son nom.

Cahors

★★

20 031 Cadurciens – Lot (46)

 S'INFORMER

Office de tourisme – *Pl. François-Mitterrand - 46004 Cahors -* 📞 *05 65 53 20 65 - www.mairie-cahors.fr, rubrique tourisme - de mi-juin à fin sept. : 9h-19h, dim. et j. fériés 10h-13h, 13h30-17h30 ; avr.-juin et oct. : tlj sf dim. 9h-12h30, 13h30-18h ; nov.-mars : tlj sf dim. 9h30-12h30, 14h-18h.*

▶ **SE REPÉRER**

Carte générale B3 – *Cartes Michelin n° 721 I12 et n° 525 I5.* Au nord de Toulouse (112 km) et au sud-est de Sarlat-la-Canéda (72 km). Prolongeant la D 820, le bd Gambetta est le grand axe nord-sud de la ville. Coupant la cité en deux, il mène à une sorte de périphérique au niveau du Lot.

☺ **À NE PAS MANQUER**

Le pont Valentré, la cathédrale St-Étienne, le circuit de visite « Les jardins de Cahors » et aux alentours, la grotte du Pech-Merle.

🕐 **ORGANISER SON TEMPS**

Comptez une demi-journée pour visiter Cahors. Profitez des marchés le mercredi et le samedi matin.

👥 **AVEC LES ENFANTS**

Les dessins de mammouths à la grotte du Pech-Merle.

Cité en forme de presqu'île, enserrée dans un méandre du Lot, la ville a donné son nom à un vin réputé depuis le Moyen Âge. Cahors, classée Ville d'art et d'histoire, se raconte au fil de ses monuments ; sous la chaleur estivale, elle conserve dans les vieux quartiers des ruelles et des maisons hautes qui gardent un peu le frais et conduisent le visiteur à l'une des plus impressionnantes cathédrales romanes de France.

Se promener

★★ Pont Valentré

Cet ouvrage, remarquable manifestation de l'art militaire du début du 14ᵉ s, a été sensiblement modifié au cours des travaux de restauration entrepris en 1879 par Viollet-le-Duc : la barbacane, qui renforçait sa défense du côté de la ville, a été remplacée par la porte actuelle. Tel qu'il se présentait alors, il formait une sorte de forteresse isolée commandant le passage du fleuve ; la tour centrale servait de poste d'observation et les tours extrêmes étaient fermées de portes et de herses ; sur la rive gauche du Lot, un corps de garde et une demi-lune assuraient vers le sud une protection supplémentaire. C'est de la rive droite du Lot, en amont de l'ouvrage, que l'on a la meilleure vue sur le pont Valentré, dont les tours s'élèvent à 40 m au-dessus de la rivière.

★ **Les jardins secrets de Cahors** – *Départ du pont - brochure à l'office de tourisme, pl. François Mitterrand -* 📞 *05 65 53 20 65 - www.officedetourismecahors.org.* Matérialisé au sol par des clous frappés d'une feuille d'acanthe, il est ponctué de panneaux expliquant le rapport entre le thème du jardin et les lieux. Les allées Fénelon, perpendiculaires au boulevard Gambetta, ont été

DE L'OR CHEZ LES CADURCIENS

Au 13e s., Cahors est l'une des plus grandes villes de France et connaît une période de prospérité économique, due en grande partie à l'arrivée de marchands et de banquiers lombards. Ces derniers ont le génie du négoce et de la banque, mais ils se livrent souvent à des opérations de « prêt à usure » assez peu recommandables. Les templiers s'établissent à leur tour à Cahors ; la fièvre de l'or s'empare des Cadurciens eux-mêmes, et la cité devient l'une des grandes places bancaires d'Europe.

aménagées pour les piétons et paysagées, offrant ainsi une agréable promenade au cœur de la ville, à l'ombre de la statue du grand homme de Cahors, Léon Gambetta.

★ Cathédrale Saint-Étienne

Elle doit à ses évêques et à son chapitre son allure de forteresse qui, tout en assurant la sécurité des habitants en ces périodes troublées, renforçait leur prestige. L'édifice entrepris à la fin du 11e s. fut consacré en 1119 par le pape Calixte II. Au **portail nord★★**, le tympan, qui a pour sujet l'Ascension, s'apparente par son style et sa technique à l'école languedocienne.

Pénétrant dans la cathédrale par le portail occidental, on traverse le **narthex** surélevé par rapport à la nef coiffée de deux vastes coupoles sur pendentifs. Les fresques de la première coupole, découvertes en 1872, représentent, dans le médaillon central, la lapidation de saint Étienne, sur la couronne, les bourreaux du saint, et, dans les compartiments inférieurs, huit figures géantes de prophètes.

★ **Cloître** – De style Renaissance, il offre une riche décoration sculptée.

Rue Nationale

C'était l'artère principale du quartier des Badernes (ou bas quartier), partie commerçante de la ville. Au n° 116, une belle porte du 17e s. présente des panneaux décorés de fruits et de feuillages. Un peu plus loin, la **rue St-Priest** a gardé l'aspect d'une venelle médiévale avec ses maisons en brique, à colombages et à encorbellement. Elle débouche sur la place du même nom où l'on voit, au n° 18, un très bel escalier extérieur en bois d'époque Louis XIII.

12

À proximité

★★★ Grotte du Pech-Merle

▶ *À 29 km à l'est de Cahors. Remonter la vallée du Lot par les D 653, D 662 et D 41 jusqu'à Cabrerets. ☎ 05 65 31 27 05 - de Pâques à oct. : visite guidée (1h) 9h30-12h, 13h30-17h - visite limitée à 700 visiteurs par jour (il est conseillé de réserver 3 j. av. en haute saison) - 8 € (enf. : 4,50 €).*

👥 Les curieuses concrétions de calcite forment des colonnes aux dimensions impressionnantes, et les rarissimes **perles des cavernes** retiennent l'attention. Les dessins de bisons, les **silhouettes de mammouths et de chevaux**, exécutés il y a 15 000 à 16 000 ans et qui se succèdent le long d'un kilomètre de galeries font l'émerveillement des visiteurs.

Rocamadour

633 Amadouriens – Lot (46)

ℹ S'INFORMER

Office de tourisme – *L'Hospitalet - 46500 Rocamadour -* ℘ *05 65 33 22 00 - www.rocamadour.com - horaires, se renseigner.*

▶ SE REPÉRER

Carte générale C3 – *Cartes Michelin n° 721 I12 et n° 525 M3*. À 50 km au nord-ouest de Figeac, 70 km au nord-est de Cahors et 71 km à l'est de Sarlat.

☺ À NE PAS MANQUER

La cité religieuse et le point de vue depuis l'Hospitalet. Aux alentours, le gouffre de Padirac et le château de Castelnaud.

🕐 ORGANISER SON TEMPS

En dormant sur place, vous découvrirez Rocamadour le soir, sans la foule !

Rocher miraculeux, recueil d'histoire, de croyances et de légendes, sanctuaire de la Vierge noire, lieu de pèlerinage : Rocamadour est tout cela à la fois. C'est aussi l'un des sites les plus extraordinaires qui soient. Défiant tout équilibre, les vieux logis, les tours et les oratoires dégringolent le long de la falaise escarpée dominant de 150 m le canyon de l'Alzou, sous l'égide du fin donjon du château et des sept sanctuaires.

Découvrir

En arrivant par la route de l'Hospitalet, on découvre une **vue★★** remarquable sur le site : au fond d'une gorge, l'Alzou serpente au milieu des prairies, et à 500 m environ, agrippé à la falaise du causse, se détache l'extraordinaire profil du village dont l'élévation est un défi à la pesanteur. Au-dessus du bourg s'étage la cité religieuse couronnée par les remparts du château.

LA CITÉ RELIGIEUSE

Par la **porte du Figuier**, vous pénétrez dans la rue principale du village, encombrée de magasins de souvenirs. Ensuite, il vous reste à gravir les 233 marches du **Grand escalier** dont les pèlerins font souvent l'ascension en s'agenouillant à chaque degré. Cinq paliers conduisent à une plate-forme où s'élèvent les habitations des chanoines, aujourd'hui converties en magasins et en hôtels.

La **porte du Fort**, percée sous le mur d'enceinte du palais, permet d'accéder à l'enceinte sacrée. Un escalier conduit au **parvis**, également appelé place St-Amadour, formant un espace assez restreint autour duquel s'élèvent **sept sanctuaires**.

Église Saint-Amadour

Dans le cadre des visites guidées de la cité religieuse. ℘ *05 65 33 23 23.*

Cette petite église inférieure, édifiée au 12ᵉ s., s'étend sous les deux travées sud de la **basilique St-Sauveur**. Elle servait autrefois de lieu de culte : on y vénérait le corps de saint Amadour.

Cité religieuse de Rocamadour.
R. Campillo/Age Fotostock

Chapelle Notre-Dame

Dans le cadre des visites guidées de la cité religieuse. 📞 05 65 33 23 23.

Du parvis, un escalier monte jusqu'à la chapelle miraculeuse, considérée comme le « saint des saints » de Rocamadour. Écrasée en 1476 par la chute d'un rocher, elle fut reconstruite en style gothique flamboyant.

Dans la pénombre de la chapelle noircie par la fumée des cierges, on découvre sur l'autel la **Vierge noire★** : de petite taille (69 cm), elle est assise, hiératique, portant sur son genou gauche, sans le tenir, un Enfant Jésus au visage d'adulte. Cette statue reliquaire en bois de facture rustique date du 12ᵉ s. Tout autour ont été accrochés des ex-voto.

Chapelle Saint-Michel

Dans le cadre des visites guidées de la cité religieuse. 📞 05 65 33 23 23.

Cette chapelle romane est abritée par un encorbellement rocheux. Elle servait pour les offices des moines du prieuré qui y avaient aussi aménagé leur bibliothèque.

Sur le mur extérieur, deux fresques représentent l'Annonciation et la Visitation : l'habileté de la composition, la richesse des tons (ocre, jaune, brun-rouge, fond bleu roi), l'élégance des mouvements datent l'œuvre, qui s'inspire à la fois des châsses limousines et des mosaïques byzantines du 12ᵉ s.

À proximité

★★ Château de Castelnaud

🔼 *À 24 km au nord-est de Rocamadour par la D 673, puis la D 14 à gauche.*
📞 *05 53 31 30 00 - www.castelnaud.com - juil.-août : 9h-20h ; avr.-juin et sept. : 10h-19h ; fév.-mars et 1ᵉʳ oct.-12 nov. : 10h-18h ; reste de l'année : 14h-17h, vac. scol. de Noël : 10h-17h - 7,80 € (10-17 ans 3,90 €), tarif réduit avant 13h en juil.-août ; 13,40 € (10-17 ans 6,70 €) billet combiné avec les jardins de Marqueyssac.*

À la lisière septentrionale du Quercy, le château s'élève sur un éperon qui domine le confluent de la Cère et de la Dordogne. L'importance de son système de défense en fait l'un des plus beaux exemples d'architecture militaire du Moyen Âge. C'est autour du puissant donjon, bâti au 13ᵉ s., que se développa le château fort. Des remparts, on a une large **vue**★ sur la vallée de la Cère et de la Dordogne, les châteaux alentour.

★★ Gouffre de Padirac

▶ *À 15 km au nord-est de Rocamadour par la D 673, puis la D 90 vers le nord de Padirac. Juil. : n'oubliez pas de vous munir de vêtements imperméables pour visiter le gouffre, surtout s'il a plu les jours précédents ! En saison, l'affluence allonge les files d'attente et rend la visite très bruyante. ℰ 05 65 33 64 56 - www.gouffre-de-padirac.com - visite guidée (1h30) juil. : 9h30-18h ; août : 8h30-18h30 ; avr.-juin : 9h30-17h ; sept.-oct. : 10h-17h - 9,40 € (4-12 ans 6,10 €).*

La visite de ce gouffre vertigineux, de sa mystérieuse rivière et des vastes cavernes ornées de concrétions calcaires gigantesques, reste un incontournable rendez-vous pour qui découvre le **causse de Gramat**.

À la descente, deux ascenseurs doublés d'escaliers conduisent à l'intérieur du gouffre de 32 m de diamètre jusqu'au cône d'éboulis formé par l'effondrement de la voûte primitive. Des escaliers mènent jusqu'au niveau de la rivière souterraine, à 103 m au-dessous du sol. Après la descente au fond du gouffre, on parcourt 500 m en barque puis 400 à pied.

Une flottille de bateaux plats permet d'effectuer une féerique promenade sur la « **rivière plane** » aux eaux limpides. Remarquez les niveaux d'érosion correspondant aux cours successifs de la rivière. En fin de parcours, on admire la **Grande Pendeloque du lac de la Pluie**. Cette stalactite, dont la pointe atteint presque la surface de l'eau, n'est que le pendentif final d'un chapelet de concrétions de 78 m de hauteur.

La **salle du Grand Dôme**, impressionnante par la hauteur de son plafond (91 m), est la plus belle et la plus vaste du gouffre. Le belvédère établi à mi-hauteur permet d'observer les formations rocheuses et les coulées de calcite.

Quatre ascenseurs ramènent au pavillon d'entrée, évitant ainsi la montée de 455 marches.

Figeac

9 984 Figeacois – Lot (46)

☺ NOS ADRESSES PAGE 536

🛈 S'INFORMER
Office de tourisme – *Pl. Vival - 46100 Figeac - ℘ 05 65 34 06 25 - www. tourisme-figeac.com - juil.-août : 9h-19h ; mai-juin et sept. : 9h-12h30, 14h-18h, dim. 10h-13h ; reste de l'année : tlj sf dim. 9h-12h30, 14h-18h.*

◐ SE REPÉRER
Carte générale C3 – *Cartes Michelin n° 721 J12 et n° 525 P4*. À 70 km à l'est de Cahors.

☺ À NE PAS MANQUER
L'hôtel de la Monnaie, la place des Écritures, les rues du vieux Figeac, le travail de Champollion.

🕐 ORGANISER SON TEMPS
Comptez une bonne demi-journée.

👥 AVEC LES ENFANTS
Le musée Champollion - Les écritures du monde.

Blottie contre la rive droite du Célé, Figeac s'est développée au débouché de l'Auvergne et du Haut-Quercy. Ville d'échanges, elle a connu un passé prestigieux dont témoigne aujourd'hui l'architecture de ses hautes maisons de grès, datant pour la plupart des 12-15e s. Figeac réserve aussi une surprise en vous invitant à découvrir la naissance de l'égyptologie !

Découvrir

12

★ Hôtel de la Monnaie
Cet édifice a été construit au 13e s. Caractéristique de l'architecture civile figeacoise, il déploie ses arcades en ogive, ses fenêtres en tiers-point, et une belle cheminée en pierre. Il abrite le **musée du Vieux Figeac**.

★★ LE VIEUX FIGEAC

Figeac a conservé de nombreux bâtiments des 12e, 13e et 14e s. construits dans un beau grès beige. Ces derniers s'ouvrent au rez-de-chaussée par de grandes ogives surmontées au 1er étage d'une galerie ajourée. Sous le toit plat, le « soleilho », grenier ouvert, servait à faire sécher le linge, ranger le bois, cultiver les fleurs. **Rues Balène**, **Gambetta**, **Roquefort**, **Émile-Zola**, **Delzens**… vous découvrirez de belles façades restaurées de maisons médiévales ainsi que des d'hôtels du 17e s.

★ Place des Écritures
Son sol est couvert d'une immense **reproduction de la pierre de Rosette**, sculptée dans du granit. La traduction des inscriptions inscrites sur une plaque de verre peut se lire dans une cour attenante.

★★ Musée Champollion - Les écritures du monde

📞 05 65 50 31 08 - ♿ - juil.-août : 10h30-18h ; avr.-juin et sept. : tlj sf lun. 10h30-12h30, 14h-18h ; oct.-mars. : tlj sf lun. 14h-17h30 - fermé 1er janv., 1er Mai et 25 déc. - 4 € (13-18 ans 2 €).

👥 Dans la maison natale de Champollion (1790-1831), autour de celui qui perça le secret des hiéroglyphes, est évoquée l'histoire de l'écriture dans le monde : son invention, son évolution, sa transmission, sa diffusion, son déchiffrage… autant de thèmes abordés qui conduisent à s'interroger sur l'acte d'écrire et sa signification.

😊 NOS ADRESSES À FIGEAC

HÉBERGEMENT

PREMIER PRIX

Le Champollion – *3 pl. Champollion - 📞 05 65 34 04 37 - 10 ch. 51 € - 🛏 6,50 €.* Maison médiévale en plein quartier ancien, face au musée Champollion. Ambiance familiale, chambres fonctionnelles et pratiques, au look actuel.

Le Pont d'Or – *2 av. J.-Jaurès - 📞 05 65 50 95 00 - www. hotelpontdor.com - 🅿 - 35 ch. 76/122 € - 🛏 12 € - rest. formule déj. 11,50 € - 15/31 €.* Hôtel fonctionnel en bordure du Célé, tourné vers la vieille ville. Chambres élégantes et bien équipées ; préférez celles orientées vers la rivière. Les produits de la région sont à l'honneur au restaurant.

RESTAURATION

BUDGET MOYEN

La Dînée du Viguier – *4 r. Boutaric - 📞 05 65 50 08 08 - www. ladineeduviguier.fr - fermé 15-23 nov., 17 janv.-8 fév., dim. soir d'oct. à mars, lun. sf le soir d'avr. à sept. et sam. midi - formule déj. 19 € - 28,50/72,50 €.* Quelques beaux restes médiévaux donnent du cachet à cette salle à manger : majestueuse cheminée au manteau sculpté, poutres peintes… Cuisine actuelle.

Rodez

24 540 Ruthénois – Aveyron (12)

S'INFORMER

Office de tourisme – *Pl. Mar.-Foch - BP 511 - 12005 Rodez Cedex - ℘ 05 65 75 76 77 - www.ot-rodez.fr - juil.-août : 9h-18h ; sept.-juin : tlj sf dim. 9h-12h30, 13h30-18h*

SE REPÉRER

Carte générale C3 – *Cartes Michelin n° 721 J12 et n° 525 S5*. À 66 km au sud-est de Figeac par la D 840 ; à 71 km au nord-est d'Albi par la N 88.

À NE PAS MANQUER

La cathédrale Notre-Dame et le musée Fenaille.

ORGANISER SON TEMPS

Consacrez une bonne demi-journée pour visiter Rodez puis découvrez aux alentours l'abbaye de Conques.

Une jolie ville plantée aux confins de deux régions très différentes : les plateaux secs des Causses et les collines humides du Ségala. Elle est perchée sur une butte, et les plus beaux paysages de la région s'étalent à ses pieds. La ville ancienne, qui domine de 120 m le lit de l'Aveyron, est un régal pour les yeux !

Découvrir

★★ Cathédrale Notre-Dame

La cathédrale, en grès rouge, a été mise en œuvre en 1277. L'élégance du style gothique apparaît notamment dans la verticalité du chœur aux fines lancettes, dans la légèreté des piliers de la nef et dans l'élévation des grandes arcades surmontées d'un triforium dont l'ordonnance reprend celle des fenêtres hautes. Le chœur est meublé de **stalles★** du 15ᵉ s. Dans le bras gauche du transept, le **buffet d'orgue★** présente une superbe boiserie sculptée du 17ᵉ s.

À l'extérieur, la façade donnant sur la place d'Armes frappe par son allure de forteresse avec son mur sans porche, percé de meurtrières, ses contreforts massifs, ses tourelles aux ouvertures ébrasées et ses deux tours dépourvues d'ornements. Cette façade austère, édifiée en dehors du mur d'enceinte de la ville, jouait le rôle de bastion avancé pour la défense de la cité. Remarquable par sa position détachée de la cathédrale, le magnifique **clocher★★★** a été édifié sur une tour massive du 14ᵉ s.

★★ Musée Fenaille

℘ 05 65 73 84 30 - www.musee-fenaille.com - ⚭ - tlj sf dim. mat. et lun. 10h-12h, 14h-18h, merc. et sam. 13h-19h - fermé 1ᵉʳ janv., 1ᵉʳ Mai, 1ᵉʳ nov. et 25 déc. - 3 € (enf. gratuit), gratuit 1ᵉʳ dim. du mois.

Les plus importantes collections sur le Rouergue sont réunies dans le plus ancien hôtel particulier de Rodez, auquel a été accolé un bâtiment moderne. Ce dernier, en partie consacré à la **préhistoire**, présente entre autres de merveilleuses **statues-menhirs★** (3300-2200 avant J.-C.), dont la plus célèbre est

12

« la dame de St-Sernin ». L'**ancien hôtel**★★ évoque quant à lui la vie quotidienne et religieuse au Moyen Âge, et expose de belles statues ainsi que des
éléments d'architecture de la Renaissance.

À proximité

★★★ Conques
▸ *À 37 km au nord-ouest de Rodez par la D 901.*
Dans un **site**★★ superbe, une bourgade tranquille s'accroche aux pentes
escarpées des gorges de l'Ouche. Ce **village**★, aux ruelles étroites bordées
de maisons anciennes dont les pierres rousses s'allient harmonieusement aux
couvertures de lauzes, encadre une magnifique église romane aux prodigieux
trésors, vestige d'une abbaye qui hébergea longtemps les nombreux pèlerins
se rendant à St-Jacques-de-Compostelle.

★★ **Abbatiale Ste-Foy** – ℘ *05 65 72 85 00* - ⧉. Ce magnifique édifice fut commencé au milieu du 11e s., mais la majeure partie date du 12e s. Dans un état
de conservation

★★★ **Tympan du portail occidental** – Arrivé sur le parvis de l'église, tout
pèlerin ne pouvait manquer d'être impressionné par cette représentation
du Jugement dernier, regroupant 124 personnages. Sculpté dans le calcaire
jaune, cet ensemble ordonné autour de la figure du Christ était jadis rehaussé
de couleurs vives dont il reste quelques traces. Admirez ce chef-d'œuvre de
la sculpture romane de préférence au soleil couchant.

★★★ **Trésor de Conques** – *Entrée sous les arcades du cloître* - ℘ *0 820 820 803* -
avr.-sept. : 9h30-12h30, 14h-18h30 ; oct.-mars : 10h-12h, 14h-18h - fermé 1er janv.
et 25 déc. - 6,20 € (enf. 2 €). Il renferme d'extraordinaires pièces d'orfèvrerie qui
en font la plus complète expression de l'histoire de l'orfèvrerie religieuse en
France, du 9e au 16e s.

★★★ **Statue-reliquaire de sainte Foy** – Du 9e s., pièce maîtresse du trésor,
elle est composée de plaques d'or et d'argent doré sur âme de bois. Cette
œuvre unique comporte également des camées et des intailles antiques ;
quant aux petits tubes que la sainte tient entre ses doigts, ils sont destinés
à recevoir des fleurs !

★ Villefranche-de-Rouergue
▸ *À 56 km à l'ouest de Rodez par la D 994.*
Blottie aux confins du Rouergue et du Quercy, encadrée de collines verdoyantes, Villefranche forme une étape pittoresque au confluent de l'Aveyron et de
l'Alzou. Si la cité a perdu aujourd'hui une partie de son aspect médiéval, elle
conserve cependant le visage d'une **bastide**★ avec son plan en damier, et
au centre, la **place Notre-Dame**★, encadrée de maisons à « couverts » dont
certaines ont toujours leurs fenêtres à meneaux et leurs clochetons de pierre.
Entre la **collégiale Notre-Dame**★, commencée en 1260, à l'allure de forteresse,
et les ruelles étroites, la ville se prête à une agréable promenade.

Millau

21 943 Millavois – Aveyron (12)

S'INFORMER

Office de tourisme – *Pl. du Beffroi - 12100 Millau - ℘ 05 65 60 02 42 - www. ot-millau.fr - juil.-août : 9h-19h ; reste de l'année : 9h30-12h30, 14h-18h30, sam. 9h-18h30, dim. 9h30-16h.*

SE REPÉRER

Carte générale C3 – *Cartes Michelin n° 721 K13 et n° 525 V7.* À 116 km au nord de Montpellier par l'A 75 ; la sortie n° 47 à la hauteur de la Cavalerie permet de rejoindre la D 809 qui s'élève sur le causse du Larzac. Là, un belvédère offre une belle vue sur le **site★** de Millau.

À NE PAS MANQUER

Le musée de Millau pour ses poteries et pour le travail du cuir. Les ruelles du vieux Millau autour de la place du maréchal Foch.

ORGANISER SON TEMPS

Passez une demi-journée à Millau puis visitez aux alentours les caves de Roquefort, le cirque de Navacelles et les Causses.

AVEC LES ENFANTS

La fabrication des gants au musée de Millau ; dans les causses, les rochers aux drôles de formes au chaos de Montpellier-le-Vieux, les draperies de calcite à la grotte de Dargilan.

Si le viaduc de Millau est indissociable de cette ville, carrefour stratégique au croisement des routes d'Albi, de Clermont-Ferrand et de Montpellier, Millau se visite aussi pour son patrimoine culturel et les activités de plein air qu'elle propose : la proximité avec les gorges du Tarn et des Causses en fait un point de départ pour les amateurs de randonnées, de sports en eaux vives ou de vol libre !

12

Découvrir

Place du Maréchal-Foch

C'est la partie la plus pittoresque du vieux Millau, avec ses « couverts » aux arcades (12e-16e s.) soutenues par des colonnes cylindriques.

Église Notre-Dame-de-l'Espinasse

Elle possédait autrefois une épine de la sainte Couronne, d'où son nom. Lieu de pèlerinage important au Moyen Âge, l'édifice, roman à l'origine, fut reconstruit au 17e s.

★ Musée de Millau

℘ 05 65 59 01 08 - juil.-août : 10h-18h ; reste de l'année : 10h-12h, 14h-18h - fermé dim. et j. fériés d'oct. à mai - 5 € (-18 ans gratuit), gratuit 1er sam. du mois.
Installé dans l'hôtel de Pégayrolles (18e s.), il abrite une section de paléontologie où, au milieu de nombreux fossiles de faune et de flore du secondaire, on découvre le squelette, presque complet, d'un plésiosaure de Tournemire,

reptile marin de 4 m de long datant de 180 millions d'années… Les caves voûtées accueillent une remarquable collection de **poteries**★ gallo-romaines, trouvées sur le site de la Graufesenque *(à 1 km au sud de Millau)*.

★ **Musée de la Peau et du Gant** –  Il présente les deux industries traditionnelles de Millau : la mégisserie, qui permet de transformer une peau périssable et brute en un produit imputrescible de haute qualité, et la ganterie. Outils, échantillons de peaux, étapes de fabrication d'un gant de la coupe à la finition, et magnifiques paires de gants de soirée toutes plus luxueuses et originales les unes que les autres.

★★★ Viaduc

Spectaculaire, le viaduc multi haubané conçu par l'architecte anglais Norman Foster prend son envol au-dessus du Tarn. Mis en service en 2004, il est long de 2 460 m et détient le record mondial de hauteur en culminant à 343 m.

Circuits conseillés

★ LE CAUSSE DU LARZAC

Il s'étend sur près de 1 000 km^2, entre 560 et 920 m d'altitude, et se présente comme une succession de plateaux calcaires arides et de vallées verdoyantes, où sont disséminés villages et commanderies de templiers. Sur les plateaux, des sotchs argileux tapissés de terre rouge ont permis l'installation de domaines agricoles. De même que les autres causses, le Larzac est troué d'avens. C'est enfin le royaume du roquefort, fabriqué avec du lait de brebis. Ces dernières sont partout présentes sur le causse, rassemblées en troupeaux de 300 à 1 000 têtes.

▶ *152 km. Quitter Millau à l'ouest par la D 992.*

★ Roquefort-sur-Soulzon

Roquefort, en l'honneur du château fort qui existait sur le rocher de Combalou au 11e s., a donné son nom au célèbre fromage.

★ **Caves de roquefort** – *Température 9 °C.* La visite permet d'observer la fabrication du fromage, avec du lait de brebis cru, pur et entier, sans qu'homogénéisation ou pasteurisation soient nécessaires. Après leur fabrication dans les fermes-fromageries, les « pains » sont disposés sur des étagères de chêne dans les caves naturelles aménagées. Une lente maturation commence sous le contrôle attentif des maîtres affineurs. Grâce à l'air froid et humide soufflé par les fleurines, le *Penicillium roqueforti* se développe en donnant les marbrures vert-bleu.

Roquefort Société – *℘ 05 65 58 54 38 - www.roquefort-societe.com - de mi-juil. à fin août : 9h30-18h ; de mi-mars à fin juin et sept.-nov. : 9h30-12h, 13h30-17h ; reste de l'année : 10h-12h, 13h30-16h30 - fermé 1er janv. et 25 déc. - 5 € (11-18 ans 3 €).*

Roquefort Papillon – *℘ 05 65 58 50 08 - www.roquefort-papillon.com - juil.-août : 9h30-18h30 ; sept.-juin : 9h30-11h30, 13h30-17h30 (oct.-mars 16h30) - fermé 1er janv. et 25 déc.*

Quitter Roquefort au sud par la D 93 vers Fondamente. Continuer sur la D 7.

★★ La Couvertoirade

Au milieu du plateau du Larzac, cette ancienne possession des templiers dépendant de la commanderie de Ste-Eulalie doit ses fortifications aux hospitaliers : l'enceinte qui la protège fut élevée en 1439 par les chevaliers de St-Jean-

de-Jérusalem. De belles demeures aux encadrements de porte remarquables sont toujours visibles et contribuent au charme d'une flânerie intemporelle.
Prendre la D 55 vers le nord, puis la D 7 à droite.
En aval d'Alzon, la route descend au fond de la vallée puis franchit la Vis.

★★★ Cirque de Navacelles

C'est le site le plus prestigieux de la vallée de la Vis, entre les causses de Blandas et le Larzac. Il se présente comme un immense et magnifique méandre, profondément encaissé, aux parois presque verticales.
Du **belvédère nord**, sur le rebord du plateau, on a une vue superbe sur le cirque et le canyon de la Vis. La route de descente dessine quelques lacets à hauteur de la falaise, puis plonge jusqu'au fond du cirque et gagne le hameau de Navacelles.

★ LE CAUSSE MÉJEAN

C'est le causse le plus élevé, connu pour la rudesse de son climat : les hivers y sont rigoureux et les étés torrides. Très dépeuplé, le causse Méjean s'étend à l'est en un immense désert tandis qu'à l'ouest, des ravins profonds viennent l'échancrer. Avec les **chevaux de Przewalski** (au hameau de Villaret), les sculptures ruiniformes et les vautours fauves qui planent, on se croirait volontiers dans un inquiétant western.
◗ *111 km. Quitter Millau au nord par la D 809, puis suivre à droite la D 907, et aller au-delà de Meyrueis pour prendre à gauche la D 986.*

★★★ Aven Armand

✆ 04 66 45 61 31 - www.aven-armand.com - température : 11,5 °C - visite guidée de mi-juin à fin août : 9h30-18h ; de mi-mars à mi-juin et sept.-oct. : 10h-12h, 13h30-17h - 9,10 € (5-15 ans 6,20 €).
Cette merveille du monde souterrain fut découverte par hasard en 1897. Elle porte aujourd'hui le nom de son découvreur. Un tunnel, long de 208 m, débouche presque au pied du puits de 75 m. Du balcon où aboutit le tunnel, on jouit d'un spectacle étonnant. Le regard plonge dans une salle immense. Sur les matériaux éboulés de la voûte se sont édifiées d'éblouissantes concrétions, offrant l'image d'une forêt pétrifiée. Ces arbres de pierre peuvent atteindre 15 à 25 m de hauteur.

12

★ LE CAUSSE NOIR

Même si c'est le moins étendu des Grands Causses, il se distingue par la puissance des paysages qui l'entourent, les gorges de la Jonte et la vallée de la Dourbie, et la beauté inégalée du chaos de Roquesaltes qu'il abrite. On le dit « Noir » à cause des anciennes forêts de pins qui le couvraient.
◗ *44 km. Quitter Millau à l'est par la D 110.*

★★★ Chaos de Montpellier-le-Vieux

✆ 05 65 60 66 30 - www.montpellierlevieux.com - juil.-août : 9h30-19h ; de mi-mars à fin avr. et nov. : 9h30-17h30 ; mai-juin et sept.-oct. : 9h30-18h - fermé reste de l'année - 5,70 € (5-15 ans. 4,05 €), supplément visite guidée en petit train 3,70 € AR (enf. 2,70 €).
👥 Montpellier-le-Vieux est un extraordinaire ensemble rocheux dû à la corrosion et au ruissellement des eaux de pluie s'exerçant sur la roche dolomitique. Ce lieu est si curieux et si attachant, la végétation y est si belle que l'on y passe volontiers une journée. Les rochers ont reçu d'après leur silhouette des noms évocateurs : la Quille, le Crocodile, le Sphinx, la Tête d'Ours, etc. Dans

ce chaos, il est facile de se perdre si l'on s'écarte d'un des circuits balisés (de 30mn à 1h30 de marche). Le **circuit rouge** vous fera franchir le rocher de la Poterne, puis, du **Rempart** (alt. 830 m), vous permettra d'apprécier une vue d'ensemble intéressante.

Revenir à la D 110, que l'on suit à droite pour rattraper la D 29. Prendre à gauche la D 584.

★★ Grotte de Dargilan

🕿 04 66 45 60 20 - juil.-août : 10h-18h30 ; avr.-juin et sept. : 10h-17h30 ; oct. : 14h-16h30 - fermé reste de l'année - 8,50 € (6-18 ans 5,80 €).

👥 On entre directement dans la **grande salle du Chaos** où l'on voit des concrétions en cours d'édification. Au fond de la grande salle, la salle de la Mosquée est très riche en belles stalagmites aux reflets nacrés. Ensuite, on entreprend la descente jusqu'au couloir des Cascades pétrifiées où une superbe **draperie de calcite★★** se déploie. La visite se poursuit jusqu'à la salle du Clocher, du nom de la pyramide élancée qui y jaillit au centre.

LE CAUSSE DE SAUVETERRE

Pas une parcelle de terre arable qui n'ait été soigneusement mise en culture sur ce causse. Il présente aussi de grands espaces boisés rappelant qu'entre le Lot et le Tarn, les routes sinueuses se faufilent dans le moins aride des quatre Grands Causses.

▶ *84 km. Quitter Millau au nord par la D 809 puis l'A 75 pour gagner La Canourgue.*

★ Sabot de Malepeyre

Cet énorme rocher de 30 m de haut a été creusé par les eaux qui circulaient autrefois à la surface du causse. Il est percé d'une large baie surmontée d'un arc en anse de panier. De la plate-forme sur laquelle repose le talon du Sabot s'offre une belle vue sur la vallée de l'Urugne et, au loin, sur les monts de l'Aubrac.

Chanac

Tout en haut de ce vieux bourg trône le donjon, unique vestige de la résidence d'été des évêques de Mende. La place du Plô, où se tient un marché le jeudi, a gardé sa tour de l'Horloge.

Le Villard

Dominant la vallée du Lot, ce charmant village est flanqué d'une forteresse épiscopale restaurée. Au 14e s. fut érigée une enceinte ménageant une place forte qui permit aux populations alentour d'échapper aux ravages des Grandes Compagnies.

Albi

★★★

48 847 Albigeois – Tarn (81)

 S'INFORMER

Office de tourisme – *Pl. Ste-Cécile - 81000 Albi - ℘ 05 63 49 48 80 - www.albi-tourisme.fr - juil.-sept. : 9h-19h ; oct.-juin : 9h-12h30, 14h-18h (18h30 mai-juin) - fermé dim. en janv.-fév., 1ᵉʳ janv., 1ᵉʳ Mai, 1ᵉʳ nov. et 25 déc.*

⊙ **SE REPÉRER**

Carte générale C3 – *Cartes Michelin n° 721 J13 et n° 525 P8.* À 76 km au nord-est de Toulouse, accès par l'A 68.

☺ **À NE PAS MANQUER**

La cathédrale Ste-Cécile, le musée Toulouse-Lautrec.

◷ **ORGANISER SON TEMPS**

Comptez une journée. Parmi les six circuits pédestres permettant de découvrir Albi, le circuit Azur est conçu pour flâner sur les berges du Tarn, en passant par les ponts d'où l'on a de beaux panoramas sur la ville.

👫 **AVEC LES ENFANTS**

Le musée de l'Art du sucre à Cordes-sur-Ciel.

À Albi, le rouge de la brique se reflète dans les eaux vert émeraude du Tarn. La cathédrale à l'allure de forteresse abrite des chefs-d'œuvre d'une rare finesse. Beaucoup d'animation dans cette cité aux ruelles tortueuses que Toulouse-Lautrec, descendant direct des comtes de Toulouse, a délaissée pour fréquenter les bars de Montmartre, et qu'un explorateur, La Pérouse, a quittée pour naviguer sur les mers du Sud…

Découvrir

12

★★★ Cathédrale Sainte-Cécile

Au lendemain de la croisade contre les albigeois, l'autorité catholique veut asseoir son autorité et entreprend en 1282 la construction de cette cathédrale conçue comme une forteresse. Le vaste vaisseau voûté d'ogives, sans transept, épaulé de contreforts intérieurs est un chef-d'œuvre de l'art gothique méridional ; il possède une magnifique décoration, dont l'un des rares **jubés★★★** conservés en France. L'art flamboyant déploie ici toute sa technique : motifs enlacés, pinacles et arcs mêlés, voûtes aux clefs richement décorées. Remarquez à l'entrée du jubé, au revers de la croix, sainte Cécile tenant un orgue. L'influence bourguignonne est manifeste dans l'expression réaliste des visages, les drapés un peu lourds, l'allure souvent trapue des personnages.

L'**orgue★** monumental (3 549 tuyaux) date du 18ᵉ s. Il est décoré de chérubins jouant à différents instruments de musique. Le **maître-autel★** en marbre noir, consacré en 1980, est orné d'émaux de couleurs vives figurant une vigne et sainte Cécile.

Le Jugement dernier, immense peinture ornant la paroi occidentale *(sous le grand orgue)*, exécuté à la fin du 15ᵉ s., illustre à gauche le paradis, avec

les anges, les apôtres, les saints et les ressuscités. À droite, les maudits sont précipités dans les ténèbres de l'enfer, où sont dépeints de façon truculente les châtiments.

★★ Palais de la Berbie – Musée Toulouse-Lautrec

℘ 05 63 49 48 70 - www.musee-toulouse-lautrec.com - ♿ - réouverture après 10 ans de travaux en avril 2012 - de fin juin à fin sept. : 9h-18h ; reste de l'année : 10h-12h, 14h-17h (17h30 ou 18h certains mois) - fermé mar. certains mois, 1er janv., 1er Mai, 1er nov. et 25 déc. - 5,50 € - audioguide 3,50 €.

Henri de Toulouse-Lautrec est né à Albi en 1864. Après une enfance marquée par deux accidents, qui le rendent difforme, il s'installe à Montmartre en 1882. Valentin le Désossé, la Goulue, Bruant, Jane Avril, Yvette Guilbert – personnages de maisons closes, de cabarets – deviennent ses modèles. Dessinateur incomparable, il observe et reproduit impitoyablement. Plus de 1 000 œuvres (tableaux, dessins, lithographies, affiches) de l'artiste sont ici rassemblées dans le superbe décor du palais. De nouvelle salles ont été aménagées et la muséographie mise au goût du jour.

À proximité

★★★ Cordes-sur-Ciel

▶ *À 27 km au nord d'Albi.*

Perchée au sommet du puech de Mordagne dans un **site**★★ superbe, cette cité médiévale baptisée aussi la « ville aux cent ogives » est un lieu hors du temps. En flânant dans les ruelles empierrées, parmi un exceptionnel ensemble de **maisons gothiques**★★ (13e-14e s.), vous admirerez les détails sculptés des façades et découvrirez le travail des artistes et artisans qui s'y sont installés. **Musée de l'Art du sucre** – *Dans la maison Prunet* - *℘ 05 63 56 02 40.* 👥 Des chefs-d'œuvre sur des thèmes variés… 100 % pur sucre !

12

Castres

43 010 Castrais – Tarn (81)

😊 NOS ADRESSES CI-CONTRE

ℹ S'INFORMER

Office de tourisme – *2 pl. de la République - 81100 Castres - ☎ 05 63 62 63 62 - www.tourisme-castres.fr - juil.-août : 9h30-18h30, dim. et j. fériés 10h30-12h, 14h30-17h ; reste de l'année : 9h30-12h30, 14h-18h, dim. et j. fériés 14h30-16h30 ; fermé dim. de nov. à janv., 1ᵉʳ janv., 1ᵉʳ Mai, 1ᵉʳ nov. et 25 déc.*

◖ SE REPÉRER

Carte générale C4 – *Cartes Michelin n° 721 J14 et n° 525 Q10.* À 40 km au sud d'Albi et à 70 km à l'est de Toulouse.

😊 À NE PAS MANQUER

Le vieux Castres, le musée Goya.

🕐 ORGANISER SON TEMPS

La découverte de la ville puis celle de la Montagne noire dans les alentours, jusqu'au canal du Midi, mérite au moins deux jours.

Construite sur les rives de l'Agout, Castres abrite un remarquable musée consacré à l'art hispanique. À la fois étape sur le chemin de St-Jacques et place forte du calvinisme en Languedoc, cette cité est un bon point de départ vers le Sidobre, les monts de Lacaune et la Montagne noire. Paysages à couper le souffle garantis aux alentours de la ville, où gorges, rivières et rochers se côtoient dans une nature sauvage.

Découvrir

Le vieux Castres

Le **quai des Jacobins** offre une jolie vue sur les anciennes demeures de tisserands et de teinturiers, construites sur de vastes caves de pierre qui s'ouvrent directement sur la rivière. On admire au détour des rues les élégants **hôtels de Nayrac★**, **de Viviès**, **de Poncet**, avant de rejoindre le **jardin de l'Évêché** dessiné par Le Nôtre.

★ Musée d'Art hispanique (musée Goya)

Au 1ᵉʳ étage de l'hôtel de ville dans l'ancien palais épiscopal. ☎ 05 63 71 59 30 - www.ville-castres.fr - possibilité de visite guidée (1h) - juil.-août : 10h-18h ; reste de l'année : tlj sf lun. 9h-12h (10h-12h dim. et j. fériés), 14h-18h (17h de fin sept. à fin mars) - fermé 1ᵉʳ janv., 1ᵉʳ Mai, 14 Juil., 1ᵉʳ nov. et 25 déc. - 3 € (-18 ans gratuit), 1ᵉʳ dim. du mois (oct.-mai) gratuit, billet groupé musées Goya/Jaurès/Centre d'art contemporain : 3,50 €.

Spécialisé dans la peinture espagnole, ce musée présente les peintres du « siècle d'or » espagnol, le 17ᵉ s., avec notamment des tableaux de Murillo et Ribera. Mais il est surtout célèbre pour sa collection exceptionnelle d'**œuvres de Goya★★** qui montre des moments bien marqués dans l'évolution de l'artiste (1746-1828). La première salle est dominée par *La Junte des Philippines* *présidée par Ferdinand VII.* On est saisi par *Les Désastres de la guerre*, ensemble que lui avait inspiré la guerre d'Indépendance (1808-1814) contre la soldatesque napoléonienne. Sur les murs, *Les Caprices* (gravures) expriment la solitude et l'amertume dans lesquelles la surdité avait plongé Goya à partir de 1792.

Circuit conseillé

★ LA MONTAGNE NOIRE

La Montagne noire constitue l'extrême sud-ouest du Massif central. On la dit « noire » car son versant nord, le plus arrosé, est couvert de sombres forêts (hêtres, chênes, sapins, épicéas). Le versant sud étonne par son aspect méditerranéen, sec et dénudé, où se mêlent genêts, garrigues, vignes et oliviers. La Montagne noire représentant un formidable château d'eau, Pierre Paul de Riquet eut l'idée de rassembler les eaux de ses ruisseaux et de les conduire par un canal jusqu'à Naurouze pour alimenter le **canal du Midi** *(voir p. 524).*

◗ *22 km. Quitter Castres par la D 612 pour aller à Mazamet. Puis prendre la D 118 et enfin la D 103 vers Saissac, d'où l'on gagne la prise d'Alzeau.*

Prise d'Alzeau – Un monument élevé à la mémoire de Riquet retrace les étapes de la construction de ce canal. Après avoir recueilli les eaux de l'Alzeau, la rigole de la Montagne court rejoindre le **bassin du Lampy**.

Les Cammazes – À l'entrée du village se trouve la **voûte de Vauban** sous laquelle passe la rigole de la Montagne avant de se déverser dans le bassin de St-Ferréol. Cette galerie souterraine de 122 m de long permet à la rigole de changer de bassin-versant.

☞ De magnifiques hêtraies, sillonnées de sentiers ombragés, font du bassin du Lampy un but de promenade apprécié.

À Revel, bastide fondée en 1342, regagner Castres par la D 622, puis la N 126.

😊 NOS ADRESSES À CASTRES

HÉBERGEMENT

BUDGET MOYEN

Hôtel La Renaissance – *17 r. V.-Hugo -* ☎ *05 63 59 30 42 - www.hotel-renaissance.fr - 20 ch. 65/90 € -* ☐ *10 €.* Belle façade à colombages du 17ᵉ s. abritant des chambres personnalisées (styles Empire, Napoléon III, africain, etc.) où foisonnent tableaux et bibelots. Salons très « cosy ».

RESTAURATION

PREMIER PRIX

Brasserie de l'Europe – *1 pl. Jean-Jaurès -* ☎ *05 63 59 01 44 - fermé dim. - formule déj. 10/14,50 € - 16,50/24 €.* Cette brasserie – la plus réputée de Castres – jouit d'une situation agréable sur la place, à deux pas de l'Agout. Décor typique du genre, ambiance conviviale et animée et carte proposant un bon choix de viandes, pizzas, salades, gratins, etc.

BUDGET MOYEN

La Mandragore – *1 r. Malpas -* ☎ *05 63 59 51 27 - fermé 1 sem. en mars, 1 sem. en sept., dim. et lun. - formule déj. 13 € bc - 27/42 €.* Cette maison du vieux Castres est décorée dans un style contemporain, où dominent bois blond et verre dépoli. On y déguste des préparations traditionnelles.

Les Pyrénées centrales

▶ SE REPÉRER

En voiture, on accède à la région par l'A 64 Bayonne-Toulouse en passant par Pau et Tarbes (d'où l'on rejoint Lourdes). Foix se rejoint de Toulouse par l'A 61 puis l'A 66, ou bien de Carcassonne par la D 119. En TGV, Paris est à 6h de Tarbes et 5h50 de Lourdes. De Toulouse, le train régional dessert Lourdes et Foix. Enfin, il existe la possibilité de débarquer à l'aéroport international Tarbes-Lourdes-Pyrénées.

⊛ À NE PAS MANQUER

Lourdes, son château fort et son musée de Cire ; aux alentours, St-Bertrand-de-Comminges, la vallée de Cauterets, celle de Gavarnie et son cirque ainsi que le pic du Midi de Bigorre. À Foix, le château et la ville ancienne ; aux alentours, les grottes de l'Ariège et le château de Montségur.

⊙ ORGANISER SON TEMPS

Lourdes, au pied des Pyrénées, est un bon point de départ pour découvrir la région : après avoir visité la cité religieuse, quittez la foule pour vous réfugier dans les montagnes et rejoindre le cirque de Gavarnie ou le pic du Midi de Bigorre, ce qui nécessite bien deux jours, voire plus dès lors que vous prenez le temps d'une randonnée. Autour de Foix, l'Ariège vous retiendra trois jours. En automne, l'été est encore là en moyenne montagne, au pied des cimes enneigées.

Pics du Midi de Bigorre, de Néouvielle, du Vignemale, Mont Perdu... La chaîne dresse sa ligne de crête à 3 000 m d'altitude, distante seulement d'une trentaine de kilomètres de la plaine d'Aquitaine. Les glaciers suspendus ont façonné des cirques, tel celui de Gavarnie, et laissé de nombreux lacs. Les gaves dévalent des vallées transversales seulement reliées par de hauts cols. Longtemps, les habitants ont vécu là en autarcie et la région a attendu le 19e s. pour s'ouvrir au tourisme, avec l'essor du thermalisme, même si les vertus bienfaisantes de ses sources étaient déjà connues des Romains. Aujourd'hui, c'est à Lourdes que les pèlerins attendent des miracles de la source que fit jaillir en 1858 Bernadette Soubirous. En matière de religion, les Pyrénéens ont connu l'horreur de l'Inquisition et de l'intolérance à l'encontre des cathares. Montségur, dressé sur son piton, reste le symbole de la résistance des comtes méridionaux, mais d'autres lieux sont tout aussi émouvants, telle la grotte du Mas-d'Azil, refuge depuis la préhistoire. Quantité d'autres trésors souterrains attendent le visiteur, comme la rotonde de la grotte de Niaux et, un peu partout, des galeries, des cavités creusées par l'érosion qui font le bonheur des spéléologues. Au grand jour, à côté des visites de châteaux fortifiés, tel celui de Foix, ou d'abbayes, la région offre au fil des saisons un large éventail d'activités : randonnée, pêche, rafting ou ski favorisé par un bon enneigement ; les plus sportifs peuvent essayer de franchir l'un des cols à vélo, comme celui du Tourmalet... avis aux amateurs.

Lourdes

15 410 Lourdais – Hautes-Pyrénées (65)

😊 NOS ADRESSES PAGE 554

🛈 S'INFORMER

Office de tourisme – *Pl. Peyramale - 65100 Lourdes - 𝒫 05 62 42 77 40 - www. lourdes-infotourisme.com - juil.-août : 9h-19h, dim. et j. fériés 10h-18h ; avr.- juin et sept. : 9h-18h30, dim. 10h-12h30, j. fériés 10h-18h ; janv.-mars et oct.- déc. : tlj sf dim. 9h-12h, 14h-17h30 - fermé 1er janv., 1er et 11 Nov. et 25 déc.*

▶ SE REPÉRER

Carte générale B4 – *Cartes Michelin n° 721 G15 et n° 525 G14*. La ville est desservie par l'aéroport de Tarbes-Lourdes-Pyrénées ainsi que par le TGV Atlantique. Elle est accessible en voiture par l'A 64 Toulouse-Bayonne.

☺ À NE PAS MANQUER

La grotte, le château fort. Aux alentours, St-Bertrand-de-Comminges, les vallées de Cauterets, le cirque de Gavarnie, et le pic du Midi de Bigorre.

🕐 ORGANISER SON TEMPS

À Lourdes, entre Pâques et la Toussaint et autour du 15 août (pèlerinage national), il vous sera difficile d'échapper à la foule.

👫 AVEC LES ENFANTS

Une excursion au cirque de Gavarnie à dos d'âne ou de mulet, une montée en téléphérique au pic du Midi de Bigorre.

Deuxième ville de pèlerinage catholique au monde après Rome, Lourdes accueille chaque année 6 millions de personnes venant de 170 pays. Un véritable bouleversement pour cette petite cité pyrénéenne qui ne connaissait pas la foule avant les apparitions de la Vierge à la jeune Bernadette Soubirous, en 1858. Depuis, hôtels et boutiques de bibelots religieux ont fleuri... non loin de la source miraculeuse. Lourdes, qui prend toute sa dimension à la saison des pèlerinages, de Pâques à la Toussaint, bénéficie également d'un site naturel privilégié. Au pied des Pyrénées, et arrosée par le gave du Pau, la ville constitue un bon point de départ pour de superbes randonnées.

12

Découvrir

Domaine de la grotte

À l'ouest de la ville, le domaine de la Grotte est un domaine privé, clos de 52 ha, accessible tous les jours de l'année. Les portes permettant d'y accéder sont ouvertes de 5h du matin à minuit ; seule la porte des Lacets reste ouverte 24h/24.

À l'extrémité de l'esplanade du Rosaire, la **basilique du Rosaire**, inaugurée et bénie en 1889, de style néobyzantin, occupe, entre les deux rampes de l'hémicycle, le niveau inférieur. Svelte et blanche, la **basilique supérieure** néogothique, dédiée à l'Immaculée Conception, a été inaugurée en 1871.

BERNADETTE SOUBIROUS

Le 11 février 1858, Bernadette, âgée de 14 ans, ramasse du bois le long du gave près du rocher de Massabielle, en compagnie de l'une de ses sœurs et d'une voisine, lorsque soudain… c'est la première apparition de l'Immaculée Conception dans la grotte. Dix-huit fois, la « belle dame » lui apparaît. Le rocher de Massabielle est alors d'un accès peu facile, mais une foule chaque jour plus nombreuse se presse autour de la grotte. Au cours de la neuvième apparition, Bernadette, devant les spectateurs stupéfiés, gratte le sol de ses doigts : une source inconnue jusque-là jaillit. En 1862, l'évêché décide d'édifier un sanctuaire au-dessus de la grotte. La première procession se déroule en 1864, à l'occasion de la bénédiction de la statue de Notre-Dame de Lourdes, placée dans la niche des apparitions. En 1866, Bernadette entre comme novice au couvent de St-Gildard, à Nevers. L'année suivante, elle prend le voile sous le nom de sœur Marie-Bernard. Elle meurt le 16 avril 1879. Elle a été béatifiée en 1925 et canonisée en 1933.

Le long du gave, sous la basilique supérieure, se trouve la **grotte** miraculeuse où eurent lieu les apparitions : une Vierge en marbre de Carrare en marque l'emplacement. Des canalisations souterraines conduisent l'eau aux **fontaines**, à gauche de la grotte (robinets à poussoir) et, en aval, aux **piscines** où sont plongés les pèlerins.

Deux ponts enjambent le torrent et permettent d'accéder à la prairie de la rive droite, où s'élèvent l'**espace Ste-Bernadette** et la **basilique souterraine St-Pie-X**, consacrée à l'occasion du centenaire des apparitions, en 1958. Cet immense vaisseau en amande peut abriter 20 000 pèlerins. La technique du béton précontraint a permis de lancer des voûtes aussi surbaissées sans appui intermédiaire.

★ Château fort

Accès par l'ascenseur, par l'escalier des Sarrasins (131 marches) ou par la rampe du Fort (que l'on prend par la rue du Bourg) - ℘ 05 62 42 37 37 - www.lourdes-visite. fr - ᕇ - possibilité de visite guidée (1h30) - de mi-juil. à mi-août : 9h-18h30 ; d'avr. à mi-juil. et de mi-août à fin sept. : 9h-12h, 13h30-18h30 ; oct.-mars : 9h-12h, 14h-18h (vend. 17h) - fermé 1ᵉʳ janv., 1ᵉʳ et 11 Nov. et 25 déc. - 5 € (6-18 ans 3 €).

Érigé sur un piton rocheux dominant la ville, il abrite un **Musée pyrénéen** évoquant les arts et les traditions populaires ; remarquez la cuisine béarnaise, les costumes, les instruments de musique, les surjougs et les céramiques (magnifique service en faïence de Samadet).

★ Musée de Cire de Lourdes

℘ 05 62 94 33 74 - www.museedecirelourdes.com - de mi-juil. à fin août : 9h-18h30, dim. 10h-18h30 ; d'avr. à mi-juil. et sept.-oct. : 9h-12h, 13h45-18h30, dim. 10h-12h, 13h45-18h30 - fermé nov.-mars - 6,50 € (-12 ans 3,50 €).

Il retrace sur cinq niveaux les principaux épisodes de la vie de Bernadette Soubirous, et de celle du Christ. De la terrasse, belle vue sur le château, le gave du Pau et les sanctuaires.

À proximité

★★ Saint-Bertrand-de-Comminges
À 87 km à l'est de Lourdes.

Isolé du monde, St-Bertrand-de-Comminges, dressé sur un piton rocheux, avec pour toile de fond les premières hauteurs du piémont pyrénéen, domine le bassin de la Garonne. Le bourg avec ses ruelles peuplées d'artisans d'art, ses vieilles demeures et ses remparts médiévaux, paraît figé hors du temps. C'est du chevet de la basilique romane **St-Just de Valcabrère★**, à 2 km de St-Bertrand-de-Comminges, que l'on profite de la plus saisissante sur l'ancienne cité des Convènes, fondée à la fin du 1er s. ; dans la seconde moitié du 2e s., elle comptait entre 5 000 et 10 000 habitants.

★ **Cathédrale Ste-Marie** – *℘ 05 61 89 04 91 (bureau des guides) - juin-sept. : 9h-19h, dim. 14h-19h ; avr. et oct. : 10h-12h, 14h-18h, dim. 14h-18h ; mai : 9h-18h, dim. 14h-18h ; nov.-mars : 10h-12h, 14h-17h, dim. 14h-17h - possibilité de visite guidée pour les groupes sur réservation - 4 € - accès payant (audioguide) au cloître, aux terrasses et dans la partie droite de l'église (trésor, stalles), accès libre dans le reste de la cathédrale.* Une situation exceptionnelle en hauteur donne au **cloître★★**, au-delà de ses qualités architecturales, une spiritualité et une poésie particulières. La galerie sud, ouverte sur l'extérieur, permet au visiteur de pouvoir contempler le paysage alentour. Seule la galerie occidentale date de l'époque romane (12e s.). Quoique d'inspiration gothique, les galeries sud et est s'intègrent parfaitement à l'ensemble architectural. La galerie nord a été refaite aux 15e et 16e s. Détaillez les remarquables chapiteaux décorés d'entrelacs, de feuillages ou de scènes bibliques et le célèbre pilier des quatre Évangélistes dont le chapiteau représente les signes du zodiaque associés à chaque saison de l'année.

Le **trésor★** recèle des tapisseries de Tournai, des chapes (splendide travail de broderie liturgique), etc. Dans le **chœur des chanoines★★**, les splendides **boiseries★★** comprennent le jubé, la clôture du chœur, le retable du maître-autel, le trône épiscopal et 66 **stalles★**. Ces bois sculptés qui content l'histoire de la Rédemption forment un petit monde où se donnent libre cours la piété, la malice, la satire…

12

Circuits conseillés

Au cœur des Grandes Pyrénées, la **Bigorre** est une région authentique et rude où vallées et montagnes ne manquent pas de captiver ses visiteurs : cirques, torrents, hauts sommets sont protégés par le **Parc national des Pyrénées★★★** *(voir p. 514).* Pour vous familiariser avec elle, voici quatre circuits.

★★ LA VALLÉE DE CAUTERETS

38 km. Quitter Lourdes vers le sud par la N 21, puis la D 920.

★ Cauterets

Enserrée par de hautes montagnes boisées, au confluent de deux gaves, c'est l'une des grandes stations thermales et climatiques pyrénéennes. C'est aussi une villégiature estivale très animée, un grand centre d'excursions dans le Parc national des Pyrénées, vers le Pont d'Espagne, ainsi que d'ascensions autour du Vignemale. Et quand la neige arrive, elle devient une importante station de sports d'hiver.

★★ Val de Jéret

Gagner la passerelle lancée au pied de la **cascade de Lutour★★**, chute à quatre jets. La route remonte le val de Jéret, très encaissé et boisé, encombré d'énormes rochers, mais embelli par les chutes du gave. On admire successivement les effets variés des **cascades★★ de Cerisey, du Pas de l'Ours et de Boussès.**

★★★ Pont d'Espagne

*Laisser sa voiture au **parking du Puntas**. 1h 3 €, 2h-12h 5,50 €, +12h 7 €, carte annuelle 35 € + caution 5 €.*

Ce pont doit son nom au fait qu'il se trouvait, il y a quelques siècles, sur le passage d'un chemin muletier vers l'Espagne dans un site d'une très grande beauté, au confluent du gave de Gaube et du gave de Marcadau.

Du haut des passerelles et des belvédères, on voit les eaux tumultueuses des gaves se rencontrer en cascades écumantes. Les proches abords sont plantés de sapins et de pins sylvestres.

Les plus courageux entreprendront la belle randonnée jusqu'au **lac de Gaube★★** *(🚶 1h30 AR par le GR 10 ; départ immédiatement en aval du Pont d'Espagne ; accès possible par le télésiège de Gaube à partir du plateau des Clots).*

★★ LA VALLÉE DE GAVARNIE

🚗 *42 km. Quitter Lourdes par la N 21, puis la D 921 vers le sud en passant par Luz-St-Sauveur.*

Tout au long de cette vallée, les glaciers ont « surcreusé » les bassins de Pragnères, de Gèdre, de Gavarnie ; les eaux ont scié les « verrous » rocheux qui les séparent et créé des « étroits » dont le plus caractéristique est la gorge de St-Sauveur. Du haut des vallées affluentes, les torrents dévalent en cascades. Au bout de la vallée de Luz-St-Sauveur, les paysages de la vallée de Gavarnie et du cirque qui la ferme sont grandioses… Ancienne étape sur le chemin de St-Jacques-de-Compostelle, le village de Gavarnie connaît en été un extraordinaire afflux de visiteurs.

La montée au cirque de Gavarnie – *Elle peut se faire au départ de Gavarnie à dos d'âne ou de cheval - parking payant l'été à l'entrée du village (Gavarnie est piétonnier en juil.-août de 10h à 18h) - les loueurs sont rassemblés dans le village - 25 € AR (durée 2h).*

★★★ Cirque de Gavarnie

🚶 *2h à pied AR.* 👥 À l'extrémité du village, prendre le chemin de terre puis suivre la rive gauche du gave. Après une montée à travers une végétation d'arbres et d'arbustes, peu avant l'hôtel du Cirque, la rivière s'engouffre dans d'étroites gorges. Le cirque apparaît tout à coup, avec ses trois paliers de neige, ses majestueuses murailles à pic, curieusement teintées, et ses innombrables cascades argentées. La plus importante, la Grande Cascade, alimentée par une résurgence des eaux de l'étang Glacé du mont Perdu (alt. 2 592 m) sur le versant espagnol, fait un bond de 422 m dans le vide…

★★ LA ROUTE DU TOURMALET

🚗 *112 km. Quitter Lourdes par la N 21, puis la D 921 jusqu'à Luz-St-Sauveur, et enfin la D 918 vers Barèges.*

La route s'engage dans le vallon désolé d'Escoubous. Après le **pont de la Gaubie** apparaît le pic de Néouvielle, puis se profilent les crêtes du pic du Midi de Bigorre surmonté de son observatoire et de son relais de télévision.

★★ Col du Tourmalet

Alt. 2 115 m. Du col, le **panorama** est remarquable par l'âpreté des sommets qu'il laisse découvrir. La descente du col laisse apercevoir le tracé de l'ancien chemin que suivaient les chaises à porteurs…

La Mongie

Alt. 1 250-2 500 m. Blottie dans un cirque au pied du pic du Midi de Bigorre, cette station forme avec **Barèges**, un important complexe de sports d'hiver et bénéficie d'un enneigement prolongé. Plus de 100 km de pistes et 43 remontées mécaniques en font le plus grand domaine skiable des Pyrénées françaises. La proximité du massif de Néouvielle favorise le ski de fond et les randonnées en raquettes. Enfin, l'aménagement du col de Tourmalet a entraîné la création de **Super-Barèges** dans le cirque terminal de la vallée du Bastan.

★★★ Pic du Midi de Bigorre

☏ 0 825 002 877 (0,15 €/mn) - www.picdumidi.com - ♿ - juin-sept. : 9h-19h (dernier dép. en téléphérique de la Mongie 16h30) ; oct.-mai : 10h-17h30 (dernier dép. 15h30) - dép. ttes les 15mn, trajet 15mn, visite 2h - le tarif comprend les trajets en téléphérique et la visite découverte du sommet : 32 € haute saison (-12 ans 21 €) - audioguide 5 € (- 8 ans déconseillé).

Sa silhouette, nettement détachée de la chaîne, son panorama exceptionnel et ses installations scientifiques ont contribué à sa renommée. L'accès au sommet se fait uniquement par téléphérique. Dès l'arrivée, une galerie vitrée et plusieurs terrasses livrent le spectacle du panorama le plus extraordinaire que l'on puisse avoir sur la chaîne pyrénéenne.

Poursuivre par Campan pour regagner Lourdes.

★★★ LE MASSIF DE NÉOUVIELLE

Une centaine de lacs, dans lesquels se reflète un ciel d'une rare pureté ! C'est une bonne raison pour découvrir ce massif granitique qui culmine à 3 192 m au pic Long, où se dévoilent de nombreux exemples de relief glaciaire.

▶ *130 km. De Lourdes, prendre les D 937, D 935, D 918 et D 929 qui mènent à St-Lary-Soulan.*

Domaine skiable de Piau-Engaly

Alt. 1 850 m. La plus haute station des Pyrénées françaises s'étire dans un **site★★** superbe : le cirque glaciaire dont l'ampleur accorde aux skieurs une très grande liberté, l'enneigement et l'ensoleillement exceptionnels attirent les skieurs confirmés.

12

★ Vallée du Rioumajou

Une vallée très boisée, animée de nombreuses cascades. L'ancien hospice de Rioumajou (alt. 1 560 m), transformé en auberge d'altitude, se dresse dans un beau cirque aux pentes gazonnées ou forestières très inclinées.

😊 NOS ADRESSES À LOURDES

VISITES

Forum information – *1 av. Mgr-Théas - ℘ 05 62 42 78 78 - www.lourdes-france.org - mars-oct. : 8h30-12h15, 13h45-18h30 ; reste de l'année : 9h-12h, 13h30-17h30.* Dans ce forum situé à l'intérieur des sanctuaires, vous obtiendrez des renseignements sur les célébrations, les visites, la garderie, les objets trouvés…

Quelques consignes – Une tenue décente est exigée au sein des sanctuaires. Il est interdit d'y fumer, d'y entrer avec un animal ou à vélo. L'entrée dans les lieux de culte est gratuite et ouverte à tous (silence demandé).

Processions et célébrations – D'avril à octobre, de nombreuses messes sont célébrées chaque jour (de 7h à 23h) dans les différents sanctuaires. Messe internationale à 9h30 (basilique souterraine) les merc. et dim. Chaque jour, à 17h, procession eucharistique et bénédiction des malades (de la prairie à la basilique souterraine) ; à 21h, procession aux flambeaux, reliant la grotte à l'esplanade du Rosaire.

HÉBERGEMENT

BUDGET MOYEN

Hôtel Florida – *3 r. Carrières-Peyramale - ℘ 05 62 94 51 15 - www.ifrance.com/hotels-lourdes - fermé du 1er nov. à déb. avr. - 🅿 - 115 ch. 67/72 € - ☕ 6,50 € - rest. 13 €.* Chambres confortables et bien insonorisées ; quelques-unes sont destinées aux familles. Aménagements bien conçus pour l'accueil des personnes handicapées. Sobre décor dans la salle à manger. Vue imprenable sur la ville et les Pyrénées du toit-terrasse.

POUR SE FAIRE PLAISIR

Hôtel Impérial – *3 av. du Paradis - ℘ 05 62 94 06 30 - www.mercure.com - fermé 15 déc.-31 janv. - 93 ch. 96/144 € - ☕ 13 €.* Proche de la grotte, cet hôtel de 1935, entièrement rénové, a gardé un esprit rétro. Les chambres sont agréables et feutrée. Un bel escalier d'origine dessert la grande salle à manger classique et le salon orné d'un vitrail.

RESTAURATION

BUDGET MOYEN

Brasserie de l'hôtel de la Grotte – *℘ 05 62 42 39 34 - 8 avr.-23 oct. - 🅿 - formule déj. 19,50 € - 22/39 €.* La brasserie arbore un décor moderne ; grande terrasse sous les marronniers.

Le Chalet de Biscaye – *26 rte du Lac - ℘ 05 62 94 12 26 - fermé 5-21 janv., lun. soir et mar. - 20/22 €.* Dans un quartier résidentiel sur la route du lac, restaurant familial proposant une goûteuse cuisine traditionnelle. Terrasse ombragée et chaleureuses salles à manger.

Foix

9 712 Fuxéens – Ariège (09)

S'INFORMER

Office de tourisme – *29 r. Delcassé - 09000 Foix -* 𝒫 *05 61 65 12 12 - www. tourisme-foix.fr - juil.-août : 9h-19h, dim. 10h-12h, 14h-18h ; reste de l'année : tlj sf dim. 9h-12h, 14h-18h.*

SE REPÉRER

Carte générale C4 – *Cartes Michelin n° 721 I15 et n° 525 M14.* À 92 km au sud de Toulouse par l'A 61/E80.

À NE PAS MANQUER

Le château, la ville ancienne.

ORGANISER SON TEMPS

Passez une demi-journée à Foix puis découvrez les grottes de l'Ariège et le château de Montségur aux alentours.

AVEC LES ENFANTS

La grotte de Niaux, le parc de la Préhistoire.

Au débouché de l'ancienne vallée glaciaire de l'Ariège, Foix apparaît soudain dans un site★ tourmenté, hérissé de sommets aigus. Les tours de son château semblent surveiller, de leur roc austère, le dernier défilé de la rivière à travers les plis du Plantaurel. La petite ville – elle est la préfecture la moins peuplée de France – comporte un vieux quartier sympathique, aux rues étroites.

Découvrir

Château

𝒫 *05 34 09 83 83 - www.sesta.fr - juil.-août : 9h45-18h30 ; juin et sept. : 10h-18h ; mai : 10h30-12h, 14h-17h30, w.-end et j. fériés 10h-18h ; avr. et oct. : 10h30-12h, 14h-17h30 ; fév.-mars et nov.-déc. : 10h30-12h, 14h-18h ; janv. : w.-end 10h30-12h, 14h-18h - possibilité de visite guidée - fermé mar. hors vac. scol. et j. fériés de nov. à mars - 4,60 € (13-18 ans 3,30 €, enf. 2,50 €).*

12

Le château, dont les premières bases datent du 10ᵉ s., est une solide place forte. En 1272, le comte de Foix refusant de reconnaître la souveraineté du roi de France, Philippe le Hardi prend en personne la direction d'une expédition contre la ville. À bout de vivres et devant l'attaque du rocher à pic, le comte capitule. Après la réunion du Béarn et du comté de Foix en 1290, la ville est abandonnée par les comtes. Gaston Fébus est le dernier à avoir vécu au château.

L'intérêt du bâtiment tient avant tout à son site, en aplomb au-dessus de la ville. Des trois tours qui subsistent, la tour centrale et la tour ronde ont conservé des salles voûtées des 14ᵉ et 15ᵉ s. Ces tours étaient entourées de deux enceintes qui rendaient la position du château fort redoutable. Du sommet de la tour ronde, **panorama★** sur Foix, la vallée de l'Ariège et le Pain de Sucre de Montgaillard.

Musée départemental de l'Ariège – Installé dans le château, il présente des collections d'armeset des éléments de préhistoire témoignant de l'activité humaine dans les grottes de l'Ariège.

Du **pont de Vernajoul**, vue saisissante sur le château.

À proximité

LA PRÉHISTOIRE EN ARIÈGE

Les Pyrénées demeurent un des sites les plus riches du globe pour l'étude des premiers âges de l'humanité. Pas moins de douze grottes préhistoriques ornées font de la région de Tarascon-sur-Ariège une véritable capitale de la préhistoire, incontournable pour les passionnés qui s'intéressent à la vie de nos lointains ancêtres.

★★ Grotte de Niaux

◗ *À 21 km au sud de Foix. Prendre la N 20 jusqu'à Tarascon-sur-Ariège, puis la D 8. ✆ 05 61 05 10 10/88 37 - visite guidée uniquement sur réserv. - fermé 1ᵉʳ janv. et 25 déc. - 9,40 € (-5 ans gratuit, 5-12 ans 5,70 €, 13-18 ans 7 €). Parcours long, accidenté et glissant, prévoir des vêtements chauds et de bonnes chaussures.*

👥 Les superbes dessins qui ornent les parois de cette grotte de la vallée de Vicdessos en font un des hauts lieux de l'art préhistorique. Des salles très vastes et très hautes et de longs couloirs conduisent à une sorte de rotonde naturelle, le **Salon noir**, aux parois décorées de dessins de bisons, de chevaux, de bouquetins et d'un cerf vus de profil. Leur facture, leur finesse et leur réalisme montrent une maîtrise exceptionnelle.

★★ Grotte du Mas-d'Azil

◗ *À 33 km au nord-ouest de Foix par la D 117 jusqu'à Vic, puis la D 15 qui rejoint la D 119. ✆ 05 61 69 97 71 - www.sesta.fr - visite guidée (1h) juil.-août : 10h-18h ; juin et sept. : tlj sf lun. 10h-12h, 14h-18h ; avr.-mai : tlj sf lun. 14h-18h, dim., j. fériés et vac. scol. 10h-12h, 14h-18h ; oct.-nov. : dim., j. fériés et vac. scol. 14h-18h ; déc.-fév. : vac. scol. sur réservation - 6,30 € (5-12 ans 3,20 €) billet combiné avec le musée.*

Station préhistorique célèbre dans le monde scientifique, le Mas-d'Azil est aussi l'une des curiosités naturelles les plus spectaculaires de l'Ariège. Les 4 étages de galeries fouillées se développent sur 2 km, dans un calcaire dont l'homogénéité empêche les infiltrations et la propagation de l'humidité. On visite entre autres la **salle du Temple**, lieu de refuge protestant lors du siège de 1625. Des vitrines présentent des pièces des époques magdalénienne dont le moulage de la célèbre tête de cheval hennissant, et azilienne. Plus loin apparaissent, enrobés dans les déblais, des vestiges de faune (mammouth et ours) amoncelés sans doute par des crues souterraines.

★★ Parc de la Préhistoire

◗ *À 16 km au sud de Foix par la N 20. Prendre à droite la D 618 avant d'arriver à Tarascon. ✆ 05 61 69 97 71 - www.sesta.fr - juil.-août : 10h-20h ; avr.-juin et sept. : 10h-18h, w.-end et j. fériés 10h-19h ; oct. et w.-end du 11 Nov : tlj sf lun. 10h-18h - fermé certains lun., déc.-mars - 9,70 € (13-18 ans 7,20 €, 5-12 ans 5,90 €) billet combiné avec la grotte.*

👥 Dans un beau cadre de montagne sur la route de Banat, le parc est consacré à l'art pariétal et à la vie des Magdaléniens. Dans le Grand Atelier, le visiteur muni d'un casque à infrarouges effectue, dans la pénombre, un parcours initiatique. On découvre d'émouvantes empreintes de pas d'enfants inscrites

LE SIÈGE DE MONTSÉGUR ET LA DÉFAITE DES CATHARES

Au 13e s., le château de Montségur abrite une centaine d'hommes sous le commandement de Pierre-Roger de Mirepoix. À l'extérieur vit une communauté de réfugiés cathares. Le prestige du lieu, sa fière indépendance portent ombrage à l'Église et à la royauté. Le massacre des membres du tribunal de l'Inquisition à Avignonet, par une troupe venue de Montségur le 28 mai 1242, met le feu aux poudres, et la décision est prise de réduire ce foyer de résistance. Le siège, dirigé par le sénéchal de Carcassonne, Hugues des Arcis, à la tête d'une armée de 10 000 hommes, commence en juillet 1243. Il dure dix mois et s'achève en janvier 1244 lorsqu'une escouade de montagnards basques, escaladant à la faveur de la nuit la falaise abrupte, prend pied sur le plateau supérieur où elle installe un trébuchet avec lequel les murailles sont criblées de boulets. Pierre-Roger de Mirepoix offre alors de rendre la place et obtient la vie sauve pour la garnison. Les cathares, restés en dehors de la convention, ne tentent pas d'échapper au bourreau par le reniement ou la fuite. Le matin du 16 mars, au nombre de 207, ils descendent de la montagne et montent sur le gigantesque bûcher.

dans le sol depuis des milliers d'années. Plusieurs espaces vidéos permettent de comprendre les méthodes de fouilles et de datation. Un diorama donne un aperçu de l'art pariétal dans le monde. Le fac-similé du Salon noir de la grotte de Niaux déploie sur ses parois chevaux, bouquetins et bisons. Dans le parc, des ateliers permettent de découvrir les techniques de la chasse, la taille de la pierre, l'allumage du feu.

★ Château de Montségur

▶ *À 31 km au sud-est de Foix. ☏ 05 61 01 10 27/06 94 - www.montsegur.fr - juil.-août : 9h-19h30 ; reste de l'année : tte la journée - possibilité de visite guidée (50mn) - fermé janv. et 25 déc. - 4,50 € (8-13 ans 2 €).*

Beaucoup d'émotion dans ce lieu où l'épopée cathare a pris fin. Perché sur son « pog » (rocher) à 1 216 m d'altitude, le château occupe un **site**★★ dominant des à-pics de plusieurs centaines de mètres. Il offre un panorama extraordinaire sur les rides du Plantaurel, la coupure de la vallée de l'Aude et le massif du St-Barthélemy. On accède à la forteresse, dont le plan épouse le contour de la plate-forme du sommet, par une porte au sud. Autour de la cour intérieure, divers bâtiments (logis, annexes) étaient adossés au rempart. Autrefois, une porte au 1er étage du donjon permettait d'y accéder à partir du rempart. On pénètre dans la salle basse après avoir contourné l'enceinte par la porte nord, par une brèche qui donne sur l'ancienne citerne. Deux meurtrières de la salle basse reçoivent le soleil du solstice d'été de telle sorte que la lumière ressort par les deux meurtrières qui leur font face.

12

Languedoc-Roussillon 13

Cartes Michelin National n° 721 et Région n° 526

Cité fortifiée de Carcassonne.
J. A. Moreno/Age Fotostock

Le Languedoc-Roussillon

▶ SE REPÉRER

L'A 75, appelée « Méridienne », rend l'accès au Languedoc-Roussillon facile et rapide du nord de la France. Elle prolonge l'A 71 à partir de Clermont-Ferrand pour aboutir à Montpellier et à Béziers. Du sud-est et du sud-ouest, Montpellier est accessible par l'A 9. En TGV, Paris est à 3h15 de Montpellier, et à 5h de Perpignan. En TER, Montpellier est à 2h de Marseille et à 3h de Lyon. La région est desservie par les aéroports de Béziers-Agde-Vias, Montpellier-Méditerranée, Nîmes-Arles-Camargue, Perpignan.

⊛ À NE PAS MANQUER

Sur la côte du golfe du Lion, Aigues-Mortes, le port de Sète, les grandes stations balnéaires et les ports de la Côte Vermeille ; dans l'arrière-pays, les gorges du Tarn, les Cévennes et sa corniche de Florac à St-Jean-du-Gard, les grottes de la vallée de l'Hérault, le site préhistorique de Tautavel, les châteaux cathares ; Nîmes et le pont du Gard ; Montpellier et le musée Fabre ; Narbonne, son palais des Archevêques et sa cathédrale St-Just-et-St-Pasteur ; Carcassonne et ses remparts ; Perpignan et son palais des Rois de Majorque.

🕐 ORGANISER SON TEMPS

La région est riche de circuits qui vous retiendront entre 4 et 6 jours. Les villes de Montpellier, Perpignan, Narbonne sont idéales à visiter pour un week-end, sans voiture. L'été, parcourez-les le matin quand il y a moins de monde et réservez vos soirées pour un festival. Le printemps est la saison la plus agréable pour l'ensemble de la région. En haute saison, le long de la côte, vous risquez de retrouver les embouteillages, particulièrement le week-end. Pour le calme et des températures moins élevées, gagnez les hauteurs de l'arrière-pays.

Immuables sont les délimitations naturelles de cette région qui s'étire le long du golfe du Lion, du Rhône jusqu'aux Pyrénées-Orientales, et s'adosse au massif des Cévennes. Plus mouvantes furent les frontières politiques de ces provinces aux marches de l'Espagne. L'histoire de la région se lit dans l'architecture : monuments romains, cités entourées de remparts, citadelles fortifiées sur des éperons rocheux, puis, aux 17e et 18e s., villes embellies de quais, d'hôtels particuliers, de promenades, de jardins et de places. Entre mer et montagne, les paysages présentent des visages variés : plages de sable, vignes des Corbières, garrigues sur les hauteurs, gorges dans les plateaux calcaires creusés de grottes. Les contrastes se retrouvent aussi dans le bâti, façades blanches et toits de tuiles au sud, ensembles modernes le long du littoral sableux. Enfin, comment quitter la région sans faire un détour par Tautavel où vécut l'*Homo erectus*, il y a 450 000 ans, et St-Guilhem-le-Désert, lieu sauvage choisi par quelques moines au 8e s., ou bien par les ports de la Côte Vermeille, élus par les peintres fauves. Au passage, on goûte la cuisine qui se teinte de soleil et se parfume au thym ou au fenouil.

Montpellier

★★★

252 998 Montpelliérains – Hérault (34)

 NOS ADRESSES PAGE 566

S'INFORMER

Office de tourisme – *30 allée De-Lattre-de-Tassigny (esplanade Comédie) - 34000 Montpellier - 𝄢 04 67 60 60 60 - www.ot-montpellier.fr - juil.-sept. : 9h-19h30, w.-end 9h30-18h ; oct.-juin : 10h-18h, dim. et j. fériés 10h-17h - fermé 1ᵉʳ Janv. et 25 déc.*

SE REPÉRER

Carte générale C4 – *Cartes Michelin n° 721 L14 et n° 526 P10.* Situé sur l'arc méditerranéen, à 170 km à l'ouest de Marseille, Montpellier est facilement accessible par l'A 7 puis l'A 9 ou l'A 75 si vous venez du nord.

À NE PAS MANQUER

Une promenade dans les rues du vieux quartier, au départ de la place de la Comédie et les collections du musée Fabre. Aux alentours, les grottes aux concrétions féeriques dans la vallée de l'Hérault ou les plages de sable fin entre le Cap-d'Agde et Le Grau-du-Roi, tout près des remparts d'Aigues-Mortes.

ORGANISER SON TEMPS

Prenez le temps d'un week-end pour découvrir Montpellier, et deux autres jours si vous voulez profiter de la plage, découvrir le port de Sète et Aigues-Mortes, ou bien la vallée de l'Hérault.

AVEC LES ENFANTS

Un bain de mer dans la Méditerranée ou le son et lumière de la grotte de Clamouse dans la vallée de l'Hérault.

Baignée par la douce lumière méditerranéenne, la capitale de la région Languedoc-Roussillon multiplie les clins d'œil charmeurs. Ses quartiers anciens et ses superbes jardins agrémentent les promenades en journée, tandis que théâtres, cinémas et opéra animent longuement la nuit. Les visages sont jeunes à la terrasse des cafés, population estudiantine oblige. L'air humecté de sel annonce déjà la mer toute proche. La ville est belle et chaleureuse, que demander de plus ?

13

Découvrir

★★ LE VIEUX MONTPELLIER

Entre l'arc de triomphe du Peyrou et la place de la Comédie s'étendent les vieux quartiers, aux rues tortueuses et étroites, selon le plan de la cité médiévale. De superbes hôtels particuliers des 17ᵉ et 18ᵉ s. cachent leurs façades principales et leurs remarquables escaliers à l'intérieur des cours. Centre animé de Montpellier, la **place de la Comédie** fait le lien entre les quartiers anciens et les réalisations modernes. Autour de la fontaine des Trois Grâces, un tracé ovale rappelle les limites d'un terre-plein qui lui a valu d'avoir pour surnom « l'Œuf ». La place se poursuit au nord par l'**esplanade Charles-de-Gaulle**, promenade plantée de beaux platanes où l'été les Montpelliérains flânent parmi les terrasses de café et viennent écouter les musiciens qui se produisent dans les kiosques ; la perspective est fermée par le **Corum,** vaste complexe de forme allongée en béton et granit rouge de Finlande conçu par l'architecte Claude Vasconi. Le joyau en est l'Opéra Berlioz.

😊 **Bon à savoir** – Les cours de la plupart des hôtels particuliers étant le plus souvent fermées, il est recommandé de participer aux visites organisées par l'office de tourisme. L'une d'entre elles porte précisément sur ce thème.

★ Quartier Antigone
À l'est de la pl. de la Comédie.
Il s'étend sur les 40 ha de l'ancien polygone de manœuvre de l'armée. Ce vaste ensemble néoclassique est une réalisation de l'architecte catalan **Ricardo Bofill**. Il allie la technique de la préfabrication à la recherche d'une harmonie rigoureuse et gigantesque. Il abrite, derrière une profusion d'entablements, de frontons, de pilastres et de colonnes, des logements sociaux, des équipements collectifs et des commerces de proximité, disposés autour de places et patios, agrémentés de jets d'eau. La recherche d'harmonie transparaît aussi bien dans le dessin du pavement que dans les structures de l'éclairage public.

★★ Musée Fabre
Au nord de la pl. de la Comédie. Entrée du public 39 bd Bonne-Nouvelle - 📞 *04 67 14 83 00 -* ♿ *- 10h-18h, merc. 13h-21h et sam. 11h-18h - fermé lun. et j. fériés - 8 ou 6 € (enf. 7 ou 5,50 €).*
Le musée a subi une véritable métamorphose pour offrir au public un parcours thématique et chronologique riche de plus de 800 œuvres (sculptures, peintures, arts graphiques) du 15e au 21e s. On admire les peintures flamandes et hollandaises (Ruysdael, Rubens, Téniers le Jeune) aux sujets variés, les œuvres espagnoles (Zurbarán), italiennes (Véronèse, le Guerchin) et françaises des 17e et 18e s. (Poussin, Vouet, David, Greuze). On découvre aussi les artistes montpelliérains tel Frédéric Bazille (*Vue de village, Les Remparts d'Aigues-Mortes*). Deux

---

UNE CAPITALE EN CONSTANTE ÉVOLUTION

Le Moyen Âge – Aux 12e et 13e s., la cité s'est développée grâce au commerce des épices et des plantes tinctoriales avec l'Orient. Après une période de crise au 14e s., le commerce redevient florissant, sous l'impulsion de **Jacques Cœur,** argentier de Charles VII. Le prestige de Montpellier est surtout dû à la renommée de son université et à celle de sa **faculté de médecine. Rabelais** y termine ses études vers 1530.

Montpellier capitale – Au 16e s., alors **fief protestant**, la ville est le théâtre d'affrontements violents : églises et couvents sont détruits. En 1622, Louis XIII organise le siège de Montpellier qui capitule. Richelieu fait alors construire la citadelle pour surveiller la cité rebelle. Nombre de protestants se réfugient dans les Cévennes et ailleurs en Europe. Louis XIV fait de Montpellier la capitale administrative du Bas-Languedoc. Redevenue prospère, la ville est embellie par de grands architectes tels d'**Aviler** et les **Giral**.

Montpellier aujourd'hui – Capitale viticole, la ville a créé divers pôles d'activités dans les domaines de la recherche médicale, l'agroalimentaire, la production audiovisuelle, les activités touristiques et culturelles… et affirme son ambition de se développer jusqu'à la mer !

ailes sont consacrées aux périodes néoclassique et classique, où l'on retrouve des maîtres tels que Vernet, Denis, Géricault ou Delacroix. Parmi les sculptures de Bourdelle, Maillol et Richier sont exposées des pièces de Van Dongen, de Staël ou Dufy. Mention spéciale pour l'importante collection **Soulages★**.

À VOIR AUSSI

★★ Promenade du Peyrou
À l'ouest du vieux Montpellier. La promenade comporte deux étages de terrasses. De la terrasse supérieure décorée de la statue équestre de Louis XIV, la **vue★** s'étend au nord sur les Garrigues et les Cévennes, au sud sur la mer et, par temps clair, sur le Canigou. Des escaliers monumentaux conduisent aux terrasses basses ornées de grilles en fer forgé. La partie la plus originale du Peyrou est constituée par le château d'eau et l'aqueduc St-Clément, qui transporte l'eau jusqu'au château d'eau, lui-même relié à la fontaine des Trois Grâces *(pl. de la Comédie)*, à la fontaine de Cybèle *(pl. Chabaneau)* et à la fontaine des Licornes *(pl. de La Canourgue)*.

Arc de triomphe – Construit à la fin du 17e s., il est décoré de bas-reliefs figurant les victoires de Louis XIV et de grands épisodes de son règne.

Quartier Odysseum
Accès direct par la ligne 1 du tramway. Le complexe Odysseum est un petit monde à part, consacré aux loisirs, à la culture et au commerce. Un cinéma multiplexe créé en 1998 a été le point de départ d'Odysseum.

À proximité

★★ Pézenas
◗ *À 50 km au sud-ouest de Montpellier.*
Une des plus charmantes villes de France après Paris, au dire de Louis XIII. Elle connut dans les années 1620 l'aménagement d'une promenade bordée de très belles demeures. Aujourd'hui, cette petite ville d'art se trouve dans une plaine fertile où s'étendent les vignobles, véritable « jardin de l'Hérault ». Magnifiques demeures seigneuriales des 17e et 18e s. restées intactes, cours intérieures et rues où abondent échoppes d'artisans et magasins d'antiquaires : le noble passé de Pézenas illumine encore son présent.

Scénovision Molière – *Pl. des États-du-Languedoc - ☎ 04 67 98 35 39 - www. scenovisionmoliere.com - juil.-août : 9h-19h, nocturnes jusqu'à 22h merc. et vend. ; sept.-juin : 9h-12h, 14h-18h, ouv. 10h le dim - dép. ttes les 15mn, dernière entrée 1h10 av. fermeture - 7 € (enf. : 6 €).* Les siècles ont passé mais pas l'engouement pour **Molière** (1622-1673) qui est en représentation permanente à l'hôtel de Peyrat (17e s.). Le spectacle retrace l'enfance du jeune Jean-Baptiste Poquelin, le triomphe de l'acteur-auteur à la cour de Louis XIV, et sa fin trop rapide. Mais grâce à la magie de la technique, Molière est de retour à Pézenas.

13

★★ Aigues-Mortes
◗ *À 32 km à l'est de Montpellier.*
En 1240, les moines cèdent un lopin de terre à Louis IX qui y fait aussitôt aménager un port, bâtir la ville sur le modèle des bastides, selon un plan régulier quadrillé par des rues rectilignes, ériger l'**église N.-D.-des-Sablons★** et la **tour de Constance★★**. C'est de là que le roi embarque pour la croisade en 1270, mais, victime du typhus, il meurt à Tunis. Son fils Philippe le Hardi commanda l'édification des remparts.

★★ **Remparts** – 🕿 04 66 53 61 55 - mai-août : 10h-19h ; sept.-avr. : 10h-17h30 - fermé 1er janv., 1er Mai, 1er et 11 Nov. et 25 déc. - 7 € (-25 ans gratuit), gratuit 1er dim. du mois (de déb. oct. à fin mars). Ils nous sont parvenus intacts, ce qui en fait le meilleur exemple d'architecture militaire du 13e s. Ils forment un grand quadri-latère dont les murs, surmontés de chemins de ronde, sont flanqués de tours.

★ Sète
▶ À 36 km au sud-ouest de Montpellier par l'A 9, puis la N 300.
Entre le bleu de l'**étang de Thau** – paradis pour les amoureux de la voile – et de la Méditerranée, Sète glisse le long du **mont St-Clair★**. Des canaux émaillent en tous sens la ville neuve, les sirènes des bateaux retentissent du port, tan-dis que les vacanciers profitent de la plage de sable fin qui s'étend jusqu'au Cap-d'Agde. Le **vieux port★** et la Marine, le long du canal, sont bordés d'im-meubles aux façades colorées et de restaurants de fruits de mer.
L'un des meilleurs souvenirs qu'on puisse rapporter de Sète est l'excursion au **mont St-Clair★**. Cette colline forme un belvédère de choix.

Le Cap-d'Agde
▶ À 67 km au sud-ouest de Montpellier par l'A 9 (sortie 34).
Depuis 1970, la station du Cap-d'Agde tire parti de ce site exceptionnel sur la côte du Languedoc. Les travaux de dragage ont ouvert là un vaste havre abrité, dont les rives n'accueillent pas moins de huit ports de plaisance, pou-vant abriter 1 750 bateaux. Le style architectural du centre urbain est inspiré de l'architecture languedocienne traditionnelle. Les immeubles de 3 ou 4 étages, aux toitures de tuiles, reflètent leurs teintes pastel dans l'eau, ou se protègent du soleil le long de ruelles tortueuses aboutissant à des piazzas.
👙 14 km de plages de sable fin sont accessibles par des sentiers piétonniers : la plage **Richelieu** est la plus vaste, celle du **Môle** la plus fréquentée.
Musée de l'Éphèbe (archéologie sous-marine) – 🕿 04 67 94 69 60/65 - 🕭 - de mi-juin à fin sept. : 9h-19h, w.-end 12h-19h (10h dim.) ; de déb. avr. à mi-juin : tlj sf mar. et dim. mat. 9h-12h15, 13h45-18h ; reste de l'année : tlj sf mar. et dim. mat. 9h-12h, 14h-17h30 - fermé 1er janv. et 25 déc. (mat.) - 4,70 € (-18 ans 1,80 €) ; supplément visite guidée 2 €, audioguide 2 €. Il conserve les trésors découverts lors des fouilles du delta de l'Hérault, dont le magnifique **Éphèbe d'Agde★★**, statue en bronze de style hellénistique.

La Grande-Motte
▶ À 23 km au sud-est de Montpellier par la D 66, puis D 62.
Dans cette station créée de toutes pièces en 1967, les bâtiments principaux se présentent comme des **pyramides** alvéolées exposées au midi tandis que les **villas**, disséminées dans une verdure qui apparaît aujourd'hui comme la vraie réussite de la station, adoptent un style provençal ou s'ordonnent autour de cours intérieures. Son développement se poursuit vers l'ouest par le quartier piéton de la Motte du Couchant dont l'architecture présente des conques arrondies tournées vers la mer, et vers le nord autour du plan d'eau du Ponant.
👙 La **plage** de sable fin s'étend sur 6 km, avec accès direct à la ville.

Le Grau-du-Roi/Port-Camargue
▶ À 32 km à l'est de Montpellier par la D 62 et à 6 km d'Aigues-Mortes.
👙 Construite de part et d'autre d'un grau (brèche dans le cordon littoral ouverte naturellement vers 1570), entre l'embouchure du Vidourle et celle du Rhône, cette station offre 18 km de **plage** de sable fin aux adeptes des bains de mer. Quant aux plaisanciers, ils disposent avec Port-Camargue de **marinas** leur permettant d'accéder directement à leur bateau.

Circuit conseillé

★ LA VALLÉE DE L'HÉRAULT

▶ *120 km. Quitter Montpellier vers l'ouest par la N 109. Prendre à droite vers Gignac et suivre la direction de St-Guilhem-le-Désert.*
Dominées par des versants escarpés, les **gorges de l'Hérault**★ s'élargissent au-delà du pont du Diable.

★★★ Grotte de Clamouse

Température : 16 °C - ☎ 04 67 57 71 05 - juil.-août : visite guidée (1h) 10h30-18h20 ; juin et sept. : 10h30-17h20 ; reste de l'année : 10h30-16h20 - dép. ttes les 20mn, 30mn ou ttes les h selon le mois - fermé de nov. à fin fév. - 9 € (12-18 ans 7,70 €, 4-12 ans 5,50 €).

Elle éblouit par la blancheur de ses concrétions et l'originalité de ses cristallisations. Deux types de concrétions sont visibles : d'une part, les classiques **stalagmites**, **stalactites**, etc., parfois colorées par des oxydes métalliques ; d'autre part, les cristallisations fines, dites **excentriques**★★, d'une blancheur étincelante, beaucoup moins fréquentes que les précédentes dans le monde des cavernes. Un **son et lumière**★ célèbre l'histoire de la goutte d'eau et du temps.

★★ Saint-Guilhem-le-Désert

★ Le **village**, oasis resserrée autour d'une ancienne abbaye, marque l'entrée de gorges sauvages, au confluent du Verdus et de l'Hérault. Le désert, de l'occitan *desèrt*, désigne un « endroit sauvage, inculte… désertique ».
L'abbaye fut fondée en 804 par Guilhem, vaillant lieutenant de Charlemagne, mais il n'en reste que l'**église**★ du 11e s. De la ruelle bordée de maisons anciennes, on admire la richesse de la décoration du **chevet**★. Des arcades séparées par de fines colonnettes aux curieux chapiteaux les surmontent. La nef (11e s.) est d'une grande sobriété. L'abside, voûtée en cul-de-four, est décorée par sept grandes arcatures. Du **cloître** à deux étages, il reste les galeries nord et ouest du rez-de-chaussée, ornées de fenêtres géminées dont les arcatures reposent sur de frustes chapiteaux.
Continuer sur la D 4 jusqu'à St-Bauzille-de-Putois. La grotte des Demoiselles se trouve à 2,5 km au nord-est du village.

★★★ Grotte des Demoiselles

Température : 14 °C. ☎ 04 67 73 70 02 - www.demoiselles.com - visite guidée (1h, dernier dép. 30mn av. fermeture) - juil.-août : 10h-18h ; avr.-juin et sept. : 10h-18h30 ; oct.-mars : 14h-17h, w.-end 10h-17h - fermé 3 sem. en janv. et 25 déc. - 9,10 € (enf. 7 €).

L'abondance et les dimensions des concrétions qui tapissent les parois surprennent. De l'aven, par une série de couloirs étroits, on débouche en surplomb sur la partie centrale de la grotte : une immense salle longue de 120 m, large de 80 m et haute de 50 m. On fait le tour de cette salle magnifique en descendant par paliers jusqu'à la légendaire stalagmite de la **Vierge à l'Enfant** juchée sur son piédestal de calcite blanche. On se retourne alors pour admirer l'imposant buffet d'orgue. Le cheminement se poursuit entre de belles draperies, soit translucides, soit formant tribunes pour de curieux personnages de théâtre.
Revenir à Montpellier par la D 986.

13

😊 NOS ADRESSES À MONTPELLIER

HÉBERGEMENT

PREMIER PRIX

Hôtel de la Comédie – *1 bis r. Baudin* - ℘ *04 67 58 43 64* - *hoteldelacomedie@dbmail. com* - *20 ch. 49/69 €* - 🍽 *7 €.* À une enjambée de la place du même nom, derrière une belle façade du 19ᵉ s., les chambres de cet hôtel récemment refait affichent une douce modernité. Idéal pour partir à la découverte de Montpellier. Ambiance décontractée.

Hôtel du Palais – *3 r. du Palais* - ℘ *04 67 60 47 38* - *www. hoteldupalais-montpellier.fr* - *26 ch. 68/90 €* - 🍽 *12 €.* Cet hôtel familial est une bonne adresse au cœur de la ville historique, à deux pas des jardins du Peyrou et de la place de La Canourgue. Ses petites chambres sont coquettement arrangées et bien tenues.

RESTAURATION

BUDGET MOYEN

Les Bains de Montpellier – *6 r. Richelieu* - ℘ *04 67 60 70 87* - *www. les-bains-de-montpellier.com* - *fermé dim. et lun. midi, vac. de fév., de la Toussaint, de Noël* - *réserv. conseillée* - *24/34 €.* Dépaysement garanti dans ce restaurant qui a pour cadre les anciens « Bains de Paris », leur terrasse ombragée de palmiers et leurs anciennes cabines transformées en charmants petits salons sous verrières où l'on déguste d'appétissants plats au goût du jour : pistou de tomates et jambon serrano, seiche à la plancha, etc.

L'Insensé – *Musée Fabre - 39 bd Bonne-Nouvelle* - ℘ *04 67 58 97 78* - *juin-sept. : tlj sf dim. soir, lun. et soir ;* *oct.-mai : tlj sf dim. soir et lun.* - *22/29 €.* Quand les frères Pourcel investissent un musée d'art, le résultat est insensé ! Décor ultra-contemporain, et une cuisine digne de la célèbre maison mère, Le Jardin des Sens.

POUR SE FAIRE PLAISIR

Cellier Morel – *La Maison de la Lozère - 27 r. de l'Aiguillerie* - ℘ *04 67 66 46 36* - *fermé lun., merc. et sam. midi, dim. et 2 1ʳᵉˢ sem. d'août* - *30/90 €.* Une cuisine inspirée par les traditions languedociennes servie dans une somptueuse salle voûtée du 13ᵉ s. ou dans une charmante cour-jardin du 18ᵉ s.

ACHATS

Maison régionale des vins et produits du terroir – *34 r. St-Guilhem* - ℘ *04 67 60 40 41* - *lun. 10h-20h, mar.-sam. 9h30-20h.* Beau choix de vins des vignerons du Languedoc et du Roussillon et un grand rayon réservé aux produits régionaux, miels, pâtés, confitures…

Au Panier Gourmand – *9 r. Boussairolles* - ℘ *04 99 06 87 28* - *mar.-sam. 10h-20h ; dim. 10h-14h.* Tous les producteurs sont régionaux, ils proposent du vinaigre, du vin, des sirops, des bières (du Larzac), des fruits ou des fromages. Le plus médiatique d'entre eux, José Bové, y vend sa tomme de Montredon.

Dragées et réglisses Auzier – *3 r. du Courreau* - ℘ *04 67 92 63 35* - *mar.-sam. 9h-12h, 14h-18h.* Ici, la pure gomme de réglisse se transforme en bâtons ou en bonbons. Ceux qui n'aiment pas trop cette plante tellement méridionale peuvent choisir entre les dragées, les guimauves et les bonbons multicolores.

Narbonne

51 306 Narbonnais – Aude (11)

S'INFORMER

Office de tourisme – *31 r. Jean-Jaurès - 11100 Narbonne - ℘ 04 68 65 15 60 - www.mairie-narbonne.fr - de déb. avr. à mi-sept. : 9h-19h ; de mi-sept. à fin mars : 10h-12h30,13h30-18h, dim. et j. fériés 9h-13h - fermé 1ᵉʳ janv., 1ᵉʳ Mai et 25 déc.*

SE REPÉRER

Carte générale C4 – *Cartes Michelin nᵒ 721 K14 et nᵒ 526 K12.* À 30 km au sud-ouest de Béziers par la D 609 et à 60 km à l'est de Carcassonne par l'A 61.

À NE PAS MANQUER

Le retable gothique et le trésor de la cathédrale, les peintures romaines du Musée archéologique, le musée d'Art et d'Histoire.

ORGANISER SON TEMPS

L'été, profitez de la fraîcheur matinale pour flâner dans la ville ; l'après-midi, fuyez la chaleur en vous réfugiant dans le palais des Archevêques. Les environs de Narbonne méritent une journée supplémentaire.

AVEC LES ENFANTS

Une initiation à la construction d'une maison gallo-romaine au Musée archéologique.

Sous la chaude caresse du soleil, Narbonne « la rose » égrène les témoins architecturaux de son glorieux passé de capitale de la Gaule narbonnaise, de résidence des rois wisigoths et de cité archiépiscopale. Elle présente au visiteur le visage d'une ville méditerranéenne, important centre viticole et carrefour de communications. L'ombre de ses musées recèle des pièces rares, en particulier des peintures romaines. Dehors, les boulevards ombragés comme les berges de la Robine invitent à une promenade paresseuse...

Découvrir

13

★ LE PALAIS DES ARCHEVÊQUES

Le palais domine la **place de l'Hôtel-de-Ville**, cœur animé de la cité. À l'origine modeste résidence ecclésiastique, le palais des Archevêques compose un ensemble architectural religieux, militaire et civil où les siècles ont laissé leur empreinte (du 12ᵉ s. avec le Palais vieux, au 19ᵉ s. avec l'hôtel de ville).

★ Donjon Gilles-Aycelin

℘ 04 68 90 30 65 - 15 juil.-oct. : 10h-13h, 14h30-18h ; avr.-14 Juil. : tlj sf mar. 10h-12h, 14h-17h ; nov.-mars : tlj sf mar. 14h-17h - fermé 1ᵉʳ janv., 1ᵉʳ Mai, 1ᵉʳ et 11 Nov. et 25 déc - 4 €.

Le donjon aux murs en bossage est établi sur les restes du rempart gallo-romain qui défendait le cœur de la ville antique. Il affirmait la puissance épiscopale face

à celle du vicomte Aymeric II installé de l'autre côté de la place de l'Hôtel-de-Ville. Du chemin de ronde de la plate-forme *(162 marches)*, le **panorama★** se développe sur Narbonne et sa cathédrale, la plaine alentour, la montagne de la Clape, les Corbières, les étangs marins et les Pyrénées à l'horizon.

Palais neuf – Il forme un ensemble s'ordonnant autour de la cour d'honneur avec la façade sur cour de l'hôtel de ville, le donjon Gilles-Aycelin, la tour St-Martial, la **salle des Synodes** *(voir les tapisseries d'Aubusson)* et deux ailes nord et sud.

Palais vieux – Il est composé de deux corps de bâtiment qui flanquent la tour de la Madeleine. Au sud se déploie une façade percée d'ouvertures romanes, gothiques et Renaissance. D'autres monuments bordent la cour de la Madeleine : le clocher carré carolingien de St-Théodard, l'abside de la chapelle de l'Annonciade que domine au nord l'imposant chevet de la cathédrale, le Tinal, cellier des chanoines du 14ᵉ s.

★★ Cathédrale Saint-Just-et-Saint-Pasteur

En 1332, le chœur rayonnant était terminé dans le style des grandes cathédrales du Nord, mais la construction du transept et de la nef, qui aurait entraîné la démolition partielle du rempart, fut remise à plus tard… et tout juste ébauchée au 18ᵉ s.

Intérieur – Il se résume à un chœur, unique partie achevée. Son élévation est d'une grande pureté architecturale : grandes arcades dominées par un triforium dont les colonnettes prolongent les lancettes des grandes verrières. La chapelle axiale de Ste-Marie-de-Bethléem a retrouvé son **grand retable gothique★**.

Trésor – ℘ 04 68 90 30 65 - 15 juil.-oct. : 10h-12h, 14h-17h45 ; nov.-14 Juil. : tlj sf mar. 14h-17h - fermé dim. mat. - 4 €. Installé au-dessus de la chapelle de l'Annonciade dans une salle dont la voûte possède une curieuse propriété acoustique, il conserve notamment une admirable tapisserie flamande de la fin du 15ᵉ s. représentant la **Création★★**, tissée d'or et de soie. Admirez aussi la finesse d'une plaque d'évangéliaire en ivoire sculpté (fin du 10ᵉ s.) et un coffret de mariage en cristal de roche, orné d'intailles antiques.

Extérieur – *Sortir de la cathédrale par une porte située dans la 2ᵉ chapelle rayonnante en partant de la gauche.* En se promenant dans le **jardin des Archevêques** (18ᵉ s.), on a une belle vue sur les arcs-boutants, la tour sud de la cathédrale et le bâtiment des Synodes, cantonné de deux tours rondes. Le **cloître** (14ᵉ s.) est un havre de paix et de fraîcheur. Observez les hautes voûtes gothiques de ses galeries et les gargouilles sculptées disposées dans ses contreforts.

★★ Musée archéologique

Dans le Palais neuf - ℘ *04 68 90 30 65 - 15 juil.-oct. : 10h-13h, 14h30-18h ; avr.-14 Juil. : tlj sf mar. 10h-12h, 14h-17h ; nov.-mars : tlj sf mar. 14h-17h - fermé 1ᵉʳ janv., 1ᵉʳ Mai, 1ᵉʳ et 11 nov. et 25 déc - 4 €.*

Narbonne possède sans doute la plus riche collection de France de **peintures romaines★★**. Après une initiation à la construction d'une maison gallo-romaine, on découvre les techniques de la peinture murale antique puis des exemples variés de décors peints et de mosaïques.

★ Musée d'Art et d'Histoire

Dans le Palais neuf, bâtiment des Synodes - mêmes conditions de visite que pour le Musée archéologique.

Faisant suite à la **salle des Audiences** où sont accrochés des portraits d'archevêques, la **chambre du Roi** est ornée d'un beau plafond à caissons représentant les neuf Muses et, au sol, d'une belle mosaïque romaine.

Grande Galerie – Elle présente un ensemble de pots de pharmacie de Montpellier et des toiles flamandes et italiennes des 16ᵉ et 17ᵉ s.

Salle des Faïences – On y découvre les pièces sorties des plus grandes fabriques françaises de faïence (Montpellier, Moustiers, Marseille…).

Terminez la visite avec la remarquable collection de **peintures orientalistes**.

À proximité

★★ **Abbaye de Fontfroide**

À 14 km au sud-ouest de Narbonne par la N 113, puis à gauche par la D 613. 04 68 45 11 08 - www.frontfroide.com - ♿ *- juil.-août : visite guidée (1h30) 10h-18h ; avr.-oct. : 10h-12h15, 13h45-16h45 ; nov.-mars : 10h-12h, 14h-16h - 9,50 € (16-25 ans 6 €, 6-15 ans 3,50 €).*

Cette ancienne abbaye cistercienne, secrètement nichée au creux d'un vallon, occupe un site paisible, peuplé de cyprès. Les belles tonalités flammées ocre et rose du grès des Corbières, avec lequel l'édifice est construit, contribuent à créer une atmosphère de grande sérénité au couchant. L'essentiel des bâtiments a été érigé aux 12ᵉ et 13ᵉ s. Les bâtiments conventuels ont été restaurés aux 17ᵉ et 18ᵉ s. Des cours fleuries de roses, de beaux jardins en terrasses en font un cadre enchanteur.

Visitez le **cloître**★★★ aux colonnettes de marbre décorées de chapiteaux à motifs végétaux, l'**église abbatiale**★★ aux proportions admirables, le **dortoir des convers** puis grimpez sur le sentier en direction de la **tour** pour embrasser la **vue** sur l'ensemble des bâtiments.

★ **Béziers**

À 30 km au nord-est de Narbonne par la D 6009.

Béziers, c'est **l'ancienne cathédrale St-Nazaire**★ posée tout en haut de la ville et qui descend abruptement vers la plaine où serpente le long couloir argenté du canal du Midi. C'est également la capitale du vignoble languedocien qui s'étend jusqu'à Carcassonne et Narbonne. Enfin, c'est une ville qui s'enflamme en août pour la féria, cultive la nostalgie des grandes heures de sa légendaire équipe de rugby et regarde vers l'avenir : pour preuve, ce « quartier latin » en train de voir le jour autour de la médiathèque conçue par Jean-Michel Wilmotte.

À Béziers, l'essentiel de l'activité se concentre autour des **allées Paul-Riquet** ombragées de platanes *(marché aux fleurs les vendredis, cafés, restaurants et boutiques).*

13

Carcassonne

★★★

47 634 Carcassonnais – Aude (11)

 NOS ADRESSES PAGE 573

S'INFORMER

Office de tourisme – *28 r. de Verdun - 11890 Carcassonne Cedex 9 - ℘ 04 68 10 24 30 - www.carcassonne-tourisme.com - juil.-août : 9h-19h ; sept.-juin : lun.-sam. 9h-18h, dim. et j. fériés 9h-13h (nov.-mars : 12h) - fermé 1ᵉʳ janv. et 25 déc.*

SE REPÉRER

Carte générale C4 – *Cartes Michelin n° 721 J14 et n° 526 G12.* À 60 km à l'ouest de Narbonne par l'A 61 et à 96 km au sud-est de Toulouse, la cité médiévale se trouve sur la rive droite de l'Aude, au sommet d'une colline, tandis que la ville basse, la bastide St-Louis, est située sur la rive gauche, dans la plaine.

À NE PAS MANQUER

Le château comtal, la promenade autour de la cité par les lices, les vitraux et les statues de la basilique St-Nazaire.

ORGANISER SON TEMPS

Prévoyez une demi-journée en ville, une journée pour le circuit vers les châteaux cathares, en commençant tôt le matin.

Lorsque l'on parvient aux abords de Carcassonne, on ne peut s'empêcher d'admirer cette cité qui s'impose dans la plaine viticole derrière laquelle se profilent les montagnes de garrigue des Corbières. Tant pis pour les détracteurs qui pensent que Viollet-le-Duc n'a pas été fidèle à l'histoire lorsqu'il a reconstruit Carcassonne ; cette ville, inscrite au patrimoine mondial de l'Unesco, reste dans la mémoire de tous ceux qui ont arpenté ses petites rues, longé ses remparts et pénétré dans son château.

Découvrir

★★★ LA CITÉ

Bâtie sur la rive droite de l'Aude, la plus grande forteresse d'Europe se compose d'un noyau fortifié, le Château comtal, et d'une double enceinte ; l'enceinte extérieure séparée de l'enceinte intérieure par les lices.

Porte Narbonnaise

C'est l'entrée principale, la seule où passaient les chars. Un châtelet à créneaux, édifié sur le pont franchissant le fossé, et une barbacane percée de meurtrières précèdent les deux tours Narbonnaises.

Rue Cros-Mayrevieille

Elle permet d'accéder directement au château. À droite de la place du château, se situe un grand puits profond de près de 40 m. On peut cependant

préférer flâner dans le bourg médiéval en empruntant les ruelles tortueuses, bordées de boutiques d'artisanat et de souvenirs.

Château comtal

℘ 04 68 11 70 72 - www.monum.fr - visite guidée - avr.-sept. : 10h-18h30 ; oct.-mars : 9h30-17h (dernière entrée 45mn av. fermeture) - fermé 1ᵉʳ janv., 1ᵉʳ Mai, 1ᵉʳ et 11 Nov. et 25 déc. - 8,50 € (-18 ans gratuit), gratuit 1ᵉʳ dim. du mois (nov.-mars).

Érigé au 12ᵉ s., le château était à l'origine le palais des vicomtes de Trencavel. Il fut transformé en citadelle après le rattachement de Carcassonne au domaine royal en 1226. Depuis le règne de Saint Louis, un immense fossé et une grande barbacane semi-circulaire le protègent et en font une véritable forteresse intérieure.

Musée lapidaire – On le visite notamment pour le **calvaire★** de Villanière (fin 15ᵉ s.).

Porte d'Aude

C'est l'élément majeur des **lices.** Un chemin fortifié qui part du pied de la colline y donne accès de la ville basse. De tous côtés, elle est puissamment défendue : grand châtelet, petit châtelet, place d'armes et portes.

★ Basilique Saint-Nazaire

De l'église consacrée en 1006 ne subsiste que la nef. En pénétrant à l'intérieur, on est saisi par le contraste entre la nef centrale, de style roman méridional, et le chevet gothique, illuminé par les baies dont les **vitraux★★** (13ᵉ et 14ᵉ s.) sont considérés comme les plus intéressants du Midi. De remarquables **statues★★** – rappelant celles de Reims et d'Amiens – ornent le pourtour du chœur.

UNE FIÈRE CITÉ

Pendant quatre cents ans, Carcassonne est la capitale d'un comté, puis d'une vicomté sous la suzeraineté des **comtes de Toulouse**. La ville connaît une époque de grande prospérité, interrompue au 13ᵉ s. par la croisade contre les albigeois. Les croisés du Nord, descendus par la vallée du Rhône, pénètrent en Languedoc en juillet 1209, pour châtier l'hérétique. Le comte Raimond VI de Toulouse ayant été obligé de se convertir, l'attaque retombe sur son neveu **Raimond-Roger Trencavel**, vicomte de Carcassonne. Après le sac de Béziers, l'armée des croisés investit Carcassonne le 1ᵉʳ août. Malgré l'ardeur de Trencavel – il n'a que 24 ans –, la place est réduite au bout de quinze jours à cause du manque d'eau.

En 1240, **Saint Louis** fait raser les bourgs formés au pied des remparts pour construire une ville sur l'autre rive de l'Aude. La cité est remise en état et renforcée. L'œuvre est continuée par Philippe le Hardi. La place est désormais si bien défendue qu'elle passe pour imprenable. Cinq forteresses royales sont disposées le long de la frontière aragonaise avec mission de protéger la cité ; il s'agit des « cinq fils de Carcassonne » : Puilaurens, Peyrepertuse, Quéribus, Termes et Aguilar.

En 1659, après le **traité des Pyrénées** qui rattache le Roussillon au Royaume de France, le rôle militaire de Carcassonne se trouve amenuisé. Perpignan prend la garde à sa place, et la cité tombe en ruine. Mais le romantisme remet le Moyen Âge à la mode. Et **Viollet-le-Duc** décide la commission des Monuments historiques à entreprendre, en 1844, la restauration de Carcassonne.

13

Circuit conseillé

★★ LES CORBIÈRES CATHARES

Les Corbières, région montagneuse de l'Aude mordant sur les Pyrénées-Orientales, dominent de leurs hautes barres le sillon du Fenouillèdes. C'est là que se dressent les « citadelles du vertige », théâtre du drame cathare. Prenez le temps d'emprunter les petites routes qui s'enfoncent dans la garrigue. Attention, ça tourne et ça monte !

Bon à savoir – Prudence ! Dans ces reliefs culminant à près de 800 m, le vent peut souffler très fort, en particulier le « cers », vent du Sud-Ouest. En été, protégez-vous des rayons du soleil, plus redoutables en altitude. Habillez-vous en conséquence et emportez de l'eau à boire car l'accès aux châteaux est parfois rude. Il va de soi qu'une paire de bonnes chaussures est indispensable (chemins pierreux, souvent glissants à cause des pierres patinées).

220 km. Quitter Carcassonne par la D 118 vers Limoux. Poursuivre jusqu'à Quillan. Prendre alors la D 117 jusqu'à Lapradelle.

★ Château de Puilaurens

30mn à pied AR. 04 68 20 65 26 - *juil.-août : 9h-20h ; avr.-juin et sept. : 10h-18h ; oct. : 10h-17h ; fév.-mars et de déb. nov. à mi-nov. : w.-end et vac. scol. 10h-17h - 4 € (-12 ans 2 €).*

Accroché sur la vallée de la Boulzane à 697 m d'altitude, le château a gardé sa silhouette à peu près intacte. Il a servi de refuge aux cathares vers 1245. On remarque de loin l'enceinte crénelée à tours défendant les approches du donjon.

Reprendre la D 117 vers l'est jusqu'à Maury. Suivre à gauche la D 19.

★★ Château de Quéribus

20mn à pied AR. 04 68 45 03 69 - www.queribus.fr - *juil.-août : 9h-20h ; avr.-juin et sept. : 9h30-19h ; oct. : 10h-18h30 ; nov.-mars : w.-end et vac. scol. 10h-17h - fermé janv. - 5,50 € (-16 ans 3 €).*

Trois enceintes successives protègent le donjon placé au point culminant du piton rocheux à 729 m d'altitude. Le donjon comporte à l'étage une **salle gothique★** voûtée d'ogives retombant sur un pilier excentré.

À Cucugnan, prendre à gauche la D 14, et traverser Duilhac-sous-Peyrepertuse.

★★★ Château de Peyrepertuse

06 71 58 63 36 ou 04 82 53 24 07 (mairie) - *juin-sept. : 8h30-20h ; avr.-mai et oct. : 9h-19h ; nov.-mars : 10h-17h - fermé janv. - visite interdite par temps d'orage - 6 €, 8,50 € en juil.-août (enf. 3 €).*

Perché sur un promontoire effilé, il comprend deux ouvrages distincts séparés par une esplanade. Le **château bas** occupe le promontoire effilé en proue. Au sud, près du donjon du château bas, un poste de guet isolé offre, par un trou béant, une vue sur Quéribus. Relié à la forteresse par un étroit escalier, à 796 m d'altitude, le **château St-Georges** domine le château bas de 60 m. Il fut construit en une seule campagne après la réunion du Languedoc au domaine royal. **Vues panoramiques★★** avec vue la Méditerranée à l'horizon.

Revenir à Duilhac et continuer jusqu'à Cucugnan. Poursuivre sur la D 14, puis la D 39. À gauche, un chemin de vignes goudronné mène au château d'Aguilar.

Château d'Aguilar

10mn à pied AR du parking. Aguilar, qui appartenait à la famille de Termes, devint forteresse royale en 1257. Construite sur un modeste « pog » (éminence)

émergeant d'un océan de vignes, elle fut renforcée au 13e s., sur l'ordre de Louis IX, par une seconde enceinte hexagonale flanquée de tours.

Revenir à Tuchan et prendre au nord la D 39. Prendre à gauche la D 613, puis à droite la D 40.

Château de Termes

☎ 04 68 70 09 20 - juil.-août : 10h-19h30 ; avr.-juin et sept.-oct. : 10h-18h ; nov.-mars : w.-end, j. fériés et vac. scol. 10h-17h - fermé janv. - 4 € (6-15 ans 2 €). Tenu par Raymond de Termes, le château ne tomba entre les mains de Simon de Montfort qu'à l'issue d'un siège de quatre mois, en 1210. Il fut cédé au roi de France en 1228. Défendu par le formidable fossé naturel du Sou, le **site du promontoire** est magnifié par les ruines qui couvraient 16 000 m².

😊 NOS ADRESSES À CARCASSONNE

HÉBERGEMENT

BUDGET MOYEN

Hôtel Espace Cité – *132 r. Trivalle - ☎ 04 68 25 24 24 - www.inter-hotel-carcassonne.fr - fermé 3 sem. apr. 1er janv. -* 🅿 *- 48 ch. 59/91 € - ☕ 8 €.* Cet hôtel situé au pied de la Cité propose un hébergement économique et fonctionnel. Les chambres ont toutes été refaites.

BUDGET MOYEN

Hôtel Montmorency – *2 r. Camille-St-Saëns - ☎ 04 68 11 96 70 - www.lemontmorency.com -* 🅿 *- réserv. conseillée en été - 28 ch. 65/220 € - ☕ 12 €.* Au pied de la Cité, cette adresse est l'annexe de l'hôtel du Château. Vous pourrez bénéficier des jardins, de la piscine, du Jacuzzi et de la terrasse de l'établissement principal. Les chambres sont simples mais très coquettes et particulièrement bien tenues.

RESTAURATION

PREMIER PRIX

Le Bar à Vins – *6 r. du Plô - ☎ 04 68 47 38 38 - 9h-2h - fermé 12 nov.-10 fév. - 10/25 €.* Situé au cœur de la cité médiévale, ce bar à vins séduit, aux beaux jours, par son jardin ombragé et la vue qu'il offre sur la basilique St-Nazaire. Dans l'assiette, tapas, sandwichs, et une belle carte des vins bien sûr !

BUDGET MOYEN

La Marquière – *13 r. St-Jean - ☎ 04 68 71 52 00 - www.lamarquiere.com - fermé 10 janv.-10 fév., merc. et jeu. (sf juil.-août) - 20/50 € bc.* Cette maison proche des remparts nord vous reçoit dans un cadre provincial, ou dans sa sympathique petite cour-terrasse. Cuisine traditionnelle simple et goûteuse.

UNE FOLIE

Le Parc Franck Putelat – *80 ch. des Anglais (au sud de la Cité) - ☎ 04 68 71 80 80 - www.restaurantleparcfranckputelat.fr -* 🅿 *- fermé dim.-lun. (sf j. fériés) et janv. - 52/115 €.* Un restaurant de haute tenue ; dans un cadre exceptionnel et un décor épuré, vous dégusterez une cuisine mariant la tradition aux innovations les plus inattendues, comme cette bouillabaisse de foie gras. Les gourmets ne manqueront un repas ici sous aucun prétexte !

13

Perpignan

116 676 Perpignanais – Pyrénées-Orientales (66)

S'INFORMER

Office de tourisme – *Palais des congrès - pl. A.-Lanoux - 66000 Perpignan - ℘ 04 68 66 30 30 - www.perpignantourisme.com - de mi-juin à mi-sept. : 9h-19h, dim. et j. fériés 10h-16h ; de mi-sept. à mi-juin : 9h-18h, dim. et j. fériés 10h-13h - fermé 1er janv. et 1er Mai.*

SE REPÉRER

Carte générale C4 – *Cartes Michelin n° 721 K15 et n° 526 J15.* Située à l'extrême sud-est de la côte du golfe de Lion, Perpignan est desservie par l'A 9, dénommée « Catalane ». Presque parallèle à l'autoroute, la D 6009 et la D 900 sont pratiques, si vous venez de Narbonne (à 64 km au nord) ou de Montpellier (94 km).

À NE PAS MANQUER

Le palais des rois de Majorque, une excursion sur la Côte Vermeille jusqu'à Collioure.

ORGANISER SON TEMPS

Prévoyez une journée pour flâner dans la ville et profiter des musées. Les environs méritent aussi une journée.

AVEC LES ENFANTS

La casa Pairal, le palais des rois de Majorque, et aux alentours, le port de Collioure, le fort de Salses ou le site de Tautavel.

À la fois proche de la mer et des sommets pyrénéens, Perpignan, c'est encore la France, mais c'est aussi la Catalogne. La cité a plus d'un atout : l'ombre de ses promenades plantées de platanes, ses cafés où l'on vient boire l'apéritif en dégustant des tapas, son rythme de vie, entre sieste et effervescence nocturne… Ici, l'architecture parle du passé : des comtes de Roussillon et des rois de Majorque, des Catalans et des Aragonais, puis des Français. Ville frontière, ville de partage culturel, elle a su au fil des siècles et des conquêtes se construire une identité particulière.

Découvrir

★ Le Castillet

℘ 04 68 35 42 05 - 10h-18h30, se renseigner sur les jours de fermeture - 4 € (enf. gratuit).
L'emblème de Perpignan domine la place de la Victoire de ses deux tours couronnées de créneaux et de mâchicoulis ; remarquez leurs fenêtres à grilles de fer forgé.
Casa Pairal – *Dans le Castillet.* Elle est consacrée aux arts et traditions populaires catalans.

★ Cathédrale Saint-Jean

L'église, commencée en 1324 par Sanche, 2e roi de Majorque, a été consacrée en 1509. La façade, de galets et de briques, est flanquée d'une tour carrée

---

FRANÇAISE OU ESPAGNOLE ?

La ville, qui fut la capitale du royaume de Majorque, détaché de l'Aragon en 1276, se développe en devenant un grand centre de teinture des étoffes en provenance des grandes villes drapières d'Europe. Après la disparition du royaume de Majorque en 1344, Perpignan fait partie du principat de Catalogne, une entité autonome au sein du royaume d'Aragon durant le 14e et 15e s. Entre les deux versants pyrénéens s'établissent des échanges commerciaux, culturels, linguistiques. Mais en 1463, Louis XI prête main-forte au roi Jean II d'Aragon pour réduire les Catalans et récupère en échange le Roussillon, avec Perpignan, malgré la résistance des Perpignanais. La ville est à nouveau réunie à l'Espagne de Ferdinand le Catholique en 1493, puis retombe dans le giron français sous Louis XIII… Après bien des péripéties, ce n'est qu'en 1659, par la signature du traité des Pyrénées, que la cité est rattachée à la couronne française.

---

dotée d'un beau campanile de fer forgé (18e s.). La nef, imposante, repose sur de robustes contreforts intérieurs séparant les chapelles ornées de riches retables (16e-17e s.).

Place de la Loge

La place (avec sa *Vénus* de Maillol) et la rue piétonne de la Loge, pavée de marbre rose, constituent le centre d'animation de la ville. L'été, on y danse la **sardane** : cette danse repose sur la *cobla*, orchestre de 11 instruments capables d'exprimer les sentiments les plus doux comme les plus passionnés. Elle déroule ses guirlandes de bras levés et, au final, réunit les participants en rondes concentriques.

★ Loge de Mer

Ce bel édifice, construit en 1397, remanié et agrandi au 16e s., était le siège d'un tribunal de commerce maritime. La girouette, en forme de navire, à l'angle du bâtiment, est le symbole de l'activité que déployaient les commerçants du Roussillon.

★ Hôtel de ville

Patio : tlj sf w.-end 8h-18h (vend. 17h) - fermé j. fériés.

Les grilles sont du 18e s. Dans la cour à arcades, le bronze de Maillol représente *La Méditerranée*. Sur la façade du bâtiment, les bras de bronze, symbolisant les « mains » ou catégories de la population appelées à élire les cinq consuls, seraient, en fait, d'anciennes torchères.

★ Palais des rois de Majorque

𝄞 04 68 34 96 26 - juin-sept. : 10h-18h (dernière entrée 45mn av. fermeture) ; oct.-mai : 9h-17h - fermé 1er janv., 1er Mai, 1er nov. et 25 déc. - juin-sept. : possibilité de visite contée pour enf. (se renseigner) - 4 € (enf. 2 €).

À l'avènement des rois de Majorque (1276-1344), Perpignan ne disposait pas de demeure seigneuriale digne de ce nom. On éleva donc un palais sur la colline du Puig del Rey. Par une rampe voûtée, on accède à un agréable jardin méditerranéen. Passant sous la **tour de l'Hommage,** on débouche sur la cour d'honneur, ajourée de deux étages de galeries.

Les **appartements de la reine** ont conservé un superbe plafond peint aux couleurs catalanes. Le donjon-chapelle Ste-Croix comprend deux sanctuaires superposés (14e s.), construits par Jacques II de Majorque ; ils affichent un style gothique flamboyant d'influence française. La chapelle basse, au pavement

13

de céramique verte, héberge une belle Vierge à l'Enfant (15ᵉ s.). La chapelle haute, plus élancée, s'ouvre par un beau **portail roman★** aux voussures alternées de marbre bleu et rose.

À proximité

Tautavel
▶ *À 33 km au nord-ouest de Perpignan par la D 900, la D 117, puis la D 9 qui passe devant la caune de l'Arago (grotte) où l'homme de Tautavel a été découvert.*
Au pied des contreforts des Pyrénées, voilà un petit village des Corbières des plus renommés, puisqu'il a donné son nom à l'« homme de Tautavel », chasseur préhistorique vivant dans la plaine du Roussillon, il y a quelque 450 000 ans.

★ **Musée de Tautavel - Centre européen de préhistoire** – *Av. Léon-Jean-Grégory ℰ 04 68 29 12 08 - www.tautavel.com - & - juil.-août : 10h-19h ; reste de l'année : 10h-12h30, 14h-18h - 8 € (enf. 4 €).* ▲▲ À côté des dioramas très réalistes et des consoles interactives instruisant sur la place de l'homme dans l'univers, l'attraction principale est le **fac-similé** de la caune de l'Arago. Le visiteur voit défiler plusieurs scènes filmées : le retour de la chasse, l'hibernation d'un ours, la transformation de la grotte jusqu'à sa forme actuelle. **La reconstitution du squelette de l'homme de Tautavel** donne une idée de la stature de l'une des plus anciennes espèces humaines connues à ce jour hors d'Afrique : droite et haute d'environ 1,65 m.

Les Premiers habitants de l'Europe – *ℰ 04 68 29 31 89 - juil.-août : tte la journée ; reste de l'année : mat. et apr.-midi - fermé 1ᵉʳ janv. et 25 déc. - 2 €, 8 € billet couplé avec le musée de Tautavel.* ▲▲ Dans le Palais des Congrès, cinq « **théâtres virtuels** » présentent en 3D la vie quotidienne des premiers habitants du vieux continent à travers leurs outils, la chasse, l'habitat.

★★ Fort de Salses
▶ *À 16 km au nord de Perpignan par la D 900. ℰ 04 68 38 60 13 - juin-sept. : 9h30-19h ; oct.-mai : 10h-12h15, 14h-17h (dernier départ 1h av.) - juin-sept. : possibilité de visite contée pour enf. (se renseigner) - fermé 1ᵉʳ janv., 1ᵉʳ Mai, 1ᵉʳ et 11 Nov. et 25 déc. - 7 € (-17 ans gratuit), gratuit 1ᵉʳ dim. du mois (oct.-mai).*
▲▲ Émergeant des vignes, cette forteresse à demi enterrée affiche d'imposantes dimensions. Le grès rose des pierres et le rouge patiné des briques adoucissent aujourd'hui sa rigueur. Le fort, élevé en un temps record au 15ᵉ s., reste un spécimen unique en France de l'architecture militaire médiévale espagnole, adaptée par **Vauban** en 1691 aux exigences de l'artillerie moderne.

★★★ LE CANIGOU

Au début de l'été peuvent subsister quelques pans de neige sur le flanc nord. L'automne est agréable pour la douceur des températures et pour la parfaite visibilité que l'on a en haut du pic. L'été est à éviter par tous ceux qui redoutent la chaleur et la foule. Renseignez-vous pour les possibilités de dormir en refuge si vous prévoyez l'ascension, et réservez votre place.
Cime emblématique des Pyrénées-Orientales, on lui attribua longtemps l'altitude la plus élevée de la chaîne. Sans doute est-ce parce qu'on ne voit que ce pic, que l'on soit sur les sommets des Corbières, du Conflent, de Cerdagne, dans la plaine perpignanaise et même sur les plages du Roussillon.

🏛 **Office du tourisme de Prades** – *10 pl. de la République - 66500 Pradres - ℰ 04 68 05 41 02 - www.prades-tourisme.fr.*

Fort de Salses.
SIME/G. Simeone/Sime/Photononstop

▷ *À 69 km à l'ouest de Perpignan par la N 116 ou à 24 km au sud de Prades par la D 27. Le site ne peut s'atteindre qu'à pied ou en voiture tout-terrain car il n'y pas de route goudronnée.*

★★ Ras del Prat Cabrera

Alt. 1 739 m. Beau lieu de halte. Panorama sur la plaine du Roussillon, les Albères et la Méditerranée. La route se déploie dans le cirque supérieur de la vallée du Llech boisée de pins de montagne. Elle procure des **vues★★★** immenses : au nord, on reconnaît la barrière des Corbières, coupée par l'entaille des gorges de Galamus.

Gagner à l'ouest le chalet des Cortalets par la rte dite « balcon du Canigou ».

🚶 *3h30 à pied AR.* Au chalet des Cortalets, à 2 150 m d'altitude, suivre à pied à l'ouest du chalet le GR 10, longeant un étang puis s'élevant sur le versant est du pic Joffre. Abandonner ce sentier à la fontaine de la Perdrix lorsqu'il redescend vers Vernet et continuer la montée à gauche sous la crête.

★★★ Pic du Canigou

Alt. 2 784 m. Une croix et les décombres d'une cabane en pierre utilisée aux 18e et 19e s. pour les observations scientifiques couronnent le sommet.

Au sud, les sonnailles des troupeaux montent du vallon du Cady. Le **panorama** est immense, au nord-est, à l'est et au sud-est, vers la plaine du Roussillon et la côte méditerranéenne. Le faible écran des Albères, largement dominé, n'empêche pas la vue de porter très loin en Catalogne, le long de la Costa Brava. Au nord-ouest et à l'ouest se succèdent sur plusieurs plans les chaînons du socle cristallin des Pyrénées-Orientales (Madrès, Carlit, etc.), contrastant avec les crêtes calcaires plus tourmentées des Corbières (Bugarach).

★★ Abbaye Saint-Martin-du-Canigou

▷ *À 2,5 km au sud de Vernet-les-Bains par la D 116. À partir de Casteil, on laisse la voiture.* 🚶 *1h à pied AR, très forte montée. Pour un transport en jeep, s'adresser à l'office de tourisme de Vernet.*

☏ 04 68 05 50 03 - visite guidée - juin-sept. : 10h, 11h, 12h (12h30 dim. et j. fériés), 14h, 15h, 16h et 17h ; reste de l'année : 10h, 11h (12h30 dim. et j. fériés), 14h, 15h et 16h - fermé janv. et lun. (d'oct. à avr.) - 5 €.

Elle n'est accessible qu'à pied. Posée à 1 094 m d'altitude sur un rocher à pic, l'abbaye se détache d'un cadre sauvage et magnifique. Ce monastère fut fondé par le comte de Cerdagne en 1001. L'église inférieure (10e s.) dédiée à N.-D.-sous-Terre forme crypte par rapport à l'église haute (11e s.).

★★ Prieuré de Serrabone

◐ À 27 km à l'est de Prades. Prendre la N 116 vers Perpignan, puis la D 618 à droite. ☏ 04 68 84 09 30 - 10h-18h (dernière entrée 30mn av. fermeture) - fermé 1er janv., 1er Mai, 1er Nov. et 25 déc. - 3 € (enf. 2 €).

Ce prieuré solitaire et perché est l'une des merveilles de l'art roman en Roussillon, posé dans un jardin botanique aux essences subtilement mêlées. Ouvrant sur le ravin, la **galerie sud★** du 12e s. est ornée de chapiteaux dont les sculptures rappellent les thèmes d'influence orientale habituels aux sculpteurs romans du Roussillon.

L'église possède une **tribune★★** de marbre rose qui frappe par la richesse de sa décoration. Les colonnes et les piliers sont ornés de chapiteaux qui représentent, de façon stylisée, des animaux affrontés, des motifs floraux et des anges.

Circuit conseillé

★★ LA CÔTE VERMEILLE

◐ 108 km. Quitter Perpignan au sud par la D 914. Attention, les routes, et en particulier celle qui longe la côte, sont très encombrées l'été.

Vous voici sur un littoral rocheux où viennent se briser les vagues, où les ports de pêche et de plaisance se nichent au fond des anses protégées des tempêtes. À **Argelès-sur-Mer**, la D 914 s'élève sur les premiers contreforts des Albères. Elle ne cessera désormais d'en recouper les éperons, à la racine des caps baignés par la Méditerranée. Prenez la D 86, en montée, qui traverse le **vignoble de Collioure**. Suivez la signalisation « Circuit du vignoble » vers Banyuls. Cette belle route de corniche mène à une table d'orientation.

Tour Madeloc

🥾 30mn à pied AR. Alt. 652 m. Elle faisait partie d'un réseau de guet au temps de la souveraineté aragonaise et majorquine : la tour de la Massane surveillait la plaine du Roussillon tandis que la tour Madeloc observait la mer. **Panorama★★** sur les Albères, la Côte Vermeille et le Roussillon.

Banyuls-sur-Mer

Charmante station balnéaire, Banyuls s'allonge au bord d'une jolie baie, à l'abri de la tramontane, surplombée par un inoubliable paysage de vignobles en terrasses. C'est la patrie du sculpteur **Maillol** (1861-1944) qui a laissé dans la région de nombreux monuments aux morts : Banyuls, Céret, Elne, Port-Vendres…

★★ Cap Réderis

Au point culminant de la route, faire quelques pas en direction du cap pour avoir une vue mieux dégagée. Magnifique **panorama** s'étendant sur les côtes du Languedoc et de Catalogne, jusqu'au cap de Creus.

VINS DOUX NATURELS

Ils sont typiquement méditerranéens ! Pour conserver la quantité de sucre voulue dans le vin, on ajoute de l'alcool dans le moût (jus du raisin) en cours de fermentation. Il existe toute une gamme de muscats : qu'ils soient de Rivesaltes, de Frontignan, de Lunel, de Mireval ou de St-Jean-de-Minervois, ils portent une belle robe dorée, en harmonie avec leurs arômes d'agrumes et de miel : vous les boirez jeunes et frais.

Ambre ou grenat, les autres vins sont plus foncés en raison de l'oxydation à laquelle ils sont soumis durant leur élevage en fûts de chêne ou en bonbonnes de verre exposées au soleil. Banyuls, rivesaltes et maury se boivent à l'apéritif ; ils accompagnent les desserts au chocolat et les fromages à pâte persillée.

Cerbère

Petite station balnéaire bien abritée au fond de son anse, avec plage de galets en schiste feuilleté. Maisons blanches, terrasses de cafés et allées piétonnières ajoutent une note très espagnole à cette localité desservie par une gare internationale (Paris-Barcelone).

Revenir sur ses pas jusqu'à Banyuls pour prendre la route côtière.

Port-Vendres

Port-Vendres (*Portus Veneris*, « port de Vénus »), né autour d'une anse où les galères antiques trouvaient abri, s'est développé sous l'impulsion de **Vauban** à partir de 1679, comme port militaire et place fortifiée. C'est aujourd'hui le port de pêche le plus actif de la côte roussillonnaise.

★★ Collioure

De nombreux peintres séduits par ce petit port qui abrite des barques catalanes aux couleurs vives, derniers témoins de la pêche aux anchois sont venus planter là leur chevalet. Dès 1910, les premiers « fauves » s'y réunissent : Derain, Braque, Othon Friesz, Matisse. Plus tard, Picasso et Foujita y séjournent.

L'église fortifiée N.-D.-des-Anges avance si près de la côte qu'on la croirait dans la Méditerranée. Les deux petits ports sont séparés par le vieux château royal. Collioure, avec ses vieilles rues aux balcons fleuris, est un véritable tableau, où la rencontre du soleil avec le bleu du ciel et de la mer fait rêver…

13

Gorges du Tarn

★★★

Aveyron (12) et Lozère (48)

 S'INFORMER
Office de tourisme de Ste-Énimie - *48210 Ste-Énimie -* 📞 *04 66 48 53 44 - www.gorgesdutarn.net - lun.-vend. 9h30-12h30, 14h-17h30.*

▶ **SE REPÉRER**
Carte générale C3 – *Cartes Michelin n° 721 K13 et n° 526 LN5-6.* La D 907bis épouse les méandres du Tarn entre Ispagnac, au nord de Florac et au sud de Mende par la N 106, et Le Rozier au sud.

👁 **À NE PAS MANQUER**
Sur la D 907bis, le pont de Quézac, le château et le site de Castelbouc, le pittoresque bourg de Ste-Énimie.

🕐 **ORGANISER SON TEMPS**
Prévoyez une journée pour apprécier pleinement le site. Évitez l'affluence estivale.

👥 **AVEC LES ENFANTS**
La visite du bâtiment de captage des eaux à Quézac.

Né au mont Lozère et rejoint par plusieurs torrents, le Tarn emprunte une série de failles qui entaillent les plateaux calcaires des Causses. Son travail d'érosion a créé un canyon grandiose dominé par des falaises qui offrent des vues vertigineuses sur le fleuve. Un milieu naturel sauvage surveillé par les vautours et les buses qui se laissent porter par les ascendances, le long des gorges. Les gorges du Tarn font partie des Grands Sites de France.

Circuit conseillé

Pour connaître les gorges du Tarn, trois méthodes, qui peuvent se combiner : le parcours automobile de la route des gorges, la descente en barque ou en canoë, et une randonnée pédestre sur les sentiers des hautes corniches du causse Méjean ou le long du Tarn. En voiture, vous verrez surtout défiler châteaux, belvédères, villages, découvrant un paysage admirable. La barque et le canoë permettent d'approcher les falaises et offrent sur le versant droit des gorges des vues qui restent insoupçonnées de la route tracée trop près de la falaise. Mais les paysages les plus étonnants, les contacts les plus intimes avec les parois rocheuses sont réservés à ceux qui accepteront l'épreuve d'une incomparable randonnée pédestre qui leur laissera l'impression d'avoir été complices de cette grandeur naturelle.

LA ROUTE DES GORGES

▶ *30 km. Quitter Florac au nord par la N 106, en vue du village de Biesset, prendre à gauche la D 907bis qui longe la rive droite de la rivière.*
À hauteur d'**Ispagnac**, le Tarn tourne brusquement ; là commence vraiment le canyon, gigantesque trait de scie profond de 400 à 600 m qui sépare les

Gorges du Tarn.
A. Duquénoy/MICHELIN

causses Méjean et de Sauveterre. Le bassin d'Ispagnac, planté d'arbres fruitiers et de vignes et où se développe la culture des fraises, jouit d'un climat
très doux, de tout temps renommé.

1 km après Ispagnac, prendre à gauche.

À **Quézac**, **le pont**, gothique, franchit le Tarn. ▲▲ La visite du bâtiment de
captage de la source exploitée pour son eau naturellement pétillante permet
d'observer de nombreuses résurgences.

Revenir sur la D 907 bis.

Entre Molines et Blajoux apparaît sur la rive droite le château de **Rocheblave**
(16e s.) – reconnaissable à ses mâchicoulis –, dominé par une curieuse aiguille
calcaire. Plus loin, en aval du village de Montbrun, s'élève le château de
Charbonnières (16e s.).

★ Castelbouc

Sur la rive gauche du Tarn. Les ruines du château se dressent sur un rocher
escarpé, haut de 60 m, qui surplombe, creusé dans le roc, un village auquel
la falaise sert de mur de fond. Une résurgence extrêmement puissante jaillit
par trois ouvertures, deux dans une grotte, une dans le village.

Château de Prades

Dressé sur un éperon rocheux surplombant le Tarn, ce château, construit au
début du 13e s., avait pour mission de protéger l'abbaye de Ste-Énimie et de
défendre l'accès des gorges.

★ Sainte-Énimie

Ce bourg s'étage à l'un des passages les plus resserrés des gorges. On dis-
cerne sur les pentes abruptes des murs de soutènement et des terrasses qui
montent en larges escaliers, témoins de l'immense travail des hommes. Avec
ses rues pavées de galets et ses demeures médiévales, il figure au rang des
plus beaux villages de France. Le village est l'une des bases de départ pour
une descente du Tarn en canoë.

Nîmes

★★★

143 468 Nîmois – Gard (30)

 NOS ADRESSES PAGE 585

S'INFORMER

Office de tourisme – 6 r. Auguste - 30000 Nîmes - ℘ 04 66 58 38 00 - www. ot-nimes.fr - juil.-août : 8h30-20h, sam. 9h-19h, dim. 10h-18h ; reste de l'année : 8h30-19h, sam. 9h-19h, dim. 10h-18h (17h d'oct. à Pâques) - fermé 1er janv., 1er Mai et 25 déc.

SE REPÉRER

Carte générale C3 – *Cartes Michelin n° 721 M13 et n° 526 S8*. Nîmes est à l'est de Montpellier (53 km par l'A 9-E 15) et à l'ouest d'Arles (33 km par l'A 54-E 80).

À NE PAS MANQUER

Les arènes et la Maison carrée ; le Jardin de la Fontaine ; aux alentours, le pont du Gard et Uzès.

ORGANISER SON TEMPS

Évitez Nîmes en juillet si vous détestez la chaleur, bannissez aussi la ville le week-end de la Pentecôte si vous ne faites pas partie des aficionados de la corrida. Autrement, n'hésitez pas à prendre une journée pour découvrir la ville et vivre à son rythme. Les alentours méritent une demi-journée.

AVEC LES ENFANTS

Une chasse au trésor dans les arènes, ou le pont du Gard, aux alentours, qui ne manquera pas de les impressionner.

À la lisière des collines, des garrigues et de la plaine marécageuse de Petite-Camargue, Rome française pour les uns, Madrid selon d'autres, Nîmes présente toujours deux visages : catholique ou protestante, austère mais débridée pendant les férias, fière de son passé romain mais soucieuse de modernité… Même le climat est à l'unisson : sec le plus souvent, il déclenche parfois des orages torrentiels et dévastateurs.

Se promener

NÎMES ROMAINE ET MÉDIÉVALE

Cette promenade fait découvrir les principaux monuments de la ville romaine ainsi que l'« Écusson », lacis de ruelles du quartier médiéval, serré entre les micocouliers.

★★★ Arènes

℘ 04 66 58 38 00 - juil.-août : 9h-20h ; juin : 9h-19h ; avr.-mai et sept. : 9h-18h30 ; janv.-fév. et nov.-déc. : 9h30-17h ; mars et oct. : 9h-18h - fermé j. de spectacle - 7,80 € (-18 ans 5,90 €) ; billet combiné « Nîmes romaine » 9,90 €.

Même époque (fin du 1er-début du 2e s.), mêmes dimensions, contenance comparable (24 000 spectateurs) : cet amphithéâtre se distingue de son frère

---

TRADITIONS TAUROMACHIQUES

Née en Camargue, la tauromachie provençale s'est enrichie de traditions venues d'Espagne. Nîmes, Arles ou Les Stes-Maries-de-la-Mer rivalisent dans l'organisation des férias, qui attirent aficionados ou simples curieux, mais suscitent aussi l'indignation des adversaires de la tauromachie.

Côté rue, plusieurs jours durant, les fanfares animent les festivités de leurs airs entraînants, tandis que dans les *bodegas* (bars), vin et pastis coulent à flots. On danse la sévillane dans les bals. On joue à défier les taureaux lâchés dans les rues. Côté arène, la corrida commence par un salut équestre. Après une série de passes, les picadors excitent la fougue du taureau, bientôt relayés par le torero qui plante ses banderilles à l'encolure de la bête. Puis le torero entame les passes à la *muleta* (cape rouge), prélude à l'estocade (mise à mort). Les matadors les plus méritants se voient attribuer les oreilles ou, trophée suprême, la queue de leur victime.

Férias à Nîmes – Elles sont au nombre de trois : fin février, celle dite de Primavera, suite de novilladas durant un week-end. La plus connue, celle de Pentecôte, du jeudi au lundi avec *pégoulade* sur les boulevards, *abrivados*, novilladas et corridas matin et soir, et animations diverses dans la ville. La plus locale, celle des Vendanges, à la mi-septembre.

---

arlésien par des points de détail. Surtout, il est le mieux conservé du monde romain. Construit en grand appareil de calcaire, il présente à l'extérieur deux niveaux de 60 arcades. Une visite de l'intérieur permet d'apprécier le système de couloirs, d'escaliers, de galeries et de vomitoires qui permettait au public d'évacuer l'édifice en quelques minutes. Deux espaces multimédia vous apprendront tout sur les gladiateurs et la tauromachie. Les 7-12 ans se lanceront dans une chasse au trésor.

Suivre le boulevard Victor-Hugo jusqu'à l'angle avec la rue de l'Horloge.

★★★ Maison carrée

☎ 04 66 58 38 00 - www.arenes-nimes.com - juil.-août : 10h-20h ; juin : 10h-19h ; avr.-mai et sept. : 10h-18h30 ; janv.-fév. et nov.-déc. : 10h-13h, 14h-16h30 ; mars et oct. : 10h-18h30 - 4,50 € (-18 ans 3,70 €) ; billet combiné « Nîmes romaine » 9,90 €.

En face de l'élégant **Carré d'Art★** qui abrite le **musée d'Art contemporain de la ville,** la Maison carrée, sans doute le mieux conservé des temples romains, fut édifiée sous le règne d'Auguste (fin du 1er s. avant J.-C.). La pureté des lignes, les proportions de l'édifice et l'élégance de ses colonnes cannelées dénotent une influence grecque. Il s'en dégage un charme qui tient autant à l'harmonie du monument qu'à son inscription dans la cité.

Remonter le bd Daudet jusqu'à la pl. d'Assas et tourner à droite pour suivre le quai de la Fontaine.

13

★★ Jardin de la Fontaine

À l'époque gallo-romaine, ce quartier comprenait les thermes, un théâtre et un temple. Au 18e s., le jardin a été aménagé par un ingénieur militaire, qui a respecté le plan antique de la fontaine de Nemausus.

Sur la gauche de la fontaine, le **temple de Diane**, ruiné en 1577 lors des guerres de Religion, compose avec la végétation un tableau romantique. Le mont Cavalier forme un sompteux écrin de verdure d'où émerge l'emblème de la cité, la tour Magne.

★ **Tour Magne** – *☎ 04 66 58 38 00 - juil.-août : 9h-20h ; juin : 9h-19h : avr.-mai et sept. : 9h30-18h30, janv.-fév. et nov.-déc. : 9h30-13h, 14h-18h ; mars et oct. :*

9h-18h - 2,70 € (-18 ans 2,30 €) ; billet combiné « Nîmes romaine » 9,90 €. Il s'agit du plus imposant vestige de l'enceinte romaine de Nîmes. Cette tour polygonale à trois étages, haute de 32 m et fragilisée par les travaux d'un chercheur de trésor du 16ᵉ s., est antérieure à l'occupation romaine. De la plate-forme, superbe **vue★★** sur les toits roses de Nîmes, le mont Ventoux et les Alpilles. Une **table d'orientation** y présente Nîmes telle qu'elle était à l'époque romaine.

À proximité

★★★ Pont du Gard

▶ *À 24 km au nord-est de Nîmes par la N 86, puis la D 19. Parking sur chaque rive 15 € la journée (durée illimitée). Accès libre au pont.*

C'est l'une des merveilles de l'Antiquité, ouvrage grandiose du 1ᵉʳ s. Ses pierres mordorées, l'étrange sensation de légèreté, le cadre de collines couvertes d'une végétation méditerranéenne, les eaux vertes du Gardon, chacun de ces éléments contribue à un merveilleux spectacle. Les Romains attachaient une grande importance à la qualité des eaux dont ils alimentaient leurs cités. Ainsi, l'aqueduc de Nîmes, long de près de 50 km, qui captait les eaux des sources près d'Uzès, avait une pente moyenne de 24,8 cm par kilomètre, et fournissait près de 20 000 m³ d'eau chaque jour à la cité. Bâti en blocs colossaux de 6 à 8 tonnes hissés à plus de 40 m de hauteur, le pont est constitué de trois étages d'arcades en retrait l'un sur l'autre.

Point d'accueil – *Entre le parking de la rive gauche et le pont.* 👥 Ce vaste bâtiment semi-enterré abrite une exposition interactive et multimédia sur la gestion de l'eau à l'époque romaine et un espace jeux où l'on suit la vie quotidienne d'un enfant romain.

★★ Uzès

▶ *À 25 km au nord de Nîmes par la D 979.*

La cité occupe un paysage de garrigues. Avec ses boulevards ombragés, ses ruelles médiévales et leurs belles demeures édifiées aux 17ᵉ et 18ᵉ s. lorsque le drap, la serge et la soie firent la richesse de la ville, Uzès dégage une beauté radieuse et sereine.

★ **Place aux Herbes** – De plan asymétrique, entourée de « couverts » sous lesquels se nichent d'agréables boutiques et des restaurants, plantée de platanes, c'est le véritable cœur de la cité qui s'anime les jours de marché.

★★ **Tour Fenestrelle** – Vestige roman de l'ancienne cathédrale, c'est l'unique exemple en France de clocher rond. Elle porte six étages de fenêtres géminées.

★ Le **Duché** – Cette ancienne résidence des seigneurs d'Uzès garde un bel escalier d'honneur Renaissance. Du haut de la

Tour Bermonde – *📞 04 66 22 18 96 - de déb. juil. à mi-sept. : visite libre de la tour, visite guidée des appartements (45mn) 10h-12h30, 14h-18h30 ; de mi-sept. à fin juin : 10h-12h, 14h-18h - fermé 25 déc. - 10 €.* Accessible par un escalier à vis *(135 marches)*, elle réserve un **panorama★★** sur les toits d'Uzès, le campanile de la tour de l'Horloge et la garrigue.

😊 NOS ADRESSES À NÎMES

HÉBERGEMENT

BUDGET MOYEN

Hôtel L'Orangerie – *755 r. Tour-de-l'Évêque -* 📞 *04 66 84 50 57 - www.orangerie.fr -* 🅿 *- 37 ch. 79/159 -* ☕ *12 € - rest. 24/28 €.* Maison récente aux allures de vieux mas. Les chambres, spacieuses et personnalisées, portent les couleurs du Midi ; certaines avec terrasse, d'autres avec bains bouillonnants. Salle de restaurant au mobilier provençal et terrasse en rez-de-jardin.

UNE FOLIE

Hôtel New Hôtel La Baume – *21 r. Nationale -* 📞 *04 66 76 28 42 - www.new-hotel.com - 34 ch. 140/260 € -* ☕ *10 €.* Délicieuse cour carrée à ciel ouvert, salle des petits-déjeuners voûtée, magnifique escalier et chaleureuses chambres refaites avec goût : un ancien hôtel particulier bien agréable.

RESTAURATION

BUDGET MOYEN

Les Alizés – *26 bd Victor-Hugo -* 📞 *04 66 67 08 17 - 13/23 €.* Une salle pleine de gaieté et une terrasse sous les micocouliers du boulevard, pour une carte ou des formules déclinant les spécialités nîmoises. Accueil chaleureux.

Aux Plaisirs des Halles – *4 r. Littré -* 📞 *04 66 36 01 02 - www.auxplaisirsdeshalles.com - fermé vac. de la Toussaint et vac. de fév., dim. et lun. - formule déj. 20 € - 27/60 €.* En ville, tout le monde en parle… Passé la discrète façade, c'est le plaisir ! Celui d'un cadre contemporain chic et épuré, d'un patio joliment dressé en terrasse et d'une cuisine du marché fort bien tournée. Sans oublier la belle carte des vins comportant une intéressante sélection régionale…

POUR SE FAIRE PLAISIR

Le Lisita – *2 bd des Arènes -* 📞 *04 66 67 29 15 - www.lelisita.com - fermé dim.et lun. - 25/78 €.* Face aux arènes, une belle salle et un superbe jardin intérieur accueillent la meilleure table du centre-ville. Une façon de redécouvrir la brandade, ici aromatisée à la fleur de thym et à la truffe : un régal !

ACHATS

Maison Villaret – *13 r. de la Madeleine -* 📞 *04 66 67 41 79 - 7h-19h30.* Farine, sucre, eau, fleur d'oranger, extrait de citron et amandes figurent parmi les ingrédients des célèbres croquants de Nîmes inventés en 1775 par Paul Villaret dans cette boulangerie-pâtisserie.

La Vinothèque – *18 r. Jean-Reboul -* 📞 *04 66 67 20 44 – www.la-vinotheque-nimes.fr - tlj sf dim. et lun. 9h30-12h30, 15h-20h - fermé 2 sem. en août et j. fériés.* Dans les rayons, les vins des Costières de Nîmes, des Côtes-du-Rhône et du Languedoc jouent les vedettes, mais le choix s'étend bien au-delà des crus régionaux.

Les Olivades – *4 pl. de la Maison-Carrée -* 📞 *04 66 21 01 31 - www.lesolivades.fr - 10h30-12h30, 14h30-18h45, sam. 14h30-18h45 (juil.-août) - fermé dim., lun. et j. fériés.* C'est sous Louis XI que l'industrie textile est née à Nîmes avec la création de la première manufacture. Cette tradition se perpétue aujourd'hui grâce aux Olivades. Vous trouverez ici tissus, linge de maison, arts de la table et objets de décoration… aux couleurs de Provence.

13

Rhône-Alpes 14

Cartes Michelin National n° 721 et Région n° 523

Vue sur les toits du Vieux Lyon.
Matz Sjöberg/Age Fotostock

Lyon et sa région

◉ SE REPÉRER

Lyon est la capitale de la région Rhône-Alpes, laquelle partage ses frontières avec les Alpes du Nord et celles du Sud, la Provence, le Languedoc-Roussillon, l'Auvergne, la Bourgogne, la Franche-Comté et le Jura. La ville se situe sur un important carrefour de communications qui relie le nord et le sud de la France.

⊚ À NE PAS MANQUER

Le Vieux-Lyon, le plus vaste ensemble urbain inscrit au patrimoine mondial de l'humanité, ainsi que les musées des Beaux-Arts, des Tissus et de l'Imprimerie ; la cathédrale de Vienne ; le Parc naturel régional du Pilat ; la cité gallo-romaine de St-Romain-en-Gal et le musée d'Art moderne à St-Étienne ; une excursion dans les vignobles du Beaujolais, l'église du monastère royal de Brou à Bourg-en-Bresse ; la route qui suit la corniche de l'Eyrieux au sud de Valence ; les panoramas de la Drôme provençale au départ de Montélimar ; les gorges de l'Ardèche.

◷ ORGANISER SON TEMPS

Lyon se découvre en toute saison, mais s'anime aussi plus particulièrement lors de ses deux grandes biennales, la danse alternant avec l'art contemporain. Le printemps est précoce du côté de Valence tandis que le Pilat peut encore être enneigé à la même période. Pour apprécier les gorges de l'Ardèche dans toute leur beauté sauvage, l'été n'est pas la meilleure saison tant l'affluence y est grande. L'automne réserve partout le long du Rhône un caractère doux.

Deux collines au confluent du Rhône et de la Saône : c'est sur ce site naturel idéal que fut bâtie la capitale des Gaules, Lugdunum, qui deviendra Lyon, aujourd'hui deuxième ville de France. Vestiges gallo-romains, demeures Renaissance du Vieux-Lyon, grands ensembles classiques de la place Bellecour, ancien habitat canut des ouvriers de la soie, basilique du 19ᵉ s... la ville ne se contente pas d'accumuler ses richesses historiques et artistiques ; elle exprime aussi sa modernité avec le tout nouveau quartier de la Confluence. La ville règne au cœur d'une mosaïque de paysages : au nord, le Beaujolais voué au vignoble, au sud, le massif du Pilat, ses hauts plateaux dédiés à l'élevage et ses sapinières. Plus au sud, enfin, le long du couloir rhodanien, la plaine de Valence et ses terrasses alluviales couvertes de vergers, les vignes et les oliviers du bassin de Montélimar. Au sud-ouest, la vallée de l'Ardèche conduit à la découverte d'un paysage plus sec taillé dans le sol calcaire, riche d'un dédale de galeries souterraines. Les routes qui suivent des corniches ou sinuent à travers les vignobles mènent à des villes qui recèlent d'inattendus trésors ; les passionnés de l'art gothique iront à Vienne ou à Bourg-en-Bresse, les amateurs d'art contemporain choisiront Lyon ou St-Étienne, tandis que Valence, Montélimar et les villages avoisinants constitueront un joli prélude au charme méridional.

Lyon
★★★

472 305 Lyonnais – Rhône (69)

 NOS ADRESSES PAGE 600

S'INFORMER

Office de tourisme – *Pl. Bellecour - 69002 Lyon -* ℘ *04 72 77 69 69 - www.lyon-france.com - 9h-18h - fermé 1er janv., 1er Mai et 25 déc.*

SE REPÉRER

Carte générale C3 – *Cartes Michelin n° 721 M10 et n° 523 I6.* Lyon est desservie par l'A 6, l'A 7, l'A 42 et l'A 43. Chambéry est à 102 km, Clermont-Ferrand à 172 km, Gap à 205 km et Annecy à 139 km.

À NE PAS MANQUER

Le Vieux Lyon, ses places et ses traboules ; la basilique de Fourvière et son belvédère ; les superbes collections des musées des Beaux-Arts et des Tissus ; le musée de l'Imprimerie et les ateliers de soieries qui témoignent des longues traditions de la ville ; ses magasins de spécialités gastronomiques tous présents dans la Presqu'île.

ORGANISER SON TEMPS

Deux à trois jours ne sont pas de trop pour découvrir la ville.

AVEC LES ENFANTS

Guignol les attend au musée international de la Marionnette ou au parc de la Tête d'Or ; le musée de la Miniature et des Décors de cinéma, le jeu d'automates à la primatiale St-Jean.

Lyon cultive à la perfection ses traditions de savoir-vivre qui font le bonheur de ses hôtes. Fourvière, la « colline qui prie », et la Croix-Rousse, « la colline qui travaille », qui ont mérité leur inscription au Patrimoine mondial de l'Unesco, dominent un site de confluence exceptionnel. Riche de ses vingt siècles d'histoire, la ville est réputée pour son dynamisme et attire de nombreux entrepreneurs. Généreuse et accueillante, elle ne manquera pas de séduire ceux qui lui consacreront un peu de leur temps.

Découvrir Plan p. 590

★★ LA PRESQU'ÎLE ET SES PLACES B1-3

14

C'est le cœur actif de la ville, où les grands musées côtoient les innovations architecturales : on y vient pour flâner dans les magasins des **rues de bouchons**★, faire son marché sur le **quai St-Antoine**, sortir le soir. Deux grands axes piétonniers la traversent entre la place des Terreaux et la gare de Perrache : la rue de la République au nord et la rue Victor-Hugo au sud.

Place Bellecour

Véritable symbole de la ville, l'immense place est un lieu incontournable pour les Lyonnais. Elle est dominée à l'ouest par la basilique de Fourvière et

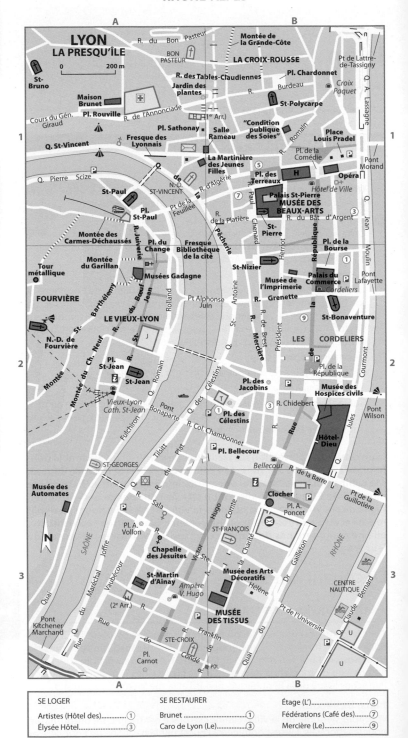

LYON
LA PRESQU'ÎLE

0   200 m

St-Bruno

R. du Bon Pasteur

BON PASTEUR

Montée de la Grande-Côte

LA CROIX-ROUSSE

Maison Brunet

R. des Tables-Claudiennes

Pl. Chardonnet

Pl. Rouville

Jardin des plantes

R. de l'Annonciade

Burdeau

Croix Paquet

Pt de Lattre-de-Tassigny

Q. A. Lassagne

Cours du Gén. Giraud

N.-D.

(1er Arr.)

St-Polycarpe

Fresque des Lyonnais

Pl. Sathonay

Salle Rameau

"Condition publique des Soies"

Romain

Place Louis Pradel

Q. St-Vincent

La Martinière des Jeunes Filles

Pl. de la Comédie

Opéra

Q. Pierre Scize

Q. ST-VINCENT

R. d'Algérie

Pl. des Terreaux

H

Hôtel de Ville

Pont Morand

St-Paul

Pt de la Feuillée

Paul Chenard

Palais St-Pierre
MUSÉE DES BEAUX-ARTS

St-Pierre

R. du Bât d'Argent

Pl. St-Paul

R. de la Platière

R. Juiverie

Pl. du Change

Fresque Bibliothèque de la cité

Herriot

République

Pl. de la Bourse

Montée des Carmes-Déchaussés

Montée du Garillan

Musées Gadagne

St-Nizier

Palais du Commerce

Pont Lafayette

Tour métallique

Barthélemy

R. du Bœuf

St-Jean

Pt Alphonse Juin

Musée de l'Imprimerie

R. Grenette

Cordeliers

FOURVIÈRE

Rolland

R. Antoine

R. de Brest

St-Bonaventure

N.-D. de Fourvière

R. St-Jean

Romain

St-Président

Mercière

LES CORDELIERS

LE VIEUX-LYON

J

Courmont

Pl. St-Jean

St-Jean

Pl. de la République

Montée

Montée du Ch. Neuf

Vieux-Lyon Cath. St-Jean

Fulchiron

des Célestins

Pl. des Jacobins

Musée des Hospices civils

Pont Wilson

Pont Bonaparte

R. Chidebert

Pl. des Célestins

Hôtel-Dieu

Jules

R. Col. Chambonnet

ST-GEORGES

Tilsitt

Plat

Pl. Bellecour

Rue

Bellecour

R. de la Barre

Musée des Automates

Q.

R.

Sala

Hugo

Comte

Clocher

Pl. A. Poncet

T

Pt de la Guillotière

SAÔNE

Joffre

Pl. A. Vollon

R.

Chapelle des Jésuites

Victor

ST-FRANÇOIS

la Charité

RHÔNE

CENTRE NAUTIQUE

N

Maréchal

Vaubécour

St-Martin d'Ainay

Ampère V. Hugo

Ste.

Musée des Arts Décoratifs

Hélène

Dr. Gailleton

Claude Bernard

Pont Kitchener Marchand

(2e Arr.)

R.

MUSÉE DES TISSUS

Pt de l'Université

Quai

Rue

STE-CROIX

R.

Franklin

Quai du

U

Pl. Carnot

Condé

POL

U

SE LOGER	SE RESTAURER	
		Étage (L')..............⑤
Artistes (Hôtel des)......①	Brunet......................①	Fédérations (Café des)......⑦
Élysée Hôtel..............③	Caro de Lyon (Le)......③	Mercière (Le)..............⑨

entourée des immenses façades symétriques, de style Louis XVI, qui datent de 1800. Deux bronzes des frères Coustou, le *Rhône* et la *Saône*, ornent le piédestal qui porte la **statue équestre de Louis XIV** (1828).

★★★ Musée des Tissus

34 r. de la Charité - ℰ 04 78 38 42 00 - www.museedestissus.com - tlj sf lun. et j. fériés tte la journée - fermé dim. de Pâques et dim. de Pentecôte - 7 € (-16 ans gratuit), billet combiné avec le musée des Arts décoratifs.

Abritant le Centre international d'études des textiles anciens, il constitue un « conservatoire » du tissu d'art et fait la fierté des Lyonnais. Les prestigieuses collections sont organisées autour de deux grands pôles : l'Occident et l'Orient. Les **tissus français** sont présentés à travers un ensemble de magnifiques étoffes exécutées surtout à Lyon depuis le début du 17e s. On appréciera le **Meuble Gaudin★**, célèbre tenture pour la chambre à coucher de Joséphine à Fontainebleau. Admirez aussi les petits **portraits★** en velours (peinture sur fil de soie), les **ornements liturgiques★**, et l'exceptionnel **pourpoint★** (32 pièces) de Charles de Blois, du 14e s. La section réservée à l'**Extrême-Orient** offre des pièces raffinées : panneaux brodés et peints, kimonos du Japon, robes impériales en K'o-sseu (tapisserie au petit point) de Chine. Admirez aussi de magnifiques **tapis★** de Perse, Turquie, Chine et Espagne.

★★ Musée des Arts décoratifs

Mêmes conditions de visite que celles du musée des Tissus.

Aménagé dans le cadre d'un hôtel construit en 1739, il est principalement consacré au décor de la vie au 18e s. (meubles estampillés, objets d'art, instruments de musique, tapisseries, porcelaines et faïences). Une section est consacrée à l'orfèvrerie contemporaine.

★★ Musée de l'Imprimerie

ℰ 04 78 37 65 98 - www.imprimerie.lyon.fr - merc.-dim. 9h30-12h, 14h-18h - fermé j. fériés - 5 € (-18 ans gratuit).

Installé dans le superbe hôtel de la Couronne (fin 15e s.), ce musée retrace l'histoire de l'imprimerie depuis la première presse à imprimer au 15e s. Il initie à l'évolution des différentes techniques d'impression de l'image (estampes, bois gravés, cuivres gravés, eaux-fortes, lithographies), à l'art de la mise en page avec la découverte de la typographie et de la photocomposition. On remarque de rarissimes **incunables** (imprimés avant 1500), 600 **bois gravés** ayant servi à orner la Bible (16e et 18e s.), des dessins de Gustave Doré illustrant les œuvres de Rabelais.

Place Louis-Pradel

Décorée d'une fontaine et de sculptures d'Ipoustéguy, elle allie les formes anciennes et modernes. Au-dessus, s'étage le quartier de la Croix-Rousse.

Opéra – Face à l'hôtel de ville, c'est l'aboutissement d'une ambitieuse modernisation. La façade de l'ancien théâtre a été conservée et les muses du fronton semblent soutenir l'immense verrière semi-cylindrique, œuvre de l'architecte Jean Nouvel. L'édifice prend une dimension particulière lorsque les éclairages nocturnes, à dominante rouge, mettent en valeur les contrastes de son architecture.

14

Place des Terreaux

La place, fermée à l'est par l'hôtel de ville, est au cœur de l'animation lyonnaise. Buren, chargé de son réaménagement en 1994, a déplacé côté nord la **fontaine★** monumentale en plomb due à Bartholdi et couvert le sol d'un dallage en granit, auquel répondent 14 piliers.

Quelques repères historiques

LA CAPITALE DES GAULES

Agrippa, qui a reçu d'Auguste la mission d'organiser la Gaule, choisit *Lugdunum* pour capitale. Dès lors, le réseau des routes impériales s'établit au départ de Lyon : cinq grandes voies rayonnent vers l'Aquitaine, l'océan Atlantique, le Rhin, Arles et l'Italie. Auguste séjourne dans la cité. L'empereur Claude y naît. Sur les pentes de la Croix-Rousse s'étend la ville gauloise, **Condate**. L'amphithéâtre des Trois Gaules et le temple de Rome et d'Auguste voient se réunir chaque année la bruyante Assemblée des Gaules. La ville, gouvernée par sa curie, a le monopole du commerce du vin dans toute la Gaule. Les nautes de son port sont de puissants armateurs, ses potiers, de véritables industriels. Les riches négociants occupent un quartier à part, à l'emplacement actuel d'Ainay. Lyon est devenue le rendez-vous d'affaires de tous les pays. Soldats, marchands ou missionnaires arrivant d'Asie Mineure se font les propagateurs du nouvel Évangile et bientôt grandit dans la ville une petite communauté chrétienne. En 177 éclate une émeute populaire qui aboutit aux martyres de **saint Pothin**, de **sainte Blandine** et de leurs compagnons. Vingt ans plus tard, lorsque Septime Sévère, après avoir triomphé de son compétiteur Albin que Lyon avait soutenu, décide de livrer la ville aux flammes, il trouve encore 18 000 chrétiens qu'il fait massacrer ; parmi eux figure saint Irénée, successeur de saint Pothin.

TRIOMPHE DES ARTS AU 16ᴱ S. ET ESSOR DES SCIENCES AU 18ᴱ S.

À la fin du 15ᵉ s., la création des foires et le développement de la banque attirent les commerçants de l'Europe entière. La vie mondaine, intellectuelle et artistique s'épanouit, stimulée par la venue de François Iᵉʳ et de sa sœur, Marguerite d'Angoulême. L'imprimerie lyonnaise compte 100 ateliers en 1515, puis plus de 400 en 1548. Peintres, sculpteurs, céramistes, imprégnés de culture italienne, préparent la Renaissance française, tandis que brillent des poètes comme Clément Marot, des conteurs comme **Rabelais** ; médecin à l'hôtel-Dieu, ce dernier publie, en 1532 et 1534, *Pantagruel* et *Gargantua*. Les **frères Jussieu** comptent parmi les plus illustres botanistes ; Bourgelat fonde à Lyon la première école vétérinaire d'Europe ; Jouffroy expérimente sur la Saône la navigation à vapeur. En 1784, **Joseph de Montgolfier** et **Pilâtre de Rozier** réussissent, aux Brotteaux, une des premières ascensions en aérostat.

L'INDUSTRIE DE LA SOIE

En 1536, le Piémontais **Étienne Turquet** propose d'amener à Lyon des tisseurs génois et d'y établir une manufacture. Soucieux de combattre l'exportation d'argent provoquée par l'achat de soieries étrangères, François Iᵉʳ accepte. Près de trois siècles plus tard, en 1804, **Joseph-Marie Jacquard** invente un métier qui, utilisant un système de cartes perforées, permet à un seul ouvrier de faire le travail de six. Le quartier de la Croix-Rousse se couvre alors de maisons-ateliers où les « **canuts** » tissent la soie fournie par le fabricant. Aujourd'hui, importée d'Italie ou du Japon, la soie naturelle ne représente plus qu'un infime pourcentage des quantités traitées mais le tissage dit « de soierie », utilisant des fibres de toutes origines (verre, carbone, bore, aramide), reste un art lyonnais. Le savoir-faire traditionnel des soyeux trouve des applications dans l'élaboration de pièces servant à l'industrie aéronautique, spatiale et même électronique.

★★★ Musée des Beaux-Arts

℘ 04 72 10 17 40 - www.mba-lyon.fr - &. - 10h-18h (18h30 vend.) - fermé mar. et j. fériés - 7 € (enf. 4 €).

Le musée des Beaux-Arts de Lyon figure parmi les plus beaux musées de France. Ses collections se sont enrichies grâce la donation de 35 toiles impressionnistes et modernes de la collection Jacqueline-Delubac.

Les salles de **peintures** exposent un choix d'œuvres des grandes périodes de l'art européen, à commencer par la Renaissance italienne, avec l'*Ascension du Christ* du Pérugin et de l'âge d'or vénitien : *Bethsabée* de Véronèse, *Danaé* du Tintoret. Tandis que le Greco et Zurbarán illuminent de leurs œuvres la peinture espagnole, à côté de l'école de Cologne et de Cranach l'Ancien pour la peinture allemande, les artistes flamands et hollandais sont représentés par Gérard David, Metsys et plusieurs œuvres de Rubens.

La section de peinture française comprend un ensemble important d'œuvres des maîtres du 17ᵉ s., dont Simon Vouet, Philippe de Champaigne et Charles Le Brun, cependant que le 18ᵉ s. est représenté notamment par Greuze et Boucher. Pour le 19ᵉ s., le musée peut encore s'enorgueillir de toiles de David, Delacroix, Géricault ou Corot. La peinture impressionniste comprend des toiles de Degas, Sisley, Renoir et Gauguin. Après les nabis, Bonnard et Vuillard préludent à un panorama de la peinture du 20ᵉ s., illustrée, au début, par des compositions de Dufy, Villon, Braque, Jawlensky, Chagall, Severini, Foujita. Parmi les artistes contemporains, on relève les noms de Masson, Atlan, Max Ernst, Dubuffet et Nicolas de Staël.

Le département des **sculptures** s'étend de la période romane au début du 20ᵉ s. On y remarque les bustes de Coysevox et Lemoyne, les *Trois Grâces* de Canova, les œuvres de Daumier et les superbes marbres de Bourdelle, Maillot et Rodin.

Le département des **Antiquités** est doté notamment d'une belle section égyptienne ; la section des **objets d'art** présente des collections très variées qui traversent les époques et les continents (ivoires, émaux, céramiques, bronzes, mobilier…).

La Confluence

Entre Rhône et Saône, la pointe de la Presqu'île fait l'objet d'un vaste réaménagement, comprenant immeubles d'habitations, sièges d'entreprises (*Le Progrès*, Eiffage, Hôtel de Région), pôle de loisirs et de commerces, galeries d'art, bars et restaurants. La promenade le long des bords de Saône a été aménagée avec la création de jardins aquatiques et d'une darse autour de la place Nautique.

Musée des Confluences – *Présentation du chantier des collections et du futur musée -* *℘ 04 78 37 30 00 - www.museedesconfluences.fr*. À la pointe du confluent, le chantier du futur musée des Confluences avance doucement. Ce lieu culturel, héritier des collections du Muséum de Lyon, aura pour mission de mettre en rapport les sciences et les sociétés, en insistant sur la diversité et la pluralité des uns et des autres.

14

★★★ LE VIEUX-LYON A1-2

Entre la Saône et Fourvière, le Vieux-Lyon se compose des quartiers St-Jean, St-Paul et St-Georges. C'était autrefois le centre de la cité, où se regroupaient toutes les corporations, notamment les ouvriers de la soie – on comptait 18 000 métiers à tisser à la fin du règne de François Iᵉʳ. Négociants, banquiers, clercs, officiers royaux y habitaient de magnifiques demeures. Près de

300 d'entre elles ont été conservées, formant un exceptionnel ensemble urbain de l'époque Renaissance. On remarque la variété de la décoration, le soin apporté à la construction et la hauteur de ces maisons.

Une des caractéristiques du Vieux-Lyon sont ses **traboules** – du latin *trans ambulare*, circuler à travers –, notamment entre la rue St-Jean, la rue des Trois-Marie et le quai Romain-Rolland, la rue St-Georges et le quai Fulchiron. Faute de place pour aménager un réseau de rues, ces passages perpendiculaires à la Saône relient les immeubles par des couloirs voûtés d'ogives ou couverts de plafonds à la française et des cours intérieures à galeries Renaissance. *Habituellement fermées par les riverains car privées, certaines traboules sont cependant libres d'accès. Il est cependant conseillé de faire la visite le mat. en n'hésitant pas à utiliser les boutons d'ouverture des portes.*

★ Primatiale Saint-Jean

Visite guidée dans le cadre de la visite du Vieux Lyon - rens. office de tourisme.

Commencée au 12e s., la cathédrale ou « primatiale » (siège du primat) St-Jean est un édifice gothique qui se signale par ses quatre tours. Les piédroits des portails de la façade ont conservé leur remarquable **décoration★**, du début du 14e s. Plus de 300 médaillons forment une suite de scènes historiées : au portail central, on reconnaît les Travaux des mois, le Zodiaque, l'histoire de saint Jean-Baptiste, la Genèse. La construction du **chœur★★** remonte au 12e s. La **chapelle des Bourbons★**, de la fin du 15e s., présente une parure flamboyante d'une remarquable finesse.

★ **Horloge astronomique** – *Dans le croisillon gauche - jeu d'automates 12h, 14h, 15h et 16h.* 👥 Datée du 14e s., elle donne une curieuse sonnerie, avec chant du coq et un jeu d'automates représentant l'Annonciation.

★★ Rue Saint-Jean

C'était l'artère principale du Vieux-Lyon. Au croisement avec la rue de la Bombarde, prenez sur la gauche pour admirer la **maison des Avocats★**, bel ensemble du 16e s., d'inspiration italienne.

Musée international de la Miniature et des Décors de cinéma – *60 r. St-Jean -* 📞 *04 72 00 24 77 - www.mimlyon.com - tte la journée - fermé 1er janv. et 25 déc. - 7 € (-16 ans 5,50 €).* 👥 La maison des Avocats abrite aujourd'hui un monde imaginaire où l'on perd tous ses repères.

Le **n° 54** ouvre sur la plus longue traboule du Vieux-Lyon qui traverse cinq cours avant d'aboutir au 27 rue du Bœuf. Du côté impair s'ouvrent des

---

GUIGNOL

Laurent Mourguet (1769-1844), un ouvrier de la soie, se reconvertit en forain et arracheur public de dents. La tradition de cette époque voulait que l'on attirât les clients en improvisant des saynètes avec des poupées animées. Mourguet utilisa donc ce moyen « publicitaire » avec la marionnette vedette en ce début du 19e s. : **Polichinelle**. Il innove rapidement avec l'apparition de **Gnafron**, et, vers 1808, de **Guignol**. Devant le succès remporté, il se consacre uniquement à ces spectacles. Les représentations se déroulent dans un « castelet » mobile en plein air ou dans un café, pour distraire un public populaire. Celui-ci se sent en harmonie avec ce nouveau personnage qui vient lui parler de lui-même dans une langue qui est la sienne et qui joue un rôle de gazette en commentant les faits de la journée, les événements de la ville et des quartiers. Bientôt l'audience s'élargit, et Mourguet joue un peu partout à Lyon.

traboules qui descendent vers la Saône ; le **n° 9**, par exemple, donne sur le quai Romain-Rolland. Le **n° 28** cache une magnifique **cour★★**.

★ Rue Juiverie

Au n° 8, voyez dans la 2ᵉ cour de l'**hôtel Bullioud**, la **galerie★★** de Philibert Delorme, joyau de l'architecture de la Renaissance française qu'il édifia en 1536.

★ Hôtel et musées Gadagne

📞 04 78 42 03 61 - www.gadagne.musees.lyon.fr - tlj sf lun.-mar. 11h-18h30 - fermé 1ᵉʳ janv., dim de Pâques, 1ᵉʳ Mai, 14 Juil. et 25 déc.
Cet hôtel, racheté en 1545 par les frères Gadagne, banquiers d'origine italienne à la fortune colossale, est le plus vaste ensemble Renaissance du Vieux-Lyon. 👥 Après plus de dix ans de travaux, il dévoile aujourd'hui les joyaux des riches collections du **musée d'Histoire de Lyon★** et du **musée international de la Marionnette★**.

★ LA COLLINE DE FOURVIÈRE A2

Le nom « Fourvière » viendrait de *Forum vetus*, situé au cœur de la colonie romaine établie en 43 av. J.-C. et dont subsistent théâtre, odéon, aqueducs… L'histoire des édifices religieux élevés à l'emplacement du forum romain en l'honneur de la Vierge s'étend sur près de huit siècles. L'actuelle basilique, couronnant de sa silhouette massive la colline de Fourvière, fait partie intégrante du paysage lyonnais.

★ Basilique Notre-Dame

📞 04 78 25 13 01 - visite libre tlj - possibilité de visite guidée de la basilique, extérieur et intérieur, tour de l'Observatoire et montée sur les toits (1h15) avr.-oct. : merc. et dim. 14h30 et 16h - 5 € (-12 ans 3 €).
Lieu de pèlerinage célèbre, la basilique a été élevée après la guerre de 1870 à la suite du vœu de Mᵍʳ de Genouilhac : l'archevêque de Lyon s'était engagé à construire une église si l'ennemi n'approchait pas de la ville. Ses murailles crénelées pourvues de mâchicoulis et flanquées de tours octogonales constituent un mélange curieux d'éléments byzantins et moyenâgeux ; l'exubérance du **décor intérieur★** est tout aussi insolite. Dans la nef, des mosaïques relatent l'histoire de la Vierge, à droite l'histoire de France, à gauche l'histoire de l'Église.

Points de vue

L'**esplanade**, à gauche de la basilique, offre une **vue★** célèbre sur la Presqu'île et la rive gauche du Rhône dominée par la tour du Crédit Lyonnais ; à l'arrière-plan vers l'est se profile un horizon montagneux : Bugey, Alpes, Chartreuse et Vercors. Pour avoir un **panorama★★** circulaire, on grimpera les 260 marches de la tour de l'**Observatoire de la basilique** *(table d'orientation)*.

14

★★ Musée gallo-romain de Lyon-Fourvière

📞 04 72 38 49 30 - www.musees-gallo-romains.com - ⚹ - tlj sf lun. 10h-18h - fermé 1ᵉʳ janv., 1ᵉʳ Mai, 1ᵉʳ nov. et 25 déc. - 7 € (-18 ans gratuit), jeu. gratuit.
Sur la colline de Fourvière, au cœur du quartier du plateau de l'antique Lugdunum, l'architecte B. Zehrfuss a conçu un musée à l'originale **architecture de béton★★**, presque entièrement enterré. Offrant une vue imprenable sur le parc archéologique★ et les vestiges des théâtres romains, il présente par thèmes des collections essentiellement gallo-romaines trouvées en grande partie à Lyon et dans la région. Quelques pièces sont remarquables : un **char**

processionnel★ datant du 8ᵉ s. avant J.-C. et la **table claudienne★★**, belle inscription sur bronze du discours de l'empereur Claude prononcé en faveur des Gaulois au Sénat romain en 48 ; le **calendrier gaulois** de Coligny gravé dans le bronze à l'époque romaine ; le buste de l'empereur Caracalla ; le gobelet d'argent aux dieux gaulois, la mosaïque des Jeux du cirque.

LA CROIX-ROUSSE AB1

La colline de la Croix-Rousse domine la Presqu'île au nord. Elle tire son nom d'une croix de pierre colorée qui se dressait, avant la Révolution, à l'un de ses carrefours. Le quartier conserve un caractère villageois. C'est la « colline qui travaille ». L'invention de nouveaux métiers à tisser par Jacquard (1752-1834) entraîna l'abandon des maisons basses du quartier St-Georges et l'installation des canuts, ouvriers de la soie, dans de grands immeubles sévères aux larges fenêtres laissant passer la lumière.

★ Ateliers de Soierie Vivante

21 r. Richan - 🕿 *04 78 27 17 13 - www.soierie-vivante.asso.fr - visite guidée et démonstrations à l'atelier de passementerie, tlj sf dim., lun. et j. fériés, 14h-16h - 5 € (enf. 3 €).*

Cette association, créée en 1993 pour sauvegarder et mettre en valeur le patrimoine des métiers de la soie à la Croix-Rousse, propose, à partir de l'**Atelier municipal de passementerie**, des visite d'ateliers familiaux authentiques.

LA RIVE GAUCHE

Du parc de la Tête d'Or au très moderne Gerland, en passant par les bâtiments de verre et de brique de la Cité internationale et les superbes hôtels particuliers du boulevard des Belges, la rive gauche réunit les quartiers les plus divers. Les berges, aménagées avec succès, y offrent aujourd'hui une belle promenade de 5 km.

★ Parc de la Tête d'Or

🕿 *04 72 69 47 60 - www.zoo.lyon.fr -* ♿ *- de mi-avr. à mi-oct. : 9h30-18h30 ; reste de l'année : 9h30-16h30.*

C'est en 1856 qu'est décidée la création du grand parc de Lyon. À cet effet, le préfet Vaïsse, qui veut « offrir la campagne à ceux qui n'en ont pas », achète la ferme de la Tête d'Or et ses terres. Autour d'un lac de 16 ha, se déploient le vaste parc à l'anglaise, la **roseraie★**, les **serres**, le jardin botanique★ et le **jardin zoologique★** avec la **Plaine africaine**. Nouvellement aménagée, elle offre un bel espace dédié aux animaux de la savane : girafes, zèbres, antilopes, autruches… Près de 130 animaux évoluent en semi-liberté.

Halle Tony-Garnier

🕿 *04 72 76 85 85 - www.halle-tony-garnier.com - visites selon la programmation (1h) - réserv. par téléphone.*

Dans le cadre de son projet de « Cité industrielle », Tony Garnier crée en 1914 la Grande Halle des abattoirs du Marché aux bestiaux. Sa structure métallique représente le symbole même de l'architecture de fer avec une surface de près de 18 000 m² d'un seul tenant sans piliers de soutènement, sous une hauteur de 24 m. Après un long abandon, cette « cathédrale » de fer a été restaurée en 1999-2000, avec la mise en valeur de la charpente par un important ensemble de vitrages permettant une transparence maximale de la toiture et des façades latérales. La salle modulable accueille toutes sortes d'événements (concerts, congrès, spectacles…).

À proximité

★★ Vienne

▷ *À 32 km au sud de Lyon.*

La ville, assise sur les contreforts du Dauphiné et baignée par la lumière rhodanienne qui lui donne une touche déjà méditerranéenne, développe une magie née de l'alliance d'une cathédrale gothique, d'un temple et d'un **théâtre**★ romains, d'un cloître roman et de hautes façades colorées. Une ville où flâner à sa guise, en empruntant les ruelles pentues et les passages couverts du centre médiéval pour grimper jusqu'au mont Pipet et jouir d'une vue bien méritée.

★★ **Cathédrale St-Maurice** – Construite du 12ᵉ au 16ᵉ s., elle apparaît comme une œuvre majeure réunissant des éléments romans et gothiques. La façade, avec ses trois **portails** flamboyants, conserve une décoration ravissante aux voussures. À l'intérieur, les **chapiteaux romans** constituent un ensemble décoratif inspiré de l'Antiquité. Ils figurent des scènes historiées ou des décors végétaux très denses.

★★ **Temple d'Auguste et de Livie** – Cet édifice rectangulaire de proportions harmonieuses ressemble à la Maison carrée de Nîmes. Une rangée de six colonnes corinthiennes supporte l'entablement. Le fronton triangulaire portait une inscription de bronze à la gloire d'Auguste et de Livie, son épouse, qui accède ici au rang de déesse.

★★ **Cité gallo-romaine de St-Romain-en-Gal** – *Rte D 502, St-Romain-en-Gal - ℘ 04 74 53 74 01 - www.musees-gallo-romains.com - tlj sf lun. 10h-18h - fermé 1ᵉʳ janv., 1ᵉʳ Mai, 1ᵉʳ nov. et 25 déc. - 4 € (-18 ans gratuit). Vous pouvez commencer la visite aussi bien par le site que par le musée.* Sur la rive droite du Rhône, les fouilles pratiquées sur ce site★ ont mis au jour un quartier urbain, comprenant des villas somptueuses, des commerces, des ateliers d'artisans et des thermes. Les plus belles découvertes sont présentées dans le **musée**★★ où l'on découvrira la célèbre **mosaïque des Dieux Océans**★. La principale richesse du site consiste en ces superbes **mosaïques de sol**. Les décors, souvent inspirés de la mythologie, mettaient en évidence les goûts du propriétaire des lieux ; ainsi, la mosaïque d'Orphée illustre la prédominance de la culture sur la nature. L'**ornementation murale** était plutôt peinte ; l'exceptionnelle peinture des **Échassiers**★ révèle le goût et le degré de finesse de la décoration intérieure. Enfin, la **mosaïque du Châtiment de Lycurgue**★★ clôt en beauté ce voyage parmi les fastes de l'époque gallo-romaine.

★ Saint-Étienne

▷ *À 62 km au sud-ouest de Lyon.*

À proximité du massif du Pilat, de la retenue de Grangent et de la plaine du Forez, St-Étienne occupe le fond de la dépression du Furan. Sans renier son passé industriel, la ville nous offre un bel exemple de reconversion réussie : les façades ont été blanchies, des jardins et des places accueillantes ont été aménagés au cœur de la ville qui vit au rythme de la cloche de son tramway. Et surtout, elle s'est donné un challenge, celui de devenir la cité du design : le site de l'ancienne Manufacture d'armes a été réhabilité pour accueillir notamment l'École supérieure d'art et design de St-Étienne ainsi que la Biennale internationale Design.

★★ **Musée d'Art moderne** – *À 4,5 km au nord du centre-ville. Par l'autoroute en dir. de Clermont-Ferrand, prendre la sortie la Terrasse-St-Priest-en-Jarez - ℘ 04 77 79 52 52 - www.mam-st-etienne.fr - ⬥ - tte la journée - fermé mar.,*

14

1er janv., 1er Mai, 14 Juil., 15 août, 1er nov. et 25 déc. - 5 € *(enf. 4 €), gratuit 1er dim. du mois - visite guidée 6 € (enf. 4,50 €).* Ce vaste musée, conçu par l'architecte D. Guichard, contient l'une des plus belles collections publiques françaises d'art moderne et contemporain. On citera pour exemple les séries de toiles de **Pierre Soulages** ou de **Jean Dubuffet**, les ensembles uniques en France d'œuvres des maîtres de l'**abstraction américaine**, de l'art allemand des années 1980, du **nouveau réalisme** et de la figuration narrative, d'**Arte Povera**, de Supports/Surfaces. Les récentes acquisitions (Dennis Oppenheim, Giuseppe Penone, Jannis Kounellis, Frank Stella) complètent ce travail tout en mettant l'accent sur la création contemporaine (Gilbert & George, Bertrand Lavier, Jan Fabre), les artistes vivants et l'ouverture aux talents d'Europe centrale et orientale. Une dizaine d'expositions annuelles rassemblent des artistes internationaux de haut niveau, sur des sujets anthropologiques, socioculturels et « narratifs » reflétant l'actualité contemporaine. Le design constitue un axe fort de la collection que l'on pourra découvrir notamment en lien avec la Cité du Design. La photographie contemporaine française est également très bien représentée.

★★ **Musée d'Art et d'Industrie** – *2 pl. Louis-Comte -* 📞 *04 77 49 73 00 -* ♿ *- tlj. sf mar. 10h-18h - fermé 1er janv. 1er mai, 14 juil., 15 août, 1er nov et 25 déc. - 4,50 € (-12 ans gratuit).*Réaménagé par l'architecte J.-M. Wilmotte dans le palais des Arts, ce musée constitue un véritable conservatoire du savoir-faire régional du 16e s. à nos jours ; une scénographie moderne met en valeur les collections exceptionnelles d'**armes**, de **rubans** des passementiers et les **cycles** qui illustrent la créativité de la ville.

★ **Puits Couriot, musée de la Mine** – *3 bd Mar.- Franchet-d'Esperey - Puits Couriot -* 📞 *04 77 43 83 26 - visite guidée tlj sf mar. 10h30 et 15h30, w.-end à 14h - visite audioguidée (dép. toutes les 10mn) tlj sf mar. 16h-17h30, w.-end 14h45-17h30 - fermé 1er janv., 1er Mai, 14 Juil., 15 août, 1er nov. et 25 déc. - 6 € visite guidée (enf. 4,50 €), 5,20 € visite audioguidée (enf. 3,80 €).* La visite commence par la **salle des Pendus★**, vaste pièce qui servait de vestiaire pour les mineurs : leurs tenues, suspendues au plafond, donnent à cette pièce un aspect saisissant. La galerie d'accueil – la recette – est le point de départ d'un circuit en wagonnets. Chaque halte constitue une étape de l'évolution des techniques d'extraction. L'itinéraire remonte le temps des années 1960 jusqu'au front de taille de 1900. La reconstitution d'une écurie rappelle que les chevaux constituèrent longtemps l'unique force de trait pour amener les bennes jusqu'à la recette.

★★ Le Pilat

▸ *À 18 km à l'est de St-Étienne.*

🔲 **Maison du Parc naturel régional du Pilat - Moulin de Virieu** – *42410 Pélussin -* 📞 *04 74 87 52 00 - www.parc-naturel-pilat.fr - randonnées libres ou accompagnées, sorties découverte sur demande.*

Le massif du Pilat s'élève, à l'est de St-Étienne, entre le bassin de la Loire et la vallée du Rhône. Subissant les influences méditerranéenne à l'est et atlantique à l'ouest, il comporte une ligne de partage des eaux, notamment au col de Chaubouret (1 363 m). Le Pilat, ce sont d'abord des paysages, beaux et variés : au bord du Rhône, des vergers et des vignobles (comme celui, fameux, de la Côte-Rôtie) qui font place, sur les plateaux, aux pâturages, puis en altitude à des forêts. La fraîcheur de ses sapinières, de ses eaux vives et de ses pâturages contrastant avec les vallées industrieuses de l'Ondaine, du Janon et du Gier, en fait un lieu apprécié des randonneurs. Le **Parc naturel régional du Pilat**, créé en 1974, regroupe une cinquantaine de communes qui développent des activités liées aux domaines rural, artisanal, touristique et culturel.

★★ Pérouges

◗ *À 38 km au nord-est de Lyon.*

À mi-chemin entre Bourg-en-Bresse et Lyon, Pérouges est un joyau d'architecture médiévale. Les demeures de la riche bourgeoisie se distinguent par l'importance de leurs dimensions et par leur luxe intérieur. Celles des artisans et des marchands sont beaucoup plus simples ; les baies cintrées du rez-de-chaussée éclairaient l'atelier ou servaient à l'étalage des marchandises. Étroites et sinueuses, les rues ont un pavage à double pente avec une rigole médiane pour l'écoulement des eaux. Au centre de la **cité★★**, la **place du Tilleul★★★** offre, avec ses maisons pittoresques, l'un des décors les plus évocateurs de France, qui a su séduire les cinéastes...

★★ Bourg-en-Bresse

◗ *À 81 km au nord de Lyon.*

Bourg – prononcez « bourk », terme d'origine germanique signifiant « château fort » puis « gros village » – est la capitale historique de la Bresse, plantureuse région d'élevage de volaille de qualité. Les jours de foire aux bestiaux ou de marché, la cité est très animée. Mais, c'est aussi son monastère royal qui fait sa renommée : une œuvre flamboyante où se grave une belle histoire.

★★ **Église du Monastère royal de Brou** – *℘ 04 74 22 83 83 -* &. *- oct.-mars : 9h-12h, 14h-17h ; de déb. avr. à fin juin : 9h-12h30, 14h-18h ; juil.-sept. : 9h-18h - fermé 1er janv., 1er Mai, 1er et 11 Nov. et 25 déc. - 6,50 € (-18 ans gratuit), billet combiné avec le musée et le cloître.* Au **portail★**, la décoration symbolique – palmes entrelacées de marguerites et initiales unies par des lacs d'amour – évoque **Marguerite d'Autriche**, fille de l'empereur Maximilien, veuve en 1501 à 24 ans du beau duc Philibert de Savoie. Marguerite voit en cette mort accidentelle un châtiment céleste. Aussi, pour le repos de l'âme de son mari, fait-elle transformer le prieuré en monastère. Les travaux commencent en 1506 ; la conception est confiée à Jean Perréal, et le chantier à un maçon flamand qui réussit à élever le monument en dix-neuf ans.

Dans l'église, la lumière des fenêtres hautes illumine les piliers composés d'un faisceau de colonnettes montant d'un seul jet à la voûte. Le **jubé★★** est d'une étonnante richesse décorative, comme l'ornementation sculptée du chœur, où le moindre détail est traité avec maîtrise. Les 74 **stalles★★** ont été taillées dans le chêne en deux ans seulement, de 1530 à 1532. Celles du côté gauche offrent des scènes du Nouveau Testament et des personnages satiriques, tandis que celles du côté droit se rapportent à l'Ancien Testament.

De nombreux artistes ont collaboré aux **tombeaux★★★**, point culminant de l'épanouissement de la sculpture flamande en Bourgogne. La dépouille figurée du prince presque nu est particulièrement émouvante. Suivant la tradition, un chien, emblème de la fidélité, est couché aux pieds des deux princesses ; un lion, symbole de la force, aux pieds du prince.

Les grandioses **verrières★★** représentent l'apparition du Christ ressuscité à Madeleine et la visite du Christ à Marie, scènes tirées de gravures d'Albert Dürer.

14

Sur la gauche du chœur s'ouvre la remarquable **chapelle de Marguerite★★★**, dont un retable et un vitrail font l'orgueil. Le retable, en marbre blanc, représente les Sept Joies de la Vierge. Le vitrail, d'une couleur somptueuse, est inspiré d'une gravure de Dürer représentant l'Assomption. Les verriers ont ajouté Philibert et Marguerite, à genoux, auprès de leurs patrons.

☺ NOS ADRESSES À LYON

HÉBERGEMENT

BUDGET MOYEN

Élysée Hôtel – B2 - *92 r. du Prés.-É.-Herriot -* 📞 *04 78 42 03 15 - www.hotel-elysee.fr - 29 ch. 77/84 € -* ☕ *8 €.* Cette adresse familiale très bien située dans la Presqu'île prend place dans un immeuble du 18e s. sur six étages. Chambres rénovées, intérieur soigné et accueil attentif.

POUR SE FAIRE PLAISIR

Hôtel des Artistes – B2 - *8 r. G.-André - M° Cordeliers -* 📞 *04 78 42 04 88 - www.hotel-des-artistes.fr - 45 ch. 120/145 € -* ☕ *12 €.* Avec sa façade donnant sur l'adorable place des Célestins et le théâtre éponyme, cet hôtel possède des chambres coquettes et une ambiance théâtrale. La salle des petits-déjeuners est ornée d'une fresque à la Cocteau.

RESTAURATION

PREMIER PRIX

Brunet – B2 - *23 r. Claudia -* 📞 *04 78 37 44 31 - fermé dim. et lun. - formule déj. 16 € - 23/29 €.* Un vrai bouchon lyonnais avec sa façade en bois, ses tables au coude à coude, ses goûteux petits plats arrosés d'une gouleyante sélection de vins servis au pichet et ses serveurs en tablier noir. Belle vaisselle à l'effigie de Guignol et agréable terrasse.

L'Étage – B1 - *4 pl. des Terreaux -* 📞 *04 78 28 19 59 - fermé dim.-lun.,* *20 juil.-20 août - formule déj. 16 € - 32/44 €.* Les Lyonnais ne se lassent pas de monter l'humble escalier conduisant à cet ancien atelier de canuts perché au 2e étage d'un immeuble. Cadre charmant et séduisante carte créative.

BUDGET MOYEN

Le Caro de Lyon – B1 - *25 r. du Bât-d'Argent -* 📞 *04 78 39 58 58 - fermé dim. - 27 € (midi) et 29 € (soir).* Derrière l'Opéra, restaurant conçu comme une bibliothèque. Ambiance intime soignée où se mêlent bois blond, lustres de Murano, objets anciens et chaises de couleurs. Sa cuisine inspirée des saveurs du Sud et asiatiques a conquis le Tout-Lyon, chic et décontracté.

Café des Fédérations – B1 - *8 r. Major-Martin -* 📞 *04 78 28 26 00 - www.lesfedeslyon.com - fermé 24 déc.-4 janv. et dim. - 20/25 €.* Cadre immuable (tables accolées, nappes à carreaux, saucissons suspendus) et ambiance bon enfant dans ce vrai bouchon, incontestable conservatoire de la cuisine lyonnaise.

Le Mercière – B2 - *56 r. Mercière -* 📞 *04 78 37 67 35 - www.le-merciere.com - 29,90 €.* Vieille maison pittoresque à débusquer dans une traboule (passage) s'ouvrant sur l'une des rues de bouche les plus animées de la ville. Cuisine traditionnelle cent pour cent régionale servie dans l'atmosphère typique des bouchons lyonnais.

Le Beaujolais

★★

Rhône (69)

 S'INFORMER

Office de tourisme de Beaujeu – *Pl. de l'Hôtel-de-Ville - 69430 Beaujeu -* ℘ *04 74 69 22 88 - www.aucoeurdubeaujolais.fr.*
Office de tourisme Beaujolais Val de Saône – *68 r. de la République - 69220 Belleville-sur-Saône -* ℘ *04 74 66 44 67 - www.ot-beaujolaisvaldesaone.fr.*
Office de tourisme du Beaujolais des Pierres dorées – *8 pl. du 8-Mai-1945 - 69480 Anse -* ℘ *04 74 60 26 16 - www.tourismepierresdorees.com.*

◗ **SE REPÉRER**

Carte générale C3 – *Cartes Michelin n° 721 M10 et n° 523 GH3-4.* Séparé de la Dombes par la Saône qui forme frontière, le Beaujolais s'étend au nord-ouest de Lyon. Villefranche-sur-Saône est à 34 km de Lyon par l'A 6-E 15. Le vignoble, implanté sur les pentes des coteaux qui dominent la Saône, s'étend sur 60 km de longueur et 12 km de largeur, prolongeant la Bourgogne au sud de Mâcon et allant jusqu'aux coteaux du Lyonnais.

◷ **ORGANISER SON TEMPS**

Comptez au moins une journée pour découvrir le vignoble, visiter les chais et caveaux de dégustation. La belle saison va de juin à septembre.

♟♙ **AVEC LES ENFANTS**

Les automates et les petits trains au Hameau du vin à Romanèche-Thorins.

Lyon, dit-on, est arrosé par trois fleuves : le Rhône, la Saône et le Beaujolais. Cette boutade qui accrédite l'idée d'un Beaujolais uniquement viticole fait faire fausse route. La richesse de la région tient beaucoup plus à la variété et aux contrastes de ses paysages ; au nord, la montagne y est souvent sauvage, image renforcée par les sombres bois de sapins de Douglas, tandis que dans le sud, les lumineux villages du pays des Pierres Dorées vibrent aux premières caresses du soleil.

Circuit conseillé

★ **LE VIGNOBLE**

Les vins du Beaujolais s'accordent bien avec la cuisine du terroir. L'appellation produit essentiellement des vins rouges à partir du gamay noir. Au nord, l'élite du Beaujolais est constituée de **10 crus** : brouilly, chénas, chiroubles, côte-de-brouilly, fleurie, juliénas, morgon, moulin-à-vent, régnié et saint-amour. Les **beaujolais-villages** au cœur du vignoble sont des vins charpentés et fruités. Plus au sud, le pays des Pierres Dorées regroupe des **beaujolais supérieurs**. Ces vins se boivent jeunes et frais. Chaque troisième jeudi de novembre, une partie de la production est commercialisée sous le nom de « **beaujolais nouveau** ».
◗ *98 km. De Villefranche-sur-Saône à St-Amour-Bellevue.*
Cette route serpente à travers le vignoble, escaladant les coteaux, puis redescendant vers la vallée de la Saône.
Quitter Villefranche par la D 504. Prendre à droite la D 19, puis à gauche la D 44.

14

Signal de Saint-Bonnet

Après Montmelas-St-Sorlin et son château féodal, la route mène au col de St-Bonnet où un chemin non revêtu conduit au signal de St-Bonnet *(🚶 30mn à pied AR)*. Du chevet de la chapelle, belle vue sur les monts du Beaujolais, la vallée de la Saône, les monts du Lyonnais et de Tarare.

Du col, emprunter la D 20.

Saint-Julien

Ce charmant village de vignerons est la patrie de Claude Bernard (1813-1878), le père de la physiologie ; un musée est consacré à ses travaux.

Poursuire par la D 19 jusqu'à **Salles-Arbuissonas-en-Beaujolais** qui conserve un beau prieuré roman fondé par les moines cluniciens.

Suivre la D 35, puis la D 62.

Belleville

Située au carrefour des axes de circulation nord-sud et ouest-est, cette ancienne bastide est à la fois un centre viticole et industriel. L'**église** (12ᵉ s.) faisait partie d'une abbaye édifiée par les sires de Beaujeu. À l'intérieur, les sculptures naïves des chapiteaux représentent les péchés capitaux.

Mont Brouilly

Pour le contourner, depuis Cercié, prendre la D 43 puis à gauche, la D 43ᴱ, puis 100 m plus loin, suivre à gauche la route de la « Côte de Brouilly ». Sur ses pentes se récolte le côtes-de-brouilly, à la fois fruité et bouqueté ; ce cru est, avec le brouilly, produit dans les communes s'étendant autour du mont Brouilly (alt. 484 m), le plus méridional du vignoble beaujolais. De l'esplanade, **vue★** sur le vignoble, les monts du Beaujolais, la plaine de la Saône et la Dombes.

Revenir à Cercié et suivre la D 37.

★ Château de Corcelles

📞 04 74 66 00 24 - fermé dim. et j. fériés - 4 € avec audioguide. Édifié au 15ᵉ s. pour défendre la frontière entre la Bourgogne et le Beaujolais, il a pris depuis une allure de gentilhommière. Il possède un remarquable grand **cuvier** du 17ᵉ s.

Reprendre la D 9 à droite.

La route traverse les vignobles de crus aux noms prestigieux. Dans chaque village, un caveau ou une cave coopérative propose une dégustation.

Villié-Morgon

Produit sur des schistes décomposés, son vin de garde a un parfum fruité.

Prendre au nord la D 68.

Fleurie

Ses vins « tendres » et légers se boivent jeunes.

Suivre la D 32, à l'est, puis la D 186, sur la gauche.

Romanèche-Thorins

Son célèbre cru du **moulin-à-vent**, un vin charnu et robuste, doit son appellation à un vieux moulin situé dans les vignes.

★ **Hameau du vin** – La Gare 📞 03 85 35 22 22 - www.hameauduvin.com - tte la journée - fermé 25 déc. - 16 € (-15 ans gratuit). 👪 Vous découvrirez l'univers du vin et de la vigne, et toutes les étapes de la vinification.

Rejoindre la D 68.

Chénas

Cette commune partage ses vignobles avec ceux de Romanèche-Thorins. Le chénas proprement dit est plus léger.

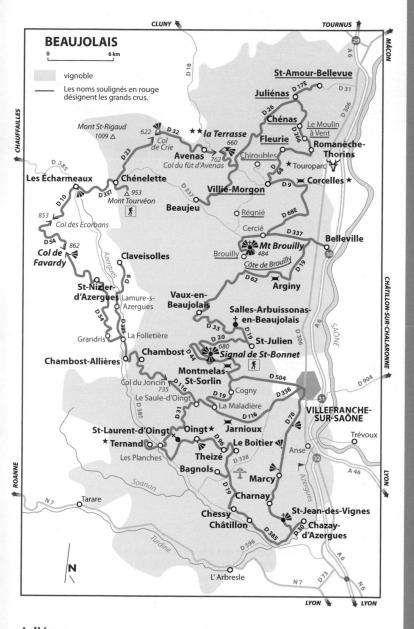

Juliénas

Cellier – ℘ 04 74 04 42 98 - juin-sept. : 10h-12h30, 15h-19h - oct.-mai : tlj sf mar. 10h-12h, 15h-18h. On peut y déguster des vins corsés et résistants. Beau décor.

Saint-Amour-Bellevue

Située à la pointe nord du Beaujolais, cette commune produit des vins rouges colorés et charnus et des vins blancs de qualité.

Valence

64 484 Valentinois – Drôme (26)

🔲 **S'INFORMER**

Office de tourisme – *11 bd Bancel - 26000 Valence - 𝄐 0 892 707 099 - juin-sept : 9h30-18h30, dim. et j. fériés 10h30-15h30 ; oct.-mai : 9h30-12h30, 13h30-18h - fermé 1er janv., 1er Mai, 25 et 31 déc.*

▶ **SE REPÉRER**

Carte générale C3 – *Cartes Michelin n° 721 M11 et n° 523 I11.* Ce centre de la moyenne vallée du Rhône est un pôle d'attraction pour les départements de la Drôme et de l'Ardèche. La ville, à 130 km de Lyon, est desservie par l'A 7 et la N 7.

😊 **À NE PAS MANQUER**

La vue depuis l'esplanade du Champ-de-Mars, de préférence au lever ou au coucher du soleil, le site impressionnant du château perché de Crussol.

🕐 **ORGANISER SON TEMPS**

Comptez une demi-journée pour la ville et ses environs.

👫 **AVEC LES ENFANTS**

Le parc Jouvet.

Valence doit son développement à sa situation sur le Rhône, au débouché des vallées affluentes du Doux, de l'Eyrieux, de l'Isère et de la Drôme. Dominée par sa cathédrale, la cité est bâtie sur un ensemble de terrasses descendant vers le fleuve. Le vieux Valence, entouré de boulevards percés au 19e s. à l'emplacement des remparts, conserve un lacis de ruelles commerçantes, animées en saison par les « Fêtes de l'été ».

Découvrir

Champ-de-Mars

👫 Cette vaste esplanade, établie en terrasses, face au Rhône, domine le **parc Jouvet.** Le belvédère procure une belle **vue★** sur la montagne de Crussol.

Vallée du Rhône, vue depuis le château de Crussol.
B. Merle/Photononstop

Cathédrale Saint-Apollinaire

Ce vaste édifice roman a été en grande partie reconstruit au 17ᵉ s. À l'**intérieur★**, l'influence du style roman auvergnat est manifeste. Notez la profondeur, inhabituelle dans les édifices rhodaniens, des croisillons du transept.

Musée des Beaux-Arts et d'Archéologie

4 pl. des Ormeaux - ☎ *04 75 79 20 80 - www.musee-valence.org - fermé pour rénovation, réouverture prévue en 2013.*

Installé dans l'ancien évêché, il abrite une collection de **97 sanguines★★**, dessins et peintures du paysagiste **Hubert Robert** (1733-1808). Le musée conserve également de nombreuses œuvres des écoles française, flamande, hollandaise et italienne du 16ᵉ au 19ᵉ s., ainsi qu'une section d'art contemporain et une collection archéologique.

★ Maison des Têtes

57 Grande-Rue. Les énormes têtes en haut relief, sous la toiture de ce logis Renaissance, symbolisent les vents. À l'intérieur, des panneaux retracent l'histoire de la ville.

Circuits conseillés

★★★ LA CORNICHE DU RHÔNE

▷ *44 km. De Valence à Tournon-sur-Rhône, la D 287 tracée en corniche offre d'extraordinaires points de vue.*

★★ Crussol

Le **site★★★** est l'un des plus grandioses de la vallée du Rhône. Au 12ᵉ s., Bastet de Crussol établit ici son château fort qui sera en partie abattu au 17ᵉ s.

1h à pied AR. On gagne les ruines du village fortifié et du château par un sentier. À l'intérieur du donjon, un belvédère aménagé offre une superbe vue sur la plaine valentinoise, le barrage de Bourg-lès-Valence et le confluent du Rhône et de l'Isère. Le Vercors, Roche-Colombe et les Trois-Becs dessinent un magnifique arrière-plan.

Le sentier suivant la crête escarpée *(compter 30mn de plus)*, au sud, offre, avec le recul, une **vue★★** sur les ruines qui jaillissent du roc et sur les derniers contreforts du Massif central ; il rejoint plus loin les ruines de l'oppidum et les carrières romaines.

✦✦✦ Panorama de Saint-Romain-de-Lerps

Deux balcons d'orientation sont aménagés près d'une chapelle. Le panorama immense couvre 13 départements.

✦ Tournon-sur-Rhône

Située au pied de superbes coteaux granitiques, Tournon, comme sa jumelle **Tain-l'Hermitage**, au vignoble fameux, est une ville commerçante fort animée. Des quais ombragés, les **terrasses**✦ d'un vieux château et des ruines perchées composent un paysage rhodanien caractéristique.

✦✦✦ LA CORNICHE DE L'EYRIEUX

▶ *90 km. Quitter Valence vers le sud par la N 86, gagner St-Laurent-du-Pape par la D 120 à droite et prendre rapidement encore à droite la D 21 en dir. de Vernoux.*

Cette très belle route de crête offre, à la montée vers le **col de Serre-Mure** (alt. 765 m), des vues sur les serres du Vivarais, le haut bassin de l'Eyrieux, le pays des Boutières et sur le versant ouest du piton de Pierre-Gourde.

Vernoux-en-Vivarais

Sur le plateau vivarois, au centre d'une cuvette harmonieuse, Vernoux montre de loin une agréable silhouette de gros bourg, ramassé autour de la flèche de son église (19ᵉ s.).

Les ruines du **château de la Tourette,** qui marquait jadis l'entrée des États du Languedoc, apparaissent dans un **site**✦ très sauvage.

Rejoindre Boffres, à 8,5 km au nord-est par la D 14 et D 219.

Boffres

Bâti sur un ressaut de terrain, au pied de sa simple église de granit rose et des vestiges d'un château fort, le village domine un paysage encadré de châtaigneraies.

Rejoindre le carrefour avec la D 14 et prendre, à gauche, la D 232. Au Moulin-à-Vent, prendre à droite la D 266.

✦✦ Panorama du château de Pierre-Gourde

Ce château en ruine occupe un **site**✦ magnifique. Au pied du piton qui portait le donjon apparaissent les vestiges du corps de logis, des pans de murs de l'enceinte fortifiée et du village féodal.

Au cours de la descente, deux virages panoramiques dévoilent des vues impressionnantes sur la vallée de l'Eyrieux, dont les plans détachés de serres se répètent à l'infini, et sur la vallée du Rhône, à gauche.

Montélimar

34 847 Montiliens – Drôme (26)

S'INFORMER

Office de tourisme – *Allées Provençales - 26200 Montélimar - ☎ 04 75 01 00 20 - www.montelimar-tourisme.com - juil. août : tte la journée ; reste de l'année : mat. et apr.-midi - fermé 1ᵉʳ janv., 1ᵉʳ Mai, 1ᵉʳ et 11 Nov. et 25 déc.*

SE REPÉRER

Carte générale C3 – *Cartes Michelin n° 721 M12 et n° 523 H14*. Au bord du Rhône, Montélimar se trouve entre Valence (au nord) et Orange (au sud), sur le trajet de l'A 7 et de la N 7.

À NE PAS MANQUER

Le centre-ville aux allées piétonnières, le musée de la Miniature. En Drôme provençale, le château de Grignan.

ORGANISER SON TEMPS

Comptez une bonne journée pour la ville et ses environs.

AVEC LES ENFANTS

Le musée de la Miniature.

Prononcez le nom de Montélimar et, en écho, vous reviendra le mot « nougat ». C'est dire la popularité de cette friandise dont la cité, forte de sa position charnière qui ouvre sur l'Ardèche et la Drôme provençale, s'est fait une spécialité. Mais la gourmandise n'est pas le seul attrait d'une ville à l'ambiance déjà provençale, renommée pour ses cafés littéraires comme pour son musée de la Miniature.

Se promener

Montélimar affiche une allure méridionale avec ses **Allées provençales★**, larges voies semi-piétonnes qui regroupent plusieurs boulevards sur plus de 1 km. Halte de verdure incontournable, elles protègent le promeneur des assauts du soleil montilien ; en toute quiétude, on profite ainsi des terrasses de cafés après un peu de lèche-vitrines et des tentations qu'offrent les boutiques de spécialités régionales… au premier rang desquelles figure le nougat.

Vieille ville

La **place du Marché** avec ses façades colorées, ses balcons en fer forgé et ses arcades, c'est déjà la Provence ! Au nord de la place Émile-Loubet, la **maison de Diane de Poitiers** présente une belle façade percée de fenêtres à meneaux.

Château

☎ 04 75 00 62 30 - 9h30-12h, 14h-18h - fermé mar. d'oct. à mars, 1ᵉʳ janv. et 25 déc. - 3,50 € (-18 ans gratuit).

La forteresse du 12ᵉ s. a été agrandie au 14ᵉ s. sous la domination papale. Elle servit de prison de 1790 à 1929. Visitez son **logis seigneurial** (expositions temporaires) et son **chemin de ronde**.

★ Musée de la Miniature

19 r. Pierre-Julien - ☎ 04 75 53 79 24 - ♿ - juil.-août : 9h30-12h, 14h-18h ; sept.-juin : tlj sf lun. et mar. 14h-18h - fermé janv. et 25 déc. - 3 € (-18 ans gratuit).

14

👥 Le succès du Festival international de la miniature est à l'origine de cette exposition installée dans la chapelle de l'ancien hôtel-Dieu (19ᵉ s.). Les miniatures sont prêtées par des musées, des collectionneurs ou des artisans du Club de la miniature française, ce qui permet un renouvellement régulier. Des microminiatures, invisibles à l'œil nu, sont présentées sous des oculaires ou des loupes.

Circuit conseillé

LA DRÔME PROVENÇALE

▶ *90 km. Quitter Montélimar au sud par la N 7, puis la D 133.*
La vallée du Rhône s'élargit à l'est du fleuve jusqu'aux collines des Préalpes, en plaines compartimentées. Elles montrent les premiers caractères du Midi méditerranéen avec ses terrasses alluviales en gradins, ses rangées de mûriers, et surtout sa multitude de vergers. Les oliviers recouvrent les versants du bassin de Montélimar avant d'alterner avec les vignes du Tricastin.

★ Grignan
Dressé sur une butte rocheuse isolée, l'imposant château des Adhémar de Monteil domine ce vieux bourg du Tricastin. De la terrasse, **panorama★** sur les montagnes (mont Ventoux, dentelles de Montmirail…). **Mme de Sévigné** y séjourna souvent et y mourut, en 1696, alors qu'elle était venue soigner sa fille atteinte d'une maladie de langueur ; elle fut enterrée dans la collégiale.
★★ **Château** – ℘ 04 75 91 83 55 - *9h30-12h, 14h-18h - possibilité de visite guidée ; fermé mar. de nov. à mars, 1ᵉʳ janv. et 25 déc. - 4, 50 € (-18 ans gratuit).* Il fut transformé une première fois au 16ᵉ s. par Louis Adhémar, gouverneur de Provence, puis, plus tard, par le gendre de Mᵐᵉ de Sévigné, entre 1668 et 1690. Derrière la grande façade Renaissance du Midi, la cour du Puits avec son bassin, ouverte sur une terrasse, est encadrée par la galerie gothique et des corps de logis Renaissance. À l'**intérieur**, un remarquable **mobilier★**, en particulier les meubles Louis XIII et le « cabinet » (secrétaire) italien de la salle d'audience, orne les pièces. Belles **tapisseries** d'Aubusson (scènes mythologiques).

Nyons
Au débouché de la vallée de l'Eygues, dans la plaine du Tricastin, la ville est bien abritée par les montagnes. Importé par les Grecs, il y a 2 500 ans, l'olivier règne en maître ici, prospérant sous la douceur du climat. Les moulins à huile fonctionnent de novembre à février. Dans certains, l'huile est fabriquée selon les procédés traditionnels. Pour Jean Giono qui a écrit de belles pages sur la cueillette des olives, Nyons était le paradis terrestre, tout simplement.

> **HISTOIRE GOURMANDE**
> Dans l'Antiquité, il était une gourmandise à base de miel, de noix et d'œufs dont le gastronome latin Apicius nous a livré la recette, le *nucatum*. Mais il fallut attendre le 17ᵉ s. et qu'Olivier de Serres acclimate l'amandier, originaire d'Asie, dans son domaine vivarois du Pradel pour que naisse le vrai nougat. Entre le plateau des Gras où la culture des amandes s'était généralisée, et la Provence et les Alpes, riches en miel, germa l'idée de mélanger les unes à l'autre. Le destin de Montélimar était scellé et une industrie était née.

Dans le **vieux Nyons**★ le **pont roman**★ (ou Vieux Pont) en dos d'âne, construit aux 13e et 14e s., étend sur les rives de l'Eygues son arche de 40 m d'ouverture, une des plus hardies du Midi.

Musée de l'Olivier – *Allée des Tilleuls - accès à l'ouest, dir. Gap, puis au nord-ouest de la pl. Olivier-de-Serres -* 📞 *04 75 26 12 12 -* ♿ *- mat. et apr.-midi - visite guidée 2 € (enf. 1 €).* Il présente un inventaire de l'outillage traditionnel nécessaire à la culture de l'olivier et à la fabrication de l'huile. Nombreux objets, comme des lampes, se rapportant aux utilisations multiples de celle-ci.

Dieulefit

Joliment située dans un élargissement de la vallée du Jabron, cette petite ville, de tradition protestante, vit du tourisme, du séjour des curistes, grâce à son centre de remise en forme, et de l'artisanat d'art qui a contribué à la renommée de ses **poteries**.

★ Le Poët-Laval

Ce village perché, bien restauré, occupe un **site**★ escarpé et conserve une commanderie de Malte, un donjon du 12e s., des vestiges de remparts et des maisons du 15e s.

Musée du Protestantisme dauphinois – 📞 *04 75 46 46 33 - www.musee duprotestantismedauphinois.org - juil.-août : tlj sf vend. et dim. mat. 10h-12h, 15h-18h30 ; avr.-juin et sept. : 15h-18h30 - 3,50 € (-12 ans gratuit).* Il est installé dans l'ancien temple.

14

Gorges de l'Ardèche

Ardèche (07)

S'INFORMER
Office de tourisme de Vallon-Pont-d'Arc - *1 pl. de l'Ancienne-Gare - 07150 Vallon-Pont-d'Arc - ℘ 04 75 88 04 01 - www.vallon-pont-darc.com - juin-août : mat. et apr.-midi ; avr.-mai et sept.-oct. : tlj sf dim. mat. et apr.-midi, j. fériés mat. - fermé 1er janv., 1er Mai et 25 déc.*

SE REPÉRER
Carte générale C3 – *Cartes Michelin n° 721 M12-13 et n° 523 14-15 F-G.* La route panoramique sur la D 290 domine l'entaille du plateau, sur la rive gauche de l'Ardèche ; après la rivière à St-Martin-d'Ardèche, elle permet de rentrer à Vallon par le plateau d'Orgnac.

À NE PAS MANQUER
La route panoramique avec ses nombreux belvédères, le Pont d'Arc ; la descente d'une partie au moins de ces gorges en kayak.

ORGANISER SON TEMPS
Comptez une journée pour effectuer l'ensemble du circuit, visites des grottes et baignade au Pont d'Arc comprises.

AVEC LES ENFANTS
Le belvédère de la Madeleine, la plage au Pont d'Arc., l'aven d'Orgnac.

L'Ardèche creuse ses gorges dans le plateau calcaire du Bas-Vivarais ; la rivière coule entre des falaises vertigineuses truffées de grottes et se glisse sous une impressionnante arche naturelle à St-Martin-d'Ardèche. L'ensemble de ces merveilles naturelles a été érigé en « Grand Site d'intérêt national » ; sur la rive gauche, la route sur la corniche et ses nombreux belvédères dévoilent des panoramas à vous couper le souffle !

Circuit conseillé

88 km. Quitter Vallon-Pont-d'Arc vers le Pont d'Arc au sud.

★★ Pont d'Arc
À 150 m du belvédère, un sentier permet d'accéder à cette étonnante arche naturelle, haute de 34 m et large de 59 m. On suppose que l'Ardèche, à la faveur d'une forte crue, aurait abandonné son ancien cours pour se glisser à travers l'orifice qu'elle a peu à peu agrandi, donnant naissance au Pont d'Arc.
Le paysage devient grandiose. Au fond d'une gorge déserte, longue de 30 km, cernée par des falaises dont certaines atteignent 300 m de hauteur, les eaux vertes de la rivière dessinent des méandres, entrecoupés de rapides.
La plage est un site de baignade très fréquenté en été, ce qui ne dispense pas de surveiller étroitement les petits nageurs.

★★ Belvédère du Serre de Tourre
Il est établi à la verticale de l'Ardèche qu'il surplombe d'une hauteur de 200 m. De là, la vue sur le méandre du **Pas de Mousse** est superbe. Seules traces d'occupation humaine : les ruines du châteaux d'Ebbo.

UNE RIVIÈRE SURPRENANTE

Prenant sa source à 1 467 m d'altitude dans le massif de Mazan, l'Ardèche se jette dans le Rhône, après 119 km de course. Si la pente est surtout très forte dans la haute vallée, c'est dans le bas pays que l'on rencontre les exemples d'érosion les plus étonnants. Les affluents dévalant de la montagne, accentuent son régime irrégulier : maximum en automne, faible débit hivernal, crues au printemps et basses eaux en été. Le débit de l'Ardèche peut passer de 2,5 m³/s à plus de 7 000 m³/s : c'est un véritable mur d'eau qui s'avance à la vitesse de 15 ou 20 km/h au point de repousser le flot du Rhône. La décrue, quant à elle, est tout aussi soudaine.

★★★ **Descente en canoë** – L'Ardèche se descend idéalement en mai et juin lorsque les journées sont longues et que la foule n'a pas envahi les gorges. Les loueurs sont implantés à Vallon-Pont-d'Arc, soit en location libre, soit en location accompagnée de 1 à 2 j.

★ Belvédère de La Madeleine

☏ 04 75 04 22 20 - www.grottemadeleine.com - visite guidée juil.-août : 10h-19h ; avr.-juin et sept. : 10h-18h ; oct. :10h-17h - dernier dép. de la visite 1h av. fermeture - 8,50 € (6-15 ans 5 €).

👥 La grotte a été forée par un ancien cours d'eau souterrain. Une magnifique coulée blanche entre deux amas rouges de draperies évoque une cascade par sa fluidité et ses concrétions de roses des sables. *(On y accède par un escalier assez raide dans un tunnel taillé dans le roc).*

★★★ La Haute Corniche

Dans cette partie, la plus spectaculaire du parcours, les belvédères offrent des vues saisissantes sur les gorges. Une vallée cultivée largement ouverte vers le Rhône succède brusquement à ce paysage tourmenté. Sur la droite, on aperçoit **Aiguèze**, village médiéval agrippé à une crête rocheuse dominant l'Ardèche, avant de traverser St-Martin-d'Ardèche.

À Orgnac-l'Aven, prendre sur la gauche la petite D 317 jusqu'à l'aven.

★★★ Aven d'Orgnac

☏ 04 75 38 65 10 - www.orgnac.com - visite guidée (1h) juil.-août : tte la journée, dép. ttes les 20mn ; fév.-juin, sept.-nov. et vac. de Noël : mat. et apr.-midi, se renseigner sur les horaires - fermé 1er janv. et 25 déc. - 10 € (6-14 ans 6,20 €).

Ne descendez pas sans un vêtement chaud : la température moyenne avoisine 11 °C dans ce gouffre. La remontée des 120 m de déclivité se fait en ascenseur.

👥 L'exploration de ce gouffre féerique laisse un souvenir inoubliable. Ce ne sont que draperies colorées, extraordinaires stalagmites de tailles et de formes impressionnantes. Les immenses salles de cet aven doivent leur origine à l'action des eaux souterraines alimentées par infiltration dans les calcaires fissurés. La **salle supérieure** possède de magnifiques stalagmites. Les plus grosses, au centre, montrent des excroissances qui leur donnent l'aspect de « pommes de pin ». La faible lueur bleutée qui tombe par l'orifice naturel de l'aven renforce l'impression d'irréalité. Ultime étape de cette plongée féerique sous terre dans le **Grand Théâtre** ou un **son et lumière**★★ révèle la profondeur sans limites et le paysage tourmenté de la plus grande salle d'Orgnac. La visite peut se terminer par le **musée régional de la Préhistoire** qui évoque la vie des habitants de l'Ardèche, de 35 000 ans à 700 ans avant notre ère.

Poursuivre la D 217 jusqu'à la D 579, à droite, qui permet de rentrer à Vallon en passant par Salavas.

14

Les Alpes du Nord

◗ SE REPÉRER

Les villes, bases de départ pour des excursions, sont toutes très bien desservies grâce à la proximité de Lyon, grand carrefour autoroutier (A 6, A 7, A 47, A 42, A 43) et de Genève. Par le TGV, Chambéry et Grenoble sont à 3h de Paris, Annecy à 3h45 ; de Lille et Paris, un TGV direct mène à Bourg-St-Maurice. Enfin, Chamonix-Mont-Blanc est relié à l'Italie par le tunnel du Mont-Blanc.

⊛ À NE PAS MANQUER

Les belvédères ne manquent pas dans la région : partout de beaux panoramas s'offrent à vous, depuis l'Aiguille du Midi dans le massif du Mont-Blanc, du rocher de Bellevarde à Val-d'Isère ou du fort de la Bastille à Grenoble. Les lacs du Bourget, d'Annecy, du Léman, encerclés de montagnes proposent des promenades romantiques. Le Vercors, le plus grand parc naturel régional des Alpes du Nord, vous réserve des paysages sauvages et impressionnants, de même que le massif de la Vanoise et sa route d'accès par le col de l'Iseran. Dans le massif de la Chartreuse, vous découvrirez encore une autre atmosphère.

◷ ORGANISER SON TEMPS

Les routes touristiques sont encombrées l'été : en haute saison, l'affluence aux téléphériques est aussi au rendez-vous, sauf si vous décidez de prendre la première benne, encore faut-il réserver son passage. Les randonneurs qui veulent marcher avec des accompagnateurs de moyenne montagne devront aussi s'inscrire au bureau des guides. Si la météo n'est pas clémente, reportez vos projets en plein air et filez à la ville pour flâner de musée en château ou dans les ruelles des vieux quartiers. L'hiver, aux alentours des stations de sports d'hiver, évitez de circuler à l'heure de la fermeture des pistes, un moment d'affluence sur les routes quand les skieurs reprennent leur voiture.

Cimes acérées, vallées profondes, gorges, lacs d'altitude et vastes plaines encaissées… Dans ces montagnes jeunes qui ont tout de même mis 30 à 40 millions d'années à s'ériger, l'eau et la glace ont sculpté de grandioses paysages, offrant un cadre exceptionnel pour tous les amateurs d'air pur et de sports, d'hiver comme d'été. La création d'immenses parcs naturels constitue aussi un beau plaidoyer pour la préservation d'une nature fragile, soumise aux contraintes climatiques les plus extrêmes. Parmi ces reliefs chahutés, les hommes ont tracé leurs voies dès l'Antiquité en suivant le chemin des grandes cluses comme celles de Chambéry, d'Annecy ou de l'Isère qui reçoit Grenoble, la métropole régionale. Dans le chapelet urbain de l'arc alpin, toutes les villes sont des « capitales » : Chambéry élue par les ducs de Savoie sous l'Ancien Régime, Annecy qui régna sur le Genevois sous la Révolution, Aix-les-Bains réputée pour ses thermes, Grenoble, ville olympique, Chamonix-Mont-Blanc, haut lieu de l'alpinisme… toutes sont fières de leur patrimoine. En dehors des pistes des stations de sports d'hiver réputées, les routes conduisent de col en col vers de petits « pays » qui possèdent chacun un visage particulier, le haut plateau du Vercors étant parmi les plus sauvages.

Grenoble

★★

156 659 Grenoblois – Isère (38)

 NOS ADRESSES PAGE 616

S'INFORMER
Office de tourisme – *14 r. de la République 38000 Grenoble -* 📞 *04 76 42 41 41 - www.grenoble-tourisme.com - mai-sept. : 9h-18h30, dim. et j. fériés 10h-13h, 14h-17h ; oct.-avr. : 9h-18h30, dim. et j. fériés 10h-13h - fermé 1ᵉʳ janv., 1ᵉʳ Mai et 25 déc.*

SE REPÉRER
Carte générale D3 – *Cartes Michelin n° 721 N11 et n° 523 N9.* Grenoble est à 105 km de Lyon par l'A 43 et l'A 48 ; à 57 km de Chambéry et à 106 km d'Annecy par l'A 41-E 12. La ville se découvre dans un **site★★★** exceptionnel : au nord, les falaises abruptes du Néron et du St-Eynard, sentinelles avancées de la Chartreuse. À l'ouest, les escarpements du Vercors dominés par la crête majestueuse du Moucherotte. Vers l'est, la silhouette de la chaîne de Belledonne dessine avec ses pics sombres une ligne longtemps couverte de neige.

À NE PAS MANQUER
Le musée de Grenoble et une promenade sur les hauteurs du fort de la Bastille.

ORGANISER SON TEMPS
Une visite approfondie de Grenoble mérite plus d'une journée mais conservez aussi du temps pour une excursion dans le massif de la Chartreuse.

Au confluent du Drac et de l'Isère, la métropole des Alpes qui s'est industrialisée au 19ᵉ s. avec les débuts de l'électricité reste toujours innovante, développant par exemple le premier pôle européen de micro et nanotechnologies. La ville au pied de la montagne bénéficie de son cadre naturel, enneigé en hiver, ce qui lui a valu d'accueillir en 1968 les Xᵉ Jeux olympiques. De nombreuses sculptures d'artistes contemporains parsemées à travers la ville s'ajoutent à la richesse de ses musées.

Découvrir

★★ Panorama du fort de la Bastille
📞 *04 76 44 33 65 - www.bastille-grenoble.com - se renseigner pour les horaires et tarifs.*

D'un éperon rocheux, à gauche en sortant de la station supérieure du téléphérique, **vue★★** sur la ville, le confluent de l'Isère et du Drac, la cluse de l'Isère encadrée par le Casque de Néron, à droite, et les dernières crêtes du Vercors (Moucherotte), à gauche.

Monter ensuite à la terrasse aménagée au-dessus du restaurant. Grâce à des panneaux d'orientation, on détaille le **panorama★★** : Belledonne, Taillefer, Obiou, Vercors (Grand Veymont et Moucherotte). Par la trouée du Grésivaudan

14

apparaît, par temps clair, le massif du Mont-Blanc. Les trois tours de l'**île Verte** dominent de leurs 28 étages l'agglomération tout entière. Au premier plan, la vieille ville semble encore contenue dans le périmètre de l'enceinte romaine et contraste avec les grandes trouées ouvertes au sud et à l'ouest au Second Empire.

Grande-Rue

Nombre de célébrités naquirent ou vécurent dans les demeures bordant cette ancienne voie romaine, qui se situe dans la **vieille ville★** de Grenoble. Au n° 20, face à un hôtel particulier du 17e s., se trouve la **maison du docteur Gagnon,** où **Stendhal** passa une partie de son enfance (*réouverture fin 2011*). Au n° 13 de la Grande-Rue naquit le philosophe Condillac ; le peintre Hébert habitait au n° 9 et l'homme politique Casimir-Perier au n° 4. Par un passage à gauche, on accède à la **place St-André**, où se dresse l'**ancien palais du Parlement du Dauphiné**, qui allie style gothique flamboyant et style Renaissance. Vous trouverez ici l'un des plus vieux cafés de France, La Table Ronde, ouvert en 1739. Stendhal aimait y ébaucher ses livres.

★★★ Musée de Grenoble

♱ 04 76 63 44 44 - ♿ - www.museedegrenoble.fr - tlj sf mar. 10h-18h30 - possibilité de visite guidée - fermé 1ᵉʳ janv., 1ᵉʳ Mai et 25 déc. - 5 € (-18 ans gratuit), gratuit 1ᵉʳ dim. du mois - audioguide pour collections permanentes 3 €.

Modèle de sobriété, l'espace intérieur de ce musée concentre sur un seul niveau l'essentiel du parcours de visite : de part et d'autre d'une galerie de communication, les travées abritent les œuvres du 16e au 19e s.

La **section de peinture ancienne** comprend des œuvres italiennes des 13e et 18e s., les écoles françaises et espagnoles du 17e s. (Philippe de Champaigne, Georges de La Tour, Claude Gellée dit le Lorrain et un grand ensemble de toiles de **Zurbarán)**. Le **19e s.** est illustré par Ingres, Corot, Boudin, Monet, Sisley, Gauguin. Une place est réservée aux artistes grenoblois : Henri Fantin-Latour, Jean Achard, l'abbé Guétal… Le **20e s.** est représenté par des tableaux **fauves** de Vlaminck, Van Dongen, et un remarquable ensemble de Matisse. Un Braque et un relief de Laurens témoignent de l'importance du **mouvement cubiste**, tandis que l'influence du **dadaïsme** se manifeste chez Georges Grosz ou Max Ernst. Chagall, **Modigliani, Picasso, Léger** se signalent par des œuvres fortes. Les étapes du cheminement vers l'**abstraction** sont jalonnées par des compositions de Klee, Miró, Kandinsky… Toutes les grandes tendances de l'**art contemporain,** après 1945, sont évoquées, de l'**abstraction lyrique** au **Nouveau Réalisme** en passant par le **Pop Art** et l'**art minimal**, par une pléiade d'artistes : Dubuffet, Vasarely, Hartung, Atlan, Brauner, Sol LeWitt, Christian Boltanski, Donald Judd, et Sigmar Polke. Ne manquez pas au sous-sol la section d'**égyptologie**, d'une étonnante richesse, qui conserve stèles royales, cercueils anthropomorphes et masques funéraires. Enfin, autour du musée, 15 sculptures monumentales du 20e s. ont été installées. Parmi elles, un stabile de Calder (*Monsieur Loyal*) et *L'Étoile Polaire* de Mark di Suvero.

Circuit conseillé

★★ LE MASSIF DE LA CHARTREUSE

De gorges en forêts profondes, on découvre d'étranges et élégants sommets taillés dans le calcaire. Assez isolé par un relief difficile, protégé au sein d'un **Parc naturel régional** (*www.parc-chartreuse.net*), le massif de la Chartreuse est contourné par deux grands axes routiers alpins, la N 90 à l'est et la D 520 prolongée par la N 6 de Voiron à Chambéry sur le flanc ouest. On a une vue particulièrement belle sur le massif en y accédant depuis Grenoble vers St-Pierre-de-Chartreuse.

▶ 79 km. Quitter Grenoble au nord par La Tronche et la D 512.

De La Tronche au col de Vence, la route permet d'admirer Grenoble et le sillon du Grésivaudan avec des **vues**★★ lointaines sur – d'est en ouest – la chaîne de Belledonne, le Taillefer, le Thabor, l'Obiou et le rempart est du Vercors. Après le passage du col de Porte, c'est le parcours de la « **route du Désert** »★★ (attention aux transports de bois). Cette « route » délimitait, au 16e s., le domaine du monastère des chartreux. Chateaubriand, Lamartine et Alexandre Dumas père l'empruntèrent et restituèrent dans leurs œuvres les fortes impressions que procure ce paysage.

★ Saint-Pierre-de-Chartreuse

Ce charmant village est enchâssé au creux des élégantes silhouettes du massif de la Chartreuse. En été, de cette station climatique vous pouvez rayonner sur l'ensemble du massif grâce aux sentiers balisés dans un cadre reposant. En hiver, St-Pierre offre 35 km de pistes de ski alpin et 80 km de pistes de ski de fond.

Tourner à gauche dans la D 520B vers St-Laurent-du-Pont.

★★ Belvédère des Sangles

 4 km à pied du pont de Valombré. La route forestière permet de découvrir le site du monastère de la Grande-Chartreuse sous son plus bel aspect. Les corniches du Grand Som et les croupes boisées de l'Aliénard encadrent le couvent.

On s'engage dans les **gorges du Guiers Mort**★★, magnifiquement boisées et dominées par de grandes barres calcaires auxquelles les sapins s'accrochent dans les positions les plus excentriques.

Au pont St-Pierre, prendre à droite la rte vers la Correrie (sens unique).

★ Couvent de la Grande-Chartreuse

Le **monastère**★ ne se visite pas, car les moines sont voués au silence et à la solitude.

★ **Musée de la Grande-Chartreuse** – ✆ 04 76 88 60 45 - *www.musee-grande-chartreuse.fr* - mai-sept. : 10h-18h30 ; oct.-nov. : 13h30-18h, w.-end et j. fériés 10h-18h30 - 6 €, audioguide 2 €. Aménagé dans la Correrie (annexe du couvent), il initie le profane à l'histoire de l'ordre et à la vie des moines. Les reconstitutions du cloître et d'un nouvel ermitage avec la chambre, le bureau, l'atelier, etc., comptent parmi les présentations les plus évocatrices de ce musée. Les nouveaux espaces permettent également de voir un des trésors de l'ordre, la collection des cartes de Chartreuse ainsi que la maquette de la Grande Chartreuse.

À St-Laurent-du-Pont, prendre la D 520 en dir. de Voiron.

Voiron

C'est dans cette cité qu'est fabriqué un fameux élixir qui titre à 70 ° !

★ **Caves de la Chartreuse** – Bd Edgar-Kofler. ✆ 04 76 05 81 77 - *www.chartreuse.fr* - visite guidée (1h) de Pâques à la Toussaint : 9h-11h30, 14h-18h30 ; reste de l'année : 9h-11h30, 14h-17h30. La célèbre liqueur y vieillit dans des fûts de chêne. De courts films retracent les différentes étapes de fabrication, et un film en 3D raconte la fondation de la Grande-Chartreuse.

De Voiron à Grenoble, la N 75 remonte le cours de l'Isère.

14

👓 NOS ADRESSES À GRENOBLE

HÉBERGEMENT

PREMIER PRIX

Europe – *22 pl. Grenette -* ☎ *04 76 46 16 94 - www.hoteleurope.fr - 45 ch. 40/88 € -* ☕ *8 €.* Au cœur du vieux Grenoble, l'Europe (le premier hôtel de la ville) propose des chambres refaites dans un style sobre et actuel. Salle des petits-déjeuners joliment tendance.

Hôtel Acacia – *13 r. de Belgrade -* ☎ *04 76 87 29 90 - www.hotelacaciagrenoble.com -* 🅿 *20 ch. 49/61 € -* ☕ *6 €.* Cet hôtel situé à deux pas du téléphérique menant au fort de la Bastille vient de faire peau neuve. Résultats ? Des chambres fraîches, un nouveau hall d'accueil et une salle des petits-déjeuners aux couleurs provençales.

Gallia – *7 bd Mar.-Joffre -* ☎ *04 76 87 39 21 - www.hotel-gallia. com - fermé 24 juil.-23 août - 35 ch. 61/66 € -* ☕ *7,50 €.* La majorité des chambres de cette affaire familiale ont été rajeunies avec des teintes gaies, parfois dans la note provençale. Pimpant hall-salon lumineux.

RESTAURATION

PREMIER PRIX

Le Coup de Torchon – *8 r. Dominique-Villars -* ☎ *04 76 63 20 58 - fermé merc. soir, dim. et lun. - formule déj. 11 € - 18/25 €.* À proximité des boutiques d'antiquaires, sympathique table dont la cuisine actuelle puise ses idées et s'élabore en fonction du marché. Cadre clair et coquet. Prix attractifs.

L'Exception – *4 cours Jean-Jaurès -* ☎ *04 76 47 03 12 - www. restaurant-lexception.com - fermé w.-end et merc. soir - formule déj.*

13/15 € - 26/52 €. Une adresse simple qui ne désemplit pas, dont la salle à manger a été revue dans un style actuel. Généreuse cuisine créative, axée sur le terroir et proposée à prix sages.

BUDGET MOYEN

Ciao a Te – *2 r. de la Paix -* ☎ *04 76 42 54 41 - fermé vac. de fév., 3 1res sem. d'août, dim. et lun. - formule déj. 17 € - 28/50 €.* Installé dans un vieux quartier, pas loin du Musée de Grenoble, ce restaurant avec sa devanture en bois et son enseigne peinte à la main sert une cuisine « minute ». Bien sûr, les pâtes sont à l'honneur de cette petite adresse italienne très courue…

Chasse-Spleen – *6 pl. Lavalette -* ☎ *04 38 37 03 52 - fermé lun. midi, sam. midi et dim. - formule déj. 16 € - 20/35 €.* Hommage à Charles Baudelaire qui baptisa ce vin lors d'un séjour à Moulis-en-Médoc. Aux murs, poèmes de l'auteur en guise de nourriture spirituelle. À table, plats dauphinois.

POUR SE FAIRE PLAISIR

Le Mandala – *7 r. Raoul-Blanchard -* ☎ *04 76 44 49 80 - fermé dim.-lun. - 27/49 €. - réserv. conseillée.* Vivre avec les saisons et travailler les produits frais de qualité ! Telle est la devise des propriétaires de ce restaurant chaleureux qui ne désemplit pas grâce au bouche à oreille.

Auberge Napoléon – *7 r. Montorge -* ☎ *04 76 87 53 64 - www.auberge-napoleon.fr - fermé à midi en sem., dim., 2 sem. mai, 14-17 juil. et 2 sem. août - 39/69 €.* La maison entretient le souvenir de Napoléon Bonaparte, son hôte le plus célèbre. Salle à manger Empire qui sert de théâtre à une cuisine personnalisée et inventive.

Chambéry

★★

56 835 Chambériens – Savoie (73)

🙂 NOS ADRESSES PAGE 618

🛈 S'INFORMER

Office de tourisme – *5 bis pl. du Palais-de-Justice - 73000 Chambéry - ☎ 04 79 33 42 47 - www.chambery-tourisme.com - juil.-août : 9h30-18h30, dim. 10h-13h ; reste de l'année : tlj sf dim. 9h-12h30, 14h-18h.*

▶ SE REPÉRER

Carte générale D3 – *Cartes Michelin n° 721 O10 et n° 523 O7.* Au sud du lac du Bourget. La ville s'est développée entre les massifs des Bauges et de la Grande-Chartreuse, aux portes des trois principaux parcs alpins : Vanoise, Chartreuse et Bauges. Elle est au carrefour de l'A 41 (Grenoble-Annemasse) et de l'A 43 (Lyon-Modane).

🕓 ORGANISER SON TEMPS

Consacrez une demi-journée à la ville et une journée pour les environs.

👫 AVEC LES ENFANTS

Une promenade au lac du Bourget.

Commandant l'entrée de plusieurs grandes vallées transalpines, Chambéry fut la capitale du comté de Savoie. Prise par François Ier, elle revint aux ducs de Savoie qui lui préférèrent cependant Turin. Elle fut alors ballottée entre les deux pays au gré des fluctuations de l'histoire... Meurtrie par les bombardements anglo-américains, la ville a aujourd'hui retrouvé sa beauté passée et mis en valeur son riche patrimoine.

Découvrir

★★ LA VIEILLE VILLE

Rue Croix-d'Or

Bordée de vieux hôtels, c'était l'artère la plus aristocratique de Chambéry. Voyez au n° 18 l'hôtel Castagneri-de-Châteauneuf qui fut construit au 17e s. En entrant dans la cour, on découvre de remarquables **grilles★** de fer forgé.

★ Rue Basse-du-Château

Pittoresque avec sa galerie-passerelle et les ogives de ses anciennes échoppes, elle mène à la place du château. À l'instar des traboules lyonnaises, plusieurs passages sous voûte permettent de communiquer entre les rues (*n°s 42 et 45*).

★ Château

☎ 04 79 33 42 47 - visite guidée partielle du château, travaux de restauration dans la Ste-Chapelle jusqu'à fin 2011 - fermé lun., 25 déc. et 1er janv. - 2,50 €. Demeure des seigneurs de Chambéry, puis des comtes et ducs de Savoie, le château remonte aux 14e et 15e s. La **Ste-Chapelle★**, de style gothique flamboyant,

14

reçut ce nom en 1502 lorsqu'y fut déposé le saint Suaire. Dans cet édifice, témoin du mariage de Louis XI et de Charlotte de Savoie, admirez l'élégante ordonnance des voûtes et les verrières du 16ᵉ s. Un carillon de 70 cloches, réalisé par la fonderie Paccard, y a été installé en 1993.

Circuit conseillé

★★ LE LAC DU BOURGET

Entre les chaînons du **mont du Chat★** et **de la Chambotte★★**, le plus grand lac naturel de France s'étend à 13 km au sud de Chambéry. Au gré de ses humeurs, il passe du bleu profond à l'azur éclatant. Les romantiques s'y arrêteront pour rêver de clairs de lune ou pour se nourrir des vers de Lamartine… « Ô temps, suspends ton vol ! et vous, heures propices, suspendez votre cours ! »

★★ Abbaye de Hautecombe
📞 04 79 54 58 80 - www.chemin-neuf.org/hautecombe - visite audioguidée (30mn) 10h-11h15, 14h-17h (14h30-17h en hiver) - fermé mar.
L'abbaye, où les souverains de la maison de Savoie sont inhumés, est située sur un promontoire s'avançant dans le lac du Bourget. Restaurée au 19ᵉ s. dans le style gothique troubadour par des artistes piémontais, l'**église** se signale par l'exubérance de sa décoration (dont **300 statues★★**).

★★ Aix-les-Bains
Sur la rive est du lac, la **station thermale** savoyarde a pris son essor au 19ᵉs. Aujourd'hui, l'animation se concentre autour des constructions des Thermes nationaux, du parc municipal et du Casino Grand Cercle★. L'été, les bords du lac, où sont aménagés deux ports et une plage, constituent l'autre pôle d'attraction de la ville.

😊 NOS ADRESSES À CHAMBÉRY

RESTAURATION

PREMIER PRIX
Le Café Chabert – 41 r. Basse-du-Château - 📞 04 79 33 20 35 - fermé dim., en soirée sf. vend., 3 dernières sem. août et 20 déc.-au 2 janv. - 8,50/18 €. Au hasard de votre promenade, vous pourrez emprunter la rue Basse-du-Château, classée 14ᵉ s. et vous laissez tenter par une halte sympathique. L'été, les tables dressées sortent dans la rue piétonne. Menus renouvelés chaque jour.

BUDGET MOYEN
Auberge Bessannaise – 28 pl. Monge - 📞 04 79 33 40 37 - fermé lun. et mar. sf j. fériés - 15/37 €. Repérable à sa terrasse et à sa façade fleuries, ce restaurant occupe une maison de style régional où l'on vient se régaler de plats traditionnels – comme la fondue, le foie gras maison ou la bavette d'aloyau – et de poissons frais. Préférez la salle à manger la plus lumineuse.

Annecy

★★★

50 111 Annéciens – Haute-savoir (74)

S'INFORMER

Office de tourisme – *Centre Bonlieu - 1 r. Jean-Jaurès - 74000 Annecy - 04 50 45 00 33 - www.annecytourisme.com et www.lac-annecy.com - de mi-mai à mi-sept. : 9h-18h30 ; reste de l'année : 9h-12h30, 13h45-18h, dim. et j. fériés se renseigner.*

SE REPÉRER

Carte générale C3 – *Cartes Michelin n° 721 O10 et n° 523 P5.* Entre Chambéry (50 km au sud-ouest) et Genève (61 km au nord), Annecy borde le lac au nord et constitue une base idéale pour découvrir la Haute-Savoie.

À NE PAS MANQUER

Le palais de l'Île ; le musée-château, une balade au bord du lac.

ORGANISER SON TEMPS

Visitez la vieille ville de préférence le matin pour terminer la journée sur les rives du lac.

AVEC LES ENFANTS

L'observatoire des lacs alpins, au château ; le musée Paccard à Sévrier.

Surnommée la « Venise savoyarde », Annecy est une ville au charme irrésistible. Flâner au bord de son lac, le long du Thiou ou du canal du Vassé, marcher dans ses rues piétonnes dont les chaudes couleurs évoquent le Piémont vous laissera un souvenir aussi inoubliable que le pont des Soupirs, comme une étrange sensation d'éternité...

Se promener

★★ **LES BORDS DU LAC**

Laisser sa voiture au parking du centre Bonlieu ou à celui de la place de l'Hôtel-de-Ville.

Par les allées du Pâquier, gagner le bord du lac. De là s'offre une **vue**★★ étendue sur le mont Veyrier, les dents de Lanfon, la Tournette, le crêt du Maure.

Parc de l'Impérial

À l'extrémité est de l'avenue d'Albigny, le parc héberge, sous l'œil vigilant d'arbres séculaires et des habitants de sa volière, la principale plage. Un majestueux hôtel Belle Époque, abritant un centre de congrès et un casino, lui a donné son nom.

Revenir vers la ville en marchant le long du lac.

14

Pont des Amours

Faites une halte sur ce pont qui enjambe le canal du Vassé, et laissez-vous emporter par les charmes du lieu : ici, le joli bras d'eau ombragé où se pressent des barques au bois doré ; là, le ravissant bouquet d'arbres de l'île des Cygnes.

★ Jardins de l'Europe

Aménagés en arboretum lors du rattachement de la Savoie à la France en 1860, ils présentent une belle variété d'essences d'Europe, d'Amérique et d'Asie, en particulier des **séquoias géants** centenaires. En longeant le port aménagé sur les bords du Thiou *(embarcadère)*, on découvre les massives constructions du château.

★★ LE VIEIL ANNECY

Le Thiou et le Vassé d'où s'échappent les eaux du lac, sinuent dans la ville ancienne. Avec le palais de l'Île pour tête de proue, ce quartier piétonnier est habillé de vibrantes couleurs sardes. Regroupées au bas du château, les **églises St-Maurice et St-François-de-Sales** marquent la transition entre la ville du 19e s. à l'architecture sarde et la ville commerçante de la première moitié du 20e s. aux élévations majestueuses.

★★ Palais de l'Île

C'est le monument emblématique de la ville. Construit au 12e s. sur une île naturelle, lorsque la capitale de la Haute-Savoie n'était qu'une bourgade de pêcheurs, ce bâtiment servit de résidence au comte de Genève. Il abrite le **Centre d'interprétation de l'architecture et du patrimoine** qui évoque l'évolution d'Annecy et l'appropriation du territoire.

★ Rue Sainte-Claire

La principale artère du vieil Annecy abrite sous ses arcades de nombreux commerces. À l'angle de la rue de la République apparaît le quartier de la « **Manufacture** » aux immeubles contemporains. La cloche de la porte Ste-Claire rythme depuis 1556 la vie du quartier.

★ Musée-château d'Annecy

Accès soit en voiture par le chemin Tour-la-Reine, soit à pied par la rampe du château ou les abruptes « côtes » qui s'amorcent rue Ste-Claire. ☏ *04 50 33 87 30 - juin-sept. : 10h30-18h ; oct.-mai : tlj sf mar. 10h-12h, 14h-17h - fermé 1er janv., dim. et lun. de Pâques, 1er Mai, 1er et 11 Nov. et 25 déc. - 5 €.*

L'ancienne résidence des comtes de Genève comprend des bâtiments construits entre le 12e s. et la fin du 16e s. Ravagés plusieurs fois par le feu, puis laissés à l'abandon au 17e s., ils servirent ensuite de caserne jusqu'en 1947. Au fond de la cour, le logis Perrière et la **tour Perrière** accueillent l'**Observatoire régional des lacs alpins.** 👤👥 L'écosystème du lac y est présenté et des aquariums montrent les perturbations engendrées par la pollution naturelle et industrielle.

SAINT FRANÇOIS DE SALES

Ce docteur de l'Église (1567-1622) est sans doute la grande figure d'Annecy. Il a fortement marqué son époque tant par son apostolat que par son *Introduction à la vie dévote*, manuel de spiritualité à l'usage des laïcs. Après des études universitaires à Paris et Padoue, le jeune avocat reçoit la prêtrise à Annecy à 26 ans, et s'engage dans la lutte contre le calvinisme. Pendant six ans, il dirige des missions. Son renom s'étend en France : il prêche même à la cour d'Henri IV. En 1602, il devient évêque de Genève, mais réside à Annecy, le siège épiscopal y ayant été transféré depuis que Genève est devenue la citadelle du calvinisme. François de Sales est canonisé dès 1665. Ses reliques sont aujourd'hui exposées dans la basilique de la Visitation.

De la terrasse, on a une vue générale sur la masse des toits enchevêtrés du vieil Annecy d'où émergent quatre clochers (cathédrale, N.-D.-de-Liesse, St-Maurice, St-François) ; plus loin on aperçoit la ville nouvelle.

Circuit conseillé

★★ LE TOUR DU LAC D'ANNECY

D'une longueur de 17 km, ceinturé par une route qui serre au plus près le rivage et offre de superbes occasions de s'arrêter, le **lac d'Annecy★★★** est une importante source d'inspiration pour les peintres et les écrivains depuis le 19ᵉ s. Et vous constaterez que l'atmosphère n'est pas la même selon que vous vous trouvez sur les rives du Grand Lac, au nord, dont les villages sont entourés de vignes, et celles du Petit Lac, au sud, où les versants abrupts des montagnes plongent directement dans ses eaux. Celles-ci peu polluées n'accueillent d'ailleurs pas que les baigneurs : on pêche de beaux spécimens de féras et d'ombles chevaliers, qui font la gloire des menus régionaux.

▶ *Suivre la rive est.*

À Veyrier-du-Lac, en prenant la route du **mont Veyrier★★**, puis un sentier – *4h à pied AR* – qui mène à la table d'orientation du mont Baron, vous pourrez admirer Annecy, le Grand Lac et les glaciers de la Vanoise au sud-est.

★ Menthon-Saint-Bernard

À 9 km d'Annecy, ce charmant village se distingue avec son **château** digne de la Belle au bois dormant, perché au-dessus.

★ Talloires

Ce lieu de villégiature également très prisé (plage et base nautique) bénéficie d'un **site★★** remarquable. N'hésitez pas à prendre la route qui grimpe au **col de la Forclaz★★** (alt. 1 150 m) et à faire une halte à la buvette pour apprécier la vue plongeante sur le lac.

Poursuivre la route D 42 en dir. de Faverges, où l'on revient vers Annecy par la rive ouest du lac.

★ Duingt

Dominée par l'éperon du Taillefer, cette agréable station a conservé ses maisons rustiques, à escaliers extérieurs, décorées de treilles.

Sévrier

★ **Musée Paccard** – ✆ 04 50 52 47 11 - www.paccard.com - ﬔ - *juin-août : 10h-12h, 14h30-18h30 (dernière entrée 1h av. fermeture) ; sept.-mai : 10h-12h, 14h30-17h30 - fermé dim. et j. fériés apr.-midi - 5,50 € (enf. 4 €).* Il a été créé par la fonderie Paccard spécialisée dans la fonte de cloches depuis près de deux siècles. On découvre ici la complexité de la fabrication des cloches, la variété de l'art campanaire (cloches du 14ᵉ au 19ᵉ s. de différents pays). On vous raconte aussi l'histoire de deux grosses cloches fondues à Annecy : la *Savoyarde* du Sacré-Cœur de Montmartre (1891) et la *Jeanne d'Arc* de la cathédrale de Rouen.

La D 912 permet d'accéder au **crêt de Châtillon★★★** (alt. 1 699 m) où le panorama offre une sélection de sommets des Alpes occidentales : massifs du Haut-Faucigny, du Mont-Blanc, de la Vanoise, des Écrins, des aiguilles d'Arves, du mont Viso.

Revenir à Annecy par la D 41 qui traverse la montagne du Semnoz.

14

Évian-les-Bains

8 137 Évianais – Haute-Savoie (74)

S'INFORMER

Office de tourisme – *Pl. de la Porte-d'Allinges - 74500 Évian-les-Bains -* 𝄐 *04 50 75 04 26 - www.eviantourism.com - mat. et apr.-midi - fermé 1ᵉʳ janv., 1ᵉʳ Mai, Toussaint, 11 Nov. et 25 déc.*

SE REPÉRER

Carte générale D2 – *Cartes Michelin n° 721 O9 et n° 523 S2.* À 45mn de la sortie de l'A 40 (sortie n° 15) ou 10 km de Thonon-les-Bains, la ville est située entre le lac et les contreforts des Préalpes du Chablais.

À NE PAS MANQUER

Une promenade au bord du Léman ou une traversée en bateau du lac.

AVEC LES ENFANTS

La visite du Pré-Curieux, aussi agréable que pédagogique.

Baptisée poétiquement « perle du Léman », Évian est une ville d'eaux très réputée, où le temps semble s'être arrêté. On vient du monde entier goûter à la douceur de son climat et aux promenades le long des rives si agréables du lac. Pendant la saison, on y apprécie aussi ses activités mondaines… Ses immeubles cossus comme ses palaces noyés dans la verdure témoignent du luxe, né de ses cures de bains d'eau froide depuis déjà plus de deux siècles.

Découvrir

Ignorées des Romains, les vertus des eaux d'Évian ne furent découvertes qu'en 1789 lorsqu'un gentilhomme auvergnat, le marquis de Lessert, réalisa que l'eau de la fontaine Ste-Catherine, jaillissant dans le jardin d'un certain Cachat, « faisait passer ses graviers ». C'est-à-dire qu'elle soulageait ses calculs rénaux. Les eaux froides (11,6 °C) provenant du plateau de Vinzier sont filtrées par les sables glaciaires du pays Gavot et contiennent une très faible minéralisation. Cette eau minérale naturelle est devenue une référence grâce à son action reconnue sur les rhumatismes et les affections rénales. Elle a bien d'autres vertus que les thermes vous proposent de découvrir grâce aux nombreux forfaits.

★ LE « FRONT DE LAC »

C'est la plus jolie promenade d'Évian : en effet, le lac est bordé d'arbres d'essences rares, de pelouses et de fleurs. C'est ici que se trouvent les bâtiments du **palais Lumière**, la **villa Lumière**, actuel hôtel de ville, et le **casino**, tous datant de la fin du 19ᵉ et du début du 20ᵉ s. Les nouveaux établissements thermaux se trouvent dans le **parc thermal**.

Le **Jardin anglais** a élu domicile au-delà du port, où se concentrent les yachts et où accostent les bateaux du Léman. En arrière, les grands hôtels s'étagent sur les premières pentes du pays Gavot, à travers les châtaigneraies de Neuvecelle. Un ensemble de **fontaines musicales** avec jeux d'eau rythmés par de la musique agrémente la promenade le long du lac.

LE LAC LÉMAN

Avec ses 310 m de profondeur et ses 58 000 ha, ce lac est 13 fois plus étendu que celui du Bourget, le plus vaste de la France intérieure. Sa forme est celle d'un croissant long de 72 km, large au maximum – entre Morges et Amphion – de 13 km. On distingue le Petit Lac – entre Genève et Yvoire – du Grand Lac, secteur le plus épanoui, dont une partie, au large de Vevey, Montreux et St-Gingolph, est encore appelée le Haut Lac.

Depuis des siècles, le Léman constitue un sujet d'études exceptionnel. Les échanges de chaleur entre l'atmosphère et les eaux du lac se traduisent par un bilan climatique très favorable aux riverains, surtout en avant et en arrière-saison. L'automne chablaisien est magnifique, avec des brumes fréquentes.

★★★ Promenades en bateau

℘ 00 41 848 811 848 - tte l'année, liaisons quotidiennes entre Évian et Lausanne (35mn) - juin-sept. : Haut-Lac Express (via Lausanne) en vapeur.

Les bateaux de la Compagnie générale de navigation relient les rives française et suisse. Tour du lac, traversées, croisières nocturnes sont au programme.

★ Le Pré-Curieux - Jardins de l'Eau

℘ 04 50 75 04 26 - www.ville-evian.fr - ♿ - visite guidée (1h45, dép. du ponton en face du casino) juil.-août : 10h, 13h45 et 15h30 ; mai-juin et sept. : tlj sf lun. et mar. 10h, 13h45 et 15h30 - 11 € (enf. 6,50 €).

👥 C'est en bateau à énergie solaire que l'on rejoint cette belle villa qui borde le Léman. La maison de style colonial présente utilement la convention internationale de Ramsar (1971) sur la protection des zones humides et la visite guidée illustre l'incroyable richesse des écosystèmes de ce petit territoire de 3,5 ha.

★★ Yvoire

▶ *À 25 km à l'ouest d'Évian. Suivre la N 5 jusqu'à Bonnafait, puis prendre à droite la D 25.*

🚩 **Office de tourisme** – *Pl. de la Mairie - 74140 Yvoire - ℘ 04 50 72 80 21 - www. yvoiretourisme.com - juil.-août : tte la journée ; avr.-juin et sept.-oct. : mat. et apr.-midi, dim. apr.-midi - nov.-mars : lun.-vend. mat. et apr.-midi, fermé w.-end et j. fériés.*

À Yvoire, prenez le temps de rêver devant l'immensité du lac Léman et le vaste spectacle des montagnes. Il est bon d'y sentir les fleurs, d'y goûter ses délicieux filets de perche, d'y entendre le clapotis des vagues ou la musique des gréements dans le port. Reconstruit au début du 14e s. à l'emplacement d'une place forte, Yvoire a conservé de cette époque une partie de ses remparts, son **château médiéval** *(ne se visite pas)* et un vieux quartier où il est agréable de flâner.

★ Jardin des Cinq Sens

– *R. du Lac - ℘ 04 50 72 88 80 - www.jardin5sens.net - ♿ - de déb. mai à mi-sept. 10h-19h ; de mi-avr. à déb. mai : 11h-18h ; de mi-sept. à mi-oct. : 13h-17h - 10 € (4-16 ans 5,50 €).* Dans l'ancien potager du château, ce jardin a été planté dans l'esprit de ceux du Moyen Âge. Depuis le petit cloître où sont rassemblées les simples, on apprécie la vue sur le château. Le labyrinthe végétal propose une découverte originale de la nature sur le thème des cinq sens et un jardin alpin recompose une prairie alpine.

14

Chamonix-Mont-Blanc

★★★

9 086 Chamoniards – Haute-Savoie (74)

 NOS ADRESSES PAGE 627

S'INFORMER

Office de tourisme – *Pl. du Triangle-de-l'Amitié - BP 25 - 74400 Chamonix-Mont-Blanc -* ℘ *04 50 53 00 24 - www.chamonix.com - de fin juin à fin sept. et de déc. à mi-avr. : 9h-19h ; reste de l'année : 9h-12h30, 14h-18.*

SE REPÉRER

Carte générale D3 – *Cartes Michelin n° 721 P10 et n° 523 U5.* À 101 km à l'est d'Annecy par l'A 41 et l'A 40. À partir de St-Gervais-le-Fayet, un TER dessert les communes de la vallée de Chamonix.

À NE PAS MANQUER

Les panoramas depuis les gares supérieures des téléphériques sur le versant des aiguilles de Chamonix et sur le versant opposé des aiguilles Rouges. La mer de Glace et le petit train du Montenvers ; le sentier au départ du col des Montets dans la réserve naturelle des Aiguilles-Rouges.

ORGANISER SON TEMPS

L'été, l'affluence au téléphérique de l'aiguille du Midi ou au train du Montenvers oblige à réserver son passage.

AVEC LES ENFANTS

Le musée des Cristaux, le parc animalier de Merlet, la réserve naturelle des Aiguilles-Rouges.

Le massif du Mont-Blanc, avec la vallée de Chamonix, est le troisième site naturel le plus visité au monde. Et pour cause. Où que l'on se trouve dans la vallée, la cime couronnée de glace du « géant » des Alpes et le long enchaînement de ses aiguilles s'affichent dans toute leur splendeur. La ville, quant à elle, vivante, animée, et cosmopolite, reste le rendez-vous des sportifs, été comme hiver.

Découvrir

Musée alpin

℘ *04 50 53 25 93 -* ⛓ *- vac. scol. : 10h-12h, 14h-19h ; hors vac. scol. : 14h-19h - fermé 1er janv., mai, de mi-oct. à mi-déc. et le 25 déc. - 6 € (-18 ans gratuit). Billet combiné avec l'espace Tairraz.*

Le Musée alpin relate l'histoire de la vallée de Chamonix, la vie quotidienne au 19e s., les étapes de la conquête des sommets, l'épopée scientifique du Mont-Blanc et les débuts du ski dans la vallée. On y voit une importante collection d'objets du quotidien, des estampes et des peintures.

Espace Tairraz

℘ *04 50 55 53 93 -* ⛓ *- vac. scol. 10h-12h, 14h-19h ; hors vac. scol. : 14h-19h - 6 € (-18 ans, 1,50 €).*

👥 L'Espace abrite le **musée des Cristaux** : parmi les plus spectaculaires pièces exhumées du massif du Mont-Blanc, des quartz fumés et des fluorines roses.

Domaine skiable de la vallée de Chamonix

Avec quelques-unes des plus belles descentes qui soient, du fait de leur longueur, leur dénivelé et leur cadre grandiose de haute montagne, il est sans conteste le plus remarquable de Haute-Savoie. Il est réparti sur plusieurs massifs, reliés entre eux par navette : le Brévent et l'aiguille du Midi à Chamonix, la Flégère au Praz, les Grands-Montets à Argentière et la Balme au Tour. Pour les bons skieurs, les grands classiques sont la piste Charles Bozon, la combe de la Charlanon et le col Cornu (secteur Brévent), les Pylônes et le pic Janvier (secteur Flégère), et surtout le deuxième tronçon des **Grands-Montets★★★** (Argentière). Les itinéraires hors-piste, à effectuer avec un guide, sont exceptionnels, notamment la **vallée Blanche★★★** (20 km de descente sur 2 800 m de dénivelé à partir de l'aiguille du Midi). Les skieurs peu expérimentés apprécieront le secteur de Balme, aux pentes modérées et bien enneigées. Ils trouveront aussi quelques pistes à leur niveau à Planpraz et à la Flégère.

LES BELVÉDÈRES

★★★ Aiguille du Midi

Téléphérique – *2h AR au mini - av. de l'Aiguille-du-Midi - ☎ 04 50 53 22 75 - www. compagniedumontblanc.fr - trajet en deux tronçons, déconseillé pour personnes sujettes au vertige et aux enfants de -3 ans.*

★★ **Plan de l'Aiguille** – Alt. 2 317 m. Ce point d'arrêt intermédiaire, base de promenades faciles, est situé au pied même des arêtes déchiquetées des aiguilles.

Piton nord – Alt. 3 800 m. De la terrasse panoramique, la **vue** plonge sur la vallée de Chamonix que l'on surplombe de 2 800 m. L'aiguille Verte, les Grandes Jorasses, l'aiguille du Géant dominant le seuil neigeux du col du Géant, sont les cimes que vous remarquerez en premier.

Piton central – *Accessible par ascenseur - ☎ 04 50 53 30 80 - www.compagnie dumontblanc - se renseigner sur périodes, horaires, tarifs.* Alt. 3 842 m. Avant de regagner la gare du téléphérique, parcourez les galeries forées à la base du piton nord : l'une aboutit à une terrasse aménagée face au mont Blanc ; l'autre, servant aux skieurs partant pour la descente de la vallée Blanche, à la gare de la télécabine qui relie l'aiguille du Midi à la pointe Helbronner.

★★★ Mer de Glace

Par le train du Montenvers et la télécabine du Montenvers – *2h AR mini - dénivelé 900 m - ☎ 04 50 53 22 75 - www.compagniedumontblanc.fr - se renseigner sur les horaires susceptibles d'être modifiés en fonction des conditions météo - 25 € AR (billet combiné train et télécabine).*

Vue de la station supérieure sur le sommet du Montenvers, **site★★★** composé par le glacier et les formidables obélisques du **Dru** et de la **Verte**, et en toile de fond, les **Grandes Jorasses** *(table d'orientation devant l'hôtel du Montenvers)*. Sur place, visitez la **galerie des Cristaux**, le **musée de la Faune alpine** et le **Grand Hôtel-restaurant du Montenvers** et son musée retraçant l'histoire du site.

14

Grotte de glace – *Accessible par la télécabine ou le sentier (🚶 15mn) - fermé de déb. oct à mi-déc.* Creusée en 1946 et retaillée chaque année, elle contient un improbable appartement !

> **LE CHEMIN DE FER DU MONTENVERS**
> Ce train pittoresque, qui rend accessible aux non-alpinistes la haute montagne et les glaciers, tire son nom du belvédère d'arrivée. En savoyard, le Montenvers « regarde vers le nord », à l'envers (par rapport à la Savoie). Son parcours sinueux, long de 5 km, affiche une dénivellation de 870 m entre ses têtes de ligne. En 1908, il fonctionnait l'été grâce à une locomotive à vapeur suisse et franchissait des pentes de 20 % à l'aide d'une crémaillère ; l'ascension durait environ 1h, à la vitesse moyenne de 6 km/h. Depuis 1993, un nouvel aménagement de la ligne (galerie de protection contre les avalanches) et un matériel plus puissant assurent un service toute l'année. Aujourd'hui, sa vitesse peut atteindre 20 km/h !

À proximité

★★ Les Houches - Parc de Merlet
◔ *À 6 km. De la gare des Houches, suivre la rte en dir. de Coupeau sur 3 km puis, dans un virage, tourner à droite dans une route forestière vers le parc (3 km). Laisser sa voiture au parking et terminer à pied (300 m).* ℘ 04 50 53 47 89 - *juil.-août : 9h30-19h30 ; mai, juin et sept. : 10h-18h - fermé lun. - 6 € (4-14 ans 3 €).*

👥 Le balcon de Merlet est un éperon d'alpages où daims, cerfs, mouflons, chamois, bouquetins, marmottes… gambadent en liberté sur les 20 ha du parc. Il offre une **vue★★** sur le massif du Mont-Blanc.

★ Argentière
◔ *À 8 km au nord de Chamonix.*
Le paradis des bons skieurs. Le village au pied du glacier s'étend le long de l'Arve et autour de son église au typique clocher à bulbe savoyard. En amont, la route qui franchit le torrent, sur la droite, mène au village du **Tour** : vue sur le glacier du Tour ; des alpages de **Charamillon★★** (par le téléphérique de Balme), **vue** plongeante sur toute la vallée de Chamonix.

★★★ **Aiguille des Grands-Montets** – *Accès par le téléphérique d'Argentière-Lognan, puis le téléphérique Lognan-les-Grands-Montets. Compter 2h30 mini AR.* ℘ 04 50 53 22 75 - www.compagniedumontblanc.fr - *se renseigner sur périodes et horaires - 27 €. Alt. 3 295 m.* Le **panorama★★★** est grandiose (*table d'orientation*).

★★★ **Réserve naturelle des Aiguilles-Rouges** – *À 3 km au nord d'Argentière par la D 1506. Chalet d'accueil -* ℘ 04 50 54 02 24 - www.rnaiguillesrouges.org - *de mi-mai à mi-sept. : tte la journée.* 👥 Au **col des Montets** (alt. 1 461 m), empruntez le sentier écologique instructif sur la flore et sur la faune d'altitude.

★★ Megève
◔ *À 32 km à l'ouest de Chamonix.*
Le paysage megèvan possède un charme indéniable. Couverts de forêts d'épicéas, les reliefs arrondis de la Giettaz, de Rochebrune et du **mont d'Arbois★★** contrastent avec les blancheurs du **mont Joly★★★**. Megève, station mondaine créée en 1921 par la baronne **Noémie de Rothschild**, s'appuie sur des pentes herbeuses et offre de beaux panoramas depuis les remontées mécaniques.

NOS ADRESSES À CHAMONIX-MONT-BLANC

HÉBERGEMENT

BUDGET MOYEN

Hôtel Faucigny – *118 pl. de l'Église (face à l'office de tourisme) - 📞 04 50 53 01 17 - www. hotelfaucigny-chamonix.com - fermé de mi-avr. à mi-mai, de déb. à mi-juin., de fin sept. à fin oct. et de déb. nov. à fin déc. - 20 ch. 89/102 € - ☕ 8 €.* La situation centrale et les prix raisonnables sont les atouts majeurs de cet hôtel rénové avec beaucoup de charme… Certaines chambres du 1er étage offrent une jolie vue sur le mont Blanc ; celles du second sont mansardées.

Arveyron – *1 650 rte du Bouchet - 2 km - 📞 04 50 53 18 29 - www. hotel-arveyron.com - de mi-juin à mi-sept. et des vac. scol. de Noël à mi-avr. - 🅿 - 30 ch. 84 € - ☕ 10 €, 1/2 P possible - ✗ formule déj. 24,50 €.* Cet hôtel plaisant abrite des chambres montagnardes, plus au calme côté forêt. Bar-salon, billard et jardin… sous les aiguilles de Chamonix ! Salle à manger « tout bois » et jolie terrasse ; cuisine traditionnelle aux accents du terroir.

RESTAURATION

PREMIER PRIX

Le Dru – *25 r. Ravenel-le-Rouge - 📞 04 50 53 33 06 - 17/28 €.* La façade peinte de ce chalet du centre-ville attire l'œil. À l'intérieur, décor chaleureux marqué par la présence de bois, de vieux outils du monde paysan et d'une collection de lampes à huile. Parmi les spécialités proposées, tentez la fondue savoyarde ou le roboratif « trio du Dru » (brasérade, raclette et reblochonnade).

La Maison Carrier – *44 rte du Bouchet - 📞 04 50 53 00 03 - www.*

hameaualbert.fr - fermé lun. sf juil.-août et j. fériés, 30 mai- 17 juin et 14 nov.-14 déc. - formule déj. 17,50 € - 23/39 €. Salle des guides, « borne » (cheminée) où fument les charcuteries maison : un intérieur savoyard typique pour cette jolie ferme reconstituée avec le bois de vieux chalets d'alpage. Belle cuisine du terroir.

BUDGET MOYEN

La Bergerie – *232 av. Michel-Croz - 📞 04 50 53 45 04 - www. labergeriechamonix.com - fermé 2 sem. en mai - réserv. conseillée - 21,50/34,50 €.* Sympathique décor savoyard réalisé avec des matériaux glanés dans d'anciennes fermes.
Au menu : viandes grillées au feu de bois et recettes régionales. L'été, terrasse calme dressée sous une pergola.

ACHATS

Le Refuge Payot – *255 r. du Dr-Paccard - 📞 04 50 53 16 86 - www. refugepayot.com - 8h15-20h.* Boutique bien approvisionnée en produits régionaux : charcuterie (saucisson aux myrtilles), fromages (fromage d'Abondance), confitures (confiture de lait), vins de Savoie, confiseries et plats cuisinés savoyards à emporter.

RANDONNÉES

La Compagnie des guides – *📞 04 50 53 00 88 - www.chamonix-guides.com.* Elle propose de multiples activités de montagne et de plein air pour tous (escalade, canyoning, randonnées pédestres, alpinisme, VTT, parapente…). Les accompagnateurs de moyenne montagne ont pour mission de vous faire découvrir la montagne en toute sécurité jusqu'à 2 500 m d'altitude.

14

Val-d'Isère

★★

1 640 Avalins – Savoie (73)

 S'INFORMER

Office de tourisme – *BP 228 - 73150 Val-d'Isère -* ☏ 04 79 06 06 60 - *www.valdisere.com - juil.-août et de fin nov. à déb. mai : 8h30-19h30 (en hiver sam. 20h) ; juin et sept. : 9h-12h, 14h-18h, dim. 10h-12h, 15h-18h ; reste de l'année : lun.-vend. 9h-12h, 14h-18h.*

◗ **SE REPÉRER**

Carte générale D3 – *Cartes Michelin n° 721 P11 et n° 523 U8.* À 32 km de Bourg-St-Maurice par la D 902. Accès par le col de l'Iseran en été.

◉ **À NE PAS MANQUER**

Une ascension en téléphérique au rocher de Bellevarde.

◷ **ORGANISER SON TEMPS**

L'été, la circulation est intense sur la route du col de l'Iseran ; empruntez-la de préférence le matin.

Au fond de son val encaissé où coule l'Isère naissante, la station phare de la Savoie partage avec Tignes le versant oriental du somptueux massif de la Vanoise. à 1 850 m d'altitude, au pied de l'imposant rocher de Bellevarde, de la Tête du Solaise et des hauts sommets de la réserve naturelle de la Grande Sassière, elle a été entièrement rénovée en 1992 pour les Jeux olympiques d'Albertville ; autour de son église du 16e s. qui renferme un beau retable baroque, le village n'a pas renié la pierre et le bois.

Découvrir

Belvédères

★★★ **Rocher de Bellevarde** – *Accès par le téléphérique de l'Olympique -* ☏ 04 79 06 00 35. Une table d'orientation détaille le superbe tour d'horizon qui s'offre à vous : Val-d'Isère apparaît, 1 000 m en contrebas, dominée par

Paysage du Parc national de la Vanoise.
G. Labriet/Photononstop

l'aiguille de la Grande Sassière, la Tsanteleina et les glaciers des sources de l'Isère. Au nord, en arrière-plan, le mont Blanc…

★★ **Tête de Solaise** – *Accès par téléphérique - ℘ 06 33 12 49 03.* À l'arrivée, installez-vous à la terrasse du café pour profiter du panorama sur le mont Pourri, la Grande Motte, la vallée de l'Isère…

Domaine skiable

La mise en commun du domaine skiable avec **Tignes★** sous le nom d'**Espace Killy** (100 km²) renforce sa renommée internationale déjà acquise par la haute qualité de son enneigement (ski toute l'année sur la Grande Motte) et le caractère grandiose de ses paysages de haute montagne. Val-d'Isère, très encaissée, s'adresse aux bons skieurs tandis que Tignes satisfait les skieurs moins téméraires. Elle permet le retour à la station, skis aux pieds, ce qui est appréciable…

Sur Val-d'isère, les skieurs confirmés dévaleront la Face de Bellevarde, la « S » de Solaise, l'Épaule du Charvet, le Tunnel vers l'Iseran… Les possibilités de ski de randonnée sont importantes avec une trentaine de cols et sommets avoisinant les « 3 000 » dans un rayon de 10 km.

Circuit conseillé

★★★ LE MASSIF DE LA VANOISE

Le massif de la Vanoise (près du tiers de la superficie de la Savoie) s'étend entre les vallées de l'Isère au nord et de l'Arc au sud, au sein du **Parc national de la Vanoise** *(www.parcnational-vanoise.fr)*, premier du genre créé en France en 1963. Il jouxte le parc italien du Grand Paradis à l'est. Ses paysages grandioses abritent une flore riche de 1 000 espèces et en prime, bouquetins, chamois et marmottes… De belles routes font le tour complet du parc. Cependant, l'automobile ne permet pas de découvrir les plus beaux paysages, au cœur du massif et accessibles à skis de randonnée en hiver et à pied en été.

Au départ de Val-d'Isère, la **route de l'Iseran★★★** établit une superbe liaison entre la Tarentaise et la Maurienne. Au **belvédère de la Tarentaise★★** (🚶 *15mn à pied AR)*, on découvre le **panorama** sur les massifs de la Vanoise.

En haut du **col de l'Iseran★** (alt. 2 764 m), la neige subsiste pendant tout l'été. Au pied du col, la station de **Bonneval-sur-Arc★★** a préservé son vieux village aux maisons couvertes de lauzes.

14

Le Vercors

Isère (38), Drôme (26)

🛈 **S'INFORMER**

Office de tourisme de Villard-de-Lans – *101 pl. Mure-Ravaud - 38250 Villard-de-Lans - ℰ 0 811 460 015 - www.villarddelans.com - juil.-août : 9h-12h30, 14h-19h ; vac. de Noël et de fév. : 9h-19h ; reste de l'année : 9h-12h, 14h-18h, dim. 9h-12h.*

◗ **SE REPÉRER**

Carte générale D3 – *Cartes Michelin n° 721 N11-12 et n° 523 LMN9-10-11-12.* À l'ouest et au sud-ouest de Grenoble.

Forteresse dressée au-dessus de Grenoble, bastion de la Résistance, le Vercors, riche en forêts de hêtres et de résineux, est devenu le plus grand parc régional des Alpes du Nord. On y accède par des gorges étroites au fond desquelles bouillonnent rivières et torrents. Les hauts plateaux calcaires offrent des paysages ouverts et amples qui évoquent, au nord, le Canada et ses forêts, au sud, le Midi et ses steppes arides et inhabitées. Partout gouffres et grottes attirent les spéléologues. Les hivers rigoureux permettent le ski alpin comme le ski de fond.

Circuits conseillés

★★★ LES GORGES DE LA BOURNE

◗ *24 km.*

Entre **Pont-en-Royans**, qui marque l'entrée dans les gorges de la Bourne, et Choranche, la D 531 se glisse dans la profonde coupure de cette cluse puis remonte la vallée. Après Choranche, la route se lance dans un parcours en corniche impressionnant.

Grotte du Bournillon

1 km à partir de la N 531, puis 🚶 *1h à pied AR.* Le sentier raide et pénible, coupé d'éboulis, aboutit à la base des escarpements qu'il faut continuer à longer, sur la gauche, pour parvenir à l'immense **porche★** de la grotte du Bournillon. Pousser au fond de la cavité, jusqu'à la passerelle, pour voir cette arche gigantesque sous son aspect le plus formidable.

LES GRANDS GOULETS

Les Grands Goulets constituent la curiosité naturelle la plus sensationnelle du Vercors. Malheureusement, pour des raisons de sécurité, la fameuse route, construite au 19ᵉ s., et qui s'accroche à flanc de paroi dans cet impressionnant défilé, a été fermée et fait place depuis 2008 à un tunnel moderne. Des possibilités d'aménagements sont actuellement à l'étude par le département de la Drôme qui aimerait rendre ce magnifique site à nouveau accessible.

★★ Grottes de Choranche

2,5 km à partir de la N 531. De merveilleuses grottes se cachent dans les falaises qui entourent le village de **Choranche**.

★★ **Grotte de Coufin** – ℘ 04 76 36 09 88 - www.grottes-de-choranche.com - *se renseigner pour les horaires - 9,50 € (4-14 ans : 6 €).* La visite vous mène dans une vaste salle où des milliers de **stalactites fistuleuses★★** se reflètent dans les eaux du lac.

La route traverse le **bassin de la Balme**, au débouché du vallon du Rencurel, s'enfonce ensuite dans le défilé de la Goule noire décrit dans l'itinéraire précédent.

★ La Goule noire

Cette importante résurgence est visible en aval du pont de la Goule noire. Entre le pont et les Clots, la route s'élève en corniche, procurant de jolies vues sur l'épanouissement verdoyant de la Balme, où débouche le vallon de Rencurel, et sur les falaises des rochers du Rang.

Des Clots aux Barraques, on parcourt le **val de St-Martin-en-Vercors**, dominé à l'est par les grands escarpements urgoniens des sapins du Vercors.

★ Petits Goulets

Ce défilé doit son caractère aux longues lames rocheuses tranchantes qui plongent presque verticalement dans la rivière. Entre Ste-Eulalie et Pont-en-Royans apparaissent l'aimable pays du Royans et la dernière cluse de la Bourne.

★★★ LA ROUTE DE COMBE LAVAL

▷ *41 km. Du col de Rousset à St-Jean-en-Royans. Quitter le col de Rousset par le nord et prendre à gauche vers Vassieux-en-Vercors la D 76.*

La route suit le sous-bois, au-dessus du vallon supérieur de la Vernaison. À l'est, derrière le plateau de la montagne de la Beaume, émerge un instant le sommet du Grand Veymont (alt. 2 341 m), point culminant du Vercors. Le **col de St-Alexis** vous fait accéder à la combe de Vassieux, aux pâturages toujours secs et pierreux. 500 m avant **Vassieux-en-Vercors**, au bord de la route, à gauche, débris de planeurs allemands de la dernière guerre.

★★★ Combe Laval

Le parcours héroïque commence au col de la Machine. La route s'accroche, vertigineusement taillée dans de formidables parois calcaires, au-dessus du vallon supérieur du Cholet, que l'on finit par dominer de plus de 600 m. Au fond du cirque tombe la cascade du Cholet, résurgence du Brudour.

Faire quelques pas sur la route, aux passages les plus escarpés. Stationnement autorisé au belvédère de Gaurissard.

Après plusieurs tunnels, la route débouche au-dessus du Royans. De merveilleuses **vues aériennes★★** sur ce pays de collines-taupinières, ainsi que sur les plateaux du bas Dauphiné (forêt de Chambaran). À hauteur de Pont-en-Royans et de Ste-Eulalie, les portes aval des gorges de la Bourne et de la Vernaison échancrent profondément la montagne. À l'ouest, la ligne sombre des Cévennes ferme l'horizon.

14

Provence-Alpes-Côte-d'Azur 15

Cartes Michelin National n° 721 et Région n° 527

Falaises d'ocre près de Roussillon (Luberon).
A. Held/Age Fotostock

Les Alpes du Sud

● SE REPÉRER

Depuis Grenoble, Briançon est à 116 km au sud-est et Gap à 102 km au sud. Depuis Marseille, par l'A 51, Sisteron est à 129 km et Gap à 180 km. Les villes de Manosque, Digne et Castellane, au sud, peuvent constituer une base de départ rapprochée pour les gorges du Verdon et Sisteron.

● À NE PAS MANQUER

Les gorges du Verdon par la route de la Corniche sublime et Manosque aux environs ; le Mercantour vers Allos au nord-ouest ou vers Tende, près de la frontière italienne, et aux alentours, Saorge et la chapelle N.-D.-des-Fontaines ; Sisteron et la route Napoléon ; à partir de Gap, le lac de Serre-Ponçon et la haute vallée de l'Ubaye ; entre Gap et Briançon dans l'Oisans, le parc national des Écrins et de belles vallées ; St-Véran dans le Queyras.

● ORGANISER SON TEMPS

L'hiver, c'est à Serre-Chevalier qu'il faut aller, pour le ski alpin et le snowboard, ou bien dans le Queyras si vous préférez le ski de fond ou une randonnée en traîneau à chiens dans un environnement plus sauvage. L'été, les activités sportives ne manquent pas entre les plages du lac de Serre-Ponçon et les via ferrata comme celles de Briançon… L'automne offre des journées lumineuses pour la randonnée malgré les orages en soirée, un risque que l'on peut tout autant retrouver en été, période où il convient de partir tôt le matin pour éviter, en plus de la chaleur, la fréquentation touristique sur les plus beaux sites.

Le Briançonnais a déjà un caractère méridional. Il suffit de passer le col du Lautaret pour s'en rendre compte : le ciel est plus pur, les roches plus claires, les forêts plus clairsemées. Au-delà des solitudes du col de l'Izoard, le Queyras, assez boisé, vous mènera jusqu'à St-Véran, le plus haut village et l'un des plus beaux de France. Les chaînes qui encadrent la haute vallée de l'Ubaye, en amont de St-Paul, semblent menacer les villages. Dans le massif du Mercantour, la marque glaciaire se retrouve dans les cirques qui rognent les crêtes et les lacs d'altitude. La chaîne alpine retombe ensuite vers la côte méditerranéenne, non sans avoir rassemblé avant les reliefs les plus variés, notamment dans la haute vallée de la Roya. La route qui traverse les vallées, les cols et longe des balcons, donne à l'œil le recul nécessaire pour mesurer les sommets ou les profondes entailles comme celles des gorges du Verdon particulièrement impressionnantes. Il vous faudra marcher, grimper un peu, pour rejoindre les pelouses alpines et leur palette de couleurs, apercevoir peut-être un bouquetin, flâner parmi les rues en pente des villes fortifiées ou des villages haut perchés, découvrir les gravures rupestres de la vallée des Merveilles… Chemin faisant, vous ferez provision de miels d'altitude ou d'un bouquet de lavande et consulterez l'heure sur les cadrans solaires. L'été, dominent le vert émeraude des lacs, les bruns du bois et le bleu intense du ciel. L'hiver, c'est le règne du blanc : à Serre-Chevalier, les amateurs de la glisse bénéficient en général d'un bon enneigement et d'un ensoleillement maximal.

Briançon

★★

11 645 Briançonnais – Hautes-Alpes (05)

S'INFORMER

Office de tourisme – *1 pl. du Temple - 05100 Briançon -* ℘ *04 92 21 08 50 - www.ot-briancon.fr - mat. et apr.-midi, dim. et j. fériés horaires variables selon les périodes.*

SE REPÉRER

Carte générale D3 – *Cartes Michelin n° 721 O11 et n° 527 P3.* La D 1091 arrive du col du Lautaret, et la N 94 de Gap. Suivre les panneaux « Briançon-Vauban » pour parvenir à la vieille ville.

À NE PAS MANQUER

La ville haute et sa citadelle ; aux alentours, une excursion dans le massif de l'Oisans ou dans le Queyras, jusqu'à St-Véran, l'un des plus beaux villages de France ; Serre-Chevalier et ses activités sportives, hiver comme été.

ORGANISER SON TEMPS

Le Briançonnais, l'Oisans, le Queyras vous retiendront bien trois jours si ce n'est plus.

AVEC LES ENFANTS

Le musée du Soum à St-Véran.

Idéalement située au carrefour des quatre vallées du Briançonnais et sous le col de Montgenèvre qui mène en Italie, la ville est dotée aujourd'hui d'équipements modernes qui permettent aux skieurs de gagner facilement les pistes de Serre-Chevalier. À mille lieues de cette effervescence, la ville haute, auréolée de ses fortifications classées au patrimoine mondial de l'Unesco conserve une délicieuse allure de village médiéval, avec son dédale de ruelles étroites et ses jardinets pimpants à 1 320 m d'altitude.

Découvrir

★★ LA VILLE HAUTE

★ Chemin de ronde supérieur

Il domine les toits de la ville haute mais est actuellement interdit d'accès au public pour des raisons de sécurité. Sous le chemin de ronde, un rustique clocheton abrite la cloche de **Som-de-Serre**, qui servait de tocsin.

Poursuivre rue Haute-de-Castres jusqu'à la rue Aspirant-Jan.

Fort du château – ℘ *04 92 20 29 49 - mai-oct. : possibilité de visite guidée sur demande au service du patrimoine - juil.-août : se renseigner au club du Vieux Manoir* ℘ *04 92 21 36 46.*

Non loin, une table d'orientation permet de nommer les sommets aux quatre vents. De la terrasse de la porte de la Durance, belle **vue**★ sur la rivière en contrebas. À 56 m de hauteur, ce ravin est franchi par une arche de 40 m, le **pont d'Asfeld**★, qui relie Briançon aux forts des Têtes et du Randouillet.

15

★ Grande-Gargouille (ou Grand-Rue)

La Grande-Gargouille et la Petite Gargouille (ou rue de la Mercerie) sont les deux axes principaux de la ville haute : ils doivent leur nom à l'eau qui dévale une rigole centrale, autrefois réservée à la lutte contre l'incendie. Dans la Grande, en remontant sur la droite, sous une voûte, se trouve la **fontaine des Soupirs** : ceux que poussèrent les deux commerçants qui durent la payer à la suite d'un procès. En face, au n° 37, la **maison Payan** présente une belle façade Renaissance. Au n° 13, la curieuse **maison des Têtes** : au début du 20ᵉ s., le propriétaire avait fait mouler les portraits des membres de sa famille.

Place d'Armes

Ses façades récemment repeintes dans de chauds coloris, ses terrasses de café, que surplombent deux **cadrans solaires**, lui donnent déjà un petit air de Provence.

À proximité

★★★ L'OISANS

◗ *À l'ouest de Briançon par la D 1091.*

🛈 **Maison du Parc national des Écrins** – *Rue Gambetta - 38250 Le Bourg-d'Oisans -* ✆ *04 76 80 00 51 - www.ecrins-parcnational.fr.*

Entre Gap, Briançon et Bourg-d'Oisans, le haut **massif des Écrins**, délimité par les vallées de la Romanche, de la Durance et du Drac, compose la majeure partie de l'Oisans. On peut faire connaissance avec ses paysages les plus grandioses en suivant les **vallées de la Romanche★★★** et du **Vénéon★★★**, qui font partie du **Parc national des Écrins**. Parmi toutes ces vallées, il en est une plus profonde qui, le long d'un violent torrent aux eaux claires, s'enfonce jusqu'au cœur même du massif : c'est la **vallée de la Séveraisse★★**.

De l'edelweiss à la lavande, de la renoncule des glaciers à la pivoine voyageuse, beautés venues du froid et belles méditerranéennes se partagent alpages et rocailles, versants de l'ombre et versants du soleil. La faune sauvage nous offre elle aussi un modèle de cohabitation : des milliers de chamois, des aigles royaux et même des gypaètes barbus voient 50 000 moutons arriver chaque été.

Serre-Chevalier

Serre-Chevalier se compose de quatre stations : Briançon qui est devenue **Serre-Chevalier 1200** depuis l'aménagement de la télécabine du Prorel, **Chantemerle** (Chantemerle/ St-Chaffrey, anciennement Serre-Chevalier 1350), **Villeneuve** (Villeneuve/La Salle-les-Alpes★, anciennement Serre-Chevalier 1400) et **Le Monêtier-les-Bains★** (anciennement Serre-Chevalier 1500). L'ensemble du domaine représente 250 km de pistes de ski alpin reliés par 66 remontées mécaniques. Il faut y ajouter les aménagements pour la nouvelle glisse (snow park, halfpipe, boardercross) à Chantemerle, des pistes de ski de fond et des parcours pour les raquettes. L'été, la station

DE LA HAUTEUR

Détrôné par le mont Blanc lorsque la Savoie devint française, l'Oisans est par l'altitude – plus de 4 000 m à la barre des Écrins – le deuxième massif de France. Il attire les amoureux de la haute montagne. Avec ses 10 km² de glaciers et des sommets aussi mythiques que celui de la **Meije** (alt. 3 983 m), c'est toujours le théâtre d'opérations favori des alpinistes.

propose une gamme d'activités sportives variée (VTT, hydrospeed, kayak et rafting, randonnée à cheval, parapente et deltaplane…), sans parler des randonnées dans les massifs des Écrins et de l'Oisans.

★★★ LE QUEYRAS

🕟 *Au sud-est de Briançon par la D 902.*

Bastion isolé, véritable entité géographique, historique et humaine, le Queyras est accessible toute l'année par la combe du Queyras et la D 902, depuis Guillestre, et, en été, par le col de l'Izoard et le col Agnel (vers l'Italie).

🔲 **Maison du Parc naturel régional du Queyras** – *La Ville - 05350 Arvieux - 🕿 04 92 46 88 20 - www.pnr-queyras.com.*

Avec ses villages parmi les plus hauts d'Europe et son altitude moyenne de 2 200 m, le Queyras séduit, qu'on soit en quête de grands espaces ou d'un mode de vie ancestral. Grandiose dans son cirque supérieur dominé par le mont Viso à 3 841 m, il baigne dans une lumière déjà méridionale. L'hiver, ses petites stations de ski jouissent d'un enneigement excellent.

La flore est riche de 2 000 espèces qui s'étagent du pied des pentes aux sommets. La faune, tout aussi diversifiée, a des ambassadeurs de prestige comme le chamois, l'aigle royal et le tétras-lyre, ainsi que le mouflon de Corse (introduit en 1973, on en dénombre aujourd'hui plusieurs centaines) et le bouquetin réintroduit en 1995.

Le **Queyras** a son propre art populaire, œuvre des paysans bloqués lors de longues soirées d'hiver dans leurs maisons. Lits clos, coffres de mariage, rouets ou berceaux, rosaces, étoiles sculptées au couteau, leurs meubles et objets en mélèze ou en pin cembro ont fait le tour du monde, à commencer par le Musée dauphinois de Grenoble et le musée de Gap. Cette tradition reste vivante. Une exposition-vente est installée à la **Maison de l'artisanat** à Ville-Vieille *(sur la D 5).*

★★ Saint-Véran

Le **vieux village★★** (alt. 2 040 m) est la plus haute commune de France. Il se découvre à pied. Ses maisons, toutes de bois et de pierre, exposées plein sud, présentent en avant de leur grenier à fourrage de longues galeries où les céréales finissent de mûrir.

★★ **Musée du Soum** – *🕿 04 92 45 86 42 - juil.-août : 9h30-18h30 ; sept.-juin : tlj sf lun. 14h-18h - 3,80 € (enf. 1,90 €).* 👥 Établi dans une maison construite en 1641 : vous y découvrirez tous les aspects de la vie paysanne au fil d'une extraordinaire suite de pièces dont les meubles sont plus beaux les uns que les autres.

15

Gap

★

38 584 Gapençais – Hautes-Alpes (05)

S'INFORMER
Office de tourisme – *2a cours Frédéric-Mistral - 05002 Gap - ✆ 04 92 52 56 56 - www.gap-tourisme.fr - juil.-août : 9h-19h, dim. et j. fériés 10h-13h ; sept.-juin : tlj sf dim. 9h-12h, 14h-18h.*

SE REPÉRER
Carte générale D3 – *Cartes Michelin n° 721 O12 et n° 527 M5.* Au croisement de la route Napoléon (Grasse-Grenoble) et de la D 994 (Valence-Briançon) ; à l'est, le lac de Serre-Ponçon, au sud, Sisteron.

À NE PAS MANQUER
La vieille ville et, aux alentours, le barrage du lac de Serre-Ponçon.

ORGANISER SON TEMPS
Comptez une demi-journée pour Gap et une journée pour profiter pleinement du lac au bord duquel on peut se promener.

Si la neige brille longtemps sur les hauts sommets alentour, les horizons bleutés s'éloignent presque à l'infini vers la Provence. La ville la plus animée des Alpes du Sud est imprégnée d'une atmosphère déjà méridionale avec ses rues tortueuses, ses places et ses maisons colorées. Pour d'autres bonheurs : l'immense lac de Serre-Ponçon et les stations de ski.

Découvrir

★ La vieille ville

Il faut se perdre dans le réseau de ruelles piétonnes dont la structure est restée moyenâgeuse. Peu importe que les maisons ne soient pas si anciennes, l'harmonie de leurs teintes pastel agit. L'ambiance est encore plus méditerranéenne le samedi, jour de marché.

★ Musée départemental

✆ 04 92 51 01 58 ou 04 92 52 05 44 - ♿ - de déb. juil. à mi sept. : 10h-12h, 14h-18h ; sept.-juin : tlj sf mar. 14h-17h, w.-end 14h-18h - fermé j. fériés.

Ce musée possède de belles pièces d'archéologie avec le **double buste de Jupiter Ammon★**, la **stèle★ dite de Briançon** et les exceptionnelles **parures★** en bronze (1200 à 700 avant J.-C.). Voyez aussi le **mausolée★** de François de Bonne, duc de Lesdiguières, sculpté par Jacob Richier (1585-1640), une intéressante collection de faïences de Nevers et de Moustiers. Enfin, la vie quotidienne en Queyras est évoquée grâce à de superbes **meubles sculptés★★**.

À proximité

★★ Lac de Serre-Ponçon

À 28 km à l'est par la N 94.

La beauté de la plus grande retenue d'Europe vous laissera sans voix. Des routes superbes contournent le lac. Leurs lacets semblent s'éloigner de ses rives et s'enfoncer dans les collines. Et soudain le tournant suivant offre un belvédère enchanteur : une branche inconnue de l'immense étendue d'eau, une crique secrète, des voiles qui voguent au loin, en vue des plus hauts sommets.

★★ **Barrage** – Cet étrange titan mérite d'être vu. C'est une digue en terre à noyau central d'argile étanche, premier exemple en France, à cette échelle, d'une technique très répandue aux États-Unis : 14 millions de m³ de matériaux alluvionnaires extraits du lit de la Durance, 600 m de pente, 123 m de haut et une épaisseur à la base de 650 m !

★★ **Lac** – Mis en eau en 1960, Serre-Ponçon couvre 3 000 ha, plus que le lac d'Annecy. Il mesure au plus 3 km de large, mais atteint 20 km d'Embrun à Espinasses, pour une capacité de 1 270 millions de m³ d'eau.

Circuit conseillé

★★ LA HAUTE UBAYE

Cette vallée reculée fut longtemps coupée du reste de la France : la D 900 n'atteignit Barcelonnette qu'en 1883. Jusque-là, c'était par de périlleux chemins muletiers qu'on franchissait, entre des sommets à la silhouette étrange, les cols de Vars, de Larche et d'Allos, tardivement enneigés. Ce rude passé a légué une nature intacte, paradis de la randonnée, du ski et des sports d'eaux vives.

◖ *114 km. Quitter Gap au sud par la D 900 qui mène à Barcelonnette puis Les Gleizolles.*

Depuis Les Gleizolles, la D 902 remonte la vallée de l'Ubaye vers Briançon. Le torrent et la route s'enfoncent dans le défilé du pas de la Reyssole.

★ Saint-Paul-sur-Ubaye

Son **église★** est un bel exemple de l'art roman tardif des vallées alpines : portail sculpté, rosace trilobée, clocher carré et ses quatre pyramidions à gargouilles.

Suivre la D 25 dans la vallée du Maurin.

Des hameaux se succèdent, que des artisans animent toute l'année.

★★ Pont du Châtelet

Cet audacieux ouvrage, lancé 100 m au-dessus de la gorge, a été réalisé en 1880. Prendre à droite la route en lacet. Superbes échappées sur le bassin de St-Paul.

Fouillouse

À l'entrée d'un cirque désolé dominé par le **Brec de Chambeyron** (alt. 3 389 m), 24 maisons constituent le hameau.

Revenir à la vallée de l'Ubaye.

La route passe un défilé et, parvenue au sommet de la montée, découvre une magnifique perspective sur la vallée encadrée de pentes rocheuses. Elle traverse les hameaux de La Barge et Maljasset, d'où les randonneurs peuvent accéder en 3h au **col de Girardin★★**. Les maisons se signalent par leurs hautes cheminées et leurs couvertures en lauzes, schistes plats et gris reposant sur de fortes charpentes en mélèze.

Sisteron

★★

7 326 Sisteronnais – Alpes-de-Haute-Provence (04)

 NOS ADRESSES PAGE 642

S'INFORMER

Office de tourisme - *Hôtel de ville - 04200 Sisteron -* ☎ *04 92 61 36 50 - www.sisteron.fr - mat. et apr.-midi - fermé 1er janv., 1er Mai, Pâques, Pentecôte, 11 Nov. et 25 déc.*

SE REPÉRER

Carte générale D3 – *Cartes Michelin n° 721 O13 et n° 527 L7.* Sur la route Napoléon (N 85/D 4085) entre Gap (à 50 km au nord) et Digne (à 39 km au sud-est).

À NE PAS MANQUER

La vieille ville et la citadelle qui offre plusieurs points de vue.

ORGANISER SON TEMPS

Comptez une demi-journée pour visiter la ville, puis découvrez aux alentours la route Napoléon menant à Grenoble.

Village préhistorique, étape des Romains sur la voie Domitienne qui reliait l'Italie au delta du Rhône, Sisteron a vu du beau monde signer le livre d'or de sa longue histoire. À la lumière vibrante du haut pays provençal, vous découvrirez d'abord une citadelle puis, au bord de la Durance, les hautes maisons roses de la vieille ville reliées par des passages couverts.

Découvrir

★ Cathédrale Notre-Dame-des-Pommiers

1 pl. de la République - ☎ *04 92 61 36 50 - mi-avr.-oct. : tlj sf dim.-lun. mat. et apr.-midi - possibilité de visite guidée - se renseigner à l'office de tourisme.*

Avec ses trois nefs, elle est l'un des plus grands édifices religieux de Provence. Sur le portail, l'alternance de blocs noirs et blancs est d'inspiration lombarde. Regardez les reliefs et les chapiteaux : ils forment une frise pleine de drôles d'animaux. À l'intérieur, vous pourrez admirer les tableaux de Mignard, Van Loo et Coypel.

★ Vieux Sisteron

Entre la rue Droite et les bords de la Durance, les ruelles étroites de la ville ancienne dégringolent vers la rivière, bordées de hautes maisons reliées par les **andrônes** (du grec *andron*, « passage »). Beaucoup ont conservé leurs élégantes portes sculptées des 16e, 17e et 18e s. On parvient au pied de la **tour de l'Horloge★**, tour du Moyen Âge (reconstruite en 1892), à laquelle ont été ajoutés l'horloge et un magnifique campanile de fer forgé. On peut lire la devise de Sisteron « *Tuta montibus et fluviis* » (« Sûre entre ses montagnes et ses fleuves »).

⋆ **Citadelle**

☎ 04 92 61 27 57 - www.sisteron.com - 1ᵉʳ avr.-11 Nov. : tte la journée - 6 € (-14 ans 2,60 €).

Les fortifications du 16ᵉ s. qui enserrent le rocher sont de **Jean Errard**, ingénieur d'Henri IV. En 1692, après la pénétration des armées de Savoie, Vauban fit le plan de nouvelles défenses. Par une série d'escaliers et de terrasses, on parvient à la crête du **chemin de ronde**. Passant sous le donjon, on gagne la terrasse pour la **vue**⋆ *(table d'orientation)*. De la « guérite du Diable », la **vue**⋆ sur le rocher de la Baume est étonnante. Descendez alors les premières marches d'un **grand escalier souterrain** creusé dans le roc en 1841 pour relier la forteresse à l'ancienne porte du Dauphiné (détruite en 1944). Le long du parcours de visite *(fléché)*, vous verrez différents modèles de **voitures à bras** et, dans une casemate de la première enceinte, un **musée** évoquant le retour de Napoléon de l'île d'Elbe, en 1815.

Circuit conseillé

⋆ LA ROUTE NAPOLÉON

▶ *153 km de Sisteron à Grenoble (de Cannes à Sisteron : voir Cannes). Quitter Sisteron au nord en prenant la D 1085, surnommée la rte Napoléon. Sur les monuments du parcours figurent des aigles aux ailes déployées.*

⋆ **Gap** *(voir ce nom)*

Col Bayard

Culminant à 1 248 m, il sépare les Alpes du Sud et celles du Nord. De la table d'orientation de Chauvet *(versant sud)*, la vue se dégage sur le bassin de Gap. Au nord, s'ouvre le sillon alpin ; la route y emprunte la vallée du Drac, évidée dans les schistes par les glaciers quaternaires. Ce très ancien itinéraire commercial (foires de St-Bonnet) est jalonné de villages en terrasse aux toits de tuiles brunes et plates.

Corps

La ville, qui bénéficie de sa position de balcon dominant un **paysage somptueux**⋆⋆, est animée par les pèlerins se rendant en pèlerinage à la basilique de **N.-D.-de-la-Salette**⋆ à 1 800 m d'altitude.

⋆⋆ **Barrage du Sautet** – *À 5 km à l'ouest*. Il impressionne par sa voûte de 126 m de hauteur. Le lac de retenue, au confluent du Drac et de la Souloise, est la perle du Dévoluy.

⋆ **Prairie de la Rencontre**

Au sud de Laffrey. C'est ici que le 7 mai 1815 l'escorte de Napoléon rencontra un bataillon qui, malgré les ordres de son lieutenant, refusa de tirer sur l'Empereur. S'y dresse une statue de Napoléon Iᵉʳ à cheval, œuvre de Frémiet.

Laffrey⋆ et ses quatre lacs, avec pour toile de fond les massifs de l'Oisans et du Vercors, précèdent la descente sur **Vizille**⋆ et **Grenoble**⋆⋆ *(voir ce nom)*.

15

😊 NOS ADRESSES À SISTERON

HÉBERGEMENT

PREMIER PRIX

Hôtel Les Chênes – *300 rte de Gap - 2 km au nord-ouest par D 4085 - 𝒫 04 92 61 13 67 - fermé 24 déc.-31 janv., sam. sf d'avr. à sept. et dim. sf de juin à sept. - 23 ch. 57/76 € - ☕ 9 €.* Adresse pratique pour une étape non loin de la Durance. Les chambres, petites et fonctionnelles, sont insonorisées. Sur l'arrière, piscine et jardin planté de vieux chênes. Recettes traditionnelles à déguster dans un cadre sobre ou sur la terrasse ombragée.

BUDGET MOYEN

Grand Hôtel du Cours – *Pl. de l'Église - 𝒫 04 92 61 04 51 - www. hotel-lecours.com - ouvert de mi-mars à déb. nov. - 45 ch. 78/93 € - ☕ 12 €.* Tenu par la même famille depuis 1932, cet hôtel se trouve en plein centre historique, tout près des tours d'enceinte du 14e s. Chambres refaites, plus spacieuses et calmes sur l'arrière. Véranda et terrasse ombragée côté place. Spécialité d'agneau de Sisteron.

RESTAURATION

PREMIER PRIX

Le Brasero – *𝒫 04 92 61 56 79 - ♿ - formule déj. 10 € - 17/23 €.* Murs lambrissés en pin brut, buste de chef indien, drapeau américain, attrapeur de rêves suspendu au plafond. Dans un décor digne du Far West, cette adresse conviviale propose un vaste choix de viandes (quantité au choix). La spécialité : la brasérade, de fines lamelles de viande à griller soi-même (2 pers. mini). Salle à l'étage avec vue sur les toits de la vieille ville.

BUDGET MOYEN

Villa d'Este – *𝒫 04 92 31 86 76 - ♿ - 16/25 €.* Ici, pas de terrasse, mais une superbe vue panoramique sur la montagne de la Baume, située sur la rive gauche de la Durance. Belles assiettes généreusement garnies : grande salade italienne, pâtes, pizza au feu de bois, entrecôte aux cèpes… À déguster dans un décor soigné et moderne, aux tons pastel.

Gorges du Verdon

★★★

Alpes-de-Haute-Provence (04) - Var (83)

S'INFORMER

Maison du Parc naturel régional du Verdon – *Domaine de Valx - sur la D 957 (dir. Les Salles-sur-Verdon) - 04360 Moustiers-Ste-Marie - ℘ 04 92 74 68 00 - www.parcduverdon.fr.*

Office de tourisme de Moustiers-Ste-Marie – *Pl. de l'Église - 04360 Moustiers-Ste-Marie - ℘ 04 92 74 67 84 - www.ville-moustiers-sainte-marie. fr - juil.-août : 9h30-19h, w.-end 10h-12h30, 14h-19h ; reste de l'année : mat. et apr.-midi.*

SE REPÉRER

Carte générale D3-4 – *Cartes Michelin n° 721 O13-14 et n° 527 NO8-11.* Entre Digne et Draguignan. Le Grand Canyon proprement dit va de Rougon à Aiguines jusqu'au lac de Ste-Croix.

À NE PAS MANQUER

Suivez les chemins du Verdon, arrêtez-vous à Moustiers-Ste-Marie pour visiter le musée de la Faïence, humez la lavande sur le plateau de Valensole et flânez dans Manosque.

ORGANISER SON TEMPS

L'itinéraire des routes est très fréquenté. Venez de préférence le matin ou hors-saison. Il faut bien une journée pour parcourir les gorges.

AVEC LES ENFANTS

La plage du lac de Ste-Croix et une promenade en pédalo.

Un immense et superbe canyon taillé par la rivière du Verdon qui a creusé son lit dans une faille et dégagé de gigantesques falaises dans les roches calcaires ! Explorées seulement au début du 20e s. pour développer les ressources hydroélectriques de la région, les gorges, Grand Site de France, sont un territoire protégé au sein du Parc naturel régional du Verdon. Les villages perchés au charme provençal, les panoramas vertigineux, les paysages sauvages... tout concourt à rendre ce site spectaculaire.

Circuit conseillé

★★★ LA ROUTE DE LA CORNICHE SUBLIME

La route va à la recherche des passages et des points de vue les plus extraordinaires. Et les 32 km de parcours du torrent entre le **Point Sublime**★★★ et le pont de Galetas font du canyon l'étape incontournable des amateurs d'activités d'eaux vives très sportives.

★ **Castellane** *(voir « route Napoléon » au départ de Cannes)*

81 km. Quitter Castellane à l'ouest et prendre la D 952. La route épouse la rive droite du Verdon dont les méandres sont dominés par des escarpements imposants. À Pont-de-Soleils, prendre à gauche la D 955.

15

La route, en s'éloignant du Verdon, traverse un petit défilé au pied du bois des Défends, puis la verte vallée du Jabron.

Comps-sur-Artuby

Cette ancienne seigneurie des templiers, puis des hospitaliers de St-Jean-de-Jérusalem se tasse au pied d'un rocher. Au sommet, l'**église St-André**, édifice gothique du 13e s., était leur chapelle.

Quitter Comps à l'ouest par la D 71.

★★★ Balcons de la Mescla

De ces balcons, le regard plonge de 250 m sur la Mescla, « mêlée » des eaux du Verdon et de son affluent l'Artuby. Dans ce cadre sauvage et grandiose, le Verdon se replie autour d'une étroite crête en lame de couteau. Le belvédère supérieur, qu'on atteint par une courte marche, est le plus impressionnant.

Entre les deux **tunnels de Fayet** et juste après, **vue★★★** extraordinaire sur la courbe que décrit le canyon à hauteur de l'Étroit des Cavaliers. Au-delà de la **falaise des Cavaliers★**, sur plus de 3 km, on domine le précipice de 250 à 400 m…

Au **Pas de l'Imbut**, vue plongeante sur le Verdon dominé par de prodigieuses falaises lisses ; il disparaît sous un chaos de blocs écroulés, 400 m en contrebas.

★★ Cirque de Vaumale

Un coude marque l'entrée dans un cirque boisé. 700 m au-dessus du Verdon, la route atteint son point culminant à 1 202 m. À la sortie du cirque, la route s'écarte des gorges ; **vues★** sur le Verdon, vers l'aval, et sur le lac de Ste-Croix.

★★ Col d'Illoire – Il marque la sortie des gorges. Arrêtez-vous pour un dernier regard au Grand Canyon, dont l'entaille fuit en amont sans qu'on puisse voir le fond. On distingue l'éperon de la montagne Ste-Victoire.

Après Aiguines, prendre à droite la D 957.

★★ Lac de Sainte-Croix

Ce lac (2 200 ha) a été créé en 1975 pour alimenter un barrage. Il inonde le paysage d'un bleu émeraude intense. Le Verdon et ses eaux vertes se mêlent à la sortie des gorges. La route descend au niveau du lac à Ste-Croix-du-Verdon qui dispose d'une base de loisirs (plage surveillée en juillet et en août).

★★ Moustiers-Sainte-Marie

Ce village en amphithéâtre semble béni des dieux et ses très anciennes maisons étagées ressemblent à une crèche provençale. Ce n'est pourtant pas son site exceptionnel qui fait son renom, mais la production depuis trois siècles d'une faïence fine à la blancheur de lait.

★ **Musée de la Faïence** – *☏ 04 92 74 61 64 - juil.-août : 10h-12h30, 14h-19h ; avr.-juin et sept.-oct. : 10h-12h30, 14h-18h ; reste de l'année : se renseigner - fermé janv. - 3 € (-16 ans gratuit).* Pour découvrir les grands faïenciers de Moustiers (Clérissy, Olérys, Laugier…) et tout savoir sur les techniques de fabrication.

À proximité

★ Manosque

🛈 Office de tourisme – *Pl. du Dr-Joubert - 04100 Manosque - ☏ 04 92 72 16 00 - www.manosque-tourisme.com.*

À l'ouest des gorges du Verdon et à deux pas de la Durance, de longues avenues bordées de platanes mènent à une vieille cité toute ronde couchée sur

Gorges du Verdon.
J. A. Moreno/Age Fotostock

les derniers coteaux du Luberon. Ses très hautes portes sont grandes ouvertes, mais derrière, seule une flânerie attentive dévoilera les secrets d'étroites rues provençales, de hautes maisons dont les toitures sont « agencées les unes aux autres comme les plaques d'une armure ». Ainsi les voyait Giono, originaire de Manosque et dont l'âme vole sur la ville comme son hussard sur les toits…

★ Plateau de Valensole

◗ *À 14 km à l'est de Manosque : rejoindre Gréoux-les-Bains, sortir par le nord (D 8).*

C'est un vaste losange délimité par trois vallées (celles de la Bléone au nord, de la Durance à l'ouest, du Verdon au sud) et coupé en deux par celle de l'Asse : au nord, relief tourmenté ; au sud, apparente platitude… Le traverser est un enchantement en mars, quand fleurissent les amandiers, ou en juillet, quand vient le tour de la lavande. Et dans son parfum bleu baignent d'antiques villages chargés d'histoire, tels Valensole, Puimoisson, **Riez★**, **St-Martin-de-Brômes★** ou encore le **château d'Allemagne-en-Provence★**

La Provence

▶ SE REPÉRER

L'autoroute du soleil, tel est le surnom donné à l'A 6 jusqu'à Lyon, et à l'A 7 qui rejoint le Midi de la France. De Paris, le TGV conduit à Marseille en 3h , via Avignon et à Aix-en-Provence ; il existe aussi des vols low cost sur Marseille.

🥐 À NE PAS MANQUER

À Marseille, le panorama du parvis de la Basilique N.-D.-de-la-Garde, le Vieux Port, les calanques jusqu'à Cassis ; à Aix-en-Provence, la vieille ville, le circuit Paul Cézanne ; dans le Luberon, les panoramas et les villages perchés mais surtout l'abbaye de Sénanque ; Vaison-la-Romaine et la route d'où l'on admire les dentelles de Montmirail et le mont Ventoux ; le palais des Papes à Avignon ; le théâtre antique d'Orange ; les arènes d'Arles et le musée départemental Arles antique ; la Camargue ; les Baux-de-Provence.

🕐 ORGANISER SON TEMPS

L'été, c'est le temps des baignades sur la côte et des excursions dans les villages rafraîchissants, mais aussi des festivals à Avignon, Aix, Orange, Arles ou Marseille. Passé la foule de la haute saison, la Provence en automne offre de belles luminosités et incite aux randonnées dans le Luberon ou à la Ste-Victoire. Si l'hiver est doux, méfiez-vous des coups de mistral qui font chuter les températures ; en décembre, se découvre la Provence traditionnelle, ses santons et ses douceurs qui font les treize desserts de Noël. Au printemps, c'est le moment de rentrer dans l'arène avec le retour des férias ou de parcourir la Camargue et les calanques.

Sommet dénudé du mont Ventoux, collines calcaires du Luberon, falaises d'ocre de Roussillon, plaines maraîchères de la vallée du Rhône, platitude inondée de la Camargue, côte ciselée par les blanches calanques… entre le ciel outremer purifié par le mistral et le turquoise des eaux méditerranéennes, la Provence offre une palette de couleurs des plus variées. Terre d'une très ancienne tradition urbaine sous l'influence de la culture grecque, et l'impulsion de la romanisation, ses villes se sont dotées d'édifices prestigieux, certains offrant aujourd'hui un cadre somptueux pour les festivals ou les férias qui rythment l'été. Mais son histoire se prolonge au-delà de l'Antiquité, avec une christianisation précoce, dès la fin du 2e s., un élan monastique au 12e s., l'arrivée de la cour pontificale à Avignon au 14e s., l'assimilation de l'art baroque nuancé du classicisme français au 17e s. et des rivalités qui perdurèrent longtemps sous l'Ancien Régime… L'héritage est là, partout présent : une abbaye perdue parmi des champs de lavande, des villages perchés, parfois fortifiés, d'élégants hôtels comme à Aix, des musées aux riches collections, et pour Marseille, grand port ouvert sur la Méditerranée, une place à part.

Marseille

★★★

839 043 Marseillais – Bouches-du-Rhône (13)

 NOS ADRESSES PAGE 655

S'INFORMER

Office de tourisme – *4 La-Canebière - 13001 Marseille - ✆ 0 826 500 500 - www.marseille-tourisme.com - 9h-19h, dim. 10h-17h - fermé 1ᵉʳ janv. et 25 déc.*

SE REPÉRER

Carte générale D4 – *Cartes Michelin n° 721 N14 et n° 527 I13.* D'une façon générale, on rejoint Marseille par l'A 6 (jusqu'à Lyon) puis, à hauteur d'Orange par l'A 7. En TGV, de Paris, le trajet dure 3h. Le réseau régional (TER) permet de rejoindre rapidement les calanques et les villes alentour.

À NE PAS MANQUER

Le Vieux Port, ses terrasses animées et son ferry-boat ; le Panier ; le centre de la Vieille Charité ; la Canebière ; N.-D.-de-la-Garde ; la Corniche ; les calanques entre Marseille et Cassis.

ORGANISER SON TEMPS

Que vous ayez une journée ou une semaine, tout commencera et finira sur le Vieux Port, point névralgique pour les déplacements dans la ville.

Marseille est la capitale de la Provence, au carrefour du pôle sud européen. Rivée à un port qui accueillit ses premiers habitants, fière de ses 2 600 ans d'histoire, la ville continue de façonner sa propre culture, née d'un brassage séculaire de populations. Élue capitale européenne de la culture pour 2013, elle amorce aujourd'hui une nouvelle métamorphose mais ne perd rien de son identité. Au pied de sa vigie, N.-D.-de-la-Garde, ses quartiers se découvrent plus qu'ils ne se visitent... entre collines et calanques.

Se promener Plan p. 652-653

LE VIEUX MARSEILLE DE4-5

★★ Vieux Port

C'est ici que toute l'activité maritime se concentra pendant vingt-cinq siècles. Et il reste le vrai cœur de Marseille, là où toutes les voies convergent, là où les grands événements rassemblent la foule, où les promeneurs déambulent autour des cafés et des restaurants vantant leur bouillabaisse, tandis que plus loin on furète parmi les étals du marché aux poissons du **quai des Belges**. Point de départ des vedettes proposant des excursions aux îles ou vers les calanques, le Vieux Port, dont le plan d'eau disparaît sous une forêt de mâts, est toujours traversé par le pittoresque **ferry-boat** *Le César*, popularisé par Pagnol.

15

Au fil du temps et de l'eau

UNE ANTIQUE CITÉ

Vers 600 avant J.-C., quelques galères, pilotées par des Phocéens (Grecs d'Asie Mineure), abordent dans la calanque de l'actuel Vieux Port. Les Grecs créent des comptoirs le long de la côte (Agde, Arles, Hyères, Antibes, Nice) et dans l'arrière-pays (Glanum, Cavaillon, Avignon). Maîtres des mers entre le détroit de Messine et les côtes ibères, dominateurs dans la vallée du Rhône, les **Massaliotes** règnent sur le commerce de l'ambre et des métaux bruts. Le littoral est mis en valeur, planté d'arbres fruitiers, d'oliviers, de vignes. Les Romains arrivent en Provence en 125 et entreprennent la conquête du pays. Massalia demeure une république indépendante alliée de Rome. Alors que la rivalité de César et de Pompée est à son point culminant, Marseille prend le parti de ce dernier. Assiégée pendant six mois, la ville est prise en 49 avant J.-C. par César qui lui enlève sa flotte, ses trésors, ses comptoirs. Arles, Narbonne, Fréjus s'enrichissent de ses dépouilles. Toutefois, elle reste ville libre et entretient une université brillante, dernier refuge de l'esprit grec en Occident.

LA GRANDE PESTE DE 1720

Grand port bénéficiant d'un édit de franchise depuis 1669, Marseille jouit du monopole du commerce levantin. Mais en 1720, un navire venant de Syrie a au cours de sa traversée plusieurs cas de peste. Bien qu'il soit mis en quarantaine, l'épidémie se déclare en ville. Le fléau se répand dans toute la Provence. Au total, entre 1720 et 1722, 100 000 personnes périssent.

L'EUPHORIE COMMERCIALE

Marseille se relève. Le commerce trouve de nouveaux débouchés en direction des Amériques et surtout des Antilles. De grandes fortunes s'édifient : armateurs et négociants affichent leur opulence au milieu d'un petit peuple d'artisans et de salariés vivant au rythme de l'arrivée des cargaisons au port. La ville accueille la Révolution avec enthousiasme. En 1792, les volontaires Marseillais popularisent le *Chant de guerre de l'Armée du Rhin* composé par Rouget de Lisle et bientôt rebaptisé *La Marseillaise*.

AUJOURD'HUI ET DEMAIN

Touchée par les bombardements et surtout par la destruction en 1943 du vieux quartier compris entre la rue Caisserie et le Vieux Port, Marseille s'est lancée dès la Libération dans la reconstruction. C'est l'époque où Fernand Pouillon reconstruit le Vieux Port, mais la réalisation la plus marquante est la Cité radieuse ou « Maison du fada », première « unité d'habitation » de Le Corbusier, édifiée sur le boulevard Michelet. Le mouvement de décolonisation frappe durement le premier port de France, la ville entière tombant alors dans une longue crise économique. Ce n'est qu'à l'aube des années 2000 que Marseille trouve un nouveau souffle, symbolisé par le succès du TGV Méditerranée, qui met Paris à 3h du Vieux Port. Autres emblèmes de ce nouveau souffle, les projets « Euroméditerranée » et « Marseille-Provence 2013 » censés apporter une dimension internationale à la cité phocéenne.

★ Musée des Docks romains

Pl. Vivaux - ℘ 04 91 91 24 62 - juin-sept. : 11h-18h ; oct.-mai : 10h-17h - fermé lun. et j. fériés - 3 € (enf. 2 €).

Des entrepôts commerciaux romains datant des 1er-3e s. furent découverts ici. Ils abritent aujourd'hui les objets trouvés sur les lieux, tandis qu'une maquette aide à imaginer le site et ses abords à l'époque romaine.

★ Le Panier

Bâti sur la butte des Moulins à l'emplacement de l'antique Massalia, c'est le dernier vestige du vieux Marseille. Ses habitants ont construit des maisons tout en hauteur dans ce lacis de ruelles qui, avec son animation, son linge séchant en aplomb des rues, ses volées d'escalier et ses façades colorées n'est pas sans évoquer Naples, la Catalogne, tous les rivages méditerranéens... Empruntez la **montée des Accoules,** symbole du quartier, mais n'hésitez pas non plus à vous fier au hasard. Toutes les rues méritent d'être parcourues. Il suffit de monter pour atteindre la Vieille Charité.

★★ Centre de la Vieille Charité

℘ 04 91 14 58 80 - juin-sept. : 11h-18h ; oct.-mai : 10h-17h - fermé lun. et j. fériés - 5 € musée d'Archéologie méditerranéenne ; 5 € musée des Arts africains, océaniens et amérindiens ; 5 € expos temporaires ; 8 € expos grands événements.

La Vieille Charité fut d'abord un hospice édifié de 1671 à 1749 sur les plans des frères Puget. Les bâtiments s'ordonnent autour d'une **chapelle★** au dôme ovoïde, belle œuvre baroque due à Pierre Puget (1620-1694). Donnant sur cour, trois niveaux de galeries à arcades construits en calcaire du cap Couronne, aux reflets roses et jaunes, abritent différentes galeries de musées.

★★ **Musée d'Archéologie méditerranéenne** – On y aborde l'Égypte, du début de l'Ancien Empire (2700 av. J.-C.) jusqu'à l'époque copte (3e-4e s. apr. J.-C.), le Proche-Orient, avec notamment des pièces provenant des palais de Sargon II et d'Assurbanipal à Ninive puis Chypre, la Grèce, l'Étrurie et Rome, et la civilisation celto-ligure avec un remarquable **Hermès bicéphale★**.

★★ **Musée d'Arts africains, océaniens, amérindiens (MAAOA)** – Musée de province le plus riche en objets d'arts provenant d'Afrique, d'Océanie et des Amériques. Prenez le temps : sa présentation privilégie la contemplation.

Cathédrale de la Major

Cet édifice colossal a été construit à partir de 1852 dans le style romano-byzantin par l'architecte Espérandieu, à l'initiative du futur Napoléon III qui voulait se concilier du même coup l'Église et les Marseillais ; son édification entraîna la destruction d'une partie de l'**ancienne Major★** *(en cours de restauration, fermée au public)* de style roman dont il subsiste le chœur, le transept et une nef flanquée de collatéraux.

LA RIVE NEUVE DE6-7

Bordée d'un bel ensemble d'immeubles de style néoclassique, elle fut ainsi nommée car les hauts-fonds encombrant cette partie du port ne furent que tardivement supprimés et la rive aménagée. Le **carré Thiars** abrite au carrefour de la rue St-Saëns et de la rue Fortia de nombreux restaurants, véritable tour du monde gastronomique, qui entretiennent une animation que les boîtes de nuit prolongent jusqu'au petit matin.

★ Basilique Saint-Victor

Fondée au début du 5e s. par saint Cassien, détruite par les Sarrasins, l'église fut reconstruite vers 1040 et puissamment fortifiée. À l'intérieur, près de la

crypte★★, se trouvent la grotte de saint Victor et l'entrée des catacombes où, depuis le Moyen Âge, on vénère saint Lazare et sainte Marie-Madeleine. Dans les cryptes voisines, voyez la remarquable série de sarcophages antiques.
À partir du cours Jean-Ballard, l'autobus n° 60 monte vers N.-D.-de-la-Garde.

★★ Basilique Notre-Dame-de-la-Garde

Construite par Espérandieu au milieu du 19e s., dans le style romano-byzantin, elle s'élève sur un piton calcaire à 154 m d'altitude, et son clocher de 60 m de haut est surmonté d'une statue dorée de la Vierge, la célèbre « Bonne Mère » réalisée par les ateliers Christofle. L'intérieur est revêtu de peintures murales, de marbres de couleur et de mosaïques restaurées en 2007.

Du parvis, on découvre un extraordinaire **panorama★★★** sur les toits, le port et les montagnes environnantes. À gauche, les îles du Frioul et, au loin, le massif de Marseilleveyre ; en face, le port, avec, au premier plan, le fort St-Jean et le parc du Pharo, plus à droite, la ville, et au fond, la chaîne de l'Estaque.

LA CANEBIÈRE EF 5

Cette voie, percée au 17e s., tire son nom d'une corderie de chanvre (*canèbe*, en provençal) implantée autrefois à cet endroit. Grâce aux marins qui ont porté son renom aux quatre coins du monde, elle est devenue la plus fameuse artère de la ville – et son symbole. Jusqu'à l'Occupation, elle regroupait cafés prestigieux, commerces de luxe, grands hôtels, cinémas et théâtres. Si elle n'a pas encore retrouvé son lustre et son animation d'autrefois, elle se transforme lentement grâce à l'arrivée du tramway.

Cours Julien

Cette vaste esplanade, en partie piétonne et investie de restaurants, magasins d'antiquités ou de vêtements, de librairies et de galeries, de lieux de spectacle, est un agréable lieu de détente grâce à un aménagement paysager.

★ Musée Cantini

19 r. Grignan - ☎ 04 91 54 77 75 - visites accompagnées sur réserv. - juin-sept. : 11h-18h ; oct.-mai : 10h-17h - fermé lun. et j. fériés - 3 € - expos temporaires 4 €.

Ce musée s'est spécialisé dans l'art du 20e s. et, en particulier, dans les domaines du fauvisme, du premier cubisme, de l'expressionnisme et de l'abstraction : œuvres de Matisse, Derain, Dufy, Magnelli, Dubuffet, Kandinsky, Chagall, Hélion et Picasso. Le séjour à Marseille de nombre d'artistes surréalistes justifie un traitement de choix du mouvement ; ainsi se trouvent rassemblés des tableaux d'André Masson, Max Ernst, Victor Brauner, Jacques Hérold, Joan Miró, avec sept (rares) dessins du Marseillais Antonin Artaud. Le port de Marseille est illustré par des toiles de Marquet, Signac et du spécialiste marseillais Verdilhan (1875-1928).

PASTAGA AU PAYS DES CIGALES

Le **pastis** est l'apéritif provençal par excellence depuis les Années folles. Des marques renommées, telles que Ricard, Casanis ou Janot ont fait de cette boisson la reine incontestée des terrasses de café. Produit de la macération de plantes (anis vert, anis étoilé, réglisse, etc.) dans l'alcool, le « pastaga » peut être plus ou moins coupé d'eau fraîche suivant le goût de chacun. Certains préfèrent la « momie » servie dans un petit verre, d'autres le dégustent avec du sirop : orgeat pour la « mauresque », grenadine pour la « tomate » ou menthe pour le « perroquet ».

Basilique Notre-Dame-de-la-Garde.
T. di Girolamo/Age Fotostock

LA CORNICHE

Cette longue promenade peut s'effectuer en voiture.

Le Pharo
Il occupe un promontoire qui domine l'entrée du Vieux Port : très jolie **vue** de la terrasse située près du palais du Pharo, construit pour Napoléon III. En continuant sur le boulevard Charles-Livon, vous atteindrez la **corniche du Prés.-J.-F.-Kennedy★★**, longue de plus de 5 km, qui suit presque constamment le bord de mer, avec des villas construites à la fin du 19e s. Après les populaires quartiers d'Endoume et des Catalans, depuis le **monument aux morts de l'Armée d'Orient**, vues sur la côte et les îles.

★ Vallon des Auffes
Accès par le bd des Dardanelles, juste avant le viaduc. Ce minuscule port de pêche encombré de « pointus », barques traditionnelles, et cerné de cabanons qui s'étagent sur ses rives, constitue un bon endroit pour dîner en terrasse.

Château et parc Borély
℘ 04 91 55 25 06 - ᴋ - château : ne se visite pas - parc : 6h-21h.
Le château fut édifié au 18e s. par de riches négociants, les Borély. Le parc, prolongé par un beau **Jardin botanique**, est un but de promenade très prisé le dimanche, quand il n'accueille pas le Mondial de la pétanque, l'une des manifestations les plus populaires du genre.

LE QUARTIER LONGCHAMP G4

★ Musée Grobet-Labadié
℘ 04 91 62 21 82 - juin-sept. : 11h-18h ; oct.-mai : 10h-17h - fermé lun. et j. fériés - 3 €.
Dans un cadre bourgeois, bel ensemble de tapisseries flamandes et françaises (du 16e au 18e s.), meubles, faïences de Marseille et de Moustiers (18^{e}s.),

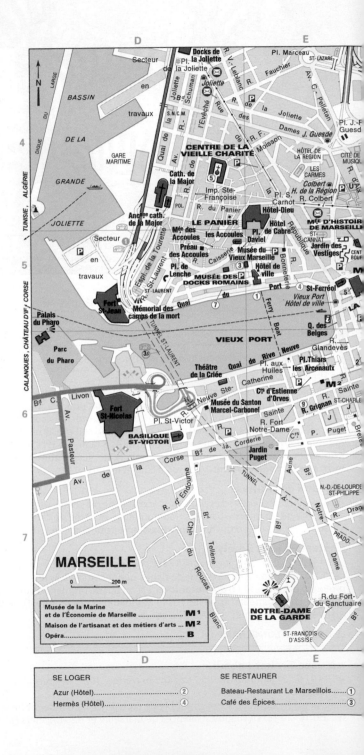

MARSEILLE

0 ——— 200 m

Musée de la Marine et de l'Économie de Marseille	**M¹**
Maison de l'artisanat et des métiers d'arts	**M²**
Opéra	**B**

SE LOGER		SE RESTAURER	
Azur (Hôtel)	②	Bateau-Restaurant Le Marseillois	①
Hermès (Hôtel)	④	Café des Épices	③

15

orfèvrerie religieuse, ferronnerie, instruments de musique anciens. Aux murs, des primitifs flamands, allemands et italiens, et l'école française des 17e, 18e et 19e s. Une collection de dessins des écoles européennes du 15e s. au 19e s. enrichit le musée.

Musée des Beaux-Arts

Fermé pour travaux, réouverture prévue en 2013.

Ce musée occupe l'aile gauche du **palais Longchamp**, imposante construction mêlant tous les styles architecturaux répertoriés, véritable hymne à l'eau bienfaisante élevé par Espérandieu de 1862 à 1869. Il expose un bel ensemble de peintures des écoles française, italienne et flamande, ainsi que des œuvres provençales de Michel Serre, Jean Daret, Finson et Meiffren Comte. Pierre Puget, natif de Marseille, est bien représenté avec des peintures d'une grande variété, des sculptures et des bas-reliefs.

À proximité

★ Cassis

▶ *À 25 km à l'est de Marseille par l'A 50, sortie 6 puis la D41ᴱ.*

🛈 **Office de tourisme** – *Quai des Moulins - 13260 Cassis -* ☎ *0 892 259 892 (0,34 €/mn) - www.ot-cassis.com.*

Bâti en amphithéâtre entre le cap Canaille et les Calanques, baigné d'une lumière qui inspira Derain, Vlaminck, Matisse et Dufy, ce port de pêche animé est une agréable station estivale.

Promenade en bateau – *Tte l'année sous réserve des conditions météorologiques, billet en vente sur le port - www.cassis-calanques.com -* ☎ *04 42 01 90 83 ou 06 86 55 86 70.* Le moyen idéal pour découvrir les calanques. Quatre circuits au choix au fil de Port-Miou, Port-Pin et En-Vau, jusqu'à Sormiou pour le plus long parcours.

★★★ LES CALANQUES

Le massif des Calanques, qui culmine à 565 m au mont Puget, s'étend sur près de 20 km **entre Marseille et Cassis**. Paysage calcaire d'une blancheur éclatante, hérissé de roches ruiniformes, le massif attire les amateurs de nature par sa beauté sauvage. Son charme exceptionnel est dû aux étroites et profondes échancrures qui cisèlent ses côtes, les calanques. Certaines sont facilement accessibles, d'autres ne se rejoignent que par des sentiers, parfois escarpés.

★★ Morgiou

▶ *Quitter Marseille par la promenade de la Plage.*

🚶 *1h. Descente à pied par la route goudronnée.* Cadre sauvage et présence humaine discrète à Morgiou : minuscules criques pour la baignade, cabanons regroupés au fond du vallon, restaurant, petit port…

★★ Sugiton

▶ *Rejoindre Luminy par le bd Michelet : parking des Facultés.*

🚶 *45mn (route forestière).* Petite calanque aux eaux turquoise, très abritée grâce à son encadrement de hautes murailles *(attention aux chutes de pierres ; ne rentrez pas dans les grottes)* ; les naturistes l'ont adoptée.

★★ En-Vau

▶ *Accès par Cassis en longeant la calanque de Port-Miou ou par le col de la Gardiole (route Gaston-Rebuffat ; laisser sa voiture au parking de la Gardiole).*

🚶 1h30. Avec ses parois verticales et ses eaux couleur d'émeraude, c'est la plus pittoresque et la plus célèbre des calanques, cernée d'une forêt de pinacles que commande le « Doigt de Dieu ».

😊 NOS ADRESSES À MARSEILLE

TRANSPORTS

🚇 **Bon à savoir** – La gare St-Charles, rénovée, est le point névralgique où aboutissent les TGV, les trains grandes lignes, les TER et la navette de l'aéroport. Avis aux conducteurs, Il faut s'armer de patience, de philosophie et de courage : embouteillages incessants, quasi-impossibilité de se garer en dehors de parkings souterrains parfois complets… Optez plutôt pour la marche à pied ou les transports en commun. Marseille compte deux lignes de métro et deux lignes de tramway.

HÉBERGEMENT

PREMIER PRIX

Hôtel Azur – G4 - *24 cours Franklin-Roosevelt -* 📞 *04 91 42 74 38 - www.azur-hotel.fr - 18 ch. 64/110 € -* ☕ *9 €.* À deux pas de la Canebière, hôtel familial dans un immeuble « trois fenêtres » typique de Marseille. Chambres climatisées et insonorisées sur quatre étages, autour d'un grand escalier lumineux. Certaines donnent sur le jardin où vous pourrez prendre votre petit-déjeuner. Accueil attentif.

Hôtel Hermès – E5 - *2 r. Bonneterie -* 📞 *04 91 11 63 63 - www.hotelmarseille.com - 29 ch. 72/102 € -* ☕ *8,50 €.* Hébergement simple et confortable… et sur le toit, superbe terrasse et exceptionnelle « chambre nuptiale » avec de grandes baies vitrées et un panorama cinq étoiles sur le Vieux Port et N.-D.-de-la-Garde.

RESTAURATION

PREMIER PRIX

La Part des Anges – E6 - *33 r. Sainte -* 📞 *04 91 33 55 70 - www. lapartdesanges.com - fermé 1er janv. et 25 déc. - 15/30 €.* Ce bar à vins très animé le soir propose plus de 850 références à déguster sur place, en bouteille et au verre, ou à emporter. Pour les accompagner, vous aurez le choix entre des assiettes de charcuterie et de fromage et des petits plats préparés selon le marché. Décor mi-rustique, mi-contemporain et long comptoir en zinc.

Le Charité Café – D4 - *2 r. de la Charité (à l'intérieur de la Vieille Charité) -* 📞 *04 91 91 08 41 - 9h-18h - formule 8,90 €.* Dans un site exceptionnel, l'écrin de pierres de la Vieille Charité, un restaurant-salon de thé plein de charme, où se poser, en terrasse, après ou avant la visite des musées. Bons plats du jour.

Chez Madie les Galinettes – D5 - *138 quai du Port -* 📞 *04 91 90 40 87 - fermé dim. - 17 € déj. - 25/30 €.* Près des musées et du Vieux Marseille, un restaurant provençal avec terrasse donnant sur le Vieux Port et la Bonne Mère. Dans l'assiette : artichauts à la barigoule, poivrons anchoïade, alibofis (rognons), pieds-paquets. Madie détaille la carte avec le sourire.

BUDGET MOYEN

Café des Épices – D5 - *4 r. Lacydon* - ☎ 04 91 91 22 69 - *fermé sam. soir, dim. et lun.* - 21/40 €. Derrière son look de bistrot contemporain, voici l'une des adresses les plus créatives de la ville. Cuisine inventive, dans l'air du temps, mariant habilement le terroir et les notes plus épicées. Accueil soigné, belle terrasse avec une vue sur les oliviers en pots géants, à l'arrière de la mairie.

Bateau-Restaurant Le Marseillois – E5 - *Quai du Port-Marine, devant la mairie* - ☎ 04 91 90 72 52 - *www. lemarseillois.com - fermé fév.* - 26/50 €. Pour un repas presque les pieds dans l'eau, rendez-vous sur cette goélette du 19ᵉ s. amarrée dans le Vieux Port. Vous y dégusterez, sur le pont en été ou dans la cale en hiver, une cuisine provençale privilégiant les produits de la mer.

ACHATS

Four des Navettes – D5 - *136 r. Sainte* - ☎ 04 91 33 32 12 - *www. fourdesnavettes.com* - 7h-20h - *fermé 1ᵉʳ janv. et 1ᵉʳ Mai.* Dans la plus ancienne boulangerie de la ville, on achète ce biscuit parfumé à la fleur d'oranger dont on garde jalousement la recette depuis deux siècles. On y trouve aussi des canistrellis, des croquants aux amandes, des pompes à l'huile d'olive, des gibassiers et toute une gamme de pains spéciaux.

La Compagnie de Provence – D4 - *1 r. Caisserie* - ☎ 04 91 56 20 94 - *www. compagniedeprovence.com* - *lun.-jeu. 10h-13h, 14h-19h, vend.-sam. 10h-19h et certains dim.* Voici venu le temps du savon de Marseille new-look, revu sous différentes formes : liquide, gel douche, ficelé avec du chanvre, accompagné d'huiles pour le bain, de linge de toilette… Le tout installé dans une boutique sentant divinement bon !

AGENDA

Festival de Marseille – *www. festivaldemarseille.com.* En juin-juillet : spectacles de danse, théâtre et musique en divers lieux.

La Fiesta des Suds – *www.dock-des-suds.org.* En octobre. Dans le quartier de la Joliette, fiesta des musiques du sud, la plus courue de l'année à Marseille.

Foire aux santons – De fin novembre à fin décembre. La plus importante de la région, avec tous les grands santonniers.

Aix-en-Provence

★★★

142 743 Aixois – Bouches-du-Rhône (13)

 S'INFORMER

Office de tourisme – *2 pl. du Gén.-de-Gaulle - 13100 Aix-en-Provence - ℘ 04 42 16 11 61 - www.aixenprovencetourism.com - juil.-août : lun.-sam. 8h30-21h ; sept.-juin : 8h30-19h, dim.10h-13h, 14h-18h.*

SE REPÉRER

Carte générale D4 – *Cartes Michelin n° 721 N14 et n° 527 I11.* À 32 km au nord de Marseille par l'A 7/E712 ; à 92 km au sud-est d'Avignon.

À NE PAS MANQUER

Le circuit Paul-Cézanne, le musée Granet, la fondation Vasarely, la cathédrale et le cloître St-Sauveur.

ORGANISER SON TEMPS

Comptez une demi-journée pour flâner dans le vieil Aix et visiter le musée Granet. Si vous partez vous promener au pied de la Ste-Victoire, sachez que l'accès est réglementé du 1ᵉʳ juil. au 2ᵉ sam. de sept. Ouverts au public de 6h à 11h du matin, les espaces peuvent fermer en cas de risque d'incendie *(rens. av. départ ℘ 0 811 201 313)*. Enfin, Aix se met à l'heure de l'art lyrique lors de son festival de juillet *(www. festival-aix.com)*.

Aix est adossée à l'aride montagne Ste-Victoire, dont Cézanne magnifia du bout de ses pinceaux toute l'âpre beauté. L'ancienne capitale des comtes de Provence a su préserver un héritage culturel raffiné. Laissez-vous gagner par l'art de vivre de cette cité classique des 17ᵉ et 18ᵉ s., avec ses avenues majestueuses, ses hôtels élégants, ses fontaines gracieuses, ses petites places et ses terrasses animées par la vie estudiantine.

Se promener

★★ LE VIEIL AIX

★★ Cours Mirabeau

Art de vivre aixois… Vous le goûterez en premier lieu sous les superbes platanes du cours, vaste artère ponctuée de fontaines, d'hôtels aux balcons de fer forgé soutenus par des cariatides et des atlantes sculptés par **Pierre Puget** (17ᵉ s.), ou encore en vous installant à la terrasse d'un café. Parmi les plus beaux hôtels, voyez celui d'**Isoard de Vauvenargues**, au n° 10, édifié vers 1710. Le marquis d'Entrecasteaux, président du Parlement, y assassina sa femme, Angélique de Castellane.

Rue Émeric-David, voyez au n° 16 le portail de l'**hôtel de Panisse-Passis**, élevé en 1739.

Église Sainte-Marie-Madeleine

Fermée pour travaux pour une durée indéterminée.

L'édifice (17ᵉ s.) abrite en particulier une belle **Vierge**★ en marbre (18ᵉ s.) et, surtout, le volet central du **Triptyque de l'Annonciation**★ (vers 1445),

15

attribué à Barthélemy d'Eyck. Observez le jeu des lumières et le traitement proche des miniatures.

★ Place d'Albertas

Un lieu plein de charme, ouvert en 1745. On y donne des concerts en été. Au n° 10, l'hôtel d'**Albertas** (1707) a été décoré par le sculpteur toulonnais Toro.

★ Place de l'Hôtel-de-Ville

Elle prend tout son éclat le samedi matin lorsque s'y tient le marché aux fleurs. L'**hôtel de ville**, édifié de 1655 à 1670 par l'architecte Pierre Pavillon, se signale par un balcon orné d'une belle ferronnerie, une magnifique grille d'entrée, et une jolie **cour★** pavée de galets. La **tour de l'Horloge** supporte à son sommet une cloche dans sa cage de ferronnerie (16e s.), où différents personnages marquent le passage des saisons.

★ Cathédrale et cloître Saint-Sauveur

8h-12h, 14h-18h - visites guidées : 10h-12h, 15h-17h (sf pdt les cérémonies : se renseigner la veille au ☎ 04 42 23 45 65).

Commencez par le cloître : une merveille d'art roman, restaurée, dont vous admirerez la légèreté et l'élégance, due en particulier aux colonnettes jumelées et aux chapiteaux, à feuillages ou historiés. Par le cloître, on entre dans la nef romane de la cathédrale où voisinent tous les styles, du 5e au 17e s. Le **baptistère★** d'époque mérovingienne fut bâti sur le forum romain. À l'intérieur, vous pourrez admirer le merveilleux **Triptyque du Buisson ardent★★** attribué à Nicolas Froment après l'avoir longtemps été au roi René

LA CAPITALE DU ROI RENÉ

C'est au 15e s. avec le **roi René** que la cité romaine fondée sur les restes de l'oppidum d'Entremont connaît sa période la plus brillante.

Mais qui est le roi René ? Avant tout, un lettré : il connaît le grec, l'hébreu, le latin et l'italien. Mélomane à ses heures, peintre d'enluminures à l'occasion, volontiers rimailleur, féru de mathématiques et de théologie, d'astrologie et de géologie, bref un homme cultivé qui aime donner des fêtes somptueuses. **Duc d'Anjou**, roi très théorique de Naples et de Sicile et **comte de Provence** de surcroît, tous ces titres l'obligent à jouer un rôle politique pour lequel il est peu fait. Le bon roi fait venir à Aix des artistes renommés, comme Barthélemy d'Eyck, Nicolas Froment. S'il encourage le commerce, stimule l'agriculture, introduit le raisin muscat en Provence, ordonne le nettoyage des quartiers de la ville, c'est au prix d'une fiscalité pesante et d'une dépréciation de sa monnaie… Veuf d'Isabelle de Lorraine, il épouse, à 44 ans, une jeune femme de 21 ans, Jeanne de Laval. Mais le roi perd son fils et deux petits-fils, et meurt à Aix en 1480 à l'âge de 72 ans, sans descendance.

Siège du **parlement,** la ville connaît à nouveau une période de splendeur au 17e s. avec l'émergence de magistrats et de juristes fortunés qui se font bâtir de splendides hôtels particuliers. La ville s'embellit avec un cours à carrosses – le cours Mirabeau –, des places, des fontaines, des bâtiments publics comme le palais de justice. Après la Révolution, Aix souffre du développement de Marseille. Il faut attendre les années 1970 pour que la ville connaisse un renouveau industriel, avec les entreprises du secteur high-tech, et culturel avec le rayonnement de son université et de son **Festival d'art lyrique**.

lui-même. Remarquez enfin les **vantaux★** en noyer sculpté (1504) qui ferment le grand portail : quatre prophètes et douze sibylles (masqués par de fausses portes) sont dus à Jean Guiramand.

★ Quartier Mazarin

Au nº 12 de la rue Mazarine, l'**hôtel de Marignane** fut le théâtre des douteux exploits du jeune **Mirabeau** : aussi désargenté que débauché, il séduit une riche héritière, Mlle de Marignane. Le mariage devient inévitable mais le beau-père coupe les vivres au ménage. Mirabeau accumule les dettes chez les commerçants de la ville jusqu'à ce que ceux-ci le fassent interner au château d'If. Libéré, il séduit une femme mariée et s'enfuit avec elle en Hollande. Il revient à Aix en 1783 pour répondre à la demande de séparation formulée par sa femme : il présente lui-même sa défense, et sa prodigieuse éloquence lui fait gagner le procès en première instance !

★★ Musée Granet

Pl. St-Jean-de-Malte - ℘ *04 42 52 88 32 - www.museegranet-aixenprovence.fr - se renseigner sur les horaires.*

Aménagé dans un prieuré des chevaliers de Malte, il possède une collection de plus de 600 pièces provenant de divers legs, dont celui du peintre aixois **François Marius Granet** (1775-1849). Le parcours chronologique débute par les primitifs de la Renaissance (triptyque de la reine Sanche, dû à Matteo Giovanetti, le peintre du palais des Papes à Avignon), les peintres flamands, hollandais et italiens du 14e au 18e s. puis se poursuit par l'école française du 17^{e}s au 19e s., avec des tableaux de Champaigne, Le Nain, Rigaud, Largillière, Greuze, Géricault et les huiles, aquarelles, gravures et dessins de **Cézanne**. Ne manquez pas non plus les œuvres du Guerchin, de Rubens et de l'école de Rembrandt. La très belle collection de Cézanne à Giacometti présente des œuvres du 20e s. (Nicolas de Staël, Paul Klee, Mondrian…). Également une rare **collection d'archéologie**, des sculptures d'artistes aixois du 19e s. et des œuvres de l'école provençale du 20e s.

★★ Fondation Vasarely

1 av. Marcel-Pagnol. - ℘ *04 42 20 01 09 - www.fondationvasarely.fr - ♿ - tlj sf dim. et j. fériés 10h-18h (dernière entrée 30mn av. fermeture) ; horaires réduits en hiver - 9 € (5-15 ans 4 €).*

À 2,5 km à l'ouest d'Aix sur la colline du Jas de Bouffan, elle propose dans une architecture moderne (16 structures hexagonales) un panorama des recherches de Vasarely (1906-1997) portant sur les déviations linéaires (à partir de 1930) puis sur la lumière et l'illusion de mouvement (dès 1955).

LA VILLE DE CÉZANNE

Un circuit balisé permet de découvrir en ville et, dans les environs, les lieux qui ont inspiré le peintre, en particulier la montagne Ste-Victoire, qu'il a représentée une soixantaine de fois *(demander le dépliant du circuit à l'office de tourisme).*

Atelier de Paul Cézanne

9 av. Paul-Cézanne, au nord de la ville, par l'av. Pasteur. Parking 300 m au-dessus, puis chemin fléché jusqu'à l'atelier. ℘ *04 42 21 06 53 - www.atelier-cezanne. com - juil.-août : 10h-18h ; avr.-juin et sept. : 10h-12h, 14h-18h ; oct.-mars : 10h-12h, 14h-17h - fermé 1er janv., 1er Mai et 25 déc. - 5,50 € (13-25 ans 2 €).*

15

Des souvenirs du peintre sont exposés dans son atelier, où il créa *Les Grandes Baigneuses*, œuvre essentielle qui donna naissance au mouvement cubiste.

LE PEINTRE ET SA MONTAGNE

Fils d'un chapelier, **Paul Cézanne** (1839-1906) est né à Aix. Après une scolarité au collège Bourbon, où il se lie d'amitié avec Émile Zola, il fait des études de droit tout en commençant à peindre dans la campagne du Jas de Bouffan, demeure entourée d'un parc située aux portes d'Aix et que son père avait achetée en 1859. À Paris, Cézanne fréquente les impressionnistes. De retour en Provence, il travaille sur les couleurs et les volumes, recherchant des sites sauvages de la campagne aixoise, revenant sur les mêmes motifs : le Château Noir, la Ste-Victoire, etc. Il bâtit des figures au contour et au relief accentués ; il simplifie les volumes.

Après un séjour à l'Estaque, près de Marseille, le peintre connaît enfin la consécration au Salon d'automne de 1904.

Circuit conseillé

★★★ LA SAINTE-VICTOIRE

À l'est d'Aix-en-Provence, la montagne Ste-Victoire culmine à 1 011 m au pic des Mouches. Avec sa face abrupte qui lui donne une silhouette reconnaissable entre toutes, la « Sainte », plus qu'une montagne, est un symbole pour la Provence.

▶ *74 km. Quitter Aix-en-Provence par la D 10 à l'est, puis prendre à droite une route en direction du barrage de Bimont.*

★★★ Croix de Provence

3h30 à pied AR. Prendre le chemin muletier des Venturiers (GR 9) qui s'élève dans la pinède, puis cède la place à un sentier, plus aisé, serpentant en lacet à flanc de montagne.

Du **prieuré de N.-D.-de-Ste-Victoire** édifié en 1656, une petite escalade permet de gagner la Croix de Provence (alt. 945 m), haute de 17 m. La vue embrasse un superbe **panorama★★★** : au sud, le massif de la **Ste-Baume** et la chaîne de l'Étoile, puis, en tournant vers la droite, la chaîne de Vitrolles, la Crau, la vallée de la Durance, le Luberon, les Alpes de Provence et, plus à l'est, le pic des Mouches.

Par la D10, on traverse **Vauvenargues**, dont le château du 17ᵉ s. appartint à Picasso, qui est enterré dans le parc. La route remonte ensuite les **gorges de l'Infernet★**, très boisées, et franchit le col des Portes.

Prendre à droite au Puits de Rians la D 23 qui contourne la montagne et traverse le bois de Pourrières. Dans Pourrières, suivre à droite la dir. de Puyloubier.

Ce parcours offre de belles vues sur la Ste-Victoire et le massif de la Ste-Baume, puis franchit la montagne du Cengle avant de rejoindre la D 17.

Un détour par **Beaurecueil** s'impose : c'est depuis ce village que la vue sur la Ste-Victoire est certainement la plus belle, surtout en fin d'après-midi, lorsque le soleil se couche.

Retour à Aix par Le Tholonet, le long de la « route Paul Cézanne ».

Le Luberon

★★★

Vaucluse (84), Alpes-de-Haute-Provence (04)

 S'INFORMER

Maison du Parc naturel régional du Luberon – *60 pl. Jean-Jaurès - 84400 Apt -* ℘ *04 90 04 42 00 - www.parcduluberon.fr - lun.-vend. 8h30-12h, 13h30-18h, sam. mat. d'avr. à mi-sept.*

▶ **SE REPÉRER**

Carte générale D3 – *Cartes Michelin n° 721 N3 et n° 527 HJ9-10.* À l'ouest, le **Petit Luberon**, plateau échancré de gorges et de ravins dont l'altitude ne dépasse guère 700 m ; à l'est, le **Grand Luberon**, qui aligne ses croupes massives s'élevant jusqu'à 1 125 m au Mourre Nègre. Le versant nord, aux pentes abruptes et ravinées, plus frais et humide, porte une belle forêt de chênes ; le versant sud est plus méditerranéen (garrigue à romarin, chênaie verte).

🕐 **ORGANISER SON TEMPS**

Comptez une demi-journée pour le Petit Luberon, une journée pour le Grand. Préférez l'arrière-saison, voire l'hiver, quand les villages retrouvent une atmosphère plus paisible.

👥 **AVEC LES ENFANTS**

À Gordes, le village des bories ; la chaussée des Géants à Roussillon ou le Colorado de Rustrel.

À mi-chemin entre les Alpes et la Méditerranée s'étend la barrière montagneuse du Luberon. Parsemant ces paysages lumineux et accidentés, villages perchés et mystérieuses bories confèrent à la région une forte personnalité. Ce territoire préservé par le Parc naturel régional a été classé « Réserve de biosphère » par l'Unesco.

Circuits conseillés

★★ LE GRAND LUBERON

▶ *119 km. Au départ d'Apt.*

Apt

ℹ **Office de tourisme du pays d'Apt** – *20 av. Philippe-de-Girard - 84400 Apt -* ℘ *04 90 74 03 18 - www.luberon-apt.fr.*
Capitale de l'ocre et du fruit confit, Apt se trouve à l'écart des chemins trop fréquentés. Le charme paisible de ses ruelles, son grand marché du samedi matin où les étals débordent de fruits et légumes, de tissus provençaux, de miel, d'objets d'artisanat, vous retiendront peut-être plus longtemps que prévu. *Quitter Apt par la D 22 en dir. de Banon.*

15

★★ Colorado de Rustrel

Guides et plans sont disponibles à la Maison du colorado - ℘ *04 90 04 96 07 ou 06 81 86 82 20 - www.colorado-provencal.com - possibilité de visite guidée sur demande - parking 4 € - 6 € (enf. 3 €).*

👥 Plusieurs circuits vous permettront de découvrir le Sahara, le cirque de Barriès, les cascades, la rivière de sable et le tunnel (*l'accès aux cheminées des fées reste fermé*), émouvants résultats de l'œuvre conjointe de l'activité humaine et de l'érosion. Ces étranges paysages sont hélas appelés à disparaître dans un avenir plus ou moins proche, la nature reprenant ses droits.

Suivre la D 22 vers l'est, prendre à droite la D 33 qui permet de gagner la D 900 que l'on suit à droite. Après la Bégude, prendre à gauche la D 48.

La route traverse le hameau de **Castellet** où sont installées des distilleries de lavande.

Laisser la voiture à Auribeau.

★★★ Le Mourre Nègre

🚶 *5h à pied AR.* Alt. 1 125 m. Le Mourre Nègre (ou Visage Noir) est le point culminant de la montagne du Luberon ; du sommet, immense **panorama★★★** sur la montagne de Lure et les Préalpes de Digne au nord-est, la vallée de la Durance, avec en arrière-plan la montagne Ste-Victoire au sud-est, l'étang de Berre et les Alpilles au sud-ouest, le bassin d'Apt, le plateau de Vaucluse et le mont Ventoux au nord-ouest.

Revenir à Apt par Saignon.

★★ LE PETIT LUBERON

▶ *60 km. Quitter Apt par la D 900 vers Cavaillon, puis prendre à droite la D 108.*

★★ Roussillon

👥 Rouge comme la terre qui l'entoure, ce merveilleux village aux ruelles étroites entremêle ses maisons aux façades badigeonnées d'ocre.

★ Sentier des ocres – *Fév.-déc. : horaires se renseigner - 2,50 € (-10 ans gratuit). Dans le site, il est interdit de prélever de l'ocre, de fumer et de pique-niquer. Fermé en cas de pluie.* 🚶 *Deux boucles balisées : jaune 35mn, rouge 50mn.* Il permet de découvrir la flore des collines d'ocres (yeuses, genévriers, etc.) et les incroyables paysages, tels que les aiguilles de fées au-dessus de la **chaussée des géants★★**.

Prendre la D 102 vers le nord, puis tourner à gauche dans la D 2.

★★ Gordes

Planté sur sa falaise à l'extrémité du plateau de Vaucluse qui domine les vallées de l'Imergue et du Coulon face au Luberon, Gordes offre au soleil ses pierres dorées par le temps, ses **calades** (ruelles pavées) où il fait bon se perdre, ses hautes maisons et son château mêlés à une végétation méditerranéenne.

★★ Village des bories – 📞 *04 90 72 03 48 - www.gordes-village.com - tlj de 9h au coucher du soleil - fermé 1er janv. et 25 déc. - 6 € (enf. 4 €).* 👥 À 2 km du centre, il regroupe une vingtaine de bâtiments, habitations, bergeries ou granges de formes variées, occupés jusqu'au début du 19e s.

Prendre la D 177 au nord.

★★ Abbaye de Sénanque

Quelques visites guidées en français organisées chaque semaine (effectif limité). Réserv. impérative - 📞 *04 90 72 05 72 - www.senanque.fr - horaires de visites variables - 7 € (enf. 3 €) - tenue correcte exigée.*

Magnifique illustration de l'art cistercien, le monastère cistercien a conservé sa forme primitive, à l'exception de l'aile des convers (18e s.). Les parties médiévales sont construites en bel appareil de pierres du pays aux joints finement taillés. L'**église★** fut édifiée entre 1150 et le début du 13e s. La pureté de ses

---

UNE NATURE ET UN PATRIMOINE PRÉSERVÉS

Outre les forêts de chênes se développent de nombreuses autres essences : cèdre de l'Atlas sur les sommets du Petit Luberon, hêtre, pin sylvestre… Les landes à genêt et à buis, les garrigues, l'extraordinaire palette de plantes odorantes s'agrippent sur les pentes rocailleuses. Le mistral se mêle de la partie et provoque des inversions locales, transportant le chêne vert sur les ubacs (versants exposés au nord) et les chênes blancs sur les adrets (versants exposés au sud). En hiver, les contrastes sont frappants entre les feuillages persistants et caducs. La faune est également très riche : couleuvres, psammodrome d'Edwards (lézard), fauvettes, merle bleu, hibou grand duc, aigle de Bonelli, circaète jean-le-blanc, etc.

Sur les pentes du Luberon et du plateau de Vaucluse se dressent de curieuses cabanes de pierres sèches, les « **bories** ». Certaines d'entre eux n'étaient que des remises à outils ou des bergeries, mais beaucoup ont été habitées, depuis l'âge du fer jusqu'au 19ᵉ s. Les bories étaient bâties avec des feuilles de calcaire, les « lauzes », assemblées sans mortier ni eau. Les plus simples ne comportent qu'une seule pièce et une seule ouverture. La température de la cabane reste constante en toute saison. Les bâtiments plus grands sont couverts d'une toiture à double ou quadruple pente selon la technique des fausses voûtes en plein cintre, en berceau brisé ou en « carène » : à l'intérieur d'une cour ceinte d'un haut mur, on trouve l'habitation, le four à pain et les bâtiments d'exploitation.

---

lignes, que rehausse l'absence de toute décoration, incite au recueillement. Les voûtes en berceau des galeries du **cloître**★ (fin 12ᵉs.) reposent sur des consoles sculptées. On visite aussi les **bâtiments conventuels**★ (salle capitulaire, chauffoir, réfectoire, bâtiments des convers).

Revenir à Gordes, prendre vers le sud la D 2, puis à droite la D 900, et enfin la D 24.

Fontaine-de-Vaucluse

Gagnez les bords de la Sorgue et suivez le chemin en montée.

★ **Fontaine de Vaucluse** – Au fond d'un cirque rocheux aux parois impressionnantes, elle apparaît soudain : bassin d'eau verte, cette **résurgence** est le débouché d'un fleuve souterrain alimentée par les pluies tombées sur le plateau de Vaucluse. Mais à ce jour, le parcours de la Sorgue souterraine garde son mystère malgré les recherches des spéléologues et nul ne sait exactement quelle est sa profondeur exacte, estimée à 308 m d'après un petit sous-marin téléguidé lancé en 1985. Il faut venir ici en hiver ou au printemps, lorsque le niveau de l'eau atteint les figuiers accrochés à la paroi rocheuse ; la Sorgue se déverse alors en une masse tumultueuse et bondissante.

★ L'Isle-sur-la-Sorgue

Les quais ombragés de la Sorgue, les petits ponts, les ruelles de la Juiverie, les agréables cafés, les antiquaires… Voici un lieu privilégié pour les promeneurs. On ne manquera pas les **roues à aubes** qui étaient indispensables à l'époque où la ville était un grand centre de tisserands, teinturiers et tanneurs.

Collégiale N.-D.-des-Anges – Sa nef unique est ornée d'une immense gloire en bois doré. Les chapelles latérales sont décorées de tableaux de Mignard, Vouet et Parrocel. Riche **décoration**★ (17ᵉ s.).

15

Arles

★★★

52 729 Arlésiens – Bouches-du-Rhône (13)

S'INFORMER

Office de tourisme – *Espl. Charles-de-Gaulle - Bd des Lices - 13200 Arles -*
℘ 04 90 18 41 20 - www.tourisme.ville-arles.fr - avr.- oct. : 9h-17h45, dim.
10h-13h ; janv.-mars et nov.-déc. : 9h-16h45, dim. 10h-13h.

SE REPÉRER

Carte générale C4 – *Cartes Michelin n° 721 M14 et n° 527 D10.* À 79 km à l'est
de Montpellier et à 93 km à l'ouest de Marseille.

À NE PAS MANQUER

Le théâtre antique et les arènes ; les Alyscamps ; le musée départemental Arles antique.

ORGANISER SON TEMPS

Comptez une journée pour les seuls lieux antiques. Partez ensuite à la
découverte de la Camargue.

AVEC LES ENFANTS

L'observation des oiseaux en Camargue *(rens. à l'office de tourisme).*

**Joyau posé sur le Rhône, sous un ciel transparent purifié par le mistral,
cette cité antique et romane, riche d'un patrimoine architectural unique
au monde, est aussi la capitale de l'image. Avec son Arlésienne et ses
férias endiablées, elle a depuis toujours inspiré artistes et poètes.**

Se promener

LE CENTRE MONUMENTAL

Flânez sur le **boulevard des Lices** : avec ses grands platanes, ses terrasses
de cafés, l'avenue est encore plus animée et colorée le samedi matin lors du
marché. Par l'agréable jardin d'été, puis la **rue Porte-de-Laure** où de nombreux restaurants se sont installés, on accède à l'antique cité.

★★ Théâtre antique

℘ 04 90 49 38 20 - mai-sept. : 9h-18h30 ; mars-avr. et oct. : 9h-18h ; nov.-fév. :
10h-17h - possibilité de visite guidée - fermé 1er janv., 1er Mai, 1er nov. et 25 déc. -
billet couplé avec l'amphithéâtre 6 € (-18 ans gratuit). Restauration en cours.
Construit vers 27-25 avant J.-C., il disparut au cours des temps sous les habitations et ne fut dégagé qu'à partir de 1827. La scène, la fosse du rideau, l'orchestre et des gradins sont encore visibles. Ne restent du mur de scène que
deux admirables colonnes.

★★ Amphithéâtre (arènes)

Rejoindre le rd-pt des Arènes. ℘ 04 90 49 38 20 - mai-sept : 9h-18h30 ; mars-avr.
et oct. : 9h-18h ; nov.-fév. : 10h-17h - possibilité de visite guidée - fermé 1er janv.,
1er Mai, 1er nov. et 25 déc. - billet couplé avec les Thermes 5,50 € (-12 ans gratuit).
Restauration en cours.

UNE COLONIE ROMAINE FLORISSANTE

Colonie des vétérans de la 6e légion, la ville reçoit le privilège de se clore à l'intérieur d'une enceinte fortifiée. Les rues découpent la ville en damier. Un forum, des temples, une basilique, des thermes, un théâtre sont édifiés ; un aqueduc amène l'eau pure des Alpilles, qui alimente les fontaines, les thermes et les maisons privées. Au 1er s., la ville se développe : amphithéâtre, chantiers navals au sud, quartier résidentiel à l'est. Sur la rive opposée du Rhône, mariniers, bateliers et marchands entretiennent l'animation, et un pont de bateaux est lancé sur le fleuve.

Arles est un centre industriel actif : on y fabrique des tissus, de l'orfèvrerie, des navires, des sarcophages, des armes. Un atelier impérial bat monnaie. On exporte le blé, la charcuterie, l'huile d'olive et le vin noir et épais des coteaux du Rhône que l'on appelait alors « vin de poix ». Prospère, Arles voit accroître son pouvoir politique : Constantin s'y installe. L'extension d'Arles atteint alors son maximum : l'empereur fait remodeler le quartier nord-ouest où il édifie un palais impérial et les thermes de la Trouille (aujourd'hui appelés « thermes de Constantin »). En 395, la cité devient préfecture des Gaules (Espagne, Gaule proprement dite, Bretagne)… avant de connaître un lent déclin.

L'amphithéâtre date vraisemblablement de la fin du 1er s. Il mesure 136 m sur 107 m. À l'origine, l'arène était recouverte d'un plancher sous lequel se trouvaient les machineries, les cages aux fauves et les coulisses. Elle pouvait recevoir plus de 20 000 spectateurs amateurs de combats de gladiateurs. Au Moyen Âge, les arènes deviennent **une ville dans la ville** : sous les arcades bouchées, sur les gradins et la piste s'élevaient plus de 200 maisons et deux chapelles bâties avec des pierres prélevées sur l'édifice.

★ Thermes de Constantin

Accès par la rue du Grand-Prieuré. ☎ 04 90 49 38 20 - *mai-sept. : 9h-12h, 14h-18h30 ; mars-avr. et oct. : 9h-12h, 14h-18h ; nov.-fév. : 10h-12h, 14h-17h - fermé 1er janv., 1er Mai, 1er nov. et 25 déc. - 3 € (-18 ans gratuit).*

Ces thermes datant du règne de Constantin (4e s.), sont les plus vastes qui subsistent en Provence (98 m sur 45 m). On y pénètre par la salle tiède *(le tepidarium)*, avant d'accéder à la salle chaude *(le caldarium)* qui a conservé son hypocauste, système de chauffage souterrain permettant de transformer la salle en étuve.

Se diriger vers la place du Forum puis l'hôtel de ville.

★ Église Saint-Trophime

12 r. du Cloître - tlj sf dim. apr.-midi 8h30-12h, 14h-18h30.

Elle fut bâtie au 11e s.-12e s. à l'emplacement d'un sanctuaire carolingien. Son magnifique **portail sculpté★★**, restauré et inscrit au Patrimoine mondial de l'Unesco, représente le Jugement dernier. Parfait exemple de l'art roman méridional, il affecte la forme d'un arc de triomphe, influence de l'art de l'Antiquité sur les bâtisseurs du Moyen Âge. À l'intérieur, la hauteur du vaisseau et l'étroitesse des bas-côtés surprennent, et la sobriété romane de la nef contraste avec les nervures et les moulures du chœur gothique.

15

★★ Cloître Saint-Trophime

Mai-sept. : 9h-18h30, mars-avr. et oct. : 9h-18h ; nov.-fév. : 10h-17h - fermé 1er janv., 1er Mai, 1er nov. et 25 déc. - 3,50 € (-18 ans gratuit).

C'est le plus célèbre cloître de Provence par l'élégance et la finesse de sa décoration sculptée, peut-être due à des artistes venus de St-Gilles-du-Gard. Remarquez les sculptures sur les chapiteaux *(qui attendent une restauration prochaine)* et les piliers d'angle de la galerie nord *(à gauche en entrant)*. Les chapiteaux et les piliers de la galerie est évoquent la vie du Christ, ceux de la galerie ouest illustrent des thèmes provençaux, comme sainte Marthe et la Tarasque. Bordant la galerie est, le réfectoire et le cloître accueillent des expositions temporaires, dont le **Salon des Santonniers** *(de fin nov. à mi-janv.)*.

★★★ LES ALYSCAMPS

℘ 04 90 49 38 20 - compter 30mn - mai-sept. : 9h-18h30 ; mars-avr. et oct. : 9h-12h, 14h-18h ; nov.-fév. : 10h-12h, 14h-17h - fermé 1er janv., 1er Mai, 1er nov. et 25 déc. - billet couplé avec le cloître 5,50 € (-18 ans gratuit).

Les Alyscamps (« Champs Élysées ») ont été une des plus prestigieuses nécropoles d'Occident. Le voyageur antique était accompagné ici par un cortège de tombeaux et de mausolées. Le grand essor des Alyscamps est venu lors de la christianisation du cimetière, autour des reliques de saint Trophime et du tombeau de saint Genès, fonctionnaire romain qui, ayant refusé de transcrire un édit de persécution contre les chrétiens, fut décapité.

Prendre la rue Émile-Gassin jusqu'à l'allée des Sarcophages.

Allée des sarcophages

Bon nombre de sarcophages sont de type grec, d'autres, à toit plat, de type romain. Sur certains sont sculptés un fil à plomb et un niveau de maçon symbolisant l'égalité des hommes devant la mort ; sur d'autres, une hache censée protéger le sarcophage contre les voleurs.

★★ Musée départemental Arles antique

Accès par le bd Georges-Clemenceau que l'on suit jusqu'au Rhône, avant de passer à gauche sous la voie rapide. ℘ 04 90 18 88 88 - www.arles-antique.cg13. fr - ⚓ - 10h-18h - fermé 1er janv., 1er Mai, 1er nov. et 25 déc. - 6 € (-18 ans gratuit), 1er dim. du mois gratuit.

La vie quotidienne des Arlésiens est présentée en parallèle avec leurs activités traditionnelles. À découvrir, les somptueuses mosaïques et l'éblouissante série de **sarcophages★★**, païens ou chrétiens, généralement taillés dans le marbre.

À proximité

★★★ LA CAMARGUE

▶ *Au sud-ouest d'Arles, suivre la D 570 vers Les Stes-Maries-de-la-Mer (à 38 km).*
🔖 **Maison du Parc naturel régional de Camargue** – *Mas du Pont-de-Rousty - 13200 Arles - ℘ 04 90 97 10 82 - www.parc-camargue.fr - avr.-sept. : 10h-18h ; oct.-mars : tlj sf vend. 9h30-17h.*

👥 Entre les deux manches du Rhône, la plaine alluvionnaire est occupée au nord par les cultures, dont le riz ; une zone de salins près de Salin-de-Giraud et Aigues-Mortes ; une zone naturelle au sud, parsemée d'étangs et de lagunes, avec au centre le vaste étang de Vaccarès. Le **Parc naturel régional de Camargue** (86 000 ha) permet de sauvegarder l'exceptionnel écosystème camarguais. De grandes propriétés maintiennent l'élevage de troupeaux de taureaux (les manades).

Chevaux de Camargue.
Morales/Age Fotostock

UNE FAUNE EXCEPTIONNELLE

Avec les ragondins, les loutres et les castors, les oiseaux règnent sur ce domaine marécageux. On en dénombre plus de 400 espèces dont environ 160 migratrices. À **Pont-de-Gau**, un parcours dans le **parc ornithologique** permet d'observer l'avocette, l'huîtrier-pie, l'aigrette ou l'incontestable vedette, le **flamant rose** qui vit en colonies de milliers d'individus se nourrissant de crustacés et de coquillages. Héros des courses camarguaises, les taureaux, aux cornes en lyre, sont rassemblés au printemps pour la ferrade (marquage des jeunes de un an), dans une ambiance de fête. Le cheval blanc de Camargue est, quant à lui, remarquable par son endurance, sa sûreté de pied et sa maniabilité.

★ Musée de la Camargue

☎ 04 90 97 10 82 - ♿ - Mas du Pont-de-Rousty - 13200 Arles - www.parc-camargue. fr - parking, toilettes et aire de pique-nique - avr.-sept. : 9h-12h30, 13h-18h ; oct.-mars : 10h-12h30, 13h-17h - fermé 1er janv., 1er Mai et 25 déc. - 4,50 € (-18 ans gratuit).

Dans la bergerie d'un mas, ce musée est une excellente introduction à la découverte de la Camargue, de son cadre naturel et de son histoire.

★ Les Saintes-Maries-de-la-Mer

Entre mer et étangs, cabanes de gardians et maisons blanches se serrent autour de l'**église-forteresse★**. Connue pour son pèlerinage des gitans, la cité constitue une excellente base de départ pour découvrir la Camargue. Quant aux amateurs de farniente, ils apprécieront les immenses plages et le port de plaisance.

Les Baux-de-Provence

★★★

406 Baussencs – Bouches-du-Rhône (13)

 S'INFORMER

Office de tourisme – *Maison du Roy - 13520 Les Baux-de-Provence - ℰ 04 90 54 34 39 - www.lesbauxdeprovence.com - mai-oct. : 9h-18h, w.-end et j. fériés 10h-17h30 ; reste de l'année : 9h30-17h, w.-end et j. fériés 10h-17h30 - fermé 1ᵉʳ janv., 25 déc.*

◗ **SE REPÉRER**

Carte générale C4 – *Cartes Michelin n° 721 M13 et n° 527 E10.* À 18 km à l'est d'Arles par la D78ᶠ.

◷ **ORGANISER SON TEMPS**

En mai et en novembre vous profiterez des plus belles luminosités ; beaucoup d'hôtels et restaurants ferment entre novembre et mars.

👥 **AVEC LES ENFANTS**

La visite du château, le moulin de Daudet à Fontvieille.

Un éperon dénudé – 900 m de long sur 200 m de large – qui se détache des Alpilles, à l'est du Rhône, bordé de deux ravins à pic, un château fort détruit et des vieilles maisons constituent l'extraordinaire site minéral du village des Baux, fier héritier d'un passé glorieux.

Découvrir

★★★ Village

La promenade dans les ruelles est un véritable enchantement, du moins en dehors de la période estivale… De la **place St-Vincent★**, jolie vue sur le vallon de la Fontaine et le val d'Enfer.

★ **Musée Yves-Brayer** – *ℰ 04 90 54 36 99 - www.yvesbrayer.com - avr.-sept. : 10h-12h30, 14h-18h30 ; oct.-déc. et de mi-fév. à fin mars : tlj sf mar. 10h-12h30, 14h-17h30 - 5 € (-18 ans gratuit).* Il se trouve dans l'**hôtel Porcelet**. C'est sans doute la lumière des paysages provençaux qui a inspiré au peintre (1907-1990) ses œuvres les plus réussies : sa palette s'éclaircit alors dans des œuvres telles

---

« UNE RACE D'AIGLONS JAMAIS VASSALE »

En 1426, à la mort d'Alix, dernière princesse de la puissante famille des Baux, la seigneurie, incorporée à la Provence, n'est plus que simple baronnie. Réunie à la couronne de France avec la Provence, la baronnie se révolte en 1483 : Louis XI fait alors démanteler la forteresse. À partir de 1528, le connétable **Anne de Montmorency**, qui en est titulaire, entreprend d'importantes restaurations, et la ville connaît de nouveau une période faste. Les Baux deviennent un foyer de protestantisme sous la famille de Manville qui administre la baronnie pour la couronne. Mais, en 1632, **Richelieu**, fatigué de ce fief turbulent et indocile, fait démolir le château et les remparts. C'est la fin des Baux.

que *Les Baux*, ou *Le Champ d'amandiers*. Brayer a également décoré de scènes pastorales les murs de la **chapelle des Pénitents Blancs**, bâtie au 17e s.

★ Château

À l'extrémité de la rue du Trencat. Visite : 1h30 mini - avr.-sept. : tirs de catapultes ttes les 2 h 11h-17h - ℘ 04 90 54 55 56 - www.chateau-baux-provence.com - printemps : 9h-18h30 ; été : 9h-20h30 ; automne : 9h30-18h ; hiver : 9h30-17h - 8 € (7-17 ans 6,50 €).

👪 Voyez à l'entrée deux maquettes de la forteresse aux 13e et 16e s. puis grimpez à l'assaut du vaste terre-plein où sont installées des **machines de guerres médiévales.** Les ruines de la citadelle longent le flanc est de l'éperon rocheux. Un escalier *(attention, si vous êtes sujet au vertige)* conduit au donjon qui ouvre sur un magnifique **panorama★★** embrassant le pays d'Aix et la Ste-Victoire, le Luberon, le mont Ventoux et les Cévennes.

À proximité

★ Saint-Rémy-de-Provence

🚗 *À 10 km au nord des Baux par la D 27, puis la D 5.*

Au cœur des Alpilles, St-Rémy fleure bon la Provence : boulevards ombragés de platanes, terrasses de cafés caressées par le soleil, ruelles débouchant sur des places ornées de fontaines, senteurs du thym et du romarin lorsque le marché envahit la ville. Et à deux pas, les ruines romaines.

★★ Plateau des Antiques – *℘ 04 90 92 35 07 - avr.-sept. : 9h30-18h30 (sf lun. en sept.) ; oct.-mars : tlj sf lun. 10h-17h (dernière entrée 30mn av. la fermeture) - possibilité de visite guidée (1h15) - fermé 1er janv., 1er Mai, 1er et 11 nov., 25 déc. - 7 € (-18 ans gratuit).* Au pied des derniers contreforts des Alpilles, à 1 km au sud de St-Rémy, parmi pinèdes et olivettes, s'élevait la riche cité de Glanum, abandonnée à la suite des destructions barbares de la fin du 3e s. Il en subsiste deux magnifiques monuments (un mausolée et l'arc municipal) et le grand site archéologique de **Glanum★**.

★★ Mausolée – À l'exception de la pomme de pin qui coiffait sa coupole, ce mausolée de 18 m de haut, un des plus beaux du monde romain, nous est parvenu intact. On sait aujourd'hui qu'il ne s'agissait pas d'un tombeau, mais d'un monument élevé à la mémoire d'un défunt, vers 30 av. J.-C. Remarquez les bas-reliefs représentant des scènes de batailles et de chasse sur les quatre faces du socle.

★ Arc municipal – Sur le passage de la grande voie des Alpes, il marquait l'entrée de la cité. Ses proportions parfaites et la qualité exceptionnelle de son décor sculpté dénotent une influence grecque. Observez la guirlande de fruits et de feuilles, la voûte ornée de caissons hexagonaux finement ciselés, et, sur les côtés, des captifs, hommes et femmes, au pied de trophées, laissent transparaître leur abattement.

Fontvieille

🚗 *À 10 km au sud-ouest des Baux par la D 78ᶠ.*

Moulin de Daudet – 👪 Il fait la réputation du bourg. La salle du 1er étage présente le système de meules utilisé pour moudre le grain ; à hauteur du toit, les noms des vents locaux sont inscrits en fonction de leur provenance. Au sous-sol, un petit musée réunit des souvenirs de l'écrivain.

Du moulin, **vue★** remarquable sur les Alpilles, les châteaux de Beaucaire et de Tarascon, la vallée du Rhône et l'abbaye toute proche de Montmajour.

Avignon

★★★

90 109 Avignonnais – Vaucluse (84)

 NOS ADRESSES PAGE 674

S'INFORMER

Office de tourisme – *41 cours Jean-Jaurès - 84000 Avignon -* ℘ *04 32 74 32 74 - www.avignon-tourisme.com - avr.-oct. : 9h-18h, dim. et j. fériés 9h45-17h ; pdt le festival en juil. : 9h-19h, dim. et j. fériés 10h-17h ; nov.-mars : 9h-18h, sam. 9h-17h, dim. et j. fériés 10h-12h - fermé 1ᵉʳ janv. et 25 déc.*

SE REPÉRER

Carte générale C3 – *Cartes Michelin n° 721 M13 et n° 527 E9.* À 30 km au sud d'Orange par l'A 7.

À NE PAS MANQUER

Le palais des Papes, le Petit Palais et le pont St-Bénezet ; aux alentours, Villeneuve Lez Avignon et Carpentras.

ORGANISER SON TEMPS

Vous n'aurez pas trop de vous ennuyer en deux jours dans la ville. Si vous souhaitez être tranquille, évitez la foule du Festival de juillet.

Ville d'art, Avignon affiche une richesse exceptionnelle qui lui valut, en 1995, l'inscription au patrimoine mondial de l'Unesco du palais des Papes et du pont St-Bénézet. Son étincelante beauté illumine le Rhône : remparts, clochers et toits de tuiles roses s'y reflètent, surplombés par la cathédrale et le majestueux palais. Le nom de la cité des papes est lié au festival qui, chaque été, transforme la ville en immense théâtre.

Découvrir

AUTOUR DE LA PLACE DU PALAIS

★★★ Palais des Papes

℘ *04 90 27 50 00 - www.palais-des-papes.com - juil. et 1ᵉʳ-15 sept. : 9h-20h ; août : 9h-21h ; 15 mars-juin et 16 sept.-1ᵉʳ nov. : 9h-19h ; nov.-fév. : 9h30-17h45 - 10,50 € (mars-15 nov.), 8,50 € (16 nov.-28 fév.), -8 ans gratuit.*

Cette résidence de 15 000 m² se compose de deux édifices distincts, le Palais Vieux et le Palais Neuf, dont la construction dura au total une trentaine d'années. En 1334, Benoît XII commande le **Palais Vieux** : les ailes de cette forteresse austère s'ordonnent autour d'un cloître et sont flanquées de tours. Puis Clément VI, grand prince d'Église, artiste et prodigue, fait bâtir en 1342 le **Palais Neuf**. La tour de la Garde-Robe et deux nouveaux corps de bâtiment ferment la cour d'Honneur, jusqu'alors place publique. Si l'aspect extérieur ne change guère, l'intérieur est transformé par une équipe d'artistes, dirigée par les Italiens Simone Martini puis Matteo Giovanetti. Les travaux se poursuivirent jusqu'en 1363.

LA CITÉ DES PAPES

Au Moyen Âge, à Rome, les querelles de partis rendent aux papes la vie impossible. Le Français Bertrand de Got, élu en 1305 sous le nom de **Clément V**, lassé, choisit de se fixer dans ses terres du **Comtat venaissin**, propriété papale depuis 1274. Mais si Clément V entre solennellement le 9 mars 1309 à Avignon, il n'y réside pas, préférant le calme d'un château près de Carpentras. C'est Jacques Duèse, élu sous le nom de **Jean XXII** (1316-1334), qui installe durablement la papauté en Avignon où, de 1309 à 1377, sept souverains pontifes, tous français, se succèdent. La cité devient alors un immense chantier : partout s'édifient des couvents, des églises, des chapelles, tandis que le palais pontifical s'agrandit et s'embellit sans cesse. L'université (fondée en 1303) compte des milliers d'étudiants.

Liberté, tolérance et prospérité, rien d'étonnant à ce que la cité pontificale attire du monde : sa population passe de 5 000 à 40 000 habitants. Terre d'asile, elle accueille des proscrits politiques, mais aussi des condamnés en fuite, des aventuriers, des contrebandiers, etc. Plus tard, **Urbain V** songe à rétablir à Rome le Saint-Siège. Il part d'Avignon en 1367. Mais les troubles qui secouent l'Italie l'obligent à revenir au bout de trois ans. Les réformes d'**Urbain VI**, un Italien, irritent les cardinaux ; en représailles, ils élisent **Clément VII** (1378-1394) qui retourne en Avignon : c'est le **Grand Schisme**. La France, Naples et l'Espagne prennent parti pour Avignon contre Rome. Papes et antipapes vont s'excommunier à tour de rôle. Le Grand Schisme prend fin en 1417 avec l'élection de **Martin V.** Dès lors, la cité est, jusqu'à la Révolution, gouvernée par un légat puis un vice-légat du pape.

Après le départ des papes, le palais est affecté aux légats, mais il se dégrade. En piteux état lors de la Révolution, il est livré au pillage. Après des épisodes sanglants en 1791, les bâtiments sont sauvés grâce à leur transformation en prison et en caserne. Un **musée de l'Œuvre** (sept salles du palais) présente l'histoire de l'édifice, sa longue restauration, de manière vivante et pédagogique.

Cour d'honneur – Bordée sur la gauche par l'aile du Conclave, actuel Palais des Congrès, et sur la droite par une façade gothique percée d'ouvertures irrégulières (à l'étage, se trouve la fenêtre de l'Indulgence d'où le pape donnait sa triple bénédiction), c'est ici qu'ont lieu certaines représentations du Festival de théâtre.

Intérieur – Ne manquez pas : la **chambre du Camérier** au magnifique plafond à poutres peintes ; le **Consistoire** où sont exposées les fresques de **Simone Martini** qui ornaient autrefois le tympan de N.-D.-des-Doms ; la **chapelle St-Jean** (ou du Consistoire) ornées des fresques peintes entre 1346 et 1348 par Matteo Giovanetti ; la **chapelle du Tinel** *(en cours de restauration)*, dont les fresques peintes également par Matteo Giovanetti retracent la vie de saint Martial ; et, enfin, la **chambre du Cerf**, cabinet de travail de Clément VI, ornées de fresques bucoliques.

« Promenade des Papes »

Depuis la place du Palais, empruntez l'étroite rue Peyrollerie qui s'amorce contre les murailles du palais, pour passer sous le contrefort étayant la chapelle Clémentine, avant de déboucher sur une place bordée par un hôtel du 17e s. Par la rue du Vice-Légat, sur la gauche, on atteint le verger d'Urbain V puis, après un passage sous voûte, la cour Trouillas. Les escaliers Ste-Anne, offrant de nouvelles vues sur le palais, conduisent au rocher des Doms.

15

AVIGNON EN SCÈNE

Fondé en 1947 par Jean Vilar, le **festival d'Avignon** s'est imposé comme l'événement théâtral européen majeur avec des spectacles de dimensions hors norme, dans le cadre de la cour d'Honneur, tel *le Cid* avec Gérard Philipe dans le rôle de Rodrigue, en 1951, qui marqua les mémoires. Au fil des années, le festival s'ouvre à la danse, accueille les plus grands metteurs en scène, innove en instaurant en 1985 les lectures des poètes contemporains, se diversifie avec des concerts de musique contemporaine puis traditionnelle extra-européenne. En 1968 est créé le **festival off**, ouvert à de nombreuses petites compagnies. Le festival dans son ensemble offre aujourd'hui, chaque mois de juillet, plus d'un millier de spectacles qui attirent un public nombreux, de fidèles ou de flâneurs en vacances.
www.festival-avignon.com et www.avignonfestivaletcompagnies.com

★★ Rocher des Doms

Un beau jardin aux essences variées a été aménagé sur le rocher des Doms. Au gré des terrasses, belles **vues★★** sur le Rhône et le pont St-Bénezet, Villeneuve-lès-Avignon avec la tour Philippe-le-Bel et le fort St-André, les Dentelles de Montmirail, le Ventoux, le plateau de Vaucluse, le Luberon, les Alpilles.

★★ Petit Palais

04 90 86 44 58 - www.petit-palais.org - tlj sf mar. 10h-13h, 14h-18h - fermé 1er janv., 1er Mai et 25 déc. - 6 €.

La **collection Campana**, ensemble de toiles italiennes du 13e au 16e s. constitue le trésor du musée. La présentation des œuvres, par école et par période, permet d'apprécier l'évolution des styles. Arrêtez-vous un instant devant *La Vierge et l'Enfant* de Botticelli. Dans la **section des sculptures romanes et gothiques**, remarquez le « transi » qui formait la base du tombeau du cardinal de Lagrange (fin du 14e s.) : le réalisme du cadavre décharné annonce les représentations macabres des 15e et 16e s. Voyez aussi les **peintures** et **sculptures avignonnaises**, notamment le *Retable Requin* (1450-1455), dû à **Enguerrand Quarton** et une *Vierge de Pitié* de 1457.

Hôtel des Monnaies

En face du palais des Papes, arrêtez-vous un instant devant cet hôtel du 17e s. à la **façade★** richement sculptée de dragons et d'aigles, emblèmes de la famille Borghèse, d'angelots, de guirlandes de fruits.

★★ Pont Saint-Bénezet

04 90 27 51 16 - www.palais-des-papes.com - & - juil. et 1re quinz. sept. : 9h-20h ; août : 9h-21h ; 15 mars-30 juin et 16 sept.-1er nov. : 9h-19h ; nov.-fév. : 9h30-17h45 ; 1er-14 mars : 9h-18h30 - haute saison 4,50 €, basse saison (oct.-14 mars) 4 €, (8-14 ans 3 €/2 €).

Ce célèbre pont, avec ses 900 m de long et ses 22 arches, fut emporté en partie par la crue du Rhône au 17e s. N'en déplaise à la chanson, il était bien trop étroit pour qu'on y danse tous en rond... C'était au-dessous des arches, dans l'île de la Bartelasse, que les Avignonnais entraînaient les belles dames à « faire comme ça »...

LE VIEIL AVIGNON

Passez place de l'Horloge, contournez le chevet de l'église St-Agricol. Rue Jean-Viala s'alignent de beaux hôtels du 18e s. ; rue Dorée, au n° 5, se dresse l'hôtel de Sade aux gracieuses fenêtres à meneaux. Gagnez ensuite la rue Bouquerie, puis la rue Joseph-Vernet.

★ Musée Calvet

☎ 04 90 86 33 84 - tlj sf mar. 10h-13h, 14h-18h - fermé 1er janv., 1er Mai et 25 déc. - 6 €.

Ce musée rassemble des peintures, françaises, italiennes ou flamandes, du 16e au 19e s. On remarquera la pathétique *Mort de Joseph Bara* par David, les grandes marines du peintre avignonnais Joseph Vernet (1714-1789).

Poursuivez par la rue Joseph-Vernet, puis gagnez la rue des Lices au bout de laquelle se trouve la **rue des Teinturiers** qui longe la Sorgue, où subsistent les roues à aubes qui actionnaient jusqu'à la fin du 19e s. les fabriques d'indiennes. Revenez sur vos pas pour passer devant la **maison du roi René**, rue du Roi-René. Continuez tout droit jusqu'à l'église St-Didier et prenez, sur la place, la rue des Laboureurs.

★ Musée Angladon

☎ 04 90 82 29 03 - www.angladon.com - de mi-avr. au 11 Nov : tlj sf lun. 13h-18h ; du 12 nov. aux vac. scol. de printemps : tlj sf lun.-mar. 13h-18h - 6 €.

Cet hôtel particulier du 18e s. fut acquis en 1977 par un couple de peintres avignonnais afin d'y exposer leurs collections. Celle d'**art moderne**, qui leur fut léguée par le couturier Jacques Doucet, comprend des peintures de Cézanne, Sisley, Manet, Derain, Picasso, Modigliani et Foujita. Voyez aussi, entre mobilier et tableaux, un condensé de l'art du Moyen Âge à nos jours.

À proximité

★ Villeneuve Lez Avignon

◐ *Traverser le Rhône sur le pont Édouard-Daladier.*

Depuis la « ville des cardinaux », la vue sur la « cité des papes » constitue un des paysages les plus célèbres de la vallée du Rhône.

★ **Musée municipal Pierre-de-Luxembourg** – ☎ 04 90 27 49 66 - ♿ - mai-sept. : tlj sf lun. 10h30-12h30, 14h30-18h30 ; oct.-avr. : tlj sf lun. 14h-17h - fermé janv., 1er Mai, 1er et 11 Nov. et 25 déc. - 3,20 €, gratuit 1er dim. du mois (oct.-juin). Il conserve des œuvres d'art exceptionnelles. En particulier une **Vierge★★** du 14e s. sculptée dans une défense d'éléphant.

★ Carpentras

◐ *À 24 km au nord-est d'Avignon par la D 942.*

Dans cette cité au pied des dentelles de Montmirail, on apprécie volontiers les fruits confits, les berlingots et le parfum des truffes sur l'étonnant marché qui se tient tous les vendredis matin de fin novembre à fin mars.

★ **Synagogue** – *Pl. de la mairie. Sonner.* ☎ 04 90 63 39 97 - tlj sf w.-end 10h-12h, 15h-17h (vend. 16h) - fermé j. fériés et j. de fêtes juives. Chassés de France par Philippe le Bel, les juifs se réfugièrent en terres papales où ils étaient en sécurité et bénéficiaient de la liberté de culte. Au rez-de-chaussée, voyez les boulangeries où l'on fabriquait le pain azyme jusqu'au début du 20e s.

★ **Ancienne cathédrale St-Siffrein** – Un bon exemple de style gothique méridional. Elle fut commencée en 1404 et achevée au 17e s. par un portail classique.

15

😊 NOS ADRESSES À AVIGNON

HÉBERGEMENT

PREMIER PRIX

Hôtel Boquier – *6 r. du Portail-Boquier - 📞 04 90 82 34 43 - www.hotel-boquier.com - 12 ch. 50/70 € - 🍽 8 €*. Tenu par un jeune couple sympathique, cet hôtel très calme propose de jolies chambres, arrangées avec goût. Possibilité de réserver un parking.

BUDGET MOYEN

Hôtel Bristol – *44 cours Jean-Jaurès - 📞 04 90 16 48 48 - www.bristol-avignon.com 67 ch. 79/116 € - 🍽 12 €*. Un emplacement parfait entre la gare et les quartiers animés pour cet immeuble qui abritait déjà un hôtel dans les années 1920. Chambres pratiques, en général assez grandes.

RESTAURATION

PREMIER PRIX

Piedoie – *26 r. 3-Faucons - 📞 04 90 86 51 53 - fermé août, 21-30 nov., vac. de fév., mar. et merc. - 12/29€ bc*. Poutres, parquet, murs blancs et tableaux contemporains composent un cadre à la fois sobre et agréable. Le chef, attentif aux saisons, propose des plats du marché assez créatifs.

BUDGET MOYEN

Le Grand Café – *Cours Maria-Casarès, la Manutention - 📞 04 90 86 86 77 - fermé janv., dim. et lun. sf juil.-août - réserv. conseillée - 28/40 €*. Cette ancienne caserne adossée aux contreforts du palais des Papes est devenue un lieu incontournable de la vie locale. Avignonnais et touristes s'y retrouvent pour découvrir une cuisine inventive aux accents provençaux. Agréable terrasse, calme et fraîche en été.

L'Isle Sonnante – *7 r. Racine - 📞 04 90 82 56 01 - fermé 22 fév.-1er mars, 25 oct.-5 nov., dim. et lun. - 25/40 €*. Derrière l'opéra, une petite devanture en bois abritant une table sympathique. Intérieur cosy, façon bistrot amélioré, mariant rustique et tons chauds. Cuisine aux saveurs du Sud.

Le Jardin de la Tour – *9 r. de la Tour - 📞 04 90 85 66 50 - www.jardindelatour.fr - fermé dim. et lun. - formule déj. 19 € - 39/75 €*. Ce restaurant niché près des remparts a du cachet avec son jardin, ses tonnelles et l'architecture de l'ancienne ferronnerie qu'il fut jadis. Le chef harmonise des saveurs opposées et redonne droit de table à des produits provençaux disparus (aloses, alouettes sans tête, bœuf des mariniers…).

ACHATS

Les Délices du Luberon – *20 pl. du Change - 📞 04 90 84 03 58 - 9h30-13h30, 14h30-19h (non-stop le sam.)*. Une épicerie fine dédiée aux produits de bouche provençaux, des tapenades, pistous et autres délices aux légumes fabriqués tout près, à l'Isle-sur-la-Sorgue.

Orange
★★

29 527 Orangeois – Vaucluse (84)

S'INFORMER

Office de tourisme – *5 cours Aristide-Briand - 84100 Orange - ℰ 04 90 34 70 88 - www.otorange.fr - juil.-août : 9h-19h30, dim. et j. fériés 10h-13h, 14h-19h ; avr.-juin et sept. : 9h-18h30, dim. et j. fériés 10h-13h, 14h-18h30 ; oct.-mars : tlj sf dim. 10h-13h, 14h-17h.*

SE REPÉRER

Carte générale C3 – *Cartes Michelin n° 721 M13 et n° 527 E8*. Au carrefour de l'A 7 et de l'A 49, au sud de Montélimar. À 30 km au nord d'Avignon.

À NE PAS MANQUER

Savourez l'Orange romaine, bien sûr, avec deux morceaux de choix : l'arc de triomphe et le théâtre antique.

ORGANISER SON TEMPS

Comptez environ 2h pour la découverte de l'Orange romaine, mais plus de temps si vous souhaitez vous mesurer au mont Ventoux.

AVEC LES ENFANTS

Les « Fantômes du Théâtre » au théâtre antique.

Porte du Midi, important marché de fruits et de primeurs, Orange doit surtout sa célébrité à deux prestigieux monuments romains classés au Patrimoine mondial de l'Unesco : l'arc commémoratif et le théâtre antique, qui constitue l'extraordinaire cadre des Chorégies, festival créé en 1869.

Découvrir

ORANGE ROMAINE

★★ Arc de triomphe
À l'entrée de la ville par la N 7. Parking gratuit au carrefour.

Véritable porte de la cité, cet arc magnifique s'élève à l'entrée nord d'Orange, sur la via Agrippa qui reliait Lyon et Arles. S'il est remarquable pour ses dimensions imposantes (22 m de hauteur, 21 m de largeur, le troisième par la taille des arcs romains qui nous sont parvenus), c'est surtout l'un des mieux conservés.

Construit vers 20 avant J.-C., et dédié plus tard à Tibère, il commémorait les exploits des vétérans de la IIᵉ légion. Percé de trois baies encadrées de colonnes, surmonté à l'origine par un quadrige en bronze flanqué de deux trophées, il présente deux particularités : un fronton triangulaire, au-dessus de la baie centrale, et deux attiques superposés. Sa décoration tient à la fois du classicisme romain et de l'art hellénistique. Les scènes guerrières évoquent la pacification de la Gaule, tandis que les attributs marins semblent faire référence à la victoire remportée par Auguste à Actium sur la flotte d'Antoine et Cléopâtre.

15

★★★ Théâtre antique

☎ 04 90 51 1760 - www.theatre-antique.com - visite audioguidée - juin-août : 9h-19h ; avr.-mai et sept. : 9h-18h ; mars et oct. : 9h30-17h30 ; nov.-déc. : 9h30-16h30 (dernière entrée 15mn av. fermeture) - 8 € (billet combiné avec le Musée municipal).

Édifié sous le règne d'**Auguste** (alors Octave), c'est le seul théâtre romain qui ait conservé son **mur de scène** intact (103 m de long et de 36 m de haut). Il présentait un riche décor de placages de marbre, de stucs, de mosaïques, de colonnades étagées et de niches abritant des statues, dont celle d'Auguste, qui a été remise en place. Ce mur est percé de trois portes : la porte royale au centre (entrée des acteurs principaux) et les deux portes latérales (entrée des acteurs secondaires).

Tout en haut, la double rangée de corbeaux (pierres en saillie) au travers desquels passaient les mâts servant à tendre le voile *(velum)* qui protégeait les spectateurs du soleil. La scène a été couverte récemment d'un **toit de verre** (61 m de long).

L'hémicycle *(cavea)* pouvait contenir près de 7 000 spectateurs, répartis selon leur rang social. En contrebas, l'*orchestra* forme un demi-cercle ; en bordure, trois gradins, sur lesquels on plaçait des sièges mobiles, étaient réservés aux personnages de haut rang. La scène, faite d'un plancher de bois sous lequel était logée la machinerie, mesure 61 m de longueur pour 9 m de profondeur utile.

👥 Une nouvelle animation multimédia, « Les Fantômes du Théâtre », est proposée derrière les gradins du théâtre. Elle fait revivre 2 000 ans de spectacles au théâtre antique.

Circuit conseillé

★★★ LE MONT VENTOUX

◐ *122 km. Quitter Orange au nord-est par la D 975 en dir. de Vaison-la-Romaine.*

★★ Vaison-la-Romaine

☎ 04 90 36 02 11 - www.vaison-la-romaine.com - juin-sept. : Puymin 9h30-18h30, Villasse 10h-12h, 14h30-18h30, le cloître 10h-12h, 14h-18h30 ; avr.-mai : Puymin 9h30-18h, Villasse 10h-12h, 14h30-18h, le cloître 10h-12h30, 14h-18h ; mars et oct. : 10h-12h30, 14h-18h ; nov.-fév. : 10h-12h, 14h-17h - possibilité de visite guidée (1h30) - fermé janv., 1ʳᵉ sem. de fév. et 25 déc. - Villasse fermé mar. mat. - 8 € (12-18 ans 3 €), billet donnant accès à l'ensemble des monuments.

La ville convie les amoureux du passé à une longue promenade dans le temps avec sa cathédrale romane, son village médiéval, son château et surtout son immense champ de **ruines romaines★★**. Mentionnée comme une des villes les plus prospères de la Narbonnaise sous l'Empire, **Vasio** accumulait un habitat hétéroclite dans le quartier de la Villasse et sur la colline de Puymin, où voisinaient luxueuses villas, logements modestes, bicoques et arrière-boutiques minuscules. Dans le **quartier de Puymin**, le **musée archéologique Théo-Desplans★** évoque de façon remarquable la vie quotidienne à l'époque gallo-romaine : religion, habitat, céramique, verrerie, armes, outils, parure, toilette. Mais on remarquera surtout les magnifiques **statues de marbre blanc** : Claude (en 43) est représenté la tête ceinte d'une couronne de chêne, Domitien est cuirassé, Hadrien, en 121, donne une image de majesté

à la manière hellénistique en posant nu, tandis que Sabine, sa femme, plus conventionnelle, offre l'aspect d'une grande dame en vêtement d'apparat.
Rejoindre Malaucène par la D 938.

Malaucène
Une vieille ville entourée d'un cours planté d'énormes platanes, des maisons anciennes, fontaines, lavoirs, oratoires, et un vieux beffroi coiffé d'un campanile en fer forgé… Du chemin montant au calvaire, à gauche de l'**église fortifiée** du 14e s., belle vue sur les montagnes de la Drôme et le mont Ventoux.

Source vauclusienne du Groseau
Sur la gauche de la route, l'eau jaillit par plusieurs fissures au pied d'un escarpement de plus de 100 m, formant un petit lac aux eaux claires. Les Romains avaient construit un aqueduc pour amener cette eau jusqu'à Vaison-la-Romaine.
Prendre à gauche la D 974.

Mont Serein
La route en lacet s'élève sur la face nord, la plus abrupte du mont Ventoux ; elle traverse pâturages et bois de sapins, près du chalet-refuge du mont Serein. Du belvédère aménagé après la maison forestière des Ramayettes, **vue★** sur les vallées de l'Ouvèze et du Groseau, le massif des Baronnies et le sommet de la Plate. Le panorama, de plus en plus vaste, découvre les **dentelles de Montmirail★**, les hauteurs de la rive droite du Rhône et les Alpes. Deux lacets plus loin, la route atteint le sommet.

★★★ Sommet du mont Ventoux
Le « géant de Provence » est classé Réserve de biosphère par l'Unesco. Le botaniste amateur, parvenu au sommet (1 909 m d'altitude) s'extasie devant les échantillons de flore polaire, tels que la saxifrage du Spitzberg. C'est du terre-plein aménagé au sud que l'on découvre un vaste **panorama★★★** *(table d'orientation)* : du massif du Pelvoux aux Cévennes en passant par le Luberon, la montagne Ste-Victoire, les collines de l'Estaque, Marseille et l'étang de Berre, les Alpilles et la vallée du Rhône et par temps clair, le Canigou.
La descente s'amorce sur le versant sud ; tracée en corniche, à travers l'immense champ de cailloux, la route la plus ancienne passe de 1 909 m à 310 m d'altitude à Bédoin, en 22 km.
Ascensions nocturnes – *Rens. offices de tourisme de Bédoin (℘ 04 90 65 63 95) ou de Malaucène (℘ 04 90 65 22 59).* Un spectacle inoubliable : la nuit, villes et villages de la plaine provençale scintillent dans l'obscurité. En juillet et août, des ascensions pédestres nocturnes sont organisées le vendredi.

Le Chalet-Reynard
C'est le lieu de rendez-vous des skieurs de la région. Dans la forêt, aux sapins succèdent les hêtres et les chênes, puis une belle série de cèdres. Enfin la végétation provençale fait son apparition : vigne, plantations de pêchers et de cerisiers, quelques olivettes. Vue sur le plateau de Vaucluse et au loin, la montagne du Luberon.
Après St-Estève, poursuivre jusqu'à Bédoin et prendre à gauche la D 138.

Crillon-le-Brave
Perché sur une avancée qui fait face au Ventoux, ce charmant village a gardé quelques traces de ses remparts. Les villageois ont ajouté « le Brave » au nom de leur bourg en souvenir de leur vaillant seigneur Louis de Balbe de Crillon surnommé « le brave des braves ».
Rentrer à Orange par la D 974 vers Carpentras, puis la D 950, puis la N 7.

15

La Côte d'Azur

❯ SE REPÉRER

L'A 8 parcourt le littoral de Marseille à la frontière italienne ; des Alpes de Haute-Provence, l'accès se fait par la route Napoléon (N 85). De Paris, le TGV relie les villes principales de la côte, Nice (5h30), Monaco (6h) ; le TER assure les liaisons interrégionales. Deux aéroports internationaux (Nice et Toulon) proposent des liaisons directes avec plusieurs villes de France. Des liaisons régulières s'effectuent entre la Corse et Nice ou Toulon.

À NE PAS MANQUER

Toulon vous réserve sa rade que l'on admire du mont Faron, son musée de la Marine ; au large, les sublimes îles d'Hyères. St-Tropez, son port, ses plages, son musée de l'Annonciade vous retiendront avant une excursion dans le massif des Maures. Cannes, c'est la Croisette, mais aussi le vieux port et le musée de la Castre, et tout près, le massif de l'Esterel ou la route Napoléon jusqu'à Sisteron. Nice, avec sa promenade des Anglais le long de la baie des Anges, possède de prestigieux musées et une magnifique cathédrale orthodoxe. Non loin, les beaux villages de St-Paul (fondation Maeght) et de Vence (chapelle de Matisse) ; la corniche de la Riviera vous offre de superbes points de vue jusqu'à Menton. Dans la Principauté de Monaco, ne manquez pas la visite du Palais princier, le jardin exotique, et à Monte-Carlo, la vue depuis le casino.

🕑 ORGANISER SON TEMPS

Entre les plages, les musées, les balades dans l'arrière-pays, les excursions en mer, les marchés provençaux et les distractions nocturnes, il y en a pour tous les goûts. Beaucoup d'événements ponctuent aussi le calendrier de la Côte d'Azur : le carnaval de Nice (autour de Mardi-Gras), le Festival de Cannes (mai), les voiles de St-Tropez (début octobre), ainsi que de nombreux festivals de musique, de danse, de théâtre et des fêtes traditionnelles autour du raisin, du mimosa et des produits du terroir. Avec une température estivale moyenne de 26 °C, un hiver particulièrement doux et un nombre de jours de pluie faible, on comprend que la saison touristique dure presque toute l'année.

De Bandol à Menton, la mer au bleu intense baigne 300 km de littoral découpé en caps, anses, chapelet d'îles et larges baies. Avec ses palaces et ses palmiers, ses luxueuses villas aux piscines privées, enfouies sous les pins, ses immeubles modernes et ses yachts, la côte est presque un rêve californien ! Les villages, eux, invitent à la flânerie sur leurs places ombragées et rafraîchies de fontaines ou au marché, véritable paradis des sens. Puis on grimpe dans les Maures ou l'Esterel, où la forêt côtoie le maquis ; des hauteurs, la vue s'étend sur les escarpements et les îles d'Hyères, sanctuaires marins sous haute surveillance. Enfin, on lézarde entre ombre et soleil, comme ces grands aristocrates ou bourgeois anglais et russes qui formèrent au 19e s. l'avant-garde touristique de ces rivages. On comprend aussi que ce Sud coloré ait fasciné les peintres. On retourne alors dans les musées pour contempler, parmi d'innombrables chefs-d'œuvre, St-Tropez avant l'orage.

Nice

★★★

344 875 Niçois – Alpes-Maritimes (06)

 NOS ADRESSES PAGE 686

S'INFORMER

Office de tourisme – *5 prom. des Anglais - 06000 Nice - ℘ 0 892 707 407 (0,34 €/mn) - www.nicetourisme.com - juin-sept. : 8h-20h, dim. 9h-19h ; oct.-mai : tlj sf dim. 9h-18h.*

SE REPÉRER

Carte générale D3 – *Cartes Michelin n° 721 P13 et n° 527 T10.* De l'A 8, au nord de la ville, cinq sorties vous mènent dans des quartiers différents. Le torrent du Paillon divise Nice en deux : à l'ouest, la partie moderne, à l'est, la vieille ville, la « colline du Château », et derrière, le port. Au nord, la colline de Cimiez, la cité romaine.

À NE PAS MANQUER

La promenade des Anglais, le vieux Nice, le musée Matisse, le musée Marc-Chagall. Aux alentours, les villages de St-Paul et de Vence ou une excursion sur l'une des trois corniches de la Riviera.

ORGANISER SON TEMPS

Une journée est nécessaire à la découverte de Nice. Consacrez la matinée au front de mer et à la vieille ville ; l'après-midi à Cimiez. Et plus pour visiter les musées.

Le charme de Nice « l'Italienne » se conjugue au pluriel dans un site superbe entre mer et montagne. La vieille ville baroque aux couleurs ocre rouge et jaune, la saveur de sa cuisine et la richesse des collections de ses musées comblent le visiteur qui peut à tout moment contempler la capitale de la Côte d'Azur depuis la colline du château ou respirer la douceur de l'air marin sur la célébrissime promenade des Anglais.

Découvrir

★★ LE FRONT DE MER

★★ Promenade des Anglais

Cette magnifique avenue épouse la courbe de la baie des Anges. La colonie anglaise, nombreuse depuis le 18e s., prit à sa charge l'établissement du chemin riverain qui a donné son nom à la voie. En 1931, c'est encore un Anglais, le fils de la reine Victoria, qui donne à la promenade sa dimension actuelle. Témoins de cette époque fastueuse, la façade Art Déco du **palais de la Méditerranée** et le **Negresco**. En contrebas, les plages de galets invitent à la baignade…

★★ Musée des Beaux-Arts Jules-Chéret

33 av. des Baumettes - ℘ 04 92 15 28 28 - www.musee-beaux-arts-nice.org - possibilité de visite guidée (1h) - tlj sf lun. 10h-18h - fermé 1er janv., dim. de Pâques, 1er Mai et 25 déc. - visite guidée 5 €.

15

Cette ravissante demeure abrite une riche collection de chefs-d'œuvre des 17e, 18e et 19e s. Le patio abrite *L'Âge d'airain* de Rodin et *Le Triomphe de Flore* de Carpeaux. La peinture de paysage est illustrée par des toiles de Boudin, Camoin, Lebasque, Monet, Sisley, Bonnard, Marie Laurencin… Une salle est consacrée à la dynastie des Van Loo, dont Carle, né à Nice en 1705, qui devint premier peintre du roi. On admire aussi la gaieté fraîche des œuvres de l'inventeur de l'affiche moderne, **Jules Chéret**, mort à Nice en 1932, des toiles de **Dufy** et de **Van Dongen.**

Suivre la dir. de l'aéroport de Nice-Côte-d'Azur pour rejoindre le lac du parc Phoenix dans le nouvel ensemble de l'Arenas.

★★ Musée des Arts asiatiques

405 prom. des Anglais - ☏ 04 92 29 37 00 - www.arts-asiatiques.com - ♿ - de déb. mai à mi-oct. : tlj sf mar. 10h-18h ; reste de l'année : tlj sf mar. 10h-17h - fermé 1er janv., 1er Mai et 25 déc. - animation-spectacle et cérémonie du thé 10 €.

Dans un écrin de marbre blanc conçu par le Japonais **Kenzo Tange** (1998), le musée met en scène des objets d'art sacré et traditionnel d'Asie dans un dépouillement minimaliste qui suscite la contemplation et l'émotion.

★ LE VIEUX NICE

La vieille ville se découvre après une flânerie sur le **cours Saleya**, imprégné des odeurs et des couleurs du marché aux fleurs et aux primeurs. Au 18e s., le cours était une artère élégante et mondaine, comme en témoignent la superbe façade de la **chapelle de la Miséricorde** ou celle du **palais Caïs de Pierla**, où Matisse vécut de 1921 à 1938. Le cœur de Nice envoûte par son charme méridional, ses bistrots et ses petits restaurants qui fleurent bon la cuisine du pays.

DE NIKAÏA À NISSA LA BELLA

Le sol de Nice a révélé une occupation humaine vieille de 400 millénaires. Citadelle ligure, elle devient, vers le 4e s. avant J.-C., un comptoir des Grecs de Marseille. Cette bourgade est éclipsée trois siècles plus tard par les Romains, qui portent leur effort colonisateur sur la colline de Cimiez. En 1388, Nice, alors sous domination du comte de Provence, choisit son camp : à Louis d'Anjou, comte de Provence, elle préfère **Amédée VII,** comte de Savoie, pour qui le port de Nice est un enjeu capital dans sa maîtrise de la route d'Italie. Quittant l'habit provençal, Nice s'italianise avec la Savoie qui établit sa capitale à Turin au 16e s. et annexe la Sicile puis la Sardaigne au 18e s.

Le **traité de Turin** (1860), entre Napoléon III et le roi de Sardaigne Victor-Emmanuel II, stipule le retour de Nice à la France. Le plébiscite est triomphal : 25 743 oui contre 260 non. Le 12 septembre, l'empereur et l'impératrice Eugénie reçoivent du maire de Nice les clefs de la ville. La région de Tende et de la Brigue demeure territoire italien jusqu'au traité du 10 février 1947. Son rattachement à la France marque le début d'un développement fondé sur le commerce, le transport et surtout le tourisme, grâce au chemin de fer. Actuellement 5e ville de France, elle est devenue un pôle technologique de dimension internationale grâce à la technopole de **Sophia-Antipolis** et au palais des congrès Acropolis. Grâce à un équipement hôtelier hors pair et le réaménagement urbain consécutif à l'ouverture de la 1re ligne de tramway, Nice est l'un des hauts lieux du tourisme en France.

Littoral niçois.
M. Capale/Age Fotostock

Cathédrale Sainte-Réparate

✆ 04 93 92 01 35 - 9h-12h, 14h-18h, dim. 15h-18h.

Point de repère précieux, son superbe dôme de style génois du 18ᵉs. illumine le cœur de la vieille ville de ses 14 000 tuiles vernissées. À l'**intérieur★**, le baroque déploie toute sa fantaisie dans le stuc et le marbre. Remarquez au-dessus du maître-autel, à droite du tableau, Nice et son château au 17ᵉ s.

Place Garibaldi

C'est une des plus belles places de Nice, avec ses élégantes maisons ocre-jaune à arcades à la mode piémontaise. Contemporaine du nouveau port à l'est et de la route royale de Turin (d'où le café du même nom, spécialisé en fruits de mer), elle devient un carrefour essentiel de la ville au 18ᵉ s.

★★ Musée d'Art moderne et d'Art contemporain

✆ 04 97 13 42 01 - www.mamac-nice.org - ♿ - tlj sf lun. 10h-18h (dernière entrée 17h15) - fermé 1ᵉʳ janv., dim. de Pâques, 1ᵉʳ Mai et 25 déc. - visite commentée 5 €.

Au début des années 1960, Nice devient l'un des foyers artistiques les plus exubérants d'Europe avec notamment les **nouveaux réalistes**. Une place de choix est réservée à **Yves Klein** (1928-1962), instigateur du mouvement, avec ses happenings et ses monochromes qui expriment le concept d'un art abstrait épuré, et à **Niki de Saint Phalle**, qui a fait don de ses œuvres au musée. Les collections sont présentées par roulement sur les deux étages supérieurs (expositions temporaires au 1ᵉʳ).

Château

Accès par l'ascenseur du Château - juin-août 9h-20h ; avr.-mai et sept. : 9h-19h ; oct.-mars : 10h-18h - 0,90 €, 1,20 € AR (-10 ans 0,60 €, 0,80 € AR).

On désigne ainsi la colline, aménagée en promenade ombragée, sur laquelle s'élevait le château fort de Nice détruit en 1706 par les armées de Louis XIV. De la vaste plate-forme établie au sommet, **vue★★** à peu près circulaire *(table d'orientation)* sur les toits de la ville et la **baie des Anges**.

ROI CARNAVAL

Cette grande fête ancestrale fut souvent un dérivatif aux difficultés nées des conflits que la situation géographique de Nice ne cessait d'engendrer. Après une interruption pendant la Révolution et l'Empire, un premier défilé de chars eut lieu en 1830 pour honorer le retour à la souveraineté sarde. Sa forme moderne date de 1873, ses décors ayant été enrichis par le peintre niçois Alexis Mossa. De nos jours, l'entrée de Sa Majesté Carnaval a lieu environ trois semaines avant le Mardi gras. Pendant les festivités, des corsos de 20 chars et 800 grosses têtes loufoques défilent les week-ends, en journée ainsi que certains soirs. La fabrication de chaque char nécessite en moyenne une tonne de carton-pâte.

👬 *www.nicecarnaval.com*

L'HÉRITAGE RUSSE À NICE

Dès la fin du 19e s., à la suite de l'installation en 1881 de la princesse Katia Dolgorouki, veuve du tsar Alexandre II, de riches aristocrates russes choisirent Nice comme lieu de villégiature. Ces « excentriques » rivalisèrent de prodigalité pour recréer un coin de leur patrie sur la Côte avec des architectures mêlant inspiration slave et méditerranéenne.

★ Cathédrale orthodoxe russe Saint-Nicolas

📞 *04 93 96 88 02 - mai-sept. : 9h15-12h, 14h30-18h ; oct. et de mi-fév. à fin avr. : 9h15-12h, 14h30-17h30 ; de déb. nov. à mi-fév. : 9h30-12h, 14h30-17h - fermé dim. mat., les mat. des j. de fêtes orthodoxes et 1er janv. - 3 €.*

Elle date de 1912. L'intérieur a la forme d'une croix grecque et son décor est d'une richesse extraordinaire. Le chœur est fermé par une somptueuse **iconostase★**, synthèse des plus belles réussites de l'art religieux russe.

★★ Musée Marc-Chagall

📞 *04 93 53 87 31 - www.musee-chagall.fr - ♿ - mai-oct. 10h-18h ; reste de l'année : 10h-17h - fermé mar., 1er janv., 1er Mai et 25 déc. - 7,50 € (enf. gratuit), gratuit 1er dim. du mois.*

L'architecte A. Hermant a su habilement mettre en valeur les œuvres de Chagall (1887-1985) où merveilleux et sacré ne font qu'un. Son enfance russe, son rêve de paix pour l'humanité sont à l'origine de ses grandes toiles du **Message biblique** (1954-1967), du **Cantique des cantiques** et de l'**Ancien Testament**.

CIMIEZ

Les riches Romains s'établirent sur cette colline dès le 1er s. av. J.-C. Le **site archéologique gallo-romain★** reflète le haut degré de technologie atteint par cette brillante civilisation. À partir du 16e s, les **franciscains** s'installent à l'est de la colline et nous livrent leurs trésors. Sur le site antique, la splendide **villa des Arènes**, du 17e s, se prête à l'exposition de toiles de Matisse.

★★ Musée Matisse

📞 *04 93 81 08 08 - www.musee-matisse-nice.org - ♿ - possibilité de visite guidée (1h15) - tlj sf mar. 10h-18h (dernière entrée 17h30) - fermé 1er janv., dim. de Pâques, 1er Mai et 25 déc.*

Les toiles, les sculptures, les tapisseries, les papiers découpés de Matisse (1869-1954), associés à son beau mobilier, ainsi que les esquisses et maquettes pour la chapelle du Rosaire à Vence, résument l'itinéraire de l'artiste qui recherchait un art d'équilibre, de pureté, de tranquillité : *Luxe, calme et volupté…*

★ **Monastère franciscain**

Pl. du Monastère - 🕿 04 93 81 00 04 - ne se visite pas - église accessible sf pdt les offices.

Les **trois œuvres maîtresses★★** du primitif niçois Louis Bréa rendent la visite de l'**église Ste-Marie-des-Anges** incontournable : une *Pietà* datée de 1475, très siennoise ; une *Crucifixion*, plus tardive (1512), où la perspective s'affirme ; une *Déposition* marquée par l'assimilation des données picturales de la Renaissance.

À proximité

★★ **Saint-Paul**

◗ *À 21 km à l'ouest de Nice.*

Ce ravissant village a su conserver son visage féodal propre aux cités fortifiées qui gardaient la frontière du Var jusqu'en 1870. La promenade sur les **remparts★**, depuis le bastion sud et vers l'est, procure un beau **panorama** sur la vallée cultivée, les vignes, la mer, l'Esterel et les Alpes.

★ **Fondation Maeght** – 🕿 04 93 32 81 63 - www.fondation-maeght.com - *juil.-sept. : 10h-19h ; avr.-juin : 10h-18h : oct.-mars : 10h-13h, 14h-18h - 14 € (-10 ans : gratuit).* Ce temple de l'art moderne expose par roulement une fabuleuse collection : Calder, Zadkine, Giacometti, Kandinsky, Bazaine, Hartung, Alechinsky… et propose des expositions temporaires.

★ **Vence**

◗ *À 23 km au nord-ouest de Nice par la D 6007, puis la D 536.*

Postée sur son rocher, Vence regarde la mer de loin, occupée à rassembler les villages voisins les jours de marché et à faire le bonheur du visiteur avec sa vieille ville où abondent les galeries d'art. La **chapelle du Rosaire★** fut conçue par **Matisse**, aidé de l'architecte Perret. À l'intérieur, tout est blanc, et sur ce blanc, par les **vitraux** hauts et serrés, explosent les couleurs pures de Matisse.

Circuits conseillés

★★★ LES CORNICHES DE LA RIVIERA

Entre Nice et Menton, trois routes célèbres sillonnent les hauteurs dominant les plages. La plus haute multiplie les panoramas saisissants, la deuxième, les perspectives sublimes, celle du bas dessert les stations chics de la côte.

★★★ **Grande Corniche**

◗ *31 km de Nice à Menton (D 2564).*

Cette route suit en partie le tracé de la voie romaine, **via Julia Augusta**, et fut construite sur ordre de Napoléon Iᵉʳ. Le **belvédère d'Èze** se trouve 1 200 m avant le col. **Vue★★** panoramique sur la Tête de Chien, Èze, le cap Ferrat, le mont Boron, le cap d'Antibes, les îles de Lérins, l'Esterel, le cap Roux et les Alpes françaises et italiennes. Ponctuée de points de vue saisissants, la route passe à **La Turbie★**, où s'élève le **trophée des Alpes★**, un des deux seuls trophées romains conservés en Europe. Au **Vistaëro★★**, merveilleuse vue sur la

15

pointe de Bordighera, Menton, le cap Martin, Roquebrune et, en contrebas, Monte-Carlo Beach ; à droite, Monaco. On atteint ensuite le village perché de **Roquebrune**★★, puis la presqu'île du **cap Martin**★★. La station balnéaire de **Roquebrune-Cap-Martin**★ comporte plusieurs plages sableuses. Enfin

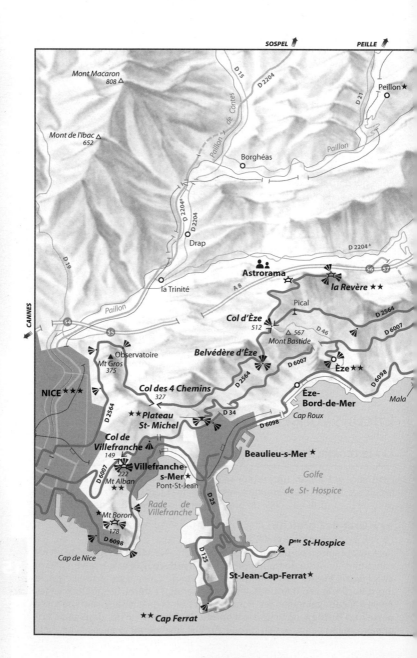

apparaît **Menton**★★, adossé à des pentes boisées ou cultivées d'agrumes et d'oliviers. Son climat idéal en a fait un lieu prisé de villégiature où les plantes les plus exotiques se sont acclimatées. Ses nombreux jardins, privés ou non, valent qu'on s'y attarde.

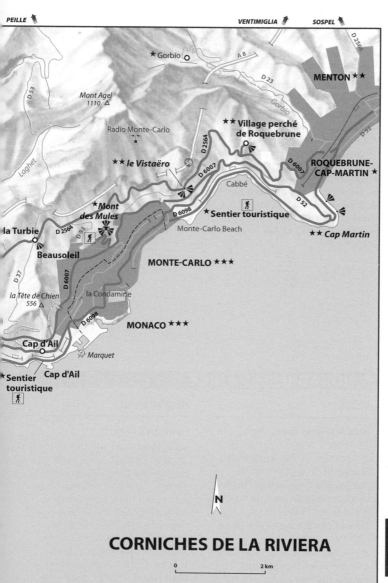

CORNICHES DE LA RIVIERA

15

★★ Moyenne Corniche

▶ *31 km de Nice à Menton (D 6007).*

Construite à mi-pente de 1910 à 1928, cette belle et large route est moins sinueuse et plus courte que la Grande Corniche. À la sortie d'un tunnel (180 m de long), apparaît le site extraordinaire du vieux village d'**Èze★★**, perché un piton rocheux. Au-delà d'Èze, la route contourne la Tête de Chien et offre de nouveaux horizons vers le cap Martin et Bordighera. En contrebas, la principauté de Monaco. Bien que située en territoire français, la station de **Beausoleil** ne forme avec Monte-Carlo qu'une seule agglomération. Véritable balcon sur la mer, elle étage maisons et rues en escaliers sur les pentes du **mont des Mules★** au sommet duquel on découvre un beau **panorama★**.

★★ Corniche Inférieure

▶ *33 km de Nice à Menton (D 6098).*

Cette route suit le littoral, au pied des pentes, et dessert les stations de la Riviera. Contournant le mont Boron, la route révèle de jolies **vues★**, sur la baie des Anges, le cap Ferrat, et sur la **rade** de **Villefranche-sur-Mer★** encadrée de pentes boisée. Une splendide végétation couvre la presqu'île prestigieuse du **cap Ferrat★★** où dans un **site★★★** incomparable, la **villa Ephrussi-de-Rothschild★★** fut bâtie en 1905 pour recevoir les magnifiques collections de la baronne. À **Beaulieu-sur-Mer★**, apprécié comme l'un des endroits les plus chauds de la Côte d'Azur, la **villa grecque Kérylos★★** est un pastiche d'une maison de la Grèce antique. La route passe par Èze-Bord-de-Mer, puis traverse **Cap-d'Ail**, où nombre de célébrités résidèrent : Sacha Guitry, Greta Garbo…

NOS ADRESSES À NICE

VISITES

Nice le Grand Tour – *Rens.* 𝒫 04 92 29 17 00. Le circuit (1h15 et 12 arrêts) du bus à impériale, au départ de la promenade des Anglais (face au théâtre de Verdure) vous permet de moduler la visite de la ville.

Trans Côte d'Azur – *Quai Lunel* - 𝒫 04 92 00 42 30 - *fév.-oct. et déc.* Promenade côtière commentée (1h) ; juin-sept. : excursions vers les îles de Lérins, Corniche d'Or (massif de l'Esterel), St-Tropez, Monaco.

HÉBERGEMENT

PREMIER PRIX

Star Hôtel – *14 r. Biscarra* - 𝒫 04 93 85 19 03 - www.hotel-star. com - *fermé 12 nov.-25 déc.* - 24 ch. 55/89 € - ☕ 7 €. Atouts majeurs de ce petit hôtel : une situation centrale (proximité du centre commercial Nice Étoile) et des prix doux pour la ville. Chambres sobrement meublées et bien tenues ; certaines avec balcon.

Clair Hôtel – *23 bd Carnot - imp. Terra-Amata* - 𝒫 04 93 89 69 89 - hotel.clair@wanadoo.fr - 🅿 - 10 ch.

60/75 € - ☐ 8 €. Une ancienne école sert de cadre à cet hôtel familial dont les calmes chambres, de plain-pied, mettent à profit les ex-salles de classe, ouvrant sur la cour où les tracés de marelle et les éclats de rire ont fait place à des graviers et des plantes. Petits-déjeuners livrés en chambre ou en terrasse. Emplacement un peu excentré.

Hôtel Armenonville – *20 av. des Fleurs - ☏ 04 93 96 86 00 - www.hotel-armenonville. com -* ⓟ *- 12 ch. 50/106 € - ☐ 11 €.* Dans l'ex-quartier des émigrés russes, charmante villa 1900 et son jardin méridional. Quelques meubles provenant du Negresco personnalisent les chambres peu à peu rajeunies.

RESTAURATION

PREMIER PRIX

René Socca – *2 r. Miralhéti - fermé lun. - ☏ 04 93 92 05 73 - ⋈ - 6/12 €.* L'adresse « nissarde » la plus populaire de toute la ville : suivez la file, faites votre commande et installez-vous sur une table avec vos plats. À ne pas manquer, la socca cuite dans un grand four à bois traditionnel, mais aussi beignets de cébètes et de fleurs de courge, tian niçois, pissaladière avec ou sans anchois…

La Table Alziari – *4 r. François-Zanin - ☏ 04 93 80 34 03 - fermé dim., lun., 12-23 janv., 1er-5 juin, 5-16 oct. et 7-18 déc. - 15/30 € bc.* Le charme d'une petite adresse familiale dans une ruelle de la vieille ville : spécialités niçoises et provençales sont suggérées sur l'ardoise du jour. La poche de veau (poitrine de veau farcie) compte parmi les classiques de la maison.

BUDGET MOYEN

Safari – *1 cours Saleya - ☏ 04 93 80 18 44 - www.restaurantsafari.com -* 20/40 €. Adresse à la mode qui ne doit pas son succès au hasard. Avec sa belle terrasse et sa façade rénovée qui a conservé son caractère, ce restaurant propose des spécialités locales qu'on ne trouve presque plus ailleurs et une généreuse carte de poissons. Service impeccable.

L'Escalinada – *22 r. Pairolière - ☏ 04 93 62 11 71 - www.escalinada. fr - fermé mi-janv.-mi-fév. et 1 sem. en mars - ⋈ - 24/33 €.* Cette maison traditionnelle, dans les ruelles du vieux Nice, compte 55 ans d'existence. Petite salle rustique pimpante, où la tradition des plats niçois est cultivée autour d'un attrayant menu. Atmosphère sympathique et conviviale.

ACHATS

Florian – *14 quai Papacino - ☏ 04 93 55 43 50 - www. confiserieflorian.com - 9h-12h, 14h-18h30 - fermé 25 déc.* Visite guidée et gratuite des ateliers de fabrication artisanale des produits de la confiserie : confits de fleurs, sirops de fleurs, fruits confits, confitures d'agrumes, fleurs cristallisées, orangettes au chocolat, bonbons acidulés, chocolats maison, etc. Dégustation et salon de vente.

À l'Olivier – *7 r. St-François-de-Paule - ☏ 04 93 13 44 97 - www. alolivier.com - 10h-13h, 14h-19h (19h30 en été) - fermé 1er janv. et 25 déc.* Cette enseigne, fondée en 1822 et débarquée à Nice en 2004, propose toutes les huiles d'olive françaises distinguées par une AOC. Vous y trouverez aussi des variétés étrangères, quelques macérations aromatiques, d'autres produits de bouche, de la vaisselle, du linge et des accessoires de table raffinés.

15

Le Mercantour

Alpes de Haute-Provence (04) - Alpes-Maritimes (06)

S'INFORMER
Parc national du Mercantour – *Siège administratif 23 r. d'Italie - BP 1316 - 06006 Nice Cedex 1 - ℰ 04 93 16 78 88 - www.mercantour.eu.*

SE REPÉRER
Carte générale D3 – *Cartes Michelin n° 721 P 12-13 et n° 527 U8-9.* À cheval sur les Alpes-Maritimes et les Alpes de Haute-Provence, le Parc national du Mercantour partage, au nord-est, 33 km de frontières avec son homologue italien, le Parco Naturale delle Alpi Maritime. Depuis Nice ou Menton, on y accède en 1h30 environ, par l'A 8-E74, direction Gênes, sortie Vintimille d'où l'on rejoint le col de Tende.

À NE PAS MANQUER
C'est le moment de bien vous chausser pour aller visiter les plus beaux sites du Mercantour, dans le val d'Allos, ou plus au sud, dans la vallée de la Roya, pour aller admirer les peintures rupestres de la vallée des Merveilles.

ORGANISER SON TEMPS
Rien ne s'improvise : la nuit d'hébergement avant de partir tôt le matin, l'accompagnateur de haute montagne ou les renseignements à prendre auprès des offices de tourisme afin de partir en toute sécurité.

AVEC LES ENFANTS
Les contes et légendes au musée des Merveilles à Tende.

Le massif, au relief rocailleux et accidenté (de 590 m à 3 143 m d'altitude), offre de magnifiques paysages : cirques glaciaires, torrents, lacs d'altitude, vallées et forêts de mélèzes… Depuis 1979, il fait partie du Parc national du Mercantour, espace protégé pour les orchidées et autres plantes alpines rares ainsi que pour les chamois, mouflons et bouquetins et des espèces réintroduites (gypaète barbu, loup). C'est un paradis pour les marcheurs qui parcourent les nombreux sentiers ou chemins de grande randonnée. Dans les hameaux et villages des hautes vallées, le patrimoine rural et artistique est tout aussi riche.

Découvrir

★ LE VAL D'ALLOS

Au nord-ouest du Parc national du Mercantour. Une route escarpée relie Barcelonnette au val d'Allos. L'accès est plus facile de Castellane par la D 955, puis la N 202 et la D 908, via St-André et Colmars.
C'est au fond de la vallée du haut Verdon que se niche le val d'Allos, avec son charmant village (alt. 1 400 m) et les stations de ski du Seignus et de La Foux. **Allos★** est un point de départ réputé pour des excursions.
Office du tourisme du val d'Allos – *Pl. de la Coopérative - BP 5 - 04260 Allos - ℰ 04 92 83 02 81 - www.valdallos.com.*

⋆⋆ Lac d'Allos

🥾 *45mn par le sentier de découverte. Attention : fréquentation record de mi-juil. à mi-août ; partir très tôt le mat.* Avec une étendue de 60 ha et une profondeur atteignant 50 m, c'est le plus grand lac naturel d'Europe à cette altitude (2 230 m). Vous pourrez en faire le tour en 1h. Célèbre par sa couleur azur, l'eau retenue par un verrou glaciaire vient de la fonte des neiges et de plusieurs sources. Au-dessous, à l'emplacement du plateau du Laus, un autre lac glaciaire a laissé place à une tourbière.

⋆⋆⋆ Mont Pelat

🥾 *5h AR. Dénivelé : 925 m. Sentier balisé en jaune et vert sans difficultés mais arrivée assez raide et caillouteuse.* Alt. 3 050 m. Du sommet, c'est l'extase : **panorama⋆⋆⋆** exceptionnel sur les cols d'Allos, de la Cayolle et de la Bonette, sur la Tête d'Estrop, le Grand Cheval de Bois, la Grande Séolane, le Parpaillon, le Chapeau du Gendarme, le Brec de Chambeyron et avec un peu de chance, si le ciel le permet, jusqu'au mont Blanc, au mont Viso et au mont Ventoux.

LA VALLÉE DE LA ROYA

▶ *Au sud-est du Parc national du Mercantour, le cours de la Roya est parallèle à la frontière avec l'Italie.*

⋆ Tende

🏛 **Maison du Parc** – ℰ 04 93 04 73 71 - www.tendemerveilles.com.
Alt. 816 m. Alpestre, sévère avec ses hautes maisons aux toits de lauzes, dont certaines datent du 15ᵉ s., Tende compose un **site** surprenant. Commandant le principal col avec l'Italie, la commune ne devint française qu'en 1947.

⋆ **Musée des Merveilles** – ℰ 04 93 04 32 50 - www.museedesmerveilles. com - de déb. mai à mi-oct. : tlj sf mar. 10h-18h30 ; de mi-oct. à fin avr. : tlj sf mar. 10h-17h - fermé de mi-mars à fin mars et de mi-nov. à fin nov, 1ᵉʳ janv., 1ᵉʳ Mai et 25 déc. 👥 C'est un complément précieux de la randonnée au mont Bégo. Il permet de comprendre la géologie régionale et de découvrir l'archéologie des Alpes méridionales et les arts et traditions populaires de la vallée de la Roya. Un mannequin animé récite contes et légendes.

⋆⋆ Vallée des Merveilles

À l'ouest de Tende, cirques, vallées, lacs glaciaires et moraines cernent le **mont Bégo** (alt. 2 872 m) de leur atmosphère minérale façonnée par les glaciations du quaternaire. Ce site du **Parc national du Mercantour** est réputé pour ses **gravures rupestres** – plus de 40 000 y ont été recensées – qui constituent un musée préhistorique en pleine nature. Elles témoignent des croyances des peuplades ligures des basses vallées qui auraient divinisé le mont Bégo et en auraient fait un lieu de pèlerinage. Ce dernier serait une puissance à la fois tutélaire en raison des eaux qui en descendent et redoutable par ses orages fréquents et violents. Parmi les thèmes de représentation : le culte du taureau, associé à celui de la montagne et l'agriculture (animaux attelés, araires, herses). On peut voir aussi quelques figures anthropomorphes, certaines ayant été baptisées le Sorcier, le Christ, le Chef de tribu, la Danseuse…

😮 **Bon à savoir** – On atteint le site de la vallée des Merveilles par la vallée de la Roya. Les gravures se voient de juin à septembre et se méritent après deux à trois heures de marche en haute montagne (entre 1 600 et 2 500 m). Les visites guidées se font au départ du refuge CAF des Merveilles. Prévoyez l'équipement adéquat, réservez impérativement votre nuit au refuge et n'hésitez pas à faire appel à des guides et accompagnateurs spécialisés.

15

À proximité

★★ Saorge

◗ *À 15 km au sud de Tende par la D 6204.*

À l'entrée de ses **gorges★★**, la perle de la région apparaît entre deux falaises rocheuses, dans un **site** extraordinaire. Bâti en amphithéâtre comme les autres villes de la haute vallée de la Roya, ce **vieux village★** a conservé son architecture médiévale intacte. Ses ruelles en dédale, souvent en escalier et voûtées, sont amusantes à parcourir. On y découvre des maisons du 15ᵉ s. avec toits de lauzes et portes aux linteaux sculptés. L'**église St-Sauveur** (16ᵉ s.) abrite de belles œuvres d'art ainsi qu'un orgue (1847) provenant de Pavie. Du **couvent des franciscains** qui domine au sud le village, on atteint une terrasse d'où la **vue★★** porte sur la Roya et ses gorges.

★★ Chapelle Notre-Dame-des-Fontaines

◗ *À 10,5 km au sud-est de Tende par la D 6204, puis par la D 43.*

Un sentier d'interprétation (1h30) permet de rejoindre la chapelle à partir du village, dépliant à l'office de tourisme - ℘ 04 93 79 09 34 - 2 mai-31 oct. : 10h-12h30, 14h-17h30 ; nov.-avr. : possibilité de visite guidée sur demande préalable - 5 € - accès chapelle 2 €.

La Brigue★ représente, avec N.-D.-des Fontaines, située à 4 km, un haut lieu de l'**art primitif niçois**. La chapelle (14ᵉ s.) matérialise la réalisation du vœu des Brigasques de voir les sources, alors taries, couler de nouveau. Elle fut agrandie au 15ᵉ s. pour recevoir une extraordinaire **décoration picturale★★★** due à Jean Baleison et Jean Canavesio. La beauté et la profusion de ces fresques devaient raviver la foi dans ces contrées excentrées, d'où le style burlesque, macabre ou poétique de ces scènes pleines de vie et d'anecdotes précieuses sur l'époque.

Principauté de Monaco

★★★

32 020 Monégasques

 NOS ADRESSES PAGE 693

S'INFORMER

Office de tourisme – *2A bd des Moulins - 98030 Monaco - ℰ 00 377 92 16 61 66 - www.visitmonaco.com - 9h-19h, dim. : 11h-13h.*

SE REPÉRER

Carte générale D3 – *Cartes Michelin n° 721 Q13 et n° 527 U10.* L'État souverain sur ses 2 km² comprend Monaco-Ville (« le Rocher », vieille ville) et Monte-Carlo (ville créée en 1860) réunies par la Condamine (le port), Fontvieille à l'ouest (l'industrie en site propre et le quartier résidentiel) et le Larvotto à l'est (la plage).

À NE PAS MANQUER

Les grands appartements du Palais princier ; le jardin exotique ; le casino et sa terrasse pour la vue sur le port.

ORGANISER SON TEMPS

Il est préférable de visiter la ville à pied ou en bus et d'éviter le mois de novembre, particulièrement le 19, jour de fête nationale où vous risquez de trouver porte close un peu partout.

AVEC LES ENFANTS

Le Musée océanographique, le jardin exotique.

Décor d'opérette sur le Rocher, palaces et casinos rococo, paradis du jeu, architecture californienne ou « bonsaï » sur la côte est, ville de parade et ville policée, une famille princière : Monaco, c'est tout cela à la fois, mais c'est aussi de superbes jardins et un Musée océanographique remarquable.

Découvrir

★★ LE ROCHER DE MONACO

Le promontoire, couronné des **remparts** de la vieille ville et surplombant la mer, offre un véritable décor de théâtre, avec de jolies maisons des 16e-18e s., fraîchement colorées et serrées dans un lacis de ruelles. Vous êtes au cœur de la principauté, là où se trouvent les principales attractions.

★★ **Musée océanographique**

ℰ 00 377 93 15 36 00 - www.oceano.mc - ♿ - juil.-août : 9h30-19h30 ; avr.-juin et sept. : 9h30-19h ; oct.-mars : 10h18h - 12,50 € (6-18 ans 6 €).

15

BRÈVE HISTOIRE DE MONACO

Dans le cadre de la lutte des Guelfes contre les Gibelins, **François Grimaldi**, expulsé de Gênes, s'empare de Monaco en 1297, déguisé en moine ainsi que ses hommes, mais il ne peut s'y maintenir. Un autre Grimaldi achète aux Génois la seigneurie de Monaco en 1308 et, depuis, le nom et les armes des Grimaldi sont toujours portés par les héritiers du titre.

En 1856, afin de se créer des ressources, le prince de Monaco **Charles III** autorise l'ouverture d'une maison de jeux. Celle-ci s'installe à Monaco, modeste et unique ville de la principauté. En 1862, une autre bâtisse est élevée sur l'ancien plateau des Spélugues ou Monte-Carlo : elle est isolée. Tout change lorsque **François Blanc**, directeur du casino de Bad Homburg, ville d'eaux de la Hesse, en devient concessionnaire. Grâce à ses talents et à ses capitaux, il réussit là où ses prédécesseurs s'étaient ruinés. Toute l'aristocratie d'Europe en villégiature défile dans les palaces, le casino et l'opéra de Monte-Carlo.

Attirant sur son sol le **tourisme** par ses manifestations sportives ou culturelles, et des sociétés étrangères en quête de privilèges fiscaux, Monaco n'a cessé de se construire… jusqu'à occuper tout l'espace disponible. Qu'à cela ne tienne ! On décida de remblayer la côte : près de 25 % du territoire ont été ainsi gagnés sur la mer. Aujourd'hui, avec les techniques offshore, la Principauté va plus loin en construisant des lagons artificiels pour bâtir des quartiers sur les hauts-fonds marins.

Il possède une riche collection d'animaux marins naturalisés et de squelettes de mammifères marins échoués sur le rivage italien. La **salle Albert 1er**★ évoque les campagnes scientifiques du prince du même nom, qui ont permis de rapporter des poissons des grandes profondeurs (record - 6 000 m).

★★ **Aquarium** – Il héberge quelque 6 000 locataires – 350 espèces de poissons – répartis en deux zones, tropicale et méditerranéenne. L'impressionnant **lagon**★ présente une barrière de corail et de grands prédateurs des fonds marins : requins, raies…

★ Palais princier

☏ 00 377 93 25 18 31 - www.palais.mc - visite audioguidée (30mn) avr.-oct. : 10h-18h (dernière entrée 30mn av. fermeture) - fermé reste de l'année - 8 € (8-14 ans 3,50 €) - billet combiné avec le musée des Souvenirs napoléoniens : 9 € (8-14 ans 4,50 €).

Construit sur la forteresse génoise du 13e s., ce somptueux palais, précédé d'un portail aux armes des Grimaldi, date du 17e s. De la galerie d'Hercule, décorée de fresques, on admire la **cour d'honneur** ornée de 3 millions de galets. La galerie des Glaces mène aux **Grands Appartements** et à la salle du Trône, où ont lieu depuis le 16e s. les réceptions officielles.

Rampe Major

Passer sous la voûte, à droite du palais. Sous de vieilles portes datant des 16e, 17e et 18e s., elle descend vers la **place d'Armes** de la Condamine, où se tient un marché tous les matins. Belle vue sur le port.

★★ Jardin exotique

☏ 00 377 93 15 29 80 - www.jardin-exotique.mc - de mi-mai à mi-sept. : 9h-19h ; de mi-sept. à mi-mai : 9h-18h ou tombée de la nuit selon les mois - fermé 19 nov. et 25 déc. 7 € (-18 ans 3,70 €).

👥 Dépaysement garanti dans cette insolite collection de cactées qui apprécie le microclimat exceptionnel d'un jardin suspendu le long d'une falaise rocheuse. Depuis les allées, **panorama**★ grandiose sur la principauté, le cap Martin et la Riviera italienne.

★★★ MONTE-CARLO

À l'est de la principauté, ce nom, célèbre dans le monde entier, évoque le jeu, les caprices de la fortune, le rallye automobile, et aussi un cadre majestueux avec ses palaces, ses casinos, ses riches villas, ses magasins luxueux, ses terrasses fleuries, ses arbres et ses plantes rares.

Casino

Le casino *(voir « Nos adresses »)* comprend plusieurs corps de bâtiments. **Charles Garnier** a construit en 1878 la façade côté mer et le théâtre-opéra, scène des Ballets russes. Cette compagnie fondée en 1909 à St-Pétersbourg par **Diaghilev** s'installa à Monte-Carlo après 1917. Elle prit son essor grâce à **Nijinski** et devint le carrefour de l'avant-garde, attirant les plus grands chorégraphes, danseurs, peintres et musiciens. Les Ballets russes de Monte-Carlo continuèrent sous l'égide de directeurs et artistes illustres, comme le marquis de Cuevas, jusqu'en 1962.

Avant de faire ou défaire votre fortune, allez sur la **terrasse**★★ qui domine la mer, pour la vue de Monaco à Bordighera.

😊 NOS ADRESSES À MONACO

RESTAURATION

PREMIER PRIX

Polpetta – 2 r. Paradis - ☎ 00 377 93 50 67 84 - 10/35 €. Ce petit restaurant italien vous propose trois cadres différents pour apprécier sa cuisine : la véranda côté rue ; la salle à manger rustique ; enfin, un espace plus intime et cossu à l'arrière. Cuisine transalpine à base de produits de saison et quelques spécialités familiales (pâté maison).

BUDGET MOYEN

Castelroc – Pl. du Palais - ☎ 00 377 93 30 36 68 – www. restaurant-castelroc.com - fermé 15 déc.-19 janv. et sam. - 22/25 €. Quelle belle terrasse pour s'adonner au farniente le temps d'un déjeuner, sous les arbres de la place du Palais ! Vous y savourerez une cuisine du cru, entre ombre et soleil, à moins que vous ne préfériez la fraîcheur de la salle à manger.

EN SOIRÉE

Casino de Monte-Carlo – Pl. du Casino - 98000 Monaco - ☎ 00 377 98 06 23 00 - www. casinomontecarlo.com - tlj de 14h jusqu'au dép. du dernier client - accès interdit -18 ans, pièce d'identité obligatoire - 10 €.

15

Cannes

★★

72 939 Cannois – Alpes-Maritimes (06)

 NOS ADRESSES PAGE 698

S'INFORMER

Office de tourisme – *Palais des Festivals - 1 bd de la Croisette - 06400 Cannes -* 🕿 *04 92 99 84 22 - www.palaisdesfestivals.com - juil.-août : 9h-20h ; reste de l'année : 9h-19h (10h-19h certains mois) - fermé 1ᵉʳ janv. et 25 déc.*

SE REPÉRER

Carte générale D4 – *Cartes Michelin n° 721 P14 et n° 527 S11.* De la colline du Cannet, la ville s'étend en terrasses jusqu'à la mer. De l'A 8, la D 6285 vous y mène par le boulevard Carnot, interrompu par la voie rapide. La D 6098 qui longe l'Esterel vous offre une entrée superbe dans la ville.

ORGANISER SON TEMPS

Comptez une demi-journée pour profiter de la Croisette et de la vieille ville. Pendant le Festival, l'effervescence rend la circulation difficile voire impossible.

AVEC LES ENFANTS

Le bateau pour les îles de Lérins.

Star de la Côte d'Azur, la Croisette place Cannes en haut de l'affiche. À l'ouest, l'Esterel découpe ses roches rouges ; en face, les îles de Lérins invitent à prendre le large. Depuis 1834 se succèdent dans ce site enchanteur les noms prestigieux qui firent sa renommée : hier, ceux de l'aristocratie qui en firent une douce villégiature d'hiver, aujourd'hui, des célébrités du cinéma dont Cannes est une des capitales.

Découvrir

★ LE FRONT DE MER

★ Boulevard de la Croisette

Qu'il fait bon flâner entre les architectures élégantes, les palmiers exotiques et les plages de sable fin, bigarrées de parasols. Vous y croisez des retraités dans leurs quartiers d'hiver, ou des stars, plus ou moins avérées. Entre le **palais des Festivals et des Congrès,** qui intègre le casino Croisette (l'un des trois casinos de la ville), et la pointe de la Croisette, vous êtes transporté dans un monde de restaurants et de boutiques de luxe, de belles voitures garées au pied d'hôtels au nom prestigieux. Jusqu'à la rue d'Antibes, parallèle, vous êtes dans le royaume de la jet-set internationale, avec ses boîtes de nuit, ses bars branchés et sa cuisine gastronomique.

Du palais, les 200 dalles de l'**allée des Stars,** moulées des empreintes de main des vedettes, et bordées de palmiers, vous conduisent jusqu'à la Pointe, contemplant d'un côté la « grande bleue », de l'autre les témoins grandioses de l'essor de la station aux 19ᵉ et 20ᵉ s. : le Majestic, la Malmaison, le

Noga-Hilton, ex-palais des Festivals de 1949 à 1983, le Carlton, Belle Époque, et le Martinez, de style Art déco.

Bon à savoir – En 1954, la plus haute récompense décernée lors du festival de Cannes prit l'aspect de **palmes d'or** à l'image de celles qui ornent les armoiries de la vieille cité.

★ Pointe de la Croisette

Elle doit son nom à une petite croix qui s'y dressait autrefois. Jusqu'au casino Palm Beach construit en 1929, voilà un panorama idéal sur Cannes, le golfe de la Napoule et l'Esterel. De l'autre côté de la Pointe, d'où l'île Ste-Marguerite semble si proche, vous découvrez une **vue**★ sur le golfe Juan, le cap d'Antibes et les Préalpes.

Quartier de la Californie

À l'est de la ville, de luxueuses villas au sein de magnifiques jardins témoignent du Cannes noble et exotique du 19e s. Les aristocrates étrangers ou les voyageurs affichaient sur leurs façades leur goût pour le style « néo » ou oriental.

LE VIEUX CANNES ET LE PORT

Le port

Entre le palais des Festivals et le Suquet, il est l'épicentre de l'activité cannoise. Les pêcheurs vendent leurs loups et leurs rougets aux restaurants du quai St-Pierre ou de la rue Félix-Faure. En rangs serrés, les deux-mâts anciens ou les yachts les plus sophistiqués attendent le touriste fortuné qui les fera voguer. Si tel n'est pas votre cas, les vedettes de la gare maritime, située près du Palais et décorée d'une large bande de lave émaillée, vous emmèneront pour la journée aux **îles de Lérins**★★.

Allées de la Liberté

Ombragée par de beaux platanes, cette place provençale accueille des boulistes soutenus par des spectateurs attentifs et un kiosque à musique. Le marché aux fleurs qui s'y tient le matin est un bonheur, notamment en février quand les mimosas sont en fleur. Le soir, l'hôtel de ville éclaire sa belle façade, rivalisant avec le Splendid, voisin, ou les autres hôtels de la Croisette.

Rue Meynadier

Extrêmement populaire et sympathique, ce trait d'union entre la ville moderne et **le Suquet** était déjà au 18e s. l'artère principale de la cité, comme le prouvent quelques demeures aux vieilles portes.

★★ Musée de la Castre

04 93 38 55 26 - juil.-août : 10h-19h ; avr.-juin et sept. : 10h-13h, 14h-18h ; oct.-mars : tlj sf lun. 10h-13h, 14h-17h - fermé janv., lun. et j. fériés - 3,50 €, gratuit 1er dim. du mois (oct.-avr.).

Ce **musée de l'homme** se trouve dans l'ancien château de Cannes au Suquet. Ouvert en 1877, il précède d'un an celui du Trocadéro, à Paris. Il abrite d'importantes collections d'archéologie et d'ethnographie, qui couvrent les cinq continents. Vous y trouverez aussi un bel ensemble de marines et de paysages méditerranéens. La chapelle cistercienne Ste-Anne recèle une fabuleuse collection d'**instruments de musique du monde**★. Du sommet de la tour carrée du Suquet, **panorama**★ sur la Croisette, le golfe de la Napoule et les îles de Lérins, l'Esterel et les collines au nord de Cannes.

15

Circuits conseillés

★★★ LE MASSIF DE L'ESTEREL

▶ *40 km de Cannes à St-Raphaël. Quitter Cannes à l'ouest par la D 6098.*

Mandelieu-la-Napoule
La commune célèbre pour ses mimosas plonge dans la mer. Le golf, les **plages** de sable, le **port de plaisance** et les jardins en font une station agréable toute l'année.

★★ Pointe de l'Esquillon
5mn à pied AR par un sentier balisé. Dans un virage à hauteur de l'hôtel Tour de l'Esquillon à Miramar, quitter la route et laisser la voiture au parking. Très belle **vue★★** sur l'Esterel, sur la côte, du cap Roux au cap d'Antibes, et sur les îles de Lérins *(table d'orientation)*.

★ Pointe de l'Observatoire
Des vestiges d'un blockhaus formant belvédère, belle **vue★** sur les rochers rouges et la mer bleue. On distingue Anthéor, la pointe du Cap-Roux, la pointe de l'Esquillon et le golfe de la Napoule.

La route atteint les stations d'**Anthéor** et d'**Agay** et longe la belle plage de Camp-Long, la plage du Dramont. Puis elle atteint **Boulouris**, aux villas

---

UN MASSIF EN TECHNICOLOR
L'**Esterel** est un massif bas (618 m au mont Vinaigre), raboté par l'érosion mais profondément raviné, si bien qu'on a parfois l'impression d'être en haute montagne. Sa physionomie caractéristique – relief heurté, déchiqueté, de couleur rouge feu – apparaît dans toute sa beauté au massif du **Cap-Roux**, en contraste saisissant avec le bleu indigo de la mer. Dans la région d'Agay pointent les **porphyres bleus** dont les Romains ont tiré les colonnes de leurs monuments de Provence. Par endroits, la couleur devient verte, jaune, violette ou grise. Le massif et la mer s'interpénètrent : promontoires et pointes escarpées alternent avec des baies minuscules, de petites plages ombragées, des calanques aux murailles verticales. En avant de la côte émergent des milliers de rochers et d'îlots colorés en vert par les lichens, tandis que les récifs transparaissent sous l'eau.

Massif de l'Esterel.
M. Capale/Age Fotostock

dispersées dans les pins, et **Saint-Raphaël**★ au pied des dernières pentes du massif de l'Esterel.

★ LA ROUTE NAPOLÉON

Elle est la reconstitution du trajet que suivit l'Empereur à son retour d'exil de l'île d'Elbe, depuis son débarquement à Golfe-Juan, le 1er mars 1815, jusqu'à Grenoble. Sur les plaques commémoratives et les monuments du parcours figurent les aigles aux ailes déployées dont le symbole est inspiré de ses paroles : « L'Aigle, avec les couleurs nationales, volera de clocher en clocher jusqu'aux tours de Notre-Dame » Cette marche triomphale dura vingt jours.
◗ *177 km de Cannes à Sisteron, par la D 6085, dite Rte Napoléon. La section de Sisteron à Grenoble est décrite à Sisteron (voir p. 641).*

Golfe-Juan

C'est la plage où Napoléon et son armée de 1 100 hommes débarquèrent. L'Empereur se reposa dans l'unique auberge qui existait alors avant de gagner Cannes. Voulant éviter la voie du Rhône qu'il savait hostile, il choisit la route de Grasse pour gagner, par les Alpes, la vallée de la Durance. Au-delà de Grasse, la colonne s'engagea dans de mauvais chemins muletiers : St-Vallier, Escragnolles, Séranon d'où, après une nuit de repos, elle gagna Castellane (3 mars), puis Barrême et Sisteron.

★ Grasse

« Là l'Empereur comptait trouver une route qu'il avait ordonnée sous l'Empire ; elle n'avait jamais été exécutée. Il fallut se résoudre à suivre des défilés difficiles et pleins de neige, ce qui lui fit laisser à Grasse, à la garde de la municipalité, sa voiture et deux pièces de canon… » (*Mémorial de Ste-Hélène*, propos de l'Empereur recueillis par Las Cases).

Capitale du parfum, la cité est adossée au plateau qui lui ménage une vue imprenable sur la côte cannoise. Elle ravit les promeneurs qui grimpent au sommet de la ville pour profiter des jardins et chercher les champs de fleurs du regard, avant de parcourir, d'une parfumerie à l'autre, les ruelles de la **vieille ville**★ dont les maisons ont la couleur du soleil couchant.

★★ **Musée international de la Parfumerie** (MIP) – *2 bd du Jeu-de-Ballon - ℰ 04 97 05 58 00 ; mai-sept. : 10h-19h (jeu. 21h) ; avr. : 11h-18h ; oct.-mars : tlj sf mar. 11h-18h - fermeture billetterie 20mn av. - fermé j. fériés - 3 € (-18 ans gratuit), gratuit 1er dim. du mois.* Sur près de 3 500 m², ce musée propose, après un « préambule sensoriel, 24 salles où sont exposées quelque 50 000 pièces.

Deux sont particulièrement remarquables : le *Nécessaire de voyage de Marie-Antoinette* et le *Kô Dô* ou « voie de l'encens », jeu reposant sur l'identification de mélanges de bois aromatiques qui se consument par leurs odeurs et leur association à des symboles ou des humeurs (20e s., Japon). Le musée présente en outre une impressionnante collection de **flacons★**.

On longe le « plateau Napoléon » où l'Empereur fit halte le 2 mars. La route franchit successivement trois cols : col du Pilon (782 m), **pas de la Faye★★** (981 m), col de Valferrière (1 169 m), offrant des **vues★★** admirables.

★ Castellane

Le **site★** est magnifique : la différence d'échelle est saisissante entre la petite ville et son « Roc », la falaise cyclopéenne qui la domine de ses 184 m. Franchissez les portes de la cité et flânez dans ses ruelles étroites ponctuées de placettes et de fontaines.

★ Digne-les-Bains

Cette station thermale s'est rénovée tout en préservant le charme de ses ruelles piétonnes, de ses portes anciennes et de ses passages voûtés. Capitale des « Alpes de la lavande », elle vit au cœur de montagnes bleutées, parfumées par cette fleur, dont un corso fleuri en août et une foire en septembre rappellent toute l'importance.

★★ Sisteron *(voir ce nom)*

😎 NOS ADRESSES À CANNES

HÉBERGEMENT

PREMIER PRIX

Hôtel Lutetia – *6 r. Michel-Ange* - ☎ *04 93 39 35 74* - *www.hotellutetiacannes.fr* - *8 ch. 40/65 €* - ☕ *7 €*. Cette maison accueillante et sans prétention située dans une ruelle bien calme la nuit est vite adoptée. Les chambres, toutes rénovées, sont meublées avec simplicité.

Hôtel Appia – *6 r. Marceau* - ☎ *04 93 06 59 59* - *www.appia-hotel.com* - *fermé 20 nov.-28 déc.* - *32 ch. 60/85 €* - ☕ *7 €*. Niché dans une impasse du centre-ville, établissement fonctionnel dont les chambres, un peu exiguës, sont bien aménagées, climatisées et insonorisées ; salles de bains impeccables.

RESTAURATION

PREMIER PRIX

Caveau 30 – *45 r. F.-Faure* - ☎ *04 93 39 06 33* - *www.lecaveau30.com* - *formule déj. 17,50 € - 24,50/36 €*. Deux grandes salles à manger façon brasserie des années 1930. Banc d'écailler et terrasse donnant sur une grande place ombragée. Poissons, coquillages et plats traditionnels.

BUDGET MOYEN

Fred L'Écailler – *7 pl. de l'Étang* - ☎ *04 93 43 15 85* - *www.fredlecailler.com* - *25/37 €*. Le lieu est signalé par une large enseigne lumineuse dressée sur une charmante placette à l'ambiance villageoise. Intérieur rustique décoré de filets de pêche. La terrasse offre le spectacle des parties animées des joueurs de pétanque. Beau choix de produits de la mer.

Saint-Tropez

★★

5 275 Tropéziens – Var (83)

 S'INFORMER

Office de tourisme – *Quai Jean-Jaurès (le Port) - 83990 St-Tropez -*
℘ *0 892 684 828 (0,34 €/mn) - www.ot.saint-tropez.com - juil.-août :*
9h30-20h ; avr.-juin et sept.-oct. (pdt « les Voiles de St-Tropez ») : 9h30-12h30,
14h-19h ; oct. (apr. « les Voiles de St-Tropez ») et nov.-mars : 9h30-12h30,
14h-18h - fermé dim. en janv. et nov. ; 1ᵉʳ janv. et 25 déc.

◗ **SE REPÉRER**

Carte générale D4 – *Cartes Michelin n° 721 P14 et n° 527 S11.* À 8,5 km à l'est
de Cogolin, sur le rivage opposé à Ste-Maxime.

⊛ **À NE PAS MANQUER**

Le port, les ruelles étroites, le musée de l'Annonciade et, aux alentours,
une excursion dans le massif des Maures.

◷ **ORGANISER SON TEMPS**

L'été, jusqu'à 10h du matin, les rues sont tranquilles. En hiver ou au printemps, profitez d'un décor fabuleux qui mérite plusieurs jours d'immersion, mais attention : hors saison, café, palaces et restaurants ferment
leurs portes jusqu'au printemps suivant.

👥 **AVEC LES ENFANTS**

Les plages de sable blanc.

**Admirablement ancrées au bout du golfe de St-Tropez, ses jolies mai-
sons pastel observent la côte, épaulées de collines aux rivages de roche
et de sable idylliques. Coquet, St-Tropez se fait beau pour ressembler à
l'image dépeinte au début du siècle par les plus grands artistes, conservée au musée de l'Annonciade. Il plaît ainsi au monde entier, associant
un charme à l'allure provençale à une ambiance internationale, avec ses
adresses chics et snobs propices à la fête.**

Découvrir

★★ Le Port

Les yachts les plus clinquants s'y amarrent pour l'été, l'arrière tourné non vers
le large mais vers les quais : c'est qu'il s'agit avant tout de faire voir qui on est !
Un théâtre où chacun se pavane, sur les quais et dans les rues voisines, devant
les vitrines des cafés, glaciers, restaurants, boutiques, au pied des façades jaunes et roses des maisons, que couronne l'altier clocher coloré de l'église.

Les Plages

👥 Elles sont divines, nappées de sable fin, entrecoupées de rochers formant
parfois de délicieuses criques sous des pins parasols. Vous n'aurez que l'embarras du choix sur 10 km. Les plus courageux les dénicheront à pied par le
sentier du littoral qui fait le tour de la presqu'île jusqu'à la baie de Cavalaire
ou à travers la campagne par le chemin de la Belle Isnarde qui mène à la plage
Tahiti (Pampelonne).

★★ L'Annonciade, musée de Saint-Tropez

Pl. Grammont - ℰ 04 94 17 84 10 - juil.-sept. : 10h-12h, 14h-18h ; oct.-juin : tlj sf mar. 10h-12h, 14h-18h - fermé nov., 1ᵉʳ janv., 1ᵉʳ et 17 mai, Ascension et 25 déc. - 5 € (-12 ans 3 €).

Cette chapelle du 16ᵉ s. recueille les chefs-d'œuvre de la peinture de la fin du 19ᵉs. et du début du 20ᵉ s., pour la plupart, interprétations merveilleuses du site tel qu'il se présentait alors. La touche **pointilliste** de Signac rayonne avec le bleu scintillant de son *Orage*. Le **fauvisme** s'exprime avec Matisse, Van Dongen, Braque, Marquet. Les **nabis** sont représentés par Vuillard et Vallotton.

Circuit conseillé

★★ LE MASSIF DES MAURES

Une parure végétale couleur émeraude s'étend entre la mer et les vallées du Gapeau et de l'Argens, d'Hyères à St-Raphaël. De nombreuses stations sont nées sur le littoral, dans des creux ou indentations qui multiplient les points de vue. L'intérieur, longtemps isolé, est encore sauvage. Ce beau circuit, qui emprunte des routes souvent désertes, est très accidenté et ne compte pas moins de sept cols. Il pénètre profondément à l'intérieur des Maures.

▶ *125 km. Quitter St-Tropez à l'ouest par la D 98ᴬ.*

Cogolin
Au cœur du golfe de St-Tropez, ce village a su garder le charme authentique des bourgs de Provence grâce à ses fabricants de pipes.

★ Grimaud
Village perché pimpant et fleuri. On y trouve de vieilles maisons, de petites places, des ruelles entrelacées, ponctuées par une volée de marches, une fontaine ou un micocoulier.

★★ Monastère de la Verne
ℰ 04 94 43 45 41 - juin : tlj sf mar. 11h-18h ; juil.-août. : 11h-18h ; sept.-mai : se renseigner - fermé janv., Pâques, Ascension, Pentecôte, 15 août, 1ᵉʳ nov. et 25 déc. - 5 € (enf. : 3 €).

Avant d'entrer dans la chartreuse, dont les bâtiments (17ᵉ et 18ᵉ s.) présentent un beau contraste de pierre entre les murs en schiste brun et le remarquable décor en serpentine, vous prendrez le temps d'admirer le superbe **portail** monumental en serpentine, flanqué de deux colonnes annelées soutenant un fronton triangulaire.

Collobrières
Ce bourg très ombragé a gardé de pittoresques maisons qui dominent, près d'un vieux pont en dos d'âne, la rivière au courant rapide. On y exploite le **liège** des forêts voisines, on y cultive la vigne (vin rosé) et on y entretient les châtaigneraies pour récolter les **marrons** dont le village s'est fait une spécialité.

★ Bormes-les-Mimosas
Dans un site enchanteur, dans ce vieux village étagé sur le flanc des Maures, les parfums des eucalyptus, des lauriers-roses et des mimosas embaument.
Revenir à St-Tropez par la route côtière que l'on rattrape au Lavandou.

Toulon

★

166 733 Toulonnais – Var (83)

 S'INFORMER

Office de tourisme – *12 pl. Louis-Blanc - 83000 Toulon - ℘ 04 94 18 53 00 - www.toulontourisme.com - fermé 1er janv., 1er Mai et 25 déc.*

SE REPÉRER

Carte générale D4 – *Cartes Michelin n° 721 O14 et n° 527 L14.* Le boulevard de Strasbourg et l'avenue du Général-Leclerc, tracés sur d'anciennes fortifications, raccordent les tronçons de l'A 57 et de l'A 50, laissant au sud la vieille ville et le port, au nord la ville moderne et les banlieues qui grimpent sur les collines. L'arsenal et le port militaire sont interdits au public.

À NE PAS MANQUER

Le circuit des fontaines dans la vieille ville ; le musée de la Marine ; une promenade en bateau dans la rade et l'ascension au mont Faron par le téléphérique. Aux alentours, l'abbaye du Thoronet et les îles d'Hyères.

AVEC LES ENFANTS

Les maquettes au musée de la Marine, le zoo et le sentier sous-marin à Port-Cros.

Toulon est d'abord l'une des plus belles rades de la Méditerranée ; elle s'arrondit majestueusement en une nappe bleu sombre bordée de bâtiments aux tons clairs, et on l'admire du mont Faron. Les croiseurs et frégates du port militaire ont depuis longtemps remplacé galères et forçats.

Découvrir

★ LA VIEILLE VILLE

Les ruelles s'enchevêtrent entre les rues Landrin (*au nord*) et Anatole-France (*à l'ouest*), et le cours Lafayette (*à l'est*), soit le tracé des fortifications de l'époque d'Henri IV. Rénové progressivement depuis 1985, le vieux Toulon, avec ses placettes et ses fontaines vaut la promenade *(dépliant à l'office de tourisme).*

Fontaine des Trois-Dauphins
La place Puget s'orne depuis 1780 de cette curieuse fontaine-jardin due à deux artistes toulonnais et à mère Nature.

Cathédrale Sainte-Marie
9h-12h, 14h-18h. La belle façade classique date des agrandissements du 17e s. L'intérieur, plutôt sombre, associe art roman et art gothique, les architectes du 17e s. ayant voulu respecter les lignes de l'édifice primitif (11e-12e s.).

Cours Lafayette
Bécaud a chanté le marché qui se tient chaque jour (sauf le lundi) sur cette voie qu'on appelait autrefois « le pavé d'amour ». La mercerie, la fripe et les gadgets tiennent les deux extrémités, les fruits et légumes règnent sur le reste.

15

LA MARINE MILITAIRE

Quai Cronstadt

Le **port★** fut bombardé pendant la Seconde Guerre mondiale. Aujourd'hui, un rideau d'immeubles des années 1950 cache la vieille ville. Sur le quai, cafés et magasins attirent les promeneurs. C'est de là qu'on embarque pour la visite ou la traversée de la rade. Les célèbres **Atlantes★** de Pierre Puget, sauvés des bombes, soutiennent le balcon de la mairie d'honneur : l'un est fort, l'autre fatigué.

★ Tour de la rade en bateau

Réserv. : les Bâteliers de la Côte d'Azur - ☎ 04 94 93 07 56 - embarcadère quai Cronstadt, côté préfecture maritime - de fév. à la Toussaint, départ ttes les heures : circuit commenté (1h) - 10 € (4-10 ans, 6 €).

Le bateau sort de la Darse Vieille pour explorer la Petite Rade ; il passe ensuite devant le port de commerce, l'institut IFREMER, l'ex-chantier naval de la Seyne. Les forts de l'Éguillette et de Balaguier encadrent les parcs à moules de la corniche de Tamaris. Le circuit se termine par la côte de St-Mandrier, et la digue déchiquetée qui protège la Petite Rade. Tout au long de la promenade, magnifiques **vue**s★ sur Toulon et les montagnes.

★ Musée de la Marine

Pl. Monsenergue - ☎ 04 94 02 02 01 - www.musee-marine.fr - ♿ - possibilité de visite guidée en juil. et août (1h) 10h-18h ; sept.-juin tlj sf mar. 10h-18h - 5,50 € (-18 ans gratuit) - fermé janv., 1er Mai et 25 déc.

👥 Les p'tits mousses auront le choix entre 5 parcours pédagogiques. On franchit l'ancienne **porte de l'Arsenal** (18e s.) décorées de trophées d'armes. À l'intérieur, deux niveaux retracent le passé et le présent de la marine de guerre à Toulon : *Vue du port* d'après J. Vernet, spectaculaires maquettes de la frégate *La Sultane* et du vaisseau *Duquesne* (18e s.), rutilant tableau de manœuvres du porte-avions *Clemenceau*…

À proximité

★★★ Mont Faron

Le massif calcaire du mont Faron (alt. 584 m) domine Toulon.

★ Montée en téléphérique – ☎ 04 94 92 68 25 - juil.-août : 10h-20h ; fév.-juin et sept.-nov. : se renseigner pour les horaires - fermé déc.-janv., lun. (sf juil.-août, lun. Pâques, lun. Pentecôte), 22-23 juin et 7-8 sept. - 6,70 € (enf. 4,70 €). C'est l'occasion de découvrir de belles vues★ sur la ville, les rades, St-Mandrier, le cap Sicié et Bandol.

★ Musée-mémorial du Débarquement en Provence – ☎ 04 94 88 08 09 - de déb. juil. à mi-sept. : 10h-13h, 14h-18h30 ; mai-juin et 2e quinz. de sept. : 10h-13h, 14h-18h30 ; oct.-avr. : 10h-13h, 14h-17h30 - fermé lun., 1er janv. et 25 déc. - 3,80 € (enf. 1,55 €). Installé dans la **tour Beaumont**, il commémore la libération du Sud-Est de la France par les Alliés en août 1944. Outre les souvenirs des combattants dans la région lors de la Libération, un diorama met en scène la libération de Toulon et de Marseille. Dans la salle de cinéma sont projetés des documents filmés lors du Débarquement. Superbe **vue★★★** du haut de la terrasse.

Zoo – *Se renseigner pour horaires et tarifs au ☎ 04 94 88 07 89 - ♿.* 👥 Ce centre de reproduction d'espèces menacées est spécialisé dans les fauves : panthère des neiges, ocelot, caracal. Également singes, ours, hyènes et lémuriens.

★★ **Abbaye du Thoronet**

◐ *À 62 km au nord-est de Toulon par l'A 57 jusqu'à la sortie 13, puis la D 17. ℘ 04 94 60 43 90 - avr.-sept. : 10h-18h30, dim. 10h-12h, 14h-18h30 ; oct.-mars 10h-13h, 14h-17h, dim. 10h-12h, 14h-17h - fermé 1er janv., 1er Mai, 1er et 11 Nov. et 25 déc. - 7 € (-18 ans gratuit).*

Ce chef-d'œuvre de pureté – la plus ancienne des trois abbayes cisterciennes de Provence (avec Sénanque et Silvacane) – se cache parmi les chênes
dans un site sauvage et isolé qui s'accorde bien avec la règle austère de l'ordre de Cîteaux. L'église, le cloître et les bâtiments monastiques virent le jour
entre 1160 et 1190. La belle pierre blonde contribue à la beauté de l'**égli-
se★**, réputée pour son extraordinaire acoustique. En respect à la règle de
saint Bernard, le décor sculpté est absent, soulignant la majesté des formes.
Dépouillement et proportions puissantes apportent ce sentiment d'équilibre
dans le **cloître★**, dont les galeries offrent leur ombre et leur fraîcheur.

Au nord de l'église s'ouvrent les **bâtiments conventuels** : c'est dans la **salle
capitulaire★** que l'on découvre les seules sculptures de l'abbaye.

★★★ **Îles d'Hyères**

◐ *Les îles d'Hyères sont accessibles à partir de plusieurs ports. Les compagnies
de transport proposent des circuits, promenades côtières et des excursions.
À Cavalaire : Vedettes Îles d'Or - ℘ 04 94 71 01 02 ; à Hyères : TLV - ℘ 04 94 57
44 07 ; de la Presqu'île de Gien : TLV - ℘ 04 94 58 21 81.*

Les îles d'Hyères sont trois coins de paradis, chacune dans son genre : celle du
Levant est la plus minérale, Port-Cros, la plus montagneuse, et Porquerolles,
la plus grande. La plus belle ? Avouons ici notre faible pour Port-Cros.

★★ **Porquerolles** – C'est la plus occidentale et la plus importante des îles
d'Hyères : la côte nord est festonnée de plages de sable, que l'on parcourt par
la **promenade des plages★★** (🚶 *2h à pied AR*). La côte sud est abrupte, avec
quelques criques d'accès facile. À l'intérieur, une forêt de pins et de chênes
verts, des vignobles, et une abondante végétation. Le meilleur moyen pour
découvrir l'île reste le vélo. Bâti au milieu du 19e s. par l'administration militaire
au fond d'une rade minuscule, le **village** évoque plus l'Afrique du Nord que la
Provence. Le noyau, entouré d'hôtels, de villas et d'une résidence, comprend
la place d'Armes, une église et quelques maisons de pêcheurs.

La **promenade du phare★★** (🚶 *1h30 à pied AR*) permet de découvrir, à l'extrême pointe sud, un beau **panorama★★** sur la presque totalité de l'île.

★★★ **Port-Cros** – L'île, véritable éden, est plus accidentée, plus escarpée, plus
haute sur l'eau que ses voisines, mais sa parure de verdure est sans rivale. Port-
Cros, classée Parc national, culmine au mont Vinaigre (alt. 194 m). Quelques
commerces et maisons de pêcheurs, une petite église garnissent la baie que
domine le fort du Moulin. Et la mer, oscillant entre émeraude et turquoise,
y est étrangement belle. Face à l'embarcadère, des panneaux directionnels
indiquent les principaux itinéraires de promenade de l'île.

★ **Sentier sous-marin** – *Accompagnement de mi-juin à mi-sept., tlj sf mauvaise
météo - rens. au ℘ 04 94 05 90 17.* 🏊 Inutile de pratiquer la plongée, il suffit
de savoir nager avec palmes, masque et tuba pour découvrir une grande
variété de biotopes typiques de la Méditerranée, notamment un **herbier de
posidonies** et la faune qu'il abrite.

Le Levant – C'est une étroite arête rocheuse (8 km de long sur 1,2 km de
large), entourée de falaises inaccessibles avec de prodigieux à-pics, sauf en
deux points : les calanques de l'Avis et de l'Estable. Les plages des Grottes et
du port de l'Ayguade sont accessibles aux non-naturistes. La Marine nationale
occupe 90 % de l'île *(zone interdite)*.

15

Corse 16

Cartes Michelin National n° 721 et Départements n° 345

Port de Bastia.
S. Grandadam/Age Fotostock

La Corse

◒ SE REPÉRER

Du continent, les liaisons aériennes mettent la Corse à moins de 2h de vol. Par bateau, comptez 2h45 pour Nice-Calvi à bord d'un navire à grande vitesse (NGV) et 4h pour Nice-Ajaccio ; à bord d'un car-ferry, comptez 10h30 pour Marseille-Bastia et 13h30 pour Marseille-Porto-Vecchio.

La N 193 traverse l'île du nord-ouest au sud-ouest, reliant Bastia à Ajaccio (147 km). La N 196 relie Ajaccio à Bonifacio (132 km) en passant par Sartène. La N 198 longe la côte est de Bonifacio à Bastia (170 km). Corte, au centre nord de l'île, est à 80 km d'Ajaccio, à 68 km de Bastia, à 147 km de Bonifacio et à 87 km de Calvi.

⊙ À NE PAS MANQUER

Suivez les traces de Napoléon à Ajaccio. Découvrez le Cap Corse au départ de Bastia. À Calvi, faites un tour dans la citadelle avant de partir sur les routes de Balagne. De Porto, ne manquez pas d'aller admirer les Calanche, vers Piana. À Bonifacio, approchez les falaises en bateau et offrez-vous un bain de mer dans les eaux bleu lagon des îles Lavezzi. Enfin, pénétrez dans la montagne pour découvrir, au col de Bavella, ses mythiques aiguilles de rocaille et sa belle forêt de pins laricio.

◷ ORGANISER SON TEMPS

La Corse bénéficie d'un fort ensoleillement en toute saison. Si la chaleur est à craindre en été (maxima 36 °C sur les côtes, 26 °C à 1 000 m), ainsi que les orages en fin d'après-midi, la brise marine évite la sensation d'étouffement et l'eau qui peut atteindre 25 °C est délicieuse pour les frileux. Le reste de l'année, les températures sont toujours clémentes (sauf en altitude où il neige en hiver), ce qui rend les promenades agréables ; l'île est alors moins envahie.

La Corse, troisième plus grande île de la Méditerranée (8 720 km²), après la Sicile et la Sardaigne, est une montagne de granit, à l'exception des falaises calcaires de Bonifacio et de la région volcanique de Scandola au nord-ouest de Porto. La roche, dont les teintes vont du rouge le plus clair au gris le plus sombre crée des paysages époustouflants. À l'ouest, l'île déploie 500 km de côtes découpées dont les pentes plongent à grande profondeur : falaises, grottes et pointes se succèdent de golfe en golfe. À l'est, au contraire, criques et baies de sables fins bordent un littoral presque rectiligne. En Corse, la pierre raconte l'histoire insulaire, à commencer par les étonnants menhirs sculptés de Filitosa, puis les tours génoises destinées à repousser les pirates barbaresques. Citadelles perchées, fières et hautes « casa torra » des seigneurs locaux ou des notables, il s'agissait toujours de se protéger. Disséminées dans les montagnes, les bergeries, plus ou moins abandonnées, rappellent quant à elles la longue tradition pastorale de l'île. Sur ce territoire préservé, malgré l'affluence touristique de l'été, chacun peut trouver son coin de paradis.

Ajaccio

65 153 Ajacciens – Corse du Sud (2A)

😊 NOS ADRESSES PAGE 710

🗐 S'INFORMER

Office de tourisme – *3 bd du Roi-Jérôme - 20181 Ajaccio - 𝒫 04 95 51 53 03 - www.ajaccio-tourisme.com - Juil.-août : 8h-20h, dim. 9h-13h ; avr.-juin et sept.-oct. : 16h-19h, dim. 9h-13h ; nov.-mars : tlj sf dim. mat. et apr.-midi.*

ⓒ SE REPÉRER

Carte générale D4 – *Cartes Michelin n° 721 R16 et n° 345 B8*. Au creux du plus grand golfe de l'île, Ajaccio s'étend le long du rivage et sur les hauteurs. Au nord, le nouveau port de plaisance (Charles-Ornano) ; plus bas, la jetée des Capucins accueille les ferries et le port de commerce ; devant la face nord de la citadelle, le petit port de pêche et de plaisance (Tino-Rossi).

😊 À NE PAS MANQUER

Une visite au palais Fesch ou une promenade sur les traces de Napoléon ; dans le golfe, le coucher de soleil à la pointe de la Parata.

🕐 ORGANISER SON TEMPS

Partez de bon matin à la pointe d'Aspreto *(entrée est de la ville)* avant de gagner le marché et de découvrir la vieille ville.

👥 AVEC LES ENFANTS

Une excursion en bateau vers les îles Sanguinaires.

Ajaccio, la ville natale de Bonaparte, mérite mieux qu'une brève halte. Rues, monuments et musées rappellent l'incroyable destin de cet enfant du pays. Chaque matin, le marché anime le square César-Campinchi et les rues adjacentes. Sur le port, les pêcheurs écoulent leurs poissons frais, tandis que, sur les bancs, les retraités discutent au soleil.

Découvrir

Il ne reste plus trace de la cité romaine, au nord de la citadelle. La fondation d'Ajaccio sur son site actuel date de l'implantation, en 1453, de l'Office de St-Georges qui administrait l'île pour le compte de la république de Gênes. La cité, achevée en 1492, demeura génoise jusqu'en 1553. Mais le véritable envol de la ville date du 18e s. Aujourd'hui chef-lieu du département de Corse-du-Sud, elle est le siège de l'Assemblée territoriale de Corse, créée en 1991.

Jetée de la citadelle

Au pied de la citadelle (16e s.), toujours domaine militaire *(visite lors des Journées du Patrimoine)*, la jetée abrite le port de pêche et de plaisance. Depuis son extrémité, **vue★** sur le front de mer et une partie du golfe d'Ajaccio.

Place d'Austerlitz (U Casone)

Elle est dominée par l'imposant **monument de Napoléon Ier** qui ferme l'axe ouvert 1 500 m plus bas, place Foch, par la statue du Premier consul. Précédé de

16

UN AUTRE EMPEREUR
Tino Rossi (1907-1983) débuta sa carrière artistique à 20 ans à l'Alcazar de Marseille avant de recevoir la consécration à Paris dans les revues de Vincent Scotto et le film *Marinella* (1936). Après avoir enregistré plus de mille chansons, participé à 24 films et animé quatre opérettes, le chanteur ajaccien à la voix de velours demeure une référence dans la chanson de charme. Les inconditionnels de l'auteur de *Petit Papa Noël* iront voir sa maison natale *(45 r. Cardinal-Fesch)* et se recueillir sur son tombeau en granit blanc *(situé à gauche de la première entrée du cimetière d'Ajaccio).*

deux aigles et d'une immense stèle inclinée rappelant ses victoires, Napoléon, coiffé du bicorne, regarde la ville.

★★ Palais Fesch - Musée des Beaux-Arts

50 r. du Card.-Fesch - ☎ 04 95 26 26 26 - www.musee-fesch.com - ♿ - lun., merc. et sam. 10h30-18h, jeu.-vend. et dim. 12h-18h (17h d'oct. à avr. et 3ᵉ dim. du mois) - 8 € (-18 ans gratuit).

Installé dans l'ancien collège Fesch (1827), ce musée, entièrement restructuré, propose un parcours chronologique des Primitifs italiens aux peintres corses du 20ᵉ s. Il abrite la plus importante collection de **peintures italiennes★★★** conservée en France, après celle du Louvre. Ces toiles furent léguées à la ville par le cardinal Fesch, oncle maternel de Napoléon et archevêque de Lyon… et collectionneur. Parmi les chefs-d'œuvre exposés, ne manquez pas les Vierges à l'Enfant de **Giovanni Bellini** (1430-1516) et de **Sandro Botticelli** (1445-1510). Tendresse, charme et sensibilité se dégagent de la première, tandis que la deuxième, peinte en 1470, enchante par sa grâce et son naturel. Le patrimoine artistique corse est illustré par des peintures, gravures et dessins.

Chapelle impériale – *Fermée pour travaux.* Elle fut édifiée par Napoléon III, en 1857, pour servir de sépulture à la famille impériale. De style néo-Renaissance, elle est construite en pierre de St-Florent. La grande coupole en trompe l'œil peinte par l'artiste ajaccien Jérôme Maglioli ainsi que les vitraux sont décorés aux armes du cardinal Fesch.

★ Maison Bonaparte

R. St-Charles - ☎ 04 95 21 43 89 - www.musee-maisonbonaparte.fr - ♿ - avr.-sept. : 9h-12h, 14h-18h ; oct.-mars : 10h-12h, 14h-16h45 - 7 € (-26 ans gratuit), gratuit 1ᵉʳ dim. du mois.

Devant la **place Letizia**, s'élève la maison natale de l'Empereur qui remonte au 17ᵉ s. Les salles sont décorées de portraits et de meubles Directoire. Remarquez les masques mortuaires de l'Empereur, réalisés à Ste-Hélène juste après son décès par son médecin, Antommarchi.

À proximité

★★ Îles Sanguinaires

▶ *Pour approcher au plus près des Sanguinaires en voiture, quitter Ajaccio par l'ouest et prendre la rte des Sanguinaires (12 km) qui mène à la pointe de la Parata. Le mieux bien sûr est d'entreprendre une excursion en bateau. ☎ 06 24 69 48 80/81 - www.decouvertes-naturelles.net - excursions à partir du port Tino-Rossi à Ajaccio - durée 3h - 27 € ; excursion le soir, dép. selon coucher du soleil, retour entre 22h30 et 23h.*

👥 L'excursion en **bateau**★★ permet d'avoir une vue d'ensemble de la ville d'Ajaccio. Le bateau longe la côte nord du golfe, puis passe au large de la pointe de la Parata couronnée d'une tour génoise pour accoster la **Grande Sanguinaire**. C'est le plus éloigné du rivage et le plus important des îlots qui constituent l'archipel. Sur la Grande Sanguinaire s'élèvent un phare à éclipses, un ancien sémaphore et une tour en ruine.

Circuits conseillés

★ LA ROUTE DES SANGUINAIRES ET LA POINTE DE LA PARATA

◯ 29 km. Quitter Ajaccio par la D 111.
La route bordant la côte nord du golfe permet de découvrir la « corniche ajaccienne » et ses quartiers résidentiels. D'agréables petites plages sont animées de bars d'où l'on peut admirer de superbes couchers de soleil.
Pointe de la Parata – Elle est surmontée d'une tour édifiée par les Génois pour protéger l'île des incursions barbaresques. La route s'arrête au pied du promontoire. Le chemin qui la prolonge permet de gagner l'extrémité de la pointe *(30mn AR)* où s'offre une **vue**★★ sur les îles Sanguinaires.
Reprendre la route en sens inverse ; au bout de 2 km environ, suivre à gauche « Capo di Feno ». Poursuivre pendant 8 km environ, puis emprunter une route non goudronnée (sur 200 m). Un sentier mène à la plage.
★ Plage de Grand Capo – C'est la plage de prédilection des Ajacciens (et des surfers). Eau turquoise et impression de « bout du monde », les lieux sont restés sauvages. Attention en vous baignant : les courants peuvent être traîtres.
Rentrer sur Ajaccio par la D 11ᴮ (rte de St-Antoine).

★★ LA CÔTE SUD DU GOLFE

◯ 104 km. Quitter Ajaccio vers l'est en dir. de Porticcio.
Porticcio – Plages de sable, hôtels et restaurants, institut de thalassothérapie et ensembles résidentiels attirent de nombreux estivants.
Au **port de Chiavari,** prendre la route de la pointe de la Castagna (D 155) qui suit la côte. On rejoint la belle **plage de Mare e Sole**, ombragée par quelques pins.
★ Forêt de Chiavari – La route pénètre dans la forêt domaniale. Originaire d'Australie, l'eucalyptus fut introduit en Corse au 19ᵉ s. dans les environs du **pénitencier** pour en assainir l'environnement. En effet, gros consommateur d'eau, cet arbre pompe le sol et assèche les zones marécageuses, en outre ses feuilles ont des vertus antiseptiques et repoussent les moustiques.
Coti-Chiavari – L'esplanade ombragée de ce village, bâti en terrasses, forme un **belvédère**★ : agréable point d'observation vers la pointe de la Castagna et les îles Sanguinaires.
Punta Guardiola – 1h à pied AR. Le promontoire, dominé par une tour génoise, ferme, au sud, le golfe d'Ajaccio. À ses pieds s'ouvre le beau golfe d'**Arena Rossa**★.
Revenir à Coti-Chiavari.
De là, le retour à Ajaccio s'effectue par la **route des Cols**★ (D 55) qui embrasse le **golfe d'Ajaccio**★★.

16

NOS ADRESSES À AJACCIO

TRANSPORTS

Aéroport d'Ajaccio – À 8 km à l'est du centre par la N 196. Un **bus** assure la liaison entre la gare routière en centre-ville et l'aéroport (*à droite en sortant du hall d'arrivée*). Horaires adaptés aux heures des avions (trajet : 15-20mn - 4,50 €). En **taxi**, compter entre 18 € et 25 €.

VISITES

Petit train des îles – *Pl. Foch -* ℰ *04 95 51 13 69 ou 04 95 21 10 23 - www.petit-train-ajaccio. com* – 10h30-18h (nocturne en été), dép. env. ttes les heures. Visite des principales curiosités d'Ajaccio (45mn, 7 €) ; balade dans la ville et sur la route des Sanguinaires, avec arrêt à la pointe de la Parata (1h30, 10 €).

HÉBERGEMENT

BUDGET MOYEN

Hôtel Kallisté – *51 cours Napoléon -* ℰ *04 95 51 34 45 - www. cyrnos.net -* 🅿 *- 45 ch. 64/123 €* 🛏. Cet hôtel occupe une maison ajaccienne de 1864 au cœur de la ville. Avec sa belle façade colorée, son entrée voûtée et ses briques, elle a gardé son caractère. Pour votre confort, les chambres sont modernes. Prix très raisonnables hors saison.

Hôtel Impérial – *6 bd Albert 1er -* ℰ *04 95 21 50 62 - www. hotelimperial-ajaccio.fr - de mi-mars à mi-nov. - 44 ch. 60/130 € -* 🛏 *10 €.* Petit immeuble en lisière de la ville, que seule une placette sépare de la mer. Le vaste hall de l'hôtel est totalement dédié à Napoléon. Les chambres sont gaies et fonctionnelles.

RESTAURATION

PREMIER PRIX

L'Altru Versu – *Rte des Sanguinaires -* ℰ *04 95 50 05 22 -* 🅿 *- fermé merc. et juil. - formule déj. 12 € - midi 34 €.* « Une autre idée de la cuisine corse », telle pourrait être la devise de ce restaurant. Vous vous y régalerez du palet de veau sauce pruneaux et muscat, du filet mignon au miel et cédrat, du loup soufflé au brocciu et à la menthe fraîche, de succulents desserts… Soirée corse le week-end. Réserver.

BUDGET MOYEN

Le Grand Café Napoléon – *10 cours Napoléon -* ℰ *04 95 21 42 54 - fermé 23 déc.-3 janv., sam. soir, dim. et j. fériés - 19/45 €.* Une belle terrasse pour l'apéritif, une immense salle de style Second Empire pour déjeuner, dîner ou prendre une collation l'après-midi… Cuisine actuelle.

U Pampasgiolu – *15 r. de la Porta -* ℰ *04 95 50 71 52 - fermé dim. (sf juil.-août) - 26/28 €.* Salles à manger voûtées où l'on propose un copieux menu composé de plats corses servis sur une planche de bois : un « spuntinu » (casse-croûte) convivial et original.

PLONGÉE

E Ragnole – *12 cours Lucien-Bonaparte - plage Trottel -* ℰ *04 95 21 53 55 ou 06 08 47 25 51- www. eragnole.com- à partir de 30 €.* Ce centre de plongée agréé propose des baptêmes, des explorations pour les plongeurs aguerris (golfe d'Ajaccio) et des sorties à la journée dans le golfe de Scandola. Formations et expéditions pour les enfants.

Sartène

3 033 Sartenais – Corse-du-Sud (2A)

S'INFORMER

Office de tourisme du Sartenais-Valinco-Taravo – *14 cours Sœur-Amélie - 20100 Sartène - ℘ 04 95 77 15 40 - www.oti-sartenaisvalinco.com - juin- août : tlj sf dim. 9h-19h ; mai : lun.-vend. 9h-18h, sam. 9h-13h ; sept.-avr. : se renseigner.*

SE REPÉRER

Carte générale D4 – *Cartes Michelin n° 721 S17 et n° 345 C10*. À 14 km au sud-est de Propriano (par la N 196), Sartène dresse ses hautes façades au-dessus du golfe de Valinco. La place de la Libération (ou place de la Porta, de son ancien nom) est le lieu central de la ville ; le vieux quartier se concentre au nord de cette place.

À NE PAS MANQUER

Les ruelles et places du quartier de Santa Anna. Perdus en plein maquis, les mystérieux alignements de monolithes dans la région du Sartenais.

ORGANISER SON TEMPS

Vous pouvez préparer votre visite sur les sites préhistoriques du Sartenais en visitant le musée de Préhistoire corse.

AVEC LES ENFANTS

Les fascinantes statues-menhirs de Filitosa.

Sartène est bâtie en amphithéâtre au-dessus de la vallée du Rizzanèse, à 13 km de Propriano, son port naturel. « La plus corse des villes cor- ses », selon Prosper Mérimée, a conservé beaucoup de caractère avec ses vieilles demeures austères et ses traditions : la procession du Catenacciu est sans doute la cérémonie la plus ancienne de l'île.

Découvrir

★★ LA VIEILLE VILLE

Église Sainte-Marie (Santa Maria Assunta)

Imposante, elle domine la place de la Libération. Construite en gros appa- reil de granit, elle présente un clocher à trois étages ajourés, surmonté d'un dôme. Le chœur est orné d'un imposant **maître-autel baroque** en marbre polychrome importé d'Italie au 17ᵉ s. Beau Christ au-dessus de l'autel. À gauche de l'entrée principale de l'église sont accrochées au mur la croix et la chaîne portées par le pénitent rouge du Vendredi saint.

★ Quartier de Santa Anna

En passant sous la voûte de l'hôtel de ville, ancien palais des gouverneurs génois, on pénètre dans ce quartier qui a conservé son aspect moyenâgeux. Il offre un dédale de venelles, dallées, reliées entre elles par des escaliers et des voûtes, bordées de maisons de granit gris, aux murs épais et aux persiennes

16

LA PROCESSION DU CATENACCIU

Le soir du **Vendredi Saint**, la procession part de l'église Ste-Marie, à Sartène, à 21h30 et se déroule, durant trois heures, dans la ville illuminée de chandelles. Chaque année, cette cérémonie commémore la montée au calvaire et exprime la double tendance de la piété corse : s'identifier au Christ portant la croix et adorer le Christ au tombeau. La procession est conduite par le Grand Pénitent ou Catenacciu (signifiant l'enchaîné) qui a reçu en fardeau la croix (34 kg) et les chaînes (15 kg) exposées dans l'église Ste-Marie. Le Catenacciu a sollicité, parfois depuis plusieurs années, du curé de Sartène, le secret honneur de cette pénitence anonyme et non renouvelable. Vêtu d'une robe rouge, pieds nus, la tête dissimulée sous une cagoule, il s'identifie au Christ.

---

closes. Par le **passage Bradi,** extrêmement étroit, vous rejoindrez la **place Angelo-Maria Chiappe** qui offre une vue étendue sur le golfe de Valinco.

★ Musée de Préhistoire corse

De la pl. de la Libération, prendre le cours Bonaparte, puis, à droite, la rue Antoine-Croce en montée et enfin, sur la gauche, les escaliers (Monti Cuccu) sur lesquels ouvre le musée. Au passage, sur la petite place, remarquer un four banal, le Barranco di Stivaneddu. 🖉 *04 95 77 01 09 - mai-oct. : 10h-18h ; nov.-avr. : tlj. sf w.-end 9h-12h, 13h30-17h30 - fermé j. fériés - 4 € (-26 ans gratuit).*

Installé dans un bâtiment neuf, ce musée abrite des objets provenant des fouilles de toute l'île (9000 av. J.-C. jusqu'au 16ᵉ s.), à l'exception des secteurs d'Aléria et Levie qui ont leurs propres musées. Trois salles successives dressent le panorama de la préhistoire insulaire jusqu'à l'âge du fer. S'y trouvent aussi de belles pièces antiques et médiévales retrouvées en Corse du Sud.

À proximité

Le Sartenais

Cette petite région, riche en vestiges mégalithiques est l'un des grands foyers de la préhistoire corse. En suivant la route D 48 qui passe par la vallée du Loreto, puis la D48ᴬ, vous parvenez au **plateau de Cauria**★ sur lequel **170 monolithes** (dolmens et menhirs) sont disséminés à travers le maquis.

🐾 *Env. 3 km.* Les trois principaux ensembles – l'alignement de **Stantari**, celui de **Renaju** et le dolmen de **Fontanaccia** – sont reliés par une boucle pédestre sans difficulté.

★★ Filitosa

▶ *À 27 km au nord de Sartène, via Propriano et la route côtière D 157.* 🖉 *04 95 74 00 91 - avr.-oct. :- de 8h au coucher du soleil, se renseigner - 4 €.*

👥 Ce site archéologique offre, à travers ses précieux vestiges, une synthèse de l'histoire en Corse, sur une période de 8 000 ans, du néolithique à l'époque romaine. Ici ont été découvertes 70 **statues-menhirs** ; **Filitosa V** est la plus volumineuse et la mieux armée de ces statues : elle porte une longue épée et un poignard oblique dans son fourreau ; de dos, apparaissent des détails anatomiques et vestimentaires. Une enceinte cyclopéenne cerne le plateau et barre l'éperon où se trouve l'essentiel du gisement.

Bonifacio

★★★

2 872 Bonifaciens – Corse-du-Sud (2A)

 NOS ADRESSES PAGE 716

▣ S'INFORMER

Office de tourisme – *2 r. Fred-Scamaroni - 20169 Bonifacio -* ✆ *04 95 73 11 88 - avr.-oct. : tte la journée ; reste de l'année : mat. et apr.-midi sf w.-end et j. fériés.*

◖ SE REPÉRER

Carte générale D4 – *Cartes Michelin n° 721 S17 et n° 345 D11.* L'approche de Bonifacio par la route de Sartène ou par celle de Porto-Vecchio fait apparaître cette cité médiévale comme un magnifique « bout du monde », isolé du reste de l'île par un vaste et aride plateau calcaire. Le détroit, large de 12 km, parsemé de petites îles, appelé **Bouches de Bonifacio**, sépare la Corse de la Sardaigne. En juillet-août, l'accès en voiture à la ville haute est réglementé. Parkings (payants) à l'entrée de la marine et à l'extrémité de la ville haute.

☺ À NE PAS MANQUER

La ville haute avec ses rues anciennes et la citadelle, le cimetière marin sur le Bosco, les grottes marines, un embarquement pour les îles Lavezzi.

◷ ORGANISER SON TEMPS

Comptez 2h pour la ville haute, une heure pour l'excursion dans les Bouches de Bonifacio et une demi-journée pour les îles Lavezzi.

♟ AVEC LES ENFANTS

Les grottes marines et leurs formes insolites vont les plonger dans un univers fascinant.

Édifiée dans un site exceptionnel, la cité la plus méridionale de l'île de Beauté est incontournable. Enfermée dans ses fortifications, la vieille ville est juchée sur un étroit et haut promontoire de calcaire modelé par la mer et le vent. Elle est séparée du rivage par une ria longue de 1 500 m au fond de laquelle fleurit une marine. Jadis havre sûr pour les vaisseaux de guerre, le port offre aujourd'hui son mouillage aux bateaux de plaisance. De la mer, la ville haute présente un aspect encore plus saisissant avec ses vieilles maisons agglutinées à l'extrémité de la falaise.

Se promener

★ LA MARINE

Le quartier du port, étiré le long du quai sud et dominé par l'imposant bastion, protégeait jadis l'entrée de la citadelle. Les hôtels, restaurants, cafés et magasins de souvenirs rassemblés dans cette basse ville entretiennent durant l'été une activité qui se prolonge tard dans la nuit. À gauche de l'**église St-Érasme**, dédiée au patron des navigateurs, un large chemin pavé, en

16

escalier, permet d'accéder au col St-Roch où s'élève une modeste chapelle. Ce belvédère naturel offre une **vue★★** très étendue sur les « bouches », jusqu'aux côtes de la Sardaigne, les hautes falaises calcaires aux strates burinées par la mer, le bastion et la marine. À gauche, le « **Grain de sable** », dont la base est sapée par les vagues, dresse sa silhouette familière en avant de la falaise.

★★ LA VILLE HAUTE

◐ *Accès par les montées Rastello et St-Roch, longues rampes qui mènent à la porte de Gênes ou par le petit train qui part des parkings de la marine (voir « Nos adresses »). Autrement, parkings à l'entrée de la citadelle.*
La ville haute comprend la vieille ville à l'ambiance moyenâgeuse et la citadelle. À l'extrémité du plateau s'étend le Bosco, avec le cimetière marin.

★ Église Saint-Dominique
Juil.-août : tte la journée.
Ce sanctuaire, édifié dès 1270 par les dominicains, compte parmi les rares édifices gothiques de la Corse. Il aurait été achevé en 1343. Remarquez le campanile avec ses étages supérieurs octogonaux et son couronnement de créneaux et merlons à double pointe. L'acoustique exceptionnelle de cette église lui vaut d'accueillir régulièrement des groupes de polyphonie *(se rens. à l'office de tourisme)*.

Rue Saint-Dominique (San Dumè)
Ses maisons s'ouvrent sur des escaliers vertigineux à marches très hautes. Observez les blasons sculptés qui ornent les portes des n°s 10 et 12.

L'ESCALIER DU ROI D'ARAGON
En 1420, **Alphonse V d'Aragon**, fort d'un acte du pape **Boniface VIII,** revendiqua l'île. Il assiégea Bonifacio durant cinq mois. L'escadre aragonaise occupa le port et empêcha tout ravitaillement par terre. Malgré les privations, la colonie génoise fut animée d'un courage exceptionnel. La légende veut que les soldats espagnols, pour surprendre les assiégés, aient taillé un escalier de 187 marches au flanc de la falaise sud. En fait, cet escalier « du Roi d'Aragon » empruntait un ouvrage antérieur utilisé par les Bonifaciens pour accéder à un puits. Seule la vigilance de Marguerite Bobbia, vaillante Bonifacienne, fit échouer la manœuvre. Gênes put se porter au secours de sa colonie et Alphonse V leva le siège.

Falaises de Bonifacio.
S. Sauvignier/MICHELIN

Place du Marché (« U Masgilu »)

Ensoleillée et entourée de restaurants et de cafés, elle donne accès au belvédère de la Manichella : **vue★★** à gauche sur le port et les bouches de Bonifacio.

★ Vieilles rues

Les ruelles jouxtant l'**église Ste-Marie-Majeure** sont étroites, bordées de hautes demeures aux façades souvent décorées d'arcatures. Les maisons constituaient jadis de véritables forteresses dont l'accès était commandé par une échelle que l'on retirait la nuit. À l'intérieur, un pressoir à huile, un cellier, une réserve de grains et parfois une étable pour l'âne se groupaient autour de la cour intérieure. Chaque maison possédait son four et sa citerne alimentée en eaux pluviales par un ingénieux système de canalisations en arcs-boutants. Hautes à l'origine d'un étage, elles ont été surélevées au 19ᵉ s.

LE BOSCO

Le plateau pelé auquel on parvient est encore désigné de nos jours par les Bonifaciens comme le Bosco. Jusqu'à la fin du 18ᵉ s., il était couvert d'une végétation arborescente, oliviers, genévriers, lentisques… Sur la droite, les tours ruinées sont les vestiges des **moulins à vent** de la ville remontant au 13ᵉ s.

★ Cimetière marin

Ce cimetière est sans doute l'un des plus beaux de Corse : on reste sous le charme de ces mosaïques de couleurs, de ces petites chapelles isolées si soignées et variées, de la vue sur la mer. Un lieu de recueillement, mais certainement pas de tristesse.

À proximité

★★ Les grottes marines et la côte

◐ *Promenade en mer « Grottes et Falaises » (durée 1h), d'avr. à mi-oct. (dép. fréquents), par beau temps seulement. Rens. au port auprès des compagnies assurant les promenades en mer.*

👥 Le bateau contourne le phare de la Madonetta, aborde les bouches de Bonifacio et pénètre dans la **grotte du Sdragonato★** puis revient vers Bonifacio, contourne la pointe de la presqu'île et longe alors les falaises calcaires, hautes de 60 à 90 m : les stratifications tantôt horizontales, tantôt obliques témoignent des nombreux changements de direction des courants marins au cours de la sédimentation. En observant bien, vous remarquerez que ces cavités abritent une multitude d'oiseaux : faucons crécerelles, puffins cendrés, martinets et espèces plus rares comme le faucon pèlerin ou le merle bleu. On découvre ensuite le fameux **escalier du roi d'Aragon** et le **site★★** spectaculaire de la vieille ville à l'aplomb de la falaise.

★★ Îles Lavezzi

▶ *Excursions en bateau (durée 3h mini). Avr.-oct. : plusieurs dép. du port de Bonifacio. Rens. au port auprès des compagnies assurant les promenades en mer. Emporter masque et tuba, des boissons et un en-cas, car on ne trouve aucun ravitaillement sur l'île.*

À près de 4 km de la pointe de Speronu, au sud-est de Bonifacio, l'archipel des Lavezzi comprend une centaine d'îlots et d'écueils qui entourent l'île Lavezzi *(seule partie de l'archipel accessible au public)*. Ce petit paradis d'eau cristalline et de criques tapissées de sable présente un paysage presque lunaire. Les formes des chaos de granit grisâtre érodés en boules et sculptés évoquent un bestiaire fabuleux. La partie française de l'archipel est constituée en **réserve naturelle,** dont l'accès public est réglementé.

Le **Parc marin international** sous administration franco-italienne, englobe l'ensemble des îles et îlots des bouches de Bonifacio, excepté l'île Cavallo abandonnée aux caprices de milliardaires italiens.

Sur l'**île Lavezzi** (66 ha), on trouve des plantes endémiques, dont la présence peut constituer une énigme : si beaucoup appartiennent à des familles Sud-méditerranéennes, l'une d'elles ne se connaît de parents proches qu'en Afrique du Sud et en Australie ! L'avifaune, très présente, se compose d'espèces terrestres (merle bleu, fauvette sarde…) et d'oiseaux marins : cormoran huppé, goéland argenté et, plus inattendu, puffin cendré dont l'aire habituelle d'évolution est la haute mer.

😊 NOS ADRESSES À BONIFACIO

TRANSPORTS

Aéroport de Figari – À 22 km au nord par la N 196, puis la D 859 et la D 322. Navette pour l'aéroport sur le parking du port en juillet-août.
Bus – *Eurocorse Voyages - Quai Noël-Beretti -* 📞 *04 95 77 18 41 -* Liaisons avec Porto-Vecchio (30mn), Sartène, Propriano et Ajaccio (3h30).

VISITES

Petit train touristique – *Quai Noël-Beretti -* 📞 *04 95 73 15 07 ou 04 95 73 13 16 - juil.-août : tte la journée et nocturne (35mn + arrêt en ville) - 5 €.*

HÉBERGEMENT

PREMIER PRIX
Hôtel des Étrangers – *Av. Sylvère-Bohn -* 📞 *04 95 73 01 09 - http://hoteldesetrangers.ifrance.com - fermé de fin oct. à déb. avr. -* 🅿 *- 31 ch. 54/80 € -* 🍽 *6 €.* Adresse familiale, bien connue à Bonifacio pour ses prix doux. Maison des années 1930, à deux pas du port. Simplicité confortable des chambres aux murs blancs, avec double vitrage et climatisation pour certaines.

POUR SE FAIRE PLAISIR
A Cheda Hôtel – *Rte de Porto-Vecchio - à 2 km au nord-est sur·N 198 (à Cavallo-*

Morto) - ☎ 04 95 73 03 82 - www.acheda-hotel.com - 🅿 - 16 ch. 99/499 € - ☕ 25 € – rest. 55/80 €. Un beau jardin entoure les délicieuses chambres ou suites (terrasse privative, sauna) de plain-pied. Restaurant intimiste et terrasse face à la piscine. Recettes actuelles à base de produits corses.

RESTAURATION

PREMIER PRIX

Café Restaurant de la Poste – *6 r. Scamaroni (ville haute) - ☎ 04 95 73 13 31 - fermé 1er janv.-28 fév. et dim. soir en hiver - 14/29 €.* Cette salle voûtée abritait autrefois le tri postal. Les trieuses ont laissé la place à des tables sur lesquelles on déguste pâtes fraîches, pizzas ou cochon de lait rôtis au feu de bois. Terrasse en bord de rue et balcon avec vue sur le goulet de Bonifacio.

BUDGET MOYEN

Cantina Doria – *27/29 r. Doria - ☎ 04 95 73 50 49 - fermé nov.-mars -18/22 €.* Adresse sympathique et populaire de la ville haute, tenue par des jeunes. Installé sur les bancs de bois de cette salle chaleureuse, vous dégusterez une cuisine corse simple.

Kissing Pigs – *15 quai Banda-del-Ferro - ☎ 04 95 73 56 09 - formule 15 € - 19/20 €.* Une ancienne remise à barques transformée en salle de bistrot conviviale où la charcuterie maison est suspendue au plafond. Le patron sert de copieuses assiettes de charcuterie (coppa, lonzu, prisuttu) ou de fromages accompagnées de confiture de figues et de fruits secs, et, en dessert, une exquise tarte à la myrte. La carte des vins (servis au verre ou à la bouteille) compte plus de 90 références. Terrasse panoramique à l'étage.

U Campanile – *7 montée Rastello - ☎ 04 95 73 09 10 - fermé nov.-mars - 16/20 €.* Au pied de l'escalier qui mène à la citadelle, cette maison fait face à l'église St-Érasme, protecteur des pêcheurs. La salle à manger bleu mer et ses bibelots lui donnent un bon air marin. Cuisine de la mer et spécialités corses pour requinquer les navigateurs en herbe. Terrasse.

ACHATS

Roba Nostra – *15 r. Doria - ☎ 04 95 73 12 56 - www.robanostra-corse.com - 9h-12h, 15h-18h30 (9h-23h en juil.-août) - fermé janv.-fév. et dim. hors saison.* Vous trouverez ici un choix impressionnant de produits corses – charcuterie, huile d'olive, miel, confiture, herbes du maquis – toujours goûteux et d'une qualité extra.

PLONGÉE

Barakouda – *Araguina - ☎ 04 95 73 13 02 - 8h30-12h30, 13h30-18h30 - fermé de fin oct. à fin avr. et dim. apr.-midi - 45 ou 50 €.* Que vous soyez novice ou expérimenté, vous prendrez plaisir à plonger dans des fonds marins de toute beauté. Faune et flore vous émerveilleront. Les plongeurs aguerris pourront découvrir le site appelé « mérouville » proche des îles Lavezzi.

Porto-Vecchio

11 057 Porto-Vecchiais – Corse-du-Sud (2A)

S'INFORMER
Office de tourisme – *R. du Dr-Camille-de-Rocca-Serra - 20137 Porto-Vecchio -* ℰ *04 95 70 09 58 - www.ot-portovecchio.com - mai-sept. : 9h-20h, dim. 9h-13h ; avr. et oct. : tlj sf dim. et j. fériés 9h-12h30, 14h-18h30 ; reste de l'année : tlj sf w.-end et j. fériés 9h-12h30, 14h-18h.*

SE REPÉRER
Carte générale D4 – *Cartes Michelin n° 721 S17 et n° 345 E10.* Sur l'axe routier Bastia-Bonifacio, desservi par l'aéroport de Figari. Porto-Vecchio est divisée en deux parties : la ville haute qui abrite le vieux quartier et les fortifications et, en bas, la marine avec son port de plaisance et de commerce. En été, empruntez le petit train touristique pour rejoindre la ville haute après avoir laissé votre voiture à la marine.

À NE PAS MANQUER
Laissez-vous porter par l'ambiance italienne de la station. Le col de Bavella est un superbe but d'excursion à l'intérieur des terres.

ORGANISER SON TEMPS
Des liaisons par bus vous permettent de rejoindre les plages mythiques de la côte. La route vers le col de Bavella est très fréquentée les dimanches d'été ; privilégiez un jour de semaine et la fin de l'après-midi pour vous y rendre.

AVEC LES ENFANTS
Du col de Bavella, un sentier balisé permet de faire une promenade en boucle à travers la forêt jusqu'à la chapelle de la Vierge où la vue sur les aiguilles est superbe.

Au fond d'un vaste golfe bien abrité, cette station balnéaire très réputée est la troisième ville de Corse. Sur son littoral se nichent certaines des plus belles plages de l'île. La ville, autrefois fortifiée, domine la mer, à 70 m d'altitude. Son site s'apprécie pleinement de la mer, de la pointe de la Chiappa et du hameau de l'Ospédale.

Découvrir

La **vieille ville** de Porto-Vecchio est traversée par le cours Napoléon autour duquel se regroupent des ruelles, des passages voûtés et des montées en escalier. Dans le centre, la place de la République, ombragée, est animée par les terrasses des cafés.

Des anciennes **fortifications** génoises subsistent encore les bastions et les échauguettes dominant la marine. De la porte génoise, la vue s'étend sur le port, les marais salants et le **golfe de Porto-Vecchio★★**.

La **marine** se compose d'un port de plaisance et d'un port de commerce qui assure les liaisons avec le continent et la Sardaigne.

Au nord comme au sud du golfe, presqu'îles et petites baies accueillent de somptueuses étendues de sable fin frangées de pinèdes.

Vue sur les aiguilles de Bavella.
H. Le Gac/MICHELIN

À proximité

★★★ Col et aiguilles de Bavella

▶ *À 49 km au nord de Porto-Vecchio. Prendre au nord-ouest la D 368 qui traverse le massif de l'Ospédale. À Zonza, suivre la D 268 vers la droite en direction de Solenzara.*

★★★ **Aiguilles de Bavella** – Elles composent un étonnant et somptueux décor, domaine de prédilection des randonneurs et des alpinistes. Un arrêt au col (alt. : 1 218 m) permet d'admirer ces pics aux formes déchiquetées, la couleur changeante des grandes murailles rocheuses et l'âpreté du paysage.

★★ **Forêt de Bavella** – Elle a malheureusement été dévastée à plusieurs reprises par des incendies, notamment en 1960. D'une superficie de 930 ha, elle est devenue **réserve nationale** ; elle a fait l'objet d'importants reboisements et a retrouvé sa beauté naturelle, mais sous haute surveillance. Peuplée de pins maritimes et laricio, de cèdres, de sapins et de châtaigniers, elle laisse voir, à l'ouest du col, les aiguilles, derrière lesquelles on aperçoit le massif de l'Incudine. À l'est se profilent la grande paroi de la Calanca Murata et l'arête rouge en dents de scie de la Punta Tafonata di Paliri, avec la mer Tyrrhénienne dans le lointain.

★ **Promenade de la Pianona** – ◖◗ *Boucle d'1h balisée. Départ du parking du col de Bavella ou de l'auberge du Col.* 👥 On progresse parmi de majestueux pins. En allant sur la droite, on accède à une plate-forme herbeuse, une *pianona*, piquetée de pins aux formes tourmentées par le vent. De là se découvre une **vue★★** saisissante sur les aiguilles de Bavella et, par temps clair, sur le rivage de la Corse.

Bastia

43 477 Bastiais – Haute-Corse (2B)

😊 NOS ADRESSES PAGE 723

🛈 **S'INFORMER**

Office de tourisme – *Pl. St-Nicolas - 20200 Bastia - ☎ 04 95 54 20 40 - www.bastia-tourisme.com - juil.-août : 8h-20h, dim. 8h-13h, 15h-19h ; juin-avr. et sept.-oct. ; 8h-18h, dim. 8h-12h ; nov.-mars : tlj sf dim. 8h30-12h, 13h30-17h30.*

▶ **SE REPÉRER**

Carte générale D4 – *Cartes Michelin n° 721 S15 et n° 345 F3*. Dans le centre-ville, le boulevard Paoli, animé et commerçant, connaît les embarras de circulation d'une petite capitale. Laissez votre voiture au parking (payant) de la place St-Nicolas ou de la gare ferroviaire.

👁 **À NE PAS MANQUER**

La vue sur le port depuis la jetée du Dragon ; le bel ensemble de l'Assomption de la Vierge à l'église Ste-Marie.

🕐 **ORGANISER SON TEMPS**

Visitez la ville le matin et rejoignez en soirée les bars, restaurants et glaciers place du Marché pour écouter chanteurs et musiciens locaux. Le lendemain, filez vers le cap Corse.

👫 **AVEC LES ENFANTS**

Les plages du cap Corse.

Grande ville d'affaires de la Corse et préfecture de la Haute-Corse depuis 1975, Bastia a su préserver au mieux son charme méditerranéen. La ville ancienne s'ordonne en deux quartiers autour du vieux-port : la ville basse, Terra-Vecchia, au nord ; la ville haute (ou citadelle), Terra-Nova, au sud. Le soir, les illuminations de la citadelle, du vieux port et de St-Jean-Baptiste invitent à la flânerie.

Découvrir

★ TERRA-VECCHIA

La vieille ville basse s'organise autour d'une petite crique qui fut autrefois la marine d'un village de pêcheurs, **Cardo**. Elle offre aujourd'hui le visage d'un petit port méditerranéen où l'on se perd avec plaisir dans un dédale de ruelles en escalier, de passages couverts, de venelles tortueuses, réservant mille surprises.

Place Saint-Nicolas

Ouvrant sur le port, c'est l'une des plus grandes places d'Europe. Ceinturée de platanes et de palmiers, la place offre un ombrage apprécié à la belle saison. En arrière-plan, la montagne abrupte et dénudée clôt l'horizon.

Place du Marché
Ses vieilles maisons – plusieurs datent du 17ᵉ s. – aux façades hautes et percées de fenêtres souvent occultées de persiennes, donnent une bonne idée du Bastia ancien. Le samedi et le dimanche matin, jours de marché, la place s'anime du bagout des commerçants.

★★ Vieux port
Les hautes façades des vieux immeubles s'ordonnent en amphithéâtre autour de la crique qui abrite le port de pêche et de plaisance.
Du bout de la **jetée du Dragon**, on apprécie la **vue★★** sur le port. En arrière-plan se profile l'échine montagneuse du cap Corse, souvent coiffée de « l'os de seiche », nuage annonciateur d'un coup de vent. Au large, par temps très clair, on distingue les îles Capraia, d'Elbe et de Montecristo.

★ LA CITADELLE - TERRA-NOVA

Ceinturée de remparts du 15ᵉ s., la citadelle fut édifiée par les Génois entre le 15ᵉ et le 17ᵉ s. À l'intérieur du fortin, les bâtiments accolés au donjon servirent de palais aux gouverneurs génois du 15ᵉ au 18ᵉ s. Depuis la **place du Donjon**, des ruelles bordées de très anciennes maisons traversent la citadelle et mènent à la protocathédrale.

★ Église Sainte-Marie (protocathédrale)
Élevée à partir de 1495, cette église fut érigée en cathédrale en 1570 et le resta jusqu'au transfert de l'évêché de Corse à Ajaccio en 1801. L'intérieur, richement décoré, est un bon exemple du goût baroque. Voyez dans le **chœur** les tribunes des chanteurs pratiquées dans l'épaisseur du mur. Remarquez aussi dans une niche vitrée le groupe de l'**Assomption de la Vierge★★** (18ᵉ s.).

À proximité

★★ Église San Michele de Murato par le défilé de Lancone
◗ *À 49 km au sud de Bastia. Rejoindre la N 193 et à Casatorra, prendre à droite la D 62.*
La route s'élève au milieu des chênes verts et des chênes-lièges qui cèdent la place au maquis puis, dans un décor minéral avec des surplombs parfois vertigineux, s'engage dans le **défilé de Lancone★**.
L'harmonie exceptionnelle de l'église **San Michele de Murato★★** est rehaussée par le site où la vue s'étend jusqu'à St-Florent et au désert des Agriates. Construit aux alentours de 1280, l'église appartient à la fin de la période du roman pisan en Corse. Elle se caractérise par une polychromie originale et harmonieuse (serpentine vert sombre et calcaire blanchâtre) et pour sa décoration sculptée.

Circuit conseillé

★★★ LE CAP CORSE

👥 La presqu'île du cap Corse s'ordonne de part et d'autre d'une arête centrale, qui culmine à 1 307 m au Monte Stello. La **route en corniche** suit le littoral et permet de découvrir les **plages de sable** ou de galets, les villages escarpés avec leurs anciennes cultures en terrasses, et les marines blotties

---

TOURS GÉNOISES

Pour lutter contre les invasions des pirates venus d'Afrique du Nord, les Génois, qui occupèrent l'île de Beauté pendant cinq siècles, organisent un système de surveillance et d'alerte le long des côtes en construisant des tours de vigie et de refuge. Dès que des voiles barbaresques pointent à l'horizon, des guetteurs allument au sommet de l'édifice des feux qui alertent les villages. Aujourd'hui, sur les 85 tours dénombrées au début du 18e s., il en subsiste une soixantaine, notamment le long du cap Corse et sur la côte ouest. Rudimentaires, hautes de 12 à 17 m, elles donnent au paysage une note romantique.

---

dans les échancrures de la côte. Le versant ouest, plus abrupt, est resté sauvage. Le cap offre à l'amateur de plongée sous-marine des fonds rocheux et des eaux claires très poissonneuses.

▶ *179 km. Quitter Bastia par le nord.*

★★ Monte Stello

La route s'élève sur un versant dominant la mer, où sont établis les villages de **Poretto** et **Pozzo**. Le campanile du couvent des capucins se dresse au sommet de la pente parmi les pins centenaires.

★ Erbalunga

Cette marine aligne ses maisons à fleur d'eau sur une pointe terminée par une tour génoise. Parcourez les ruelles ombragées de platanes, lauriers et palmiers.

À partir de Macinaggio, la route s'éloigne de la côte, s'élève dans la montagne et coupe le cap vers l'ouest.

★ Rogliano

La commune étage ses tours, les façades de ses églises et ses hautes demeures anciennes dans une conque verdoyante à l'abri du Monte Poggio.

★★ Centuri

C'est l'un des meilleurs endroits du cap pour faire étape. Des maisons aux belles toitures de serpentine encadrent le petit port.

★ Pino

Les maisons de ce charmant village, les tours génoises, l'église et les chapelles funéraires s'étagent à flanc de montagne au milieu d'une riche végétation.

★ Nonza

Place forte médiévale agrippée à la falaise à 100 m au-dessus de la mer.

Patrimonio

Sur les pentes du Nebbio, Patrimonio est réputé pour ses vignes qui poussent à flanc de coteau, au-dessus du golfe de St-Florent. Les viticulteurs produisent ici du muscat, des vins rouges, blancs et rosés de qualité.

★★ Col de Teghime

À 536 m d'altitude, le col marque la fin de l'arête dorsale qui partage les versants est et ouest du Cap. Le **panorama★★** se développe sur le golfe de St-Florent, le Nebbio, Bastia et la plaine orientale.

😊 NOS ADRESSES À BASTIA

TRANSPORTS

Aéroport Bastia-Poretta –
À 20 km au sud de la ville par la
N 193. Il est relié au centre-ville
par des navettes de **bus** (trajet
30mn -9 €). En **taxi** compter
environ 40 €/j et 50 €/nuit.

VISITE

Petit train – ☎ 06 09 37 00 54 -
fermé de mi- oct. à fin mars - 6 €.
Promenade commentée dans la
ville de 45mn.

HÉBERGEMENT

BUDGET MOYEN

Hôtel Bonaparte – 45 bd Gén.-
Graziani - ☎ 04 95 34 07 10 - www.
hotel-bonaparte-bastia.com - 🅿 -
23 ch. 90/95 € - ☕ 7 €. Une affaire
familiale au cœur de la ville. Sur
2 étages, sans ascenseur. Les
chambres au confort standard,
certaines un peu étroites, sont
d'une propreté irréprochable.
Elles donnent sur une cour
ou sur la rue, mais sont bien
insonorisées. Accueil courtois.

POUR SE FAIRE PLAISIR

Hôtel Les Voyageurs – 9 av. Mar.-
Sébastiani - ☎ 04 95 34 90 80 -
www.hotel-lesvoyageurs.com - 🅿
sous vidéosurveillance 7 €/nuit -
24 ch. 100/115 € - ☕ 9,50 €. Situé
à proximité de la gare, cet hôtel
accueille les voyageurs depuis
un siècle. Rénové avec goût, cet
établissement ne manque pas
de charme et les chambres sont
bien insonorisées.

RESTAURATION

PREMIER PRIX

Chez Vincent – 12 r. St-Michel -
☎ 04 95 31 62 50 - fermé sam. midi

et dim. - 8/25 €. Cette adresse vaut
le détour pour ses savoureuses
pizzas, ses poissons frais et sa
terrasse, qui domine la ville basse
et le vieux port.

BUDGET MOYEN

La Renaissance – 30 r. César-
Campinchi - ☎ 04 95 31 17 94 -
fermé dim. - 18 €. Depuis
trois générations, les pizzaïoli
de cette affaire familiale se
passent le flambeau et se
transmettent la recette de la
pizza Renaissance (fromage
corse et figatellu), très prisée par
les habitués.

A Casarella – R. Ste-Croix -
☎ 04 95 32 02 32 - fermé lun. midi
et dim. d'oct.-avr. - 18/27 €. Accueil
très convivial dans ce charmant
restaurant situé au cœur de la
citadelle. Salle à manger cosy au
décor raffiné et belles terrasses,
où l'on sert une cuisine corse
revisitée à base de produits bio.

POUR SE FAIRE PLAISIR

La Citadelle – 6 r. du Dragon -
☎ 04 95 31 44 70 - fermé nov.,
dim.et lun. (juin-août) - 35/50 €.
Chaleureuse décoration
méditerranéenne pour cet ancien
moulin à huile qui a conservé,
grâce à une habile restructuration,
sa meule et sa presse à olives.
Cuisine de tradition élaborée avec
des produits locaux.

PLONGÉE

Dollfin – Marine de Sisco - ☎ 04 95
58 26 16 ou 06 07 08 95 92 - www.
dollfin-plongee.com. Une école
de plongée sérieuse (plongée
pour enfants, exploration avec
plongée de nuit, baptême à
partir de 52 €), qui propose aussi
la location de kayaks de mer
(13 €/2h).

Calvi

5 409 Calvais – Haute-Corse (2B)

🗊 S'INFORMER

Office de tourisme de Calvi et de la Balagne – *Port de Plaisance - 20260 Calvi - ☎ 04 95 65 16 67 - www.balagne-corsica.com - juin-oct. : tlj sf dim. apr.-midi 9h-12h30, 15h-18h30 ; nov.-mai : lun.-vend. 9h-12h, 14h-18h (et sam. avr.-mai).* Informations sur Calvi et 35 communes de Balagne.

▶ SE REPÉRER

Carte générale D4 – *Cartes Michelin nᵒˢ 721 R15 et 345 B4.* Calvi entretient des relations maritimes avec Nice, Toulon et Marseille. La ville haute (quartier de la citadelle) est un ancien bastion génois ; la ville basse (la marine) s'organise autour du port.

🕒 ORGANISER SON TEMPS

Découvrez la Balagne le matin et visitez la ville l'après-midi pour rejoindre en soirée la mythique terrasse du Tao, dans l'ancien palais des évêques, adresse incontournable de la nuit calvaise.

La capitale de la Balagne, fièrement campée en vigie sur sa rade lumineuse dans un cadre de montagnes souvent enneigées, compte parmi les plus beaux sites marins de Corse. L'arrivée par mer est mémorable : la citadelle plantée sur le promontoire qui s'avance entre le golfe de Calvi et celui de la Revellata contraste avec le paysage environnant d'une grande sérénité. Sa plage, longue de 6 km, bordée de pins parasols, s'allonge au fond d'une vaste baie. La « capitale » de la Balagne est un centre de villégiature très apprécié.

Se promener

★★ LA CITADELLE

Sur son promontoire rocheux, la citadelle témoigne de six siècles de présence génoise. Elle dresse les murailles ocre de son enceinte bastionnée au-dessus de la ville basse et du port.

★ Fortifications

Édifiés sur des assises de granit, les remparts envahis de figuiers de Barbarie enserrent la haute ville dans un quadrilatère dont trois côtés donnent sur la mer. Ils ont été élevés par les Génois à la fin du 15ᵉ s. Trois bastions furent également édifiés sur les côtés sud et est. Du bastion ouest, on découvre le golfe.

Église Saint-Jean-Baptiste

Dominant la place d'Armes, elle s'élève au sommet du rocher. L'**intérieur★** est éclairé par des petites fenêtres hautes et un lanternon. Dans le pan coupé gauche, on remarque des **fonts baptismaux★** Renaissance, décorés de têtes d'anges et de sirènes. Dans l'abside se trouve le grand **triptyque★** du peintre génois Barbagelata (1458), représentant l'Annonciation et les saints patrons de la ville.

Baie de Calvi.
ARCO/G. Schwabe/Age Fotostock

★ LA MARINE

Avec ses cafés et ses restaurants, ses quais plantés de palmiers, ses yachts et ses barques de pêche, la **ville basse** offre une autre atmosphère. La rue Clemenceau, artère principale, pavée de grosses pierres, est bordée de boutiques et de maisons aux couleurs pastel.

Église Sainte-Marie-Majeur

Sa façade ocre et rose se repère facilement. Elle fut plusieurs fois reconstruite avant de devenir le bel édifice baroque que l'on voit aujourd'hui. À l'intérieur, un beau **buffet d'orgue** de facture italienne (18ᵉ s.) donne lieu en saison à des récitals par des organistes de renom.

Circuit conseillé

★★ LES TRÉSORS DE BALAGNE

◗ *80 km. Quitter Calvi par la N 197, puis suivre la D 151.*
La Balagne est délimitée au nord-est par le **désert des Agriate★** et au sud-ouest par la **vallée du Fango★★**. Ses deux villes principales, Calvi et L'Île-Rousse, permettent de concilier plaisir balnéaire, activités culturelles et visites des villages perchés. Ces magnifiques petites cités, entourées de vergers et de vignes, témoignent de la douceur du climat. Elles se sont associées pour mettre en valeur leur patrimoine et faire connaître les métiers ancestraux : coutelier, apiculteur, relieur, céramiste, luthier, etc.
Ainsi vous visiterez entre autres : **Montemaggiore★** – bâti sur un promontoire –, **Sant'Antonino★★** – à l'harmonieux dédale de ruelles pavées –, et **Pigna★** – le symbole des traditions artisanales et musicales et l'opulent bourg de **Lumio★**.

Porto

450 habitants – Corse-du-Sud (2A)

S'INFORMER
Office de tourisme – *Pl. de la Marine - 20150 Ota Porto - ℰ 04 95 26 10 55 - www.porto-tourisme.com - juin-sept. : 9h-19h, dim. 9h-13h ; avr.-mai : tlj sf dim. 9h-18h ; reste de l'année : tlj sf w.-end 9h-17h.*

SE REPÉRER
Carte générale D4 – *Cartes Michelin n° 721 R16 et n° 345 B6.* La marine est séparée en deux par la rivière de Porto que l'on franchit à pied par une passerelle. Sur le côté nord de la ville se concentrent les hôtels et les restaurants.

À NE PAS MANQUER
Les Calanche de Piana et la réserve naturelle de Scandola.

ORGANISER SON TEMPS
La réserve de Scandola peut se découvrir le matin ; réserver l'après-midi pour les Calanche.

AVEC LES ENFANTS
La plage de sable fin d'Arone, une promenade en bateau jusqu'à la réserve naturelle de Scandola.

Porto est au centre d'un site unique où les plaisirs de la mer rejoignent ceux de la montagne, entre les rougeoyantes Calanche de Piana et la fameuse réserve de Scandola. Une tour génoise plantée sur un rocher à l'embouchure de la rivière, un bois d'eucalyptus et, le long du golfe, des curiosités naturelles de toute splendeur font de cette petite station balnéaire un lieu très fréquenté.

Circuits conseillés

Le **golfe★★★** doit sa splendeur à son littoral bordé de falaises de granit rouge qui contrastent avec le bleu intense de la mer : au sud, les Calanche de Piana et au nord, la presqu'île de Girolata et la réserve naturelle de Scandola. Cet ensemble constitue la fenêtre maritime du **Parc naturel régional de la Corse** *(www.parc-naturel-corse.com).* Les lieux, désormais inscrits sur la liste du Patrimoine naturel de l'humanité, sont donc protégés et abritent une flore et une faune exceptionnelles.

★★★ LA CÔTE SUD DU GOLFE

31 km de Porto au Capo Rosso.
La D 81 traverse les **Calanche★★★** sur 2 km, ménageant d'excellents points de vue sur la mer et les amas rocheux qui, de la terrasse du chalet des Roches bleues, ont des silhouettes évocatrices : Tortue, Aigle, Évêque, Tête de chien.

★ Piana

Ce bourg, très animé en été, domine le golfe dans un cadre magnifique. Dans le lointain se profile le Monte Cinto. Les eucalyptus aux troncs démesurés, les maisons blanches, l'église du 18ᵉ s. au gracieux campanile forment un ensemble classé parmi les « plus beaux villages de France ».

★★★ Calanche de Piana

Calanche (prononcez *calanque*) est le pluriel du mot corse *calanca* signifiant… calanque et désignant des criques surplombées de rochers abrupts. Ces criques sont sculptées par l'érosion, dont les **taffoni** (gros trous, en corse) sont l'une des manifestations les plus impressionnantes. Hautes parfois de plusieurs mètres, elles fascinent par l'équilibre instable de leurs ciels en baldaquin, la subtilité de leurs jeux d'ombres et de lumières et les figures extraordinaires nées de leur recoupement. Choisies durant la préhistoire pour lieu de repos des morts, et toujours disposées à servir de gîte sommaire, elles font partie intégrante de la culture corse. Le meilleur moment pour les découvrir est en fin d'après-midi, idéalement dans le sens Piana/Porto.

★★ Route de Ficajola

Étroite et très escarpée, cette route descend jusqu'à la **marine de Ficajola** nichée dans l'anse du même nom. Un sentier permet d'accéder à une **crique**, très fréquentée en été (🚶 *30mn à pied AR*).

★★ Capo Rosso (Capu Rossu)

🚶 *3h AR. Éviter d'entreprendre le parcours l'après-midi car il n'est pas ombragé. Emporter de l'eau.* Le sentier est tracé dans le maquis, puis une voie jalonnée de cairns monte à la tour. Une éminence de porphyre rose porte la **tour de Turghiu**. Celle-ci domine la mer de plus de 300 m ; une vue magnifique s'étend à gauche, sur la côte jusqu'à Cargèse et, à droite, sur le golfe de Girolata.

★ Plage d'Arone

👥 Une superbe route en corniche offre des **vues★** sur le golfe de Porto et le Capo Rosso. Dans la descente vers la mer, la plage de sable fin apparaît, cernée de rochers roses et de maquis sur un fond montagneux.

★★★ SCANDOLA ET ★★ LE GOLFE DE GIROLATA

L'érosion marine et éolienne et la différence de résistance des roches ont donné naissance à des paysages grandioses : alternances de grottes, de fissures ponctuées de murailles dressées vers le ciel et de pitons acérés où balbuzards pêcheurs (aigles de mer) ont construit leurs aires. Sur les falaises rouges s'accroche une végétation de myrtes, de lentisques, d'euphorbes et de cistes.

👥 La **presqu'île de Scandola** se dresse jusqu'à 560 m d'altitude entre la Punta Rossa au sud et la Punta Nera au nord. Réserve naturelle, elle se visite exclusivement par bateau au départ de Porto, de Calvi, de Propriano ou d'Ajaccio. Au nord du golfe de Girolata, le bateau longe les indentations de la côte. Des aiguilles jaillissent vers le ciel, des îlots forment d'énormes blocs, des pointes avancent dans la mer. Le bateau pénètre dans une calanque étroite, puis dans une grotte aux eaux exceptionnellement transparentes avant de virer de bord. Sur le chemin du retour, il dépasse la Punta Scandola et pénètre dans le **golfe de Girolata★★**.

★ **Girolata** – 🚶 *environ 1h45 aller.* Ce village n'est accessible, par voie de terre, que par un **chemin muletier** au départ du col de la Croix au sud-est. Dans un site reposant, isolé sur un promontoire dominé par un fortin génois *(chemin privé)*, il vit de la pêche à la langouste et du tourisme. Sa magnifique et paisible baie aux eaux translucides abrite quelques maisons de pierre rouge.

16

Corte

6 779 Cortenais – Haute-Corse (2B)

S'INFORMER
Office de tourisme – *Citadelle - 20250 Corte -* 📞 *04 95 46 26 70 - www. centru-corsica.com - juil.-sept. : tlj sf dim. et j. fériés mat. et apr.-midi ; reste de l'année : tlj. sf w.-end et j. fériés mat. et apr.-midi.*

SE REPÉRER
Carte générale D4 – *Cartes Michelin n° 721 S15 et n° 345 D6*. Corte occupe une position stratégique au carrefour des vallées. Le sillon cortenais au paysage de hauts plateaux (altitude moyenne de 600 m) constitue le couloir central de l'île qui court de Ponte-Leccia à Venaco, et sépare le massif ancien granitique à l'ouest de la Corse alpine schisteuse à l'est.

À NE PAS MANQUER
Le retable de la chapelle Ste-Croix, en centre-ville ; la citadelle, le musée de la Corse.

ORGANISER SON TEMPS
La citadelle se visite aux heures d'ouverture du musée.

AVEC LES ENFANTS
La machine à décortiquer les châtaignes au musée de la Corse.

Veillée par le nid d'aigle de sa citadelle, Corte masse ses demeures de schiste coiffées de toits rouges au cœur d'un cirque montagneux. Cet agréable lieu de séjour, point de départ de nombreuses excursions, offre une palette représentative des paysages de l'île : silhouettes déchiquetées des aiguilles de porphyre rouge de Popolasca, gorges et ravins de la haute vallée de la Restonica, moutonnement des croupes du Bozio noyées sous une mer de châtaigniers, beauté sereine des nombreux lacs du Monte Rotondo.

Découvrir

★ LA VILLE HAUTE

★ Chapelle Sainte-Croix
Depuis le cours Paoli, suivre le fléchage. Derrière la sobre façade de cette chapelle de confrérie se cache un intérieur raffiné. Le sol est dallé du marbre gris de la Restonica. La nef unique est voûtée d'un berceau à lunettes peint de nombreux trompe-l'œil, hélas en mauvais état de conservation. Le **retable** baroque, avec sa crucifixion en haut relief et sa polychromie naïve, étonne par son fort expressionnisme. Et le petit **orgue** à l'italienne et sa tribune en arbalète porte de beaux panneaux peints.

★ Belvédère
À plus de 100 m au-dessus du Tavignano, on découvre un vaste **panorama★★** sur le confluent du Tavignano et de la Restonica. Au loin se profilent les crêtes de la chaîne centrale. Du belvédère, un escalier, puis un sentier très raide

Vue sur Corte.
Vidler Steve/Age Fotostock

mènent au bord du Tavignano *(déconseillé par temps de pluie)*. La passerelle permet une vue en contre-plongée sur la vieille forteresse soutenue par trois grandes arcades, à l'extrémité du rocher. C'est de ce côté que se sont quelquefois évadés des prisonniers.

★ Citadelle

Ne se visite qu'avec le musée de la Corse. Elle s'étage sur deux niveaux. À l'intérieur d'une enceinte bastionnée du 19e s., un premier plateau a été aménagé sous Louis XVI, puis sous Louis-Philippe. En entrant, sur la gauche, on peut apercevoir à travers une grille un curieux escalier de 166 marches en marbre vert de la Restonica, couvert d'une voûte et aménagé en monte-charge pour les canons grâce aux rampes de roulement.

Le niveau supérieur, véritable nid d'aigle sur son éperon rocheux, occupe toute la pointe sud. Cette partie, dénommée le château, fut édifiée en 1420 par **Vincentello d'Istria**, vice-roi de Corse pour le compte du roi d'Aragon. Du nid d'aigle, la **vue**★ embrasse la vieille ville, le départ des vallées du Tavignano et de la Restonica et les villages accrochés au flanc de la montagne.

Occupée par la Légion étrangère de 1962 à 1983, la citadelle abrite aujourd'hui l'Office de tourisme et le musée de la Corse.

★★ Musée de la Corse (Musée régional d'Anthropologie)

Citadelle de Corte - ☏ 04 95 45 25 45 - www.musee-corse.com - ⅋ - juil.-août : 10h-20h ; avr.-juin : tlj sf lun. 10h-18h ; reste de l'année : tlj sf dim.-lun. tte la journée - fermé j. fériés et 31 déc.-14 janv. - 5,30 € (enf. 3,80 €).

👥 Le premier niveau de ce musée d'anthropologie présente une exceptionnelle **collection**★★ d'objets et d'outils de la vie quotidienne, pastorale et agricole dans l'île. Le niveau supérieur propose une approche thématique de la Corse contemporaine : l'industrialisation, le tourisme et la permanence des confréries religieuses. Pour finir la visite, arrêtez-vous dans le nid d'aigle, ou **castellu,** pour écouter les archives de musique corse.

VOUS CONNAISSEZ LE GUIDE VERT,
DÉCOUVREZ LE GROUPE MICHELIN

L'aventure Michelin

Tout commence avec des balles en caoutchouc ! C'est ce que produit, vers 1880, la petite entreprise clermontoise dont héritent André et Édouard Michelin. Les deux frères saisissent vite le potentiel des nouveaux moyens de transport. L'invention du pneumatique démontable pour la bicyclette est leur première réussite. Mais c'est avec l'automobile qu'ils donnent la pleine mesure de leur créativité. Tout au long du 20e s., Michelin n'a cessé d'innover pour créer des pneumatiques plus fiables et plus performants, du poids lourd à la F 1, en passant par le métro et l'avion.

Très tôt, Michelin propose à ses clients des outils et des services destinés à faciliter leurs déplacements, à les rendre plus agréables… et plus fréquents. Dès 1900, le Guide Michelin fournit aux chauffeurs tous les renseignements utiles pour entretenir leur automobile, trouver où se loger et se restaurer. Il deviendra la référence en matière de gastronomie. Parallèlement, le Bureau des itinéraires offre aux voyageurs conseils et itinéraires personnalisés.

En 1910, la première collection de cartes routières remporte un succès immédiat ! En 1926, un premier guide régional invite à découvrir les plus beaux sites de Bretagne. Bientôt, chaque région de France a son Guide Vert. La collection s'ouvre ensuite à des destinations plus lointaines (de New York en 1968… à Taïwan en 2011).

Au 21e s., avec l'essor du numérique, le défi se poursuit pour les cartes et guides Michelin qui continuent d'accompagner le pneumatique. Aujourd'hui comme hier, la mission de Michelin reste l'aide à la mobilité, au service des voyageurs.

MICHELIN AUJOURD'HUI

N°1 MONDIAL DES PNEUMATIQUES

- 70 sites de production dans 18 pays
- 111 000 employés de toutes cultures, sur tous les continents
- 6 000 personnes dans les centres de Recherche & Développement

Avancer
monde où la

Mieux avancer, c'est d'abord innover pour mettre au point des pneus qui freinent plus court et offrent une meilleure adhérence, quel que soit l'état de la route.

LA JUSTE PRESSION

BONNE PRESSION

- Sécurité
- Longévité
- Consommation de carburant optimale

-0,5 bar

- Durée de vie des pneus réduite de 20% (- 8 000 km)

-1 bar

- Risque d'éclatement
- Hausse de la consommation de carburant
- Distance de freinage augmentée sur sol mouillé

ensemble vers un mobilité est plus sûre

C'est aussi aider les automobilistes à prendre soin de leur sécurité et de leurs pneus. Pour cela, Michelin organise partout dans le monde des opérations **Faites le plein d'air** pour rappeler à tous que la juste pression, c'est vital.

L'USURE

COMMENT DETECTER L'USURE

La profondeur minimale des sculptures est fixée par la loi à 1,6 mm.

Les manufacturiers ont muni les pneus d'indicateurs d'usure.

Ce sont de petits pains de gomme moulés au fond des sculptures et d'une hauteur de 1,6 mm.

Les pneumatiques constituent le seul point de contact entre le véhicule et la route.

Ci-dessous, la zone de contact réelle photographiée.

PNEU NEUF

PNEU USÉ
(1,6 mm de sculpture)

Au-dessous de cette valeur, les pneus sont considérés comme lisses et dangereux sur chaussée mouillée.

Mieux avancer,
c'est développer une mobilité durable

Chaque jour, Michelin innove pour diviser par deux d'ici à 2050 la quantité de matières premières utilisée dans la fabrication des pneumatiques, et développe dans ses usines les énergies renouvelables. La conception des pneus MICHELIN permet déjà d'économiser des milliards de litres de carburant, et donc des milliards de tonnes de CO_2.

De même, Michelin choisit d'imprimer ses cartes et guides sur des «papiers issus de forêts gérées durablement». L'obtention de la certification ISO14001 atteste de son plein engagement dans une éco-conception au quotidien.

Un engagement que Michelin confirme en diversifiant ses supports de publication et en proposant des solutions numériques pour trouver plus facilement son chemin, dépenser moins de carburant.... et profiter de ses voyages !

Parce que, comme vous, Michelin s'engage dans la préservation de notre planète.

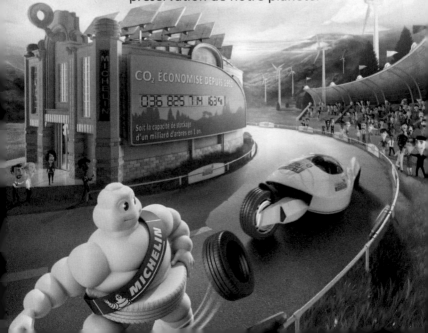

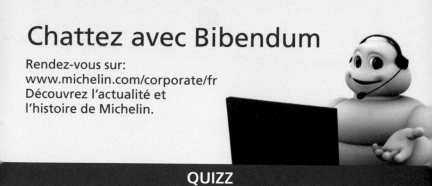

Chattez avec Bibendum

Rendez-vous sur:
www.michelin.com/corporate/fr
Découvrez l'actualité et
l'histoire de Michelin.

QUIZZ

Michelin développe des pneumatiques pour tous les types de véhicules. Amusez-vous à identifier le bon pneu...

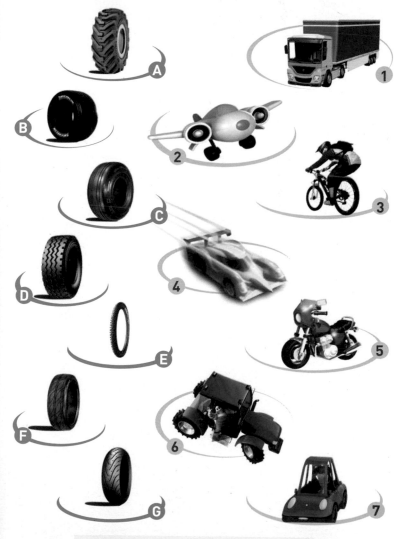

Notes

Manufacture française des pneumatiques Michelin
Société en commandite par actions au capital de 504 000 004 EUR
Place des Carmes-Déchaux - 63000 Clermont-Ferrand (France)
R.C.S. Clermont-Fd B 855 200 507

© Michelin, Propriétaires-éditeurs
Dépôt légal : 08 2011 – ISSN 0293-9436
Imprimeur : Chirat, St-Just-La-Pendue - N° 201107.0080
Imprimé en France : 08 2011
Sur du papier issu de forêts gérées durablement